編集復刻版

木村 淳 編・解説

明治漢文教科書集成

第11巻

補集Ⅱ 模索期の教科書編①

不二出版

〈復刻にあたって〉

一、左記資料は国立教育政策研究所教育図書館所蔵を底本とさせていただきました。記して感謝申し上げます。

資料1『中等漢文』巻1・4・5、資料2『中等漢文読本』巻2・5・7・8、資料3『中等教科漢文読本』巻2〜9、資料4『訂正中学漢文読本』巻1・2・3・5、資料5『漢文読本』巻2、資料6『新撰漢文読本』巻3・4

一、収録した資料は適宜縮小し、四面付としました。

一、原本の表紙は収録しませんでした。

一、原本の白頁は適宜割愛しました。

一、印刷不明瞭な箇所がありますが、原本の状態によるものです。

（不二出版）

〈補集Ⅱ　模索期の教科書編　収録資料〉

山本廉編

中等漢文

東京　吉川半七藏版

凡例

一本書は尋常中學校の漢文教科書に充つるを以て目的とす故に全部を分ちて五巻とし毎巻を又分ちて上中下の三編とす一編を一學期に一巻を一學年に課せむとして紙數をも略定せり

一材料の撰擇は既に生徒の知得したる歴史上の事實より苟も名教に稗益ある者を主とし地理博物に關する各種の文章に及びたり

一明治征清の役に關する編者の文は確實なる紀事に據りて漢譯せり行文拙劣能く其の眞象を見す能はずと雖も猶ほ將卒の忠勇義烈なる一斑を見るに足らむか

一巻の一二は主として邦人の文を撰び巻の三よりは主として漢人の文を採り又學期學年の進むに隨ひて難易の順序をも次第せり

一凡漢文に傍訓を附するは固より國語法に合するを要すと雖も强ひて拘泥せず國語法に反せざる限り普通の讀方に從ひたり蓋し漢文は自ら漢文の讀方あればなり

一巻の一二は左右に訓點を附し巻の三は左點をのみ巻の四五は句讀點をのみ附せり畢竟漢文に傍訓を附するは初學を導きて終に白文を讀み得せしむる方便なれば前に詳にして後にはこれを略せしなり

一一章を數節に分てるは教課の便宜を計りてなり必しも段落に關するにあらず

明治三十年三月

編者誌

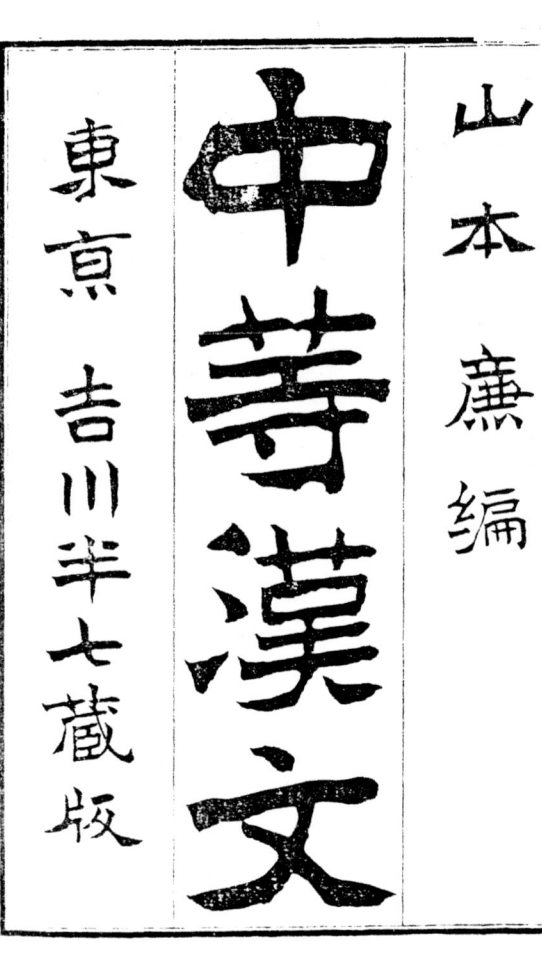

中等漢文卷之壹上

山本廉 編

第一 神武申孝

青山延光

神武天皇元年春正月。帝即位。建神籬祭八神。四年春二月甲申。詔曰。我皇祖之靈也。自天降鑒。光助朕躬。今諸虜已平。海內無事。可以郊祀天神用申大孝。乃作畤於鳥見山。祭皇祖天神。

第二 播殖穀麻

青山延光

神武天皇元年。帝既定中洲。遣天富命率日鷲命孫求肥饒地。種穀麻於阿波。天富命更求沃壤。率阿波齋部往東國。播殖穀麻。宜麻者謂之總國。宜穀者謂之結城郡。阿波齋部所居。謂之安房郡。

第三 家給人足

青山延光

崇神天皇十二年春三月。帝以海內已安。始校人民。更課調役。是謂男之弭調。女之手末調。於是神祇和享。風雨順時。百穀用成。家給人足。天下太平矣。

第四 多開池溝

山縣禎

崇神天皇六十二年秋七月。詔曰。農天下之大本也。民所恃以生也。今河內狹山埴田水少。是以其國百姓怠於農事。其多開池溝。以寬民業。

第五 道首名

星野恒

筑後守道首名。少治律令。曉習吏事。和銅末。爲筑後守。兼治肥後。勸勵生業。教督耕種。自糞田治圃。至畜馬牛雞豚。曲盡事宜。又築陂池。以廣灌漑。民蒙其利。故言吏事者。皆以爲稱首。

第六 農功 要言類纂

農者所以奉天意盡地力而阜成萬物也。審氣候。辨土性。多蒔糞苴。首察日用諸物多利益者。專心從事於此。久之毋怠。則必有得效之時矣。

第七 喩言

依田百川

西國有一農夫。平生力耕稼。自云累萬金。不示其所藏也。疾病。諸子環跪乞言。農曰。余嘗窖於田畝。深廣各數千尺。我死矣。兒輩往取之。勿爲他人有也。言終歿。諸子爭往。鋤犂交遍千畝之地。發掘而盡。遂不知其所在。而耕耘有効。稼穡繁茂。其收獲過平日。諸子乃悟曰。田畝之藏果是矣。語曰。可自食其力。不可坐食其金。食力無已時。食金當有盡。

第八 文教始興

青山延光

應神天皇十五年秋八月。百濟遣阿直岐。貢良馬。阿直岐有文學。太子菟道稚郎子從而學焉。帝問阿直岐曰。汝國博士有賢於汝者乎。曰。有王仁者。一國之秀也。帝遣荒田別。徵王仁。十六年春二月。王仁來朝。獻論語十卷千字文一卷。文教之興。始此。

第九 天智中興

星野恒

天皇好學。能文。明習治體。興學校。制典禮。革遺長沿襲之弊。定司

牧考課之制。大化之治。悉出於其規畫。嘗命群臣。撰令二十二卷。謂之近江朝令。是後寧樂平安之有善政。蓋皆近江朝廷之餘烈也。天安中。置十陵。隨世數遞除。以天皇爲中興之祖。百世不除云。

第十　奬勵學生　　星野恒

聖武天皇天平二年春三月。大政官奏。大學生徒學業庸淺。不能成達。實由窮困乏於資給。請選性識聰慧藝業優長者。給衣食。以勸誘之。又諸蕃異域。風俗不同。若無譯語。難以通事。令粟田馬養。播磨乙安等。各教弟子。專習漢語。並許之。

第十一　學校本旨　　貝原篤信

天下不可一日而無義理。無義理則人道廢矣。是以國家不可一

日而無學校。無學校則義理之教不興。人倫之道不明。故曰。飽食暖衣。逸居無教。則近於禽獸。

第十二　學　要言類纂

讀書固學也。不讀書亦學也。讀書之爲學。人皆知之。至於不讀書之爲學。人多未知之。苟一心鄉道。不爲外物所誘。則起居動息應事接物。莫非進學之地也。

第十三　紀德民　　石川義形

紀德民幼好讀書。誦讀既遍。歲十七而請游學於京師。單身趣之。與伊勢人北畠世規者。同舍僑居。垢衣弊帶。食糲噉蔬。務儉費用。先是父正長爲之與金五十圓。使適其用。在於京一年。費散十圓。以其餘購得書數百卷。及歸期。䭾兩馬而還鄉里。皆以美談之。其後遊長崎。學支那音。居三年而聞母疾。即日治裝東歸。人稱其篤於孝道。

第十四　膳臣巴提使　　巖垣松苗

欽明天皇六年春。遣膳臣巴提使於百濟。至冬而還。巴提使之在高麗也。一夕大雪。失其幼子。見戶外有虎跡。跡而至虎穴。虎張口來噬。巴提使左手執虎舌。右手拔刀。刺殺之。乃持其皮進獻。

第十五　調伊企難　　星野恒

欽明天皇二十三年春。新羅滅任那。毀我官府。秋七月。新羅貢調使至。拘留之。遣大將軍紀男麻呂副將河邊瓊缶。分道討新羅。新

羅拒戰。男麻呂擊破之。瓊缶輕進失利。爲虜所擒。將士多沒。調伊企難亦被執。虜脅降。不屈。虜拔刀逼伊企難曰。汝須言日本將啖我臀肉。伊企難大呼曰。新羅王啖我臀肉。虜遂併其子舅子殺之。

第十六　上毛野形名妻　　巖垣松苗

舒明天皇元年。蝦夷叛。以大仁上毛野形名爲將軍。討平之。初形名戰軍敗。入保壘。爲夷所圍。衆多潰散。形名不知所爲。將踰壁遁。其妻諫止之。乃斟酒飲之。而佩夫之劍。使數十婢鳴弦以助兵勢。夷以爲壁中卒猶多。不近攻之。於是散卒又聚。因擊大破蝦夷。遂撫綏東陲。

第十七　戰死喇叭卒　　山本廉

成歡之役、兩軍砲聲相交。及漸接近、我軍揮銃突進。喇叭手頻奏進軍譜。忽有銃丸洞白神源次郎胸。源倒。鮮血淋漓。無毫屈色。喨々吹奏不止。然創劇氣息奄々。其聲斷續。聲終絕。命亦絕。諸將稱其勇剛義烈。深哀惜焉。官齎其遺髮、歸葬備中淺口郡船穗村。會葬者四百餘人。莫不感慨流涕者焉。

第十八　小野口德次破永安門　　山本　廉

征淸之役、我軍之攻金州城也、城壁數十尋。門扉以鐵板製之。堅牢不可破。敵自牆眼發射彈丸如雨。我軍甚難。工兵小野口德次冒之挺進。彈中臂。鮮血淋漓。不敢屈。竟至永安門下、裝爆裂藥而還。還數十步、轟然門崩。聲震于天地。我軍乘之吶喊、從橫射擊。敵兵辟易。或走或捕。城輙陷。小野口者、下野那須郡羽黑人也。體幹長大、膂力過人。資性剛毅。而事親孝、與人信。自入兵營、一年間、贈二親書凡百八十三通。贈鄕友書亦極多矣。是可見其至誠篤情也。

第十九　石勝三兒　　大槻淸崇

養老四年、漆部司令史文部石勝有罪。與秦犬麿並處流竄。其三兒祖父丸十二歲、安頭丸九歲、乙丸七歲。同詣官、冐死伏請。冀兄弟三人沒爲官奴、以贖父罪。帝感其孝思、特命免石勝。

第廿　下毛野公助　　大槻淸崇

下毛野公助、父武則播政兼家隨身也。公助從父賭射於右近馬

塲。不勝。武則大怒、撻之。衆人中、公助伏而受其杖。武則怒解而去。或謂公助曰、子盍逃焉。公助曰、吾父老而足弱。我走、父必追之。追而顚躓、或有損傷、是重吾罪也。是以不避。聞者感動。竟以孝行著。

第廿一　羽書　　巖垣松苗

敏達天皇元年、高麗遣使貢獻。其大使爲副使所殺。世傳、是時高麗上表。墨書烏羽。人莫能讀焉。王辰爾蒸而印諸帛。字形可辨。帝大嘉賞、擢爲近侍。

第廿二　倉舒稱象　蒙求

魏志、鄧哀王冲、字倉舒、武帝子。少聰察岐嶷。五六歲、有若成人之智。時孫權曾致巨象。太祖欲知其斤重。訪之群下。莫能出其理。冲曰、置象大船之上、而刻其水痕所至。稱物以載之、則校其可知矣。太祖大悅、卽施行焉。

第廿三　宇多訓誡　　石川義形

宇多天皇寬平九年、讓位於皇太子。自著書、歷擧臣庶賢否、國家得失、以爲訓誡。其略曰、明賞罰。莫惑愛憎。愼喜怒。莫形于色。莫用婦言。莫擧小人。訪治於有識。求道於六經。

第廿四　義元誡子　　石川義形

今川義元嘗作書、誡其子氏眞曰、若旣長、未棄幼志、鬪鷄走狗、文武兩廢、今而弗悛其衷、邦覆宗必矣。氏眞竟不以爲意。溺於酒色。殫極奢侈。嬖人用事。竟至於亡。

第廿五　藝侯戒諸子　　大槻清崇

元龜二年六月。藝侯元就病。將死。致諸子於前。呼取箭數條。一如其子之數。乃手自糾爲一束。極力折之。不能斷也。單抽其一條。隨折隨斷。因戒曰。兄弟猶此箭也。和則相依濟事。不和則各人各敗。汝等銘心勿忘。次子隆景進曰。夫兄弟之爭。必起於欲。棄欲思義。何不和之有。元就悅以爲然。顧餘子曰。宜從仲兄之言。

第廿六　毛利元就　　菊池純

元就。幼而警敏。有大志。嘗詣嚴嶋祉。及歸問從者曰。汝亦有祈乎。曰。然。祈郎君主安藝而已。元就曰。汝盍祈吾主天下。夫願主天下者。能主一方。願主一方者。能主一國。今願主一國矣。其所成可知已。聞者奇之。後果領十州。

第廿七　青砥藤綱　　菊池純

時賴。銳意圖治。其用人不拘門地。嘗擢青砥藤綱。藤綱微者也。時賴召見共語。大悅之。竟擢爲引付衆。有公文者。與北條氏封人爭畔而訟。衆皆畏時賴。曲公文。獨藤綱直之。公文德之。欲有所報。夜苞錢投其後圃而去。藤綱大怒曰。相模公。司天下之直。直公文。乃直相模公。公宜見報。是何所也。郵還其錢。嘗夜行。遺十錢於水中。乃買炬照水。撈之。炬直五十錢。或曰。得不償失。藤綱曰。五十錢吾失。人得。十錢雖小。誰得之者。今五十錢布在民間。彼此六十錢。終不失一錢。以益於世。其利不亦大乎。聞者歎服。

第廿八　楊震四知　蒙求

後漢。楊震。擧茂才。四遷荊州刺史。東萊太守。當之郡。道經昌邑。故所擧荊州茂才王密。爲昌邑令。謁見。至夜懷金十斤。以遺震。震曰。故人知君。君不知故人。何也。密曰。暮夜無知者。震曰。天知。神知。我知。子知。何謂無知。密愧而出。性公廉不受私謁。子孫蔬食步行。故舊或欲令爲開產業。震不肯曰。使後世稱爲淸白吏子孫。以此遺之。不亦厚乎。

第廿九　後三條禁奢　　靑山延光

延久元年三月十五日。謁石淸水宮。時風俗華侈。雖下吏。車飾以金。帝欲革其弊。是日都人士女。出觀鹵簿。車有金飾者。帝爲駐鑾輿。命盡剔去。唯乳母所乘。得請而僅免。

第卅　木丸殿　　巖垣松苗

天智天皇。弘闡皇猷。定禮正憲。嘗命群臣。撰令二十二卷。謂之近江朝。令又深愍農民辛苦。其爲儲副也。從西征。管營行宮。於筑紫朝倉山。恐疲弊庶民。務從質僕。所用材木。不剗龐皮。百姓悅服。謂之黑木御所。又謂木丸殿。言用帶皮黯黑自然圓木。爲殿材也。乃自製歌詞。後世以爲神樂曲。

第卅一　林羅山　　原善

羅山。其先加賀人。後徙紀伊。及父信時。住平安。生而秀偉。幼即嶄

學。甲斐德本過父。讀太平記。羅山時年八歲。一聞記之。即背誦者數十張。又嘗造某。許講論語集註。中脫一葉。乃操筆暗寫以補。其之一字不謬。其強識率此類也。

第卅二　林春齋　　原　善

春齋幼時羅山來江戸。春齋與母氏留居平安。於文詞師那波活所。於筆札師松永貞德。年十七始入江戸。自此趨家庭。文藝日益警拔。及其登用。初與乃父俱與造等儀之議。後數奉旨編著極夥矣。人或謂之曰。少省思慮以致攝養。春齋輒曰。武人執兵而戰。效死建功。學者讀書立言。爲隕性命。固其所望也。

第卅三　中村惕齋　　原　善

惕齋自爲童子時。厚重不好嬉戲。七八歲受句讀于鄉師。不煩督責。及長惟務篤實。不喜浮靡。先世住市中。而惕齋厭其喧囂。遷居幽地。日杜門潛心大業。諸論學談文之外。不敢爲泛交。

第卅四　伊藤仁齋　　原　善

仁齋自幼穎異挺發。異群兒。其始習句讀。時意已欲以儒焜耀于一世。及稍長堅苦自勵。而家素業賈。故親串以爲迂于利。皆沮之。曰。學問是彼邦事也。在此邦固屬無用。假令能之不易售。不如爲醫術以致生産。仁齋不從。當是時家日衰。謝沮者愈不止。而其志確乎不變。

第卅五　貝原益軒　　原　善

益軒以寛永庚午十一月十四日。生于福岡城中官舍。父利貞號寛齋。通軒岐家言。益軒自幼警敏。有殊質。九歲就兄存齋。讀書。多成暗誦。及中年入京講學。是時都下名彥。胥傾心下之。遂以博見篤學名重海内。益軒學無常師。或以爲松永昌三門人者謬矣。

第卅六　少年亢顏　　原　善

益軒嘗居東將西歸。取路于海上。同船數人。名姓不相知。雜然相向。喋々相語。中有一少年。亢顏談經。旁若無人。益軒喑無言。若無能者。既而及船達岸。各告其姓名鄉里。則少年始知爲益軒。恧然不自容。遂不陳其名。鼠竄去。

第卅七　多言　　貝原篤信

讀書錄曰。常默最妙。已心既存。而人自生敬畏。謂大凡言語尚簡要。接人則當擇言簡要。如對僮僕命令使役之外。不可多一語。古人云。寡言者存心養氣修德蓄威之助也。三緘之論。君子愼之。寡言者又當以爲免過遠罪之道。

第卅八　不忍　　貝原篤信

書曰。必有忍其乃有濟。有容德乃大。孔子曰。小不忍則亂大謀。孟子曰。動心忍性。增益其所不能。呂氏曰。忍之一字。衆妙之門。當官處事。尤是先務。若能清愼勤之外。更行一忍。何事不辨。書曰。必有忍其乃有濟。此處事之本也。諺有之曰。忍事敵災星。少陵詩云。忍過事堪喜。此皆切於事理。爲世大法。非空言也。

第卅九　張公藝　小學

張公藝。九世同居。北齊隋唐皆旌表其門。麟德中高宗封泰山。幸其宅。召見公藝。問其所以能睦族之道。請紙筆以對。乃書忍字百餘。以進其意以爲宗族所以不協。由尊長衣食或有不均。卑幼禮節。或有不備。更相責望。遂爲乖爭。苟能相與忍之。則家道雍睦矣。

第四十　張思叔　小學

張思叔座右銘曰。凡語必忠信。凡行必篤敬。飮食必愼節。字畫必楷正。容貌必端莊。衣冠必肅整。步履必安詳。居處必正靜。作事必謀始。出言必顧行。常德必固持。然諾必重應。見善如已出。見惡如已病。凡此十四者。我皆未深省。書之當坐隅。朝夕視爲警。

第四十一　暴怒　貝原篤信

凡七情之中。害德性。傷人物。損精神者。無甚於怒。學者於此尤宜加意痛抑之。勿放過。怒時不可發言。恐有過激之言。戒之。責人之辭。不可迫切激勵。事有不可。則當詳處。不可以怒敗事。書君陳曰。無忿疾于頑。明道曰。於怒時遽忘其怒。而觀理之是非。又曰。凡爲人言者。理勝則言明。氣忿則招拂。

第四十二　劉寬　小學

劉寬雖居倉卒。未嘗疾言遽色。夫人欲試寬令恚。伺當朝會裝嚴已訖。使侍婢奉肉羹。翻汚朝服。婢遽收之。寬神色不異。乃徐言曰。羹爛汝手乎。其性度如此。

第四十三　赴約　貝原篤信

凡赴人約。須要稍早先期。勿要不早不晚中好時節。若如此則不及期也多矣。且既遲怠。而遽要及時。則心頭急迫。行路早卒。逢相識。則意緒忽々。言語不能爲章。甚爲歉然。宋呂文穆公赴人飮食約。未嘗後到。曰。使主人望々然而客不至。吾不忍也。

第四十四　堅忍不拔　要言類纂

人之才稟諸天。而完成之者在我。儻天不與我以超群之資。當自強以奪天工。自古能成絕大事業者。由其志氣堅忍不拔致之。不必皆高才之士也。彼少年夙成者。固非才智長進之兆。即是後日萎靡之候耳。

第四十五　本體之樂　要言類纂

人心本安樂。視諸孩提至五六歲之時可知矣。人有苦惱。由自己迷惑致之。學問者所以去迷心。以復本體之樂也。凡人有天下。是苦天下。有國是苦國。有家是苦家。有妻子是苦妻子。有金銀貨寶。是苦金銀貨寶。耳目所觸。無是不苦。君子則唯道之聽也。於心無所不歉。

第四十六　思惟　要言類纂

遇大硬難事。不可急心剖決。姑舍之宿一夜。枕上商量一半。齋思而臥。翌日清明時。續思惟之。則必恍然將見一條路。義理自然湊泊。然後徐區處之。大概不致錯誤。

第四十七　深慮　　芳野長毅

台德公。一日召羣臣戒之曰。計事太早者。每多敗事。蓋負其才智。而不能深慮之。亦不能問人故耳。夫人事之多端。變換其難慮也。既竭心思。又問之衆。而後措之用。尙且多悔尤矣。況其不慮且問乎。汝儕能知此理。體此言。求所以寡悔尤。則善矣。若夫勇斷獨決。無敗事者。自是成德者之事。求之古人。其有幾。非汝儕之所能望也。

第四十八　秀忠舍箸　　土屋弘

德川秀忠。聞宗族功臣之喪。雖燕樂。必變容隕涕。其出行既戒駕。而止。則親而徒御祀之。嘗戒行漏刻報。則秀忠方食。舍箸而起曰。

信不可失也。

第四十九　台德公美事　　大槻淸崇

公平素未嘗履日影。夕陽入座。必避而過之。

旁好插花技。每有茶儀。自安之床。或有獻冬日牡丹。公一覽稱善。左右啓曰。盍插之瓶。公曰。此花雖美。非節序之正。所不欲賞玩也。

伏枕數旬。未嘗一朝廢梳頭。曰。雖然病矣。天下之政。不可不敬聽。豈可以蓬頭亂髮接之乎。

嘗語左右曰。人有恒言云。浮世如夢。寸步外皆闇夜矣。須及時娛樂耳。此言大謬。當云浮世既短矣。不可不加敬。敬之時不長。豈不能勉强乎。

第五十　高倉天皇　　青山延于

帝性仁孝。受學淸原賴業。才藻英發。初帝幼時。有獻楓樹者。帝極愛之。命藤原信成守之。一日仕丁將飮酒。剪枝爲薪。以煖酒。信成見而大驚。收仕丁。將實之罪。會帝使信成上其樹。信成具奏其狀。叩頭請罪。帝從容曰。唐詩有云。林間煖酒燒紅葉。誰敎仕丁作此風流。無復所問。

第五十一　至尊敬親　　山縣禎

嘉祥三年春正月。天皇朝太皇太后於冷泉院。奉太后命。階下乘輦而還。初帝每朝。必步。是日太后欲觀帝御輦之儀。帝固辭。太后不許。帝諮之左右。咸曰。唯命是從而可也。於是帝至簾前。北面而

跪。輦進。帝猶且步下殿。及階乃乘之。左右皆嘆曰。至尊敬親如此。夫孝自天子以達庶人。誠哉有淚下者。

第五十二　愛親　小學

禮記曰。孝子之有深愛者。必有和氣。有和氣者。必有愉色。有愉色者。必有婉容。孝子如執玉。如奉盈。洞々屬々然。如弗勝。如將失之。嚴威儼恪。非所以事親也。

第五十三　伯俞　小學

伯俞有過。其母笞之。泣。其母曰。他日笞子。未嘗泣。今泣何也。對曰。俞得罪。笞常痛。今母之力不能使痛。是以泣。故曰。父母怒之。不作於意。不見於色。深受其罪。使可哀憐上也。父母怒之。不作於意不

見於色。其次也。父母怒之。作於意。見於色下也。

第五十四　子路負米　蒙求

家語。仲由字子路。見孔子曰。負重涉遠。不擇地而休。家貧親老。不擇祿而仕。昔由事二親之時。常食藜藿之實。爲親負米百里之外。親沒之後。南遊於楚。從車百乘。積粟万鍾。累茵而坐。列鼎而食。願欲食藜藿爲親負米。不可得也。子曰。由也事親。可謂生事盡力。死事盡思者也。

第五十五　中將道信　大槻清崇

中將道信。九條相國爲光之子也。正曆三年。公薨。道信哀慟至切。久而不衰。將欲終三年之喪。而時制止於期。不得違衆而獨行之。

乃泣除服。自賦國歌曰。限有盤。今日脫捨都藤衣。果奈幾物者。淚奈利計里。譯曰。有制無如除服。何餘哀唯有淚滂沱。

第五十六　兄媛慕父母　大槻清崇

應神帝。幸難波居大隅宮。一日登高臺而遠望。焉妃兄媛侍坐。西望嗟嘆者久之。帝問曰。汝何嘆。兄媛泣曰。妾近日慕父母之情。戀戀不能已。願得暫歸省親。帝惻然憫之曰。汝不見二親者多年。今欲定省。於愛日之誠。理所當然。乃徵淡路水手八十人。航海送之吉備。

第五十七　山田宿禰　大槻清崇

山田宿禰古嗣。天性篤孝。廉謹寡言。幼喪母。敬事從母。嘗讀韓詩外傳。至於樹欲靜而風不止。子欲養而親不待。流涕不禁。卷帙爲之沾濡。後遭父喪。哀毀過禮。仕爲大外記。公卿薦以備顧問。古嗣好推奬文士。多見擧用。承和中。出爲阿波介。大著政績。初阿波多旱災。古嗣莅任。築塘畜水。以備漑灌。民賴其利。仁壽中卒。年五十六。

第五十八　茅容危坐　小學

茅容與等輩避雨樹下。衆皆夷踞相對。容獨危坐愈恭。郭林宗行見之。而奇其異。遂與共言。因請寓宿。旦日容殺鷄爲饌。林宗謂爲已設。既而供其母。自以草蔬與客同飯。林宗起拜之曰。卿賢乎哉。因勸令學。卒以成德。

第五十九　車胤聚螢　蒙求

晉車胤。字武子。南平人。恭勤不倦。博覽多通。家貧不常得油。夏月則練囊盛數十螢火。以照書。以夜繼日焉。桓温在荊州。辟爲從事。以辨識義理。深重之。稍遷征西長史。遂顯於朝廷。時武子與吳隱之。以寒素博學。知名于世。

第六十　匡衡鑿壁　蒙求

前漢匡衡。字稚圭。東海承人。父世農夫。至衡好學。家貧傭作以供資用。尤精力過絕人。諸儒爲之語曰。無說詩。匡鼎來。匡說詩。解人頤。射策甲科。元帝時爲丞相。西京雜記曰。衡勤學無燭。隣舍有燭而不逮。衡乃穿壁引其光而讀之。邑大姓文不識。名家富多書。衡

乃與其客作而不求償願得書遍讀之主人感歎資給以書遂成大學。

第六十一　孟母三遷　小學

孟軻之母其舍近墓孟子之少也嬉戲爲墓間之事踊躍築埋孟母曰此非所以居子也乃去舍市其嬉戲爲賈衒孟母曰此非所以居子也乃徙舍學宮之旁其嬉戲乃設俎豆揖讓進退孟母曰此眞可以居子矣遂居之孟子幼時問東家殺豬何爲母曰欲啖汝既而悔曰吾聞古有胎教今適有知而欺之是教之不信乃買豬肉以食之既長就學遂成大儒。

第六十二　叔敖陰德　蒙求

賈誼新書曰孫叔敖爲嬰兒出遊而還憂而不食其母問其故泣而對曰今日吾見兩頭蛇恐去死無日矣母曰今蛇安在曰吾聞見兩頭蛇者死吾恐他人又見已埋之矣母曰無憂汝不死吾聞之有陰德者天報以福人聞之皆喻其爲仁也及爲令尹未治而國人信之。

第六十三　嘉明毀器　土屋弘

加藤嘉明待諸臣恩威兼洽嘗好聚舶載甆器家有青甆碟子十枚嘉明最愛之一日侍臣某誤墜之地破其一枚侍臣恐惶待罪嘉明聞之如有所思乃召侍臣曰汝勿恐我豈以小過棄一士耶因呼取其餘九枚盡毀之曰汝等勿謬以我爲洩憤吾有所大悟也蓋自此不復愛奇物。

第六十四　政宗寛容　土屋弘

伊達政宗晩留意民事待下以寛屢託田獵問民間疾苦察吏胥勤惰嘗曰國之設監察本要知臣下善惡以賞罰之今也徒以鈎訐摘發爲能事未聞擧一善人是豈可謂盡其職哉其下犯小過微罪者大率被寛容由是人々樂爲之用云。

第六十五　時賴巡國　土屋弘

北條時賴陽爲遊僧周巡諸國訪民疾苦行抵攝津難波浦日晩投宿屋壁傾頽有老尼獨居詰朝躬親爨炊進飯時賴視尼不慣賤役怪而問之尼潸焉垂涕曰我家世食斯邑不幸門戸殄瘁遂

爲人所矯奪孤栖貧困無路依訴時賴審其言暨歸復其舊邑自餘所歷之地察問辨知隨其善惡以行賞罰不可枚擧也繇是郡國守宰人自修飭風化歸淳。

第六十六　賴宣攬涕　土屋弘

大坂之役德川賴宣自後軍馳見諸軍輜重屬途爭進曰是軍既捷將舍也已而天主閣煙擧賴宣咄嗟而馳至茶臼山則諸將賀者大聚賴宣攬涕曰大人置兒後軍使不及事松平正綱曰郎君年僅十四前途修遠不患不建功賴宣變色曰吾復有十四歲乎東照曰女此言足以當首功也。

第六十七　大助倉外　土屋弘

大坂之役。城兵大敗。秀頼乃自觀月樓徙入園莊倉中。眞田幸村子大助隨其所之。衆諭之曰。舊臣且有逃者。子客將之子。盍出走。對曰。我父命吾。必與右府偕死。終就倉外。藉藁而坐。不食者一晝夜。俟秀頼死。乃自殺。時年僅十六。

第六十八　康政牌書　　芳野長毅

小牧之役。榊原康政大書牌子曰。秀吉負君恩。寇其子。惡逆無比。建之數所。豊公見之切齒勃怒。令曰。能獻康政首者。賞以十万石。後東西講和。且約婚姻。及納采也。曰。請必使康政。康政上謁。豊公訴然曰。昔汝辱吾。吾欲獲汝元。而甘心焉。今已平。深嘉汝壯志。以故迎汝耳。乃奏任式部少輔。厚禮而還之。時人以爲榮。

第六十九　貞次之母　　大槻清崇

吉田之役。蜂谷半之丞貞次初心期一番鎗。聞其爲人所先。不悅。乃付槍於從者。更提大刀而進。敵士河井太郎以銃輅之。蜂谷揮大刀。截其銃口。河井跪狙擊。丸洞蜂谷胸而死。從者馳歸。其母迎之門。問狀。從者曰。郎君戰死矣。母曰。死不待言。妾問其所以死之狀。曰。面敵而死。母喜曰。善。妾聞之足矣。走入室。伏地號哭。

第七十　陵母伏劍　蒙求

前漢王陵沛人。高祖起。陵亦聚黨數千人。及高祖擊項羽。廼以兵屬漢。羽取陵母置軍中。陵使至。則東向坐陵母。以招陵。陵母私送使者。泣曰。爲妾語陵。善事漢王。漢王長者。毋以老妾故持二心。妾以死送使者。遂伏劍而死。

第七十一　時平笑疾　　青山延光

醍醐天皇昌泰二年春二月戊寅。大納言藤原時平爲左大臣。權大納言菅原道眞爲右大臣。道眞累表固辭。不許。道眞寵眷益隆。禁中宴每預焉。時平年少氣鋭。任情自用。裁決多失當者。道眞不欲。每事立異。常竊嘆之。時平嘗視事。意氣甚峻厲。道眞有憂色。有史謂道眞曰。僕有計。今日使公代判。乃捧文書而進。佯失儀容。時平有笑疾。見之大笑。不能自已。使道眞代視事。

第七十二　大窪佳謔　　大槻清崇

幕府有饗禮。進鶴羹。適大窪彦左謁焉。照公命賜之羹。彦左退坐

外廳。換幾椀喫之。復入謝曰。小人飽嘗君之羹。爲賜多矣。然臣家亦自不少此物。公曰。汝薄祿之家。安得有之。彦左曰。且勿疑。臣將以明日獻之。翌日盛靑菘於白板盤。堆積如山。自捧以獻焉。曰。昨日所賜。臣即此是也。但此物臣家呼做菘。君之朝則特謂之鶴耳。公笑而納之。乃命左右讓厨人。

第七十三　本多重次　　大槻清崇

本多作左衞門重次爲人粗豪太簡。其進言於君。不避廣衆。照公愛重之。及擢爲奉行。與高力天野等並職國政。諸臣竊謂。此一擧明公亦失鑒矣。作左豈爲人上之器哉。既而政令簡明。府無滯事。國內大治。輿人誦之曰。佛高力。鬼作左。彼此無偏是天野。作左在

家猶在官。凡事貴簡。不屑煩碎。嘗在外贈書於妻曰。寄一筆。愼於火。阿仙不可痒。馬可肥。阿仙其少女名也。

第七十四　不攝生　　貝原篤信

身者父母之遺體也。不敢敬乎。不能謹疾而至傷生者。不孝之甚也。且自暴其天物也。須常以攝生爲心。不可忽之。昔人曰。保養縦慾。是人鬼關。然則攝生之理。豈在他哉。亦在寡慾節情而已。故程子以爲攝生之道。唯在節嗜慾定心氣。以口腹耳目之慾。害其身體。豈非迷之甚乎。學者須省察之。語曰。子之所愼齋戰疾。朱子曰疾。又吾身之所以死生存亡者。不可以不謹也。呂東萊曰。養生養心同一法也。

第七十五　居室　要言類纂

居室貴鄕陽。不宜陰欝。必要潔淸不汚。戸隙之風害人。宜謹塞之。濕氣害人。遲而漸深。久而無愈。如諸般脚氣。皆由濕氣致之。山岸近旁。土淺水近。及牀矮。皆勿坐臥。床下壁當開窓通氣。壁新塗者。謹勿近之。受病難愈。或致疾疫。

第七十六　飮食　要言類纂

百病以宿食爲根。蓋病從口而入。誠以飮食固養生之資。而亦傷身之物也。脾胃喜淸虛。宜使之常無積滯。眞氣常舒。若任意恣食甘脆肥濃燒煿煎炒之物。或食生冷難化之物。則諸症蜂起。雖有良醫。未如之何。故人之養生。當以節飮食調脾胃爲第一義。

第七十七　蕎麥麵　　林恕

近歳多嗜蕎麥麵者。盛器成堆。放飯流歠。張口脹臉。滿腹捧喉。更十餘椀。果然不厭。非消麵蟲。則不及此乎。蓋是田舍野人之食也。然侯伯之席。文雅之筵。往往以是爲頓點。流俗之化。無奈之何。煙酒之行。既五十餘年。蕎麵之行。殆三十年。共是雖無益於人。亦無害者必矣。

第七十八　七兵衛妻　　飯田忠彦

京師東嶽上樵夫七兵衛。一日入山伐木。歸期後於平日。其妻出迎之。往至一崖下。有一柴荷及杖耳。而無其人。仰見崖頭。巨蛇低首。形似充飢。妻謂此必我夫讐也。疾走把鎌來。而向之。蛇乃一吸

呑妻。妻在蛇腹。握鎌截裂。自腮至腹下。七兵衛果在腹中。並墜地而免。直肩負之歸家。幸而未死。治療歷數旬。而得瘳。鬚髮悉脫落。不復生。衆目呼藥罐七兵衛。遂罷樵而事耕耘而終。

第七十九　義宗妻盧氏　小學

唐鄭義宗妻盧氏。略涉書史。事舅姑甚得婦道。嘗夜有強盜數十。持杖鼓譟。踰垣而入。家人悉奔竄。唯有姑自在室。盧冒白刃往至姑側。爲賊捶擊幾死。賊去後。家人問何獨不懼。盧氏曰。人所以異於禽獸者。以其有仁義也。鄰里有急。尚相赴救。況在於姑而可委棄乎。若萬一危禍。豈宜獨生。

第八十　安詳恭敬　小學

横渠張先生曰教小兒先要安詳恭敬今世學不講男女從幼便驕惰壞了到長益凶狠只爲未嘗爲子弟之事則於其親已有物我不肯屈下病根常在又隨所居而長至死只依舊爲子弟則不能安灑掃應對接朋友則不能下朋友有官長則不能下官長爲宰相則不能下天下之賢甚則至於徇私意義理都喪也只爲病根不去隨所居所接而長

第八十一　王覽友弟　蒙求

晉王覽字玄通母朱遇兄祥無道覽年數歲見祥被楚撻輒涕泣抱持每諫其母母少止凶虐朱屢以非理使祥覽輒與俱又虐使祥妻覽妻亦趨而共之朱患之乃止祥喪父後漸有時譽朱深疾

之密使酖祥覽知之徑起取酒祥疑其有毒爭而不與朱遽奪反之自後朱賜祥饌覽輒先嘗覽孝友恭恪名亞於祥仕至光祿大夫門施行馬

第八十二　舞女微妙　大槻清崇

舞女微妙本良家子建仁中僑寓鎌倉將軍頼家觀其舞於比企能員第態度妙絶拍掌歎賞能員謂將軍曰此女遠至自京師必有所請於幕府將軍乃親問之微妙泣曰妾父右兵衛爲成遭讒放於奧州妾母病之以死妾時僅七歲零丁孤苦稍長思慕之情益切而罔知父存亡因思若學歌舞以買人愛憐或得由以通信於父今幸承温問伏願賜哀恤焉將軍乃遣使奧州爲捜訪之使者反命曰爲成既死于徙所微妙聞之慟哭絶地即日入壽福寺剃髪爲尼改名持蓮終身誦經以祈父冥福

第八十三　鈴木宇右衛門妻　飯田忠彥

出羽鶴岡鈴木氏妻當天明卯年凶饑出多年所儲愛衣帶梳笄盡沽卻將救饑人鈴木氏制止妻曰凡人命者亘換衣服髪飾竟售了換錢救人者多

第八十四　義農救飢　小笠原勝修

寛保二年八月畿内東海東山北陸大水人多溺死相模久下戸村有荻生正卿漕輓米穀與被水災者載疲者數百人歸請父曰大人之節儉正爲今日也願賑濟之飢民聞之奔波塡途穀盡乃

馳人於四方買米及大豆給之金又盡以田爲質以繼之自十月至明年四月所活數百人幕府賞賜錢帛旌表門閭

第八十五　吉田雨岡　依田百川

吉田雨岡江戸人爲人明敏精練吏務明和中幕議議架橋淺草川皆曰水底多巨石無以置柱即樹之其費甚洪遂不果安永初雨岡管工事令善游者入水營作橋乃成因課人橋税二文錢後修造用材頗鉅皆籍以資給不費官庫一錢公私便之即今吾妻橋也天明丙午關東洪水河亦大漲橋將壞矣雨岡見之曰尚可救也因命斷其間數丈以殺水勢橋得以完人稱其機警

第八十六　伊達治左　石川義形

伊達治左衛門出雲松江城主堀尾家臣也父母年老恒在堂治左出入告面之朝夕定省之無敢廢闕父母饌非甘毳不樂治左時雖薄俸必進鮮醲不計家之有無朝夕孜々親執刀俎每買肴必問割烹如何父曰爲鱠母曰作羹所命常異治左皆如其命父母或欲來於己室則先厚設飲食然後升堂請曰大人試見我壯健乃負父下堂於母亦然遂使父母終身無憚己勞之念公聞深嘉之因屢賜珍味使供父母士庶皆曰國中非無孝子唯無伊達矣

第八十七　曾我兄弟　大槻清崇

曾我十郎五郎河津祐泰二子也祐泰爲工藤祐經所殺二子衰

於曾我氏時十郎五歲五郎三歲母撫兩孤曰汝等成長能報父讎乎十郎泣曰兒等成長必能斬讎頭耳稍長嬉戲每以擊刺爲事當此之時源右將頼朝管轄天下兵馬祐經特見親信建久四年夏頼朝獵於富士野祐經從焉祐成時致大喜曰天也遂往富士野行營直入祐經臥所是夜祐經招倡妓大醉酣寢兄弟蹴席呼曰祐成時致爲父報讎盍起敵之祐經驚覺矯首則兄弟揮刀交下遂殺之時祐成二十二時致二十

第八十八　日野阿新　大槻清崇

後醍醐帝將征鎌倉日野資朝與謀爲事泄北條氏怒竄資朝於佐渡使州牧本間氏就殺之阿新時年十二與母居洛西聞之不勝哀痛欲與父同死請之母乃從一力間關至敦賀託商船達佐渡至本間氏請一見父不許元德二年資朝遂殺於貶所本間族三郎斬之也本間氏乃火化之收骨授阿新阿新攀慕怨號曰噫本間氏使我不得見父於生前此怨不可不報遂候深夜入臥內無得也旁見三郎臥云是亦讎也抽刀刺之走出而門閭池邊多竹阿新攀其一竿則竹自偃過池上遂達海濱追者百餘人至則船已遠去

第八十九　獅識奴　依田百川

羅馬都會圈養猛獸者以千數而其最猙獰者爲獅有一鐵檻畜之吼聲一震百獸皆伏嘗有奴安都鹿格斐謀逃脫主怒投之檻

中以飼獅觀者如堵忽見獅瞋目疾視張爪而進既屹立不動若有所思忽搖尾帖耳稍近奴四周齅之齅畢舌舐其手奴始面無人色及見獅無害意茫然熟視若遇舊識謝其錯記者又若曰不圖邂逅於此者於是觀者魂迷神駭若醉若痴不覺大呼

羅馬主適過奇之召奴問其故奴對曰奴昔從主於亞弗利加不堪苦役逃入山中巖洞窅冥忽聞獅吼聲奴自分必死獅見奴至舉其蹠如示奴者奴諦視之則刺在焉蓋棘芒也乃爲拔去拭其血既而獅橫脚臥奴乃手撫摩之未久痛已獅色喜去啣一鹿脚餉奴奴生啖之得無死起臥洞中十餘日與獅別去入都邑爲主所縛在獄數歲及入檻見之則奴嘗爲拔刺者也不知彼何時見

鑽在此。衆聞之、皆嘉其義、爭請宥奴罪。帝乃命其主放之、賜以獅。奴喜躍拜謝、牽獅去。馴伏如家狗。觀者以食飼之、或與以錢物。奴因以致富云。

第九十　祐清重恩　　土屋弘

平維盛與源頼朝戰、大敗、還。伊藤祐親欲從奔、爲天野遠景所捕、囚于三浦氏。初頼朝之流伊豆也、寄伊藤祐親家、以事相惡。遂欲殺頼朝。祐親子祐清密告之頼朝。頼朝因得免。於是頼朝召祐清、欲報其德。祐清固辭、以嘗受平氏厚恩、請去從之。頼朝義而許之。

第九十一　宗清西行　　土屋弘

平氏西奔也、三位頼盛在京師。頼朝以書召之、且曰、攜宗清盍來。平治之亂、宗清生獲頼朝。當斬、既而憫之、因池尼請、遂得宥死。池尼頼盛母也。至是頼盛即東行。宗清不肯從、曰、臣非不辨禍福。獨不愧西海諸公舊僚乎。乃送頼盛至近江、辭而西焉。

第九十二　忠光絶食　　土屋弘

藤原忠光事平氏。及平氏滅、忠光欲報讎。會鎌倉有土木事。源頼朝莅焉。忠光嵌魚鱗于眼、陽爲眇、雜役徒、竊謀頼朝。頼朝見而怪、執之。懷匕首。曰、平氏臣忠光。謀爲故主報讎。乃囚於和田義盛家。忠光絶食、月餘死。

第九十三　坐中失笑　　土屋弘

長尾某稱隼人、仕福島正則。以勇稱。關原大捷後、德川家康召諸

侯家臣有戰功者、賜盃。隼人與同列尾關石見、福島丹波同進。隼人缺唇、其二人則跛與瞎也。坐中皆掩口而失笑。既退、家康叱左右曰、彼等皆以功名著。可謂佳士。汝等安得以其貌嗤之哉。左右皆有慙色。

第九十四　將門出將　　中井積善

世傳、大君之拘于尾、或彩籠閉小禽以獻焉。巧爲百鳥聲。大君辭而卻之。左右請其故。大君曰、吾聞之、小巧者無大智。多藝者無逸技。此禽好傚他聲、必不能自鳴者、不足賞也。聞者吐舌。

及在駿、其俗以端午作石戰戲。觀者分黨助勢。大君甫十歲。騎奴肩觀之。一隊三百餘人、其一半之。人爭赴衆。大君命奴就寡。奴異而問之。大君曰、衆者恃勢、其心不一。寡者懼而專力。其勝必矣。果如其言。駿侯聞之嘆曰、將門出將、猶信。

第九十五　大高納糧　　菊池純

義元有西上之志。織田信長聞之、修鷲津丸根諸城、分兵守之。義元聞大高糧竭、使德川家康納糧焉。而城左右皆敵寨。衆難之。家康時年十八。以千騎護運而往。値信長在鳴海、使杉浦勝吉等候視之。勝吉曰、彼不下山。是不欲戰也。家康乃分兵爲向寺部梅坪。縱火邑里。鷲津丸根兵望烟馳援。家康則以麾下八百、爲三隊、納糧大高、收兵而還。信長視我陣整、不敢犯。

第九十六　照祖下床　　芳野長毅

甲府已陷。尾人獲勝頼。元上之右府。右府罵曰。汝之父。無禮無義。無復人理。天之所罰。豈可逭。殄滅固其宜。我聞之。汝父欲豎旗京師。齎志而死。今將梟汝之元于京畿。俾如其本志焉。宜見其壯麗。以告汝之父於泉下。以杖撃之一再。又致之照祖。照祖下床正襟言曰。君年壯氣鋭。而無良臣夾輔之。終墜父祖之業。悲哉。愴然者久之。聞者服其德云。

第九十七　晴信拔海野口城　菊池純

武田信虎。出兵信濃。攻海野口城。城主平賀源心善戰。信虎以兵八千攻之。踰月不能拔。會大雪。時已窮臘。信虎解圍而去。其子晴信請自殿。信虎不許。晴信固請。以兵三百殿。後大軍數里止舍。五

更即發。徑襲敵城。源心已散遣其兵。守兵甚少。倉黃狼狽。不戰而潰。乃斬源心。以其首歸獻。一軍大驚。信虎不懌曰。舍城而歸怯也。諸將始服其智勇。

第九十八　山本晴行　菊池純

晴行稱勘助。三河人。眇目痿躄。嘗學兵於尾形某。以干今川氏駿河。舊臣皆侮易之。義元不奇也。勘助寄食數年。板垣信形聞其名。薦之晴信。晴信召見與語。大悦之。即日與二百貫邑。居數年。從晴信攻戸石城。村上義清將兵來援。我先鋒諸將皆敗死。軍將潰。晴行說曰。敵鋒不可遏。使之右顧則克。晴信曰。我兵且不從令。曷能使敵如我意。晴行請假後隊兵。左旋而出。義清軍右顧。晴信軍氣復振。進擊破之。晴行以功食八百貫邑。乃往駿河。謝前嗤笑者。交口稱譽。義元悔之。

中等漢文卷之壹上終

中等漢文卷之壹中

山本廉編

第一　東京

大槻如電

明治元年七月。詔曰。朕今親裁萬機。綏撫億兆。江戸東國大鎭。四方輻湊之地。宜親臨以視其政。自今以江戸爲東京。是朕所以海內一家。同視東西也。

京之爲地。西北高陵。東南平衍。帶大河。枕內海。戸口百萬。通計其街衢。則及二百里程之遠。云市分爲十五區。

宮城在京之正中。其周郭內。曰麴町區。郭東曰日本橋。以南爲京橋。爲芝。以北爲神田。爲下谷。大路貫通五區。廛肆綿亘數里。下谷

有上野公園。其東沿隅田川處。曰淺草。此區亦有公園。河東分本所深川兩區。此水昔時爲武總國界。故中央大橋。曰兩國橋。

芝浦沿海濱。鐵道敷焉。公園設焉。區西爲麻布赤坂兩區。而北曰四谷。曰牛込。曰小石川。曰本鄉。麻布以下六區。通稱山手。即高陵之謂也。

天正十八年八月朔。德川家康始鎭江戸城。其後十四年。開幕府。傳十五世二百六十餘年。而廢宮城。實爲其西城之墟。當幕府盛時。海內侯伯皆置邸第。重門連甍。及陞爲帝京。院省府署。大小學校。輪奐壯嚴。更改其觀。

第二　人力車

大槻如電

吳服坊有鈴木德次郎者。嘗作是念。外國人所凭椅子。架之車輪。以曳焉勝二人舁一輿之迂。乃與輪匠高山幸助謀。創製安車。名曰人力車。禀准東京府。以行事在明治三年。當初必標以官許二字。蓋防輿丁阻害也。以其便捷。且其價廉。乘者日加。造者月多。行之期年。輿遂至絕其跡。爾來二十餘年。京中今有三萬車。計之全國。不知幾十萬。實爲行路一大變革矣。而不徒國內而已也。十數年來。輸支那朝鮮等者。每歲三四千輛。彼土稱之東洋車。行將遍八道十九省。語曰。車同軌。書同文。三國既爲同文之國。今又同軌。而自我導之。豈不快乎。

第三　電話

大槻如電

電話假電線。而對話也。壁間掛方匣。高及于肩。匣頭有口。狀如漏斗。別有雙個凹器。木製扁圓。徑可二寸。繫之匣。用以充耳。欲話者。先以鈴聲。喚起接信者。要某號接線。接了。又鈴以報。於是。嵌口于口。以問焉。答語賴凹器達于耳。一問一答。雖隔數十里。不異對晤。然發問聲高。受答音微。外間聞其高。不傳其微。殆如獨話者。

第四　日光廟成

飯田忠彥

元和三年二月。日光山廟成。二十一日。詔賜廟號東照大權現。三月九日。贈正一位。十五日。遷神靈於日光山。四月。台德公詣日光。八日。改葬于新塋。十六日。遷主于新廟。天使涖事。新制祀典。儀文隆盛。四日而畢。寬永中。大猷公大修廟宇。窮極壯麗。宗藩巨邦各

效革飭。海外諸國。或獻金石彝器。以銘鴻業。頌太平云。正保二年十一月三日。詔賜宮號。正保三年四月。祭祀。朝廷遣使奉幣。立爲永典。宮天縱英明。克武克文。夙齡居爭亂擾奪之世。未嘗有非理之擧。性寬仁敦厚。而器度宏遠。好涉經史。紬繹時務。齒愈高而德日躋。其豐功偉烈。夐出於古先良主之右。家國本末。人事鉅細。莫不通曉諳練。雖燕閒之談。卒遽之語。往々足垂訓于後昆。

第五　重次薦醫　飯田忠彦

天正十二年。東照宮患疔。日劇。懼不起。召宿臣屬後事。重次入見。薦一良醫。甚言之。弗聽曰。醫技已窮。今復何如。禍福在天。怖死妄作。是不知命也。重次艴然勵聲曰。前醫不必無遺治。未盡人事。而輕自取決。非臣所知。且君有如不諱。孤幼而國疑。勁敵壓境。其亡必忽諸。臣不忍坐視。今且自裁。以爲地下先驅。遂輿而出。宮遽命左右止之。即召醫。醫請灸。重次助灼艾。宿昔潰而愈。

第六　孝　小學

孔子謂曾子曰。身體髮膚。受之父母。不敢毀傷。孝之始也。立身行道。揚名於後世。以顯父母。孝之終也。夫孝始於事親。中於事君。終於立身。愛親者不敢惡於人。敬親者不敢慢於人。愛敬盡於事親。而德敎加于百姓。刑于四海。此天子之孝也。事上不驕。高而不危。制節謹度。滿而不溢。然後能保其社稷。而和其民人。此諸侯之孝也。非先王之法服。不敢服。非先王之法言。不敢道。非先王之德行。

不敢行。然後能保其宗廟。此卿大夫之孝也。以孝事君則忠。以敬事長則順。忠順不失。以事其上。然後能守其祭祀。此士之孝也。用天之道。因地之利。謹身節用。以養父母。此庶人之孝也。故自天子至於庶人。孝無終始。而患不及者。未之有也。

第七　樂正子春　小學

樂正子春下堂而傷其足。數月不出。猶有憂色。門弟子曰。夫子之足瘳矣。數月不出。猶有憂色。何也。樂正子春曰。善如爾之問也。善如爾之問也。吾聞諸曾子。曾子聞諸夫子。曰。天之所生。地之所養。惟人爲大。父母全而生之。子全而歸之。可謂孝矣。不虧其體。不辱其身。可謂全矣。故君子頃步而不敢忘孝也。今予忘孝之道。予是以有憂色也。一擧足而不敢忘父母。是故道而不徑。舟而不游。不敢以先父母之遺體行殆。壹出言而不敢忘父母。是故惡言不出於口。忿言不反於身。不辱其身。不羞其親。可謂孝矣。

第八　記阿辰磯吉事　大岡忠時

山內磯右住大坂朝日街。妻曰阿夏。年四十九。長女曰阿辰。年十二。次子曰磯吉。年九。季女曰阿春。年七。家貧無恒產。常傭於人。及夫妻共臥病。窮困益甚。阿辰磯吉深憂之。阿辰賣餅於市。磯吉鬻溫飩於街。以保養之。既而父死。母亦尋死。無親戚可依。隣人憐而葬之。戶正謂二子曰。爾等幼弱。未能保家矣。故宜爲婢僕以營生。而稚女與他人以鞠育也。二子對曰。今逢斯不天。無身可依。心悽

神悲。今又兄弟離散。焉可堪哉。況廢父母之祀。棄幼女於他人。誠所不忍也。願僦居此家。如故賣餅飩。以事死養生。戸正大感許之。人咸感歎。莫不揮涙者。既而後二人早出賣餅飩。暮歸祈冥福。暇則習字讀書。聞者感賞。惠米錢。儘多家貧較富於父母在時云。

第九　記松本長七事　大岡忠時

車夫松本長七。住東都源助街。爲人廉直。一介不苟取。是以爲人所眷愛信任。呼曰廉直長七。長七嘗爲人使。遺百五十金于路。忙然自失。不知所爲。歸家歎曰。以實告之。則主人必疑窮困爲攘。而罪固不可免也。不如死以見其貞潔。乃出妻子於外。懸繩於梁上。將縊。忽有人敲門呼曰。我木挽街車夫橋本勘兵也。今日拾金嚢于路。其嚢記松本長七。乃知子所遺。故來還之。長七遽出迎之。拜曰。我以遺金之故。將殺身謝主人。今幸因子之德。得免其罪。所謂生死肉骨也。乃出十五金。與之曰。聊表寸心。以報萬一也。勘兵辭曰。我雖卑賤。以廉節人稱曰廉潔勘兵。今受其金。則恐負廉潔之名。竟不受而去。

第十　熊澤蕃山　原善

蕃山初負笈上京。求良師。未得其人。共投宿者一人語曰。往日余爲主。遠行。時懷金二百兩。即主之所使齎也。途跨驛馬。出金繫鞍。日暮忘收之而宿。困頓就枕。半夜始覺。乃覺遺金。則茫然猶疑。爲夢寐。既而神乃定。痛心疾首。千思萬慮。求之無術。一決死。雖經。戚

然自嘆。不爲天所弔恤。逢此悲涼。時聞剝啄聲甚急。問之則稱馬夫某。因亟出。渠即出金曰。小子歸家。將洗馬。及解鞍得之。是君之所遺。故來還。呈封完如故。吾驚喜不知所措。腰纏別有十六兩。即解以謝之。馬夫不受曰。君之物付君。奚謝之有。然爲冒夜來此。願賃得二百錢足矣。吾曰。孽自作。微子發義心。吾無得生之地。所謂生死而肉骨也。不腆黃物。非敢云報。聊以表寸心。馬夫愈辭。乃減八兩。亦不受。稍稍減之。纔至方金二。馬夫執益確曰。君毋溷我。予有所守也。吾歎問曰。淡於欲者。今之世不多見。至其以義爲利。如汝則絶不可得。所謂所守者何事也。曰賤役餬口。豈不思利乎。而有中江與右衞門者。教授里中。嘗聞其言曰。誠正以修其身。事君致忠。事親盡孝。毋以貧濫。毋以賤枉。今若以所賜利之。則欺此心也。言畢去。噫澆世安得有此人乎。蕃山傾聞者良久曰。馬夫一鄉鄙人耳。素不識道之爲何物。則趨利若騖。何義之思。而其廉潔不愧古之君子者。必教育所致也。所謂中江氏者。其德與學可想見也。方今之世。捨此人而誰適從。是日即束裝往。謁請受業於門。藤樹辭以不足爲人師。蕃山益請不置。二夜寢其廡下。藤樹母見之。謂藤樹曰。人自遠方來。懇請如此。傳之其所習。誰謂好爲人師。於是始接容。時寛永辛巳。蕃山年二十三。

第十一　仁齋化賊　原善

嘗夜行。郊外劫賊四五人當路。立按劍曰。吾徒不醉不樂。今無酒

貧客若欠腰纏、則自脫衣裳供之。仁齋神色不少動、曰、今日適無囊錢、敝縕袍脫以遺之耳。且問、汝輩常以何爲業耶。曰、昏夜橫行、掠奪以自給、是其業也。仁齋曰、以若所爲爲業、吾何拒焉、輒脫服以授之。將去、於是賊止。仁齋曰、吾儕草竊爲衣食、數年未嘗見擧止如客者。抑客何爲者。曰、儒者也。曰、儒者爲何事。曰、以人道教人者也。所謂人道者、孝於親、弟於弟、不可一日無者是也。人而無道者、禽獸爲耳。言未畢、賊皆頓首涕泣曰、噫、君與吾鈞是人也、而事業之迥異如是。吾甚耻、願君宥吾儕罪。今而後、飲灰洗胃、謹奉教于門下。遂皆改心自勵云。

第十二　喩言　　依田百川

西國喩言云、僧過曠野、兇盜從林中突出、見其爲出家人、不敢加害。且曰、和尚德高學邃、事佛效誠、請爲我消滅罪孽、化惡爲善。僧賞其篤志曰、事甚容易。余爲汝請佛、相約而別。居數歲、僧復經前路、兇盜從背來掣僧衣、面有怒容。曰、和尚何故違約。僧曰、余自與汝別、無時不祈禱。何言違約。盜厲聲曰、汝出家人妄誕如是。別後惡念日長、罪障日深、是何理。僧不答、蹙額曰、余苦甚渴、求汝一杯水。盜曰、彼有古井、縋師飲之。飲畢叫、我僧喜從之。既而僧叫曰、可矣。盜執索拽之、不出。奮力愈勁、愈重。恠闚之、僧固抱巖石。盜怒曰、和尚愚亦甚。盍舍抱物。余且救之。僧從井底仰謂盜曰、余爲汝祈舍惡歸善。然汝固持孽根、猶抱此石。使余之力如鐵索、且斷矣。焉能救之。兇盜大悟、終爲善士。

第十三　知人　　貝原篤信

篤信竊按、知人是帝堯之所艱、衆人之所當審察明辨也。不可以一言一行輕毀譽於人、又不可妄信人之毀譽、而輕是非於人。顧其實奈何而已。大凡人各有能有不能、不可以其所不能捨其所能、不可以其所能信其所不能。孔子之視觀察、孟子之聽言視眸子、皆是知人之法。苟不知人、則是非邪正不能辨、君子小人倒置失處。夫知人與不知人、一身之安危、家國之興亡繫焉。可不用心乎。用人不廢一善、蓋求備于一人、則恐天下無全才。是爲棄於才。然佞奸者雖有才能、復君子之所不容也。凡短於才者、或優於德、富於才者、多歉於德。且有才高而識暗者、有才鈍而識明者、不可不察焉。夫才者人之所悅、德者人之所憚。古來佞人多擧用、正人多沈淪、以是也。

第十四　林羅山　　原善

寬永中、井伊侯謂羅山曰、人稱樊噲勇、然其勇吾亦能之、何足深稱。羅山答曰、噲爲所稱者、以其排闥直諫也。此實非大勇者不能也。若夫身當矢石、郤敵斬首、且其脫戲下之急、勇則勇矣。然苟擐甲執兵者、不以爲難也。君盍少愼其言。內自省、則必有不可及者。侯赧然曰、誠然。吾甚慚於噲。羅山蓋有諷云。

明曆丁酉正月十九日、郭北失火。弟子報、不可免。羅山首肯讀書。

不輟。又報延燒剝膚。先生盍去乎。於是手其所讀上轎。轎中讀之。猶不輟。既而至郭外別業。神色自若。讀者如故。少焉有一人馳報。第宅盡爲焦土。羅山曰。及銅庫乎否。曰。共爲烏有。羅山慨然仰天嘆曰。多年所力蓄者。一旦爲祝融奪。可惜可惜。是夕鬱鬱不適。越五日奄然長逝。

第十五　樊噲排闥　蒙求

前漢樊噲沛人。以屠狗爲事。從高祖定天下。以功封舞陽侯。帝嘗病。惡見人。臥禁中。詔戶者。無得入群臣。群臣絳灌等莫敢入。十餘日。噲乃排闥直入。大臣隨之。上獨枕一宦者臥。噲等流涕曰。始陛下與臣等起豐沛。定天下。何其壯也。今天下已定。又何憊也。且陛

下病甚。不見臣等計事。顧獨與一宦者絕乎。且獨不見趙高之事乎。帝笑而起。初帝已定關中。項王至怒。欲攻之。帝從百餘騎見羽鴻門。亞父范增令項莊拔劍舞。欲擊帝。項伯常屏蔽之。噲聞事急。持盾直入。怒甚。羽壯之。賜以卮酒彘肩。噲飲酒拔劍切肉食之。曰。臣死且不辭。豈特卮酒乎。帝如厠。麾噲出。獨騎馬。噲等步從山下走。歸覇上軍。是日微噲幾殆。

第十六　闇齋三樂　原善

會津侯嘗問闇齋曰。先生有樂乎。答曰。臣有三樂焉。凡天地之間。有生者何限。而得爲萬物之靈。一樂也。天地之間。一治一亂。無定數。而生右文之世。讀書學道。得與古之聖賢。把臂于一堂上。一樂也。是臣之所樂也。侯曰。二樂既得聞之。請亦聞其一樂。曰。此其最大者。而所以難言者。君侯苟不信。以爲毀訾誹謗。侯曰。寡人雖不敏。奉先生之言。孜孜求諫。渴聞忠言。何爲至今不終教乎。曰。君之言及此。臣假逢戮辱。豈不盡言哉。所謂樂之最大者。幸生於卑賤。不生於侯家。是也。侯曰。敢問何謂也。曰。意者今之爲諸侯也。生乎深宮之中。長於婦人之手。不學無術。徇聲色。耽遊戲。而爲之臣者。迎合主意。其所爲因而稱譽之。其所不爲因而非毀之。遂令本然性梏亡消滅矣。其視卑賤之幼嘗辛苦。長習事務。師教友輔。以益其知慮者。爲何如也。是臣之所以生於卑賤。不生於侯家。爲樂之最大也。於是侯茫然自失。嘆息曰。誠若先生之言。

嘗問群弟子曰。方今彼邦以孔子爲大將。孟子爲副將。率騎數萬。來攻我邦。則吾黨學孔子之道者。爲之如何。弟子咸不能答。曰。小子不知所爲。願聞其說。曰。不幸若逢此厄。則吾黨身被堅手執銳。與之一戰。擒孔子。以報國恩。此即孔子之道也。後弟子見伊藤東涯。告以此言。且曰。如吾闇齋先生。可謂通聖人之旨矣。不然安得能明此深義。而爲之說乎。東涯微笑曰。子幸不以孔子之攻我邦。爲念。予保其無之。

第十七　親戚不可失歡　世範

骨肉之失歡。有本於至微。而終至不可解者。止由失歡之後。各自負氣。不肯先下氣爾朝夕群居。不能無相失。相失之後。有一人能

先下氣與之話言則彼是酬復遂如平時矣宜深思之

第十八　厚於責己而薄責人　世範

忠信篤敬先存其在己者然後望其在人者如在己者未盡而以責人人亦以此責我矣今世之人能自省其忠信篤敬蓋寡能責人以忠信篤敬者皆然也雖然在我者既盡在人者亦不必深責今有人能盡其在我者固善矣乃欲責人之似己一或不滿吾意則疾之已甚亦非有容德者祇益貽怨於人耳

第十九　小人當敬遠　世範

人之平居必近君子而遠小人者君子之言多長厚端謹此言先入於吾心及吾之臨事自然出於長厚端謹矣小人之言多刻薄

浮華此言先入於吾心及吾之臨事自然出於刻薄浮華矣且如朝夕聞人尙氣好淩人之言吾亦將尙氣好淩人而不覺矣朝夕聞人遊蕩不事繩檢之言吾亦將遊蕩不事繩檢而不覺矣如此非一端非大有定力必不免漸染之患也

第二十　藤原惺窩　原善

惺窩爲中納言定家十二世孫世食播磨三木郡細河村父爲純時爲土豪別所長治所侵掠爲純與長子爲勝禦之不利皆死當是時織田右府唱覇其臣羽柴秀吉盛用事惺窩乃告秀吉欲比死者一洒之秀吉答以不如待時於是亡其地惺窩初年剃髮入釋名舜號妙壽院後悟其非遂歸於儒時海內喪亂日尋干戈文教掃地而卓然獨唱道于其間爲後世文學之祖自非豪傑士豈得如此乎

嘗應關白秀次召與五山緇徒同賦詩于相國寺他日復召即辭以疾而謂弟子曰君子小人有黨非黨而交終不相容也以余交秀次非唯終不相容後必有悔不可追者余不欲復見秀次聞而銜之惺窩懼不免乃避之肥前名護屋當是時豐太閤有事于異域多率諸侯莅此地惺窩初見東照君見禮又見中納言秀秋秀秋性豪倨然惺窩至則肅然改容其性行亦多爲所改云

第二十一　青木昆陽　原善

昆陽嘗嘆曰凡有罪非死刑者遠放之島嶼要在使其終天年耳

然諸島少五穀常以海產木實給食是以往々不能免餓死豈不亦痛哉即雖種藝之地遇歲歉則民不能無菜色意者百穀之外可以當穀者莫如蕃薯也乃陳官求種子于薩摩試種之官藥苑中則極蕃衍於是以國字著蕃薯考一卷而演其培植之法官鏤版併種子行下諸島及諸州未數年無處不種至今上下便之雖歲不登民不溢餓者實昆陽之惠及無窮矣題其墓門之碑曰甘諸先生之墓有以哉

第二十二　梨　要言類纂

梨宜西北高東南潤風氣暖和之處好眞土而不厭廣斥爐土尤宜人家近傍接擬種皆可其苗徙植者至葉落時以利刀斫之根

上二寸。炭火燒之。明年芽生。三年結實。播種非此不榮。接縛及立春芽將生。斫南枝。供其用。擢挿至春分。斫南枝一尺五六寸。劉本末。炭火燒之。挿肥地。上覆細土。壓鎖薦遮陽光。燥澆米泔。乃易生。并以大寒。耕耙根傍。澆乾鰮水。乾鰮水即用乾鰮末一斗。和水三斗。經數日者。枝直長則不實。宜勾之以繩橫縛。或縛石垂之。亦可貯梨子。鑿地鋪枯葉。擇不傷損者。並鋪。上覆物。或與蘿蔔同貯。

第二十三　柑類　要言類纂

柑類好暖。孟春擇軟沙及肥沃墳土。疎種。覆土厚四五分。至霜降。行避冷法。明年春分後徙植。宜肥沃山田。若赤土多方石。其埴土。要和軟沙。植後穴根傍一尺。盛糞覆土。有蟲用銅線刺之。或用艾

葉和硫黃。焚殺之。木生孔。則用硫黃和埴土。塞之。或削杉樹。釘之。自寒候至春分。用乾魚等。培養。至拇指大。接之。凡柑類幹小者。宜架棚。防寒。大者用藁薦等。輕輕圍幹。盛糲根邊。至春分。除之。後十餘日。耕耙根傍。澆糞覆土。柑類下種。青芋蕗菜蘘荷野蜀葵等物。皆能繁榮。柑類花落者。拾聚製香水。甚美。

第二十四　坂本藤吉製茶　信夫粲

嗚呼。倜儻敢爲之士。竭終身之力。散一家之財。不顧人之毀譽。而後可以創一世之業。不朽於後世矣。苟能如此。雖箍桶補釜之微。猶不沒其功。況茶葉輸出海外。國家貧富關此。而若坂本藤吉所爲。安可不傳焉哉。藤吉駿河國志太郡伊久美村人。天資倜儻。臨事敢爲。每歎地方製茶不良。欲除弊害。有所發明久矣。一日抵江戶。適逢宇治茶師某。問以其方。大有所感。遂抵宇治。擲千金。傭男女數十人。試之。其家遠近聞之。笑以爲愚。爲狂。藤吉夷然不顧。勵精益勗。乃創一家之製。玉露金液等佳茗陸續而成。嘗鬻諸江戶。侯伯爭買。坂本茶園之號嘖々焉。

初狂愚非毀之者。皆來謝罪。且乞教。藤吉欣然一笑。授其秘訣。由是駿州之茶大著天下。豈所謂倜儻敢爲竭力散財。創一世之業者耶。今則靜岡茗葉運輸海外。年率一千萬斤。價不下二百万金。可謂盛矣。且其氣味芳甘。不讓宇治。此其所以適歐人口。而取譽於殊域也。藤吉亡後。官賜金若干。其孫文平旌賞其功。實明治二

十年九月也。靜岡縣業茶者。景仰藤吉遺德。建碑其公園。以不朽之。价大書記官伊志田友方。請余文。余嘉其惠及後人。不辭。敍之。

第二十五　日本武尊討熊襲　青山延光

景行天皇二十七年秋八月。熊襲反。屢侵邊境。冬十月己酉。遣皇子日本武尊。討熊襲。日本武尊名小碓。與兄大碓皇子雙生。幼而穎異。及長容貌魁偉。身長一丈。力能扛鼎。將發。求善射者。或薦美濃人弟彥。乃召之。帥兵而西。時年十六。十一月至熊襲國。伺其險易。賊魁川上梟帥。方聚其族宴飲。日本武尊解髮作童女裝。匿劍衣中。潛入賊營。雜婦女中。梟帥愛其姿貌。引之同席。夜闌梟帥大醉。日本武尊抽劍刺之。梟帥叩頭曰。君爲誰。日本武尊曰。吾是大

足彦天皇之子。名日本童男。梟帥曰。吾武力冠國中。國中莫能當。未見如皇子者。賤虜願奉尊號。可乎。曰。善。梟帥曰。請上號。曰日本武皇子。言訖乃刺殺之。自是稱日本武尊。遂遣弟彥等。擊其餘黨。屠戮無噍類矣。

第二十六　三韓征伐

仲哀天皇九年秋九月己卯。令諸國繕船練甲。久之兵衆不集。皇后曰。此必神意。乃建大三輪社。奉刀矛以祭。軍衆自聚。於是使海人烏麻呂偵探。還報曰。無所見。又遣名草。數日還曰。西北有山。雲氣如帶蓋。有國也。乃卜日將發。皇后親執斧鉞。令三軍曰。金鼓無節。旌旗錯亂。則士卒不整。貪財多慾。懷私内顧。則必爲敵擒。敵雖

寡勿輕。雖强勿屈。奸暴勿赦。降服勿殺。勝者必賞。走者必罰。時有神誨曰。和魂從玉體以護壽。荒魂爲先鋒而導舟師。皇后拜命。因以依網吾彥男垂見爲祭神主。皇后適當產月。乃取石挿腰。祝曰。願事竟還日。產於茲土。使荒魂爲先鋒。請和魂以鎭船。

冬十月辛丑。遂發和珥津。大魚夾船。風帆怒駛。不勞艣楫。直抵新羅。潮水張。溢及國中。新羅王波沙寐錦震慄不知所爲。謂衆曰。新羅建國以來。未聞有此變。天其或者以國爲海乎。言未畢。舟師蔽海而進。旌旗耀日。鼓吹震天。新羅王望見讋伏。既而悟曰。吾聞有神國。曰日本。有聖主。曰天皇。是乃神兵也。豈可拒乎。乃封圖籍。素組面縛。素旆來降。叩頭曰。請自今而後。永爲飼部。春秋獻馬梳馬鞭。年貢男女之調。乃誓曰。非東日出西。且阿利那禮河逆流。河石昇爲星辰。而闕春秋之朝。廢梳鞭之貢。天神地祇殛之。衆欲殺王。皇后曰。殺降不祥。乃解其縛。爲飼部。進至國都。封重寶府庫。收圖籍文書。以所杖矛。樹國門。以爲後世之標識。王以波珍干岐微叱己知爲質。獻金銀綾羅八十船。是後貢獻以八十船爲制。高麗百濟聞新羅降。密使人覘伺。度不可拒。乃來降。叩頭曰。從今以後。永稱西蕃。調貢無怠。因命定内官家。三韓悉服。祭荒魂以鎭其國。振旅而還。

第二十七　清正虜王子　　菊地　純

清正聞二王子在會寧府。驅而赴之。府韓極北也。行五十日至焉。

府使鞠景仁懼拘二王子。使人來乞降。且曰。府内食盡。王子不食三日。願賜之食。清正許之。欲自入城。將校皆諫曰。吾窺府内。虜人塡咽。我以寡兵入。恐有變也。清正曰。虜何能爲。吾已失王。不可又失王子。即有變。吾與王子決死。無憾也。乃與十餘騎入城。令隨者數十人。人執一器。隨而入。韓人危疑。張弓環清正。清正叱之。辨其無他。韓人不能解。清正自開襟。當箭取印於懷。印紙示之。韓人捨弓羅拜。清正寘王子於鏡城府。分兵護衛。善視之。遂出師于兀良哈。

第二十八　碧蹄館之戰　　菊地　純

如松率蕃漢步騎十萬。陣于碧蹄館。隆景奮然。乃分兵爲六隊。迎

戰。前軍二隊不利。郤隆景揮鎗大呼而進。士卒皆奮。莫不一當百大戰良久。宗茂與秀包橫擊之。如松初以火器襲平壤。一戰得志。謂倭兵易與耳。乃輕進不具銃礮。以短兵接戰。我軍兵鋭及利。縱橫揮擊。人馬皆倒。莫敢當其鋒。我兵呼聲動天。遂大破明軍。如松墜馬。隆景將井上某鏦之不中。與其將李有聲鬪而斬之。如松厪以身免。追北至臨津。擠明兵于江。江水爲之不流。斬首萬餘級。而我兵死者厪百餘人。如松入坡州。視其所失亡。痛哭徹曉。遂退軍三次。明軍大沮。明之乞和於我。本於此戰也。

第二十九　玄武門先登

平壤之役。元山朔寧枝隊進攻玄武門。門左右絕壁險阪。敵銃丸雨注。我兵肉薄。死傷頗多。時中尉三村幾太郎怒進曰。吾能爲諸君拔之。慨然挺進。麾下士原田重吉止之曰。公一隊將。未可輙死。某請代之。言未畢。躍身攀壁。其捷如猱。踰牆而登。中尉曰。吾豈忍使麾下士獨死。邪踵而登。二人勇奮馳突。城兵辟易。重吉得間自內啓門。我兵突入。敵不能支。退保牙城。乘夜潰走。城遂陷。實明治二十七年九月十五日也。或云。當時踰壁而登者十五人。未知孰是。中尉尾張人。時年廿九。重吉三河人。少中尉二歲。

第三十　樺山中將膽略　　山本　廉

西京丸。素非軍艦。征清之役。假裝武器。以列戰鬪。樺山中將駕之。我艦隊與清國北洋水師相遇黃海。初認敵艦也。中將直取白色旗。附鐵丸。沈海底曰。戰若不利。有死而已。無用此旗。其戰也。以出於列外。四面受敵。殆入死地。中將自坐號令塔。操縱極巧。開速射砲四門。各門放九十發。其間撮影戰況四回。其綽々有餘裕可想矣。既敵之巨彈。命中者四。大小砲痕。船體如蜂窠。且舵機既碎。中將下令。突敵艦定遠鎭遠之間。其距離甚隘。敵畏避開之。此時敵又發魚形水雷射之二回。不中。中將自舷每伏瞰其命中否云。嗚呼西京丸以一運舸。當宇內屈指大甲鐵艦。中將之豪邁膽略可想矣。

第三十一　觀鎭遠艦　　大槻如電

鎭遠艦長三百二十尺。幅居五分之一。高二十四尺。其半吃水。全體以鐵包之。所謂甲鐵也。中腹更絡以鐵帶。其厚尺餘。司令塔亦鐵壁。厚一尺。而檣二。煙突二。有艦橋。有砲臺。砲大小二十門。水雷發射管。探海燈各三。配置舢艫及兩舷。艦員三百八十餘名。一時走十三海里。嚴然一大海城也。艦本清國北洋水師與定遠艦同。爲其旗艦。威海衛之陷。定遠覆沒。鎭遠爲我有矣。聞清國水師每艦聘洋人。司指揮。是以臨戰不能決死。從事理或然。我海軍上自將校。下至水兵火夫。悉是日本男兒。他如運漕諸船。軍輿亦不搭一人殊俗。其成敗之機。不待戰而可知也。觀了聊記所感。

第三十二　高津宮　　山縣　禎

仁德天皇都攝津難波。謂之高津宮。宮室不堊。務從節儉。一日帝

登臺遠望。人烟不起。以爲百姓窮乏家無炊者。詔除課役三年。宮垣頽敗。無所營作。比及三年。五穀豐穰。百姓殷富。歡聲盈路。其後帝復登臺遠望。見炊烟盛起。謂皇后曰。朕既富矣。復何憂乎。后曰。今宮室朽壞。不免暴露。何謂富乎。帝曰。君以民爲本。民貧則朕貧也。民富則朕富也。未有民富而君貧者矣。今炊烟盛起。富庶可知也。諸國請輸稅調。以修宮室。不聽。後數年。始科課役。造宮室。百姓扶老携幼。爭先來赴。運材負簀。日夜營作。未幾宮室悉成。

第三十三　稚郎子讓位　　山縣禎

天皇愛少子稚郎子。立爲皇太子。命其兄大鷦鷯輔之。及天皇崩。太子避之菟道。讓位于大鷦鷯曰。大王仁孝。宜爲天下之君矣。且

昆上而弟下。聖君而愚臣。古今之常典也。願王登帝位。大鷦鷯曰。先皇謂天位不可一日空。故預選明德。以爲貳。我雖不敏。豈違先皇之命乎。固辭弗嗣。相讓空位垂三年。民之貢獻者。不知所適歸。而大鷦鷯執志益確。太子知其不可奪。乃自殺。大鷦鷯驚馳至菟道。慟哭盡哀。乃葬於菟道山上。於是登祚。是爲仁德天皇。

第三十四　佛像渡來　　青山延光

欽明天皇十三年冬十月。百濟遣使獻釋迦銅像一軀及佛經。曰。是法於諸法中最爲殊勝。難解難入。周公孔子尙不能知。此法能生無量福德果報。自天竺至三韓。莫不尊敬。謹遣使貢獻。帝大悅。問群臣曰。西蕃獻佛。相貌端嚴。所未嘗見。是可禮乎。大臣蘇我稻

目曰。西蕃諸國皆已禮之。奈何不禮。大連物部尾輿中臣鎌子奏曰。國家恒祀天地群神。一旦拜蕃神。恐致國神之怒。帝曰。宜付稻目試禮之。稻目大悅。安置小墾田宅。捨向原宅爲寺。已而疫癘流行。民多夭死。尾輿鎌子奏曰。今日之災由禮佛。請速廢之。帝從之。敕有司棄佛像於難波堀江。縱火燒寺。

第三十五　捕鳥部萬　　青山延光

用明帝元年秋七月。馬子與泊瀨部竹田廐戶難波春日五皇子。帥兵攻守屋於澀河。守屋築稻城拒戰。其兵蔽野。諸皇子惶怖不敢進。廐戶截白膠木。造四天王像。藏之頂髮。誓曰。今日使我戰捷。必建寺塔奉之。乃麾衆而進。守屋登樹注射。迹見赤檮射殺之。守

屋兵悉潰。諸皇子兵追及於河內餌香川原。殺數百人。守屋資人捕鳥部萬帥一百人守難波宅。聞守屋死。逃匿茅渟縣山中。有司遣兵搜捕。萬匿竹叢中。牽繩撼竹。衆赴之。萬輒射殺之。衆不敢逼。萬挾弓逃走。衆射中其膝。萬仆地呼曰。我天皇干城。今乃窮矣。衆競射。萬撥飛矢。殺三十餘人。遂砍折其弓。投劍水中。引刀子自殺。乃支解其尸。爲八梟之八國。萬有畜狗。繞尸而吠。遂啣其頭。置古冢。不食而死。國司奏之。朝廷下符令萬族葬之。

第三十六　狗說　　賴襄

狗之爲畜。善記其主。主之畜狗。食不必粱肉。衣不必文綉。時投與骨。置之門墻之外。使守夜而已。而主來自外。則搖尾迎之。雖昏黑

未嘗失也他人或牽而去遠數十里啗以美肉而狗悲號躑躅不自安也自求其道而歸望其舊主之門則喜躍而入嗚呼人之不知義者謂之狗彘以相罵辱也夫朝飽新田氏之祿而暮候足利氏之幕者使狗聞知之肯食其餘邪或者較其主之恩曰彼衆人遇我此國士遇我我報各視之爾然如狗則未嘗曰彼衆狗遇我此國狗遇我也

第三十七　犬　博物新編

有醫士入城診脈路遇跛犬呼引之歸試以約敷治其足數日尋愈㖊使返其主家後年餘犬別引一跛者直造醫院搖尾求醫再以藥治之使愈乃戢耳並行而去又有醫士獨行郊野忽有巨獒

隨諸其後醫士作聲呼喝獒仰目搖尾如認故主心竊奇之同行數里倏有數賊拔刀攔路醫士㖊獒噬賊賊衆披靡遂獲免而歸擬欲留養此獒獒遂遁去又佛蘭西俗尚皮鞋好以墨膠磨使瑩潤以是路有擦匠爲人磨擦靴鞋者嘗有貴紳徒行拜客偶汚其靴遂出數錢使匠代擦及行數武靴復汚如前再擦再汚莫知所自乃留心瞻顧見一小犬頻來繞拼頓悟乃匠使之者紳喜其慧遂以多金購而獲之後携犬往英吉利一日忽失所在蓋犬已搭火輪船回國歷萬里重洋而尋故主矣

第三十八　志　貝原篤信

篤信竊謂志者心之所之立者堅强而不怠輟之謂蓋念々常在學上而爲之不厭之意非但有志而已也爲學當以立志爲先苟悠々空度歲月爲人而不爲己豈成事哉立志之方又在致知而已蓋知之明則尊德樂道之志自不能已故志不立者豈特稟氣之柔懦而已哉因知之不明也學者立志須以聖人爲準的不然則雖從事于學徒安小成而已是自棄也聖賢教人以立志爲學也可謂誨汝諄々也學者豈可聽我藐々乎皮日休曰聖人能與人道不能與人志信乎斯言也蓋教者聖功也立志者在乎我而已豈可不自勵乎哉夫人飲食逸居而無小補於世則蠢然天地之一蠹而已豈可不自耻乎

第三十九　鎌足奉鞋　德川光國

蘇我入鹿挾不臣之心闚闞社稷鎌足慨然有匡濟之志竊察宗室諸王有爲之主乃屬意於天智帝然不能通情一日陪天智帝蹴鞠於法興寺槻樹下帝鞋隨鞠而脫鎌足跪奉之帝亦跪受之自是相善倶布肺腑無所伏藏然恐數會人生嫌疑託學周孔之道於南淵先生每相往來密謀于路無計不相協鎌足曰成大事者不可無毘輔大王宜與蘇我石川麻呂結婚成好而後與之謀成功之路莫近於茲帝大悅從之鎌足往使石川麻呂進其女於是石川麻呂赤心奉帝鎌足又薦佐伯子麻呂葛城稚犬養網田四年六月三韓朝貢天智帝告石川麻呂曰三韓進調之日卿當讀表吾欲入誅入鹿卿宜知其意石川麻呂諾及期天皇御大極

殿入鹿爲人多疑晝夜帶劒鎌足教俳優調誘之入鹿笑而解劒
乃入就位天智帝自執長槍鎌足持弓矢警備使海犬養勝麻呂
授匣中兩劒於子麻呂綱田斬入鹿子麻呂恐甚以水送飯即反
吐鎌足叱而遣之子麻呂猶畏縮不發天智帝先入急擊入鹿子
麻呂等相繼而進遂斬殺入鹿其父蝦夷亦伏誅事平

第四十　清麻呂使宇佐

星野恒

太宰主神習宜阿曾麻呂媚附道鏡矯奏宇佐八幡神教曰令道
鏡即位則天下太平矣道鏡聞之稍懷覬覦上惑焉召近衛將監
和氣清麻呂謂曰大神欲憑汝姉法均尼有所言汝宜代法均往
臨發道鏡怵以禍福清麻呂出遇其友路豊永豊永曰子此行所

係甚大道鏡若登天位吾何面目臣事之當與二三子從伯夷遊
耳清麻呂深然其言誓死而往還奏曰大神憑語我國家開闢以
來君臣分定以臣爲君未之有也天日之嗣必立皇緒道鏡何人
宜速剪除道鏡大怒秋七月解其本官出爲因幡員外介未之任
追咎其矯神教欺罔朝廷除名流于大隅

第四十一　坂上田村麿

德川光國

坂上田村麻呂左京大夫苅田麻呂子也身長五尺八寸胸厚一
尺二寸身重二百一斤輕之至六十四斤眼如蒼隼鬚髯如金線
有膂力延曆中叙從五位下爲近衛將監兼內匠助進近衛少將
兼越後守帝將征蝦夷田村麻呂與正五位上百濟俊哲赴東海

道閱士馬檢戎器俄爲征夷副使從大將軍大伴弟麻呂討蝦夷
殺略甚多以功進從四位下兼木工頭任陸奧出羽按察使兼陸
奧守鎮守將軍尋拜征夷大將軍奉敕檢校諸國夷俘
二十年陸奧蝦夷復反授節刀討之及凱旋除從三位遷近衛權
中將二十一年築陸奧膽澤城鎮壓蝦夷夷酋大墓公阿氐利爲
盤具公母禮率部落五百餘人降役竣將二酋歸京請放還本部
以招黨類公卿議曰野性獸心叛服無定今賴朝威獲此梟帥若
依奏請是所謂養虎遺患也乃斬於河內植山二十二年又赴陸
奧築志波城及辭見賜彩帛五十匹綿三百屯還爲刑部卿二十
三年再爲征夷大將軍明年任參議大同初任中納言兼中衛大

將餘官如故奏曰陸奧出羽郡司之任職員有限而邊要之事頗
異中國望請擬任幹了勇決之人以爲防守警衛之備於是敕聽
正員之外擬任郡司軍役二年改中衛府爲右近衛府田村麻呂
居府如舊兼侍從兵部卿進正三位尙侍藥子之變下敕固三關
田村麻呂居兵府威望素顯帝恐其爲太上皇用遽進大納言以
固其心及太上皇將東使率輕銳邀之美濃道時文室綿麻呂以
侍太上皇繫于左衛士府田村麻呂知其才器可用奏釋之與俱
行事尋平
弘仁二年薨於粟田別業年五十四賜施布米及役夫二百人帝
不視事一日遣大舍人頭藤原緩麻呂治部少輔秋篠全繼就第

傳宣贈從二位賜山城宇治郡栗栖村水陸田山林三町爲墓地使其屍立棺中向平安城而葬之併甲冑劍矛弓箭糒鹽瘞之官使監護其事是後國家將有事則其墓鳴動云大將每出征先詣而禱焉其所佩劍藏之御府曰坂上寶劍帝親贊其像深哀惜焉

第四十二　本朝通鑑　　青山延于

寛文中幕府命儒臣修本朝通鑑既成將梓行光圀適朝幕府命執政以其書示三藩尾紀二公皆賀盛擧公適披閲之至以皇朝爲呉泰伯之後大驚謂執政曰後漢以後之史以皇朝爲姬姓此無稽之說固不足信且本邦既有正史安有舍正史而不取從外國謬妄之說而瀆皇朝神明之冑乎昔後醍醐朝有妖僧妄著一

書首唱此說詔燔其書夫推古時文學未盛然其貽書於隋執匹敵之禮而今斷爲泰伯之裔是以堂々天朝爲外國之附庸也斯書果行無乃傳醜於萬世乎宜命改定執政服其確論

第四十三　黃門義公　　大槻清崇

國家有禁殺鶴者刑蓋重仙禽也水戶黃門義公時有人銃鶴於禁獵所縣吏捕以獻焉公怒下之獄久而不問歲亦已暮明年春正月公招致封內八巨刹住僧自饋享之例也禪話之次及殺生事公因謂僧徒曰日有犯禁殺鶴者寡人嘗學斷此獄僧等觀焉乃引出囚人於庭縛之松樹大聲喝曰汝犯國家大禁其罪不可赦拔刀擬之而故躊躇七僧觀之噎若不出一語公於是投刀罵曰咄鈍僧輩我豈以人替禽者乎特法律之不可曲欲待沙門一哀以宥之今乃七僧駢首呆然視其危而莫之救慈悲之道安在哉夫僧而無慈悲之心亦安用浮屠哉命盡逐七僧而宥殺鶴者

寧靜子曰桃源遺事有記云西山公每斷死刑戒獄吏云行刑之日必以告我其意謂苟有生路吾能活之故大辟之處斬處磔者吏往々延時月或至踰一歲孟子曰以生道殺民雖死不怨殺者如義公殆庶幾乎

第四十四　紀公生母　　大槻清崇

紀公賴宣生母曰阿萬後稱養珠院嘗謂愛諸公子而獻之名劍寶器常事耳抑主將所寶者有名勇士也一旦緩急舍勇士將孰

之恃乎妾聞塙團右衛門爲舊主所錮仕路迍邅妾欲得此人以保護公子顧不勝於名劍寶器乎乃就每歲所受粧資五百金致其二百金於團右衛門以待他日之用

寧靜子曰鏡臺粧奩務致其美婦人常態耳誰謂捐其粧粉資而爲國家養猛士耶嗚呼有此母而有此子南龍公之勇武絕倫不足怪也

第四十五　怪猴　　大槻清崇

藝之廣島有福島伊豫者其正廳之厠夜々有怪出焉人莫敢入之一夕武藤坂井大橋眞木村上諸人來集時塙團右衛門亦往談論移刻團起之厠主人慮其有異使侍童執燭從之厠在大松

樹之下。蔦蘿纏其上。忽有物下。簌々有聲。陰風一綫。駘然墜屋上。圃謂是所云怪者。屏息竢之。既而怪據屋端。俯闞厠中。面如赤夜叉。目光爛々射人。圃張眼叱之。怪轉身下。直自厠底手摩圃之臀。圃伸臂執之。怪則躍上屋。闞之如前。於是圃決起攫其腕。極力牽之。厠戸爲破。燭滅。怪在暗中。轆轉欲逸。向之侍童走來。犄其脚。圃急抽腰刀刺之。廳中主客聞其聲也。爭來燭之。圃滿身被鮮血。淋漓朱殷。怪則厖然偃在地矣。迫視之。乃一獮猴之極老者云。

寧靜子曰。世俗所謂怪云者。往々有形氣觸人。而無見其物也。其實非無物。無有如壙圃其人者。捕而獲之耳。夫猿狖狐狸諸妖獸之外。寧別有怪云乎。因思昔者源三位所射怪獸。亦安知非是等

之類耶。

第四十六　義猴

芳野世育

東京谷中善光寺坂。有業種樹伊三郎者。畜猴。甚慧能解人意。鍾愛有年。甲戌春。伊羅疾。頗爲祟患。請治信夫尙貞。每往診。猴必踞侍。甚有憂色。與物不食。如諦聽二人之言者。然尙貞竊異焉。已而伊歿。猴悲號哀慕。不離柩。欲自經者再矣。家人驚愕慰喩之。猶且絕粒。及至葬。失其所在。多方搜索。得之牀下。以繩緊縛其喉。兩手握其端而殪。因瘞之伊墓側。

第四十七　狩虎記

鹽谷世弘

征韓之役。豐公下命薩侯曰。欲得虎肉以資藥。須獵以貢之。書以文祿四年正月至軍。時積雪埋山。不可得而獵焉。三月八日。薩侯與世子。乘船於唐島。至昌原。明日勒隊圍山。終日無所見。其翌披荊棘。踰險阻。深入數里。列卒數千。分曹吶喊。峰壑爲震。俄而雨降。烟霧濛密。有虎走出。將突圍。安田次郞兵衞者。島津守右衞門尉彰久之臣也。舞刀逐之。虎還顧迎噬。安田刺其口。殪之。須臾二虎跳躍飛走。直逼麾下。世子恐其迫父也。將身當之。舍人上野權右衞門。揮刀迎擊。虎蜚騰咥之。牙投可五步。負嵎大嗥。帖佐六七急鷙斫頭。刀三下。虎怒。噬其股。側有老松。枝條下垂。福永助十郞捽尾。纏枝。極力逆曳。永野助七郞進擊斃之。其一遂遁。六七亦病瘠死。於是薩侯狀其事。獻獲于肥前行臺。豐公大悅。下手書褒賞。世

傳之。以爲虎狩云。

第四十八　那波活所

原善

一貴戚。勇武絕倫。其佩刀利鈍。必自試諸人。嘗得一刀。備前長光所鍛也。乃執罪者。立斬之。左右互辭以讚。活所獨蹙頞。而無言。貴戚問曰。中夏亦有刀利與執刀之妙如此者乎。活所曰。龍泉・太阿干將莫邪類。是皆彼邦名器。水截蛟犀。陸斷虎兕。其利不讓之。又人君手斬人。而快於心者。古之人有行之者。夏桀殷紂是也。吾邦亦有職斬罪人。能堪之者。稱穢多。最至卑者也。貴戚默思良久曰。卿言極善。往事吾何心哉。厚褒賜。貴戚又嘗謂曰。吾不幸不得良臣。活所曰。惡是何言也。惟今君之部下智勇之士。不乏其人。而以

爲未足者但君不知焉爾貴戚大感悟

第四十九　正成應徵　青山延光

帝幸笠置寺笠置巉峻便於守戰乃造行宮時大和河内伊賀伊勢兵稍聚行在而未有一巨族來應者帝憂之適夢紫宸殿前有一鉅樹南枝最茂下設御坐帝恠問故有二童答曰今天下無地可駐蹕獨此坐爲陛下設耳帝覺而異之以爲木南於字爲楠輔朕平天下者楠氏歟乃召寺僧成就房問曰此地有楠氏乎僧答曰否河内金剛山西有楠正成者左大臣橘諸兄之裔其母禱志貴毘沙門有所夢生之故小字曰多聞實有勇名帝乃遣藤房徵正成正成拜曰是武夫至榮也即詣行在帝大悅令藤房傳旨曰

卿應徵即至朕深嘉卿今日之事一委之卿卿何策能克正成曰賊恃逆滔天天威所加何所不克戰在智與勇以勇則武藏相摸天下勁兵以智則彼徒豕突無足畏者然兵不能無勝敗敗亦不足勞聖慮臣而不死必爲陛下滅此賊辭還城赤城

第五十　尊雲親王　巖垣松苗

入道尊雲親王嘗勸父帝以東征之事自以討賊爲己任至是匿南都般若寺一條院候人好專率兵圍般若寺親王匿大般若經笥中而得脫走紀伊相從者僅九人多歷艱險過旬纔至十津川邑邑豪族戸野兵衛築壘奉之可半歲熊野別當定徧以貨誘其族謀害親王親王乃趣高野途過賊黨芋瀨所守之關因說芋瀨出之芋瀨請賜親王錦旗或近臣首級以謝鎌倉赤松則祐應聲將自刎平賀三郎止之請與錦旗親王即賜之出關行一二里程此日村上義光後至見芋瀨家僕執錦旗怒曰親王討賊義旗奴輩烏得奪之乃捉其僕投二三丈得錦旗追隨親王過玉置莊莊司亦賊黨也要止親王片岡八郎鬪死之親王以爲不可免乃謂左右曰吾今自殺死則皮面抉眼使人莫能識天下義士聞吾死恐失望也會野長瀨氏率義兵三千餘騎來援玉置兵敗親王蓄髮還俗改名護良與吉野衆謀討賊

第五十一　村上登樓　土屋弘

元弘之亂護良親王入芳野築城守之賊大兵來攻外城已陷親

王親戰數合退入内城與左右酌酒慨歌村上義光鎧被矢如蝟來跪曰賊勢强甚城不可支請假大王鎧裝臣詐稱大王死大王宜乘間出走王曰與汝同死何忍獨逃義光勵聲曰圖大事者惡得此言起解王鎧王顧曰卿精忠易世不忘義光乃易鎧裝登譙樓子義隆來欲偕死義光曰亟去爲王拒後勿徒死義隆泣訣義光望王去遠大呼曰皇子護良自及汝等行將爲天兵所誅視以爲式乃劃腹抽腸擲于壁而斃賊四集斬其首解去義隆單身留鬪斬數卒被二十餘創入竹叢中潰腹死親王終獲免時義隆年僅十八

第五十二　高德題櫻樹　山縣禎

元弘二年春三月。北條高時遷帝於隱岐。初帝之在笠置也。兒島高德謀起兵勤王。會行在失守。車駕西狩。高德聚族議欲奪車駕于路。乃要之於舟坂山。已而車駕自山陰道。計竟不成。乃踰三石山。徑赴杉坂。則又不及焉。於是衆皆散去。高德欲見帝道其衷。微服夜至御館。竟不得間。庭有一櫻樹。輒斫使白。題之曰。天莫空勾踐。時非無范蠡。明日衞士見之。以白帝。帝心竊喜。及帝幸船上山。高德與父範長共詣行在。

第五十三　車駕還京　　青山延光

元弘三年五月二十三日。車駕發船上。左近衞中將藤原行房。勘解由次官藤原光守。衣冠扈從。其餘百官皆戎衣。伯耆守名和長

年。帶劍侍衞。鹽谷高貞以千餘騎。前驅步騎連絡三十餘里。二十五日。詔廢新主。少貳貞經。聞六波羅平。大懼。欲滅探題北條英時。自贖。遣使告菊地武重大友貞宗。貞宗應之。武重斬其使者。以報父怨。曰。若能誅探題。請相見於戰場。英時聞其計。遣長岡六郎。詣貞經。覘伺。衆果遣盾礪鏃。六郎乃進刺貞經。子賴尙。賴尙拳捷扞。以棋局。搏而殺之。是日。貞經貞宗。帥兵七千餘。攻英時。破斬之。西海道平矣。

二十七日。車駕幸書寫山。二十八日。五大院宗繁既降。義貞匿北條邦時。聞義貞窮搜餘黨。懼事泄。紿邦時。令西走。密報船田義昌。曰。僕知高時子邦時所在。請導君兵擒之。君幸薦我。義昌詐許之。使兵士從宗繁。遂擒邦時。於途斬之。義貞惡宗繁不義。欲誅之。宗繁大懼逃亡。途饑死。晦。駕次兵庫。赤松則村以兵五百餘。迎謁帝曰。中興之功。實在卿等。詔令警衞鎌倉。捷問未至。上下猶懷危懼。六月朔。有使者持書馳至。衆驚奏之。乃義貞捷書也。衆咸歡呼。敕授使者官。二日。駕發兵庫。楠正成以兵七千。來迎。帝勞之曰。國家再造。卿之力也。正成謝曰。不藉陛下威靈。臣豈展尺寸。以出重圍乎。詔令前驅。四日。還京師。御東寺。百官絡繹奉迎。車騎雲合。議者或謂。宜用重祚之禮。左大臣藤原道平奏言。陛下雖久播越。躬奉神器。臣以爲宜用巡狩還宮之儀。帝從之。五日。還宮。足利高氏直義以騎兵五千。後拒。楠名和赤松諸將皆從。儀衞嚴肅。觀者莫不

相慶。詔去正慶號。悉削新主所署官爵。廢關白。特詔左大臣藤原道平。右大臣藤原經忠。參輔庶政。

中等漢文卷之壹中　終

中等漢文卷之壹下

山本廉編

第一　小山田高家　德川光圀

小山田高家稱太郎不詳何許人延元元年從新田義貞西討抵播磨圍赤松則村白旗城自春至夏軍乏糧食義貞慮兵士暴掠每街署榜曰敢刈一穗侵一屋者處法是以農不釋耕商不易肆高家犯令刈麥軍吏論罪當斬義貞聞曰彼豈肯以身易麥無乃以敵地所生誤爲非吾令之限乎不然糧食匱乏不得已犯法也遣人檢視馬仗盛設而芻糧索如義貞有愧色曰彼之求食將以力于戰而士卒先饑將之恥也勇士不可失法亦不可濫遺衣二

襲償其田主給高家糧米十斛謝之既而義貞與足利尊氏戰兵庫敗走馬中矢僵上路傍塚上俟副騎至敵競集圍之高家馳至以所乘馬授義貞力戰而死義貞賴得脫去

第二　正行詣行宮　德川光圀

正行與弟正時和田賢秀等百四十餘人歃神水誓以共死詣行宮奏請曩者先臣正成展微力夷強賊以安宸憂無幾天下復亂逆徒來攻終致命於湊川臣時年十一遺言遣還河內糾合族黨欲其除滅朝敵俾宇內再歸皇化也臣年既壯常恐以有待之身遘嬰不測之疾上而爲不忠之臣下而爲不孝之子方今師直師泰將來犯實臣報效之秋矣若非獲彼首則授臣兄弟首於彼雌雄之決在此一戰願得一拜龍顏而去言畢泣下

帝親臨口敕曰前日二戰每得克捷汝累世武功殊可嘉尙聞賊復盡兵來犯事勢固弗輕雖然知進而進欲不失時也知退而退欲圖全也汝朕之爪牙愼當自愛正行頓首而出率衆拜後醍醐帝廟告曰戰如不利不敢生還叩鐔而起題同盟姓氏於如意輪堂壁書歌於其後曰加倍羅自斗加爾氏於毛倍波阿豆佐由美奈岐加儒珥以流奈烏層斗度牟流各截髮納于佛殿而後發

第三　匡房強記　德川光圀

大江匡房式部大輔匡衡曾孫信濃權守成衡子也穎悟絕倫四歲始讀書八歲通史漢十一歲作詩世稱爲神童權大納言源師

房令賦詩以試之匡房援筆立成師房奇之進是後冷泉帝帝大感賞賜學料關白賴通創平等院于宇治與師房往而規度大門北向賴通問師房寺門北向古亦有諸曰不知匡房尙幼從在後師房試問之匡房曰天竺那蘭陀寺震旦西明寺本朝六波羅寺門皆北向賴通歎賞

承曆中高麗請醫廷議以其無禮不遣使匡房作牒報之其詞有云雙魚難達鳳池之浪扁鵲豈入雞林之雲世傳稱焉

第四　宗矩劍法　飯田忠彥

柳生宗矩大和柳生人也姓菅原氏宗矩初字又右衛門文祿三年初謁見東照宮善擊劍多機智庚子亂以良家子私從小山行

營會上國兵起東照宮召謂曰汝急馳返鄕里與父召募義勇應學兵乃賜書於父宗嚴而還柳生促募故舊以從事及軍平錄其功賜柳生谷正木坂地加賜一千石寬永六年三月叙從五位下。稱但馬守九年九月爲使番聽五字幟十月加賜三千石十二月。爲大目附其後累賜釆邑食一萬二千五百石居柳生宗矩繼父善劍法大猷公自幼常召宗矩修練其術日夕盡心未忘屢勞心慮或時宗矩啓曰古人有言雖爲其親能得傳子之難惟調練思慮躬自有所得臣嘗就師參禪頗有所感而業少進矣至不言之妙不若假禪而悟道也公甚悅問宗矩所學且曰汝選其善者乃使臨濟一派宗峰遠孫宗彭請關東爲學而宗矩與宗彭俱選著一書以獻公忽悟得其至妙崇信宗彭宗矩初以擊劍起身故世人謂惟一術而已然幕府登庸之宗矩老武而能諳大務假禪諭政公每謂左右曰天下大政孤學宗矩而得其大要也。

第五　塚原卜傳

依田百川

塚原卜傳常陸塚原人父曰土佐守學劍法於下總人飯篠長意擊刺妙天下卜傳繼箕裘仗劍周遊諸州時下野人上泉伊勢善用槍劍卜傳折節爲弟子業益進嘗入京師將軍足利義輝延見之試其術大喜受業其遭弑身執劍縱橫奮擊斬十餘人伊勢國司北畠具教亦從受業後爲織田信長所殺死時徒手搏擊進奪敵刀斬數人卜傳遊列國其徒七八十人鞍馬如雲牽狗臂鷹鹵

簿如大諸侯其見重至此然時或屛騶從單騎獨行跋涉山谷人不能測其所爲又自稱其劍法曰無手勝流人不能解其何故也嘗東歸過近江上湖舟見六七客中有一士人狀貌猙獰鬚髯繞面自謂精武伎天下無敵卜傳抱膝坐睡如不聽者士睥睨曰吾子亦佩刀盍一言卜傳徐曰僕之伎與君異不求勝人欲不敗耳。士作色曰子術何名曰無手勝流是也所佩何用曰是斷私心非斬人也。士益怒曰子徒手敵我耶曰可。士呼舟人上岸卜傳遙指一洲曰岸上格鬭或傷人請於彼乃命舟子近洲士躍起上陸拔劍麾曰客來客來卜傳脫刀付之舟人奪其棹一盪舟開去岸數丈大笑曰無手勝流是矣。

百川曰上兵代謀義輝具教以卜傳弟子不能極其薀奧徒得其皮毛恃勇侮敵身死國亡何也嚮使二君得無手之秘則久秀信長可折箠而使也惜夫。

第六　板倉重宗

鹽谷世弘

京兆尹板倉重宗朝于江戸重宗手捆茅鞋獻之曰是先臣所教臣東照公在參河時所御也願以念祖業艱難重宗明決善治訟二婦爭子重宗曰官何知所出援得者卽是乃使二婦援女左右手女不堪痛泣一婦援得悅甚將抱去重宗厲聲曰彼非力不足方爭之恐傷子不敢強援也汝則反之汝非兒之母也二寺寶藏古硯皆名松陰傳言平重衡遺物爭其眞贋重宗曰重衡貴公子

硯名松陰者。何必一二僧乃服。
婦人言夫爲賊所殺。刀有血痕。賊必病創。使吏捜之。不得。偏問瘍醫。一人曰。不知何人。請臣載從輿。行可二三里。掩覆使無所見。輿中杌隉。如上下山。暮至其家。屋宇宏壯。主人凴几而坐。云爲賊所斫傷。臣與之藥。留十餘日。送歸家。重宗曰。汝在其家。何所聞見。曰。無何也。但歸途聞異鳥鳴。擔夫曰。所謂呼佛法僧者也。臣聞高野日光獨有此鳥。然二山非一日程。臣意怪之。而不敢問焉。重宗笑曰。汝不記後成之歌耶。乃遣吏松尾山捜求。即得賊。人以爲神。
嘗出行。市兒指輿連呼周防。意如有所憎怨者。重宗駐輿問得父名。明日召問汝有何寃。對曰。小人有叔父侵財。訴之不得直。重宗使屬吏檢前後按牘。因謂其人曰。吾謬矣。然事已經年。不可覆按。因出私財。償之矣。

第七　西人遺言　　依田百川

亞拉比亞有一豪富曰阿兒摸刺的。生二子。田宅肥美。又有佳菓數百種。建屋其中。飛棟聳空。朱欄映日。器什莫不精良。一日憑檻眺望。嘆曰。美哉田園。辛苦經營。欲以傳之二子。二子不和。日尋鬩。若令並隣而住。必啓爭端。終爲他人所有耳。因憂慮成病。臨沒遺書曰。堪爲吾子者。獨取之。不許分產也。如其裁決。一問法官。遂死。兄弟訴於官。長子呈父像曰。兄弟孰能肖者。吏命立庭。相之。並酷似。而論其鬚髭。兄弟互有似有不似。吏不能決。乃問曰。父有所能乎。二子答曰。善射。長又曰。夜射飛鳥。莫不中。季又曰。使箭至天。雖星斗射墜也。
法吏乃令二子較射。懸父象。命各射其瞳子。兄先射之中矣。弟擲弓跪謝曰。彼爛者嘗顧我育我。不忘於心也。焉忍射之。兄有喜色。法吏起。執弟手。扶之。撫其額曰。汝眞阿兒摸氏子矣。愛父勝於愛財。孝子也。因悉付其遺產。弟素有至性。分產與兄。一家輯睦。訴乃止。

第八　大岡忠相　　木村芥舟

越前守大岡忠相。爲人聰敏明決。元祿中。爲山田宰。其屬邑與紀伊侯所領接壤。其民與紀人爭田。控諸官。久而不決。時德廟入自紀藩。繼統。守宰畏之。莫敢斷者。忠相下車。立捕紀民之曲者。處法。德廟聞之。知其可大用。擢爲府尹。政績彰著。至今謳歌不衰。
嘗有染工。其隣人新建土庫。高蔽日。染工恐其失業也。百方言之。鄰人不聽。控之于忠相。忠相曰。人自建屋于其地。爾安得止之。雖然染工而不覩日。是失業也。爾宜速改他業。則自於其地。築山鑿池。惟汝意所欲。鄰人聞之大懼。輒毀土庫。以謝過云。

第九　秀吉和輝元　　菊地純

秀吉既圍高松城。築巨防於城南。引河水灌之。城兵結樔而坐。城不漸水數尺。輝元聞秀吉援兵且至。議行成。僧惠瓊素歸心於秀吉。爲講和議。秀吉曰。苟使城將宗治自殺。則我可以藉手而去。惠

瓊以告輝元輝元不肯明日惠瓊自入城諭宗治宗治曰我一死可以和兩國何敢不死乃與兄月清等乘舟出城自裁舟中以出城兵會京師凶聞至秀吉大驚而未宣言明日率數十騎巡視堤防輝元猶張軍不去遣使者來治前議秀吉自度事終泄不若自我發之乃具告使者以變故使還報曰事已至此公等猶與我和乎使者還報。

輝元大喜謀於諸將諸將欲掩擊之曰是天幸我家也不可失矣。隆景曰吾所見異於此吾視秀吉舉動和議發於外而變故起於內使常人處之必深秘其事速成前議今正告不隱任吾從違其量豈可測哉而今與之戰我曲彼直讐我必深異日雲蒸龍變問

罪行罰我輩將無死地以吾計之莫如從前約彼遭際禍難德我不違約必厚遇我功名富貴將與我共是我與彼同慶幸也輝元然之乃送質成和秀吉欲還討光秀因乞弓銃各五百旌旗三十騎士一隊而。

第十　山崎之戰

菊地純

秀吉乃移檄討光秀將兵四萬至尼崎使人往大阪報織田信孝信孝大悅與丹羽長秀池田信輝往會之光秀聞之以兵一萬五千次洞嶺秀吉軍山崎已而兩軍皆陣秀吉北瞻天王山指謂左右曰今日之戰使敵先獲之非吾利也言未畢賊旗幟登焉乃命堀尾吉晴往奪之吉晴勇決應聲而起馳至山腹則賊既先吉晴從後蹙之賊弓銃在前不可用吉晴大呼奮擊賊兵遂棄山走吉晴等代陣焉高山友祥爲先鋒鬭山崎南門不聽他隊先進聞天王山軍聲起乃開門而進與賊左陣大戰中川清秀踰坂而進遮其左池田信輝亦濟河衝其右合擊大破之秀吉追逃直逼光秀光秀怒欲親戰比田某叩馬止之前導走勝龍城城兵散亡所餘僅百人即夜光秀與十餘騎潰圍北出馳向坂本至于小栗栖土兵群起自林中以槍刺其肋墜馬而死。

明智光春在安土令堀秀政伐之光春馳赴坂本會秀政于大津與戰大敗騎入湖水秀政兵相語曰是自溺死葬魚腹耳望見以爲笑樂既而光春下鞍助馬而渡左唐崎孤松轉馬首而右進勢

將上陸秀政令曰此非徒所觀望何不取路於海道追躡殲之光春從容上陸見敵騎來近銜馬以良藥馳入坂本城兵見光春來喜躍設守備乃登天主閣臨敵則圍合光春虛其兵寨防禦或不整身親發銃於各所以示城中有備悉出其寶器付之敵手及光秀妻孥火城自殺。

第十一　浪速夢

大槻清崇

太閤以慶長三年八月十八日午晌薨壽六十三葬於東山阿彌陀峰初聚樂第之成公遇詠國歌一首自書之箋使尼孝藏主函而藏之戒曰他日有需則出之後十二年至此病篤俄召尼孝命之曰持昔所付國歌來尼孝出而進之公直援筆記歲月日及諱

於其後欲并造花押半成而號澁乃擲筆明日而薨蓋豫以擬絕命詞臨薨出以遺後人也其歌曰露止置露止消奴留我身哉奈仁波乃事波夢乃世乃中譯曰露生露滅是吾躬浪速榮華一夢中。此箋今尙傳在木下侯云。

第十二　太閤雜事　　大槻清崇

小牧之役前軍既成陣馳人伏水請進馬時豐公與茶博利休茗飮聞報便起直自後園出搴衣撫髯曰來來其輕擧弄敵每每如此前田德善院甞以爲言公笑曰勿用方今天下豪傑誰復有尙乎我者耶。

船達伏水岸上午見倒立長竿掛肩衣其上者公冷笑曰何物黠奴做箇惡戲因顧左右曰是比喩耳汝等能解乎皆曰不解公乃曰世事顚倒矣無袖在上也蓋邦語無袖言非其人也既而捕吏拘主者以至則曰汝雖小黠可憎亦足以警孤矣但施之他人必啓爭端愼勿再焉與金縱之其大度如此。

公之東征次宇都宮召佐野天德寺語戰國事天德寺盛稱武田上杉勇武無比公笑曰使二豎在乎一人提長刀導前一人揭朱傘擁後亦足以壯吾儀衞矣而今不在是實孤之不幸而二豎之幸耳。

移蒲生氏鄉封於會津食百萬石氏鄉來謁未及陳謝公率然謂曰聞卿善筆蹟幸爲孤寫謠曲一本自取筆硯以授之終不及移封事。

書史在側草檄文偶忘醍醐醍字公以指畫大字於地曰大字當如此書蓋以醍大邦讀相近也其檄征韓諸將往々用粘合紙文亦有塗抹處輒付使者曰持此往矣。

公逢人輒曰亦見吉夢乎每諸侯伯來謁宴飮歎接或圍棋或點茶或歌謠舞樂各隨其所好罄歡而罷蓋皆所以摠攬人心也要之豁達大度殆所謂天授者非耶。

第十三　大阪　　大槻如電

國不富則兵不强富國之道在勸農工農工賴商以通其貨大阪百貨之府大賈之市其所由來蓋久遠矣。

三韓朝貢以來舟運之利大興仁德帝有見于此相地難波津始建都制置外館即是地也中世尙有攝津職凡海路出入京師者無不經由其後舟泊或移神崎又轉界浦共爲附近之地及豐關白築大阪城遠邇商沽張肆城下遂爲熾盛大都會于今三百年。

市人轉難波舊名又或稱浪華。

市分東西南北四區跨淀河下流常呼大川架三大橋其下分爲安治木津兩川其河口共海舶所嚮聚也二條長渠貫通南北曰東橫堀曰西橫堀其他有長堀道頓堀江戶堀土佐堀等而兩橫堀之間街衢井通太似西京但憾道路狹窄耳。

大阪城深塹高壁置第三師團造幣局在大川北岸停車舘有四。

其在梅田者。通西京及神戶也。近來工業盛行。煙突林立。常見煤烟漲天。

市人營々趁利。殆不省其他。故世人往々有鄙爲者。然是千餘年來習俗。而素封家之多。職此之由。夫吺々者。恐失其當。

第十四　京都　　大槻如電

京都平安爲正稱。桓武帝建都於此。詔曰。山河襟帶。自然作城。宜改山背國爲山城國。又子來之民。謳歌之輩。異口同辭。號曰平安京。今宜從之是也。近來稱西京。蓋對東京言之也。

連山三圍。眞如詔辭。而其中頗曠敞。有兩水。鴨川稱東河。桂川稱西河。兩水之間。平坦三里。是平安京之所建也。

都城之制。東西一千五百零八丈。正中通朱雀大路。以分左右京。其兩極界。俱稱京極。南北則一千七百五十三丈。畫爲九條。然右京早廢。第宅市坊。逐年與于東河東。以至今日。故朱雀却爲西京極。東京極殆當中央。亦可以見此市沿革也。

市坊井然。縱橫如棊枰。是尙存延曆遺制也。三條大路。爲上京下京兩區經界。皇居在一條二條。城爲離宮。停車舘在七條。三條四條五條。各架大橋。鴨川左右。爲繁華之域。東山三十六峰。連其上。山紫水明。是此都之所以冠絕四方也。

奠都千有餘年。宮祠寺觀甚多。然數遭祝融之災。存者殆希。係其七百年前經營者。僅有三十三間堂六波羅密寺等數字耳。

第十五　嵐山　　大槻淸崇

十八日雨。文政十年三月齋藤履侯見訪。因議嵐山之遊。且擧予公事恐愆期。句示之。履侯乃曰。既已公事。不可緩一日也。遂俱衝雨而出西行里餘。泥路甚艱。至帷子逵。遙認嵐山。松間時見微白。予始以爲雲。諦視則皆花也。急叫一聲。倦脚頓進。行逾近。花益明。既過嵯峨。則嵐山全現。蓋其爲境。峯巒秀出。萬松蒼翠。一水潺湲遶其下。此其大勢也。而山櫻爭發。濃淡綺錯。其高者帶長松之翠。低者倒影淸流。紅綠相映。粧點成趣。譬猶天生佳人。衆美皆具。而飭之以脂粉。宜古今艷稱以爲一名區也。予也夢寐此境。殆十餘年。今而豁然醒心目。不亦快哉。遂投峽口旗亭。引觴滿酌。頹然既醉。予揖履

侯曰。公事已了。請辭。乃僦筍輿而去。輿窓結夢。恍然猶在山花泉石之間也。

第十六　下田湊　　大槻禎

下田豆州第一馬頭。人家千餘烟。號爲殷盛。時港口。海船下碇。八十餘隻。蓋候風潮也。其爲境。北對柿崎。南接大浦。一山東逼海。曰狼烟崎。隔水對峙成門。曰洲崎。其間相距半里。門以內。海水泓澄。成一大池。此其大較也。而三面連山如屛障。一峰作凸字狀。曰乳峰。吳客金李橋所名也。左右二峰。曰藍山。曰富士峰。與峰斜對亂石岸𡾟。如壯士怒立者。曰武峰。一水自其下來。曰稻生河。河水入海處。水色拖藍。深不可測。往時海潮暴漲。不便於停船。縣吏今村

氏捐私財當其潮衝修築長堤高二丈長三百餘步後免其害云。近時置戍臺於洲崎狼烟崎二所以備洋警狼烟崎海中雙岨離立曰雎鳩曰白鷺其西岨接陸亂樹鬱然曰城山即北條氏將清水上總介城址也山外即大浦舊有水關商船往來皆會於此後移之浦賀今則寂然不見帆影矣寓戒定寺寺主某火宅僧也其子圓禪在東臺寮舍善詩號松靄與余爲方外友。

第十七　相州洋航海　大槻禎

余每窮登山之遊而未嘗極航海之觀也自下田至浦賀海程三十六里號相州洋航海最爲壯觀此行欲果之時屬晚秋風潮不順淹留二旬意殆絶矣至閏九月四日風俄然變帆皆北指舟子曰可矣乃解纜港內風力不足運船檣頭施綆二條漁船數隻分隊力挽出港風鋭船駛海島皆走東南滄溟南方與天一色三島現出曰利曰新曰大所謂伊豆七島之三大島最近其山發火迸烟抹天聞之晴明烟少減晦瞑則烟愈熾其理不可究時波間轟然有聲飛沫雨注蜿蜒如有物舟子曰是鯨魚也余曰恨不能鞭其背窮所謂十州三島耳從出港殆二十里右窓望大島而行過此風波甚惡船浮沈簸蕩頭涔足縮幾不能起遙視兩山夾峙成門南爲房之洲崎北爲相之三崎相距二里寔爲海門衝要入門波平如鏡與門以外夐絶既而見一簇人家即浦賀也晡時出下田申時入浦賀其間僅五時極爲快捷然前後上舟者三始得達。

其不葬魚腹者蓋幸矣

第十八　吉田松陰　小笠原勝修

安政元年三月墨艦至下田港送致長門人吉田松陰澁木某初二人就墨艦請與俱航海彼理不聽護送遣歸二人坐犯國禁連事佐久間象山象山松代人好學該博通蕃書善火技松陰少學兵象山象山曰生今之世者宜航海審虜情會幕府託和蘭購兵艦象山建言曰不如遣人殊域學製艦伎巧便宜購之邦人來往自熟操船方賴以審各國形勢益莫大焉幕府不納松陰聞之感憤會魯艦入長崎欲從之航洋告別象山佯稱赴長崎象山察其意給旅資詩而送之松陰西魯艦巳去乃還江戶問謀象山象山授之方略而事覺就縛幕府乃拘三人於各藩。

第十九　咬菜軒扁額　重野安繹

板倉重矩重昌子世仕幕府初爲詰衆居江戶本莊邸種蔬前圃。躬親灌漑培養顯貴之家時亦贈此無復營求之意其居室扁曰咬菜軒法眼野間三竹所書也後任大坂城番進至老中又權行京都諸司代事數歷中外屢移其居雖一時僑寓未嘗不顏以是額三竹問之重矩曰吾以不材謬參國政夙夜戰競隕越是懼夫易驕者心也吾希不敢忘本莊幽居之時耳爲人謹厚質素其爲老中人有贈遺無論侯伯士庶必拜而受之或問其故重矩曰某平生非君父之賜則未嘗拜而受之今謬蒙擢拔受人崇敬若不

居斯職。誰訪問之者。故其所贈遺。雖有大小輕重之不同。莫非君之賜也。所以拜而受之也。命皆藏之。遇親戚故舊沉淪者。贈此慰問。其餘頒之家臣。

論曰。咬得菜根。百事可做。古人此語。謂困約可以成事耳。今重矩榮進至顯要。而終始不失其所守。至拜諸人贈遺。以爲君惠。頒諸親戚故舊諸臣。而毫不私有。則又能擴充咬菜之心者矣。

第二十　柳玭　小學

柳玭嘗著書。戒其子弟曰。壞名災己。辱先喪家。其失尤大者五。宜深誌之。其一。自求安逸。靡甘澹泊。苟利於己。不恤人言。其二。不知儒術。不悅古道。懵前經而不恥。論當世而解頤。身既寡知。惡人有

學。其三。勝己者厭之。佞己者悅之。唯樂戲談。莫思古道。聞人之善嫉之。聞人之惡揚之。浸漬頗僻。銷刻德義。簪裾徒在。厮養何殊。其四。崇好優遊。耽嗜麴糵。以銜杯爲高致。以勤事爲俗流。習之易荒。覺已難悔。其五。急於名宦。昵近權要。一資半級。雖或得之。衆怒群猜。鮮有存者。余見名門右族。莫不由祖先忠孝勤儉以成立之。莫不由子孫頑率奢傲以覆墜之。成立之難如升天。覆墜之易如燎毛。言之痛心。爾宜刻骨。

第二十一　義僕萬助　蒲生重章

萬助者。伊豆伊東人也。享保年間。仕江戶淺草東仲街醫安中益菴。于時年甫十歲。益庵善視之。萬助亦謹事之。享保二十年。萬助年四十二。而益庵年八十。其妻六十三。益庵患中風。不能來往病家。家日貧。乃悉散奴婢。萬助獨不肯去。謂益庵夫妻曰。予去則君等當窮於使令。余雖猶經幾年。不辭仕。君益庵夫妻曰。汝在焉固宜。雖然自今而後。難給俸金衣服。汝當辭我仕他。萬助乃汪然流涕曰。吾不願賜俸金衣服。雖飲食亦當自謀。乃强留爲事之。益謹。益庵家事。萬助悉任之。至於澣濯其夫妻故衣。近街日輪寺門前。有輿卒勘介者。萬助往學舁輿。夜則舁輿得錢。以助益庵生計。一夜隣街失火。萬助乃負益庵避之於遠。歸見其家。則既灰矣。由是益庵益貧。乃借街巷一小屋住之。萬助每夜舁輿歸。輒夜已過半。人寐巷門闔矣。萬助叩之。益庵妻出開之。萬助憚其屢煩老主婦。

也。到深夜則宿勘介家。早起廼歸。如此者有年矣。

益庵夫妻感其至誠。欲以萬助爲養子。配其女。女爲佐竹侯宮女者。乃召其女於家矣。而萬助不肯焉。自擇篤實有醫學者。得諸生壽伯而配之。而已則爲其僕。擔藥籠而從之。既而萬助鄉書至曰。汝出鄉久矣。當歸。萬助慨然曰。繄我有弟二人。在當使之繼家養父母。我自十歲成長於主人家。不忍見其困窮而辭去也。乃復書乞父母不歸。比隣感其忠義。白其事於其地頭傳法院。院主乃稱其奇特。與錢三貫緡。萬助不自有一錢。悉以付益庵。益庵乃買綿衣一襲以與之。比隣又白其忠行於町奉行大岡越州。越州乃以錢五十貫緡賞之。實享保某年某月某日也。益庵沒後。萬助遂終于

其家。

第二十二　羆犬說　　鹽谷　誠

杏花翁家畜羆犬。白黑斑毛。縮其鼻。睅其目。性狡善解人意。動作一承顏。俛頭帖耳而匍匐者乞食也。掉頭搖尾而躑躅者喜得食也。置焉而不與。不敢食。與則食。與焉而叱則守之。俟再與。生蟲生魚。嗅而不嚼。見異服異狀。則張爪齘齒。吠吼跳躍。如將噬齧者也。予一日過翁家。翁指之曰。渠有六德。子知之乎。善解人意者。非智乎。俛頭帖耳而匍匐者。非禮乎。與則食。不與則不食者。非義乎。與而叱則守之者。非信乎。不嚼生物者。非仁乎。吠異狀者。非勇乎。吾愛羆犬。有取于此也。子為記之。吾聞古之人取孝於烏者有焉。取義於蟻者有焉。取仁於虎狼者亦有之。未有取六德於禽者也。吁犬也。非人也。何為乎具此德。而人或不能然。天下羆犬多矣。而未聞有如此犬者。蓋由其教習成熟與否也。然則天下病不教耳。苟教之。如翁之犬。誰不全六德。況固有此德者哉。因書以為戒。

第二十三　記虎獅子　　信夫　粲

天下之獸。莫猛於虎。莫獰於獅子。有人於此。曰我能狎虎如貓。使獅子如狗。孰不笑其妄。而知氏能狎之使之。不啻如貓狗。可謂妙矣。檻車鄰々。一則蓄猛虎三頭。一則蓄狻猊三頭。中用鐵格阻之。蓋恐其相噉噬也。戲馬已畢矣。知氏紅被錦綳。戴白毛冠。把一朱鞭。立車前。睨視久之。直啓戶入。衆駭矚目。乃排格一之。以便演伎。虎聳肩踞蹲。知氏一喝舉鞭。載廻載跳。行住坐臥。無不如意。或以虎代茵坐臥其上。或容拳其口。則跳踉大叫。以發其怒。

獅子則架板于中央。一上一下。如臨淵谷。如望巖洞。知氏以面當獅頭。如曰汝怒。輒疾起噬我者。觀者冷汗浹背。須臾砲聲一發。焰烟滿場。獅哮一聲。震恐於人。知氏則出檻。為之結局。此豈非天下之神伎乎。不唯有術。有法能御之。其伎與彼意氣相投。分毫不離。精熟鍊磨。自然致之。非一朝一夕之故也。司馬子長曰。猛虎在深山。百獸震恐。及在陷井之中。搖尾求食。今此師子也。豈唯為求食。亦由恩威幷施。至誠相感之所致也。惜不倩彭物二氏筆以記之。雖然。丹砂青芝。俱收待用。良醫之事也。後之傚於虎志者。其亦有取于此乎哉。

第二十四　捕鯨　　齋藤正謙

玉井生自南紀來。盛談熊野捕鯨事。曰凡鯨之出。每在冬春間。群漁預具走舸以俟。聞螺鳴。輒發疾如電。各載三人。一人操櫓。一人持鏢。一人瞻旄。旄長三丈。漁長執之。立高岡上。麾之右。衆舸從而右。麾之左。亦從而左。進退分合。惟旄之瞻。往逆鯨於洋中。鯨來若山嶽之移。噴沫成雨。不可嚮邇。乃轉出於其背。鼓譟怖之。驅入灣內。衆舸從之。爭擲鏢攢於鯨背。及鯨創重將斃。募一壯夫。入水屠其腹。貫索而出。繫之以兩大船。邪許曳之。比至沙際。金鳴舸散。乃置酒饗衆。賞先登及入水者。各與十金。餘有差云。余聞而壯之。以

爲。雖赤壁采石之戰何以過之其紀律之嚴進退之節及高募重賞得人之死力似深於兵法者矣。

第二十五　赤壁戰　十八史略

曹操擊劉表表卒子琮舉荊州降操劉備奔江陵操追之備走夏口操進軍江陵遂東下亮謂備曰請求救於孫將軍亮見權說之權大悅操遺權書曰今治水軍八十萬衆與將軍會獵於吳權以示群下莫不失色張昭請迎之魯肅以爲不可勸權召周瑜瑜至曰請得數萬精兵進往夏口保爲將軍破之權拔刀斫前奏案曰諸將吏敢言迎操者與此案同遂以瑜督三萬人與備幷力逆操進遇於赤壁瑜部將黃蓋曰操軍方進船艦首尾相接可燒而走也乃取蒙衝鬪艦十艘載燥荻枯柴灌油其中裹帷幔上建旌旗豫備走舸繫於其尾先以書遺操詐爲欲降時東南風急蓋以十艘最著前中江舉帆餘船以次俱進操軍皆指言蓋降去二里餘同時發火火烈風猛船往如箭燒盡北船烟焰漲天人馬溺燒死者甚衆瑜等率輕銳雷鼓大進北軍大壞操走還後屢加兵於權不得志操歎息曰生子當如孫仲謀向者劉景昇兒子豚犬耳。

第二十六　標註十八史略序　島田重禮

當今之世學科大備矣而莫要於史學史學極廣矣而國史之外莫急於漢土蓋漢土與我接壤立國最舊道德性命之說典章文物之制與夫治亂興亡賢奸淑慝之跡其可以資考核而爲法戒者莫不粲然備具焉是以我邦夙通使聘講求其學近時彊場有爭桑之闘今將棄細故脩舊好相與保東洋大局則其政俗民情益不可不精究而熟講也顧彼土史籍浩繁勿論廿四史即如涑水通鑑紫陽綱目亦皆裒然巨帙雖專門學者猶有望洋之歎况庠校之制學課有程不得專力一科則擇節史佳者以爲津筏亦讀史要務也元曾先之十八史略二卷明陳殷加音釋釐爲七卷蓋其書雖爲帖括作刪繁摭要頗便初學是以流傳極廣幾乎家有其書但舊注闕略不備讀者憾焉石村貞一河野通之二氏乃就陳本更訂正訛謬間有文義難遽解者一々疏通而證明之疑滯渙然氷釋理順其用之可謂厚矣或譏之曰此兎園冊何足以談史置之而可也余曰不然古之善問者如攻堅木先其易者後其節目其善誘人亦然自近及遠自粗入精循序漸進不容淩節躐等今二氏之先校刻斯書其亦後節目之意也歟。

第二十七　紀新寨之捷　中井積善

慶長二年島津氏之守泗川也築海畔徙據之以爲根本號曰新寨北築望津以扼晉江與新寨相距四十里又置永春昆陽等諸寨積穀東陽明董一元引軍抵晉州臨江而陣相持月餘明郭國安者降在望津與明將茅國器約爲內應九月廿日國器勒兵渡江我兵臨岸防之寨中火起炎燄漲天衆驚而潰國器遂陷望津一元分兵攻永春昆陽縱火爇之我兵皆奔泗川一元進圍泗川

廿八日守將血戰突圍奔新寨。一元又焚東陽倉火不熸者兩日夜。自虜之攻望津新寨將士屢請赴援義弘弗聽曰。敵兵衆而氣銳。難與爭。不若固壘以逸待勞。一元益進攻新寨。將士皆奮欲邀戰義弘嚴令不許。新寨一面臨海。一面通陸。引海爲濠。舸艦千數泊寨下。一元素憚薩師。疑其有謀。退次泗川。冬十月朔。一元合兵二十萬。復攻新寨。自卯至巳。其將彭信古用大熕。擊寨門。碎樓堞數處。步兵逼濠。拔柵爭登。義弘隨機防禦。殺傷過當。鬨呼聲震地。會虜熕腹炸破。火藥齊燃。黑烟蔽空。我兵乘勢啓門衝突。島津忠恒皷。策先之。信古兵三千殲焉。餘衆披靡。我兵尾而馳焉。明遊軍茅國器葉邦榮。率兵一萬。摛虛傳城義弘逆料之。圍兵五千以待。至則齊出奮擊。虜郤走。其後軍將藍芳威。望之先潰。明師大敗績。我師追亡逐北。至望津而返。斬首三萬餘級。

第二十八　兩王子謝狀　　飯田忠彥

秀吉命清正。託諸囚於秀家等。於是清正不得辭。送還臨海君珒。順和君珵及大人黃廷彧金貴榮黃赫等。清正待之存恩。皆感泣而去。後二王子及臣僚寄書。謝曰。兩王子臨海君順和君兩府夫人陪官長浮君上洛君。行護軍大將南兵使等自壬辰年四月二十四日被擒。日本大將軍主計頭清正入城。相見。即加禮遇。一行下人。拜給衣糧。撫恤頗至。又禀命于關白殿下。到釜山浦。迴計放還京城。其慈悲如佛。眞箇日本中好人也。況素聞關白殿下。雄傑

無比。四隣皆畏之。且善於分別待隣國王子諸官。稍存舊意。愍其渡海。使復京。其恩厚與北海俱深。一行之人其敢或忘。後日若對日本及主計頭。復發强談。少有背負之意。非人情也。天地鬼神共知之矣。修好之日通書寄情事。

第二十九　川崎軍曹亂大同江　　山本廉

世人動曰。今人不及古人。文祿征韓之役。小西行長進入忠州。將襲京城。至臨津。津頭無一舟。有曾根孫六者。裸體帶刀。泅達前岸。奪船而還。傳勇名於千載。明治征清之役。我軍入朝鮮。陸軍軍曹川崎伊勢雄。亦亂大同江。奪船而還。其勇壯有勝孫六者。誰謂今人不及古人乎。初我軍候騎遠進至大同江。阻水望平壤。清兵來將營之。我兵欲及其未盡至。先渡以破毀郵便電信局等。夜至渡頭。無船可渡。我兵欲騎涉。或欲馮河。然陰霖連旬。濁流捲浪。皆不得渡。川崎軍曹。銜劍於口。亂滔々激流。其勢如蛟蛇。竟達前岸。而息。蕩地。瞥烽高轟于天。砲聲忽起四方。軍曹不少屈。冒彈丸雨注。奪船而還。衆皆拍手。嘆賞其勇壯云。

中等漢文卷之壹下　終

明治三十年十月三十日印刷
同　三十年十一月五日發行

定價金參拾錢

編者　山本廉
東京市麻布區霞町三番地

發行兼印刷者　吉川半七
東京市京橋區南傳馬町一丁目十二番地

販賣者　林平次郎
東京市日本橋區通三丁目六番地

明治三十一年十一月十四日
文部省檢定濟
尋常中學校漢文科教科用書

中等漢文

山本廉編

東京　吉川半七藏版

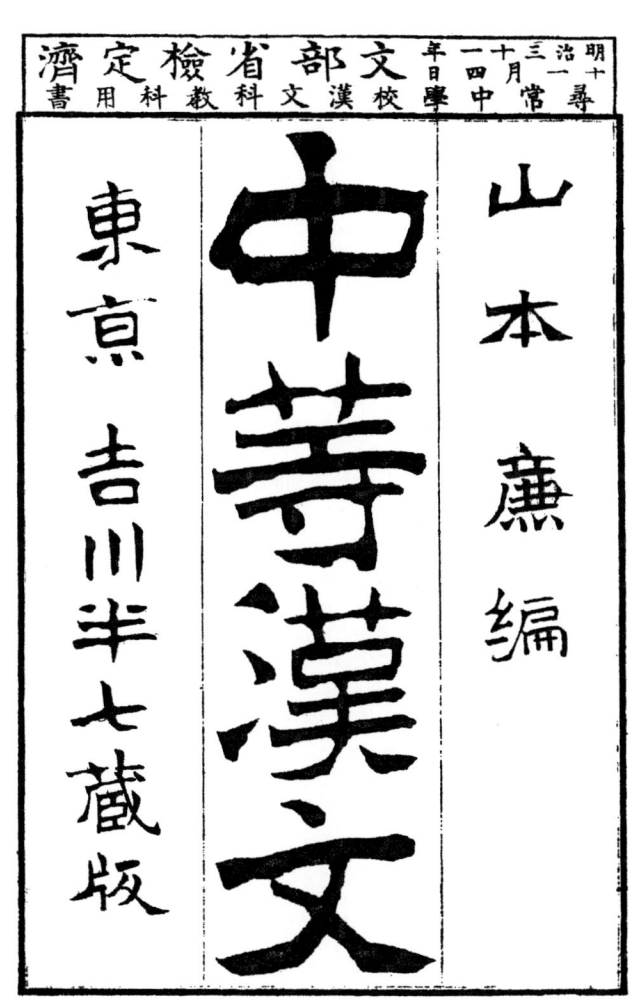

中等漢文卷之貳

目次

上卷

中卷

下卷

中等漢文卷之貳目次終

中等漢文卷之貳上

山本廉編

第一　立志論　　賴襄

男兒不學則已。學則當超群矣。今日之天下猶古昔之天下也。今日之民猶古昔之民也。天下與民古不異今。而所以治之今不及古者何也。國異勢乎。人異情乎。无有志之人也。庸俗之人溺於情勢。而不自知。無上下一也。此不足深議焉。獨吾黨非傳夫古帝王治天下人民之術者乎。而徒拘拘然佔畢是呻。尋章摘句。以爲一生大業。亦已陋矣。是其業雖貴。與庸俗奚擇。乃將爲庸俗所侮。噫男兒不學則已。學則當超群矣。古之賢聖豪傑。如伊傳。如周召者。

亦一男兒耳。吾雖生于東海千載之下。生幸爲男兒矣。又爲儒生矣。安可不奮發立志。以答國恩。以顯父母哉。遇不遇天也。苟學古帝王之道。而有得乎。神而明之。在我所爲。我所爲合今日情勢而其至也。情勢隨我而回。夫然後古聖賢豪傑所成。吾亦可幾已。孰謂吾言之狂乎。吾生十有二年矣。以父母教。得聞古道者六年矣。春秋雖富。其成已近。苟不自奮。因循消日。則將伍夫尋章摘句之徒而止。可不恥哉。於是書以自力。又申之曰。噫女擇之。同立天下。同爲此民。女群庸俗乎。抑群古賢聖豪傑乎。

第二　塙保己一傳　　蒲生重章

塙保己一者。武藏國秩父郡保木村人。因以爲名。而其稱一者。本邦瞽者之通稱也。幼而穎敏。學和歌於萩原宗因。遂專心乎本朝學。本朝古書莫不涉獵。而盲也不能自閱書。因倩人讀。已則傾耳而聽之。聽輒終身不忘。自號水母子。取於水母以鰕爲目之義也。嘗夏夜應人招。講源氏物語。忽涼風吹滅紅燭。保己一不知燭之滅。猶喋々講說。坐客惘然。請暫輟講。保己一曰。何故。曰。燭滅矣。不得見書。保己一哂曰。有眼人何其不自由哉。保己一學既成。開黌曰和學講談所。教授生徒。幕府聞而祿之。補撿校。

保己一益究和學。搜索名山古剎之異書。其所藏和書過二万餘卷。乃校訂異同。作群書類從六百六十餘卷。續集一千餘卷。又精史學。著史料數百卷。藁草有山岡明阿者。其門人有片山足水者。

亦皆精和學。足水家藏宸翰一篇。但署太上天皇。而無御璽及花押。而御書頗美。足水刻作墨本。以頒同志。人不知其爲何天皇也。一日客談偶及此。朗誦問保己一。保己一默而聽之。至其曰廷禁之闕。宸居無動。姑射之山。万壽不騫。莞爾曰。此花園帝之宸翰也。何則花園院在仙洞之時。伏見院猶居仙洞。因稱伏見院爲姑射。稱今上爲廷禁之闕也耳。其史學攷證之精確。率此類也。文政四年九月十二日。以疾歿。享齡七十有六。其所著群書類從史料外。猶有皇親譜畧。椒庭譜畧。螢蠅抄。花咲松。総隱集等。其所校刻。日本後記。令義解。百錬抄。類集符宣抄。徒然草等數部。皆行于世。其孫忠韶亦好學。與余善。

第三　安松鑿新渠　　大槻清崇

酒井氏移封之後。伊豆守松平信綱。代領川越。領內有野火止者。土瘠水匱。田里蕭條。代官安松金右衛門建議曰。宜鑿新渠。以引玉河。則水利疏通。稻田可以開矣。信綱問其所費。曰。當用三千金。信綱曰。顧吾亦非久于此者。然以三千金。利乎後人。亦吾之職耳。乃命督其事。安松於是募役夫數百人。鑿渠十有六里。自小川村。達新河岸。既成而源水不至。渠中唯沮洳。信綱怪而詰之。安松曰。雖臣亦未解其理。且待明年。至明年。水尚不至。信綱殊不平。讓安松曰。汝特不察地勢高低耳。安松曰。否。臣今而有所悟。古云河潤九里。蓋川越之爲地。在武野曠漠之中。土燥風多。人家皆吹塵滿

座。有客至。必掃席而後延之。而今年獨不然。加之蘿蔔諸菜肥饒皆異平日。是知河潤入地數尺。而十六里之渠。有以暗助之耳。至其明年。果一夜大雨。有聲如雷。俄而奔流衝決。香魚躍上地。十六里間。一時皆盈。以達新河岸。信綱憮然曰。安松經三年之久。不挫其志。洵有足感歎者。增之以祿若干石。後遂至顯職。

寧靜子曰。余聞。野火止貢稅僅二百。今則增至數千石。而渠水之利。民皆賴之。然則松豆州。利利樂樂之惠。眞沒世不可忘者矣。

第四　力士雷電　　佐久間啓

力士雷電。信濃小縣郡大石村人。姓關氏。父曰半右衛門。母後藤氏。雷電生强有力異甚。其兒戲不類人。所爲睹者皆駭。年十八九。身長六尺五寸。肢幹如鐵。而貌溫厚。自然可親。來江戶。從力士浦風學相撲。無幾何。以其技冠于天下。雷電之號。都鄙籍々稱不置。上自大將軍公。以洎列侯。屢召使鬪技而觀之。亦莫不偉其狀。愛其貌。而喈其傀力之無能偕抗。初雷電入相撲群。其所對敵。動有殘傷。苦難鬪觝。於是其技之老。相議禁其手勢尤難當者三。人始得安與之相角。然卒莫之能勝也。歷選力士之徒。蓋建櫜以來。一人而已矣。嘗以技仕松江侯。後辭歸。以文政八年卒。家壽五十九。雷電去世二十七年。孫義行。欲述其祖之蹟。傳于無窮。乃礱石於其村之道旁。特來請辭。昔越前秀康卿在伏見。召名妓國兒。觀其舞而泣。人怪問之。曰。今天下女子千万人。此女爲第一。吾生丈夫。

不能爲天下第一流。大有愧於此女。故泣。今予爲雷電。識于斯碑。亦殆將泣也。

第七　象山詩鈔序　　中村正直

松代北澤子進。嘗蒐輯其師佐久間象山先生詩。近又鈔爲二卷。付之梓。而以序屬余。蓋世之作詩者多矣。然讀其詩。而其人可知者無幾焉。若夫讀其詩而知其人。并以知其世者。千百而不一睹。而今于象山先生乎見之矣。當天保弘化間。文恬武熙。士風媮惰日甚。而西洋諸國之勢威。將漸及東洋諸國。以故。士之有遠識者。往往以海防爲慮。流涕太息。溢于言論。然猶未有折衷東西學術。以應當世之務者也。先生自少潛心經史。及長。廣就師友。磨礪智

識。又講兵法。治火技。名蔚然起。世推爲通儒。而先生則欿然未以爲足也。三十餘歲。始攻蘭學。四十而能成一家言。慨然以天下自任。非豪傑之士。而能若是乎。

嗚呼。先生非詩人也。然先生志尙之高遠。氣度之俊邁。學術之宏深。識見之超卓。以至遊學交友。君臣遇合。禍福出處。罔不流露于吟詠之間。故讀其詩。而先生之爲人。可得而知也。且夫先生嘗以一身而關天下之故矣。自幕政陵夷。米舶入港以來。或則書上時相而不見采。或則詩送秀才。而旋罹禍。或則放廢山中。而混跡樵牧。或則應徵抵京。而參與朝議。其間觸緒縈懷。輒有題詠。在先生。不過發抒己意。而國家變革。時世紛更之效。悉於是寓焉。故讀其詩。幷可以知其世也。昔者白蘇二公。後人以年月次第其詩。生平事蹟。具見本末。如先生。其殆庶幾乎。嗚呼。余嘗三復其詩。見嶄嶄然山聳于天半也。矯矯然鳳騫于雲際也。彼品紅評紫。爭工拙於字句之間者。曷足與語此哉。

第六　山岡靜山先生傳

中村正直

近來槍法之絕技者。莫踰于山岡先生焉。名正視。字子嚴。通稱紀一郎。號靜山。江戶人。家世仕幕府。爲人剛直不阿。重朴素。尙氣節。篤于人倫。家不甚富。而食客滿門。後多出名士。事親孝。父沒。母多病。先生看護匪懈。書室揭牌曰。七之日省墓。三八聽講。一六按摩。以按摩立課。古今所絕無也。每夜談武藝。間雜以忠孝節義事。先生幼時。刀槍射騎。泅水。讀書。習字。無不發憤勉勵。年十九時。有所省悟。慨然曰。我自今專精學槍而已矣。及二十二歲。名轟都下。所用長槍。曰及心槍。其源出於菅丞相道眞云。當是時。筑後柳川人南里紀介。以技鳴于海內。及其游江戶。先生就問焉。南里將歸國。欲與先生一較。以告別。於是相較試法。起辰至午。神出鬼沒。輸贏未判。所操各槍鋒尖摧破。短寸餘矣。世之槍術者流。失精神活潑之妙機。遺血戰之實境。徒務花法美觀者。比諸先生之技。眞等兒戲耳。嘗患疔。發於鼻下。痛甚。操技如常。衆醫止之。不聽。月餘而愈。又患瘧。每顫起。入場與弟子較技。以此去瘧。先生所操木槍。重有四斤者。七斤者。十五斤者。安政乙卯六月晦。暴卒。年二十七。先卒

一日。母氏視先生使重槍。患其太儽。先生曰。兒操之易易耳。翌日自曉至午。與諸弟子操習如常。但見肉色頗白。肌膚無澤。弟子以告。先生笑而不言。是日卒。

先生技既稱神妙。又以德行聞。嘗代母氏賽于西郊佛寺。有衆可二十人。圍繞一人。拳撻交下。鮮血淋淋。垂死。先生謂衆曰。何物狂奴。敢行毆擊。仆地者哀叫曰。山岡先生請救我。先生向衆懇喩。弗聽。於是突入群中。喝曰。窮鳥入懷。獵夫不殺。況士人之求救。而我忍坐視乎。汝之敵即我也。請來與我鬪矣。衆不敢動。先生視仆地者。乃舊嘗執贄習技。後背去者也。其人借金于衆不還。故今遘此厄。先生爲償其金。別取數金。與其人。加規戒而遣之。

先生嘗曰。凡欲勝乎人。須先修德于己。德勝而敵自屈。是之爲眞勝。若謂技藝可由擊刺而得則大謬矣。欲精乎技。須先禁飲酒遊行。必也無時而不存精神于技。無事而不出誠實之心。則臻于妙境。可庶幾也。又曰。人之所宜戒者。驕傲也。一驕入心。百藝皆廢矣。回視既往。我亦不免。每一念至此。慚悔汗下也。先生學槍勉强非凡。嘗慨昇平日久。士風柔惰。自期跂及古之士。庶幾緩急應用。嚴冬寒夜。以繩約腹。敲冰灌水。滿身淋漓。東拜日光廟。叩首默禱。丑時入場。操十五斤槍。作突衝勢。或三千或五千。或自黃昏至雞鳴。三萬嘗斫竹七尺許。把之踏高屐。與弟子試較。不異于槍操鐵扇。以敵槍手。

一夜月明。先生起臥不安。母氏怪問之。先生曰。如此良夜。豈忍舍慈母而眠乎。母子並坐玩月。賞心樂事。安知其不可再乎。母氏悽然曰。何得此不祥之語乎。後旬餘。先生果歿。小田又藏者。奇男子也。慕先生風。著其行狀。甚備。贊曰。余不知先生。知其同胞弟高橋泥舟君。君槍法之妙。海內無雙。得無非友于切磋薰陶之功乎。君居與余近。止隔一水。昕夕過從。吾師佐藤一齋翁曰。一藝之士皆可語。余既聞君談武事。每有所得。今又從君借先生行狀。約而作之傳。庶乎世之少年。讀之而有所感發奮興焉。

第七　游瀨戶記

太田元遵

瀨戶村。在縣治東五里。以陶爲業。精密偉麗。最冠天下。名遠聞海外云。予欲一游焉。爲塵事所羇。未果。明治戊寅六月初九。友人小櫻雨山來訪誘予。乃與石原栖霞共約以明日出門。昧爽二子叩門。予亦結束而竢。隷而從者二人。負一篋一瓢。北行一里。乃離城市。茅舍竹籬。漸入佳境。東行二里。抵大森村。日近午。就道傍樹蔭小憩。又東行里許。遙認竈烟颺於山阿。不問知是瀨戶也。登小酒樓。衆皆解結束而行杯。環村皆山。遠近若奔若伏。然不見嶮岳峻峰。矮松疎立。參差斷續。人家數椽。點綴於其間。頗彷髴于平安圓山長樂之風色矣。臨眺久之。嚮導者引衆入陶工場。所在設陶竈於山。各七重。大可容數十人。炎熱衝人。不可近。別搆大廈。使從事乎工者數十人。有埏黏土者。有轉旋輪者。有繪以綠碧者。其盛大

且巧。可駭可喜。觀了下左折。有磴道。拾級百步。上建六角碑。非石也。陶也。高丈餘。圍餘合抱。陶祖加藤四郎左衞門墓也。銘故督學阿部伯孝所撰云。門廡潔整。巍然一祠也。碑後有亭。尤閑靚。乃入亭。主人點茶溫酒。閑話久之。夕陽在林。衣帽飄然。倚檻西望。五層城樓。歷々於攢烟斷霞之間。須臾蒼然暮色至。步下山。廻經來時路。踏月還客舍。灯下與雨山栖霞。分字賦游瀨戶詩。門巷往來絡繹。絃歌送聲。僻地寒村。宛然有都市情況。予語之先游者。曰。較之往年。殆有冷温異云。予因思。往年除賈人之外。罕至此者。近時貴游之士。或洋客。來我縣者。必游焉。此地漸赴繁華。可以徵物產之興殖。記以驗他日之隆替。

第八　猪苗代湖疏水

川田剛

猪苗代湖。在岩代州會津、耶麻、安積三郡交界處。周圍十三里十九町。面積七方里。底深四百尺。萬山環立。衆溪歸焉。而其水獨從西涯戶口注出。日日高川。北流與大川、只見川合。爲阿賀川。入新潟海。初安積郡民相樂半右、山岡友次、山岡山三等。憂本郡田野不得水利。謀遠引湖水。以供灌漑。連署建言。不報。及福島縣吏中條政恒來督開成山墾闢事。復陳前言。政恒爲白之大久保內務卿。卿納其言。遣吏撿察地形。既而官募起業公債六百萬金於海內。欲分其六十五萬餘圓。充墾田疏水工費。使內務御用掛奈良原繁擔任其業。會卿薨。伊藤參議兼內務卿。仍繼遺志。己卯冬與松方勸農局長偕行。起工儀於開成山。其墾闢委之本縣。而疏水工事。委勸農局。命南一郎平。新渡戶七郎。羽根田延光。稻田秀實。後藤良介。伊藤鉞五郎。澁谷喜三。磯長得三。大橋靖。郡岡彰等。各司其職。繁以內務權大書記官爲之總督。因按地經畫。

蓋水道所經約二十餘里。支流分派。又若干里。平地開溝若干。鑿山爲暗溝若干。築堤若干。設閘伏筧架橋梁又若干。費額約四十萬圓。分功程爲二期。第一期起戶口。至第七番暗溝。第二期自第七番暗溝。至牛庭原。於是興工始。自戶口及布藤兩堰。浚鑿其底。深二尺。寬方百間。上架石梁。長二百尺。穿雙孔。形類靉靆鏡。下列十六閘。開闔瀦泄。以備旱澇。湖東曰山潟灣。左右築石埭。中鑿溝

渠。東去三百間。爲水門橋。又東千八十七間。爲田子沼。又東六百五十三間。爲沼上嶺。鑿竇三百二十五間。竇口設閘門。鐵鎖約。門扉啓閉。用轆轤。是爲番外暗溝。溝水瀉下。爲瀑布。百四十五尺。東流三千九百八十一間。入玉川堰。列九閘。閘外開溝千二百十一間。至高玉村。疏水橋。橋跨五百川。長二十餘尺。亦石造。穿雙孔。水從孔中南走。經第一番暗溝。遂次達第七番暗溝。起工以來。再閱寒暑。有司奔走。夙夜匪懈。日役工夫七八百人。里民四集。不待令而來。助役者又若干人。稱寸志夫。今茲（十四年）七月。所謂第一期工事告竣。松方內務卿。奈良原權大書記官等。行通水儀於開成山。而第二期工事亦將待明歲竣功。果然則灌漑所及。新舊水田五千餘町。收穫歲增數萬石云。

第九　霧島山

安積信

霧島山。在日向國。高四十里。周廻三百六十里。相傳鴻荒之始。冊諾二神。從天橋俯視。見海霧中有小島。乃以鋒探之。遂降臨。因以名焉。其鋒至今倒立山頂。世稱之天倒鋒。誠神聖之靈蹟。邃古之遺器也。但峰巒峻崇。巖谷深阻。多風火雷電之異。登者往々失所在。故能極其巓。而觀所謂倒鋒者少矣。南溪遊西州。抵鹿島。因欲登觀焉。而非有膽力者。不可偕。會一少年乞結伴。意氣甚可壯。乃以仲秋初八發。大抵日薩隅三國瀕南海。氣候温暖。雖嚴冬不見氷雪。是歲最暖。唯御一綿衣。經水陸二日。始達山下。陟八里許。有

廟。甚宏麗。晚投祝史家。詰朝倩鄕導。倶登。喬木摩天。蔭翳晝晦。惟踐導者之跡而進。直上十五里。童然無草樹。四望空濶。三州諸山。環拱起伏。如翠浪。遙見海水汪洋中。孤峰突起。儼然瑠璃盤上一點螺也。導者云。是薩之櫻島山。又登十五里。山益峻。燒石大如栗者。撒布路上。天忽晦冥。暴風揚沙。怪雨雺々。自谷底倒捲而上。不覺毛髮森竪。

又登八九里。路稍夷。而左則絕壑万仞。雲烟密布。黕不見其底。右亦浚谷數十丈。中間通人處。如行馬鬣上。曰馬脊越。稍進。燒石隨步崩下。鑿々有聲。須臾猛火炎熾。發于谷中。雷電殷轉。山鳴谷應。腥臭之氣撲鼻。或玄雲如潑墨。澎湃匝地。咫尺不辨。往來翕霍。倏

聚倏散。作鬼神佛陀諸靈異之狀。或白虹一道。自脚底起。直上天半。或光怪閃爍。天地變爲黃金色。步武變幻。不可方物。蓋硫黃芒硝之氣。鬱積谷中。煬火自燃。陰氣應之。爆然震激。現種々變性爾。特可畏者。橫風時來。勢如奔馬。稍不愼。則爲所捲去。頓爲火坑之鬼。所謂登者失所在。皆是物也。導者切加警戒。每風至。即全體俯地。既過。復起行。如是者數次。心悸骨驚。疑入阿鼻獄。少年尤震懼。五色無主。跬步不能進。導者曰。此子震懼如是。不亟返。禍不可測矣。遂扶掖而下。僅三里許。天氣清朗。如初。相與探橐中摶飯。啖之。少年色始定。

南溪獨咄々。以不觀天鋒爲至憾。因問從此至絕頂幾里。曰不過十里。南溪笑曰。是不難到。子與年少待之可也。投袂獨往。抵馬脊越。天色俄變。震電發作。滋甚。備歷辛艱。遂達于巓。果有物焉。質如精鐵。大如鉅竹。長丈餘。倒立地中。其鐓鏤若鬼面者。碧鏽沈蝕。古色可掬。雖未可必其爲太古遺器。而決非五百年來物也。巓無堂宇。無草木。徘徊四顧。天朗日麗。碧漢萬里。凡數州山川城邑。攢簇沓璧。若覆簣。若聚米。神氣活然。有羽駕凌雲之懷。但靈境不可久駐。急覓來路而歸。過馬脊越數百步。遙見導者與少年。地坐偶語。長僅寸餘。如畫中所覩。既至。皆欣幸。加手於額。相扶下山。大都天下名山。刊木通路。自役小角釋泰澄始。故爲緇流所占據。梵唄之聲相屬。獨此山以册諾二神。爲開山祖。眞天下之靈境也哉。

第十　濱田彌兵衛　　齊藤正謙

臺灣在支那東南海中。古無聞焉。明天啓初。海徼人顏振泉。聚衆據之。招我邦邊民入其黨。因自稱日本甲螺。甲螺猶謂頭目。我日本謂頭目爲加志羅。音近甲螺。故遂訛稱耳。先是泉州人鄭芝龍。少流落往來我邦。因入振泉之黨。及振泉死。衆推芝龍爲甲羅。雄視海上。後受明將之撫。去移閩中。我邊民代之爲甲羅。而紅毛夷來借地。約歲輸鹿皮三萬。既而築城郭據之。役使土人如奴隸。不復輸幣。且我商舶往印度者。過其近海。爲被殺掠。甲螺不能如之何。

適本邦商人濱田某至。衆交訴之。圖報復。某許之。某字彌兵衛。長

崎人也。勇而有謀。弟某字小左衛門。子某字新藏。並有膽略。力兼數人。乃與甲螺之黨二十人。還請之大府。大府允之。檄長崎代官末次平藏。備船募卒。附之於彌兵。彌兵盡裝其從兵數百。爲農丁。被蓑笠持鍬钁。行到臺灣海口。請守吏曰。日本之氓。聞臺地土廣人寡。中多萊蕪。欲移住以開墾之。守吏以告甲必丹。弗信。以哨船圍之數重。不遽許上陸。使人來言曰。汝之來。決非好意。不然何從人之多也。彌兵曰。唉。公何疑人之甚耶。假使日本欲略海外之國。當遣猛將精兵來。日本素不乏其人。奚使我儕小民之爲。守吏檢舟中。僅有數十副防身刀。其他唯有耕耨之具而已。還備告甲必丹。甲必丹意稍解。乃許衆登陸。彌兵得入城謁見甲必丹。請受廛爲氓。弗許。請還本邦。亦弗許。留數月。屢入請之。甲必丹依違不答。彌兵謂衆曰。甲必丹不許去留。其意不可測也。大丈夫入不測之地。當死中求活耳。衆憤然欲死之。

一日昧爽。彌兵父子三人入城。衆從之。留於門外。三人挺身排闥而進。甲必丹猶寢在牀。驚起叱曰。汝等入人閨閤。何無禮也。彌兵咆哮奮前。擒甲必丹於牀。自懷出匕首。擬其喉曰。汝有死罪。尚何咎人之無禮耶。左右欲及之。小左新藏。拔刀遮立。瞋目叱之。左右披靡。不敢迫。甲必丹惶急乞饒命甚哀。彌兵曰。汝欲生。何不停城上放礮。甲必丹曰。謹奉命。曰。汝嚮所掠之貨。倍數還之。甲必丹曰。唯命之從。兵聞變走入。鬭於庭。其後入者。爲礮被傷。彌兵乃左手

扼甲必丹之臂。右手執匕首。俱起。小左新藏。擁其前後而出。夷卒不敢動。甲必丹傳命停放礮。令其卒艤蠻船一隻。及日本船二隻。裝貨山積。彌兵入而檢之。乃欲拉甲必丹去。甲必丹曰。島民皆仰某指揮。某去則倀々乎無所歸焉。某有一兒。年十二歲。願代某從去。公幸垂愛憐。使某全父子之情。非敢所望也。彌兵許之。乃質其子及頭目數人。歸報於鎭臺。鎭臺稟大府。厚賞之。於是彌兵之名震一時。肥後侯聘而祿之。時寬永五年也。

第十壹　山田長正

齊藤正謙

長正字仁左衛門。或曰。伊勢祠官之隷。或曰。尾張人。自稱織田右府之孫。少而礌落有大志。不事商販作業。好譚兵。雄傑自喜。流落寓於駿府。元和初。天下始定。士之求仕者。皆干侯伯。長正弗屑曰。此間無立功名處。唯游海外。或可以展吾志耳。時下海無禁。府有經商二人。曰瀧。曰太田。將航海回易臺灣。艤舟於大阪。長正請附乘之。二人弗許。長正乃先到大阪。求二人之舟。入而匿焉。既而二人至。揚帆而發。長正乃從艙間出。申前請。二人大驚。不能如之何。許之。既到臺灣。商事畢。將俱還。長正曰。某在鄉國。殆不能自存。姑欲留此土。覓喫飯處。二人方患長正之狂。心私喜。委而去之。

方此之時。支那姦民稱日本甲螺。誘我邦邊民。占據臺地。長正通覽地方。蕞爾一島。且已有主。不可有爲也。又附蠻船。西游暹羅。會邦內騷亂。四隣交侵。而六昆最强。暹羅國主出師禦之。長正見其

行軍無紀律。私言其必敗。既而果然。人或傳其語。聞於國主。國主奇之。召見長正。詢方略。長正指畫陳策。鑿鑿可用。國主大喜。擢長正爲上將軍。往禦六昆。時本邦人流寓暹羅者衆。長正糾合數百人。雜以土兵。亡慮萬餘人。皆爲日本裝。聲言日本援兵大至。六昆軍沮。因縱兵奮擊大破之。六昆王憤甚。傾國來寇。兵數十萬。長正曰。敵衆强盛。難與爭鋒。唯以謀撓之。破之易易耳。乃分軍爲三。一伏山陰。一艤海澨。長正親率其一。出於海陸之間。進挑戰。兵既交。佯敗走。六昆兵追之。將及。號砲俄發。海陸二軍吶喊齊進。火鎗亂發。長正視機反之。衷敵軍前後擊之。大破六昆兵。殺數萬人。遂追北長驅入其都。擒六昆王以歸。威震遠近。四隣爭送款於暹羅。

於是國主大賞長正。妻以其女。封六昆及疋皮留之地。號曰唵普良。唵普良蓋諸侯王之謂也。久之國主年既高。頗倦勤。使長正攝行國事。於是唵普良之名。噪於印度諸國。而本邦地隔遠。未聞知也。數歲。瀧、太田復回易海外。行到暹羅。既入其界。迓勞之使沓至。相迎入館。少焉有吏來。戒王召見二人。二人初不知其故。心頗疑懼。且從吏入見王。冠服在交椅上。金珠粲目。義衞甚盛。二人俯伏膝行。不敢仰視。及退就館。飮食供御。如待貴客者。意益不安。既夜復有吏傳呼至曰。王來。二人驚出迎。王便服入坐。笑拍二人之肩曰。故人無恙。二人愕眙仰視。乃長正也。長正自備說其發跡之由。二人叩頭謝曰。鄙人愚矇。嘗相從於塵埃中。無禮獲罪多矣。不意大王能自致於冢廓之上也。長正曰。予之有今日。實由二子之賜。抑人有德於我。可不報哉。既寵厚賜遣之。本邦商旅聞之多游暹羅。長正皆善遇之。

長正雖富貴。而常懷桑梓不置。每臨戰。禱於駿府淺間之神。軍輒勝。至是命工摹繪當時戰鬪之狀。爲扁。附商舶獻於淺間廟。以報賽焉。又屢牒執政。納方物於大府。不失恭順之意。頃之國主殂。世子代立。長正退就封。先是國主之妃與其近臣姦亂。謀除國主。畏長正而不發。及長正去。遂弑之。長正聞之。則謀興兵討之。二姦大懼。募人潛往毒之。長正死。時寬永十年也。

第十二　蒲生君平傳

蒲生重章

蒲生君平。名秀實。字君藏。君平其一字。稱伊三郎。下野宇都宮人。其先出自會津參議蒲生氏鄕。初氏鄕有庶子。稱帶刀。及蒲生氏徙宇都宮。帶刀食秩三千石。納邑豪福田氏女爲妾。有身。會蒲生氏復封於會津。帶刀從之。留妾外家。生男。妾父母不忍遠遣之於會津。佯稱女子。鞠于福田氏。因冒其姓。爲宇都宮編戶之民。帶刀玄孫曰正榮。有五子。君平其末男也。幼而穎悟。一旦聽祖母語其家系。慨然發憤。誓欲興祖先之名聲。自復氏蒲生。折節讀書。不事生產。嘗寓于下野鹿沼鈴木石橋家。會歲暮掃煤塵。擧家匆忙。而君平不在。索之遍乎堂室廚厠。而弗得。見屋上。君平端坐閱書。如始不知其忙者。衆升屋引下之。君平悠然手不釋卷。既長益好讀

書史。然不甚研究章句。特通忠孝大義。景仰千古英雄豪傑而已。常慨然謂其友曰。吾生也晩矣。前之。弗能出大化大寶之世。而遇大織冠淡海二先公相業之盛。後之。弗能際天慶天正之亂。而觀秀鄕氏鄕兩先君將略之雄。今昇平二百年矣。草莽布衣。何所施設。願多著書。以裨補於世道人心。庶幾乎不忝爲名族之苗裔矣。其患天下蒼生疲乎姦君俗吏也。乃作革弊賦役諸篇。號曰今書。其患制度律令之不復古也。乃作職官神祇姓族等志。其患山陵之荒廢而不修也。乃作山陵志。其患夷醜之跋扈而不之攘也。乃作不恤緯。嘗上山陵不恤緯二書於幕府。有司謂其皆非布衣所宜言。却之。且議處之重法。會一鉅儒爲權貴所重者辨解其無他。

得免焉。君平自此不復言。號默々齋。以自警。益專力著述。扁其讀書之葊曰修靜。曰此吾之所以修身而成名也。常自以關東布衣稱。終身不筮仕。晩娶紅葉山伶人多氏女。無子。文化十年癸酉七月五日。以疾歿于江戶僑居。享年四十六。其疾革也。自作修靜葊大人墓碑銘。文極恠奇。而其三寶之說。皆愛君憂國之正言也。君平爲人眞率。不修邊幅。故人多輕之。嘗聞仙臺林子平有奇士之名。訪之。行裝敝惡。宴如一野人。子平心鄙之曰。咄。野翁不能自修。而何能弗禮。君平亦忿曰。吁。山澤腐儒。何自尊大至此耶。廼去。平素忠孝慷慨之氣。發于肝肺。不能自抑遏。嘗航佐渡。拜順德帝陵。見其荒蕪頹廢而悲泣。欲告之鈴木石橋。直歸。路遇一川暴張。

乃解衣厲之。直走行。不覺其爲躶體也。行路皆指而笑之。大竹與五者自京師來說。朝廷近者贈役小角神變大菩薩之號。君平聞輒泣曰。歷世天皇山陵荒蕪。且有未上謚號者矣。而如彼小角。則異端左道之徒。何賜追號爲。號哭展轉殆墜地。嘗路過東寺。見足利尊氏像。不堪忿々。大聲數其罪。鞭之數百。廼去。又途見朋友之讐。輒欲報。爲人所扼。讐得間而逃。在下野古河。夏夜與客飮酒酣。君平起之厠。聚蚊如雷。君平揮厠中團扇拂臂驅之。不知其染不潔也。既而聞談及楠公事。一人曰。公之死早矣。不念全生扶持王室。乃潔已售名。豈得爲眞忠臣哉。座客皆雷同。君平不能平。卒出厠。揮團扇而辨駁。一座異其臭。甚掩鼻而作。行酒者指君平所揮

團扇曰。是厠中物也。視之。染不潔。而座上杯盤君平衣袴亦皆莫不汚。座客憫然。君平至性。居祖母喪。盡哀骨立。

第十三　紀仁熊事　　信夫粲

越後魚沼郡妻有村樵夫九右衛門者。冬日冒大雪往伐薪于山。載橇而歸。一跌誤墜巖谷。積雪埋身。時昏黑。自分必死。見側有洞窟廣可容數人。乃口中念佛。匍匐而入。稍覺微温。愈入愈温。遂進觸獸毛。愕然膽落。知其熊也。意欲遁不可得。不如從容授命。於是歛襟端坐謂熊曰。熊也善聽。吾是妻有村九右。今誤落谷底。不虞侵汝棲處。汝欲啖速擘。若有一點仁心。則請救吾命。淚與言共下。股栗齒戰。徐撫其背。熊稍起身尻推九。若欲使其入奥者。因坐殆

似近爐而飢腸雷鳴。不可自禁。熊又擧掌當九口。九謂熊者。夏日摩擦蟲蟻于掌上。以供冬蟄之食。是蓋令吾舐之也。試舌嘗之。大甘小苦。因頻舐之。遂忘其飢。心氣爽然。已而熊寢。鼻息齁々。九始知其無害心。背焉而睡。及覺。窟口微明。出而眺望。巖壁一白。無復歸途。熊出飲于瀑。暗算其全體。七個犬之大也。熊還。九獨佇立。欲聞樵牧之聲。以卜其方向。四顧寂寥。無一禽之鳴。惟瀑聲潨々徹耳而已。既而日晚。復入窟。免飢於熊掌者數十日。遂與熊相馴。如同胞然。而九歸思甚切。一日出窟。曝背捫蝨。熊口其袖。引之若將誘行者。乃尾而往。熊爪積雪啓徑。行里餘。始得人跡。驚喜厚謝熊。熊一逸而去。不知其所往。九合掌禮拜。目送久之。遂得歸家云。

恕軒氏曰。吾聞窮鳥入懷。則仁者不殺。餓狗搖尾。則惠人憐之。今人文酒相交。往來過從。視猶同胞。一旦窮阨。棄去不顧。甚者則從而擠之。況於其瀕死乎。夫熊獸類之不近于人者也。而能爲仁者惠人之所爲。如斯其厚。宜乎詩人稱爲男子之祥矣。余嘗紀義猴事。誤傳播藝林。今又紀仁熊事。嗚呼仁義失於人心。而存於禽獸世之殘刻無人理者。其亦無地縫之可容哉

第十四　明曆之火

青山延光

明曆三年。正月二日。四谷火。十八日。風霾蔽天。本鄉火。延燒神田。駿河臺。至鐵砲洲。夜半始滅。死者數百人。十九日。又大風。小石川火。適麴町亦火。風益猛。煙燄四合。延及府城。殿守。將軍避之西城。火不滅者一晝夜。諸橋皆斷。焚溺無算。海濱士庶。航海而逃。風濤暴急。舟皆覆沒。衆或逃至郭門。門閉。風燄將及。爭緣石壁。擲下死者相枕。二十日。火始滅。大城蕩盡。西城僅完。府下悉爲焦土。萬石已上罹災者。一百六十家。松平信綱建議。欲使之悉就國。議者或慮其有異圖。諮之酒井忠勝。忠勝贊成之。議乃決。紀伊大納言聞之大怒。信綱往謁大納言。曰。今日之變。諸侯在國者。亦當召之。奈之使之就國。且天下大議。何爲不謀於我。信綱曰。今府下焚蕩。米穀掃地。令諸侯留府下。府下何以糊口。是上下皆飢。不可得収也。公憂其叛耶。孰若叛於國。今府下有變。何策禦之。若叛於國。我徐爲之備。此信綱之所以不謀於公也。且今日豈緩議之日乎。大納

言稱善。將軍命有司給粥。市人皆無食器。至拾瓦片受粥。初酒井忠勝聞火作。遣人近郊。買米穀。已而米價騰踊。忠勝賑贍多所全濟。信綱建議。以金代穀。給麾下。陪其價。諸國聞之。爭輸米於江戶。米價稍平。紀伊大納言。素有重名。至是府下流言紀伊殿乘災謀不軌。適紀伊漕船。以穀三千斛至。大納言悉獻之。流言乃熄。

二月八日。停諸侯在國者今年參府。時土功竝起。木價踊貴。是日令曰。大城營築。必待來年。諸藩第宅。士庶廬舍。務從質樸。於是諸侯皆取材於國。木價頓賤。九日。賜麾下士罹災者銀。十日。貸諸侯罹災者銀。十五日。頒賜金十六萬兩於江戶市人。二十九日。先是將軍使源正之詣增上寺。正之途見焚尸成丘。憫之。謂執政曰。方

今海內人民輻湊府下。而一旦焚死。投尸溝塹。任其漂去。何慘也。宜收瘞焉。執政然之。是日瘞焚尸於本莊牛島。凡九千六百五十三人。創一寺。號回向院。初大城之災。諸有司多惶擾失措。執政欲論其功罪。正之曰。自東照宮徙江戶。已七十年。未有大災如今日者。故救火之制甚疎。今日功罪不必論。唯當定其制。以備他日之災耳。三月。更賜諸侯第地。是後三藩宗室。多賜邸第於郭外。又許萬石已上賜別墅。慶長中。諸藩始賜第地於江戶。土木殫極技巧。彫鏤精絕。金碧晃耀。加藤清正刻五犀於門。大如馬。市人或造三層樓。窗牖塗以黑漆。其豪侈如此。至是土木稍從儉樸。云五月九日。經始本城。執政欲先營殿守。源正之曰。殿守非古制也。不宜以屈民力。議遂止。

第十五 記信州地震

鹽谷誠

禍災之變。莫慘于地震矣。凶荒雖厄。豫備可以濟之。疾病雖厲。醫藥可以療之。火災則防而滅焉。水患則導而治焉。獨至地震。忽然飈發。比屋傾倒。不可逃避。甚則山崩海翻。水陸變遷。係其地方者。併人畜死亡幾盡矣。豈可不恐而畏哉。弘化四年三月廿四日。信州地大震。閱數月而止。當其始發。如巨礮斯發。轟々殷々。震天駭地。山崩川溢。地坼砂噴。五郡（安曇郡・更級郡・埴科郡・水內郡・高井郡）數百里之地。振蕩最甚。罔論城郭宮室山陵藪澤。凡存乎地上者。靡不悉被其害。地脈所接延及北越高田治下。猶與信之五郡同。加之以火災。重之以水患。死亡不可勝算。蓋近古以來所未有也。適屬善光寺啓龕。蚩々之民。自遠而來。雲聚煙簇。闐噎街衢。家倒火發。得生還者百無一二。積尸爲丘。煤黑不能辨認。人子以爲父。認人父以爲子。收糜爛之餘以歸葬者亦不尠矣。有參州士二人詣佛者。寢逆旅樓上。驚震動而覺。覺而見星。意棟折屋壞。急呼其友。欲與俱下樓。振々顚仆。狼狽失度。友曰。樓既倒矣。何下之爲。於是乎始知其躬在于地上也。辛苦遁去。登猿嶺。則炎燄燭天。哭聲振山野。二人相見而嘻。乃祝其無恙云。此雖一事。亦可以類知矣。

岩倉山枕于犀川而高。山崩壓川。川上更突出二山。（一高三里、一一里）眞神山亦崩。埋沒其下流。河水爲之不流。汪洋渺漫。瀦爲巨浸。日又一日。平地水高數丈。而未知其所決也。土人遁逃四散。入山林以避焉。至四月十三日而決。拔大木。轉巨石。雷蕩雲奔。不可防遏。衝川中島及松城城下。城內僅以免。村落數十。民家數千。盡爲所流蕩。嗟呼此變也。地震水火一時併臻。信人之不幸何至此乎。蓋地震由于伏陽。陽氣伏于地底。磅礴鬱積。極而發焉。在天爲雷霆。在地爲震動。無足怪者。西洋之說曰。地震多在于山國。而又善發于火山近傍。蓋地底有伏道。與火山相通。硫黃硝石凝結既久。一有陽氣透入其間。則焮灼燃烘。一時勃發。夫淺間山爲信之巨嶽。天明中山巓火發。炎燄熾盛。雨砂土數州。赤地百里。人畜俱死。距今六十餘年。顧復有伏道。貫通于地底。硫黃硝石與伏陽相感。薰灼激

發以成斯災耶。天明則發之乎地上。今日則發之乎地下。其事雖異、其理則同。併記以爲戒、且質諸有識者焉。

第十六　姨捨山觀月　　大槻如電

詣善光寺之次日。恰當陰曆九月望。是可以賞月于姨捨山。獨行數里、黃昏到八幡祠下。右折坡阪數百步、邱上有寺。曰長樂。求宿。僧曰、非客舍。曰、吾東京人。遙來觀月。敢乞。無飯可供療飢足矣。今方製幾里古味。是可以供。於是始得上滿月臺。月既在。坐不要燈火。僧薦饌一椀。不解何味。二椀少覺有蕎麥臭。食了以問僧。曰、凡作蕎麥麪者、先截爲縷、必湯渫而後爲美。此製不然。截焉直投之羹中。故曰切籠也。時更向闌。月中于天。乃攝衣攀姨巖之巔。僧亦從。遠邇如晝。山河村落依々可徵。一匹白練、有自南來者、有自西至者。相縫北曳。即千隈川犀川合爲信濃川也。其三叉處爲川中島。甲越古戰場也。稍北樹木黯然。其中有如樓閣者、是善光伽藍也。僧指余點對坐。久之心神爽然。天上不見有月。巖上不覺有人。及露氣透衣、身覺冷凄。始知有我。又知有月。這箇境界眞是色即是空、空即是色。余之於禪味、獲此時者頗多。

第十七　河中島之戰　　菊地純

永祿三年秋九月、上杉輝虎與武田晴信大戰河中島。是月輝虎將八千騎入信濃。曰、吾此行必與信玄親戰、決雌雄耳。進陣西條山。武田晴信以二万人出次河中島。駐軍五日、入海津城。召山本

晴幸、馬場信房議戰。晴幸曰、我兵二万。分一万二千襲西條。主公以八千陣河上、待其半濟而擊之。蔑不克矣。晴信從之。乃使高坂昌信、馬場信房等將兵向西條山。分兵八千爲三隊。晴信自將中軍、軍河中島。九月丙申、輝虎召諸將問計。宇佐美定行等曰、彼蓋爲二軍、欲及吾踰河夾擊之也。語未畢、諜者報曰、甲斐軍渡廣瀨、上河中陣焉。輝虎見甲斐軍夜爨、人馬有聲也。潛起擐甲、傳令擧八千騎出。全軍銜枚縛馬舌、進壓晴信牙營。會天大霧。晴信不之覺。至曉霧霽、敵軍已在近。一營驚潰。晴信急更其陣。與甲袍同裝者六人竝据胡床不動。忽有一騎、黃襖騮馬、以白布裹面、拔大刀來呼曰、信玄何在。揮刀擊之。晴信不暇拔刀、以所持麾扇扞之。扇折。又擊斫其肩。隊將原大隅槍刺其騎、不中。擧槍打之。中馬首。馬驚逸去。是日兩軍死傷大當。晴信父子皆傷。夜收兵退。後獲越後捕虜、言嚮騎乃輝虎也。

第十八　嚴島之戰　　宮田敏

弘治元年五月、毛利元就城于嚴島之有浦。諸宿將皆諫。其不可。元就弗聽。諸將皆言曰、此公常不拒諫。今何乃爾。六月城成。命已斐新里二氏以兵數百守之。使草津櫻尾仁保諸城互爲策應。既而聲言、吾悔不聽老將言。嚴島地形難守難援。即爲敵有、諸城從陷。吾計莫失於此。九月陶晴賢留其子長房于若山、而自統騎卒二萬戰艦千餘艘、至岩國議戰。所嚮大和興武曰、先拔櫻尾、則諸

城不攻而陷。弘中隆包曰、請分兵。一攻櫻尾。一備其援路。彼不敢出。出則與之相持。而遣輕兵擣吉田。彼進退失據。不血及而可取。晴賢曰、吾欲先取嚴島。城脆將孱。而不便於援。聞元就甚悔之。吾取以爲根據。分兵攻諸城。是萬全策也。隆包曰、彼眞悔之。必不宣言。宣言者、得非以餌我乎。晴賢猶豫未決。故櫻尾城主降在賊軍中。與已斐新里相識。元就令二人貽書。指陳順逆。暴晴賢罪惡。極其醜詆。晴賢覽之大怒。元就又令桂元澄詐送欵。約俟元就渡海赴援。翻城爲內應。晴賢乃決意攻嚴島。

十月。建牙營塔岡。燒民舍。布陣。舟艦櫛比。喊聲震海。城兵嬰壁堅守。賊有鳥銃七口。櫓楯不支。積土豚扞之。晴賢遺書元就曰、公爲

先大貳。欲見加誅。不敢逃避。聊以水陸軍三万陣于嚴島。公能來乎。元就聚將士示之。將士有懼色。元就笑曰、使賊所言信。則吾大克矣。衆問故。曰、其地迫狹。彼側肩蹋足。不便進退。兵愈衆而鋒愈鈍。我以死士數千衝之。克可必也。乃使宍戸隆家留守吉田。而自率精兵三千餘人南行。至草津。與晴賢隔海而陣。國內諸豪意其必敗。多稱病不從。初伊豫有能島來島二族。閑水戰。晴賢元就並招之。二族以三百艘來屬元就。元就勞之。往問城中消息。賊四鑿地道。樓櫓殆覆。以大索維持之。元就移陣火立山。

晦日。盡返老弱輜重于草津。累々不絕。賊望見以爲毛利氏收兵也。於是元就令諸將士人以二條布約袖。佩一日糧約暗號。比暮上船。會大風雨。士卒震怖。請俟風定。元就曰、天助我也。令皆滅篝火。揭一燈于牙船。諸軍認之。破波而渡。既濟。返舟北岸。以示必死。遂上。博尾崎。直出塔岡背。小早川隆景別率伊豫船兵出其面。賊恃風雨無警邏者。穿賊艦而入。賊或誰何。浦宗勝大聲答曰、筑前兵應徵來矣。辟船而達。稍々上岸。兩隊皆陣。天將明矣。元就命吹螺鼓譟。乘高下擊。賊諸軍大驚。爭萃其牙營。營塡咽。自相刺擊。元就大呼曰、進。諸將士破柵而入。賊兵終大潰。晴賢咄嗟遏走者。不能遏也。爭舟而遁。溺死數千人。晴賢肥大不便行步。從者扶掖至海岸求船。不復覩一隻。遂自殺。弘中隆包以殘兵百餘據岩洞中。元就惜其材。使人說降之。不肯而死。已而獲晴賢首。元就嚴建旗

鼓。奮鞭指其首曰、弑逆之報。乃嬰天誅。今何如也。諸軍揚凱。元就留嚴島十一日。引兵返小濱。葬晴賢首于洞雲寺。

第十九　長氏東行

宮田　敏

北條長氏。聰明有大志。陰散財結豪傑。觀足利氏權臣山名氏細川氏各樹私黨。鬪于京師。大將軍義政不能制也。乃謂衆曰、天下之事可知已。成功名取富貴。捨今而何俟。顧關東八州地勢高隆。士馬精强。自古稱用武之地。而永享以來。無復定主。苟得割據于此。天下可圖也。吾欲與諸君偕東。相機乘變。謀有所樹立。諸君豈有意乎。衆奮從之。文明八年。長氏與荒木兵庫多目權平山中才四郎荒川又四郎大道寺太郎有竹兵衞六人。仗劍東行。終至駿

河。依其姉夫今川義忠。
長亨二年。北條長氏徙居高國寺城。陰窺伊豆。而未得間焉。乃修政令。輕賦稅。又出其所畜。假貸遠近。收以薄息。遠近賴之。每朔望。相率來謁。謁數者。或免其債。故士民稍々來居城下。漸成聚落。長氏以荒木兵庫多目權平等。爲之首領。立七隊。而服事足利知政。足利知政子茶々丸。弑其父而自立。北條長氏聞之。乃佯稱有疾。浴伊豆温泉以詗之。曰。伊豆可取也。歸聚衆議。衆咸曰。吾輩願新九郎君爲一國主久矣。敢不效力。延德三年四月。長氏勒七隊。并今川氏援兵。凡五百人。夜濟黃瀨川。旦抵掘越氏。縱火攻之。茶々丸走自殺于成就院。伊豆人民畏其兵威。負擔奔竄。長氏號令嚴明。秋毫不犯。榜于路曰。吾所以來者。誅賊子而已。非有所暴掠。汝等乃安堵以竢我令。敢逃者。蹈其稼。火其家。時大疫。疫者不能奔。往々偃臥于家。長氏以醫藥撫循之。民更相告言。多來歸者。
其豪族佐藤某。先衆屬長氏。長氏授以大見鄉地頭職。復其先邑。載印信焉。關戶某者。據深根城。以抗長氏。長氏移兵攻殺之。長氏恩威大行於國內。國內將士。舊屬上杉氏者。聞之。莫不率歸長氏。長氏以三旬略伊豆。以堀越氏邑自奉。其餘無所取。乃會父老豪傑。諭之曰。吾聞。人主視民猶子。民視人主猶父。是古之道也。及世之澆季。武人貪殘剝民以自逞。而至胥共困斃。吾甚憫之。吾以羇旅之人。來司牧是邦。吾爲汝君。汝爲吾民。是豈偶然哉。吾獨願我

民之富足也。自今著令。減租稅五分之一。除諸雜課。諸將吏違令虐民者。聽其民來訴。衆皆悅服。爭欲爲之用。
上杉定正。上杉顯定。更相怨。却兵結不解。北條長氏聞之。曰。可以成吾事矣。明應二年。使定正。請助攻顯定。定正喜許之。其部將大森實賴。爲小田原城主。諫定正曰。早雲梟雄也。無故親我。其意不測。然彼以好來。亦不可拒。宜以禮答焉。重爲之備。定正略不加意焉。
大森實賴已死。子藤賴嗣。猶弱。北條長氏欲取其城。而難箱根之險。未發也。明應四年九月。長氏使人言藤賴曰。吾獵韮山。其獸逃箱根。願公以箱根假我。我得縱獵取焉。藤賴許之。長氏率兵百餘人。被獵衣。踰箱根。先縱牛數十頭。鼓螺隨之。憑高馳下。直入城內。藤賴惶駭。不知所爲。出奔三浦。長氏遂取小田原。

第二十　游國府臺記

芳野世育

國府臺之勝。茅柴藜糗耳。雖然府下之地。瓦屋魚麗。紅塵蹴踏。人皆渴靑山白水。則所以染指于此也。丁酉冬。小倉伊藤生等。官學期滿將歸。謂曰。子儕亦飢渴山水者。予將茅柴藜糗以爲餞。何如。曰幸矣。十月之望。拉三生及塾子數輩。背廓東行。障袂遠望之。靑山欝蒼。揭髻于村落間。類乎人之顧眄招吾儕者。載欣載奔。稍近。則赤壁峭絕。睨長流曠野而立。傲然軒然。如拒手而却之者。乃亂流經崖。自伽藍而左。城復隍。草埋徑。此古戰場也。披蒙茸。穿荊棘。

出沒達南岸。俯瞰涯險流駛。老松偃蹇。鱗激根怒。猶狻兒出谷。蚪龍騰淵。股栗齒戰。起身而東數百武。地坦夷豁。始可放眸數十里外。焉其崇嶽亂嶂。矹然相競者。甲信之山也。鏡淨滉瀁。水天相粘者。相房之海也。一脈沔如紆回轉折。劃武藏而朝宗于海者。刀禰之流也。其間沙村之靄。鹽釜之煙。楓林鷹輝。蘆汀雪飛。鶴唳雁陳。舟筏點綴。漁樵唱和。須臾之間。變態萬狀。坐而收之一覩。於是乎。心目豁朗。意甚樂矣。三生亦喜曰。縱喫水光山色。枵腹忽覺果然。尙何云。茅柴藜糗。此足以充盛饌矣。相顧而笑。予又謂之曰。勝概不改。而其閱人不知其幾也。況天文永祿之間。里見氏據而居之。是其朝歌夜絃之場也。而今黃茅白葦。徒與狐兎而游。求其當時物。泯然無跡。要亦半終之夢矣。顧往年與目黑自琢二葉立仙曾來遊。事在三十年前。皆即世。今三生四百里外人。塾子亦萍聚蓬轉。欲再飽茅柴藜糗。豈可得哉。衆皆悵然。俄而遠山潛容。川谷震動。凄風苦雨颯爾至。乃倉皇魚貫。下山而還。

第二十一　雛僧三條　大槻清崇

太公與諸老臣話。問曰。汝等聞雛僧三條之話乎。皆曰。未也。昔有山衲。迎雛僧於里。晨夕以供使役。一日雛僧逃歸。泣訴其父曰。兒既出家。艱苦固其所甘。但師之遇我。甚無狀。殆有不可堪者。其一。師每使余剃其頭。偶一誤刀見血。則鞭撻直下。其二。晨起搖鼓。師瞋。研法不精。呵責無不至。其三。余每內逼而起。師冷眼送之曰。汝又復上厠乎。父聞而怒。走往見山衲曰。賤兒久辱師恩。今有不得已之事。敢請受兒以歸。山衲察其辭色。徐叩以故。乃曰。兒告吾云々。山衲曰。是不可不辨。其剃頭。則渠既圓其頂。薙髮之勞。不可委諸人。故我借吾頭以爲學刀之地。今則至自剃其頭矣。猶及剃余頭。故意誤刀。創痕縱橫。其搖鼓。則凡不問緇素家。搖鼓必以研槌。渠獨以木杓。故隨研隨折。每晨不下二三折。其上厠。則本寺新造一圊。獨以需縣吏來宿之用。渠利其近且淨。每便輒往。禁之不止。言未畢。父拜謝伏地曰。小人不知師之厚誨如此。徒聽兒言以疑之。慚悔之極。無穴可入耳。是雖一場話說。然自諸老奉行以至監察諸有司。苟有治人之責者。皆不可不留意於此。否則偏聽誤人。

忠邪易地。不爲雛僧之父者幾希。汝等其牢記勿忘。

寧靜子曰。板倉重宗之代父爲京尹也。請教於勝重。勝重擧此話以荅之。則其說流傳已久矣。夫兩造不具備。五辭不可聽。斷獄者。最不可無此慮也。

中等漢文卷之貳上終

中等漢文卷之貳中

山本廉編

第一　顏氏家訓　小學

顏氏家訓曰。夫所以讀書學問、本欲開心明目利於行耳。未知養親者、欲其觀古人之先意承顏、怡聲下氣、不憚劬勞以致甘腝、惕然慙懼、起而行之也。未知事君者、欲其觀古人之守職無侵、見危授命、不忘誠諫以利社稷、惻然自念思欲效之也。素驕奢者、欲其觀古人之恭儉節用、卑以自牧、禮爲教本、敬者身基、懼然自失、斂容抑志也。素鄙悋者、欲其觀古人之貴義輕財、少私寡慾、忌盈惡滿、賙窮卹匱、赧然悔耻、積而能散也。素暴悍者、欲其觀古人之小

心黜己、齒敝舌存、含垢藏疾、尊賢容衆、苶然沮喪、若不勝衣也。素怯懦者、欲其觀古人之達生委命、强毅正直、立言必信、求福不回、勃然奮勵、不可恐懼也。歷茲以往、百行皆然。縱不能淳、去泰去甚。學之所知、施無不達。世人讀書、但能言之、不能行之。武人俗吏所共嗤詆、良由是耳。又有讀數十卷書、便自高大、凌忽長者、輕慢同列、人疾之如讎敵、惡之如鴟梟。如此以學求益、今反自損。不如無學也。

第二　唐太宗　資治通鑑

或告右丞魏徵私其親戚。上使御史大夫温彥博按之、無狀。彥博言於上曰、徵不存形迹、遠避嫌疑、心雖無私、亦有可責。上令彥博讓徵、且曰、自今宜存形迹。它日徵入見、言於上曰、臣聞君臣同體、宜相與盡誠。若上下俱存形迹、則國之興喪、尚未可知。臣不敢奉詔。上瞿然曰、吾已悔之。徵再拜曰、臣幸得奉事陛下。願使臣爲良臣、勿爲忠臣。上曰、忠良有以異乎。對曰、稷契皐陶、君臣協心、俱享尊榮、所謂良臣。龍逢比干、面折廷爭、身誅國亡、所謂忠臣。上悅、賜絹五百匹。上神采英毅、羣臣進見者、皆失擧措。上知之、每見人奏事、必假以辭色、冀聞規諫。嘗謂公卿曰、人欲自見其形、必資明鏡。君欲自知其過、必待忠臣。苟其君愎諫自賢、其臣阿諛順旨、君既失國、臣豈能獨全。如虞世基等、諂事煬帝以保富貴。煬帝既弒、世基等亦誅。公輩宜用此爲戒。事有得失、毋惜盡言。

上謂公卿曰、昔禹鑿山治水、而民無謗讟者、與人同利故也。秦始皇營宮室、而人怨叛者、病人以利己故也。夫靡麗珍奇、固人之所欲。若縱之不已、則危亡立至。朕欲營一殿、材用已具。鑒秦而止。王公已下、宜體朕此意。由是二十年間、風俗素朴、衣無錦繡、公私富給。

上謂侍臣曰、吾聞西域賈胡得美珠、剖身以藏之。有諸。侍臣曰、有之。上曰、人皆知彼之愛珠、而不知愛其身也。吏受賕抵法、與帝王狥奢欲而亡國者、何以異於彼胡之可笑邪。魏徵曰、昔魯哀公謂孔子曰、人有好忘者、徙宅而忘其妻。孔子曰、又有甚者。桀紂乃忘其身。亦猶是也。上曰、然。朕與公輩、宜戮力相輔、庶免爲人所笑也。

第三　山鹿素行

東條耕

素行。幼名佐太郎。六歲從塾師學書計。九歲入于林羅山門。時稱文三郎。十一爲人講說小學論語貞觀政要等。論辨殆若老成。十二羅山許以講經用見臺焉。見臺蓋懶架類。我邦二百年來。物儒家講筵代机案者也。十八從北條氏長學韜略。氏長小幡景憲高足之弟子也。從學之五年。諸弟子無出於其上者。二十二景憲愛素行專志。旁通講習不怠。使氏長悉傳受祕訣。自是而後。從學者甚衆矣。三十五其所起草四書句讀。七書諺解。武類全書等成。四十五被配於播州赤穗。五十五遭赦歸于江戶。後十年而歿焉。

素行常辱赤穗侯長友知己。辭祿之後猶屢與之交。竊謂侯曰。自

干戈止。殆五十年。天下無事。欲爲死以有報舊德而時不可爲也。則無可授命以達宿志。又欲有致身而酬非常之遇。而非啻謭劣無能爲。皆係於時勢。然私心所安。不爲無所期。臣以經義與韜畧。敎侯之諸臣。臣精力所蘊。皆在於此。故能達臣旨。若處倫理之變。萬一無服勤有所償乎哉。侯大喜。爾後殆五十年。至元祿年間。其子赤穗侯長矩時。賜死而國除。其遺臣四十七人。果有襲殺吉良氏。殉成君志之事。世稱之赤穗義士之復讐焉。

大石良雄。當素行被幽於赤穗時。親炙之學兵。後遊京師。從學伊藤仁齋。云。方其枕于窺隙之間。潛行如避。惰遊示廢。曠日持久。乃能使讐不動不驚。夷然居之而至忘爲之戒心矣。而後一皷得遂其志。且使其四十六人衆卒之以義。各見死如歸。固非從事於暴卒之間。而不觀成敗者之所能及也。其處人倫之變。置非常之事。一伸一屈。雖出於天授。素行遺澤之所存者。亦可謂不鮮矣。

第四　長矩創義英

青山延光

元祿十四年春正月十四日。廷詔使於城中。俄而内匠頭淺野長矩與上野介吉良義英私鬪傷之。即日賜長矩死。沒赤穗五万石。先是。詔使至江戶。將軍命長矩及左京亮伊達宗春。掌館待事。義英以高家預焉。長矩以不習舊儀。固辭。執政曰。上州老鍊。君宜就問焉。何以辭爲。義英以耆宿居諸高家之上。每詔使至。必接待。由此意甚驕傲。共事者欲問舊儀。皆行賄賂。長矩還家。召老臣安井

彥右衛門藤井又左衛門曰。吾將就吉良氏諮訪。宜贈遺之。安井藤井。素鄙吝。對曰。此高家之職也。不必遽贈遺。長矩乃就義英問舊儀。義英指授甚疎。長矩啣之。是日長矩等會城中議事。問義英曰。詔使至。吾等迎之階下邪。義英曰。此等淺近事。君尙不知。而今迫期急議。無乃爲衆笑邪。會夫人使者梶川與三兵衛至。謂長矩曰。禮畢告僕。長矩曰諾。義英從旁謂梶川曰。君所議何事。僕當與聞焉。不然恐失便宜。長矩色動而起。義英謂於列曰。彼不知典故。何以接大賓。長矩不勝忿怒。挺刀擊之。中頭流血。義英眩惑。以手擁面而俯。長矩再擊中背。梶川抱持長矩。衆扶義英避去。將軍聞之大怒。命錮長矩於右京大夫田村達顯邸。以白書院血汚。更見

詔使於黑書院。禮畢、將軍召老中相摸守土屋政直曰、天威咫尺。人臣最當戒懼。長矩乃牽意鬪狠、喋血城中。速賜死。政直曰、諾。長矩而宥義英。恐招異日之變。將軍不納、遂賜死。十五日、命淡路守脇坂安照・肥後守木下利康、收赤穗城邑。二十六日、上野介吉良義英罷將軍。以義英無罪、命待創愈視事。時人以義英前倨而後怯也、嘲笑不已。

第五　四十七士傳序

藤田彪

近古忠義之烈、莫赤穗諸臣過焉。而當時議論紛紜。雖儒生學士、或不復辨其義不義。鳩巢室氏慨然著義人錄、議論稍定。其功偉矣。厥後義人之名、彰明較著。雖兒童僕婢、尙能飽聞而厭道。其相語稱義士、不問可知爲四十七士。稱四十七士、又不問可知爲赤穗諸臣也。然稗官小說、或傳謬誤之說。俳優雜劇、又從而附會其事。其名愈顯、而其實漸晦。余友青山伯卿、有憂於此、嘗輯舊聞、收遺說、著赤穗四十七士傳。於是乎其本末終始、鑿々可徵。而其忠精義氣、如嚴霜烈日者、凜々赫々、照暎乎簡册之間。可謂名實俱顯矣。蓋伯卿之功、與鳩巢相先後。而叙事行文之力、或軼焉。夫士不幸處臣子之至變、顧綱常何如耳。誠能成仁取義、俯仰無愧於天地、則跡之顯晦、於我何有。抑自天下後世而觀之、一言一行之美、猶不忍使其堙滅亡傳。況若赤穗諸臣之忠義之烈乎。嗚呼當時仕赤穗之君、食赤穗之粟者、何止四十七人。升平百年、廉耻稍

喪。一旦變起倉卒、鳥竄獸奔、恬不知怪。是義人所以痛恨深惜也。今也距赤穗之事、又復百餘年。風俗之變、曷可勝言。世之讀斯傳者、苟能尙友其人、尙論其世、又能察伯卿之用心、有所因以觀感興起、則其有補於名敎、豈淺々乎哉。伯卿徵余序。余甚喜其盛擧、不以其不嫻文辭而辭之云爾。天保甲午之冬、水戶藤田彪序。

第六　祭大石良雄文

信夫粲

維明治十二年十二月十四日、因幡信夫粲、以淸酌庶羞之奠、遙祭故播州赤穗老臣大石君之靈。嗚呼君之精忠深智、豈非千古所希覯乎。夫士之遭國家事變者、誰不思爲其君雪耻報怨。然其志不固、半途而廢。或其謀不密、中道而漏、不免如塗附塗之垢。獨君際主家之大難、英斷一決、棄家出妻、擲身踏節、能忍痛憤感激不可忍之日。又能制御少壯剛鋭不能忍之俊秀、以發持滿之後。其用心之苦、實有不可究者。遂運神謀鬼策於談笑遊戲間、合四十餘士之心、以爲一心。一擧殲老姦如鬼如蜮者、束身歸法。其精忠深智、凜々乎震耀古今。何其盛哉。且其心事犖々、旁嗜文墨。善書善畫。先事數刻、與人書牘、縷々悃幅、毫不見急迫之體。嗚呼賢者所爲、雖匪夷所思、胸中亦有何閒日月。如斯所謂談笑死生間者、非耶。然而世或喋々欲議君之所爲。此小人好議論、不樂爲人之美者。何足辨其亥豕乎。抑粲之於君、非有同鄉共事之誼。又非有親戚故舊之類。特自小少讀書、抱志。每聞忠孝節義事、未嘗不

感奮而流涙矣。最欽仰君精忠深智。苟關係君事蹟者。無不講究其意。君平素好魯論。嘗入仁齋先生門。屢聽其講義。則其精忠深智。亦安知非由二十篇道義之淵源乎。嗚呼今夕何夕。非君達素懷之日乎。於是遠來掃展其冢室。爲講論語與義人錄。蓋祭君之之靈。舍此將何陳。聊敘微衷。以代藻蘋。嗚呼哀哉。尙饗。

第七　海軍少尉鈴木君墓銘　大槻如電

黃海之役。清國水師爲我所破。失其半。退守威海衞。其地西南環山。劉公島扼前。鐵鎖緘海口。堡壘甚嚴。我軍水陸並攻。陸兵先奪山堡。而島壘鬭艦力戰不可近。乃命水雷艇隊肉薄。時風雪連日。海水悉結。衆踊躍爭先。夜半乘白。穿鎖突進射擊。只見鐵魚迸冰。

火雷轟水。及曉敵艦定遠號漸傾。尋又來遠威遠俱淪。於是衞終不能衞也。清國割地償幣以求成者。實在此一擊。海軍少尉鈴木君死之。嗚呼壯哉。君稱虎十郞。遠江國掛川人。考諱陸平。號藤陰。好學行義。母家女。君其季子。資性豪毅。軍人自許。甫十八。入海軍兵學校。明治二十三年五月。任少尉。敘正八位。此戰在第二十二號艇。爲第三艇隊司令艇。二十八年二月五日。艇壞隕命。年三十。歸葬先塋。會者萬數。銘曰。

龍頷探珠。虎穴得子。誰曰暴馮。酬國一死。

第八　護國會記　大槻如電

明治二十有七年七月。我與清國構釁。先是朝鮮有東學黨之亂。清出兵戡之。我曾與清約朝鮮獨立國。彼我俱不得屯兵。至是彼先負約。我因捕彼艦於豐島。尋鏖陸兵于牙山。八月一日大詔宣戰。第一軍進圍清軍于平壤城。九月十七日拔之。長驅入滿州。所向披靡。是日彼我艨艟又相遇海上。礮擊多時。敵艦半碎半遁。爾來黃海之浪。虬龍潛形。只覩日光煌燿耳。於是發第二軍。十一月航路旅順城。明年二月轉衝威海衞。清兵海陸俱降。清帝覺其不可敵。派使請和。我皇許之。四月割壤償幣。商量方成。自師起十閱月于兹。陸羽七國之兵。爲第二師團。此役屬第二軍。威海之捷。奏功尤多矣。

抑中世以降。兵農全分。一旦復古制。擧國男兒。皆服兵丁。然因習

之積。下民或不免畏避。陸中西磐井郡赤荻邑人慨之。數年前相謀設護國會。邑中子弟就兵役。則以爲男兒光榮。歡待送迎。以壯其行。遂至出志願兵若干云。方今國光燿洋之東西者。雖賴皇上威靈與三軍精鋭。亦不有不出擧國皆兵之制。然則是邑是會。固不可謂無少補國家也。頃者邑人採巨石于山。索記其事。按前九年之役。源將軍賴義。率陸奥出羽兵。進屯於磐井郡荻馬場。以破賊于衣川。赤荻即荻馬場。舊史傳其名。新碑勒其功。蓋有不偶然者。況我家桑梓存於邑中。碑志之事。不可付之他人也。於是乎記。

第九、東湖文鈔序　林長孺

水戸藤田君東湖。學識高邁。才略卓拔。遇忠孝大義事。輒感奮激

厲。常欽諸葛武侯岳武穆之爲人。烈公奇君才。擢用勿二其明良相遇。世稱蛟龍之得雲雨也。既而烈公以嫌疑得罪。君坐此幽囚。雖再起復職。不得大施以終。可謂不幸矣。天之報善人何如耶。頃者令嗣彊卿。鈔君遺文。將繡梓公于世。以余與君交誼最厚。來徵余序。固辭不可。乃曰。士之幸不幸天也。然天與之而復奪之。或奪之而復與之。其剝復乘除皆有成數。而幸不幸之運。一定不易者。天實命之。人莫能得而前知焉。抑先主於武侯。委國託孤。孝宗於武穆。寢閣召命。若二公者皆可謂遭遇希匹。然武侯中道不得志而沒。武穆寃死於莫須有之獄。不能無疑於天報之嗇也。則於東湖亦何怪之。雖然天之命二公。豈偶然也哉。昔人云。武侯出師表。與伊訓說命相表裏。武穆奏表諸文。亦與出師表相上下。由是觀之。其文與聖經並而有功人心世道。赫奕於千萬世之下。可謂幸矣。其抑鬱於一代者。是天欲與之而先奪之耳。孰謂天命出偶然哉。今東湖之文。余雖未知果與伊訓說命相表裏乎否。然忠義之心。與浩然之氣。相觸成文。凌厲雄健。悲壯淋漓。所謂龍蛇虎豹變現而出沒者。使人一讀感奮興起。視之二公之文。豈有慙色。然則天之所以報東湖者。可謂厚且幸矣。其志雖屈乎當時。其文章垂乎不朽者。即一時之奪。而萬世之與。天算無違。人皆不能前知也。余以其遭遇終始與二公相似也。併論以爲序。

第十　阿閉掃部　　大槻磐溪

越前侯秀康之就封也。聞阿閉掃部爲勳閥之士。以重祿聘之。狛伊勢亦越之世臣也。將爲其子行擐甲禮。請掃部爲賓。禮畢置酒。伊勢謂掃部曰。今日豚兒擐甲之初。願子語當年武功。以祝兒前程。掃部曰。吾豈有武功可語乎。無已則有一焉。吾嘗見一士武風最可觀者矣。賤嶽之役。兩軍既散。吾單騎沿余吾湖而退。有一騎呼於後者。回鑣接之則曰。朝來所殪。皆雜兵矣。不幸未遇好敵。觀子儀容。果非凡士。敢請一戰決輸贏。余曰諾。下馬將交槍。其人曰。請俟之須臾。我槍蟣矣。沒鋒於湖洗之者三。曰可以戰矣。於是相鬪。雌雄未決。而日已昏黑。乃呼曰。可恨槍鋒難辨。請期他日。子爲誰。身是青木新兵也。後日相見戎間。誓不付勝負於他人矣。揚鞭而別。吾結髮從軍。未嘗見從容整暇如此之士。言未畢。有青木方齋者。自屏後出。謂掃部曰。側聽吾子話。懷舊之淚。不能自禁。吾子亦不記乎。爾時與君交鋒者。即此翁也。掃部拍掌曰。契濶久矣。今日相遇。何其奇也。乃擧觴屬之。好以腰刀。由此青木之名。顯于一時。侯聞而聘之。與掃部同其秩祿。

寧靜子曰。當時士風桓桓如此。尚武之俗。可想耳。今日武辨之家。生男則口食之儀。着袴之式。盛張伎樂。請客極歡者。家家皆是。而擐甲之禮。則寥寥罕聞。嗟乎亦可以觀世變矣夫。

第十一　杉田壹岐　　大槻磐溪

越前侯忠直之臣。有杉田壹岐者。起步卒。列國老。常好直諫。以匡

救君過爲務。一日侯放鷹而歸。意色欣欣曰。今日之獵。從者馳驅。殊可觀矣。一旦緩急。我率此輩以臨陣。無復可患矣。諸老臣同辭皆賀。壹岐在末班。獨默不言。侯怪問故。壹岐乃曰。以臣觀之。今日之事。可歎不可賀也。臣聞。侍臣之從放鷹也。度君之擧動無常。往往與妻子訣別而出。君臣之情如此。萬一有事。誰爲君之用者。而君反以爲可用。是臣所謂可歎者。侯艴然怒見乎色。侍臣伊藤某。捧刀在側。揮壹岐去。壹岐叱曰。汝少年何知。直脫佩刀。抛之背後。進伏侯前曰。君第甘心焉。臣不忍坐視國運之蹙也。侯不答而入。諸老皆曰。諫君亦有時。今日何日。出此不祥之言。壹岐曰。今日惟時。是以有諫。若夫候君顏色以諫。諫竟無時耳。抑吾輩新進之士。

與公等世祿之臣不同。死固其分也。歸舍待罪。呼其妻諭之曰。汝非步卒之妻乎。今則儼然內子。侍婢環焉。是皆國恩之所致。汝愼勿忘。我今夕而賜死。不可毫髮有怨君之心。妻泣未答。剝啄之聲徹於耳。壹岐蹶然起曰。君命至矣。趨造於朝。侯乃引入寢室。徐謝曰。我熟思汝晝間之言。寢而不能寐。是以召汝耳。吾過矣。吾過矣。我深感汝志。因手賜佩刀一口。識者謂。以侯之猛暴。不誅壹岐無禮。而反謝過以賞之。洵不愧爲東照公之孫。

寧靜子曰。戰國之士。唯知效死於鋒鏑之下。而不知折首於尊俎之間。故照公嘗謂。直諫之功。勝一番槍。若壹岐者近焉。

第十二　子思諫衞侯　資治通鑑

子思言苟變於衞侯曰。其才可將五百乘。公曰。吾知其可將。然變也嘗爲吏。賦於民而食人二雞子。故弗用也。子思曰。夫聖人之官人。猶匠之用木也。取其所長。棄其所短。故杞梓連抱而有數尺之朽。良工不棄。今君處戰國之世。選爪牙之士。而以二卵棄干城之將。此不可使聞於鄰國也。公再拜曰。謹受教矣。衞侯言計非是。而群臣和者。如出一口。子思曰。以吾觀衞。所謂君不君。臣不臣者也。公丘懿子曰。何乃若是。子思曰。人主自臧。則衆謀不進。事是而臧之。猶却衆謀。況和非以長惡乎。夫不察事之是非。而悅人讚己。闇莫甚焉。不度理之所在。而阿諛求容。諂莫甚焉。君闇臣諂。以居百姓之上。民不與也。若此不已。國無類矣。子思言於衞侯曰。君之國

事。將日非矣。公曰。何故。對曰。有由然焉。君出言。自以爲是。而卿大夫莫敢矯其非。卿大夫出言。亦自以爲是。而士庶人莫敢矯其非。君臣既自賢矣。而群下同聲賢之。賢之則順而有福。矯之則逆而有禍。如此則善安從生。詩曰。具曰予聖。誰知烏之雌雄。抑亦似君之君臣乎。

第十三　平宗清　德川光圀

平宗清稱彌平左衞門。鎭守府將軍貞盛八世孫。左衞門尉季宗子也。仕平賴盛。及賴盛爲尾張守。以宗清爲目代。永曆元年。源義朝伏誅。其子朝長死。賴朝亡。宗清自尾張入京師。路遇賴朝。就而擒之。至青墓驛。堀朝長墓。獲其首。併送六波羅。清盛囚賴朝於宗

清家。行刑。有日。宗清謂頼朝曰。郎君欲免死邪。對曰。保元以來。父兄宗族夷滅。且盡。冀爲僧。修冥福耳。宗清意愍之。乃謂曰。尾州母池禪尼者。大貳之後母。而大貳殊敬事之。尼性仁慈。前問君之狀貌。僕爲言。君雖年少。而有成人之風。且容姿酷肖右馬助殿。尼聞之悽愴。形於色。君若憑之請託。庶有萬一焉。右馬助者禪尼之少子。名家盛。蚤死。已而宗清抵禪尼。告以頼朝之意。尼惻然哀之。乃囑平重盛。説清盛。宥其死。清盛不聽。尙緩刑期。會義朝五七日忌至。頼朝請造卒都婆。宗清爲製百枚與之。頼朝手寫佛名。解衣施僧。禪尼聞而益哀之。營救備至。遂得免死。是以頼朝深德宗清。及擊平氏。每誡將士。勿害宗清。平氏西奔。宗清從頼盛留京師。頼朝

思池尼之恩。欲招致頼盛宗清於鎌倉。宗清不欲行。頼盛強之。宗清曰。雖無憂。而闔宗漂泊西海。臣每念之。日夜悲憤。敢辭。頼盛有愧色曰。家事咸以委卿。卿以吾爲不可留。何故無一言。宗清曰。去留在公。何妄可否之。人無貴賤。誰不愛其身。頼朝昔脫萬死。故得有今日。臣嘗有德於頼朝。今往相見。必有重賞。而獨不愧于西海諸公子僚友乎。公若爲之倡義。臣請充前驅。如此行。則何以臣爲。公既留京師。鎌倉之招。難拒。公至鎌倉。頼朝必問臣。請爲辭以疾。乃送頼盛至近江野路。辭去。直往屋島。仕宗盛。頼朝欲召見宗清。予之莊園。豫書允文。備鞍馬絹帛。以俟其至。又命將士三十人。各以鞍馬驛馬及絹帛贈宗清。已而頼盛至鎌倉。曰。宗清以疾不來。頼朝以爲遺憾。以其所擬給物。悉贈頼盛。平氏亡。宗清遁。不知所終。

第十四　忠勝忠勇　　岡松甕谷

東照公與豐太閤。相距于小牧。數日。豐公遣偏師。將間道襲三河。東照公諜知之。令石川數正。酒井忠次。本多忠勝。留守小牧。公自將。追及西軍于長久手。擊大敗之。豐公聞敗。亦自樂田馳救之。忠次望見豐公師興。欲乘虛縱火牙營。數正曰。如此。豐公必大怒。且延禍異日。忠次乃止。忠勝則率五百許人。與豐公隔小河並馳發銃挑戰。公佯爲不知。不肯與交鋒。至龍泉寺。忠勝飲馬于河。公見之曰。戴彼鹿角胄者誰也。稻葉通朝曰。本多平八也。公曰。嗚呼忠勇哉。彼棄身以挑戰。欲令我踟蹰道塗。而令己君得全勝也。余不

忍殺忠臣也。令軍中。勿擊彼。忠勝至長久手。則東照公已戰勝收兵入于小畑寨矣。忠勝謁公。曰。君使臣留守小牧。不得效力於軍。何見疏之甚也。公曰。我令汝守小牧。吾無復顧後之憂。所以得勝也。後數歲。豐公已討滅小田原。引兵北入野州。次于宇津宮。使人急召忠勝。忠勝聞命即至。豐公會諸侯。謂忠勝曰。適有獻佐藤忠信胄者。夫四郎忠勇致身。所事千載之下。傳稱不已。寡人今欲得忠勇若四郎者賜胄。不知誰當是選者。諸侯無對。公曰。方今忠勇有加於四郎者。獨有本多平八而已。爲道長久手戰時。與公並馳狀。遂以胄賜忠勝。忠勝喜動顏色。稽首受賜而退。是夜公又召忠

勝。屏左右與語。手點茶以賜。曰。寡人顯卿功於稠人中。是非寡人之德乎。卿意。卿君之恩與寡人之恩孰厚也。忠勝默然。公固問。對曰。君之賜於臣固厚矣。抑至於寡君。累世所奉事。臣未可以同日論也。公益賞其忠誠。嗟嘆久之。

第十五　題豐公裂封册圖後　安井衡

予觀是圖。不能不慨然乎古今之變也。當是之時。朝鮮已破。假令儒生粗通外國地理事情者參機密。遼海可航。古北口可渡。朱明之社。不待流賊而屋矣。而勞兵於北境。逗師於開川。不能乘破竹之勢以破其膽。平壤一衂。攻變爲守。而和議從而起矣。且明之不使豐公帝其地。雖三尺豎子亦能知之。而以蓋世之雄。爲姦人所愚。冠其冠。服其服。及讀封册。始知其封於日本。雖盛怒裂册。祇足以貽笑於遠人。詎補於爲不明哉。偏武之不可以爲國如此。至今日。文運日開。地理事情。彊弱治亂之繁以賾。雖萬里之遠。人人能言之。然及洋夷窺邊。茫然無措。空論泛議。涉三年之久。未聞有成算。人心搖搖。如風中之旗。豈非以乏當時一二良將邪。是亦偏文之過矣哉。然豐公唯有所恃也。故和可破。册可裂。要之不失爲蓋世之雄。不知今日所恃果何事也。然則是圖亦有未易遽非者焉。噫。

第十六　題平手清秀上書圖　安井衡

死一耳。然勇於戰鬪。而怯於諫諍。戰國士人之情爲爾。彼豈有畏而然乎哉。蓋其所見卑。故其所志小。謂一槍之勇。可以亨厚祿而博佳名。而未嘗知戰勝有本。故寧戰而死於原野。不能諫而辱於囹圄。剛正果敢之氣。專注其所慕尚也。平手清秀。生長於其間。不獨爲人所不敢爲。三復其書。深慮明識。實有眞儒不易及者焉。豈非以其才素高。而加之以學術。是以能知格君正本之功。非拔城馘將之所能及之故邪。當是之時。織田公年始十七。僅有尾東四郡。清秀知其有爲。輒望之以天下之事。獎其美。規其過。誘而掖之。不啻提其耳。書上之後。潛視伏聽一年餘。知言不用。遣遙自決。遂以尸諫。公之幾平天下之亂。未必不是書所致也。獨惜功成之後。意得志滿。不復能守其所諫。剛暴自肆。終斃於凶豎之手。可勝歎乎哉。加大夫横山氏之老某君。實承清秀胄。頃者寄其上書之像。求題一言。展而觀之。年五十餘。手執諫書。盛服將朝。而絹墨特新。豈舊有是像而摸之耶。抑出於君所意料也。要之粹然其容。溫然其色。秀眉清目。淵乎有思焉。一見知其爲誠忠人也。嗚呼以清秀之才之忠。子孫宜享茅土之報矣。而世故轉變。紛如亂麻。織田公之後。旣削爲小侯。則其降仕於家。蓋亦命焉爾。天道冥冥。孰得而辨之。予與君無半面之識。未知其慕尚果如何也。然君之距清秀。凡幾世。其間未嘗聞有是擧。而君特爲之。則其志蓋亦可見已矣。方今洋夷猖獗。人有不測之慮。加大國也。而又濱於北海。君旣仕巨室。其位雖降乎。未雨綢繆之策。其必有在焉。天之報清秀。或將

於是乎發。君其勉哉。

第十七　細川忠興夫人　　飯田忠彦

細川忠興夫人惟任氏。日向守光秀第三女也。容貌殊好。以天正七年二月嫁。十年夏。光秀行弑逆。忠興怒。絕婚。幽夫人於三戶野山中。使家人警衛。山崎之戰敗。光秀伏誅。擧族亡滅。或謂部索支族誅之。家人諫曰。君雖婦女。逆臣之子。寧坐就戮。不如自殺。夫人曰。未聞良人之命自殺。反三從之誡。雖立孝道。似背貞節。雖待敵而死。未爲遲矣。明年疾疫大行。死亡者多。家人亦死。夫人憐憂。自書歌粘門戶曰。伊可傳加波。美母須曾可波乃奈伽連久牟。比登仁多多羅武。江幾麗以能可美。隣里傳效。多免疾疫。沈落踰年。艱苦守節。十二年二月。秀吉憐其節操。喩忠興。復歸親暱如故。慶長五年。忠興從東伐。發師。贈詠歌於夫人云。那比久奈與和努末勢可伎乃。遠美南返志袁登許也萬預里。加栖波布久止毛。七月十七日。石田三成遣人將取夫人於城中。其意在質焉。臣河北石見。小笠原秀清等以告。夫人曰。寡君屬東師。我何叛之乎。以盛衰。不改節。以存亡。不易志。不肯。三成怒。發兵數百。來圍脅之。夫人使嫡婦前田氏微服先遯。又幽齋妹嘗嫁武田信重爲嫠者七十餘歲在邸。與前田氏偕去而曰。人衆見物色。我當殊出。既而圍合。夫人曰。我雖婦女。不忍受辱。傳令家人曰。我不負秀賴。寇入。愼勿與鬭。遂命鎖門。把匕首。刺十歲男。八歲女。縱火而自殺。秀清石見侍婢、

姆嫗悉死之。特稻富祐直擁前田氏而走。於是三成等慚悔。止取質之議云。初夫人在邸。列侯婦人在邸于大坂者。以歲時皆入起居淀君。夫人自羞父逆。輒託他故。未嘗入見。知其情者。僉憐而美之。及死。擧世激賞。其不係於世類。能變凶逆爲義烈。

第十八　無鹽女　　劉向新序

齊有婦人。極醜無雙。號曰無鹽女。其爲人也。臼頭深目。長壯大節。昂鼻結喉。肥項少髮。折腰出胷。皮膚若漆。行年三十。無所容入。衒嫁不售。流棄莫執。於是乃拂拭短褐。自詣宣王。願一見。謂謁者曰。妾齊之不售女也。聞君王之聖德。願備後宮之掃除。頓首司馬門外。唯王幸許之。謁者以聞。宣王方置酒於漸臺。左右聞之。莫不揜口而大笑。曰。此天下强顏女子也。於是宣王乃召而見之。謂曰。昔先王爲寡人取妃匹。皆已備有列位矣。寡人今日聽鄭衞之聲。嘔吟感傷。揚激楚之遺風。今夫人不容鄉里布衣。而欲干萬乘之主。亦有奇能乎。無鹽女對曰。無有。直竊慕大王之美義耳。王曰。雖然何喜。良久曰。竊嘗喜隱。王曰。隱固寡人之所願也。試一行之。言未卒。忽然不見矣。宣王大驚。立發隱書而讀之。退而惟之。又不能得。明日復更召而問之。又不以隱對。但揚目銜齒。擧手拊肘曰。殆哉殆哉。如此者四。宣王曰。願遂聞命。無鹽女對曰。今大王之君國也。西有衡秦之患。南有强楚之讎。外有三國之難。內聚姦臣。衆人不附。春秋四十。壯男不立。不務衆子。而務衆婦。尊所好而忽所恃。一

旦山陵崩弛。社稷不定。此一殆也。漸臺五重。黃金白玉。琅玕龍疏。翡翠珠璣。幕絡連飾。萬民罷極。此二殆也。賢者伏匿於山林。諂諛強於左右。邪僞立於本朝。諫者不得通入。此三殆也。酒漿流湎。以夜續朝。女樂俳優。從横大笑。外不脩諸侯之禮。內不秉國家之治。此四殆也。故曰殆哉殆哉。於是宣王掩然無聲。意入黃泉。忽然而昂。喟然而嘆曰。痛乎無鹽君之言。吾今乃一聞寡人之殆。寡人之殆幾不全。於是立停漸臺。罷女樂。退諂諛。去彫琢。選兵馬。實府庫。四闢公門。招進直言。延及側陋。擇吉日。立太子。進慈母。顯隱女。拜無鹽君爲王后。而國大安者。醜女之力也。

第十九　游東叡山記　　青山延于

都下之地。以花著者有四焉。東有墨沱河。南有御殿山。北有飛鳥山。而其最近而最盛者。爲東叡山。其地在闤闠之中。隆然突起。花木幽邃。石古山深。都下游賞之地。蓋以此爲第一云。自余來東武。每佳辰美景。莫不常來游賞。今茲乙丑之春三月。携次子延昌來游于此。從湯島過忍池。至大達。入自黑門。登石磴數十級。至山王社。憩樹下少頃。至淸水閣。于時前後櫻樹數百株。一時亂發。埋山繞谷。錦疊繡錯。凭欄迴顧。則池水鏡潔。花光相映。粲如濯錦。是日也天暖風和。都人士女游者如雲。羅綺粉黛。隨群逐隊。往來繽紛。有藉草而坐者。有踞石而吟者。有歌者。有舞者。有笑者。語者。行者。憩者。被酒而槃散者。解衣而盤礴者。皆莫不欣々自得。都下歡游之盛。於是可知也。降階而西。行櫻樹中數十步。逶迤而下。至文珠樓。前層甍反宇。飛檐凌空。金碧照耀。五彩奪目。遠而望之。蔚如霞起。又行數十步。至廊門前。左有石階數級。是爲神祖廟。余肅然斂容。佝僂而過。顧謂延昌曰。慶元已降。海內昇平。二百有餘載於茲。擊壤鼓腹。人不知兵。今吾與汝幸而生于太平之時。得肆觀游之樂。此皆非神祖之賜哉。雖然一治一亂。循環無端。異日如不幸而有風塵之警。安得享今日之樂乎。然則游觀亦不可常爲。可不記乎。延昌曰唯々。遂爲之記。

第二十　晃山　　大槻禎

晃山即日光山。舊名二荒。荒字邦人讀與暴同。男體如寶兩峰間。有巨坑。每春秋之間。暴風生其中。環山之地。皆受其害。故名。及寬永中營廟宮。改爲日光。而音仍與二荒同。山在宇津宮北九里。遠望之。三峰巋然。出於諸山之上。筑波山突起八州之野。爲一方之鎭。然厪及半腹。其高可知也。有湖四十八。峯亦十七。瀑不可勝數。其水合流注東寧河。又東南入海。余嘗從奥南上。過宇津宮。行松間。見峰巒成覆盆狀。馬夫曰。是晃山也。神爲之飛。後入昌平黌。夢寐未嘗忘于懷也。天保十年四月。東叡法王例登山。行大祭儀。發軔在十二日。余隨海侃師。以九日先發。三宿達山麓。秀色襲衣。近接眉宇。喜不自禁。弛擔寓法門院。明日盥漱更服。拜觀廟宮。金碧煌耀。極宇內之美。么麼如禎者。非可贊述也。獨以爲遍探其勝。攬

其奇記之以顯于世。庶幾爲不負茲遊耶。退而謀霧降瀑之遊。遊於是乎始。

第二十一　霧降瀑

大槻禎

或人告余曰、子遊晃山、則華嚴瀑不可不觀也。心私記之。至晃山詢之。謂時猶早、上流水未下。無有涓滴。爲之悵恨。然有霧降瀑者。雖非華嚴之比、亦可觀也。於是與三三子遊焉。渉稻荷河。亂石磥磈。如布碁然。云是往年河水暴漲、漂蕩人家。其迹如此。過雲與律院、磴道數折。一山來迫。曰小倉山。山下構一亭、爲法王遊息處。蓋擬京極黃門山莊也。過平原、南行里餘、登小阜。舒目曠然。東南諸山之景、歷歷可辨。阜與瀑隔邃谷而對。窄逕逶迤。北通瀑趾。練帛一道、如雪花、如柳絮、隱見崕樹間。趨就其下、仰視之、向之雪花柳絮者、爲湍浪雲瀨、繽紛亂墜於頭上。既落潭與磐石相激、湃嚗之聲、殷殷動地。至此絕叫稱快。不復問華嚴瀑也。或曰、茲遊極一時雅與。然百年之後、誰知吾曹之來遊。盍題名崖石。余笑曰、傳名於身後、不如取樂於生前也。徘徊移晷、去過外山麓、訪氷巖。巨石裂土而出、層疊成洞。如猛獸張吻。走入吻中、一洞皆氷。下垂如水晶。碎而嚼之、寒冽透心肝。凛然不可久駐。乃出。是夜勁寒挾纊、如孟冬氣候。

第二十二　中禪寺

大槻禎

霧降瀑之遊畢。遂訪中禪寺。過清瀧村、得一聚落。曰回馬。過此路漸峻。一峯稜厲如削成。曰劍峯。其下細石磊磈。奔水淙激。瀺灂有聲。覺非人境。行半里許。峰轉在後。半腹有巨坑。所謂風穴也。導者云、坑中有雷獸棲焉。每雷震、輒乘雲去。一棧架於絕谷。北視二瀑。轟然並瀉。曰般若。曰方等。方等差小。南亦有瀑。亂瀉樹杪。遠望皛然如素練。曰布引。憩一茶亭。曰至清庵。過亭路益峻。至地藏堂。始坦。喬木夾路、猿蘿倒懸枝上。鬖髿如髮。文海㧞沙所謂樹衣是也。忽見一白於林際。以爲宿雪未消者。諦視湖水也。湖周回數里。其水清潔。不漂一漂芥。以在男體峰南。故曰南湖。循湖而行、得祠。是爲三社權現。樓閣環外。一境幽寂。男體峰在寺背。如一躍可登。然躋躡餘三里。高門扃鎖、不許濫登。有碑。釋空海撰文、覆以銅板。是係其改鐫。環湖皆山。倒影於鏡面、與紅塔精藍映射。宛然吳道子之畫矣。

第二十三　送高山生序

柴野邦彥

高山生仲繩、獨身仗劍、不齎一錢、出其鄉毛之野、登秩父之高峰、由中仙道、橫貫尾勢、陟降紀之所謂熊野、將軍、法師、玉置諸山。入子守村、而訪太古遺俗。自攝出播、山陽山陰、直西北窮雲伯。其所履二千有餘里、三十有餘國。出入深山廣澤無人之境、露宿于樹根巖足。視猶行康莊而蔭夏屋焉。其所見之人則自忠臣孝子仁人義勇之士、與名卿大夫賢守牧才子、文人博物智謀。及夫僧道、醫卜百工衆技之流、以其術名世者、汚而博奕屠販游俠角力、細

而婦人孺子僕隷。苟殊乎人而畸于世者。雖遠必索。不一見其面。不已。或與其歡累日。垂涕泣而別云。嗚呼生亦奇矣。生善劍而好學。身長八尺。高髻挿梁。面如紅玉。歳之二月。飄然入京。顧余古愚軒。入相揖而謂曰。吾喜觀天下奇人偉士之面。猶觀草木之英華。悦我目焉。吾所適之邦。往々道子之名字。意或予之奇焉。目之竪而鼻之横矣。是以來觀也。余起而延之。其衣弊垢見綿。劍鮫室漆已剝粒脱。酒酣脾睨坐上。説天下形勢。人物風俗。聲發金石。氣鬱勃蓋人。余因大得奇士異境焉。而生意類猶未厭者。曰顧我猶未奇乎。恐奇人之不吾欲也。有所失焉。顧因子更有所得也。嗚呼余少有生之好。而性羸虚善病。尋常行歩。遇阪道陂陀。既氣喘而背

汗。適誤一夕之養。則爲之數日擁被而寢。安能獨身冒霜露。走千里之外。如生之爲哉。故平日所得。不能生之千百之一。世則豈能有更所薦哉。雖然。生之所悦者華也。其所遇者奇也。抑華不如實之可貴。而奇不如常之無射也。余將薦其實而常者焉。其在京者。生已見之矣。其草野辟遠者。不必見也。東都者。曰保仲通。曰冢大佐。曰平明德。曰澤右仲。曰岡伯和。或以道德氣節。或以博覽多聞。或以文章翰墨。皆平實常德。無射之士。我所畏與愛矣。目則兩而横鼻則特而竪矣。生還路由東都。其見之可也。

第二十四　高山彥九郎　　賴　襄

高山正之。上野人也。字彥九郎。家世農。正之生而俊異。喜讀書。略通大義。爲人白晳精悍。眼光射人。聲如鐘。有奇節。母死。廬於冢側三年。饘粥不給。骨立如枯木。事聞。官欲旌之。其郷俗喜博奕健訟。素嫉正之所爲。誣告於吏。繫之獄。獄胥食之。弗食。已而得出。即辭家游四方。求豪雋奇傑之士交之。江門人江上關龍。豐前人梁又七輩最親善。天明季年。歳饑。所在盜起。上野亦不靖。正之奮袂起曰。不可使吾郷有此不良事。欲往理之。辭於關龍。關龍欲援之正之不欲。贐以衷甲。受之獨行。至板橋驛。時已夜矣。有二男子。在橋上。相嚮臥。兩尻高而頭凹。正之念。不蹋不可行。患之。已曰。是官道也。彼塞之無狀。蹋可。蹋凹處而過。其人蹶起並呼曰。誰蹋吾頭者。拔及連鋒追擊。正之顧而睨曰。喝。其人辟易不敢迫。遂往未至。其

郷。過一旅店。有喧呼飮酒者。則關龍與又七。帥徒殊途先往。會事平。會飮也。呼正之同醉。倶還。後官獲劇賊渠帥。自語平昔未嘗遇難當漢。在板橋要人行刧。遇一眇小丈夫。瞋目呵我。憶之今猶股栗也。關龍善劍。每謂正之曰。子雖以氣服人。不熟武藝。遇眞英雄。乃窮矣。正之不服。關龍罵曰。彥九無用男子。能死斬我。正之憤然欲拔刀。關龍以手壓刀欄。笑曰。止之。正之嗜啞終不能拔也。於是折節學劍。每夜自試。至千返乃寢。正之又喜交文學士。聞人説孝子義僕事。雖遠輒往問之。轉述之於人。殷々涙隨聲墮。談古今君臣順逆跡。慷慨如已與同時。關其事。少入平安。至三條橋東。問皇居何方。人指示之。即坐地拜跪曰。草莽臣正之。行路褻觀。怪笑不

顧也。游京師。過足利高氏墓。數其罪惡。大罵鞭之三百。故平時見人惡。疾之如仇。一權人專利。中外愁怨。而不敢言。正之與同志語。攬涕曰。噫。公上百不知也。今接故紙爲幟。樹山廟門外。號召。立可得千許人。於誅豎子何有。聞者掩耳。其後弊事悉革。毎聞一號令出。喜形於色。

正之遊道極廣。公侯時招致之。不辭。嘗抵一侯。與政路者兩童子穿辮濯衣袴褶饋食甚謹。侯指曰。是小兒輩。欲長者教誨之。正之聞之。逡巡。侯曰。勿然。雖余有闕失。願聞之。正之拜曰。然則有所敢言。往年某處民兄弟復父讐者。護送之同囚徒。是等事關風教。願加意焉。侯謝曰。一時指揮不到。後當謹之。其爲世所重。而直己不阿如此。然正之在東不得意。西游在筑。後過一關。關吏呵止。正之歸館。自刺。館主人驚問故。不答。曰。吾館子。子自及死。無他證。又不知其故。吏來撿屍。何辭答之。願勿殊以待。正之曰諾。剸及于腹。與劇談至夜分。吏來。秉燭撿之。又問故。不答。固問。曰。狂發而已。握刀突入尺許。即死。臨死。館主問所欲言。正之曰。寄語海內豪傑。好在而已。正之既死。事傳三都。莫知其所以死。或曰受關吏辱。慙憤死也。關龍曰。吾數罵人。試之。眞欲斬我者。獨正之。渠已果於殺人。故亦果於自殺耳。又七聞之曰。否々。彥九葢有所感於夢寐中爾。噫。渠雖夢。猶能死者也。

第二十五　隨鑾紀程 節錄

川田剛

明治辛巳八月二十八日。駐蹕青森。以明日御艦放洋。傳令群下。輕裝上船。除乘輿騶馬外。凡車騎厮養。皆留於此。以待回鑾。宮內書記侍從數人。率僚屬。乘玄武艦先發。赴手宮灣。仁禮海軍少將。上長崎地方晴雨表。余奏覽蝦夷人物志九册。巳刻。開拓大書記官、調所廣丈。扶桑艦長海軍大佐松邨淳藏。金剛艦長海軍大佐相浦紀道。迅鯨艦長海軍中佐澤野種鐵。日進艦長海軍中佐山崎景則。以下七十餘人。及青森屯營陸軍將校六十餘人。來謁行宮。是日使左大臣。代巡師範校。專門校。及中學病院。金井大書記官。田邊內務權大書記官。東園侍從。及余隨焉。寛吾秀穗。小川涉等來訪。

二十九日。卯後啓蹕。海陸兵排列。捧銃如例。縣吏送到港口。輪船數隻。整然艤列。第一金剛艦。第二扶桑艦。第三迅鯨艦。第四日進艦。而矯龍函館諸船次焉。各揭章旗。聲礮二十一。聲畢。奏樂。水兵升桅排立桁上。示敬。皇上駕十槳小艇。徙御扶桑艦。親王。大臣。參議。宮內卿輔。侍醫。侍從。近衞士等從之。余與金井大書記。田邊權大書記官。兒玉文學等。偕乘金剛艦。長三十八間五尺八寸。寛六間五尺。深二丈一尺六寸。其製鐵骨木皮。暗輪螺旋。桅三本。礮九門。艙二層。分爲若干房。毎房牀褥、枕衾、巾箒諸物皆具。厠傍設吸水機管。以便盥漱。別有客室。寛敞可容二十許人。華氈長卓。繞以椅子。柱懸大鏡。牀幔窻幃。皆極鮮麗。艦內職員若干。將卒若干。以

廿以迄水火夫。凡三百零九人。居處有次。坐作有度。號令之嚴可知矣。辰刻。各艦起錨。烟騰輪轟。遂次開行。是日。天色晴明。風靜波恬。右瞻北郡。左傍外濱。遠嶼近洲。山迎水送。恍如行畫圖中。樓上安鐵盤。設海程曆。傍懸沙漏玻璃瓶兩枚。巨腹細口。而一枚盛沙。實之。一枚空虛。虛實兩口。上下對合。通一線。以過沙。過盡爲一漏。卽復倒轉易位。計一晝夜。約二十四漏。每漏六十分。每分六十秒。一人手執長繩。繫尖板。轉以轆轤。投之海中。引繩按沙漏。計其丈尺。以辨船行里程。與其遲速。離三廐岬。大陸一帶。遙橫東北。是爲北海道渡島。按此地舊稱蝦夷。唐書謂之毛人國。洋籍謂之庫頁島。先是幕府使松前氏居福山城。統轄夷民。委以北門鎖鑰。及俄

人占據東邊。慮其或不能制。收爲直隸。命奧羽諸藩。遣兵屯戍焉。中興初。建開拓使。撤戍兵。與俄國議定境界。割棄樺太。以千島歸我版圖。全道十一州。分爲三部。本廳在札幌。管中部。而東北屬根室支廳。西南屬函館支廳。渡島卽西南部中之一州也。日進艦聲礮作。登桁禮。東去赴室蘭港。御艦轉柁西北。過龍飛岬。右望福山。蓋松前氏盛時。治下人口二萬。漁稅六萬金。四方海舶載貨來集。其早路由陸羽者。亦自三廐。航至於此。一國富庶。踰內諸侯。粉堞依稀。尙有舊墟。福山與龍飛岬。相距十里。海底石聳。急潮激怒。所謂津輕海峽是也。出峽則大洋渺瀰。與天無際。遙見兩嶼浮波間。近曰小島。遠曰大島。我船疾馳。先抵大島。巖石竦峙。不可邇。停輪待御艦至。偕進。夜暴雨。風濤成山。臥榻顚簸。架上器皿。滾墜擲地。作碎玉聲。衆眩暈困頓。其能支持者。吾輩數人而已。

三十日。　晨登柁樓。風潮怒號。船首昂低。與浪相鬭。飛沫雨注。寒同嚴冬。過午天霽。抵奧尻島。右望後志州。困者蘇。僵者起。嘔吐者索食。聚談客室。已而號礮震天。投錨手宮灣。灣在州極東。人烟聚簇。接小樽港。架棧海口。爲脚道。長千四百四十尺。寬四十尺。設車軌兩條。大船喫水二十尺者。亦得繫泊搬貨物焉。自靑森至此。航路二百三十里。兩晝一夜。理當早達。以風濤異常。遲至晡時。土人豫艤小舟四十隻。以供使用。開拓長官黑田淸隆。飛槳來迎。餉食於採煤工廠。天黑雨至。駕氣車東馳。沿道村落。燈火隱見。唯聞人

語喧豗。濤聲澎湃。不復知其爲何狀。頃刻至札幌。雨歇。毬燈數千。明如白日。肩摩轂擊。士女塡咽。駐蹕豐平館。西式石造層樓高聳。庭闊門大。繚以鐵籬。籬外官署連甍。街衢在其南。井井棋罫。東西十三條。南北十四條。而西南一隅。嶂巘秀峙。傍帶長川。引爲溝渠。酒樓旅館。神祠佛宇。各占地勢。蓋本道十一州。形似鳥伸兩翼。天鹽州及北見州之宗谷、枝幸。首也。日高十勝二州。尾也。釧路以東爲右翼。膽振以西爲左翼。石狩州爲之腹心。而此在州之極南。前十餘歲。林莽深阻。自置本廳。刊木拓土。授廛班田。農商來住者一千八百戶。男女六千七百餘口。熊羆豺狼之窟。變爲樂郊矣。初經營相土。衆意在石狩川北。議者慮其或漲溢致害。卜定茲地。洵爲

遠識。但北至宗谷。南接小樽。西達室蘭。道路已開。而根室一港。山谷阻隔。遠在北陲。若溯石狩上流。更開大路。通車馬。則水陸運輸。尤爲便捷。嘗讀宇治拾遺。安倍賴時。懼王師來討。齎糧浮海。見北方有國。往溯大江三十餘日。彌望蘆葦。絕無人跡。一日忽聞大地轟然。潛身覘見。夷兵千餘騎。紅抹首。擧鞭絕流去。不知所之。所謂大江者。北島志以爲混同江。余竊疑是石狩川也。以勢人松浦士重。窮川源。熟地形。就而質焉。亦未能決。獨至上流開路。則稱爲良策。今并記備考。是日金剛艦。扶桑艦。起錨手宮灣。航後志州海。見漂船一隻。浮沈波間。停輪拯之。電報其事。曰青森縣宇鐵邨漁師柳谷兼松等二十五人。去月下旬。抵北見州禮文郡。雜載乾魚昆

布等物。航還故里。遇颶失方。檣折橈碎。漂蕩三日。氣息奄奄。不能言。因送之函館云。廳吏川中在邦來訪。在邦吾高梁人。封建時。余督藩學。引爲教員。相遇談舊。殊慰客思。夜深襲綿衣。冷比內地初冬。

中等漢文卷之貳中終

中等漢文卷之貳下

山本廉編

第一　廸彝篇序

藤田彪

寰宇之廣。仁厚威靈。莫尙於神州。人類之衆。大義鴻恩。莫隆於君父。此愚夫愚婦之所易知。奚俟多言。抑至於逞狡謀詭計。則夷蠻之邪氣。或足以間神州之威靈。亂賊之詐術。亦或足以奪君父之恩義。此愚夫愚婦之所易惑。而臨利害得喪死生禍福之變。則世所謂才臣智士。亦或持首鼠兩端。不測之禍。由以構焉。豈可不深慮哉。我友會澤伯民。有憂於斯。嘗著新論若干卷。以述天下大計。若斯篇。蓋其緒餘耳。然其所以推廣愚夫愚婦所易知。欲鎖禍變

於未萌者。可謂深切著明矣。

恭惟神州。以武建基。若夫文物之盛。則資於西土周孔之教者不尠。今也西土既沒於胡元。又陷於滿清。所謂膺懲之訓。尊攘之義。徒爾付諸空言。加之堅昆丁零之類。古人一小夷視者。往々傲然跋扈於坤輿之半。宇內之變亦大矣。獨赫々神州。寶祚之隆。万世自若。上下之分。內外之辨。嚴乎不可易。則彼付諸空言者。我安得不擧而施諸實事。廸彝篇之作。其可已乎哉。天保壬寅至日。水戶藤田彪。書梅巷東湖書屋。

第二　弘安役

青山延光

弘安元年秋七月。高麗王朝忽必烈。請再寇中國。二年春二月。忽

必烈命造戰艦六百艘、將來寇。宋降將范文虎謂忽必烈曰、臣遣周福欒忠諭日本、期以明年四月還報。請待之。忽必烈從之。夏六月、周福欒忠至太宰府、復說通和。乃斬之博多。冬十月、北條時宗遣關東兵於鎭西、以備外寇。是歲忽必烈滅宋、勢益彊大。蠻夷致貢者千餘國。益有覬覦中國之志。

四年夏五月、忽必烈遣范文虎等大擧來寇。以高麗爲鄕道。戰艦蔽海而來、直指壹岐島、至太宰府。陣能古志賀二島。高麗賊犯壹岐對馬。島人竄匿山林。賊聞小兒啼聲、搜而殺之。島人皆殺兒、賊轉赴宗像。與文虎等會。賊意在必勝。多携什器耕具。九國震駭。關東及九國二島兵、皆會太宰府。築堤海岸、綿亘數百町、高丈餘。外面峻削、以便俯射。堤上燎火相望。守備甚嚴。然衆懲文永之役、頗有難色。獨草野次郎奮而進、乘輕舸、夜登賊艦、斬一賊、縱火而還。賊乃以鐵鎖聯舟、列弩設備。我舟有進者、弩便連發、舟皆摧壞、死者甚衆。我兵乃令曰、勿離隊獨進。

時河野通有獨背堤而陣。望見一巨艦、旗幕華麗、與伯父通時以二舟進。我兵驚呼曰、河野無乃狂與。賊亦指笑曰、日本鷙猛乃爾。比近巨艦、賊發矢。禦之、左右死者數人。通有通時皆被創。二人神氣益壯。緣舟檣投鉤繩而登、舞刀鏖擊、斬獲甚衆。遂擒一賊將戴玉冠者而還。我舟陸續迎之。賊不敢追。通時死於舟中。乃斬賊將、獻首京師。大友藏人帥三十餘人進擊、獲首級而還。諸軍遞進戰。

賊稍畏其鋒、轉泊鷹島。京師訛言、九國既爲賊所據矣。龜山上皇奉宸筆願文於大神宮、祈以身代國難。會海中靑龍見。硫黃氣漲天。文虎等褫氣、擇堅好舟乘之、棄軍逃還。秋七月晦夜、西北風大作、海濤崩駭。賊艦摧碎。溺死無算。浮屍積聚、望之如洲。閏月朔、殘兵數千、猶在鷹島、推張百戶者爲主帥、聽其約束、方伐木作舟、欲逃還。少貳景資帥鎭西兵乘勢掩擊、殺溺殆盡、餘衆乞降。悉斬之。賊兵十萬、生還者僅三人。皇威震殊域矣。

第三　林子平

齊藤馨

仙臺有奇士。曰林子平。父源五兵衞、名良通、仕幕府、有故削籍而姉既聘爲本藩側室。故子平及兄嘉膳皆受藩俸。然子平倜儻有大志。常見人之酣豢於富貴、飽煖自安者、以爲遭變故則不堪其用也。於是寒素自給、雖襤褸糲食、不厭。自見猶在兵陣間。性健步好遊四方。靡遠弗至。行輒蹋屐。如往來隣里者。人不知其行千里之遠也。所過風土之美惡、地勢之利害、政刑民俗之得失、皆諳知之。尤注心於邊防。

前是寓藩醫工藤球卿家。球卿素有邊防之議。子平論與之合。於是從鎭臺再遊長崎、接異邦人、咨詢海外諸國情狀、益知邊防之爲急。適淸商在館者激事忤命。鎭臺命子平及諸士勸之。子平奮鬪、先衆生虜數人。曰、吾知西人之伎倆矣。既東歸、遂著海國兵談若干卷。大意以爲、諸蕃槪以奪地拓疆爲務、威力日强、必且染頤

於我。而彼長航海。洪波大濤。視如坦途。我環國皆海。近自日本橋至鄂羅斯阿蘭陀。同一水路。無有阻隔。彼欲來即來。而我拱手無備。亦已危矣。必也節國用。修兵備。瀕海要地。設臺置砲。數年而沿岸皆壘。儼然成一大長城矣。然後一旦有變。以逸待勞。庶可無患。而尤可慮者。我南北諸島。委而不顧。彼或據之。是異日之大患也。因著三國通覽。以論諸島之形勢。二書既上梓。海內未嘗知外寇之如此也。或謂諸蕃之來。商舶耳。漁船耳。曷有他志。彼張皇無根之事。不過爲釣名計。幕議亦以爲然。命毀梓。且禁錮于仙臺。時寛政壬子五月十六日也。

先是閑院宮。贈諡未決。物議騷然。子平見樂翁公。公談及其事。子

平笑曰。天朝之於幕府。是一家事。縱令有變。亦猶夫妻衽席之爭耳。不至失家也。若夫夷虜。則是在外之大盜。苟不爲慮。必至併家奪之。安可不憂哉。蓋其以邊防爲憂也如此。至是子平作六無歌。自號六無齋主人。實以寓逍遙自適之意焉。往々爲子弟談兵。罵世之講兵。主一家。曰甲曰越者曰。彼何適用。苟欲適用。不若讀古戰記錄。而察其勝敗之由爲有得也。又見子弟之讀書者曰。讀書可也。然足迹遍天下者。然後讀書亦足以爲用。卿輩足未嘗出里閈。何足爲用哉。嵗嘗饑。爲藩老佐藤伊賀。著富國策。以爲東海多鯨。苟能捕之。亦足以助國用。其他陳省費濟財之術。雖不行。識者知其可用焉。又著父兄訓。蓋謂前是童蒙有訓。然今之世。父兄亦不可無訓也。隨筆雜記有數卷。皆居常聞見所得。巨細盡載。亦多裨人者。

同時高山正之。蒲生秀實。皆以奇士稱。然不與子平合。初子平在京師。謁中山亞相。亞相盛稱正之慷慨論時事。涕隨言下。子平曰。彼有泣癖耳。今時昇平。奚以泣爲。即可憂者唯邊防。而彼一泣外。計無所出。君以彼爲善。不知一旦外寇之變。坐待風浪于萬一耶。秀實亦嘗訪子平。行裝甚野。子平一見罵曰。何物措大。鄙野乃爾。秀實亦怒曰。田舍翁之慢人。亦至此耶。不交他語而去。子平既廢閱嵗沒。其後十餘年。東陲果有鄂虜之變。秀實服其先見。上閣老書曰。祭子平之墓。而謝其靈可也。及幕議修邊防。蓋亦有取於

其言。追賜赦。姪某始封其墓。事在天保壬寅。距其死。凡五十餘年。

子平名友直。子平其字也

第四　渡邊華山傳　　石川英

明者遠見于未萠。智者避危於無形。然明於遠者。不免暗於近。患大事者。不遑慮小事。若當天下治平之時。突然言未萠遠大之事。人以爲狂爲癡。不特爲狂爲癡。且將獲罪于其身。悲夫。天保之末。幕政稍衰。奸慝横恣。驕奢成風。府庫空耗。前是海外諸夷。覘其虛久矣。仁人義士。莫不搤腕瞋眼。奮激慨歎。而在上者。怡然不爲懼。在下者。熙然不知憂。迨一旦逼于眉睫。則愕然不知所措。始求防海禦寇之策。鑄劍製礮。以募豪傑之士。嗚呼亦已晩矣。曩言事者。

皆獲罪殞命。或韜光滅跡。或佯狂遁世。今欲索其遺書搜其遺謀。蓋亦糟粕耳。烏得活用之哉。余於渡邊華山。未嘗不喟然慨歎也。

華山名定靜。字子安。通稱登。三宅侯藩士也。爲人明智敏識。文藝武技。靡不博通。最善繪事。初學乎金金陵。得南蘋沈氏之法。又師友谷文晁。務摸寫古畫。後得清人愈宗禮眞本。頗悟運筆之妙。殊長于人物禽獸。遊於其門者。椿山琴谷半香顯齋之徒。各爲一家。而所交皆一時豪俊。鳳山以儒。春山以醫。其他擊劍火技百藝之徒。互相往來。而家太貧。供客甚非。褐衣蒯緱。坐無長物。然人慕之如慈母。常相集議論。猶孤鶴雜群鷺云。晩好洋學。與高野長英小關三英幡崎鼎等友善。時阿蘭商齎藥而來。竊謂譯官曰。英人嗎

唎遜者。謀以我漂人爲媒。闢互市于江戸近海。若不厚遇。恐開釁端。華山長英等聞之。蹙然曰。禍根萌矣。若從幕令濫發矢石。後患不可測也。清國鴉片之亂。已見前車之覆。豈其可默而止哉。因作愼機論鴂舌或問等。且曰。豺狼一回顧。如途上遺肉。長英亦著夢物語。然皆未脫稿。偶聞夷艦徘徊南海。竊以爲一航西洋。詳察其風俗政治。且傳其學。而播諸神州。以圖富强之策。其益莫大焉。時豆總令羽倉外記。將巡伊豆七島。因私願隨行。且以爲。或幸遇夷艦。欲託於漂流以遊歐州諸國。然而令嚴不許。同志者相會悵望焉爾。其獨憂國禍於無形。可謂明且智矣。而門生花井某者。娶賞而讒之幕吏。因繫囹圄。長英輩皆下獄。於是著書僉見收。幕廷逐咯誹政之罪。更囚三河田原。居三年。其主三宅侯。未進顯職。因以爲老臣爲僇人。不得不罪連於主公。不如遽死而解主公累。終自及而歿。享年四十有九。實天保十二年也。

後十餘年。闢横濱通商。尋生大亂。華山之言。於是乎驗矣。設使華山在薩肥長土之藩。遇維新隆盛之世。其有益於國家。不知幾何也。齊人有言。雖有智惠。不如乘勢。雖有鎡基。不如待時。嗚呼。華山抱赫々之才。遭墨々之世。事非其主。行非其時。迍邅轗軻。爲幕府所壓抑。其骯髒跌宕之氣。徒寓之筆墨。以爲排悶之具。故其所畫。勁駿奇偉。往々出人意表。是以寸縑片楮。人珍賞焉。不特喜其妙技。亦慕其爲人也。

第五　興荒田記

三島毅

下總國有田瘠而租重者。民皆逃亡。而田遂荒廢。缺租額不少。岡田郡國生村里正横關政安。深慨焉。享和中建議。請興之。其方借費于官。以六十年折償之。而撿秋收多寡。斟酌課租。縣令荻原氏許之。政安乃至越後。募餘丁數十人。移之本村。及岡田新田豐田郡若村。刈蕪修廢。至文化戊辰竣功。得良田八十七町三段三畝十九歩。官賜白金五枚。賞之。既數年。田肥民富。租額復舊。更賞之。年賜金三兩。天保中。其子淸政襲里正。又請縣令勝田氏。募民于越後。移之本村。及五箇村。興田六十四町五段六畝二十三歩。此役也。縣主簿岡田長之。秦園助。與有力焉。萬延庚申。縣令佐佐井

氏上其功。賞清政許稱姓。爾後田益肥。民益富。租額加舊。村民追慕遺惠。將植碑記之。介清政孫安清。乞余文。夫田可以出租。而租重適足以廢田。政安父子。有見于此。貸民而緩其償。賦田而輕其課。是以能與荒廢。而增租額。其功亦偉矣。雖然田之肥瘠。民之貧富。有時而變。後之吏此土者。不能斟酌其間。一定租額。以律之。安知今日之興。又不至異日之廢哉。是不可不戒也。政安稱繁八。清政稱與左衛門。父子相繼。用心于民事。或修鬼奴川隄防。或植黃櫨。或救窮乏。其受褒賞。不一二次。而民之蒙遺惠。亦不止興荒田云。

第六　胡文定公　小學

胡文定公曰。人須是一切世味。淡薄方好。不要有富貴相。孟子謂堂高數仞。食前方丈。侍妾數百人。我得志不爲。學者須先除去此等。常自激昂。便不到得墜墮。常愛諸葛孔明。當漢末。躬耕南陽。不求聞達。後來雖應劉先主之聘。宰割山河。三分天下。身都將相。手握重兵。亦何求不得。何欲不遂。乃與後主言。成都有桑八百株。薄田十五頃。子孫衣食。自有餘饒。臣身在外。別無調度。不別治生。以長尺寸。若死之日。不使廩有餘粟。庫有餘財。以負陛下。及卒果如其言。如此輩人。眞可謂大丈夫矣。

第七　孔明出廬　資治通鑑

初琅邪諸葛亮。寓居襄陽隆中。每自比管仲樂毅。時人莫之許也。惟潁川徐庶。與崔州平。謂爲信然。州平烈之子也。劉備在荊州。訪士於襄陽司馬徽。徽曰。儒生俗士。豈識時務。識時務者。在乎俊傑。此間自有伏龍鳳雛。備問爲誰。曰。諸葛孔明。龐士元也。徐庶見備於新野。備器之。庶謂備曰。諸葛孔明臥龍也。將軍豈願見之乎。備曰。君與倶來。庶曰。此人可就見。不可屈致也。將軍宜枉駕顧之。備由是詣亮。凡三往乃見。因屛人曰。漢室傾頽。姦臣竊命。孤不度德量力。欲信大義于天下。而智術淺短。遂用猖獗。至于今日。然志猶未已。君謂計將安出。亮曰。今曹操已擁百萬之衆。挾天子而令諸侯。此誠不可與爭鋒。孫權據有江東。已歷三世。國險而民附。賢能爲之用。此可與爲援。而不可圖也。荊州北據漢沔。利盡南海。東連

吳會。西通巴蜀。此用武之國。而其主不能守。此殆天所以資將軍也。益州險塞。沃野千里。天府之土。劉璋闇弱。張魯在北。民殷國富。而不知存恤。智能之士。思得明君。將軍既帝室之胄。信義著於四海。若跨有荊益。保其巖阻。撫和戎越。結好孫權。內修政治。外觀時變。則霸業可成。漢室可興矣。備曰善。於是與亮情好日密。關羽張飛不悅。備解之曰。孤之有孔明。猶魚之有水也。願諸君勿復言。羽飛乃止。

第八　猿演劇　齋藤馨

猿之演劇也。衣冠焉而爲士大夫。裙帶焉而爲婦女。且立且坐。且周旋。且進退。擧古忠臣烈婦之情狀。一々依倣。視之儼然人也。而

或擲一菓于其前則翻然自失。故態頓發。側衣冠曳裙帶。匍匐往食之。雖觀者啞笑。弗自知也。嗚呼。猿自飾而爲人。見菓而爲猿。唯一菓而人猿判焉。然今學君子。于馨香笑貌。而其節變于斗升之利者。是亦斗升。而君子小人判焉。與猿何異。

第九　猿候　博物新編

猿猴狙狖。同類而異名。曰臂童。曰巴兒。曰山公。曰野賓。曰蒙頌。曰獑猢。曰果然。曰猩猩。曰狒狒。曰猢猻。曰㹶。曰玃。曰獨。曰禺。其號指不勝屈。西國別其種爲三。長尾者一種。短尾者一種。無尾者一種。其性狡猾。喜跳舞。視諸獸爲最靈。食菓棲林。哀鳴長嘯。扳條過樹。捷若飛禽。足短臂長。頰有兩嗛。尾大而長者。爲禺。能以尾端捲木懸身。作翻空舞。尾短而頭大者。爲獨。狀惡性頑。面長如犬。鼻孔連唇。眼深眉凸。齒大嗛長。力强性妬。怒則以手抓撲牧者。妬則以手扼殺同類。所謂獨一叫而猿散者此也。尾長而仰鼻者。爲狖。髯多而鬣長者。爲㹶。此二類頗馴。無尾而身長者。爲猩。性頗如人。長四五尺。上下三十二齒。兩頰無嗛。胸濶胃凸。鼻無準梁。指有黑甲。兩跰相對。每于林中。以枝葉作小屋。嘗有獵人。入山見一牝猩抱兒覓食。彈以火鎗。直中其胸。猩負痛緣木。撫兒怒號。吐血瀕死。力擲其兒于高枝之杪。遂昏絶倒地。兒抱枝悲叫。殊堪惋惜。獵人自後不復操此業焉。

第十　猫說　栗山愿

西隣老爺。家畜一猫。撫愛百端。膝之有年矣。竊盜塵汚。一不以問。雖其家人。不得輙罵。以故飲食大率猫之餕也。吾家每食。遽焉必來。伺候案前。其頭與睛隨箸上下。家人厭之。或投與骨。則奔就之。嚼噬未盡。乃復如初。村有怯犬。街兒所鞭。猛狗見逐。無所得食。往往在吾堂下。每爲猫投骨。揚尾帖耳。欣々然欲復就之。猫圓目不瞬。藏爪縮身。爲向鼠狀。犬逡巡而去。朝餐晡食。以之爲常。犬旣無食。日以怯懦。猫以爲得其術。益以不畏。午會逸犬過堂下。猫卒然直前。欲復脅之。逸犬乃銜而去。今之挾勢恃外。以侮其下者。未有不爲逸犬之得也。

第十一　虎　博物新編

虎身高三尺。首尾長約七尺。黃背黑紋。肚色純白。尾毛黃黑相間。齒牙尖銳。爪利如錐。性黠而殘。不激而怒。喜戕生物禽獸。聲能振物驚人。力能負牛疾走。一胎四五子。孕四月而生。牝虎愛戀其兒。牡虎置而不顧。產于亞細亞州之南。以印度。新嘉坡。蘇門答拉。爲最多。前五十年。印度虎患甚劇。英吉利官。遍出賞格。以招虎師。擬以擒獲一虎。謝銀數元。一年之内。遂費庫帑七万五千餘元。虎患自是一息。然終不能絶滅其類。近年旅客撫夫。尚亦有遭其害者。印度有武弁。方食忽被巨虎嚙負而去。正危逼間。猛悟胸有佩刀。遂竊拔鞘。力刺其心。虎果應手而斃。竟得生還。若蘇門答拉之俗。甘受虎害而莫之敢除。每謂祖宗之魂。附于虎體。故殺之者則子

孫不昌。以是虎患日增。莫或寧處。嘗聞彼處獮猴甚多。一見虎來。即奔上樹。虎至樹下。睜目咆哮。衆猴驚落如果。

印度國。擒虎之法。或以樹膠濃糊落葉。密排于草地之上。中置小狗。虎聞吠喊。即來攫食。膠葉遇觸則粘。虎被糊口眯目。愈動愈多。竟不能脫。獵戶遂從而刺之。又法。以竹織一疎籠。人臥其內。幷攜一犬。虎至撲索。即以銳矛透櫳刺之。又法。以木桶作鞍。駕于象背。桶中置火鎗長矛。二三人伏于其內。直抵巢穴。象助以足。人彈以鎗。一日之間。常有獵十餘虎者。印度醫生。每煮其皮骨作葯。然亦不見其効焉。

第十二　觀洋人戲馬記　信夫粲

余嘗讀彭達生九牛壩觝戲記。物徂徠麗奴戲馬歌等。疑其伎藝太奇。謂豈世有如此者。文人徒弄其筆耳。及觀西洋人知也理涅氏戲馬猛獸之伎。乃知奇藝妙術。文家亦有摸寫不易者也。歲丙戌。知氏來演戲于我東京外神田秋葉祠畔。一日余拉二兒往而觀之。女而騎者四人。男而騎者四人。執策指揮者一人。男被緋繡裝。女着碧錦衣。聞女彼國屈指美人。兩袖高揭。雪臂全露。加以洋燈閃爍。容姿娉妍。照映於鞭光鞍影間。亦足爲戲馬添一段風趣。始順馳緩步。中逆馳疾走。終則縱橫馳騁。駿足如飛。當是落花舞風。蝴蝶戲花。人馬一致。鞍脚不離。是巧未盡者。又一女駕兩馬。馳突奔走兩鞍如舞。忽而坐。忽而立。一脚踏鞍。一脚朝于天。側有人。張大幅巾待之。馬馳過巾下。人飛踰巾上。猶據鞍顧眄。人而禽翔。人而雲翻。觀者不覺喝采。如此者數回。或穿環而走。或踰板而馳。毫無蹶躓。神矣哉伎也。又有騎於騎者。馬上換數衣。似剝竹筍。忽顚忽起。放雙手展一脚。如魚虎。如游龜。如流旗懸旌。觀者眼眩而臂痒。如我邦從前曲馬演戲。眞兒戲。眞童觀耳。馬埒圓而豁。中可容數十席。乃釋一馬。令其自走。走竆而却馳。或一步一回顧。或一順一逆步。更設椅十餘。馬先足徐蹶焉而倒。後口㗅焉而徐起。其法必從左。最後跪戲長之前而一揖。又擧前脚欲抱。如小兒索母乳之狀。伎畢馬首推戲長之背而入。齣是尤爲妙。

第十三　觀墨水走舸記　信夫粲

今玆十月十七日。東京大學生徒百有餘人。走舸競漕於墨水。蓋恐平生業讀書。不勞動手足。以生病也。水面則海軍兵學生徒。水上警察官吏。列舳。而注目岸上。則文部省書記官。大學幹事教員。重足而凝視。初令曰。舸長見前伍發舸。則整束後伍櫓手。一也。舸長櫓手。解裝更服。各戴色帽。二也。舸長豫定其號次與位置。三也。前伍上陸。後伍乘舸。四也。櫓手漕到中河。必待號砲而發。五也。舸必在旋回標船而位。六也。回標浮標之間距六步爲舟路。七也。判決人發砲翻色幟。報其勝。八也。勝舸則使櫓手建其櫓頭。九也。競漕已終。繋舸于岸。納櫓於舸而上。十也。上流下流。相距凡四町十間。浮三標于三處。以定其位置。舸有建赤幟。有建白幟或青幟。幟

色亦如此。一舸七人。一人執桿以指令。六人分左右櫓之。三舸定位。宛在水中央。皆謂一勝可唾手而取。神旺氣奮。須臾砲聲一發轟天。載令載櫓。櫓如蜈足。大呼競漕。撃汰破浪。兎兒走。水巨魚鬪。江鳥疾箭駛。叱々促櫓者。聲氣副力者。先緩而後急者。始神速而終遲滯者。右船左船爭勢。中行之舟如飛。觀者悦白愛赤。勝負未決。青幟之舸忽鼓勇而進。砲發幟翻。拍手喝采之聲。江流翻覆。勝者意氣揚々上岸。直受銀賞盃以誇詡於衆。可謂盛矣。或曰。舸大船也。揚子所謂南楚江湘。凡船大者謂之舸。左思蜀都賦弘舸連舳是也。今船不甚大。命名之義。無乃不可乎。曰。否。昔者孫權名舸爲赤馬。言如駿馬走路也。然則不必拘舟大小。其神速者皆謂之

舸。亦何妨。法學部長穗積君謂余曰。子文有奇氣。盍記其奇競。乃筆之以爲奇觀。

第十四　阿部忠秋水馬　　菊池純

豐後守阿部忠秋仕將軍家光。擢爲侍臣。時家光尙少壯。酷好撃劒。暇則與侍臣較伎倆。侍臣皆佯屈之。家光自負以爲天下善劒者無復出己上者。大久保彥左衞門聞之。顰蹙曰。驕心易長。吾當以事折之也。乃令忠秋角技挫之。忠秋與家光試技。一喝撃其額。家光委頓。眩而仆。左右失色。扶而入内。從是家光深銜忠秋。忠秋憂惶怏怏。卒歲明年旱魃爲虐。既而霖雨彌月。河水暴漲。泛濫于墨田川。比屋漂沒。人將爲魚。於是官發輕舸以濟溺者。家光遂欲親往指揮吏卒。鞭馬馳抵淺草門。當是時。水勢滔滔。愈激愈壯。家光馬上顧板倉内膳曰。壯哉斯水。較諸宇治川急流。其險易優劣。汝以爲如何。對曰。宇治之爲水。發源琵琶湖。水勢奔注。能漂大石。以彼比此。其險易懸隔。固不待言也。曰。宇治之急流。果如汝所言。而佐佐木梶原二士。能驅馬競渡先登。而爲之主者。僅不過八州之牧。吾雖不肖。身辱閫外之寄。總管六十餘州。而可無如佐佐木梶原者乎。因揮策麾左右。左右失色。無能應命者。家光怒勵聲曰。群臣不能濟。吾當親濟。徑驅而前。内膳等控馬而諫。家光不聽。諫諍移晷。

忽見上游突有一騎。白衣而黑馬。揚策亂流。出沒于激浪駭波間。

家光凝矚。顧左右曰。黑馬而亂流者爲誰。語未訖。又有一騎。青衣而白馬。與前騎聲相應。後先而進。家光嗟賞。急使候騎問其姓名。反命曰。白衣而黑馬者。阿部忠秋也。青衣而白馬者。不知其何人也。初忠秋扈從在衆中。欲先衆濟。令人召其宰平田彈右衞門托以後事。以示必死。彈右奮曰。主公而死。臣不可以後也。二人遂約俱死。其青衣而白馬者。則彈右衞門也。既而二人驅馬上前岸。家光命船將向井將監。小濱民部。發輕舸救之。且令壯士呼曰。毋復濟。毋復濟。搖扇止之。岸遠而聲不達。忠秋以謂。此促再濟也。按轡而立。馬亦振鬣長鳴。彈右謂忠秋曰。主公出萬死獲一生。馬病人疲。今而再濟。安得不溺死乎。雖然幸而運命未歿。以得再濟。亦足

以垂聲名於竹帛也。佐佐木梶原何足道乎。忠秋欣然曰、吾意也。乃聯馬首復濟焉。家光据胡床遙望之、令曰、勿令二人餒江魚。更放輕舸援之。二人不顧而亂。終得無恙。家光令侍臣急召忠秋曰、今日之事、可謂絕類離群矣。還城、乃召諸老臣語以忠秋偉擧。遂賜墾田五萬石。後累遷爲老中、封武之忍城、世食十萬石。

第十五　御苑記

藤堂高猷

明治甲戌十月八日、宮内省選華族中有文事者二十一名、延見之青山皇居。臣猷及潔與焉。是日二十一名先集八景殿。殿上安食案、排斗方椅。衆皆凭以啜茗喫烟。少頃宮内省使人導諸燕殿。遂次羅列、違玉座咫尺而立拜。拜畢復故所。宮内省又傳命曰、欲

拜觀御苑者無禁焉。一坐躍然。五人于彼、七人於此、各隨意之所嚮、而散漫逍遙。行二百步許、有洋造館。入而觀之、金碧照人、燦爛燿煜。登樓則總房諸山黛色如畫、市廛屋瓦鱗次櫛比、遠近之勝、悉攢於雙眸。可謂絕奇矣。樓之傍鑿長池、區蓮與菖蒲而栽之。恨不値開花爛漫之時。右顧則芳草秀葩、競香爭芬、使人徘徊不能去。問之、果藥圃也。山路陂陀、曲折步々。拾級而登、半途左顧則田野稻穗既熟、漠々如雲、呈祥表瑞。村人農父、又負擔收獲乎其間。不圖玉苑中有是野趣之觀。既達山頂、則四方豁然、開一大調練場。

上屢臨幸焉、親鼓舞兵隊云。左折而南行、每畦殖果苗數十種、皆米國所產者。其極南以玉墻爲境。境外則青山往還之道也。導者云、苑中曠濶、觀到夜分、且不能窮盡焉。不若捨迂取捷也。乃入第五門、有良圃。菜蔬蕃殖、非尋常培養所及。傍人云、太皇大后恒嗜此物、以爲攝生一助也。彷徨之間、遙聞馬蹄之來、恠而回顧、

上從騶騎、既在至近。衆皆驚愕、迎拜喜悚交臻。遂從前路、離山麓。而還至前之八景殿、賜菓及洋酒。此時醍醐忠順向衆告曰、自筆硯絹紙墨瀋、畫具以至文房諸器、莫不完備焉。卿等宜揮毫以添雅興。其無意者不必勉強焉。皆感其言之出于寬恕、各奏所長之技。書畫詩歌、俄然成堆。既而夕陽將下舂。於是各謁宮内省、拜謝恩遇之殷、而退朝。臣猷就今日所拜觀、而竊有所感激焉。夫在萬

乘之尊、四海之富、何土木不可興、何園池不可營。然而不唯不汲々於此而已。寓調馬練兵於游豫之際、存稼穡艱難於娛翫之中。嗟夫兵之與農者、治國家之要務、不可一日忘者。而聖慮早已及于玆焉。豈翅臣等之榮光哉。實億兆萬民之幸福矣。反復思之、不可無記。於是乎記。

第十六　鬻蕎麵者傳

中井履軒

城西沙場、有鬻蕎麵者、曰泉氏。善售、蓄婢僮數十百人。袒而磨者、巾而篩者、溲者、棍者、縷者、瀹者、陳器者、置漿者、待客者、日出而作、夜闌而後息。吾聞蕎麵價之廉者、雖喜饕者、不耐百錢、少者其六之一、而飽然。而泉氏收錢、日數十百緡。可謂善售矣。其北街亦有

鬻焉者。亦曰泉氏。諸沽乎南泉氏者。過其門而弗顧。久之將更業。南泉氏聞之。踵門而訊曰。我與汝同業乎。是兄弟也。今汝以不售廢業。不可也。我且貸乎汝。北泉氏謝曰。雖能貸之而不售也。恐弗繼。南泉氏曰。我能使汝售焉。還命輸之錢。夜則戍而收。舖有叩戸求沽者。輒曰。戍之後。沽乎北泉氏。亦猶我也。於是諸沽乎南泉氏者。戍之後。皆之北泉氏。由是北泉氏不售於晝。而售於夜。亦富。鄉鄰之聞者咸曰。善哉。然而南泉氏益售。卒大富。嗚呼。泉氏市井賤人耳。然能推兄弟之愛者。又類乎已欲達而達人者。其致富蓋有以也。今夫士之駢肩於朝。其祿於國者。獨不有兄弟之親邪。至其同職聯事。益近而益相嫉。曾寇讎之不若者。能無愧於泉氏邪。吾聞泉氏多異行者。此其異之一。

第十七　蠟燭記　　賴　襄

會津產蠟。蠟燭最著。有華蠟燭者。繪其膚。華紋繡錯。燦可眩目。余數得於其人。試燒之。非加明也。則置之筐。以供觀玩。而用以燒乃無華者。夫蠟燭何用哉。玩之邪。抑照物也。苟照物而明矣。雖無可觀可玩。而名爲燭不愧矣。名爲燭。而其實無益於明。安在其爲蠟燭乎。且求物之可觀玩者。何必用蠟燭。今儒士亦國之蠟燭也。爲物雖微。無此莫以燭治亂而救昏暗。凝其膏潤。含其光明。舍之可藏。以待舉用。唯不舉也。舉則可以辨群物。照四疆。類如椽之燭者。則古之賢才豪傑也。次之而下。隨質之小大。皆可用燭物。是之謂儒已。而今或以爲席上之珍。以玩物視之。而儒亦以玩物自視。其名曰儒。儒邪。俳優邪。徒藻繪其外。而驗其中之通且明。不如悃愊之俗士。是華蠟燭耳。然彼燭也。特曰。其華之無益於明云爾。非不可燭也。則是不足以比焉邪。添川仲穎。會津產也。質厚好學。善文。而不衒於人。吾知其爲燭。不爲華蠟燭也。於其歸。言此以勉之。

第十八　瞽者秉燭說　　圓山　葆

君子求諸內而已矣。內苟有餘。則外之不足不爲患也。內之不足。雖外有餘。豈足恃哉。若夫不知求諸內。而徒盡心於外。則智有所窮。力有不逮。其不爲瞽者之燭者幾希矣。嘗有瞽者。一夕過其故人而晤焉。將去。謂主人曰。晤途多梗。請假燭歸。主人憮然曰。子非

瞽者乎。燭將奚爲。曰。吾固無以燭爲。但在晤途。人皆瞽也。吾之欲假燭者。使彼望以相避。倘無唐突之患耳。主人曰善。輒點燭與之。出門適有飄風。吹燭滅之。瞽者不知也。行無幾。有一人。相觸而過。瞽者罵曰。何物瞎子。不能認燭乎。客謝曰。吾固過矣。然子之燭亦無火。幸勿深怒。於是瞽者始知風之滅燭。乃叩路傍人家。乞火燃燭。復行。無幾亦有一人。突然衝燭而顚。瞽者復疑風之滅燭。温言慰之。客曰。何不避瞽者。瞽者曰。吾復瞽者。其爲不明一也。客益怒曰。天下豈有瞽而秉燭者乎。汝勿詭言。舉杖擊之。瞽者語塞。倉皇失措。不知所爲。投杖棄燭。匍匐而逃。嗚呼。瞽者之所以防患。即其所以招患也。語云。人無遠慮。必有近憂。予視瞽者之所以設心。殆

非無遠慮者。而其憂不出數步。頻々相仍者何也。予於是乎知徒用力於外之不足恃矣。今夫世之論海防者。皆曰大艦不可不造也。巨砲不可不設也。而至民力之不給。與士氣之不奮。則茫乎無辨之者。豈得不謂之瞽者之燭乎。燭固所以照暗。而瞽者秉之則不可也。艦與砲固爲戰之必用利器。而苟非其人。則予恐其患不止。瞽者之燭也。可不思乎。可不畏乎。

第十九　藤原藤房

德川光圀

藤原藤房。初名惟房。權大納言宣房之長子。事後醍醐帝。任左大辨。歷參議。至中納言。尋兼左兵衛督。撿非違使別當。敍正二位。元弘元年。北條高時遣兵將。犯京師。護良親王夜馳人上變。藤房及弟季房。大納言藤原師賢宿直。帝召與議。藤房曰。事急矣。宜疾出

宮。裝車如婦人所乘。載帝及神器。陽稱中宮如北山。第出陽明門。比抵三條河原。尊良親王及公卿數人追至。帝更御肩輿。大膳大夫重康藏人淸藤樂工豊原兼秋隨身秦久武等舁之。藤房等皆微服從。赴奈良。遂至笠置。而賊夜襲行宮。放火。烟燄四塞。風雨適甚。諸王公卿迷道相失。唯藤房與師賢權中納言源具行。扶帝晝伏夜行。帝步履大艱。三日僅至有王山。賊兵深須三郎松井某索帝而迫。近帝謂深須曰。汝等何不載天恩。以期私榮。深須心欲脫帝而憚松井在後。遂擁帝及藤房具行等而去。帝御六波羅南方。北條高時縱藤房及左近衛少將源忠顯侍焉。

二年。高時流藤房于常陸。三年。高時伏誅。藤房歸京師。時四方已平。乃敕權中納言藤原實世。論恢復之賞。將士爭奉功狀集者數萬。率多詐冒軍功。實世不能辨別。經旬月。僅銓定二十餘人。賞賜之。尋復以所考濫猥。收奪。敕藤房代掌其事。藤房乃訪察勤惰。甄別眞僞。擬授略備。而內特降旨。多所恩賜。藤房知不可諫。謝病。不朝。帝更以民部卿藤原光經代之。光經移問諸將領。參驗軍士忠否。將欲經奏行下。而內旨又以高時邑。充供御料。大佛貞直邑。給寵姬藤原氏。北條泰家邑。賜護良親王。其餘分賜衛府諸司宮閣寺院歌舞雜伎之徒。殆無遺地。有功將士虛手。光經無如之何。遷延徒引歲月。帝恢復之初。方鋭意於政事。郁芳門外置決斷所。論

理雜訴。天下漸無事。帝以爲無復可憂。遂深居宮中。以聲色自娛。內寵左右專受請託。蔽塞聰明。以逞其姦。其以巧佞貨賂者。雖竊虜降首。超獲非望。以功勞自居者。多淹滯不達。有司徒充位。給唯諾而已。適有所論定。即內旨多改易。不復由所司。主者不得論執。是以每相爲矛盾。或授一邑者。同時數人各爭其主。相紛拏。大爲擾動。天下復思亂矣。有作匿名書。歷詆時政者。首斥綸旨繆濫。建武元年。群臣奏。內中逼窄。百官異司同局。不合帝王制度。乃命營建大內。支費甚廣。徵諸國地頭租入二十分一。而不足也。乃更作鈔鑄錢。以助用度。又起馬埸殿于二條高倉。車駕屢臨。遊宴之次。觀騎射以爲樂。出雲守護鹽冶高貞獻千里馬。骨相異常。且出

本州暮到京師。帝大悦。養于左馬寮。呼爲天馬。一日幸馬場殿。問內大臣藤原公賢曰。天馬之出。未之前聞。屬當朕世。不求而至。其應爲何。公賢歴徴故事。以讚時瑞。群臣稱賀。藤房後至。帝又問之。對曰。臣聞。周穆愛八駿而政衰。漢文光武。郤千里馬而國昌。二者取舍之蹤。治亂之效。可以見矣。天馬之出。於聖朝。臣愚固不足以知其應何在。然竊謂蓋由時多秕政。天將生尤物。以蕩其心者也。何則方今海內甫定。民痍未愈。此當執政吐哺。諫臣抗疏。撫卹疾苦。匡救過失之秋。而百辟庶僚。阿諛取容。婬縱成風。國家安危置而不問。臣請粗陳其一二。陛下幸察之。嚮者播蕩之日。天下軍士。爭先赴義者。其志在於建勳邀賞。以圖榮富。幸屬澄清。人思蒙霈澤。群集闕下。日造記錄所決斷所。各上其功狀。其始戸庭殆乎爲市。懸首喁望俟恩命下。其陳告書疏委積成堆。而主者不時決遣。已而賞典所及。非近倖寵臣。則其參佐僚屬。凡有功將士。概遺敍錄。則憤宛觖望。雖既投狀者。不復待報。相率散歸郷里。竊歎時政枉濫。怨有司不公者。不知其幾千人也。然人徒視訴者日減。以爲虞芮訟止。無爲所化。何其惑也。謀議之臣。宜行賞頒封以慰士卒之心。顧盛興不急之功役。造營大內。倍課郡縣。賦入。亂後兵農重困。誅求乃至。諸國則國司秉權。使目代賤吏。憑恃其勢。豪奪貞應以後新建莊園。在廳官人撿非違使健兒所等。擅張威福而守護懷失職之歎。如將軍家人之號。源賴朝以來。相承有年。乃逮聖世。

一切罷之。將門士類。降伍編氓。怨讟豈少哉。足利尊氏。新田義貞。楠正成。赤松圓心。名和長年等。同功一體。固無優劣。然圓心一人褫前所補守護職。僅賜其本領。不知圓心何罪。而陛下遇之如此也。古云賞當其功。則有忠者進。罰當其罪。則有咎者退。當今之政。不啻賞罰失當。將俾綸旨有翻覆之譏。陛下之政如斯。而此馬適至。以臣觀之。是殆胎禍階亂。恐非祥瑞。夫德之流行。速於置郵而傳命。聖化所覃。何須此物。設有不逞之徒。乘朝綱之弛。作亂輦轂之下。則此馬適足以爲軍國告急之資也。伏願裁玩物之志。而施博濟之仁。帝大不悦而罷。後屢上言。不聽。藤房謂爲臣之道。於我盡矣。是冬因夜侍帝。諷以比干夷齊事。至曉而退。即郤還車徒。入北山岩藏。爲僧。帝大驚。命宣房索之。將再任用。宣房馳人召之。藤房答以和歌。宣房乃親馳至岩藏。則藤房既去矣。及足利尊氏反。敕遣人乘天馬。召新田義貞於尾張。半道而斃。果如藤房之言。

第二十　天祥不屈　宋史

天祥至潮陽。見弘範。左右命之拜。不拜。弘範遂以客禮見之。與俱入厓山。使爲書招張世傑。天祥曰。吾不能扞父母。乃教人叛父母可乎。索之固。乃書所過零丁洋詩與之。其末有云。人生自古誰無死。留取丹心照汗青。弘範笑而置之。厓山破。軍中置酒大會。弘範曰。國亡。丞相忠孝盡矣。能改心以事宋者。事皇上。將不失爲宰相也。天祥泫然出涕曰。國亡不能捄。爲人臣者。死有餘辜。況敢逃其

死而二其心乎。弘範義之、遣使護送天祥至京師。天祥在道不食。八日不死。即復食。至燕。館人供張甚盛。天祥不寢處、坐達旦。遂移兵馬司、設卒以守之。時世祖皇帝多求才。南官王積翁言、南人無如天祥者。遂遣積翁諭旨。天祥曰、國亡。吾分一死矣。儻緣寬假、得以黄冠歸故郷、它日以方外備顧問、可也。若遽官之、非直亡國之大夫不可與圖存。舉其平生而盡棄之。將焉用我。積翁欲合宋官謝昌元等十人、請釋天祥爲道士。留夢炎不可曰、天祥出、復號召江南、置吾十人於何地。事遂已。天祥在燕凡三年。上知天祥終不屈也。與宰相議釋之。有以天祥起兵江西事爲言者。不果釋。至元十九年、有閩僧言、土星犯帝坐。疑有變。未幾中山有狂人、自稱宋

主。有兵千人。欲取文丞相。京城亦有匿名書言、某日燒蓑城葦、率兩翼兵爲援。丞相可無憂者。時盜新殺左丞相阿合馬。命撤城葦。遷瀛國公及宋宗室開平。疑丞相者天祥也。召入諭之曰、汝何願。天祥對曰、天祥受宋恩、爲宰相。安事二姓。願賜之一死足矣。然猶不忍。遽麾之退。言者力贊從天祥之請。從之。俄有詔使止之。天祥死矣。天祥臨刑殊從容。謂吏卒曰、吾事畢矣。南郷拜而死。數日、其妻歐陽氏收其屍、面如生。年四十七。其衣帶中有贊曰、孔曰成仁、孟曰取義。惟其義盡、所以仁至。讀聖賢書、所學何事。而今而後、庶幾無媿。

第二十一　書文天祥忠孝二大字後　佐藤晋用

文天祥忠孝二大字、不知何人所刻。世多有焉。余得屢見。每見、悚然起敬。史稱、天祥殉國、雖一扉履、人亦寶而藏之。況其一念莫不在君親、而發於筆墨之間。沛然而江河瀉、爛然而日星著。天地鬼神將呵護之者乎。邵堯夫云、大筆快意。其或忠憤鬱塞之際、起而一揮、取適一時耶。抑其惓々舉大義、勵天下、奮毫大書、乃所以致大聲疾呼之意耶。余嘗觀之一士人家。或曰、彼院本所謂斧九大夫者之裔也。其祖不知有君親。子孫或識世間有忠孝字乎。相共粲然一笑。余於是又有感焉。信乎人之制行不可不愼也。薰亦一無窮也。蕕亦一無窮也。丁卯暮春、觀甲氏所藏。竊記其後。後之觀者其有慨然同此歎者耶。

中等漢文卷之貳下終

明治三十年十月三十日印刷
同　三十年十一月五日發行

定價金參拾錢

版權所有

編者　山本廉
東京市麻布區霞町一番地

發行兼印刷者　吉川半七
東京市京橋區南傳馬町一丁目十二番地

販賣者　林平次郎
東京市日本橋區通三丁目六番地

明治三十一年十一月四日　文部省檢定濟

尋常中學校漢文科教科用書

大茂野藏書

明治三十一年十一月四日
文部省檢定濟
尋常中學校漢文科教科用書

山本廉編

中等漢文

東京　吉川半七藏版

中等漢文卷之三

目次

中等漢文卷之三目次終

中等漢文卷之三上

史記　司馬遷　山本廉編

第一　管晏列傳

管仲夷吾者、潁上人也、少時常與鮑叔牙游、鮑叔知其賢、管仲貧困、常欺鮑叔、鮑叔終善遇之、不以為言、已而鮑叔事齊公子小白、管仲事公子糾、及小白立為桓公、公子糾死、管仲囚焉、鮑叔遂進管仲、管仲既用、任政於齊、齊桓公以霸、九合諸侯、一匡天下、管仲之謀也、管仲曰、吾始困時、嘗與鮑叔賈、分財利多自與、鮑叔不以我為貪、知我貧也、吾嘗為鮑叔謀事、而更窮困、鮑叔不以我為愚、知時有利不利也、吾嘗三仕三見逐於君、鮑叔不以我為不肖。知我不遭時也、吾嘗三戰三走、鮑叔不以我為怯、知我有老母也、公子糾敗。召忽死之、吾幽囚受辱、鮑叔不以我為無恥、知我不羞小節、而恥功名不顯於天下也、生我者父母、知我者鮑子也、鮑叔既進管仲、以身下之、子孫世祿於齊、有封邑者十餘世、常為名大夫、天下不多管仲之賢、而多鮑叔能知人也、管仲既任政相齊、以區々之齊在海濱、通貨積財、富國彊兵、與俗同好惡。故其稱曰、倉廩實而知禮節、衣食足而知榮辱、上服度則六親固、四維不張。國乃滅亡、下令如流水之源、令順民心、故論卑而易行、俗之所欲、因而予之。俗之所否、因而去之、其為政也、善因禍而為福、轉敗而為功、貴輕重、慎權衡。桓公實怒少姬、南襲蔡、管仲因而伐楚、責包茅不入貢於周室、桓公實北征山戎、而管仲因而令燕脩召公之政、於柯之會、桓公欲背曹沫之約、管仲因而信之、諸侯由是歸齊、故曰、知與之為取、政之寶也、管仲富擬於公室、有三歸反坫、齊人不以為侈、管仲卒、齊國遵其政、常彊於諸侯、後百餘年而有晏子焉。

晏平仲嬰者、萊之夷維人也、事齊靈公莊公景公、以節儉力行重於齊、既相齊、食不重肉、妾不衣帛、其在朝、君語及之、即危言、語不及之、即危行、國有道。

即順命。無道即衡命。以此三世顯名於諸侯。越石父賢。在縲紲中。晏子出。遭之塗。解左驂贖之。載歸。弗謝。入閨。久之。越石父請絕。晏子懼然攝衣冠謝曰。嬰雖不仁。免子於厄。何子求絕之速也。石父曰。不然。吾聞君子詘於不知己。而信於知己者。方吾在縲紲中。彼不知我也。夫子既以感寤而贖我。是知己。知己而無禮。固不如在縲紲之中。晏子於是延入爲上客。晏子爲齊相。出。其御之妻。從門間而闚其夫。其夫爲相御。擁大蓋。策駟馬。意氣揚々。甚自得也。既而歸。其妻請去。夫問其故。妻曰。晏子長不滿六尺。身相齊國。名顯諸侯。今者妾觀其出。志念深矣。常有以自下者。今子長八尺。乃爲人僕御。然子之意。自以爲足。妾是以求去也。其後夫自抑損。晏子怪而問之。御以實對。晏子薦以爲大夫。

太史公曰。吾讀管氏牧民。山高。乘馬。輕重。九府。及晏氏春秋。詳哉其言之也。既見其著書。欲觀其行事。故次其傳。至其書。世多有之。是以不論。論其軼事。

管仲世所謂賢臣。然孔子小之。豈以爲周道衰微。桓公既賢。而不勉之至王。乃稱霸哉。語曰。將順其美。匡救其惡。故上下能相親也。豈管仲之謂乎。方晏子伏莊公尸。哭之成禮然後去。豈所謂見義不爲無勇者邪。至其諫說。犯君之顏。此所謂進思盡忠。退思補過者哉。假令晏子而在。余雖爲之執鞭。所忻慕焉。

第二　司馬穰苴列傳

司馬穰苴者。田完之苗裔也。齊景公時。晉伐阿甄。而燕侵河上。齊師敗績。景公患之。晏嬰乃薦田穰苴曰。穰苴雖田氏庶孽。然其人文能附衆。武能威敵。願君試之。景公召穰苴。與語兵事。大說之。以爲將軍。將兵扞燕晉之師。穰苴曰。臣素卑賤。君擢之閭伍之中。加之大夫之上。士卒未附。百姓不信。人微權輕。願得君之寵臣。國之所尊。以監軍。乃可。於是景公許之。使莊賈往。穰苴既辭。與莊賈約曰。旦日日中。會於軍門。穰苴先馳至軍。立表下漏。待賈。賈素驕貴。以爲將已之軍。而已爲監。不甚急。親戚左右送之。留飲。日中而賈不至。穰苴則仆表決漏。入行軍勒兵。申明約束。約束既定。夕時莊賈乃至。穰苴曰。何後期爲。賈謝曰。不佞。大夫親戚送之。故留。穰苴曰。將受命之日。則忘其家。臨軍約束。則忘其親。援枹鼓之急。則忘其身。今敵國深侵。邦內騷動。士卒暴露於境。君寢不安席。食不甘味。百姓之命。皆懸於君。何謂相送乎。召軍正問曰。軍法。期而後至者云何。對曰。當斬。莊賈懼。使人馳報景公。請救。既往。未及反。於是遂斬莊賈以徇三軍。三軍之士皆振慄。久之。景公遣使者持節赦賈。馳入軍中。穰苴曰。將在軍。君令有所不受。問軍正曰。軍中不馳。今使者馳。云何。正曰。當斬。使者大懼。穰苴曰。君之使不可殺之。乃斬其僕車之左駙。馬之左驂。以徇三軍。遣使者還報。然後行。士卒次舍井竈飲食。問疾醫藥。身自拊循之。悉取將軍之資糧享士卒。身與士卒平分糧食。最比其羸弱者。三日而後勒兵。病者皆求行。爭奮出爲之赴戰。晉師聞之。爲罷去。燕師聞之。度水而解。

於是追擊之。遂取所亡封內故境。而引兵歸。未至國。釋兵旅。解約束。誓盟而後入邑。景公與諸大夫郊迎。勞師成禮。然後反歸寢。既見穰苴。尊爲大司馬。田氏日以益尊於齊。已而大夫鮑氏高國之屬害之。譖於景公。景公退穰苴。苴發疾而死。田乞田豹之徒。因此怨高國等。其後及田常殺簡公。盡滅高子國子之族。至常曾孫和因自立。爲齊威王。用兵行威。大放穰苴之法。而諸侯朝齊。齊威王使大夫追論古者司馬兵法。而附穰苴於其中。因號曰司馬穰苴兵法。

太史公曰。余讀司馬兵法。閎廓深遠。雖三代征伐。未能竟其義。如其文也。亦少褒矣。若夫穰苴區々爲小國行師。何暇及司馬兵法之揖讓乎。世既多司馬兵法。以故不論。著穰苴之列傳焉。

第三　孫子列傳

孫子武者齊人也。以兵法見於吳王闔廬。闔廬曰。子之十三篇。吾盡觀之矣。

可以小試勒兵乎。對曰、可。闔廬曰、可試以婦人乎。曰、可。於是許之。出宮中美女得百八十人。孫子分爲二隊。以王之寵姬二人各爲隊長。皆令持戟。令之曰、汝知而心與左右手背乎。婦人曰、知之。孫子曰、前則視心。左視左手。右視右手。後即視背。婦人曰、諾。約束既布。乃設鈇鉞。即三令五申之。於是鼓之右。婦人大笑。孫子曰、約束不明。申令不熟。將之罪也。復三令五申。而鼓之左。婦人復大笑。孫子曰、約束不明。申令不熟。將之罪也。既已明而不如法者。吏士之罪也。乃欲斬左右隊長。吳王從臺上觀。見且斬愛姬。大駭。趣使使下令曰。寡人已知將軍能用兵矣。寡人非此二姬。食不甘味。願勿斬也。孫子曰、臣既已受命爲將。將在軍。君命有所不受。遂斬隊長二人以徇。用其次爲隊長。於是復鼓之。婦人左右前後跪起皆中規矩繩墨。無敢出聲。於是孫子使使報王曰、兵既整齊。王可試下觀之。唯王所欲用之。雖赴水火猶可也。吳王曰、將軍罷休就舍。寡人不願下觀。孫子曰、王徒好其言。不能用其實。於是闔廬知孫子能用兵。卒以爲將。西破彊楚入郢。北威齊晉。顯名諸侯。孫子與有力焉。

孫武既死。後百餘歲有孫臏。臏生阿鄄之間。臏亦孫武之後世子孫也。孫臏嘗與龐涓俱學兵法。龐涓既事魏。得爲惠王將軍。而自以爲能不及孫臏。乃陰使召孫臏。臏至。龐涓恐其賢於己。疾之。則以法刑斷其兩足而黥之。欲隱勿見。齊使者如梁。孫臏以刑徒陰見說齊使。齊使以爲奇。竊載與之齊。齊將田忌善而客待之。忌數與齊諸公子馳逐重射。孫子見其馬足不甚相遠。馬有上中下輩。於是孫子謂田忌曰、君第重射。臣能令君勝。田忌信然之。與王及諸公子逐射千金。及臨質。孫子曰、今以君之下駟與彼上駟。取君上駟與彼中駟。取君中駟與彼下駟。既馳三輩畢。而田忌一不勝而再勝。卒得王千金。於是忌進孫子於威王。威王問兵法。遂以爲師。其後魏伐趙。趙急。請救於齊。齊威王欲將孫臏。臏辭謝曰、刑餘之人不可。於是乃以田忌爲將。而孫子爲師。居輜車中。坐爲計謀。田忌欲引兵之趙。孫子曰、夫解雜亂紛糾者不控捲。救鬭者不搏撠。批亢擣虛。形格勢禁。則自爲解耳。今梁趙相攻。輕兵銳卒必竭於外。老弱罷於內。君不若引兵疾走大梁。據其街路。衝其方虛。彼必釋趙而自救。是我一舉解趙之圍。而收弊於魏也。田忌從之。魏果去邯鄲。與齊戰於桂陵。大破梁軍。後十五年。魏與趙攻韓。韓告急於齊。齊使田忌將而往。直走大梁。魏將龐涓聞之。去韓而歸。齊軍既已過而西矣。孫子謂田忌曰、彼三晉之兵。素悍勇而輕齊。齊號爲怯。善戰者因其勢而利導之。兵法百里而趣利者蹶上將。五十里而趣利者軍半至。使齊軍入魏地爲十万竈。明日爲五万竈。又明日爲三万竈。龐涓行三日。大喜曰、我固知齊軍怯。入吾地三日。士卒亡者過半矣。乃棄其步軍。與其輕銳倍日并行逐之。孫子度其行。暮當至馬陵。馬陵道狹而旁多阻隘。可伏兵。乃斫大樹白而書之曰、龐涓死于此樹之下。於是令齊軍善射者万弩夾道而伏。期曰、暮見火擧而俱發。龐涓果夜至斫木下。見白書。乃鑽火燭之。讀其書未畢。齊軍萬弩俱發。魏軍大亂相失。龐涓自知智窮兵敗。乃自剄曰、遂成豎子之名。齊因乘勝盡破其軍。虜魏太子申以歸。孫臏以此名顯天下。世傳其兵法。

第四　吳起列傳

吳起者。衞人也。好用兵。嘗學於曾子。事魯君。齊人攻魯。魯欲將吳起。吳起取齊女爲妻。而魯疑之。吳起於是欲就名。遂殺其妻。以明不與齊也。魯卒以爲將。將而攻齊。大破之。魯人或惡吳起曰、起之爲人猜忍人也。其少時家累千金。游仕不遂。遂破其家。鄕黨笑之。吳起殺其謗己者三十餘人。而東出衞郭門。與其母訣。齧臂而盟曰、起不爲卿相。不復入衞。遂事曾子。居頃之。其母死。起終不歸。曾子薄之而與起絕。起乃之魯。學兵法以事魯君。魯君疑之。起殺妻以求將。夫魯小國。而有戰勝之名。則諸侯圖魯矣。且魯衞兄弟之國也。而君用起。則是棄衞。魯君疑之。謝吳起。吳起於是聞魏文侯賢。欲事之。文侯問季克曰、起何如人哉。季克曰、起貪而好色。然用兵司馬穰苴不能過也。於是

魏文侯以爲將。擊秦拔五城。起之爲將。與士卒最下者同衣食。臥不設席。行不騎乘。親裹贏糧。與士卒分勞苦。卒有病疽者。起爲吮之。卒母聞而哭之。人曰。子卒也。而將軍自吮其疽。何哭爲。母曰。非然也。往年吳公吮其父。其父戰不旋踵。遂死於敵。吳公今又吮其子。妾不知其死所矣。是以哭之。文侯以吳起善用兵。廉平盡能得士心。乃以爲西河守。以拒秦韓。魏文侯既卒。起事其子武侯。武侯浮西河而下。中流顧而謂吳起曰。美哉乎。山河之固。此魏國之寶也。起對曰。在德不在險。昔三苗氏左洞庭。右彭蠡。德義不修。禹滅之。夏桀之居。左河濟。右泰華。伊闕在其南。羊腸在其北。修政不仁。湯放之。殷紂之國。左孟門。右太行。常山在其北。太河經其南。修政不德。武王殺之。由此觀之。在德不在險。若君不修德。舟中之人。盡爲敵國也。武侯曰。善。即封吳起爲西河守。甚有聲名。魏置相。相田文。吳起不悅。謂田文曰。請與子論功。可乎。田文曰。可。起曰。將三軍。使士卒樂死。敵國不敢謀。子孰與起。文曰。不如子。起曰。治百官。親万民。實府庫。子孰與起。文曰。不如子。起曰。守西河而秦兵不敢東鄉。韓趙賓從。子孰與起。文曰。不如子。起曰。此子三者皆出吾下。而位加吾上。何也。文曰。主少國疑。大臣未附。百姓不信。方是之時。屬之於子乎。屬之於我乎。起默然良久曰。屬之子矣。文曰。此乃吾所以居子之上也。吳起乃自知弗如田文。田文既死。公叔爲相。尚魏公主而害吳起。公叔之僕曰。起易去也。公叔曰。奈何。其僕曰。吳起爲人節廉而自喜名也。君因先與武侯言曰。夫吳起賢人也。而侯之國小。又與彊秦壤界。臣竊恐起之無留心也。武侯即曰。奈何。君因謂武侯曰。試延以公主。起有留心則必受之。無留心則必辭矣。以此卜之。君因召吳起而與歸。即令公主怒而輕君。吳起見公主之賤君也。則必辭。於是吳起見公主之賤魏相。果辭魏武侯。武侯疑之而弗信也。吳起懼得罪。遂去。即之楚。楚悼王素聞起賢。至則相楚。明法審令。捐不急之官。廢公族疏遠者。以撫養戰鬪之士。要在彊兵。破馳說之言從橫者。於是南平百越。北并陳蔡。

却三晉。西伐秦。諸侯患楚之彊。故楚之貴戚盡欲害吳起。及悼王死。宗室大臣作亂而攻吳起。吳起走之王尸而伏之。擊起之徒。因射刺吳起。并中悼王。悼王既葬。太子立。乃使令尹盡誅射吳起而并中王尸者。坐射起而夷宗死者七十餘家。

太史公曰。世俗所稱師旅。皆道孫子十三篇。吳起兵法。世多有。故弗論。論其行事所施設者。語曰。能行之者。未必能言。能言之者。未必能行。孫子籌策龐涓明矣。然不能蚤救患於被刑。吳起說武侯以形勢不如德。然行之於楚。以刻暴少恩。亡其軀。悲夫。

第五　伍子胥列傳

伍子胥者。楚人也。名員。員父曰伍奢。員兄曰伍尚。其先曰伍舉。以直諫事楚莊王。有顯。故其後世有名於楚。楚平王有太子。名曰建。使伍奢爲太傅。費無忌爲少傅。無忌不忠於太子建。平王使無忌爲太子取婦於秦。秦女好。無忌馳歸報平王曰。秦女絕美。王可自取而更爲太子取婦。平王遂自取秦女而絕愛幸之。生子軫。更爲太子取婦。無忌既以秦女自媚於平王。因去太子而事平王。恐一旦平王卒而太子立殺己。乃因讒太子建。建母蔡女也。無寵於平王。平王稍益疏建。使建守城父。備邊兵。頃之。無忌又日夜言太子短於王曰。太子以秦女之故。不能無怨望。願王少自備也。自太子居城父。將兵。外交諸侯。且欲入爲亂矣。平王乃召其太傅伍奢考問之。伍奢知無忌讒太子於平王。因曰。王獨奈何以讒賊之小臣。疏骨肉之親乎。無忌曰。王今不制。其事成矣。王且見禽。於是平王怒囚伍奢。而使城父司馬奮揚往殺太子。行未至。奮揚使人先告太子。太子急去。不然將誅。太子建亡奔宋。無忌言於平王曰。伍奢有二子。皆賢。不誅且爲楚憂。可以其父質而召之。不然且爲楚患。王使使謂伍奢曰。能致汝二子則生。不能則死。伍奢曰。尚爲人仁。呼必來。員爲人剛戾忍訽。能成大事。彼見來之并禽。其勢必不來。王不聽。使人召二子曰。來

吾生汝父、不來今殺奢也。伍尚欲往、員曰、楚之召我兄弟、非欲以生我父也、恐有脫者後生患、故以父爲質、詐召二子。二子到則父子俱死。何益父之死、往而令讎不得報耳。不如奔他國、借力以雪父之耻。俱滅無爲也。伍尚曰、我知往終不能全父命。然恨父召我以求生而不往、後不能雪耻、終爲天下笑耳。謂員可去矣。汝能報殺父之讎、我將歸死。尚既就執、使者捕伍胥。伍胥貫弓執矢嚮使者。使者不敢進。伍胥遂亡、聞太子建之在宋往從之。奢聞子胥之亡也、曰、楚國君臣且苦兵矣。伍尚至楚、楚并殺奢與尚也。伍胥既至宋、宋有華氏之亂。乃與太子建俱奔於鄭。鄭人甚善之。太子建又適晉。晉頃公曰、太子既善鄭、鄭信太子。太子能爲我內應、而我攻其外、滅鄭必矣。滅鄭而封太子。太子乃還鄭。事未會。會自私欲殺其從者。從者知其謀、乃告之於鄭。鄭定公與子產誅殺太子建。建有子名勝。伍胥懼、乃與勝俱奔吳。到昭關。昭關欲執之。伍胥遂與勝獨身步走、幾不得脫。追者有後。至江、江上有一漁父乘

船。知伍胥之急、乃渡伍胥。伍胥既渡、解其劍曰、此劍直百金。以與父。父曰、楚國之法、得伍胥者、賜粟五万石、爵執珪。豈徒百金劍邪。不受。伍胥未至吳而疾。止中道乞食。至於吳、吳王僚方用事、公子光爲將。伍胥乃因公子光以求見吳王。久之楚平王以其邊邑鍾離與吳邊邑卑梁氏俱蠶、兩女子爭桑相攻。乃大怒、至於兩國舉兵相伐。吳使公子光伐楚、拔其鍾離居巢而歸。伍子胥說吳王僚曰、楚可破也。願復遣公子光。公子光謂吳王曰、彼伍胥父兄爲戮於楚、而勸王伐楚者、欲以自報其讎耳。伐楚未可破也。伍胥知公子光有內志、欲殺王而自立、未可說以外事。乃進專諸於公子光、退而與太子建之子勝耕於野。五年而楚平王卒。初平王所奪太子建秦女、生子軫。及平王卒、軫竟立爲後。是爲昭王。吳王僚因楚喪、使二公子將兵往襲楚。楚發兵絕吳兵之後。不得歸。吳國內空。而公子光乃令專諸襲刺吳王僚而自立。是爲吳王闔廬。闔廬既立得志、乃召伍員以爲行人、而與謀國事。楚誅其大臣郤宛、

伯州犂。伯州犂之孫伯嚭亡奔吳。吳亦以嚭爲大夫。前王僚所遣二公子將兵伐楚者、道絕不得歸。後聞闔廬弑王僚自立。遂以其兵降楚。楚封之於舒。闔廬立三年、乃興師與伍胥伯嚭伐楚、拔舒、遂禽故吳反二將軍。因欲至郢。將軍孫武曰、民勞、未可。且待之。乃歸。四年吳伐楚取六與灊。五年伐越敗之。六年楚昭王使公子囊瓦將兵伐吳。吳使伍員迎擊。大破楚軍於豫章、取楚之居巢。九年吳王闔廬謂子胥孫武曰、始子言郢未可入。今果何如。二子對曰、楚將囊瓦貪、而唐蔡皆怨之。王必欲大伐之、必先得唐蔡乃可。闔廬聽之、悉興師與唐蔡伐楚、與楚夾漢水而陣。吳王之弟夫概將兵請從。王不聽。遂以其屬五千人擊楚將子常。子常敗走奔鄭。於是吳乘勝而前、五戰遂至郢。己卯楚昭王出奔。庚辰吳王入郢。昭王出亡、入雲夢。盜擊王。王走鄖。鄖公弟懷曰、平王殺我父。我殺其子、不亦可乎。鄖公恐其弟殺王、與王奔隨。吳兵圍隨、謂隨人曰、周之子孫在漢川者、楚盡滅之。隨人欲殺王。王子綦匿王、已自

爲王以當之。隨人卜與王於吳、不吉。乃謝吳不與王。始伍員與申包胥爲交。員之亡也、謂包胥曰、我必覆楚。包胥曰、我必存之。及吳兵入郢、伍子胥求昭王。既不得、乃掘楚平王墓、出其尸、鞭之三百、然後已。申包胥亡於山中、使人謂子胥曰、子之報讎、其以甚乎。吾聞之、人衆者勝天、天定亦能破人。今子故平王之臣、親北面而事之。今至於僇死人。此豈其無天道之極乎。伍子胥曰、爲我謝申包胥曰、吾日暮塗遠。吾故倒行而逆施之。於是申包胥走秦告急、求救於秦。秦不許。包胥立於秦廷、晝夜哭七日七夜、不絕其聲。秦哀公憐之曰、楚雖無道、有臣若是。可無存乎。乃遣車五百乘、救楚擊吳。六月敗吳兵於稷。會吳王久留楚求昭王、而闔廬弟夫概乃亡歸、自立爲王。闔廬聞之、乃釋楚而歸、擊其弟夫概。夫概敗走、遂奔楚。楚昭王見吳有內亂、乃復入郢、封夫概於堂谿、爲堂谿氏。楚復與吳戰、敗吳。吳王乃歸。後二歲闔廬使太子夫差將兵伐楚、取番。楚懼吳復大來、乃去郢徙於鄀。當是時、以伍子胥孫武之謀、

西破彊楚。北威齊晉。南服越人。其後四年。孔子相魯。後五年伐越。越王勾踐迎撃敗呉於姑蘇。傷闔廬指。軍卻。闔廬病創將死。謂太子夫差曰。爾忘勾踐殺爾父乎。夫差對曰。不敢忘。是夕闔廬死。夫差既立爲王。以伯嚭爲太宰。習戰射。二年後伐越。敗越於夫湫。越王勾踐乃以餘兵五千人棲於會稽之上。使大夫種厚幣遺呉太宰嚭以請和。求委國爲臣妾。呉王將許之。伍子胥諫曰。越王爲人能辛苦。今王不滅。後必悔之。呉王不聽。用太宰嚭計。與越平。其後五年。而呉王聞齊景公死。而大臣爭寵。新君弱。乃興師北伐齊。伍子胥諫曰。勾踐食不重味。弔死問疾。且欲有所用之也。此人不死。必爲呉患。今呉之有越。猶人之有腹心疾也。而王不先越。而乃務齊。不亦謬乎。呉王不聽。伐齊。大敗齊師於艾陵。遂滅鄒魯之君以歸。益疏子胥之謀。其後四年。呉王將北伐齊。越王勾踐用子貢之謀。乃率其衆以助呉。而重寶以獻遺太宰嚭。太宰嚭既數受越賂。其愛信越殊甚。日夜爲言於呉王。呉王信用嚭之計。伍子胥諫曰。夫越腹心之病。今信其浮辭詐僞而貪齊。破齊譬猶石田無所用之。且盤庚之誥曰。有顛越不恭。劓殄滅之。俾無遺育。無使易種于茲邑。此商之所以興。願王釋齊而先越。若不然。後將悔之無及。而呉王不聽。使子胥於齊。子胥臨行。謂其子曰。吾數諫王。王不用。吾今見呉之亡矣。汝與呉俱亡。無益也。乃屬其子於齊鮑叔。而還報呉。呉太宰嚭既與子胥有隙。因讒曰。子胥爲人剛暴少恩。猜賊其怨望恐爲深禍也。前日王欲伐齊。子胥以爲不可。王卒伐之。而有大功。子胥恥其計謀不用。乃反怨望。而今王又復伐齊。子胥專愎彊諫。沮毀用事。徒幸呉之敗以自勝其計謀耳。今王自行。悉國中武力以伐齊。而子胥諫不用。因輟謝佯病不行。王不可不備。此起禍不難。且嚭使人微伺之。其使於齊也。乃屬其子於齊之鮑氏。夫爲人臣。內不得意。外倚諸侯。自以爲先王之謀臣。今不見用。常鞅々怨望。願王早圖之。呉王曰。微子之言。吾亦疑之。乃使使賜伍子胥屬鏤之劍。曰。子以此死。伍子胥仰天歎曰。嗟乎。讒臣

嚭爲亂矣。王乃反誅我。我令若父霸。自若未立時。諸公子爭立。我以死爭之於先王。幾不得立。若既得立。欲分呉國予我。我顧不敢望也。然今若聽諛臣言。以殺長者。乃告其舍人曰。必樹吾墓上以梓。令可以爲器。而抉吾眼縣呉東門之上。以觀越寇之入滅呉也。乃自剄死。呉王聞之大怒。乃取子胥尸。盛以鴟夷革。浮之江中。呉人憐之。爲立祠於江上。因命曰胥山。呉王既誅伍子胥。遂伐齊。齊鮑氏殺其君悼公。而立陽生。呉王欲討其賊。不勝而去。其後二年。呉王召魯衞之君。會之槖皐。其明年。因北大會諸侯於黃池。以令周室。越王勾踐襲殺呉太子。破呉兵。呉王聞之。乃歸。使使厚幣與越平。後九年。越王勾踐遂滅呉。殺王夫差。而誅太宰嚭。以不忠於其君。而外受重賂。與己比周也。伍子胥初所與俱亡。故楚太子建之子勝者在於呉。呉王夫差之時。楚惠王欲召勝歸楚。葉公諫曰。勝好勇而陰求死士。殆有私乎。惠王不聽。遂召勝使居楚之邊邑鄢。號爲白公。白公歸楚三年。而呉誅子胥。白公勝既歸楚。怨鄭之殺其父。乃陰養死士。求報鄭。歸楚五年。請伐鄭。楚令尹子西許之。兵未發。而晉伐鄭。鄭請救於楚。楚使子西往救。與盟而還。白公勝怒曰。非鄭之仇。乃子西也。勝自礪劍。人問曰。何以爲。勝曰。欲以殺子西。子西聞之笑曰。勝如卵耳。何能爲也。其後四年。白公勝與石乞襲殺楚令尹子西。司馬子綦於朝。石乞曰。不殺王不可。乃劫之王如高府。石乞從者屈固負楚惠王亡走昭夫人之宮。葉公聞白公爲亂。率其國人攻白公。白公之徒敗。亡走山中自殺。而虜石乞。而問白公尸處。不言。將烹石乞。石乞曰。事成爲卿。不成而烹。固其職也。終不肯告其尸處。遂烹石乞。而求惠王復立之。

太史公曰。怨毒之於人甚矣哉。王者尚不能行之於臣下。況同列乎。向令伍子胥從奢俱死。何異螻蟻。棄小義。雪大恥。名垂於後世。悲夫。方子胥窘於江上。道乞食。志豈嘗須臾忘郢邪。故隱忍就功名。非烈丈夫孰能致此哉。白公如不自立爲君者。其功謀亦不可勝道者哉。

第六　蘇秦列傳

蘇秦者。東周雒陽人也、東事師於齊。而習之於鬼谷先生、出游數歲。大困而歸。兄弟嫂妹妻妾竊皆笑之曰。周人之俗、治產業、力工商、逐什二以爲務、今子釋本而事口舌、困不亦宜乎。蘇秦聞之而慚、自傷。乃閉室不出。出其書徧觀之曰、夫士業已屈首受書。而不能以取尊榮、雖多亦奚以爲。於是得周書陰符、伏而讀之、期年以出揣摩、曰此可以說當世之君矣。求說周顯王、顯王左右、素習知蘇秦、皆少之。弗信。乃西至秦。秦孝公卒。說惠王曰、秦四塞之國。被山帶渭、東有關河、西有漢中、南有巴蜀、北有代馬、此天府也、以秦士民之衆、兵法之教、可以吞天下。稱帝而治。秦王曰、毛羽未成、不可以高飛、文理未明、不可以幷兼。方誅商鞅、疾辯士、弗用。乃東之趙。趙肅侯令其弟成爲相。號奉陽君。奉陽君弗說之。去游燕、歲餘而後得見。說燕文侯曰、燕東有朝鮮遼東。北有林胡樓煩、西有雲中九原、南有嘑沱易水、地方二千餘里、帶甲數十萬、車六百乘、騎六千匹、粟支數年、南有碣石鴈門之饒、北有棗粟之利、民雖不佃作、而足於棗粟矣。此所謂天府者也。夫安樂無事、不見覆軍殺將。無過燕者、大王知其所以然乎。夫燕之所以不犯寇被甲兵者、以趙之爲蔽其南也、秦趙五戰、秦再勝而趙三勝、秦趙相斃。而王以全燕制其後、此燕之所以不犯寇也、且夫秦之攻燕也、踰雲中九原、過代上谷、彌地數千里、雖得燕城、秦計固不能守也、秦之不能害燕亦明矣。今趙之攻燕也、發號出令、不至十日、而數十万之軍、軍於東垣矣。渡嘑沱、涉易水。不至四五日、而距國都矣、故曰、秦之攻燕也、戰于千里之外、趙之攻燕也、戰於百里之内、夫不憂百里之患、而重千里之外、計無過於此者、是故願大王與趙從親、天下爲一、則燕國必無患矣。文侯曰、子言則可、然吾國小、西迫彊趙、南近齊、齊趙彊國也、子必欲合從以安燕、寡人請以國從、於是資蘇秦車馬金帛、以至趙、而奉陽君已死。即因說趙肅侯曰。天下卿相人臣、及布衣之士、皆高賢君之行義、皆願奉

致陳忠於前之日久矣。雖然奉陽君妬君而不任事。是以賓客游士、莫敢自盡於前者、今奉陽君捐館舍、君乃今復與士民相親也。臣故敢進其愚慮。竊爲君計者、莫若安民無事。且無庸有事於民也。安民之本、在於擇交。擇交而得則民安。擇交而不得則民終身不安。請言外患、齊秦爲兩敵、而民不得安。倚秦攻齊、而民不得安。倚齊攻秦、而民不得安。故夫謀人之主、伐人之國、常苦出辭斷絕人之交也。願君愼勿出於口。請別白黑、所以異陰陽而已矣、君誠能聽臣、燕必致旃裘狗馬之地、齊必致魚鹽之海、楚必致橘柚之園、韓魏中山皆可使致湯沐之奉、而貴戚父兄皆可以受封侯、夫割地包利、五伯之所以覆軍禽將而求也、封侯貴戚。湯武之所以放弒而爭也、今君高拱而兩有之、此臣之所以爲君願也、今大王與秦則秦必弱韓魏。與齊則齊必弱楚魏、魏弱則割河外、韓弱則効宜陽、宜陽効則上郡絕、河外割則道不通。楚弱則無援。此三策者不可不熟計也。夫秦下軹道、則南陽危。劫韓包周、則趙氏自操兵、據衛取淇卷、則齊必入朝秦、秦欲已得乎山東、則必舉兵而嚮趙矣。秦甲渡河、踰漳、據番吾、則兵必戰於邯鄲之下矣。此臣之所爲君患也。當今之時、山東之建國、莫彊於趙、趙地方二千餘里、帶甲數十万、車千乘、騎万匹。粟支數年、西有常山、南有河漳、東有清河、北有燕國。燕固弱國、不足畏也。秦之所害於天下者、莫如趙、然而秦不敢舉兵伐趙者何也、畏韓魏之議其後也。然則韓魏趙之南蔽也。秦之攻韓魏也。無有名山大川之限、稍蠶食之、傅國都而止、韓魏不能支秦。必入臣於秦、秦無韓魏之規、則禍必中於趙矣。此臣之所爲君患也、臣聞堯無三夫之分、舜無咫尺之地、以有天下、禹無百人之聚、以王諸侯、湯武之士不過三千、車不過三百乘、卒不過三萬、立爲天子、誠得其道也。是故明主外料其敵之彊弱、内度其士卒賢不肖、不待兩軍相當、而勝敗存亡之機、固已形於胸中矣。豈掩於衆人之言、而以冥々決事哉。臣竊以天下之地圖案之。諸侯之地。五倍於秦。料度諸侯之卒、十倍於秦。六

國爲一并力西向而攻秦秦必破矣今西面而事之見臣於秦夫破人之與
見破於人也臣人之與見臣於人也豈可同日而論哉夫衡人者皆欲割諸
侯之地以予秦秦成則高臺榭美宮室聽竽瑟之音前有樓闕軒轅後有長
姣美人國被秦患而不與其憂是故夫衡人日夜務以秦權恐愒諸侯以求
割地故願大王熟計之也臣聞明主絶疑去讒屏流言之迹塞朋黨之門故
尊主廣地彊兵之計臣得陳忠於前矣故竊爲大王計莫如一韓魏齊楚燕
趙以從親以畔秦令天下之將相會於洹水之上通質刳白馬而盟要約曰
秦攻楚齊魏各出鋭師以佐之韓絶其糧道趙渉河漳燕守常山之北秦攻
韓魏則楚絶其後齊出鋭師而佐之趙渉河漳燕守雲中秦攻齊則楚絶其
後韓守城皐魏塞其道趙渉河博關燕出鋭師以佐之秦攻燕則趙守常山
楚軍武關齊渉渤海韓魏皆出鋭師以佐之秦攻趙則韓軍宜陽楚軍武關
魏軍河外齊渉清河燕出鋭師以佐之諸侯有不如約者以五國之兵共伐

之六國從親以賓秦則秦甲必不敢出於函谷以害山東矣如此則覇王之
業成矣趙王曰寡人年少立國日淺未嘗得聞社稷之長計也今上客有意
存天下安諸侯寡人敬以國從乃飾車百乘黃金千鎰白璧百雙錦繡千純
以約諸侯是時周天子致文武之胙於秦惠王惠王使犀首攻魏禽將龍賈
取魏之雕陰且欲東兵蘇秦恐秦兵之至趙也乃激怒張儀入之于秦於是
說韓宣惠王曰韓北有鞏洛成皐之固西有宜陽商阪之塞東有宛穰洧水
南有陘山地方九百餘里帶甲數十万天下之彊弓勁弩皆從韓出谿子少
府時力距來者皆射六百歩之外韓卒超足而射百發不暇止遠者括蔽洞
胷近者鏑弇心韓卒之劍戟皆出於冥山棠谿墨陽合賻鄧師宛馮龍淵太
阿皆陸斷牛馬水截鵠鴈當敵則斬堅甲鐵幕革抉㕹芮無不畢具以韓卒
之勇被堅甲蹠勁弩帶利劍一人當百不足言也夫以韓之勁與大王之賢
乃西面事秦交臂而服羞社稷而爲天下笑無大於此者矣是故願大王孰

計之大王事秦秦必求宜陽成皐今茲效之明年又復求割地與則無地以
給之不與則弃前功而受後禍且大王之地有盡而秦之求無已以有盡之
地而逆無已之求此所謂市怨結禍者也不戰而地已削矣臣聞鄙諺曰寧
爲雞口無爲牛後今西面交臂而臣事秦何異於牛後乎夫以大王之賢挾
彊韓之兵而有牛後之名臣竊爲大王羞之於是韓王勃然作色攘臂瞋目
按劍仰天大息曰寡人雖不肖必不能事秦今主君詔以趙王之教敬奉社
稷以從又說魏襄王曰大王之地南有鴻溝陳汝南許郾昆陽召陵舞陽新
都新郪東有淮潁煑棗無胥西有長城之界北有河外卷衍酸棗地方千里
地名雖小然而田舍廬廡之數曾無所芻牧人民之衆車馬之多日夜行不
絶輷々殷々若有三軍之衆臣竊量大王之國不下楚然衡人怵王交彊虎
狼之秦以侵天下卒有秦患不顧其禍夫挾彊秦之勢以内劫其主罪無過
此者魏天下之彊國也王天下之賢王也今乃有意西面而事秦稱東藩築

帝宮受冠帶祠春秋臣竊爲大王耻之臣聞越王勾踐戰敝卒三千人禽夫
差於干遂武王卒三千人革車三百乘制紂於牧野豈其士卒衆哉誠能奮
其威也今竊聞大王之卒武士二十萬蒼頭二十萬奮擊二十萬厮徒十萬
車六百乘騎五千匹此其過越王勾踐武王遠矣今乃聽於群臣之說而欲
臣事秦夫事秦必割地以効實故兵未用而國已虧矣凡群臣之言事秦者
皆姦人非忠臣也夫爲人臣割其主之地以求外交偸取一時之功而不顧
其後破公家而成私門外挾彊秦之勢以内劫其主以求割地願大王孰察
之周書曰綿々不絶蔓々奈何毫釐不伐將用斧柯前慮不定後有大患將
奈之何大王誠能聽臣六國從親專心并力壹意則必無彊秦之患故敝邑
趙王使臣效愚計奉明約在大王之詔詔之魏王曰寡人不肖未嘗得聞明
教今主君以趙王之詔詔之敬以國從因東說齊宣王曰齊南有泰山東有
瑯邪西有清河北有勃海此所謂四塞之國也齊地方二千餘里帶甲數十

萬粟如丘山三軍之良五家之兵進如鋒矢戰如雷霆解如風雨即有軍役
未嘗倍泰山絕清河涉勃海也臨菑之中七萬戶臣竊度之不下戶三男子
三七二十一萬不待發於遠縣而臨菑之卒固已二十一萬矣臨菑甚富而
實其民無不吹竽鼓瑟彈琴擊筑鬪雞走狗六博蹋鞠者臨菑之塗車轂擊
人肩摩連衽成帷擧袂成幕揮汗成雨家殷人足志高氣揚夫以大王之賢
與齊之彊天下莫能當今乃西面而事秦臣竊爲大王羞之且夫韓魏之所
以重畏秦者爲與秦接境壤界也兵出而相當不出十日而戰勝存亡之機
決矣韓魏戰而勝秦則兵半折四境不守戰而不勝則國已危亡隨其後是
故韓魏之所以重與秦戰而輕爲之臣也今秦之攻齊則不然倍韓魏之地
過衛陽晉之道徑乎亢父之險車不得方軌騎不得比行百人守險千人不
敢過也秦雖欲深入則狼顧恐韓魏之議其後也是故恫疑虛喝驕矜而不
敢進則秦之不能害齊亦明矣夫不深料秦之無奈齊何而欲西面而事之

是群臣之計過也今無臣事秦之名而有彊國之實臣是故願大王少留意
計之齊王曰寡人不敏僻遠守海窮道東境之國也未嘗得聞餘教今足下
以趙王詔詔之敬以國從乃西南說楚威王曰楚天下之彊國也王天下之
賢王也西有黔中巫郡東有夏州海陽南有洞庭蒼梧北有陘塞郇陽地方
五千餘里帶甲百萬車千乘騎萬匹粟支十年此霸王之資也夫以楚之彊
與王之賢天下莫能當也今乃欲西面而事秦則諸侯莫不西面而朝於章
臺之下矣秦之所害莫如楚楚彊則秦弱秦彊則楚弱其勢不兩立故爲大
王計莫如從親以孤秦大王不從秦必起兩軍一軍出武關一軍下黔中則
鄢郢動矣臣聞治之其未亂也爲之其未有也患至其後憂之則無及已故
願大王蚤孰計之大王誠能聽臣臣請令山東之國奉四時之獻以承大王
之明詔委社稷奉宗廟練士厲兵在大王之所用之大王誠能用臣之愚計
則韓魏齊燕趙衛之妙音美人必充後宮燕代橐駝良馬必實外廐故從合

則楚王衡成則秦帝今釋霸王之業而有事人之名臣竊爲大王不取也夫
秦虎狼之國也有呑天下之心秦天下之仇讎也衡人皆欲割諸侯之地以
事秦此所謂養仇而奉讎者也夫爲人臣割其主之地以外交彊虎狼之秦
以侵天下卒有秦患不顧其禍夫外挾彊秦之威以內劫其主以求割地大
逆不忠無過此者故從親則諸侯割地以事楚衡合則楚割地以事秦此兩
策者相去遠矣二者大王何居焉故敝邑趙王使臣效愚計奉明約在大王
詔之楚王曰寡人之國西與秦接境秦有擧巴蜀幷漢中之心秦虎狼之國
不可親也而韓魏迫於秦患不可與深謀與深謀恐反人以入於秦故謀未
發而國已危矣寡人自料以楚當秦不見勝也內與群臣謀不足恃也寡人
臥不安席食不甘味心搖々然如縣旌而無所終薄今主君欲一天下收諸
侯存危國寡人謹奉社稷以從於是六國從合而幷力焉蘇秦爲從約長幷
相六國北報趙王乃行過雒陽車騎輜重諸侯各發使送之甚衆擬於王者

周顯王聞之恐懼除道使人郊勞蘇秦之昆弟妻嫂側目不敢仰視俯伏侍
取食蘇秦笑謂其嫂曰何前倨而後恭也嫂委蛇蒲服以面掩地而謝曰見
季子位高金多也蘇秦喟然歎曰此一人之身富貴則親戚畏懼之貧賤則
輕易之況衆人乎且使我有雒陽負郭田二頃吾豈能佩六國相印乎於是
散千金以賜宗族朋友初蘇秦之燕貸百錢爲資及得富貴以百金償之徧
報諸所嘗見德者其從者有一人獨未得報乃前自言蘇秦曰我非忘子子
之與我至燕再三欲去我易水之上方是時我困故望子深是以後子子今
亦得矣蘇秦既約六國從親歸趙趙肅侯封爲武安君乃投從約書於秦秦
兵不敢闚函谷關十五年其後秦使犀首欺齊魏與共伐趙欲敗從約齊魏
伐趙趙王讓蘇秦蘇秦恐請使燕必報齊蘇秦去趙而從約皆解秦惠王以
其女爲燕太子婦是歲文侯卒太子立是爲燕易王易王初立齊宣王因燕
喪伐燕取十城易王謂蘇秦曰往日先生至燕而先王資先生見趙遂約六

國從。今齊先伐趙。次至燕。以先生之故。爲天下笑。先生能爲燕得侵地乎。蘇秦大慙曰。請爲王取之。蘇秦見齊王。再拜俯而慶。仰而弔。齊王曰。是何慶弔相隨之速也。蘇秦曰。臣聞饑人所以饑而不食烏喙者。爲其愈充腹而與餓死同患也。今燕雖弱小。即秦王之少壻也。大王利其十城。而長與彊秦爲仇。今使弱燕爲鴈行。而彊秦敝其後。以招天下之精兵。是食烏喙之類也。齊王愀然變色曰。然則奈何。蘇秦曰。臣聞古之善制事者。轉禍爲福。因敗爲功。大王誠能聽臣計。即歸燕之十城。燕無故而得十城。必喜。秦王知以己之故而歸燕之十城。亦必喜。此所謂弃仇讎而得石交者也。夫燕秦俱事齊。則大王號令天下。莫敢不聽。是王以虛辭附秦。以十城取天下。此覇王之業也。王曰善。於是乃歸燕之十城。人有毀蘇秦者曰。左右賣國反覆之臣也。將作亂。蘇秦恐得罪歸。而燕王不復官也。蘇秦見燕王曰。臣東周之鄙人也。無有分寸之功。而王親拜之於廟。而禮之於廷。今臣爲王卻齊之兵。而攻得十城。宜以

益親。今來而王不官臣者。人必有以不信傷臣於王者。臣之不信。王之福也。臣聞忠信者。所以自爲也。進取者。所以爲人也。且臣之說齊王。曾非欺之也。臣弃老母於東周。固去自爲而行進取也。今有孝如曾參。廉如伯夷。信如尾生。得此三人者。以事大王何若。王曰足矣。蘇秦曰。孝如曾參。義不離其親一宿於外。王又安能使之步行千里而事弱燕之危王哉。廉如伯夷。義不爲孤竹君之嗣。不肯爲武王臣。不受封侯。而餓死首陽山下。有廉如此。王又安能使之步行千里而行進取於齊哉。信如尾生。與女子期於梁下。女子不來。水至不去。抱柱而死。有信如此。王又安能使之步行千里卻齊之彊兵哉。臣所謂以忠信得罪於上者也。燕王曰。若不忠信耳。豈有以忠信而得罪者乎。蘇秦曰。不然。臣聞客有遠爲吏而其妻私於人者。其夫將來。其私者憂之。妻曰。勿憂。吾已作藥酒待之矣。居三日。其夫果至。妻使妾擧藥酒進之。妾欲言酒之有藥。則恐其逐主母也。欲勿言乎。則恐其殺主父也。於是乎。佯僵而棄酒。主父大怒。笞之五十。故妾一僵而覆酒。上存主父。下存主母。然而不免於笞。惡在乎忠信之無罪也。夫臣之過不幸而類是乎。燕王曰。先生復就故官。益厚遇之。易王母。文侯夫人也。與蘇秦私通。燕王知之。而事之加厚。蘇秦恐誅。乃說燕王曰。臣居燕不能使燕重。而在齊則燕必重。燕王曰。唯先生之所爲。於是蘇秦佯爲得罪於燕而亡走齊。齊宣王以爲客卿。齊宣王卒。湣王即位。說湣王厚葬以明孝。高宮室。大苑囿。以明得意。欲破敝齊而爲燕。燕易王卒。燕噲立爲王。其後齊大夫多與蘇秦爭寵者。而使人刺蘇秦。不死殊而走。齊王使人求賊。不得。蘇秦且死。乃謂齊王曰。臣卽死車裂臣以徇於市曰。蘇秦爲燕作亂於齊。如此則臣之賊必得矣。於是如其言。而殺蘇秦者果自出。齊王因而誅之。燕聞之曰。甚矣。齊之爲蘇生報仇也。

第七　樗里子甘茂列傳

樗里子者。名疾。秦惠王之弟也。與惠王異母。母韓女也。樗里子滑稽多智。秦

人號曰知囊。秦惠王八年。爵樗里子右更。使將而伐曲沃。盡出其人。取其城地入秦。秦惠王二十五年。使樗里子爲將伐趙。虜趙將軍莊豹。拔藺。明年助魏章攻楚。敗楚將屈丐。取漢中地。秦封樗里子。號爲嚴君。秦惠王卒。太子武王立。逐張儀魏章。而以樗里子甘茂爲左右丞相。秦使甘茂攻韓。拔宜陽。使樗里子以車百乘入周。周以卒迎之。意甚敬。楚王怒。讓周以其重秦客。游騰爲周說楚王曰。智伯之伐仇猶。遺之廣車。因隨之以兵。仇猶遂亡。何則無備故也。齊桓公伐蔡。號曰誅楚。其實襲蔡。今秦虎狼之國。使樗里子以車百乘入周。周以仇猶蔡觀焉。故使長戟居前。彊弩在後。名曰衛疾。而實囚之。且夫周豈能無憂其社稷哉。恐一旦亡國以憂大王。楚王乃悅。秦武王卒。昭王立。樗里子又益尊重。昭王元年。樗里子將伐蒲。蒲守恐。請胡衍。胡衍爲蒲謂樗里子曰。公之攻蒲。爲秦乎。爲魏乎。爲魏則善矣。爲秦則不爲賴矣。夫衛之所以爲衛者。以蒲也。今伐蒲入於魏。衛必折而從之。魏亡西河之外。而無以取

者兵弱也今并衞於魏魏必彊魏彊之日西河之外必危矣且秦王將觀公之事害秦而利魏王必罪公樗里子曰奈何胡衍曰公釋蒲勿攻臣試爲公入言之以德衞君樗里子曰善胡衍入蒲謂其守曰樗里子知蒲之病矣其言曰必拔蒲衍能令釋蒲勿攻蒲守恐因再拜曰願以請因效金三百斤曰秦兵苟退請必言子於衞君使子爲南面故胡衍受金於蒲以自貴於衞於是遂解蒲而去還擊皮氏皮氏未降又去昭王七年樗里子卒葬于渭南章臺之東曰後百歲是當有天子之宮夾我墓樗里子疾室在於昭王廟西渭南陰鄉樗里故俗謂之樗里子至漢興長樂宮在其東未央宮在其西武庫正直其墓秦人諺曰力則任鄙智則樗里

甘茂者下蔡人也事下蔡史舉先生學百家之說因張儀樗里子而求見秦惠王王見而說之使將而佐魏章略定漢中地惠王卒武王立張儀魏章去東之魏蜀侯輝相壯反秦使甘茂定蜀還而以甘茂爲左丞相以樗里子爲右丞相秦武王三年謂甘茂曰寡人欲容車通三川以窺周室而寡人死不朽矣甘茂曰請之魏約以伐韓而令向壽輔行甘茂至謂向壽曰子歸言之於王曰魏聽臣矣然願王勿伐事成盡以爲子功向壽歸以告王王迎甘茂於息壤甘茂至王問其故對曰宜陽大縣也上黨南陽積之久矣名曰縣其實郡也今王倍數險行千里攻之難昔曾參之處費魯人有與曾參同姓名者殺人人告其母曰曾參殺人其母織自若也頃之一人又告之曰曾參殺人其母尚織自若也頃又一人告之曰曾參殺人其母投杼下機踰墻而走夫以曾參之賢與其母信之也三人疑之其母懼焉今臣之賢不若曾參王之信臣又不如曾參之母信曾參也疑臣者非特三人臣恐大王之投杼也始張儀西并巴蜀之地北開西河之外南取上庸天下不以多張子而以賢先王魏文侯令樂羊將而攻中山三年而拔之樂羊返而論功文侯示之謗書一篋樂羊再拜稽首曰此非臣之功也主君之力也今臣羈旅之臣也樗

里子公孫奭二人者挾韓而議之王必聽之是王欺魏王而臣受公仲侈之怨也王曰寡人不聽也請與子盟卒使丞相甘茂將兵伐宜陽五月而不拔樗里子公孫奭果爭之武王召甘茂欲罷兵甘茂曰息壤在彼王曰有之因大悉起兵使甘茂擊之斬首六万遂拔宜陽韓襄王使公仲侈入謝與秦平武王竟至周而卒於周其弟立爲昭王王母宣太后楚女也楚懷王怨前秦敗楚於丹陽而韓不救乃以兵圍韓雍氏韓使公仲侈告急於秦秦昭王新立太后楚人不肯救公仲因甘茂茂爲韓言於秦昭王曰公仲方有得秦救故敢扞楚也今雍氏圍秦師不下殽公仲且仰首而不朝公叔且以國南合於楚楚韓爲一魏氏不敢不聽然則伐秦之形成矣不識坐而待伐孰與伐人之利秦王曰善乃下師於殽以救韓楚兵去秦使向壽平宜陽而使樗里子甘茂伐魏皮氏向壽者宣太后之外族也而與昭王少相長故任用向壽如楚楚聞秦之貴向壽而厚事向壽向壽爲秦守宜陽將以伐韓韓公仲使

蘇代謂向壽曰禽困覆車公破韓辱公仲公仲收國復事秦自以爲必可以封今公與楚解口地封小令尹以杜陽秦楚合復攻韓韓必亡韓亡公仲且躬率其私徒以閼於秦願公孰慮之也向壽曰吾合秦楚非以當韓也子爲壽謁之公仲曰秦韓之交可合也蘇代對曰願有謁於公人曰貴其所以貴者貴王之愛習公也不如公孫奭其智能公也不如甘茂今二人者皆不得親於秦事而公獨與王主斷於國者何彼有以失之也公孫奭黨於韓而甘茂黨於魏故王不信也今秦楚爭彊而公黨於楚是與公孫奭甘茂同道也公何以異之人皆言楚之善變也而公必亡之是自爲責也公不如與王謀其變也善韓以備楚如此則無患矣韓氏必先以國從公孫奭而後委國於甘茂韓公之讐也今公言善韓以備楚是外舉不辟讐也向壽曰然吾甚欲韓合對曰甘茂許公仲以武遂反宜陽之民今公徒收之甚難向壽曰然則奈何武遂終不可得也對曰公奚不以秦爲韓求潁川於楚此韓之寄地也

公求而得之、是令行於楚。而以其地德韓也。公求而不得、是韓楚之怨不解。而交走秦也。秦楚爭彊。而公徐過楚以收韓。此利於秦。向壽曰、奈何。對曰、此善事也。甘茂欲以魏取齊。公孫奭欲以韓取齊。今公取宜陽以爲功。收楚韓以安之、而誅齊魏之罪、是以公孫奭甘茂無事也。甘茂竟言秦昭王、以武遂復歸之韓。向壽公孫奭爭之、不能得。向壽公孫奭由此怨讒甘茂。茂懼。輟伐魏蒲阪亡去。樗里子與魏講。罷兵。甘茂之亡秦奔齊。逢蘇代。代爲齊使於秦。甘茂曰、臣得罪於秦。懼而遯逃。無所容跡。臣聞貧人女與富人女會績。貧人女曰、我無以買燭。而子之燭光幸有餘。子可分我餘光。無損子明、而得一斯便焉。今臣困而君方使秦而當路矣。茂之妻子在焉。願君以餘光振之。蘇代許諾。遂致使於秦。已因說秦王曰、甘茂、非常士也。其居於秦累世重矣。自殽塞及至鬼谷、其地形險易、皆明知之。彼以齊約韓魏、反以圖秦。非秦之利也。秦王曰、然則奈何。蘇代曰、王不若重其贄厚其祿以迎之、使彼來則置之鬼

谷、終身勿出。秦王曰善。即賜之上卿、以相印迎之於齊。甘茂不往。蘇代謂齊湣王曰、夫甘茂賢人也。今秦賜之上卿、以相印迎之。甘茂德王之賜、好爲王臣、故辭而不往。今王何以禮之。齊王曰善。即位之上卿而處之。秦因復甘茂之家、以市於齊。齊使甘茂於楚。楚懷王新與秦合婚而驩。而秦聞甘茂在楚。使人謂楚王曰、願送甘茂於秦。楚王問於范蜎曰、寡人欲置相於秦。孰可。對曰、臣不足以識之。楚王曰、寡人欲相甘茂、可乎。對曰、不可。夫史舉、下蔡之監門也。大不爲事君、小不爲家室。以苟賤不廉聞於世。甘茂事之順焉。故惠王之明、武王之察、張儀之辯、而甘茂事之、取十官而無罪。茂誠賢者也。然不可相於秦。夫秦之有賢相、非楚國之利也。且王前嘗用召滑於越、而內行章義之難、越國亂。故楚南塞厲門、而郡江東。計王之功所以能如此者、越國亂而楚治也。今王知用諸越、而忘用諸秦。臣以王爲鉅過矣。然則王若欲置相於秦、則莫若向壽者可。夫向壽之於秦王親也。少與之同衣、長與之同車、以聽

事。王必相向壽於秦、則楚國之利也。於是使使請秦相向壽於秦。秦卒相向壽、而甘茂竟不得復入秦。卒於魏。甘茂有孫、曰甘羅。甘羅者甘茂孫也。茂既死後、甘羅年十二、事秦相文信侯呂不韋。秦始皇帝使剛成君蔡澤於燕。三年而燕王喜使太子丹入質於秦。秦使張唐往相燕、欲與燕共伐趙以廣河間之地。張唐謂文信侯曰、臣嘗爲秦昭王伐趙。趙怨臣曰、得唐者與百里之地、今之燕必經趙。臣不可以行。文信侯不快。未有以彊也。甘羅曰、君侯何不快之甚也。文信侯曰、吾令剛成君蔡澤事燕三年。燕太子丹已入質矣。吾自請張卿相燕而不肯行。甘羅曰、臣請行之。文信侯叱曰、去。我身自請之而不肯。汝焉能行之。甘羅曰、夫項橐生七歲爲孔子師。今臣生十二歲於茲矣。君其試臣。何遽叱乎。於是甘羅見張卿曰、卿之功孰與武安君。卿曰、武安君南挫彊楚、北威燕趙、戰勝攻取、破城墮邑、不知其數。臣之功不如也。甘羅曰、應侯之用於秦也、孰與文信侯專。張卿曰、應侯不如文信侯專。甘羅曰、卿明知

其不如文信侯專與。曰、知之。甘羅曰、應侯欲攻趙、武安君難之。去咸陽七里。而立死於杜郵。今文信侯自請卿相燕而不肯行。臣不知卿所死處矣。張唐曰、請因孺子行。令裝治行。行有日。甘羅謂文信侯曰、借臣車五乘。請爲張唐先報趙。文信侯乃入言之於始皇曰、昔甘茂之孫甘羅、年少耳。然名家之子孫。諸侯皆聞之。今者張唐欲稱疾不肯行。甘羅說而行之。今願先報趙。請許遣之。始皇召見、使甘羅於趙。趙襄王郊迎甘羅。甘羅說趙王曰、王聞燕太子丹入質秦歟。曰、聞之。曰、聞張唐相燕歟。曰、聞之。燕太子丹入秦者、燕不欺秦也。張唐相燕者、秦不欺燕也。燕秦不相欺者、伐趙危矣。燕秦不相欺、無異故。欲攻趙而廣河間。王不如齎臣五城以廣河間。請歸燕太子、與彊趙攻弱燕。趙王立自割五城以廣河間。秦歸燕太子。趙攻燕、得上谷三十城、令秦有十一。甘羅還報秦。乃封甘羅以爲上卿、復以始甘茂田宅賜之。

太史公曰、樗里子以骨肉重、固其理。而秦人稱其智。故頗采焉。甘茂起下蔡

閭閻。顯名諸侯。重彊齊楚。甘羅年少。然出一奇計。聲稱後世。雖非篤行之君子。然亦戰國之策士也。方秦之彊時。天下尤趨謀詐哉。

第八　孟嘗君列傳

孟嘗君。名文。姓田氏。文之父曰靖郭君田嬰。田嬰者。齊威王少子。而齊宣王庶弟也。田嬰自威王時。任職用事。與成侯鄒忌及田忌將而救韓伐魏。成侯與田忌爭寵。成侯賣田忌。田忌懼。襲齊之邊邑。不勝亡走。會威王卒。宣王立。知成侯賣田忌。乃復召田忌以爲將。宣王二年。田忌與孫臏田嬰俱伐魏。敗之馬陵。虜魏太子申。而殺魏將龐涓。宣王七年。田嬰使於韓魏。韓魏服於齊。嬰與韓昭侯魏惠王。會齊宣王東阿南。盟而去。明年復與梁惠王會甄。是歲梁惠王卒。宣王九年。田嬰相齊。齊宣王與魏襄王會徐州而相王也。楚威王聞之。怒田嬰。明年楚伐敗齊師於徐州。而使人逐田嬰。田嬰使張丑說楚威王。威王乃止。田嬰相齊十一年。宣王卒。湣王即位。即位三年。而封田嬰於薛。

初田嬰有子四十餘人。其賤妾有子名文。文以五月五日生。嬰告其母曰。勿擧也。其母竊擧生之。及長。其母因兄弟而見其子文於田嬰。田嬰怒其母曰。吾令若去此子。而敢生之何也。文頓首因曰。君所以不擧五月子者何故。嬰曰。五月子者。長與戶齊。將不利其父母。文曰。人生受命於天乎。將受命於戶邪。嬰默然。文曰。必受命於天。君何憂焉。必受命於戶。則高其戶耳。誰能至者。嬰曰。子休矣。久之。文承間問其父嬰曰。子之子爲何。曰爲孫。孫之孫爲何。曰爲玄孫。玄孫之孫爲何。曰不能知也。文曰。君用事相齊。至今三王矣。齊不加廣。而君私家富累萬金。門下不見一賢者。文聞將門必有將。相門必有相。今君後宮蹈綺縠。而士不得短褐。僕妾餘粱肉。而士不厭糟糠。今君又尚厚積餘藏。欲以遺所不知何人。而忘公家之事日損。文竊怪之。於是嬰乃禮文。使主家待賓客。賓客日進。名聲聞於諸侯。諸侯皆使人請薛公田嬰以文爲太子。嬰許之。嬰卒。諡爲靖郭君。而文果代立於薛。是爲孟嘗君。孟嘗君在薛。招致諸侯賓客及亡人有罪者。皆歸孟嘗君。孟嘗君舍業厚遇之。以故傾天下之士。食客數千人。無貴賤一與文等。孟嘗君待客坐語。而屛風後常有侍史。主記君所與客語。問親戚居處。客去。孟嘗君已使使存問獻遺其親戚。孟嘗君曾待客夜食。有一人蔽火光。客怒以飯不等。輟食辭去。孟嘗君起自持其飯比之。客慙自剄。士以此多歸孟嘗君。孟嘗君客無所擇。皆善遇之。人人各自以爲孟嘗君親己。秦昭王聞其賢。乃先使涇陽君爲質於齊。以求見孟嘗君。孟嘗君將入秦。賓客莫欲其行。諫不聽。蘇代謂曰。今旦代從外來。見木偶人與土偶人相與語。木偶人曰。天雨子將敗矣。土偶人曰。我生於土。敗則歸土。今天雨流子而行。未知所止息也。今秦虎狼之國也。而君欲往。如有不得還。君得無爲土偶人所笑乎。孟嘗君乃止。齊湣王二十五年。復卒使孟嘗君入秦。昭王即以孟嘗君爲秦相。人或說秦昭王曰。孟嘗君賢。而又齊族也。今相秦。必先齊而後秦。秦其危矣。於是秦昭王乃止。囚孟嘗君。謀欲殺之。孟嘗

君使人抵昭王幸姬求解。幸姬曰。妾願得君狐白裘。此時孟嘗君有一狐白裘。直千金。天下無雙。入秦獻之昭王。更無他裘。孟嘗君患之。徧問客。莫能對。最下坐有能爲狗盜者。曰。臣能得狐白裘。乃夜爲狗以入秦宮藏中。取所獻狐白裘至。以獻秦王幸姬。幸姬爲言昭王。昭王釋孟嘗君。孟嘗君得出。即馳去。更封傳變名姓以出關。夜半至函谷關。秦昭王後悔出孟嘗君。求之已去。即使人馳傳逐之。孟嘗君至關。關法。鷄鳴而出客。孟嘗君恐追至。客之居下坐者。有能爲鷄鳴。而鷄盡鳴。遂發傳出。出如食頃。秦追果至關。已後孟嘗君出。乃還。始孟嘗君列此二人於賓客。賓客盡羞之。及孟嘗君有秦難。卒此二人拔之。自是之後。客皆服。孟嘗君過趙。趙平原君客之。趙人聞孟嘗君賢。出觀之。皆笑曰。始以薛公爲魁然也。今視之乃眇小丈夫耳。孟嘗君聞之怒。客與俱者下斫擊殺數百人。遂滅一縣以去。齊湣王不自得。以其遣孟嘗君。孟嘗君至。則以爲齊相任政。孟嘗君怨秦。將以齊爲韓魏攻楚。因與韓魏攻秦。

借兵食於西周。蘇代爲西周謂曰、君以齊爲韓魏攻楚、九年取宛葉以北以彊韓魏、今復攻秦以益之。韓魏南無楚憂、西無秦患、則齊危矣。韓魏必輕齊畏秦。臣爲君危之。君不如令弊邑深合於秦而君無攻、又無借兵食、君臨函谷而無攻、令弊邑以君之情謂秦昭王曰、薛公必不破秦以彊韓魏。其攻秦也、欲王之令楚王割東國以與齊、而秦出楚懷王以爲和。君令弊邑以此惠秦。秦得無破、而以東國自免也、秦必欲之。楚王得出、必德齊。齊得東國益彊、而薛世世無患矣。秦不大弱、而處三晉之西、三晉必重齊。薛公曰、善。因令韓魏賀秦、使三國無攻、而不借兵食於西周矣。是時楚懷王入秦、秦留之。故欲必出之。秦不果出楚懷王。孟嘗君相齊、其舍人魏子爲孟嘗君收邑入。三反而不致一入。孟嘗君問之。對曰、有賢者。竊假與之、以故不致入。孟嘗君怒而退魏子。居數年、人或毀孟嘗君於齊湣王曰、孟嘗君將爲亂。及田甲劫湣王、湣王意疑孟嘗君。孟嘗君乃奔。魏子所與粟賢者聞之、乃上書言孟嘗君不作亂、請以身爲盟。遂自剄宮門、以明孟嘗君。湣王乃驚、而蹤跡驗問、孟嘗君果無反謀。乃復召孟嘗君。孟嘗君因謝病歸老於薛。湣王許之。其後秦亡將呂禮相齊。欲困蘇代。代乃謂孟嘗君曰、周最於齊至厚也。而齊王逐之、而聽親弗、相呂禮者、欲取秦也。齊秦合、則親弗與呂禮重矣。有用、齊秦必輕君。君不如急北兵趨趙以和秦魏、收周最以厚行、且反齊王之信、又禁天下之變。齊無秦、則天下集齊、親弗必走。則齊王孰與爲其國也。於是孟嘗君從其計。而呂禮嫉害於孟嘗君。孟嘗君懼、乃遺秦相穰侯魏冉書曰、吾聞秦欲以呂禮收齊。齊天下之彊國也。子必輕矣。齊秦相取以臨三晉、呂禮必并相矣。是子通齊以重呂禮也。若齊免於天下之兵、其讎子必深矣。子不如勸秦王伐齊。齊破、吾請以所得封子。齊破、秦畏晉之彊、秦必重子以取晉。晉國弊於齊而畏秦、晉必重子以取秦。是子破齊以爲功、挾晉以爲重。是子破齊定封、秦晉交重子。若齊不破、呂禮復用、子必大窮。於是穰侯言於秦昭王伐齊。而呂

禮亡。後齊湣王滅宋益驕、欲去孟嘗君。孟嘗君恐、乃如魏。魏昭王以爲相。西合於秦趙、與燕共伐破齊。齊湣王亡在莒、遂死焉。齊襄王立、而孟嘗君中立爲諸侯、無所屬。齊襄王新立、畏孟嘗君、與連和、復親薛公。文卒。諡爲孟嘗君。諸子爭立、而齊魏共滅薛。孟嘗君絕嗣無後也。初馮驩聞孟嘗君好客、躡屩而見之。孟嘗君曰、先生遠辱、何以教文也。馮驩曰、聞君好士。以貧身歸於君。孟嘗君置傳舍十日。孟嘗君問傳舍長曰、客何所爲。答曰、馮先生甚貧、猶有一劍耳。又蒯緱。彈其劍而謌曰、長鋏歸來乎、食無魚。孟嘗君遷之幸舍。食有魚矣。五日又問傳舍長。答曰、客復彈劍而歌曰、長鋏歸來乎、出無輿。孟嘗君遷之代舍。出入乘輿車矣。五日孟嘗君復問傳舍長。舍長答曰、先生又嘗彈劍而歌曰、長鋏歸來乎、無以爲家。孟嘗君不悅。居朞年、馮驩無所言。孟嘗君時相齊、封萬戶於薛。其食客三千人。邑入不足以奉客。使人出錢於薛。歲餘不入。貸錢者多不能與其息。客奉將不給。孟嘗君憂之、問左右、何人可使收債於薛者。傳舍長曰、代舍客馮公形容狀貌甚辯、長者無他伎能。宜可令收債。孟嘗君乃進馮驩而請之曰、賓客不知文不肖、幸臨文者三千餘人。邑入不足以奉賓客。故出息錢於薛。薛歲不入、民頗不與其息。今客食恐不給。願先生責之。馮驩曰、諾。辭行、至薛、召取孟嘗君錢者皆會。得息錢十萬。乃多釀酒、買肥牛、召諸取錢者、能與息者皆來、不能與息者亦來。皆持取錢之券書合之。齊爲會日、殺牛置酒。酒酣、乃持券如前合之。能與息者、與爲期。貧不能與息者、取其券而燒之。曰、孟嘗君所以貸錢者、爲民之無者以爲本業也。所以求息者、爲無以奉客也。今富給者以要期、貧窮者燔券書以捐之。諸君彊飲食。有君如此、豈可負哉。座者皆起再拜。孟嘗君聞馮驩燒券書、怒而使使召驩。驩至。孟嘗君曰、文食客三千人。故貸錢於薛。文奉邑少、而民尚多不以時與其息。客食恐不足。故請先生收責之。聞先生得錢、卽以多具牛酒而燒券書。何。馮驩曰、然。不多具牛酒、卽不能畢會。無以知其有餘不足。有餘者爲

要期不足者、雖守而責之十年、息愈多。急卽以逃亡自捐之。若急終無以償。上則爲君好利不愛士民、下則有離上抵負之名。非所以厲士民彰君聲也。焚無用虛債之券、捐不可得之虛計、令薛民親君而彰君之善聲也。君有何疑焉。孟嘗君乃拊手而謝之。齊王惑於秦楚之毀、以爲孟嘗君名高其主而擅齊國之權、遂廢孟嘗君。諸客見孟嘗君廢、皆去。馮驩曰、借臣車一乘、可以入秦者、必令君重於國而奉邑益廣。可乎。孟嘗君乃約車幣而遣之。馮驩乃西說秦王曰、天下之遊士、馮軾結靷西入秦者、無不欲彊秦而弱齊。馮軾結靷東入齊者、無不欲彊齊而弱秦。此雄雌之國也。勢不兩立。爲雄、雄者得天下矣。秦王跽而問之曰、何以使秦無爲雌而可。馮驩曰、王亦知齊之廢孟嘗君乎。秦王曰、聞之。馮驩曰、使齊重於天下者、孟嘗君也。今齊王以毀廢之。其心怨、必背齊。背齊入秦、則齊國之情、人事之誠、盡委之秦。齊地可得也。豈直爲雄也。君急使使載幣陰迎孟嘗君。不可失時也。如有齊覺悟復用孟嘗君、

則雌雄之所在未可知也。秦王大悅、乃遣車十乘、黃金百鎰、以迎孟嘗君。馮驩辭以先行、至齊說齊王曰、天下之遊士、馮軾結靷東入齊者、無不欲彊齊而弱秦者。馮軾結靷西入秦者、無不欲彊秦而弱齊者。夫秦齊雄雌之國。秦彊則齊弱矣。此勢不兩雄。今臣竊聞秦遣使車十乘、載黃金百鎰、以迎孟嘗君。孟嘗君不西則已。西入相秦、則天下歸之。秦爲雄而齊爲雌。雌則臨淄卽墨危矣。王何不先秦使之未到、復孟嘗君而益與之邑以謝之。孟嘗君必喜而受之。秦雖彊國、豈可以請人相而迎之哉。折秦之謀、而絕其霸彊之畧。齊王曰、善。乃使人至境候秦使。秦使車適入齊境。使還馳告之。王召孟嘗君而復其相位、而與其故邑之地、又益以千戶。秦之使者聞孟嘗君復相齊、還車而去矣。自齊王毀廢孟嘗君、諸客皆去。後召而復之。馮驩迎之。未到、孟嘗君太息歎曰、文常好客、遇客無所敢失。食客三千有餘人。先生所知也。客見文一日廢、皆背文而去、莫顧文者。今賴先生得復其位。客亦有何面目復見文乎。如復見文、必唾其面而大辱之。馮驩結轡下拜。孟嘗君下車接之曰、先生爲客謝乎。馮驩曰、非爲客謝也。爲君之言失。夫物有必至、事有固然。君知之乎。孟嘗君曰、愚不知所謂也。曰、生者必有死、物之必至也。富貴多士、貧賤寡友、事之固然也。君獨不見夫朝趨市者乎。明旦側肩爭門而入。日暮之後、過市朝者掉臂而不顧。非好朝而惡暮。所期物忘其中。今君失位、賓客皆去。不足以怨士而徒絕賓客之路。願君遇客如故。孟嘗君再拜曰、敬從命矣。聞先生之言、敢不奉敎焉。

太史公曰、吾嘗過薛。其俗閭里率多暴桀子弟、與鄒魯殊。問其故、曰、孟嘗君招致天下任俠姦人入薛中、蓋六萬餘家矣。世之傳孟嘗君好客自喜、名不虛矣。

中等漢文卷之三上終

中等漢文卷之三中

史記　司馬遷

山本康編

第一　平原君列傳

平原君趙勝者。趙之諸公子也。諸子中勝最賢。喜賓客。賓客蓋至者數千人。平原君相趙惠文王及孝成王。三去相。三復位。封於東武城。平原君家樓臨民家。民家有躄者。槃散行汲。平原君美人居樓上。臨見大笑之。明日躄者至平原君門。請曰。臣聞君之喜士。士不遠千里而至者。以君能貴士而賤妾也。臣不幸有罷癃之病。而君之後宮臨而笑臣。臣願得笑臣者頭。平原君笑應曰。諾。躄者去。平原君笑曰。觀此豎子。乃欲以一笑之故殺吾美人。不亦甚乎。終不殺。居歲餘。賓客門下舍人稍々引去者過半。平原君怪之曰。勝所以待諸君者。未嘗敢失禮。而去者何多也。門下一人前對曰。以君之不殺笑躄者。以君為愛色而賤士。士即去耳。於是平原君乃斬笑躄者美人頭。自造門進躄者。因謝焉。其後門下乃復稍々來。是時齊有孟嘗。魏有信陵。楚有春申。故爭相傾以待士。秦之圍邯鄲。趙使平原君求救。合從於楚。約與食客門下有勇力文武備具者二十人偕。平原君曰。使文能取勝。則善矣。文不能取勝。則歃血於華屋之下。必得定從而還。士不外索。取於食客門下足矣。得十九人。餘無可取者。無以滿二十人。門下有毛遂者。前自贊於平原君曰。遂聞君將合從於楚。約與食客門下二十人偕。不外索。今少一人。願君即以遂備員而行矣。平原君曰。先生處勝之門下幾年於此矣。毛遂曰。三年於此矣。平原君曰。夫賢士之處世也。譬若錐之處囊中。其末立見。今先生處勝之門下三年於此矣。左右未有所稱誦。勝未有所聞。是先生無所有也。先生不能。先生留。毛遂曰。臣乃今日請處囊中耳。使遂蚤得處囊中。乃穎脫而出。非特其末見而已。平原君竟與毛遂偕。十九人相與目笑之而未發也。毛遂比至楚。與十九人論議。十九人皆服。平原君與楚合從。言其利害。日出而言之。日中不決。

十九人謂毛遂曰。先生上。毛遂按劍歷階而上。謂平原君曰。從之利害。兩言而決耳。今日出而言。從日中不決。何也。楚王謂平原君曰。客何為者也。平原君曰。是勝之舍人也。楚王叱曰。胡不下。吾乃與而君言。汝何為者也。毛遂按劍而前曰。王之所以叱遂者。以楚國之衆也。今十步之內。王不得恃楚國之衆也。王之命懸於遂手。吾君在前。叱者何也。且遂聞湯以七十里之地王天下。文王以百里之壤而臣諸侯。豈其士卒衆多哉。誠能據其勢而奮其威。今楚地方五千里。持戟百萬。此霸王之資也。以楚之彊。天下弗能當。白起小豎子耳。率數萬之衆。興師以與楚戰。一戰而舉鄢郢。再戰而燒夷陵。三戰而辱王之先人。此百世之怨而趙之所羞。而王弗知惡焉。合從者為楚。非為趙也。吾君在前。叱者何也。楚王曰。唯々。誠若先生之言。謹奉社稷而以從。毛遂曰。從定乎。楚王曰。定矣。毛遂謂楚王之左右曰。取雞狗馬之血來。毛遂奉銅盤而跪進之楚王曰。王當歃血而定從。次者吾君。次者遂。遂定從於殿上。毛遂左手持盤血而右手招十九人曰。公相與歃此血於堂下。公等錄々。所謂因人成事者也。平原君已定從而歸。歸至於趙曰。勝不敢復相士。勝相士多者千人。寡者百數。自以為不失天下之士。今乃於毛先生而失之也。毛先生一至楚。而使趙重於九鼎大呂。毛先生以三寸之舌。彊於百萬之師。勝不敢復相士。遂以為上客。平原君既返趙。楚使春申君將兵赴救趙。魏信陵君亦矯奪晉鄙軍往救趙。皆未至。秦急圍邯鄲。邯鄲急且降。平原君甚患之。邯鄲傳舍吏子李同說平原君曰。君不憂趙亡邪。平原君曰。趙亡則勝為虜。何為不憂乎。李同曰。邯鄲之民。炊骨易子而食。可謂急矣。而君之後宮以百數。婢妾被綺縠。餘粱肉。而民褐衣不完。糟糠不厭。民困兵盡。或剡木為矛矢。而君器物鍾磬自若。使秦破趙。君安得有此。使趙得全。君何患無有。今君誠能令夫人以下編於士卒之間。分功而作。家之所有盡散以饗士。士方其危苦之時。易德耳。於是平原君從之。得敢死之士三千人。李同遂與三千人赴秦軍。秦

軍爲之却三十里、亦會楚魏救至、秦兵遂罷、邯鄲復存。李同戰死、封其父爲李侯。虞卿欲以信陵君之存邯鄲爲平原君請封。公孫龍聞之、夜駕見平原君曰、龍聞虞卿欲以信陵君之存邯鄲爲君請封。有之乎。平原君曰、然。龍曰、此甚不可。且王擧君而相趙者、非以君之智能爲趙國無有也。割東武城而封君者、非以君爲有功也、而以國人無勳、乃以君爲親戚故也。君受相印不辭無能、割地不言無功者、亦自以爲親戚故也。今信陵君存邯鄲而請封、是親戚受城而國人計功也。此甚不可。且虞卿操其兩權。事成操右券以責。事不成以虚名德君。君必勿聽也。平原君遂不聽虞卿。平原君以趙孝成王十五年卒。子孫代、後竟與趙俱亡。平原君厚待公孫龍。公孫龍善爲堅白之辯。及鄒衍過趙言至道、乃絀公孫龍。

第二　信陵君列傳

魏公子無忌者、魏昭王少子、而魏安釐王異母弟也。昭王薨、安釐王即位、封公子爲信陵君。是時范雎亡魏相秦、以怨魏齊故、秦兵圍大梁、破魏華陽下軍、走芒卯。魏王及公子患之。公子爲人仁而下士。士無賢不肖、皆謙而禮交之。不敢以其富貴驕士。士以此方數千里、爭往歸之、致食客三千人。當是時。諸侯以公子賢多客、不敢加兵謀魏十餘年。公子與魏王博、而北境傳擧烽。言趙寇至、且入界。魏王釋博、欲召大臣謀。公子止王曰、趙王田獵耳、非爲寇也。復博如故。王恐、心不在博。居頃、復從北方來傳言曰、趙王獵耳、非爲寇也。魏王大驚曰、公子何以知之。公子曰、臣之客、有能探得趙王陰事者。趙王所爲、客輒以報臣。臣以此知之。是後魏王畏公子之賢能、不敢任公子以國政。

魏有隱士曰侯嬴。年七十、家貧爲大梁夷門監者。公子聞之、往請欲厚遺之。不肯受曰、臣修身絜行數十年、終不以門監困故而受公子財。公子於是乃置酒大會賓客。坐定、公子從車騎、虚左自迎夷門侯生。侯生攝弊衣冠、直上載公子上坐不讓。欲以觀公子。公子執轡愈恭。侯生又謂公子曰、臣有客在

市屠中、願枉車騎過之。公子引車入市。侯生下見其客朱亥、俾倪、故久立與其客語、微察公子。公子顔色愈和。當是時、魏將相宗室賓客滿堂、待公子擧酒。市人皆觀公子執轡。從騎皆竊罵侯生。侯生視公子色終不變、乃謝客就車。至家、公子引侯生坐上坐、偏贊賓客。賓客皆驚。酒酣、公子起爲壽侯生前。侯生因謂公子曰、今日嬴之爲公子亦足矣。嬴乃夷門抱關者也。而公子親枉車騎、自迎嬴於衆人廣坐之中。不宜有所過。今公子故過之。然嬴欲就公子之名。故久立公子車騎市中、過客以觀公子。公子愈恭。市人皆以嬴爲小人。而以公子爲長者能下士也。於是罷酒。侯生遂爲上客。侯生謂公子曰、臣所過屠者朱亥、此子賢者。世莫能知、故隱屠間耳。公子往數請之。朱亥故不復謝。公子怪之。安釐王二十年、秦昭王已破趙長平軍。又進兵圍邯鄲。公子姊爲趙惠文王弟平原君夫人。數遺魏王及公子書。請救於魏。魏王使將軍晉鄙將十萬衆救趙。秦王使使者告魏王曰、吾攻趙旦暮且下。而諸侯敢救者。已拔趙、必移兵先擊之。魏王恐、使人止晉鄙、留軍壁鄴。名爲救趙、實持兩端以觀望。平原君使者冠蓋相屬於魏。讓魏公子曰、勝所以自附爲婚姻者、以公子之高義、爲能急人之困。今邯鄲旦暮降秦、而魏救不至。安在公子能急人之困也。且公子縱輕勝棄之降秦、獨不憐公子姊邪。公子患之、數請魏王。及賓客辯士説王萬端。魏王畏秦、終不聽公子。公子自度終不能得之於王、計不獨生而令趙亡。乃請賓客、約車騎百餘乘。欲以客往赴秦軍、與趙俱死。行過夷門、見侯生、具告所以欲死秦軍狀。辭決而行。侯生曰、公子勉之矣。老臣不能從。公子行數里、心不快曰、吾所以待侯生者備矣。天下莫不聞。今吾且死、而侯生曾無一言半辭送我。我豈有所失哉。復引車還問侯生。侯生笑曰、臣固知公子還也。曰、公子喜士、名聞天下。今有難、無他端、而欲赴秦軍。譬若以肉投餒虎。何功之有哉。尚安事客。然公子遇臣厚。公子往而臣不送。以是知公子恨之復返也。公子再拜因問。侯生乃屛人間語曰、嬴聞晉鄙之

兵符常在王臥內。而如姬最幸。出入王臥內。力能竊之。嬴聞如姬父爲人所殺。如姬資之三年。自王以下。欲求報其父仇。莫能得。如姬爲公子泣。公子使客斬其仇頭。敬進如姬。如姬之欲爲公子死。無所辭。顧未有路耳。公子誠一開口請如姬。如姬必許諾。則得虎符奪晉鄙軍。北救趙而西却秦。此五霸之伐也。公子從其計。請如姬。如姬果盜晉鄙兵符與公子。公子行。侯生曰。將在外。主令有所不受。以便國家。公子即合符。而晉鄙不授公子兵。而復請之。事必危矣。臣客屠者朱亥可與俱。此人力士。晉鄙聽。大善。不聽。可使擊之。於是公子泣。侯生曰。公子畏死耶。何泣也。公子曰。晉鄙嚄唶宿將。往恐不聽。必當殺之。是以泣耳。豈畏死哉。於是公子請朱亥。朱亥笑曰。臣乃市井鼓刀屠者。而公子親數存之。所以不報謝者。以爲小禮無所用。今公子有急。此乃臣效命之秋也。遂與公子俱。公子過謝侯生。侯生曰。臣宜從。老不能。請數公子行日。以至晉鄙軍之日。北鄕自剄以送公子。公子遂行至鄴。矯魏王令代晉鄙。

晉鄙合符疑之。擧手視公子曰。今吾擁十萬之衆。屯於境上。國之重任。今單車來代之。何如哉。欲無聽。朱亥袖四十斤鐵椎。椎殺晉鄙。公子遂將晉鄙軍。勒兵下令軍中曰。父子俱在軍中。父歸。兄弟俱在軍中。兄歸。獨子無兄弟。歸養。得選兵八萬人。進兵擊秦軍。秦軍解去。遂救邯鄲存趙。趙王及平原君自迎公子於界。平原君負韊矢爲公子先引。趙王再拜曰。自古賢人。未有及公子者也。當此之時。平原君不敢自比於人。公子與侯生決至軍。侯生果北鄕自剄。魏王怒公子之盜其兵符。矯殺晉鄙。公子亦自知也。已却秦存趙。使將將其軍歸魏。而公子獨與客留趙。趙孝成王德公子之矯奪晉鄙兵而存趙。乃與平原君計。以五城封公子。公子聞之。意驕矜而有自功之色。客有說公子曰。物有不可忘。或有不可不忘。夫人有德於公子。公子不可忘也。公子有德於人。願公子忘之也。且矯魏王令。奪晉鄙兵以救趙。於趙則有功矣。於魏則未爲忠臣也。公子乃自驕而功之。竊爲公子不取也。於是公子立自責。似

若無所容者。趙王掃除自迎。執主人之禮。引公子就西階。公子側行辭讓從東階上。自言辠過。以負於魏。無功於趙。趙王侍酒至暮。口不忍獻五城。以公子退讓也。公子竟留趙。趙王以鄗爲公子湯沐邑。魏亦復以信陵奉公子。公子留趙。公子聞趙有處士毛公藏於博徒。薛公藏於賣漿家。公子欲見兩人。兩人自匿。不肯見公子。公子聞所在。乃間步往。從此兩人游。甚歡。平原君聞之。謂其夫人曰。始吾聞夫人弟公子天下無雙。今吾聞之。乃妄從博徒賣漿者游。公子妄人耳。夫人以告公子。公子乃謝夫人去。曰。始吾聞平原君賢。故負魏王而救趙。以稱平原君。平原君之游。徒豪擧耳。不求士也。無忌自在大梁時。常聞此兩人賢。至趙恐不得見。以無忌從之游。尙恐其不我欲也。今平原君乃以爲羞。其不足從游。乃裝爲去。夫人具以語平原君。平原君乃免冠謝固留公子。平原君門下聞之。半去平原君歸公子。天下士復往歸公子。公子傾平原君客。公子留趙十年不歸。秦聞公子在趙。日夜出兵東伐魏。魏王

患之。使使往請公子。公子恐其怒之。乃誡門下。有敢爲魏王使通者死。賓客皆背魏之趙。莫敢勸公子歸。毛公薛公兩人往見公子曰。公子所以重於趙。名聞諸侯者。徒以有魏也。今秦攻魏。魏急而公子不恤。使秦破大梁而夷先王之宗廟。公子當何面目立天下乎。語未及卒。公子立變色。告車趣駕歸救魏。魏王見公子。相與泣。而以上將軍印授公子。公子遂將魏。安釐王三十年。公子使使遍告諸侯。諸侯聞公子將。各遣將將兵救魏。公子率五國之兵。破秦軍於河外。走蒙驁。遂乘勝逐秦軍至函谷關。抑秦兵。秦兵不敢出。當是時。公子威振天下。諸侯之客進兵法。公子皆名之。故世俗稱魏公子兵法。秦王患之。乃行金萬斤於魏。求晉鄙客。令毀公子於魏王曰。公子亡在外十年矣。今爲魏將。諸侯將皆屬。諸侯徒聞魏公子。不聞魏王。公子亦欲因此時定南面而王。諸侯畏公子之威。方欲共立之。秦數使反間。僞賀公子得立爲魏王未也。魏王日聞其毀。不能不信。後果使人代公子將。公子自知再以毀廢。乃

謝病不朝。與賓客爲長夜飲。飲醇酒。多近婦女。日夜爲樂飲者四歳。竟病酒而卒。其歳。魏安釐王亦薨。秦聞公子死。使蒙驁攻魏。拔二十城。初置東郡。其後秦稍蠶食魏。十八歳而虜魏王。屠大梁。高祖始微少時。數聞公子賢。及即天子位。每過大梁。常祠公子。高祖十二年。從擊黥布還。爲公子置守冢五家。世々歳以四時奉祠公子。

太史公曰。吾過大梁之墟。求問其所謂夷門。夷門者。城之東門也。天下諸公子亦有喜士者矣。然信陵君之接巖穴隱者。不恥下交。有以也。名冠諸侯。不虛耳。高祖每過之。而令民奉祠不絕也。

第三　范雎列傳

范雎者。魏人也。字叔。游說諸侯。欲事魏王。家貧。無以自資。乃先事魏中大夫須賈。須賈爲魏昭王使於齊。范雎從。留數月。未得報。齊襄王聞雎辯口。乃使人賜雎金十斤及牛酒。雎辭謝不敢受。須賈知之大怒。以爲雎持魏國陰事告齊。故得此饋。令雎受其牛酒。還其金。既歸。心怒雎。以告魏相。魏相魏之諸公子。曰魏齊。魏齊大怒。使舍人笞擊雎。折脇摺齒。雎佯死。即卷以簀。置廁中。賓客飲者。醉更溺雎。故僇辱以懲後。令無妄言者。雎從簀中謂守者曰。公能出我。我必厚謝公。守者乃請出棄簀中死人。魏齊醉曰。可矣。范雎得出。後魏齊悔。復召求之。魏人鄭安平聞之。乃遂操范雎亡。伏匿。更名姓曰張祿。當此時。秦昭王使謁者王稽於魏。鄭安平詐爲卒。侍王稽。王稽問魏有賢人可與俱西游者乎。鄭安平曰。臣里中有張祿先生。欲見君言天下事。其人有仇。不敢晝見。王稽曰。夜與俱來。鄭安平夜與張祿見王稽。語未究。王稽知雎至賢。謂曰先生待我於三亭之南。與私約而去。王稽辭魏去。過載范雎入秦。至湖關。望見車騎從西來。范雎曰。彼來者爲誰。王稽曰。秦相穰侯。東行縣邑。范雎曰。吾聞穰侯專秦權。惡內諸侯客。此恐辱我。我寧且匿車中。有頃。穰侯果至。勞王稽。因立車而語曰。關東有何變。曰。無有。又謂王稽曰。謁君得無與諸侯

客子俱來乎。無益。徒亂人國耳。王稽曰。不敢。即別去。范雎曰。吾聞穰侯智士也。其見事遲。鄉者疑車中有人。忘索之。於是范雎下車走。曰。此必悔之。行十餘里。果使騎還索車中。無客乃已。王稽遂與范雎入咸陽。已報使。因言曰。魏有張祿先生。天下辯士也。曰秦王之國危於累卵。得臣則安。然不可以書傳也。臣故載來。秦王弗信。使舍食草具。待命歳餘。當是時。昭王已立三十六年。南拔楚之鄢郢。楚懷王幽死於秦。秦東破齊湣王。常稱帝。後去之。數困三晉。厭天下辯士。無所信。穰侯華陽君。昭王母宣太后之弟也。而涇陽君高陵君。皆昭王同母弟也。穰侯相。三人者更將。有封邑。以太后故。私家富重於王室。及穰侯爲秦將。且欲越韓魏而伐齊綱壽。欲以廣其陶封。范雎乃上書曰。臣聞明主立政。有功者不得不賞。有能者不得不官。勞大者其祿厚。功多者其爵尊。能治衆者其官大。故無能者不敢當職焉。有能者亦不得蔽隱。使以臣之言爲可。願行而益利其道。以臣之言爲不可。久留臣無爲也。語曰。庸主賞所愛而罰所惡。明主則不然。賞必加於有功。而刑必斷於有罪。今臣之胷不足以當椹質。而要不足以待斧鉞。豈敢以疑事嘗試於王哉。雖以臣爲賤人而輕辱。獨不重任臣者之無反復於王邪。且臣聞周有砥砨。宋有結祿。梁有縣藜。楚有和璞。此四寶者。土之所生。良工之所失也。而爲天下名器。然則聖王之所棄者。獨不足以厚國家乎。臣聞善厚家者。取之於國。善厚國者。取之於諸侯。天下有明主。則諸侯不得擅厚者。何也。爲其割榮也。良醫知病人之死生。而聖主明於成敗之事。利則行之。害則舍之。疑則少嘗之。雖舜禹復生。弗能改已。語之至者。臣不敢載之於書。其淺者。又不足聽也。意者臣愚而不概於王心邪。亡其言臣者賤而不可用乎。自非然者。臣願得少賜游觀之間。望見顏色。一語無効。請伏斧質。於是秦昭王大說。乃謝王稽。使以傳車召范雎。於是范雎乃得見於離宮。詳爲不知永巷而入其中。王來而宦者怒逐之。曰王至。范雎繆爲曰。秦安得王。秦獨有太后穰侯耳。欲以感怒昭王。昭王至。

聞其與宦者爭言。遂延迎謝曰。寡人宜以身受命久矣。會義渠之事急。寡人旦暮自請太后。今義渠之事已。寡人乃得受命。竊閔然不敏。敬執賓主之禮。范雎辭讓。是日觀范雎之見者。群臣莫不洒然變色易容者。秦王屛左右。宮中虛無人。秦王跽而請曰。先生何以幸教寡人。范雎曰。唯唯。有間。秦王復跽而請曰。先生何以幸教寡人。范雎曰。唯唯。若是者三。秦王跽曰。先生卒不幸教寡人邪。范雎曰。非敢然也。臣聞。昔者呂尙之遇文王也。身爲漁父而釣於渭濱耳。若是者交疏也。已說而立爲太師。載與俱歸者。其言深也。故文王遂收功於呂尙。而卒王天下。鄕使文王疏呂尙而不與深言。是周無天子之德。而文武無與成其王業也。今臣羇旅之臣也。交疏於王。而所願陳者。皆匡君之事。處人骨肉之間。願効愚忠。而未知王之心也。此所以王三問而不敢對者也。臣非有畏而不敢言也。臣知今日言之於前。而明日伏誅於後。然臣不敢避也。大王信行臣之言。死不足以爲臣患。亡不足以爲臣憂。漆身爲厲被髮爲狂。不足以爲臣恥。且以五帝之聖焉而死。三王之仁焉而死。五霸之賢焉而死。烏獲任鄙之力焉而死。成荊孟賁王慶忌夏育之勇焉而死。死者人之所必不免也。處必然之勢。可以少有補於秦。此臣之所大願也。臣又何患哉。伍子胥橐載而出昭關。夜行晝伏。至於陵水。無以餬其口。膝行蒲伏。稽首肉袒。鼓腹吹篪。乞食於吳市。卒興吳國。闔閭爲伯。使臣得盡謀如伍子胥。加之以幽囚。終身不復見。是臣之說行也。臣又何憂。箕子接輿。漆身爲厲。被髮爲狂。無益於主。假使臣得同行於箕子。可以有補所賢之主。是臣之大榮也。臣有何恥。臣之所恐者。獨恐臣死之後。天下見臣之盡忠而身死。因以是杜口裹足。莫肯鄕秦耳。足下上畏太后之嚴。下惑於姦臣之態。居深宮之中。不離阿保之手。終身迷惑。無與昭姦。大者宗廟滅覆。小者身以孤危。此臣之所恐耳。若夫窮辱之事。死亡之患。臣不敢畏也。臣死而秦治。是臣死賢於生。秦王跽曰。先生是何言也。夫秦國辟遠。寡人愚不肖。先生乃幸辱至於此。是天

以寡人慁先生。而存先王之宗廟也。寡人得受命於先生。是天所以幸先生而不棄其孤也。先生奈何而言若是。事無小大。上及太后。下至大臣。願先生悉以教寡人。無疑寡人也。范雎拜。秦王亦拜。范雎曰。大王之國。四塞以爲固。北有甘泉谷口。南帶涇渭。右隴蜀。左關阪。奮擊百萬。戰車千乘。利則出攻。不利則入守。此王者之地也。民怯於私鬭。而勇於公戰。此王者之民也。王幷此二者而有之。夫以秦卒之勇。車騎之衆。以治諸侯。譬若馳韓盧而搏蹇兎也。霸王之業可致也。而群臣莫當其位。至今閉關十五年。不敢窺兵於山東者。是穰侯爲秦謀不忠。而大王之計。有所失也。秦王跽曰。寡人願聞失計。然左右多竊聽者。范雎恐未敢言內。先言外事。以觀秦王之俯仰。因進曰。夫穰侯越韓魏而攻齊綱壽。非計也。少出師則不足以傷齊。多出師則害於秦。臣意王之計。欲少出師而悉韓魏之兵也。則不義矣。今見與國之不親也。越人之國而攻。可乎。其於計疏矣。且昔齊湣王南攻楚。破軍殺將。再辟地千里。而齊尺寸之地無得焉者。豈不欲得地哉。形勢不能有也。諸侯見齊之罷弊。君臣之不和也。興兵而伐齊。大破之。士辱兵頓。皆咎其王曰。誰爲此計者乎。王曰。文子爲之。大臣作亂。文子出奔。故齊所以大破者。以其伐楚而肥韓魏也。此所謂借賊兵。齎盜糧者也。王不如遠交而近攻。得寸則王之寸也。得尺亦王之尺也。今釋此而遠攻。不亦繆乎。且昔者中山之國。地方五百里。趙獨呑之。功成名立。而利附焉。天下莫之能害也。今夫韓魏中國之處。而天下之樞也。王其欲霸。必親中國以爲天下樞。以威楚趙。楚彊則附趙。趙彊則附楚。楚趙皆附。齊必懼矣。齊懼。必卑辭重幣以事秦。齊附而韓魏因可虜也。昭王曰。吾欲親魏久矣。而魏多變之國也。寡人不能親。請問親魏奈何。對曰。王卑詞重幣以事之。不可則割地而賂之。不可。因擧兵而伐之。王曰。寡人敬聞命矣。乃拜范雎爲客卿。謀兵事。卒聽雎謀。使五大夫綰伐魏。拔懷。後二歲。拔邢丘。客卿范雎復說昭王曰。秦韓之地形相錯如繡。秦之有韓也。譬如木之有蠹也。

人之有心腹之病也。天下無變則已。天下有變。其爲秦患者。孰大於韓乎。王
不如收韓。昭王曰。吾固欲收韓。韓不聽。爲之奈何。對曰。韓安得無聽乎。王下
兵而攻滎陽。則鞏成皐之道不通。北斷太行之道。則上黨之師不下。王一興
兵而攻滎陽。則其國斷而爲三。夫韓見必亡。安得不聽乎。若韓聽。而霸事因
可慮矣。王曰。善。且欲發使於韓。范雎日益親。復說用數年矣。因請問。說曰。臣
居山東時。聞齊之有田文。不聞其有王也。聞秦之有太后穰侯華陽高陵涇
陽。不聞其有王也。夫擅國之謂王。能利害之謂王。制殺生之威之謂王。今太
后擅行不顧。穰侯出使不報。華陽涇陽擊斷無諱。高陵進退不請。四貴備而
國不危者。未之有也。爲此四貴者下。乃所謂無王也。然則權安得不傾。令安
得從王出乎。臣聞善治國者。乃內固其威。而外重其權。穰侯使者操王之重。
決制於諸侯。剖符於天下。政適伐國。莫敢不聽。戰勝攻取則利歸於陶國。弊
御於諸侯。戰敗則結怨於百姓。而禍歸於社稷。詩曰。木實繁者披其枝。披其

枝者傷其心。大其都者危其國。尊其臣者卑其主。崔杼淖齒官齊。射王股擢
王筋。縣之於廟梁。宿昔而死。李兌管趙。囚主父於沙丘。百日而餓死。今臣聞
秦太后穰侯用事。高陵華陽涇陽佐之。卒無秦王。此亦淖齒李兌之類也。且
夫三代所以亡國者。君專授政。縱酒馳騁弋獵。不聽政事。其所授者。妬賢嫉
能。御下蔽上。以成其私。不爲主計。而主不覺悟。故失其國。今自有秩以上。至
諸大吏。下及王左右。無非相國之人者。見王獨立於朝。臣竊爲王恐萬世之
後。有秦國者非王子孫也。昭王聞之。大懼曰。善。於是廢太后。逐穰侯高陵華
陽涇陽君於關外。秦王乃拜范雎爲相。收穰侯之印。使歸陶。因使縣官給車
牛以徙。千乘有餘。到關。關閱其寶器。寶器珍怪。多於王室。秦封范雎以應。號
爲應侯。當是時秦昭王四十一年也。范雎既相秦。秦號曰張祿。而魏不知。以
爲范雎已死久矣。魏聞秦且東伐韓魏。魏使須賈於秦。范雎聞之。爲微行。敝
衣間步之邸。見須賈。須賈見之而驚曰。范叔固無恙乎。范雎曰。然。須賈笑曰

范叔有說於秦邪。曰。不也。雎前日得過於魏相。故亡逃至此。安敢說乎。須賈
曰。今叔何事。范雎曰。臣爲人庸賃。須賈意哀之。留與坐飲食。曰。范叔一寒如
此哉。乃取其一綈袍以賜之。須賈因問曰。秦相張君。公知之乎。吾聞幸於王。
天下之事。皆決於相君。今吾事之去留。在張君。孺子豈有客習於相君者哉。
范雎曰。主人翁習知之。唯雎亦得謁。雎請爲君見於張君。須賈曰。吾馬病。車
軸折。非大車駟馬。吾不出。范雎曰。願爲君借大車駟馬於主人翁。范雎歸取
大車駟馬。爲須賈御之。入秦相府。府中望見。有識者皆避匿。須賈怪之。至相
舍門。謂須賈曰。待我。我爲君先入通於相君。須賈待門下。持車良久。問門下
曰。范叔不出何也。門下曰。無范叔。須賈曰。鄕者與我載而入者。門下曰。乃吾
相張君也。須賈大驚。自知見賣。乃肉袒膝行。因門下人謝罪。於是范雎盛帷
帳。侍者甚衆。見之。須賈頓首言死罪。曰。賈不意君能自致於青雲之上。賈不
敢復讀天下之書。不敢復與天下之事。賈有湯鑊之罪。請自屏於胡貉之地。

唯君死生之。范雎曰。汝罪有幾。曰。擢賈之髮。以續賈之罪。尚未足。范雎曰。汝
罪有三耳。昔者楚昭王時。而申包胥爲楚卻吳軍。楚王封之以荊五千戶。包
胥辭不受。爲丘墓之寄於荊也。今雎之先人丘墓亦在魏。公前以雎爲有外
心於齊。而惡雎於魏齊。公之罪一也。當魏齊辱我於廁中。公不止。罪二也。更
醉而溺我。公其何忍乎。罪三矣。然公之所以得無死者。以綈袍戀々。有故人
之意。故釋公。乃謝罷。入言之昭王。罷歸須賈。須賈辭於范雎。范雎大供具。盡
請諸侯使。與坐堂上。食飲甚設。而坐須賈於堂下。置莝豆其前。令兩黥徒夾
而馬食之。數曰。爲我告魏王。急持魏齊頭來。不然者。我且屠大梁。須賈歸以
告魏齊。魏齊恐。亡走趙。匿平原君所。范雎既相。王稽謂范雎曰。事有不可知
者三。有不可奈何者亦三。宮車一日晏駕。是事之不可知者一也。君卒然捐
館舍。是事之不可知者二也。使臣卒然塡溝壑。是事之不可知者三也。宮車
一日晏駕。君雖恨於臣。無可奈何。君卒然捐館舍。君雖恨於臣。亦無可奈何。

使臣卒然塡溝壑、君雖恨於臣、亦無可奈何。范睢不懌、乃入言於王曰、非王稽之忠、莫能內臣於函谷關。非大王之賢聖、莫能貴臣。今臣官至於相、爵在列侯、王稽之官、尙止於謁者。非其內臣之意也。昭王召王稽、拜爲河東守、三歲不上計。又任鄭安平、昭王以爲將軍。范睢於是散家財物、盡以報所嘗困厄者。一飯之德必償、睚眦之怨必報。范睢相秦二年、秦昭王之四十二年、東伐韓少曲高平、拔之。秦昭王聞魏齊在平原君所、欲爲范睢必報其讎。乃詳爲好書、遺平原君曰、寡人聞君之高義、願與君爲布衣之友。君幸過寡人、寡人願與君爲十日之飲。平原君畏秦、且以爲然、而入秦見昭王。昭王與平原君飲數日。昭王謂平原君曰、昔周文王得呂尙、以爲太公。齊桓公得管夷吾、以爲仲父。今范君、亦寡人之叔父也。范君之仇、在君之家。願使人歸取其頭來。不、然、吾不出君於關。平原君曰、貴而爲友者、爲賤也。富而爲友者、爲貧也。夫魏齊者、勝之友也。在固不出也。今又不在臣所。昭王乃遺趙王書曰、王之弟在秦。范君之仇魏齊、在平原君之家。王使人疾持其頭來。不、然、吾舉兵而伐趙、又不出王之弟於關。趙孝成王乃發卒圍平原君家。急、魏齊夜亡、出見趙相虞卿。虞卿度趙王終不可說、乃解其相印、與魏齊亡、間行。念諸侯莫可以急抵者。乃復走大梁、欲因信陵君以走楚。信陵君聞之、畏秦、猶豫未肯見。曰、虞卿何如人也。時侯嬴在旁曰、人固未易知、知人亦未易也。夫虞卿躡屩擔簦、一見趙王、賜白璧一雙、黃金百鎰。再見、拜爲上卿。三見、卒受相印、封萬戶侯。當此之時、天下爭知之。夫魏齊窮困過虞卿。虞卿不敢重爵祿之尊、解相印、捐萬戶侯而間行。急士之窮而歸公子。公子曰、何如人。人固不易知。知人亦未易也。信陵君大慙、駕如野迎之。魏齊聞信陵君之初難見之、怒而自剄。趙王聞之、卒取其頭予秦。秦昭王乃出平原君歸趙。昭王四十三年、秦攻韓汾陘、拔之。因城河上廣武。後五年、昭王用應侯謀、縱反間、賣趙。趙以其故、令馬服子代廉頗將。秦大破趙於長平、遂圍邯鄲。已而與武安君白起有隙。

言而殺之。任鄭安平、使將擊趙。鄭安平爲趙所圍急、以兵二萬人降趙。應侯席藁請罪。秦之法、任人而所任不善者、各以其罪罪之。於是應侯罪當收三族。秦昭王恐傷應侯之意、乃下令國中。有敢言鄭安平事者、以其罪罪之。而加賜相國應侯食物、日益厚、以順適其意。後二歲、王稽爲河東守、與諸侯通、坐法誅。而應侯日益以不懌。昭王臨朝歎息。應侯進曰、臣聞主憂臣辱、主辱臣死。今大王中朝而憂、臣敢請其罪。昭王曰、吾聞楚之鐵劍利而倡優拙。夫鐵劍利則士勇、倡優拙則思慮遠。夫以遠思慮而御勇士、吾恐楚圖秦也。夫物不素具、不可以應卒。今武安君既死、而鄭安平等畔。內無良將、而外多敵國。吾是以憂。欲以激勵應侯。應侯懼、不知所出。蔡澤聞之、往入秦也。

第四　蔡澤列傳

蔡澤者、燕人也。游學干諸侯小大甚衆、不遇。而從唐舉相曰、吾聞先生相李兌曰、百日之內持國秉政。有之乎。曰、有之。曰、若臣者何如。唐舉孰視而笑曰、先生曷鼻、巨肩、魋顏、蹙齃、膝攣。吾聞聖人不相。殆先生乎。蔡澤知唐舉戲之、乃曰、富貴吾所自有。吾所不知者壽也。願聞之。唐舉曰、先生之壽、從今以往者四十三歲。蔡澤笑謝而去。謂其御者曰、吾持梁刺齒肥、躍馬疾驅、懷黃金之印、結紫綬於要、揖讓人主之前、食肉富貴、四十三年足矣。去之趙、見逐。入韓魏、遇奪釜鬲於塗。聞應侯任鄭安平王稽、皆負重罪於秦。應侯內慙。蔡澤乃西入秦。將見昭王、使人宣言以感怒應侯曰、燕客蔡澤、天下雄俊弘辯智士也。彼一見秦王、秦王必困君而奪君之位。應侯聞曰、五帝三代之事、百家之說、吾既知之。衆口之辯、吾皆摧之。是惡能困我而奪我位乎。使人召蔡澤。蔡澤入、則揖應侯。應侯固不快。及見之、又倨。應侯因讓之曰、子常宣言欲代我相秦、寧有之乎。對曰、然。應侯曰、請聞其說。蔡澤曰、吁、君何見之晚也。夫四時之序、成功者去。夫人生百體堅彊、手足便利、耳目聰明、而心聖智、豈非士之願與。應侯曰、然。蔡澤曰、質仁秉義、行道施德、得志於天下、天下懷樂敬愛

而尊慕之。皆願以爲君王。豈不辯智之期與。應侯曰。然。蔡澤復曰。富貴顯榮。成理萬物。使各得其所。性命壽長。終其天年。而不夭傷。天下繼其統。守其業。傳之無窮。名實純粹。澤流千里。世々稱之而無絶。與天地終始。豈道德之符。而聖人所謂吉祥善事者與。應侯曰。然。蔡澤曰。若夫秦商君。楚之吳起。越之大夫種。其卒然亦可願與。應侯知蔡澤之欲困已以說。復謬曰。何爲不可。夫公孫鞅之事孝公也。極身無貳慮。盡公而不顧私。設刀鋸以禁姦邪。信賞罰以致治。披腹心。示情素。蒙怨咎。欺舊友。奪魏公子卬。安秦社稷。利百姓。卒爲秦禽將破敵。攘地千里。吳起之事悼王也。使私不得害公。讒不得蔽忠。言不取苟合。行不取苟容。不爲危易行。行義不辟難。然爲霸主強國。不辭禍凶。大夫種之事越王也。主雖困辱。悉忠而不解。主雖絶亡。盡能而不離。成功而弗矜。貴富而不驕怠。若此三子者。固義之至也。忠之節也。是故君子以義死難。視死如歸。生而辱。不如死而榮。士固有殺身以成名。唯義之所在。雖死無所恨。何爲不可哉。蔡澤曰。主聖臣賢。天下之盛福也。君明臣直。國之福也。父慈子孝。夫信妻貞。家之福也。故比干忠而不能存殷。子胥智而不能完吳。申生孝而晉國亂。是皆有忠臣孝子。而國家滅亂者何也。無明賢君父以聽之。故天下以其君父爲僇辱。而憐其臣子。今商君吳起大夫種之爲人臣。是也。其君非也。故世稱三子致功而不見德。豈慕不遇世死乎。夫待死而後可以立忠成名。是微子不足仁。孔子不足聖。管仲不足大也。夫人之立功。豈不期於成全邪。身與名俱全者。上也。名可法而身死者。其次也。名在僇辱而身全者。下也。於是應侯稱善。蔡澤少得間。因曰。夫商君吳起大夫種。其爲人臣。盡忠致功。則可願矣。閎夭事文王。周公輔成王也。豈不亦聖乎。以君臣論之。商君吳起大夫種。其可願。孰與閎夭周公哉。應侯曰。商君吳起大夫種弗若也。蔡澤曰。然則君之主。慈仁任忠。惇厚舊故。其賢智與有道之士爲膠漆。義不倍功臣。孰與秦孝公楚悼王越王乎。應侯曰。未知何如也。蔡澤曰。今主親忠臣。

不過秦孝公楚悼王越王。君之設智能。爲主安危修政。治亂彊兵。批患折難。廣地殖穀。富國足家。彊主尊社稷。顯宗廟。天下莫敢欺犯其主。主之威蓋震海內。功彰萬里之外。聲名光輝。傳於千世。君孰與商君吳起大夫種。應侯曰。不若。蔡澤曰。今主之親忠臣。不忘舊故。不若孝公悼王勾踐。而君之功績愛信親幸。又不若商君吳起大夫種。然而君之祿位貴盛。私家之富。過於三子。而身不退者。恐患之甚於三子。竊爲君危之。語曰。日中則移。月滿則虧。物盛則衰。天地之常數也。進退盈縮。與時變化。聖人之常道也。故國有道則仕。國無道則隱。聖人曰。飛龍在天。利見大人。不義而富且貴。於我如浮雲。今君之怨已讎。而德已報。意欲至矣。而無變計。竊爲君不取也。且夫翠鵠犀象。其處勢非不遠死也。而所以死者。惑於餌也。蘇秦智伯之智。非不足以辟辱遠死也。而所以死者。惑於貪利不止也。是以聖人制禮節欲。取於民有度。使之以時。用之有止。故志不溢。行不驕。常與道俱而不失。故天下承而不絶。昔者齊桓公。九合諸侯。一匡天下。至於葵丘之會。有驕矜之志。畔者九國。吳王夫差。兵無敵於天下。勇彊以輕諸侯。陵齊晉。故遂以殺身亡國。夏育太史噭。叱呼駭三軍。然而身死於庸夫。此皆乘至盛而不返道理。不居卑退處儉約之患也。夫商君爲秦孝公。明法令。禁姦本。尊爵必賞。有罪必罰。平權衡。正度量。調輕重。決裂阡陌。以靜生民之業。而一其俗。勸民耕農利土。一室無二事。力田稸積。習戰陣之事。是以兵動而地廣。兵休而國富。故秦無敵於天下。立威諸侯。成秦國之業。功已成矣。而遂以車裂。楚地方數千里。持戟百萬。白起率數萬之師。以與楚戰。一戰舉鄢郢。以燒夷陵。再戰南幷蜀漢。又越韓魏而攻彊趙。北坑馬服。誅屠四十餘萬之衆。盡之於長平之下。流血成川。沸聲若雷。遂入圍邯鄲。使秦有帝業。楚趙天下之彊國。而秦之仇敵也。自是之後。楚趙皆懾伏不敢攻秦者。白起之勢也。身所服者。七十餘城。功已成矣。而遂賜劍死於杜郵。吳起爲楚悼王立法。卑減大臣之威重。罷無能。廢無用。損不急之官。

塞私門之請。一楚國之俗。禁游客之民。精耕戰之士。南收楊越。北幷陳蔡。破横散從。使馳說之士無所開其口。禁朋黨以勵百姓。定楚國之政。兵震天下。威服諸侯。功已成矣。而卒枝解。大夫種爲越王深謀遠計。免會稽之危。以亡爲存。因辱爲榮。墾草入邑。辟地殖穀。率四方之士。專上下之力。輔勾踐之賢。報夫差之讎。卒擒勁呉。令越成霸。功已彰而信矣。勾踐終負而殺之。此四子者。功成不去。禍至於此。此所謂信而不能詘。往而不能返者也。范蠡知之。超然辟世。長爲陶朱公。君獨不觀夫博者乎。或欲大投。或欲分功。此皆君之所明知也。今君相秦。計不下席。謀不出廊廟。坐制諸侯。利施三川。以實宜陽。決羊腸之險。塞太行之道。又斬范中行之塗。六國不得合從。棧道千里。通於蜀漢。使天下皆畏秦。秦之欲得矣。君之功極矣。此亦秦之分功之時也。如是而不退。則商君白公呉起大夫種是也。吾聞之。鑒於水者見面之容。鑒於人者。知吉與凶。書曰。成功之下。不可久處。四子之禍。君何居焉。君何不以此時歸相印。讓賢者而授之。退而巖居川觀。必有伯夷之廉。長爲應侯。世々稱孤。而有許由延陵季子之讓。喬松之壽。孰與以禍終哉。即君何居焉。忍不能自離。疑不能自決。必有四子之禍矣。易曰。亢龍有悔。此言上而不能下。信而不能詘。往而不能自返者也。願君孰計之。應侯曰。善。吾聞。欲而不知止。失其所以欲。有而不知足。失其所以有。先生幸教。睢敬受命。於是乃延入。坐爲上客。後數日入朝。言於秦昭王曰。客新有從山東來者。曰蔡澤。其人辯士。明於三王之事。五伯之業。世俗之變。足以寄秦國之政。臣之見人甚衆。莫及臣不如也。臣敢以聞。秦昭王召見與語。大說之。拜爲客卿。應侯因謝病。請歸相印。昭王彊起應侯。應侯遂稱病篤。范睢免相。昭王新說蔡澤計畫。遂拜爲秦相。東收周室。蔡澤相秦數月。人或惡之。懼誅乃謝病歸相印。號爲綱成君。居秦十餘年。事昭王孝文王莊襄王。卒事始皇帝。爲秦使於燕。三年而燕使太子丹入質於秦。

太史公曰。韓子稱。長袖善舞。多錢善賈。信哉是言也。范睢蔡澤。世所謂一切辯士。然游說諸侯。至白首無所遇者。非計策之拙。所爲說力少也。及二人羇旅入秦。繼踵取卿相。垂功於天下者。固彊弱之勢異也。然士亦有偶合。賢者多如此二子。不得盡意。豈可勝道哉。然二子不困厄。惡能激乎。

第五　廉頗藺相如列傳

廉頗者。趙之良將也。趙惠文王十六年。廉頗爲趙將。伐齊大破之。取晉陽。拜爲上卿。以勇氣聞於諸侯。藺相如者趙人也。爲趙宦者令繆賢舍人。趙惠文王時得楚和氏璧。秦昭王聞之。使人遺趙王書。願以十五城請易璧。趙王與大將軍廉頗諸大臣謀。欲予秦。秦城恐不可得。徒見欺。欲勿予。即患秦兵之來。計未定。求人可使報秦者。未得。宦者令繆賢曰。臣舍人藺相如可使。王問。何以知之。對曰。臣嘗有罪。竊計欲亡走燕。臣舍人相如止臣曰。君何以知燕王。臣語曰。臣嘗從大王與燕王會境上。燕王私握臣手曰。願結友。以此知之。故欲往。相如謂臣曰。夫趙彊而燕弱。而君幸於趙王。故燕王欲結於君。今君乃亡趙走燕。燕畏趙。其勢必不敢留君。而束君歸趙矣。君不如肉袒伏斧質請罪。則幸得脫矣。臣從其計。大王亦幸赦臣。臣竊以爲其人勇士。有智謀。宜可使。於是王召見。問藺相如曰。秦王以十五城請易寡人之璧。可予不。相如曰。秦彊而趙弱。不可不許。王曰。取吾璧。不予我城。奈何。相如曰。秦以城求璧。而趙不許。曲在趙。趙予璧而秦不予趙城。曲在秦。均之二策。寧許以負秦曲。王曰。誰可使者。相如曰。王必無人。臣願奉璧往。使城入趙而璧留秦。城不入。臣請完璧歸趙。趙王於是遂遣相如。奉璧西入秦。秦王坐章臺見相如。相如奉璧奏秦王。秦王大喜。傳以示美人及左右。左右皆呼萬歲。相如視秦王無意償趙城。乃前曰。璧有瑕。請指示王。王授璧。相如因持璧。却立倚柱。怒髮上衝冠。謂秦王曰。大王欲得璧。使人發書至趙王。趙王悉召群臣議。皆曰。秦貪負其彊。以空言求璧。償城恐不可得。議不欲予秦璧。臣以爲布衣之交。尚不

相欺。況大國乎。且以一璧之故。逆彊秦之驩不可。於是趙王乃齋戒五日。使臣奉璧。拜送書於庭。何者。嚴大國之威以修敬也。今臣至。大王見臣列觀。禮節甚倨。得璧。傳之美人以戲弄臣。臣觀大王無意償趙王城邑。故臣復取璧。大王必欲急臣。臣頭今與璧俱碎於柱矣。相如持其璧睨柱。欲以擊柱。秦王恐其破璧。乃辭謝固請。召有司案圖。指從此以往十五都予趙。相如度秦王特以詐佯為予趙城。實不可得。乃謂秦王曰。和氏璧天下所共傳寶也。趙王恐不敢不獻。趙王送璧時。齋戒五日。今大王亦宜齋戒五日。設九賓於廷。臣乃敢上璧。秦王度之終不可彊奪。遂許齋五日。舍相如廣成傳舍。相如度秦王雖齋。決負約不償城。乃使其從者衣褐懷其璧。從徑道亡。歸璧于趙。秦王齋五日後。乃設九賓禮於廷。引趙使者藺相如。相如至。謂秦王曰。秦自繆公以來二十餘君。未嘗有堅明約束者也。臣誠恐見欺於王而負趙。故令人持璧歸。間至趙矣。且秦彊而趙弱。大王遣一介之使至趙。趙立奉璧來。今以秦

之彊而先割十五都予趙。趙豈敢留璧而得罪於大王乎。臣知欺大王之罪當誅。臣請就湯鑊。唯大王與群臣孰計議之。秦王與群臣相視而嘻。左右或欲引相如去。秦王因曰。今殺相如。終不能得璧也。而絕秦趙之驩。不如因而厚遇之。使歸趙。趙王豈以一璧之故欺秦邪。卒廷見相如。畢禮而歸之。相如既歸。趙王以為賢大夫使不辱於諸侯。拜相如為上大夫。秦亦不以城予趙。趙亦終不予秦璧。其後秦伐趙。拔石城。明年復攻趙。殺二萬人。秦王使使者告趙王。欲與王為好。會於西河外澠池。趙王畏秦。欲毋行。廉頗藺相如計曰。王不行。示趙弱且怯也。趙王遂行。相如從。廉頗送至境。與王訣曰。王行。度道里會遇之禮畢還。不過三十日。三十日不還。則請立太子為王。以絕秦望。王許之。遂與秦王會澠池。秦王飲酒酣曰。寡人竊聞趙王好音。請奏瑟。趙王鼓瑟。秦御史前書曰。某年月日。秦王與趙王會飲。令趙王鼓瑟。藺相如前曰。趙王竊聞秦王善為秦聲。請奉盆缻秦王。以相娛樂。秦王怒不許。於是相如前

進缻。因跪請秦王。秦王不肯擊缻。相如曰。五步之內。相如請得以頸血濺大王矣。左右欲刃相如。相如張目叱之。左右皆靡。於是秦王不懌為一擊缻。相如顧召趙御史書曰。某年月日。秦王為趙王擊缻。秦之群臣曰。請以趙十五城為秦王壽。藺相如亦曰。請以秦之咸陽為趙王壽。秦王竟酒。終不能加勝於趙。趙亦盛設兵以待秦。秦不敢動。既罷歸國。以相如功大。拜為上卿。位在廉頗之右。廉頗曰。我為趙將。有攻城野戰之大功。而藺相如徒以口舌為勞。而位居我上。且相如素賤人。吾羞不忍為之下。宣言曰。我見相如。必辱之。相如聞不肯與會。相如每朝時。常稱病。不欲與廉頗爭列。已而相如出。望見廉頗。相如引車避匿。於是舍人相與諫曰。臣所以去親戚而事君者。徒慕君之高義也。今君與廉頗同列。廉君宣惡言。而君畏匿之。恐懼殊甚。且庸人尚羞之。況於將相乎。臣等不肖。請辭去。藺相如固止之曰。公之視廉將軍。孰與秦王。曰不若也。相如曰。夫以秦王之威。而相如廷叱之。辱其群臣。相如雖駑。獨

畏廉將軍哉。顧吾念之。彊秦之所以不敢加兵於趙者。徒以吾兩人在也。今兩虎共鬭。其勢不俱生。吾所以為此者。以先國家之急而後私讎也。廉頗聞之。肉袒負荊。因賓客至藺相如門謝罪曰。鄙賤之人。不知將軍寬之至此也。卒相與驩為刎頸之交。是歲廉頗東攻齊。破其一軍。居二年。廉頗復伐齊幾拔之。後三年。廉頗攻魏之防陵安陽。拔之。後四年。藺相如將而攻齊。至平邑而罷。其明年。趙奢破秦軍閼與下。趙奢者趙之田部吏也。收租稅而平原君家不肯出。趙奢以法治之。殺平原君用事者九人。平原君怒。將殺奢。奢因說曰。君於趙為貴公子。今縱君家而不奉公。則法削。法削則國弱。國弱則諸侯加兵。諸侯加兵。是無趙也。君安得有此富乎。以君之貴。奉公如法。則上下平。上下平則國彊。國彊則趙固。而君為貴戚。豈輕於天下邪。平原君以為賢。言之於王。王用之治國賦。國賦太平。民富而府庫實。秦伐韓。軍於閼與。王召廉頗而問曰。可救不。對曰。道遠險狹難救。又召樂乘而問焉。樂乘對如廉頗言。

又召問趙奢。奢對曰。其道遠險狹。譬之猶兩鼠鬭於穴中。將勇者勝。王乃令
趙奢將救之。兵去邯鄲三十里。而令軍中曰。有以軍事諫者死。秦軍軍武安
西。秦軍鼓譟勒兵。武安屋瓦盡振。軍中候有一人。言急救武安。趙奢立斬之。
堅壁留二十八日不行。復益增壘。秦間來入。趙奢善食而遣之。間以報秦將。
秦將大喜曰。夫去國三十里而軍不行。乃增壘。閼與非趙地也。趙奢既已遣
秦間。乃卷甲而趨之。二日一夜至。令善射者去閼與五十里而軍。軍壘成。秦
人聞之。悉甲而至。軍士許歷請以軍事諫。趙奢曰。內之。許歷曰。秦人不意趙
師至此。其來氣盛。將軍必厚集其陣以待之。不然必敗。趙奢曰。請受令。許歷
曰。請就鈇質之誅。趙奢曰。胥後令邯鄲。許歷復請諫曰。先據北山上者勝。後
至者敗。趙奢許諾。即發萬人趨之。秦兵後至。爭山不得上。趙奢縱兵擊之。大
破秦軍。秦軍解而走。遂解閼與之圍而歸。趙惠文王賜奢號爲馬服君。以許
歷爲國尉。趙奢於是與廉頗藺相如同位。後四年。趙惠文王卒。子孝成王立。

七年。秦與趙兵相距長平。時趙奢已死。而藺相如病篤。趙使廉頗將攻秦。秦
數敗趙軍。趙軍固壁不戰。秦數挑戰。廉頗不肯。趙王信秦之間。秦之間言曰。
秦之所惡。獨畏馬服君趙奢之子趙括爲將耳。趙王因以括爲將。代廉頗。藺
相如曰。王以名使括。若膠柱而鼓瑟耳。括徒能讀其父書傳。不知合變也。趙
王不聽。遂將之。趙括自少時學兵法。言兵事。以天下莫能當。嘗與其父奢言
兵事。奢不能難。然不謂善。括母問奢其故。奢曰。兵死地也。而括易言之。使趙
不將括即已。若必將之。破趙軍者必括也。及括將行。其母上書言於王曰。括
不可使將。王曰。何以。對曰。始妾事其父。時爲將。身所奉飯飲而進食者以十
數。所友者以百數。大王及宗室所賞賜者。盡以予軍吏士大夫。受命之日。不
問家事。今括一旦爲將。東向而朝。軍吏無敢仰視之者。王所賜金帛。歸藏於
家。而日視便利田宅可買者買之。王以爲何如其父。父子異心。願王勿遣。王
曰。母置之。吾已決矣。括母因曰。王終遣之。即有如不稱。妾得無隨坐乎。王許

諾。趙括既代廉頗。悉更約束。易置軍吏。秦將白起聞之。縱奇兵。佯敗走。而絶
其糧道。分斷其軍爲二。士卒離心。四十餘日。軍餓。趙括出銳卒。自搏戰。秦軍
射殺趙括。括軍敗。數十萬之衆遂降秦。秦悉阬之。趙前後所亡凡四十五萬。
明年。秦兵遂圍邯鄲。歲餘幾不得脫。賴楚魏諸侯來救。乃得解邯鄲之圍。趙
王亦以括母先言。竟不誅也。自邯鄲圍解五年。而燕用栗腹之謀。曰。趙壯者
盡於長平。其孤未壯。擧兵擊趙。趙使廉頗將。擊大破燕軍於鄗。殺栗腹。遂圍
燕。燕割五城請和。乃聽之。趙以尉文封廉頗。爲信平君。爲假相國。廉頗之免
長平歸也。失勢之時。故客盡去。及復用爲將。客又復至。廉頗曰。客退矣。客曰。
吁。君何見之晩也。夫天下以市道交。君有勢我則從君。君無勢則去。此固其
理也。有何怨乎。居六年。趙使廉頗伐魏之繁陽。拔之。趙孝成王卒。子悼襄王
立。使樂乘代廉頗。廉頗怒。攻樂乘。樂乘走。廉頗遂奔魏之大梁。其明年。趙乃
以李牧爲將。而攻燕。拔武遂方城。廉頗居梁久之。魏不能信用。趙以數困於

秦兵。趙王思復得廉頗。廉頗亦思復用於趙。趙王使使者視廉頗尚可用否。
廉頗之仇郭開。多與使者金。令毀之。趙使者既見廉頗。廉頗爲之一飯斗米
肉十斤。被甲上馬。以示尚可用。趙使還報王曰。廉將軍雖老尚善飯。然與臣
坐。頃之三遺矢矣。趙王以爲老。遂不召。楚聞廉頗在魏。陰使人迎之。廉頗一
爲楚將。無功。曰。我思用趙人。廉頗卒死于壽春。李牧者。趙之北邊良將也。常
居代鴈門。備匈奴。以便宜置吏。市租皆輸入幕府。爲士卒費。日擊數牛饗士。
習射騎。謹烽火。多間諜。厚遇戰士。爲約曰。匈奴即入盜。急入收保。有敢捕虜
者斬。匈奴每入。烽火謹。輒入收保。不敢戰。如是數歲。亦不亡失。然匈奴以李
牧爲怯。雖趙邊兵。亦以爲吾將怯。趙王讓李牧。李牧如故。趙王怒召之。使他
人代將。歲餘。匈奴每來出戰。出戰數不利。失亡多。邊不得田畜。復請李牧。牧
杜門不出。固稱疾。趙王乃復彊起使將兵。牧曰。王必用臣。臣如前。乃敢奉令。
王許之。李牧至。如故約。匈奴數歲無所得。終以爲怯。邊士日得賞賜而不用。

皆願一戰。於是乃具選車。得千三百乘。選騎得萬三千匹。百金之士五萬人。彀者十萬人。悉勒習戰。大縱畜牧。人民滿野。匈奴小入。佯北不勝。以數千人委之。單于聞之。大率衆來入。李牧多爲奇陳。張左右翼擊之。大破殺匈奴十餘萬騎。滅襜襤。破東胡。降林胡。單于奔走。其後十餘歲。匈奴不敢近趙邊城。趙悼襄王元年。廉頗既亡入魏。趙使李牧攻燕。拔武遂方城。居二年。龐煖破燕軍。殺劇辛。後七年秦破趙。殺將扈輒於武遂城。斬首十萬。趙乃以李牧爲大將軍。擊秦軍於宜安。大破秦軍。走秦將桓齮。封李牧爲武安君。居三年。秦攻番吾。李牧擊破秦軍。南距韓魏。趙王遷七年。秦使王翦攻趙。趙使李牧司馬尚禦之。秦多與趙王寵臣郭開、金。爲反間言。李牧司馬尚欲反。趙王乃使趙葱及齊將顏聚代李牧。李牧不受命。趙使人微捕得李牧。斬之。廢司馬尚。後三月。王翦因急擊趙大破。殺趙葱。虜趙王遷及其將顏聚。遂滅趙。

太史公曰。知死必勇。非死者難也。處死者難。方藺相如引璧睨柱。及叱秦王左右。勢不過誅。然士或怯懦而不敢發。相如一奮其氣。威信敵國。退而讓頗。名重太山。其處智勇。可謂兼之矣。

貨殖列傳

老子曰至治之極。鄰國相望。雞狗之聲相聞。民各甘其食。美其服。安其俗。樂其業。至老死不相往來。必用此爲務。輓近世塗民耳目。則幾無行矣。

大史公曰。夫神農以前。吾不知已。至若詩書所述虞夏以來。耳目欲極聲色之好。口欲窮芻豢之味。身安逸樂。而心誇矜勢能之榮。使俗之漸民久矣。雖戶說以眇論。終不能化。故善者因之。其次利道之。其次敎誨之。其次整齊之。最下者與之爭。夫山西饒材竹穀纑旄玉石。山東多魚鹽漆絲聲色。江南出枏梓薑桂金錫連丹沙犀瑇瑁珠璣齒革。龍門碣石北多馬牛羊旃裘筋角。銅鐵則千里往々山出棊置。此其大較也。皆中國人民所喜好。謠俗被服飮食。奉生送死之具也。故待農而食之。虞而出之。工而成之。商而通之。此寧有

政敎發徵期會哉。人各任其能。竭其力。以得所欲。故物賤之徵貴。貴之徵賤。各勸其業。樂其事。若水之趨下。日夜無休時。不召而自來。不求而民出之。豈非道之所符而自然之驗邪。周書曰。農不出則乏其食。工不出則乏其事。商不出則三寶絕。虞不出則財匱少。財匱少而山澤不辟矣。此四者民所衣食之原也。原大則饒。原少則鮮。上則富國。下則富家。貧富之道。莫之奪予。而巧者有餘。拙者不足。故太公望封於營丘。地潟鹵人民寡。於是太公勸其女功。極技巧。通魚鹽。則人物歸之。繦至而輻湊。故齊冠帶衣履天下。海岱之間。斂袂而往朝焉。其後齊中衰。管子修之。設輕重九府。則桓公以覇。九合諸侯。一匡天下。而管氏亦有三歸。位在陪臣。富於列國之君。是以齊富彊至於威宣也。故曰倉廩實而知禮節。衣食足而知榮辱。禮生於有而廢於無。故君子富好行其德。小人富以適其力。淵深而魚生之。山深而獸往之。人富而仁義附焉。富者得勢益彰。失勢則客無所之。以而不樂。夷狄益甚。諺曰千金之子。不死於市。此非空言也。故曰天下熙々。皆爲利來。天下壤々。皆爲利往。夫千乘之王。萬家之侯。百室之君。尚有患貧。而况匹夫編戶之民乎。

昔者越王勾踐困於會稽之上。乃用范蠡計然。計然曰。知鬬則修備、時用則知物。二者形則萬貨之情可得而觀已。故歲在金穰水毀、木饑、火旱。旱則資舟。水則資車。物之理也。六歲穰。六歲旱。十二歲一大饑。夫糶二十病農。九十病末。末病則財不出。農病則草不辟矣。上不過八十。下不減三十。則農末俱利。平糶齊物。關市不乏。治國之道也。積着之理。務完物。無息幣。以物相貿易。腐敗而食之貨勿留。無敢居貴。論其有餘不足。則知貴賤。貴上極則反賤。賤下極則反貴。貴出如糞土。賤取如珠玉。財幣欲其行如流水。修之十年。國富厚賂戰士。士赴矢石。如渴得飮。遂報彊吳。觀兵中國。稱號五覇。范蠡既雪會稽之耻。乃喟然而歎曰。計然之策七。越用其五。而得意。既已施於國。吾欲用之家。乃乘扁舟浮於江湖。變名易姓。適齊爲鴟夷子皮。之陶爲朱公。朱公以

爲陶天下之中。諸侯四通。貨物所交易也。乃治産積居。與時逐。而不責於人。故善治生者。能擇人而任時。十九年之中。三致千金。再分散與貧交疏昆弟。此所謂富好行其德者也。後年衰老而聽子孫。子孫脩業而息之。遂至巨萬。故言富者。皆稱陶朱公。

子貢既學於仲尼。退而仕於衛。廢著鬻財於曹魯之間。七十子徒。賜最爲饒益。原憲不厭糟糠。匿於窮巷。子貢結駟連騎。束帛之幣。以聘享諸侯。所至國君無不分庭與之抗禮。夫使孔子名布揚於天下者。子貢先後之也。此所謂得勢而益彰者乎。

白圭周人也。當魏文侯時。李克務盡地力。而白圭樂觀時變。故人棄我取。人取我與。夫歲孰取穀。予之絲漆。繭出取帛絮。與之食。太陰在卯穰。明歲衰惡。至午旱。明歲美。至酉穰。明歲衰惡。至子天旱。明歲美。有水至卯。積著率歲倍。欲長錢。取下穀。長石斗。取上種。能薄飲食。忍嗜欲。節衣服。與用事僮僕同苦

樂。趨時若猛獸摯鳥之發。故曰。吾治生産。猶伊尹呂尚之謀。孫吳用兵。商鞅行法是也。是故其智不足與權變。勇不足以決斷。仁不能以取予。彊不能有所守。雖欲學吾術。終不告之矣。蓋天下言治生祖白圭。白圭其有所試矣。能試有所長。非苟而已也。

猗頓用盬鹽起。而邯鄲郭縱以鐵冶成業。與王者埒富。烏氏倮畜牧。及衆斥賣。求奇繒物。間獻遺戎王。戎王什倍其償。與之畜。畜至用谷量馬牛。秦始皇帝令倮比封君。以時與列臣朝請。而巴蜀寡婦清。其先得丹穴。而擅其利數世。家亦不訾。清寡婦也。能守其業。用財自衛。不見侵犯。秦皇帝以爲貞婦而客之。爲築女懷清臺。夫倮鄙人牧長。清窮鄉寡婦。禮抗萬乘。名顯天下。豈非以富邪。漢興海内爲一。開關梁。弛山澤之禁。是以富商大賈周流天下。交易之物莫不通。得其所欲。而徙豪傑諸侯彊族於京師。關中自汧雍以東至河華。膏壤沃野千里。自虞夏之貢。以爲上田。而公劉適邠。太王王季在岐。文王作豐。武王治鎬。故其民猶有先王之遺風。好稼穡。殖五穀。地重。重爲邪。及秦文孝繆居雍隙。隴蜀之貨物而多賈。獻孝公徙櫟邑。櫟邑北卻戎翟。東通三晉。亦多大賈。武昭治咸陽。因以漢都。長安諸陵。四方輻湊。并至而會。地小人衆。故其民益玩巧而事末也。南則巴蜀。巴蜀亦沃野。地饒巵薑丹沙石銅鐵竹木之器。南御滇僰。僰僮。西近邛笮。笮馬旄牛。然四塞。棧道千里。無所不通。唯褒斜綰轂其口。以所多易所鮮。天水隴西北地上郡。與關中同俗。然西有羌中之利。北有戎翟之畜。畜牧爲天下饒。然地亦窮險。唯京師要其道。故關中之地。於天下三分之一。而人衆不過什三。然量其富。什居其六。昔唐人都河東。殷人都河内。周人都河南。夫三河在天下之中。若鼎足。王者所更居也。建國各數百千歲。土地小狹。民人衆。都國諸侯所聚會。故其俗纖儉習事。楊平陽陳。西賈秦翟。北賈種代。種代石北也。地邊胡。數被寇。人民矜懻忮。好氣。任俠爲姦。不事農商。然迫近北夷。師旅亟往。中國委輸時有奇羨。其民羯羠

不均。自全晉之時。固已患其慓悍。而武靈王益厲之。其謠俗猶有趙之風也。故楊平陽陳椽其間。得所欲。温軹西賈上黨。北賈趙中山。中山地薄人衆。猶有沙丘紂淫地餘民。民俗懁急。仰機利而食。丈夫相聚游戲。悲歌忼慨。起則相隨椎剽。休則掘冢作巧姦冶。多美物。爲倡優。女子則鼓鳴瑟。跕屣。游媚貴富。入後宮。徧諸侯。然邯鄲亦漳河之間一都會也。北通燕涿。南有鄭衛。鄭衛俗與趙相類。然近梁魯。微重而矜節。濮上之邑徙野王。野王好氣任俠。衛之風也。夫燕亦勃碣之間一都會也。南通齊趙。東北邊胡。上谷至遼東。地踔遠。人民希。數被寇。大與趙代俗相類。而民雕捍少慮。有魚鹽棗栗之饒。北鄰烏桓夫餘。東綰穢貉朝鮮眞番之利。

洛陽東賈齊魯。南賈梁楚。故泰山之陽則魯。其陰則齊。齊帶山海。膏壤千里。宜桑麻。人民多文綵布帛魚鹽。臨菑亦海岱之間一都會也。其俗寬緩闊達而足智。好議論。地重難動搖。怯於衆鬭。勇於持刺。故多劫人者。大國之風也。

其中具五民。而鄒魯濱洙泗。猶有周公遺風。俗好儒備於禮。故其民齪々。頗有桑麻之業。無林澤之饒。地小人衆。儉嗇畏罪遠邪。及衰好賈趨利。甚於周人。夫自鴻溝以東。芒碭以北。屬巨野。此梁宋也。陶睢陽亦一都也。昔堯作游成陽。舜漁於雷澤。湯止于亳。其俗猶有先王遺風。重厚多君子。好稼穡。雖無山川之饒。能惡衣食。致其蓄藏。越楚則有三俗。夫自淮北沛、陳、汝南、南郡。此西楚也。其俗剽輕易發怒。地薄寡於積聚。江陵故郢都。西通巫巴。東有雲夢之饒。陳在楚夏之交。通魚鹽之貨。其民多賈。徐僮取慮。則淸刻矜已諾。彭城以東。東海、吳、廣陵。此東楚也。其俗類徐僮。朐繒以北。俗則齊。浙江南則越。夫吳自闔廬春申王濞三人。招致天下之喜游子弟。東有海鹽之饒。章山之銅。三江五湖之利。亦江東一都會也。衡山、九江、江南、豫章、長沙。是南楚也。其俗大類西楚。郢之後徙壽春。亦一都會也。而合肥受南北潮。皮革鮑木輸會也。與閩中于越雜俗。故南楚好辭巧說少信。江南卑溼。丈夫早夭。多竹木。豫章出黃金。長沙出連錫。然菫々物之所有。取之不足以更費。九疑蒼梧以南。至儋耳者。與江南大同俗。而楊越多焉。番禺亦其一都會也。珠璣犀瑇瑁果布之湊。

潁川南陽。夏人之居也。夏人政尚忠朴。猶有先生之遺風。潁川敦愿。秦末世遷不軌之民於南陽。南陽西通武關鄖關。東南受漢江淮。宛亦一都會也。俗雜好事。業多賈。其任俠交通潁川。故至今謂之夏人。夫天下物所鮮所多。人民謠俗。山東食海鹽。山西食鹽鹵。嶺南沙北固往々出鹽。大體如此矣。總之楚越之地。地廣人希。飯稻羹魚。或火耕而水耨。果隋蠃蛤。不待賈而足。地勢饒食。無饑饉之患。以故呰窳偸生。無積聚而多貧。是故江淮以南。無凍餓之人。無千金之家。沂泗水以北。宜五穀桑麻六畜。地小人衆。數被水旱之害。民好畜藏。故秦夏梁魯。好農而重民。三河宛陳亦然。加以商賈。齊趙設智巧。仰機利。燕代田畜而事蠶。由此觀之。賢人深謀於廊廟。論議朝廷。守信死節。隱居巖穴之士。設爲名高者。安歸乎。歸於富厚也。是以廉吏久久更富。廉賈歸富。富者人之情性。所不學而俱欲者也。故壯士在軍。攻城先登。陷陣郤敵。斬將搴旗。前蒙矢石。不避湯火之難者。爲重賞使也。其在閭巷少年。攻剽椎埋。劫人作姦。掘冢鑄幣。任俠幷兼。借交報仇。篡逐幽隱。不避法禁。走死地如鶩。其實皆爲財用耳。今夫趙女鄭姬。設形容。揳鳴琴。揄長袂。躡利屣。目挑心招。出不遠千里。不擇老少者。奔富厚也。游閑公子。飾冠劍。連車騎。亦爲富貴容也。弋射漁獵。犯晨夜。冒霜雪。馳阬谷。不避猛獸之害。爲得味也。博戲馳逐。鬭雞走狗。作色相矜。必爭勝者。重失負也。醫方諸食技術之人。焦神極能。爲重糈也。吏士舞文弄法。刻章僞書。不避刀鋸之誅者。沒於賂遺也。農工商賈畜長。固求富益貨也。此有知盡能索耳。終不餘力而讓財矣。諺曰。百里不販樵。千里不販糴。居之一歲。種之以穀。十歲。樹之以木。百歲。來之以德。德者人物之謂也。今有無秩祿之奉。爵邑之入。而樂與之比者。命曰素封。封者食租稅。歲率戶二百。千戶之君。則二十萬。朝覲聘享出其中。庶民農工商賈。率歲萬息二千。戶百萬之家。則二十萬。而更徭租賦出其中。衣食之欲。恣所好美矣。故曰。陸地牧馬二百蹄。牛蹄角千。千足羊。澤中千足彘。水居千石魚陂。山居千章之材。安邑千樹棗。燕秦千樹栗。蜀漢江陵千樹橘。淮北常山已南、河濟之間千樹萩。陳夏千畝漆。齊魯千畝桑麻。渭川千畝竹。及名國萬家之城。帶郭千畝。畝鍾之田。若千畝卮茜。千畦薑韭。此其人皆與千戶侯等。然是富給之資也。不窺市井。不行異邑。坐而待收。身有處士之義。而取給焉。若至家貧親老妻子軟弱。歲時無以祭祀。進醵飮食。被服不足以自通。如此不慙耻。則無所比矣。是以無財作力。少有鬭智。既饒爭時。此其大經也。今治生不待危身取給。則賢人勉焉。是故本富爲上。末富次之。姦富最下。無巖處奇士之行。而長貧賤。好語仁義。亦足羞也。

第七　滑稽列傳

孔子曰、六藝於治一也。禮以節人、樂以發和、書以道事、詩以達意、易以神化、春秋以道義。太史公曰、天道恢々、豈不大哉。談言微中、亦可以解紛。

淳于髡者、齊之贅壻也。長不滿七尺、滑稽多辯、數使諸侯、未嘗屈辱。齊威王之時、喜隱、好爲淫樂長夜之飲、沈湎不治、委政卿大夫、百官荒亂、諸侯並侵、國且危亡、在旦暮。左右莫敢諫。淳于髡說之以隱曰、國中有大鳥、止王之庭、三年不蜚又不鳴。王知此鳥何也。王曰、此鳥不飛則已、一飛沖天、不鳴則已、一鳴驚人。於是乃朝諸縣令長七十二人、賞一人、誅一人、奮兵而出。諸侯振驚、皆還齊侵地。威行三十六年。語在田完世家中。威王八年、楚大發兵加齊。齊王使淳于髡之趙請救兵、齎金百斤、車馬十駟。淳于髡仰天大笑、冠纓索絕。王曰、先生少之乎。髡曰、何敢。王曰、笑豈有說乎。髡曰、今者臣從東方來、見道傍有禳田者。操一豚蹄、酒一盂、而祝曰、甌窶滿篝、汙邪滿車、五穀蕃熟、穰々滿家。臣見其所持者狹、而所欲者奢。故笑之。於是齊威王乃益齎黃金千

鎰、白璧十雙、車馬百駟。髡辭而行、至趙。趙王與之精兵十萬、革車千乘。楚聞之、夜引兵而去。威王大說、置酒後宮、召髡賜之酒。問曰、先生能飲幾何而醉。對曰、臣飲一斗亦醉、一石亦醉。威王曰、先生飲一斗而醉、惡能飲一石哉。其說可得聞乎。髡曰、賜酒大王之前、執法在傍、御史在後、髡恐懼俯伏而飲、不過一斗、徑醉矣。若親有嚴客、髡帣韝鞠𦜕、侍酒於前、時賜餘瀝、奉觴上壽、數起、飲不過二斗、徑醉矣。若明友交遊、久不相見、卒然相覩、歡然道故、私情相語、飲可五六斗、徑醉矣。若乃州閭之會、男女雜坐、行酒稽留、六博投壺、相引爲曹、握手無罰、目眙不禁、前有墮珥、後有遺簪、髡竊樂此、飲可八斗而醉二參。日暮酒闌、合尊促坐、男女同席、履舃交錯、杯盤狼藉、堂上燭滅、主人留髡而送客、羅襦襟解、微聞薌澤、當此之時、髡心最歡、能飲一石。故曰、酒極則亂、樂極則悲、萬事盡然。言不可極、極之而衰。以諷諫焉。齊王曰、善。乃罷長夜之飲、以髡爲諸侯主客。宗室置酒、髡嘗在側。其後百餘年、楚有優孟。

優孟者、故楚之樂人也。長八尺、多辯、常以談笑諷諫。楚莊王之時、有所愛馬、衣以文繡、置之華屋下、席以露牀、啗以棗脯。馬病肥死。使群臣喪之、欲以棺槨大夫禮葬之。左右爭之、以爲不可。王下令曰、有敢以馬諫者、罪至死。優孟聞之、入殿門、仰天大哭。王驚而問其故。優孟曰、馬者王之所愛也。以楚國堂々之大、何求不得、而以大夫禮葬之薄。請以人君禮葬之。王曰、何如。對曰、臣請以彫玉爲棺、文梓爲槨、楩楓豫章爲題湊、發甲卒爲穿壙、老弱負土、齊趙陪位於前、韓魏翼衞其後、廟食太牢、奉以萬戶之邑。諸侯聞之、皆知大王賤人而貴馬也。王曰、寡人之過一至此乎。爲之奈何。優孟曰、請爲大王六畜葬之。以壠竈爲槨、銅歷爲棺、齎以薑棗、薦以木蘭、祭以糧稻、衣以火光、葬之於人腹腸。於是王乃使以馬屬太官、無令天下久聞也。楚相孫叔敖知其賢人也、善待之。病且死、屬其子曰、我死、汝必貧困。若往見優孟、言我孫叔敖之子也。居數年、其子窮困負薪、逢優孟、與言曰、我孫叔敖之子也。父且死時、屬我

貧困往見優孟。優孟曰、若無遠有所之。即爲孫叔敖衣冠、抵掌談語。歲餘、像孫叔敖、楚王及左右不能別也。莊王置酒、優孟前爲壽。莊王大驚、以爲孫叔敖復生也、欲以爲相。優孟曰、請歸與婦計之、三日而爲相。莊王許之。三日後、優孟復來。王曰、婦言謂何。孟曰、婦言愼無爲。楚相不足爲也。如孫叔敖之爲楚相、盡忠爲廉以治楚、楚王得以霸。今死、其子無立錐之地、貧困負薪以自飲食。必如孫叔敖、不如自殺。因歌曰、山居耕田苦、難以得食。起而爲吏、身貪鄙者餘財、不顧恥辱、身死家室富。又恐受賕枉法、爲姦觸大罪、身死而家滅。貪吏安可爲也。念爲廉吏、奉法守職、竟死不敢爲非。廉吏安可爲也。楚相孫叔敖持廉至死、方今妻子窮困負薪而食、不足爲也。於是莊王謝優孟、乃召孫叔敖子、封之寢丘四百戶、以奉其祀。後十世不絕。此知可以言時矣。其後二百餘年、秦有優旃。

優旃者、秦倡侏儒也。善爲笑言、然合於大道。秦始皇時、置酒而天雨、陛楯者

皆沾寒。優旃見而哀之。謂之曰。汝欲休乎。陛楯者皆曰。幸甚。優旃曰。我即呼汝。汝疾應曰諾。居有頃。殿上上壽呼萬歲。優旃臨檻大呼曰。陛楯郎。郎曰。諾。優旃曰。汝雖長。何益。幸雨立。我雖短也。幸休居。於是始皇使陛楯者得半相代。始皇嘗議欲大苑囿。東至函谷關。西至雍陳倉。優旃曰。善。多縱禽獸於其中。寇從東方來。令麋鹿觸之足矣。始皇以故輟止。二世立。又欲漆其城。優旃曰。善。主上雖無言。臣固將請之。漆城雖於百姓愁費。然佳哉。漆城蕩蕩。寇來不能上。即欲就之。易爲漆耳。顧難爲蔭室。於是二世笑之。以其故止。居無何。二世殺死。優旃歸漢。數年而卒。

太史公曰。淳于髡仰天大笑。齊威王橫行。優孟搖頭而歌。負薪者以封。優旃臨檻疾呼。陛楯得以半更。豈不亦偉哉。

中等漢文卷之三中終

中等漢文卷之三下

第一　齊太公世家　司馬遷

山本廉編

太公望呂尙者。東海上人。其先祖嘗爲四嶽。佐禹平水土。甚有功。虞夏之際封於呂。或封於申。姓姜氏。夏商之時。申呂或封枝庶。子孫或爲庶人。尙其後苗裔也。本姓姜氏。從其封姓。故曰呂尙。呂尙蓋嘗窮困年老矣。以漁釣奸周西伯。西伯將出獵。卜之。曰所獲非龍非彲。非虎非羆。所獲霸王之輔。於是周西伯獵。果遇太公於渭之陽。與語大說曰。自吾先君太公曰。當有聖人適周。周以興。子眞是邪。吾太公望子久矣。故號之曰太公望。載與俱歸。立爲師。或曰。太公博聞。嘗事紂。紂無道去之。游說諸侯。無所遇。而卒西歸周西伯。或曰呂尙處士。隱海濱。周西伯拘羑里。散宜生閎夭素知而招呂尙。呂尙亦曰。吾聞西伯賢。又善養老。盍往焉。三人者爲西伯求美女奇物。獻之於紂。以贖西伯。西伯得以出反國。言呂尙所以事周雖異。然要之爲文武師。周西伯昌之脫羑里歸。與呂尙陰謀修德。以傾商政。其事多兵權與奇計。故後世之言兵及周之陰權。皆宗太公爲本謀。周西伯政平。及斷虞芮之訟。而詩人稱西伯受命曰文王。伐崇密須犬夷。大作豐邑。天下三分。其二歸周者。太公之謀計居多。文王崩。武王即位。九年。欲修文王業。東伐以觀諸侯集否。師行。師尙父左杖黃鉞。右把白旄以誓曰。蒼兕蒼兕。總爾衆庶。與爾舟楫。後至者斬。遂至盟津。諸侯不期而會者八百諸侯。諸侯皆曰。紂可伐也。武王曰。未可。還師。與太公作此太誓。居二年。紂殺王子比干。囚箕子。武王將伐紂。卜龜兆不吉。風雨暴至。羣公盡懼。唯太公彊之。勸武王。武王於是遂行。十一年正月甲子。誓於牧野。伐商紂。紂師敗績。紂反走登鹿臺。遂追斬紂。明日武王立于社。羣公奉明水。衞康叔封布采席。師尙父牽牲。史佚策祝。以告神。討紂之罪。散鹿臺之錢。發鉅橋之粟。以振貧民。封比干墓。釋箕子囚。遷九鼎。修周政。與天下更

始。師尙父謀居多。於是武王已平商而王天下。封師尙父於齊營丘。東就國。道宿行遲。逆旅之人曰。吾聞時難得而易失。客寢甚安。殆非就國者也。太公聞之夜衣而行。犂明至國。萊侯來伐。與之爭營丘。營丘邊萊。萊人夷也。會紂之亂。而周初定。未能集遠方。是以與太公爭國。太公至國脩政。因其俗簡其禮。通商工之業。便魚鹽之利。而人民多歸齊。齊爲大國。及周成王少時。管蔡作亂。淮夷畔周。乃使召康公命太公曰。東至海。西至河。南至穆陵。北至無棣五侯九伯。實得征之。齊由此得征伐。爲大國。都營丘。蓋太公之卒百有餘年。子丁公呂伋立。丁公卒。子乙公得立。乙公卒。子癸公慈母立。癸公卒。子哀公不辰立。哀公時。紀侯譖之周。周烹哀公。而立其弟靜。是爲胡公。胡公徙都薄姑。而當周夷王之時。哀公之同母少弟山怨胡公。乃與其黨率營丘人襲攻殺胡公而自立。是爲獻公。獻公元年盡逐胡公子。因徙薄姑都治臨菑。九年獻公卒。子武公壽立。武公九年周厲王出奔居彘。十年王室亂。大臣行政號

曰共和。二十四年周宣王初立。二十六年武公卒。子厲公無忌立。厲公暴虐。故胡公子復入齊。齊人欲立之。乃與攻殺厲公。胡公子亦戰死。齊人乃立厲公子赤爲君。是爲文公。而誅殺厲公者七十人。文公十二年卒。子成公脫立。成公九年卒。子莊公購立。莊公二十四年犬戎殺幽王。周東徙雒。秦始列爲諸侯。五十六年晉弑其君昭侯。六十四年莊公卒。子釐公祿甫立。釐公九年魯隱公初立。十九年魯桓公弑其兄隱公而自立爲君。二十五年。北戎伐齊。鄭使太子忽來救齊。齊欲妻之。忽曰。鄭小齊大。非我敵。遂辭之。三十二年。釐公同母弟夷仲年死。其子曰公孫無知。釐公愛之。令其秩服奉養比太子。三十三年。釐公卒。太子諸兒立。是爲襄公。襄公元年。始爲太子時。嘗與無知鬭。及立絀無知秩服。無知怨。四年。魯桓公與夫人如齊。齊襄公故嘗私通魯夫人。魯夫人者襄公女弟也。自釐公時嫁爲魯桓公婦。及桓公來。而襄公復通焉。魯桓公知之怒夫人。夫人以告齊襄公。齊襄公與魯君飲醉之。使力士彭生抱上魯君車。因拉殺魯桓公。桓公下車則死矣。魯人以爲讓。而齊襄公殺彭生以謝魯。八年伐紀。紀遷去其邑。十二年。初襄公使連稱管至父戍葵丘。瓜時而往。及瓜而代。往戍一歲。卒瓜時。而公弗爲發代。或爲請代。公弗許。故此二人怒。因公孫無知謀作亂。連稱有從妹在公宮無寵。使之間襄公曰。事成以女爲無知夫人。冬十二月。襄公游姑棼。遂獵沛丘。見彘。從者曰彭生。公怒射之。彘人立而啼。公懼墜車傷足。失屨。反而鞭主屨者茀三百。茀出宮。而無知連稱管至父等聞公傷。乃遂率其衆襲宮。逢主屨茀。茀曰。且無入驚宮。驚宮未易入也。無知弗信。茀示之創。乃信之。待宮外。令茀先入。茀先入。即匿襄公戶間。良久。無知等恐。遂入宮。茀反與宮中及公之幸臣。攻無知等。不勝皆死。無知入宮求公不得。或見人足於戶間。發視乃襄公。遂弑之。而無知自立爲齊君。桓公元年春。齊君無知游於雍林。雍林人嘗有怨無知。及其往游。雍林人襲殺無知。告齊大夫曰。無知弑襄公自立。臣謹行誅。唯大夫更立公子

之當立者。唯命是聽。初襄公之醉殺魯桓公。通其夫人。殺誅數不當。淫於婦人。數欺大臣。羣弟恐禍及。故次弟糾奔魯。其母魯女也。管仲召忽傅之。次弟小白奔莒。鮑叔傅之。小白母衛女也。有寵於釐公。小白自少好善大夫高傒。及雍林人殺無知。議立君。高國先陰召小白於莒。魯聞無知死。亦發兵送公子糾。而使管仲別將兵遮莒道。射中小白帶鉤。小白佯死。管仲使人馳報魯。魯送糾者行益遲。六日至齊。則小白已入。高傒立之。是爲桓公。桓公之中鉤。佯死以誤管仲。已而載温車中馳行。亦有高國內應。故得先入立。發兵距魯。秋與魯戰于乾時。魯兵敗走。齊兵掩絶魯歸道。齊遺魯書曰。子糾兄弟。弗忍誅。請魯自殺之。召忽管仲讎也。請得而甘心醢之。不然將圍魯。魯人患之。遂殺子糾于笙瀆。召忽自殺。管仲請囚。桓公之立。發兵攻魯。心欲殺管仲。鮑叔牙曰。臣幸得從君。君竟以立。君之尊。臣無以增君。君將治齊。即高傒與叔牙足也。君且欲霸王。非管夷吾不可。夷吾所居國。國重。不可失也。於是桓公從

之。乃佯爲召管仲欲甘心。實欲用之。管仲知之。故請往。鮑叔牙迎受管仲及堂阜而脫桎梏。齋祓而見桓公。桓公厚禮以爲大夫。任政。桓公既得管仲與鮑叔。隰朋。高傒。修齊國政。連五家之兵。設輕重魚鹽之利。以贍貧窮。祿賢能。齊人皆說。二年伐滅郯。郯子奔莒。初桓公亡時過郯。郯無禮。故伐之。五年伐魯。魯將師敗。魯莊公請獻遂邑以平。桓公許。與魯會柯而盟。魯將盟。曹沬以匕首劫桓公於壇上曰。反魯之侵地。桓公許之。已而曹沬去匕首。北面就臣位。桓公後悔。欲無與魯地而殺曹沬。管仲曰。夫劫許之。而倍信殺之。愈一小快耳。而棄信於諸侯。失天下之援。不可。於是遂與曹沬三敗所亡地於魯。諸侯聞之皆信齊而欲附焉。七年諸侯會桓公於甄。而桓公於是始霸焉。十四年陳厲公子完號敬仲。來奔齊。齊桓公欲以爲卿。讓。於是以爲工正。田成子常之祖也。二十三年山戎伐燕。燕告急於齊。齊桓公救燕。遂伐山戎。至于孤竹而還。燕莊公遂送桓公入齊境。桓公曰。非天子。諸侯相送不出境。吾不可以無禮於燕。於是分溝割燕君所至與燕。命燕君復修召公之政。納貢于周如成康之時。諸侯聞之皆從齊。二十七年魯湣公母曰哀姜。桓公女弟也。哀姜淫於魯公子慶父。慶父弒湣公。哀姜欲立慶父。魯人更立釐公。桓公召哀姜殺之。二十八年衞文公有狄亂。告急於齊。齊率諸侯城楚丘。而立衞君。二十九年桓公與夫人蔡姬戲船中。蔡姬習水蕩公。公懼止之不止。出船怒。歸蔡姬弗絕。蔡亦怒嫁其女。桓公聞而怒。興師往伐。三十年春齊桓公率諸侯伐蔡。蔡潰。遂伐楚。楚成王興師問曰。何故涉吾地。管仲對曰。昔召康公命我先君太公曰。五侯九伯。若實征之。以夾輔周室。賜我先君履。東至海。西至河。南至穆陵。北至無棣。楚貢包茅不入。王祭不具。是以來責。昭王南征不復。是以來問。楚王曰。貢之不入。有之。寡人罪也。敢不共乎。昭王之出不復。君其問之水濱。齊師進次于陘。夏楚王使屈完將兵扞齊。齊師退次召陵。桓公矜屈完以其衆。屈完曰。君以道則可。若不則楚方城以爲城。江漢以爲溝。君安能進乎。

乃與屈完盟而去。過陳。陳袁濤塗詐齊令出東方。覺。秋齊伐陳。是歲晉殺太子申生。三十五年夏會諸侯于葵丘。周襄王使宰孔賜桓公文武胙・彤弓矢・大路。命無拜。桓公欲許之。管仲曰。不可。乃下拜受賜。秋復會諸侯於葵丘。益有驕色。周使宰孔會。諸侯頗有叛者。晉侯病後。遇宰孔。宰孔曰。齊侯驕矣。第無行。從之。是歲晉獻公卒。里克殺奚齊卓子。秦穆公以夫人入公子夷吾爲晉君。桓公於是討晉亂。至高梁。使隰朋立晉君還。是時周室微。唯齊楚秦晉爲彊。晉初與會。獻公死。國內亂。秦穆公辟遠。不與中國會盟。楚成王初收荊蠻有之。夷狄自置。唯獨齊爲中國會盟。而桓公能宣其德。故諸侯賓會。於是桓公稱曰。寡人南伐至召陵望熊山。北伐山戎離枝孤竹。西伐大夏涉流沙。束馬懸車登太行。至卑耳山而還。諸侯莫違寡人。寡人兵車之會三。乘車之會六。九合諸侯。一匡天下。昔三代受命。有何以異於此乎。吾欲封泰山禪梁父。管仲固諫。不聽。乃說桓公以遠方珍怪物至。乃得封。桓公乃止。三十八年周襄王弟帶。與戎翟合謀伐周。齊使管仲平戎於周。周欲以上卿禮管仲。管仲頓首曰。臣倍臣。安敢。三讓乃受下卿禮以見。三十九年周襄王弟帶。來奔齊。齊使仲孫請王爲帶謝。襄王怒弗聽。四十一年秦穆公虜晉惠公。復歸之。是歲管仲隰朋皆卒。管仲病。桓公問曰。群臣誰可相者。管仲曰。知臣莫如君。公曰。易牙如何。對曰。殺子以適君。非人情。不可。公曰。開方如何。對曰。倍親以適君。非人情。難近。公曰。豎刀如何。對曰。自宮以適君。非人情。難親。管仲死而桓公不用管仲言。卒近用三子。三子專權。四十二年戎伐周。周告急於齊。齊令諸侯各發卒戍周。是歲晉公子重耳來。桓公妻之。四十三年初齊桓公之夫人三。曰王姬徐姬蔡姬。皆無子。桓公好內。多內寵。如夫人者六人。長衞姬生無詭。少衞姬生惠公元。鄭姬生孝公昭。葛嬴生昭公潘。密姬生懿公商人。宋華子生公子雍。桓公與管仲屬孝公於宋襄公。以爲太子。雍巫有寵於衞共姬。因宦者豎刀以厚獻於桓公。亦有寵。桓公許之立無詭。管仲卒。五公子

皆求立。冬十月乙亥齊桓公卒。易牙入、與豎刁因內寵殺群吏、而立公子無
詭為君。太子昭奔宋。桓公病、五公子各樹黨爭立。及桓公卒、遂相攻。以故宮
中空莫敢棺。桓公尸在牀上六十七日、尸蟲出于戶。十二月乙亥無詭立、乃
棺赴。辛巳夜斂殯。桓公十有餘子、要其後立者五人。無詭立三月死、無諡。次
孝公。次昭公。次懿公。次惠公。孝公元年三月、宋襄公率諸侯兵送齊太子昭
而伐齊。齊人恐、殺其君無詭。齊人將立太子昭。四公子之徒攻太子。太子走
宋。宋遂與齊人四公子戰。五月宋敗齊四公子師、而立太子昭。是為齊孝公。
宋以桓公與管仲屬之太子。故來征之。以亂故、八月乃葬齊桓公。六年春齊
伐宋。以其不同盟于齊也。夏宋襄公卒。七年晉文公立。十年孝公卒。孝公弟
潘、因衛公子開方殺孝公子而立潘。是為昭公。昭公桓公子也。其母曰葛嬴。
昭公元年、晉文公敗楚於城濮、而會諸侯踐土。朝周。天子使晉稱伯。六年翟
侵齊。晉文公卒。秦兵敗於殽。十二年秦穆公卒。十九年五月昭公卒。子舍立。
為齊君。舍之母無寵於昭公。國人莫畏。昭公之弟商人、以桓公死爭立而不
得。陰交賢士、附愛百姓。百姓說。及昭公卒、子舍立。孤弱。即與衆十月即墓上
弒齊君舍、而商人自立。是為懿公。懿公桓公子也。其母曰密姬。懿公四年春、
初懿公為公子時、與丙戎之父獵。爭獲不勝。及即位、斷丙戎父足、而使丙戎
僕。庸職之妻好。公內之宮、使庸職驂乘。五月懿公游於申池。二人浴戲。職曰。
斷足子。戎曰奪妻者。二人俱病此言、乃怨。謀與公游竹中、二人弒懿公車上、
棄竹中而亡去。懿公之立驕。民不附。齊人廢其子、而迎公子元於衛、立之。是
為惠公。惠公桓公子也。其母衛女。曰少衛姬。避齊亂故在衛。惠公二年、長翟
來。王子城父攻殺之、埋之於北門。晉趙穿弒其君靈公。十年惠公卒。子頃公
無野立。初崔杼有寵於惠公。惠公卒。高國畏其偪也、逐之。崔杼奔衛。頃公元
年、楚莊王彊伐陳。二年圍鄭。鄭伯降。已復國鄭伯。六年春、晉使郤克於齊。齊
使夫人帷中而觀之。郤克上。夫人笑之。郤克曰、不是報、不復涉河。歸請伐齊。

晉侯弗許。齊使至晉。郤克執齊使者四人河內、殺之。八年晉伐齊。齊以公子
彊質晉。晉兵去。十年春、齊伐魯衛。魯衛大夫如晉請師。皆因郤克。晉使郤克
以車八百乘為中軍將。士燮將上軍。欒書將下軍。以救魯衛伐齊。六月壬申
與齊侯兵合靡笄下。癸酉陳于鞌。逢丑父為齊頃公右。頃公曰、馳之。破晉軍
會食。射傷郤克。流血至履。郤克欲還入壁。其御曰、我始入再傷。不敢言疾。恐
懼士卒。願子忍之。遂復戰。戰齊急。丑父恐齊侯得、乃易處。頃公為右。車絓於
木而止。晉小將韓厥伏齊侯車前曰、寡君使臣救魯衛。戲之。丑父使頃公下
取飲。因得亡脫去、入其軍。晉郤克欲殺丑父。丑父曰、代君死而見僇、後人臣
無忠其君者矣。克舍之。丑父遂得亡歸齊。於是晉軍追齊至馬陵。齊侯請以
寶器謝。不聽。必得笑克者蕭桐叔子、令齊東畝。對曰、叔子齊君母。齊君母亦
猶晉君母。子安置之。且子以義伐、而以暴為後。其可乎。於是乃許、令反魯衛
之侵地。十一年晉初置六卿、賞鞌之功。齊頃公朝晉、欲尊王晉景公。晉景公
不敢受。乃歸。歸而頃公弛苑囿、薄賦斂、振孤問疾、虛積聚以救民。民亦大說。
厚禮諸侯。竟頃公卒、百姓附、諸侯不犯。十七年頃公卒。子靈公環立。靈公九
年、晉欒書弒其君厲公。十年、晉悼公伐齊。齊令公子光質晉。十九年、立子光
為太子。高厚傅之。令會諸侯盟於鍾離。二十七年、晉使中行獻子伐齊。齊師
敗。靈公走入臨菑。晏嬰止靈公。靈公弗從。曰、君亦無勇矣。晉兵遂圍臨菑。臨
菑城守不敢出。晉焚郭中而去。二十八年、初靈公取魯女、生子光、以為太子。
仲姬戎姬。戎姬嬖。仲姬生子牙。屬之戎姬。戎姬請以為太子。公許之。仲姬曰、
不可。光之立、列於諸侯矣。今無故廢之、君必悔之。公曰、在我耳。遂東太子光。
使高厚傅牙為太子。靈公疾。崔杼迎故太子光而立之。是為莊公。莊公殺戎
姬。五月壬辰、靈公卒。莊公即位。執太子牙於句竇之丘、殺之。八月、崔杼殺高
厚。晉聞齊亂、伐齊至高唐。莊公三年、晉大夫欒盈奔齊。莊公厚客待之。晏嬰
田文子諫。公弗聽。四年、齊莊公使欒盈間入晉曲沃為內應、以兵隨之。上太

行。入孟門。欒盈敗、齊兵還取朝歌。六年、初棠公妻好、棠公死、崔杼取之。莊公通之、數如崔氏。以崔杼之冠賜人。侍者曰不可。崔杼怒。因其伐晉、欲與晉合謀襲齊、而不得間。莊公嘗笞宦者賈擧、賈擧復侍。爲崔杼閒公以報怨。五月、莒子朝齊。齊以甲戌饗之。崔杼稱病不視事。乙亥公問崔杼病。遂從崔杼妻。崔杼妻入室。與崔杼自閉戸不出。公擁柱而歌。宦者賈擧遮公從官、而入閉門。崔杼之徒持兵從中起。公登臺而請解。不許。請盟不許。請自殺於廟。不許。皆曰、君之臣杼疾病、不能聽命。近於公宮。陪臣爭趣有淫者。不知二命。公踰牆。射中公股。公反墜。遂弑之。晏嬰立崔杼門外曰、君爲社稷死則死之。爲社稷亡則亡之。若爲己死己亡、非其私暱、誰敢任之。門開而入。枕公尸而哭。三踊而出。人謂崔杼必殺之。崔杼曰、民之望也。舍之得民。丁丑、崔杼立莊公異母弟杵臼。是爲景公。景公母、魯叔孫宣伯女也。景公立、以崔杼爲右相、慶封爲左相。二相恐亂起。乃與國人盟曰、不與崔慶者死。晏子仰天曰、嬰所不獲。唯忠於君、利社稷者是從。不肯盟。慶封欲殺晏子。崔杼曰、忠臣也。舍之。齊太史書曰、崔杼弑莊公。崔杼殺之。其弟復書。崔杼復殺之。少弟復書。崔杼乃舍之。景公元年。初崔杼生子成及彊。其母死。取東郭女。生明。東郭女使其前夫子無咎與其弟偃相崔氏。成有罪。二相急治之。立明爲太子。成請老於崔杼。崔杼許之。二相弗聽。曰、崔、宗邑不可。成彊怒告慶封。慶封與崔杼有郤。欲其敗也。成彊殺無咎偃於崔杼家。家皆奔亡。崔杼怒。無人。使一宦者御。見慶封。慶封曰、請爲子誅之。使崔杼仇盧蒲嫳攻崔氏。殺成彊。盡滅崔氏。崔氏婦自殺。崔杼歸亦自殺。慶封爲相國專權。三年十月、慶封出獵。初慶封已殺崔杼益驕。嗜酒好獵。不聽政。令慶舍用政。已有內郤。田文子謂桓子曰、亂將作。田鮑高欒氏相與謀慶氏。慶舍發甲圍慶封宮。四家徒共擊破之。慶封還不得入。奔魯。齊人讓魯。封奔吳。吳與之朱方。聚其族而居之。富於在齊。其秋、齊人徙葬莊公。僇崔杼尸於市以說衆。九年、景公使晏嬰之晉。與叔向私語曰、齊

政卒歸田氏。田氏雖無大德、以公權私有德於民。民愛之。十二年、景公如晉見平公。欲與伐燕。十八年、公復和晉見昭公。二十六年、獵魯郊。因入魯。與晏嬰俱問魯禮。三十一年、魯昭公辟季氏難、奔齊。齊欲以千社封之。子家止昭公。昭公乃請齊伐魯、取鄆以居昭公。三十二年、彗星見。景公坐柏寢、嘆曰、堂堂誰有此乎。群臣皆泣。晏子笑。公怒。晏子曰、臣笑群臣諛甚。景公曰、彗星出東北。當齊分野。寡人以爲憂。晏子曰、君高臺深池、賦斂如弗得、刑罰恐弗勝。茀星將出。彗星何懼乎。公曰、可禳否。晏子曰、使神可祝而來、亦可禳而去也。百姓苦怨以萬數。而君令一人禳之。安能勝衆口乎。是時景公好治宮室、聚狗馬。奢侈。厚賦重刑。故晏子以此諫之。四十二年、吳王闔閭伐楚入郢。四十七年、魯陽虎攻其君。不勝。奔齊。請齊伐魯。鮑子諫景公。乃囚陽虎。陽虎得亡奔晉。四十八年、與魯定公好會夾谷。犂鉏曰、孔丘知禮而怯。請令萊人爲樂。因執魯君、可得志。景公害孔丘相魯。懼其霸。故從犂鉏之計。方會、進萊樂。孔子歷階上。使有司執萊人斬之。以禮讓景公。景公慙。乃歸魯侵地以謝而罷去。是歲晏嬰卒。五十五年、范中行反其君於晉。晉攻之急。來請粟。田乞欲爲亂、樹黨於逆臣。說景公曰、范中行數有德於齊。不可不救。乃使乞救而輸之粟。五十八年夏、景公夫人燕姫適子死。景公寵妾芮姫生子荼。荼少、其母賤無行。諸大夫恐其爲嗣。乃言願擇諸子長賢者爲太子。景公老、惡言嗣事。又愛荼母、欲立之。憚發之口。乃謂諸大夫曰、爲樂耳。國何患無君乎。秋、景公病。命國惠子、高昭子、立少子荼爲太子。逐群公子。遷之萊。景公卒。太子荼立。是爲晏孺子。冬、未葬。而群公子畏誅、皆出亡。荼諸異母兄公子壽、駒、黔奔衞。公子駔、陽生奔魯。萊人歌之曰、景公死乎弗與埋。三軍事乎弗與謀。師乎師乎。胡黨之乎。晏孺子元年春、田乞僞事高國者。每朝乞驂乘。言曰、子得君。大夫皆自危。欲謀作亂。又謂諸大夫曰、高昭子可畏。及未發先之。大夫從之。六月、田乞鮑牧乃與大夫以兵入公宮。攻高昭子。昭子聞之、與國惠子救公。公師

敗田乞之徒追之國惠子奔莒遂反殺高昭子晏圉奔魯八月齊秉意茲田乞敗二相乃使人之魯召公子陽生陽生至齊私匿田乞家十月戊子田乞請諸大夫曰常之母有魚菽之祭幸來會飲會飲田乞盛陽生橐中置坐中央發橐出陽生曰此乃齊君矣大夫皆伏謁將與大夫盟而立之鮑牧醉乞誣大夫曰吾與鮑牧謀共立陽生鮑牧怒曰子忘景公之命乎諸大夫相視欲悔陽生前頓首曰可則立之否則已鮑牧恐禍起乃復曰皆景公子也何爲不可乃與盟立陽生是爲悼公悼公入宮使人遷晏孺子於駘殺之幕下而逐孺子母芮子芮子故賤孺子少故無權國人輕之悼公元年齊伐魯取讙闡初陽生亡在魯季康子以其妹妻之及歸即位使迎之季姬與季魴侯通言其情魯弗敢與故齊伐魯竟迎季姬季姬嬖齊復歸魯侵地鮑子與悼公有郤不善四年吳魯伐齊南方鮑子弒悼公赴于吳吳王夫差哭於軍門外三日將從海入討齊齊人敗之吳師乃去晉趙鞅伐齊至賴而去齊人共立悼公子壬是爲簡公簡公四年春初簡公與父陽生俱在魯也闞止有寵焉及即位使爲政田成子憚之驟顧於朝御鞅言簡公曰田闞不可並也君其擇焉弗聽子我夕田逆殺人逢之遂捕以入田氏方睦使囚病而遺守囚者酒醉而殺守者得亡子我盟諸田於陳宗初田豹欲爲子我臣使公孫言豹豹有喪而止後卒以爲臣幸於子我子我謂曰吾盡逐田氏而立女可乎對曰我遠田氏矣且其違者不過數人何盡逐焉遂告田氏子行曰彼得君弗先必禍子子行舍於公宮夏五月壬申成子兄弟四乘如公子我在幄出迎之遂入閉門宦者禦之子行殺宦者公與婦人飲酒於檀臺成子遷諸寢公執戈將擊之太史子餘曰非不利也將除害也成子出舍于庫聞公猶怒將出曰何所無君子行拔劍曰需事之賊也誰非田宗所不殺子者有如田宗乃止子我歸屬徒攻闈與大門皆弗勝乃出田氏追之豐丘人執子我以告殺之郭關成子將殺大陸子方田逆請而免之以公命取車於道出雍門田豹與之車弗受曰逆爲余請豹與余車余有私焉事子我而有私於其讎何以見魯衛之士庚辰田常執簡公于徐州公曰余蚤從御鞅言不及此甲午田常弒簡公于徐州田常乃立簡公弟驁是爲平公平公即位田常相之奪齊之政割齊安平以東爲田氏封邑平公八年越滅吳二十五年卒子宣公積立宣公五十一年卒子康公貸立田會反廩丘康公二年韓魏趙始列爲諸侯十九年田常曾孫田和始爲諸侯遷康公海濱二十六年康公卒呂氏遂絕其祀田氏卒有齊國爲齊威王彊於天下

太史公曰吾適齊自泰山屬之琅邪北被于海膏壤二千里其民闊達多匿知其天性也以太公之聖建國本桓公之盛修善政以爲諸侯會盟稱伯不亦宜乎洋洋哉固大國之風也

第二 孔子世家

孔子生魯昌平鄉陬邑其先宋人也曰孔防叔防叔生伯夏伯夏生叔梁紇紇與顏氏女野合而生孔子禱於尼丘得孔子魯襄公二十二年而孔子生生而首上圩頂故因名曰丘云字仲尼姓孔氏丘生而叔梁紇死葬於防山防山在魯東由是孔子疑其父墓處母諱之也孔子爲兒嬉戲常陳俎豆設禮容孔子母死乃殯五父之衢蓋其愼也陬人輓父之母誨孔子父墓然後往合葬於防焉孔子要絰季氏饗士孔子與往陽虎絀曰季氏饗士非敢饗子也孔子由是退孔子年十七魯大夫孟釐子病且死誡其嗣懿子曰孔丘聖人之後滅於宋其祖弗父何始有宋而嗣讓厲公及正考父佐戴武宣公三命茲益恭故鼎銘云一命而僂再命而傴三命而俯循牆而走亦莫敢余侮饘於是粥於是以餬余口其恭如是吾聞聖人之後雖不當世必有達者今孔丘年少好禮其達者歟吾卽沒若必師之及釐子卒懿子與魯人南宮敬叔往學禮焉是歲季武子卒平子代立孔子貧且賤及長嘗爲季氏史料量平嘗爲司職吏而畜蕃息由是爲司空已而去魯斥乎齊逐乎宋衛困於

陳蔡之間。於是反魯。孔子長九尺有六寸。人皆謂之長人而異之。魯復善待。
由是反魯。魯南宮敬叔言魯君曰。請與孔子適周。魯君與之一乘車。兩馬。一
豎子。俱適周問禮。蓋見老子云。辭去。而老子送之曰。吾聞富貴者送人以財。
仁人者送人以言。吾不能富貴。竊仁人之號。送子以言。曰。聰明深察。而近於
死者。好議人者也。博辯廣大。危其身者。發人之惡者也。爲人子者。毋以有己。
爲人臣者。毋以有己。孔子自周反于魯。弟子稍益進焉。是時也晉平公淫。六
卿擅權。東伐諸侯。楚靈王兵彊。陵轢中國。齊大而近於魯。魯小弱。附於楚則
晉怒。附於晉則楚來伐。不備於齊。齊師侵魯。魯昭公之二十年。而孔子蓋年
三十矣。齊景公與晏嬰來適魯。景公問孔子曰。昔秦穆公國小處辟。其霸何
也。對曰。秦國雖小其志大。處雖辟行中正。身擧五羖。爵之大夫。起纍紲之中。
與語三日。授之以政。以此取之。雖王可也。其霸小矣。景公說。孔子年三十五。
而季平子與郈昭伯以鬭雞故。得罪魯昭公。昭公率師擊平子。平子與孟氏
叔孫氏三家共攻昭公。昭公師敗奔於齊。齊處昭公乾侯。其後頃之魯亂。孔
子適齊。爲高昭子家臣。欲以通乎景公。與齊太師語樂。聞韶音。學之。三月不
知肉味。齊人稱之。景公問政孔子。孔子曰。君君。臣臣。父父。子子。景公曰。善哉
信如君不君。臣不臣。父不父。子不子。雖有粟吾豈得而食諸。他日又復問政
於孔子。孔子曰政在節財。景公說。將欲以尼谿田封孔子。晏嬰進曰。夫儒者
滑稽而不可軌法。倨傲自順。不可以爲下。崇喪遂哀。破產厚葬。不可以爲俗。
游說乞貸。不可以爲國。自大賢之息。周室既衰。禮樂缺有間。今孔子盛容飾。
繁登降之禮。趨詳之節。累世不能殫其學。當年不能究其禮。君欲用之以移
齊俗。非所以先細民也。後景公敬見孔子。不問其禮。異日景公止孔子曰。奉
子以季氏。吾不能。以季孟之間待之。齊大夫欲害孔子。孔子聞之。景公曰。吾
老矣。弗能用也。孔子遂行反乎魯。孔子年四十二。魯昭公卒於乾侯。定公立。
定公立五年。夏季平子卒。桓子嗣立。季桓子穿井得土缶中若羊。問仲尼云。

得狗。仲尼曰。以丘所聞。羊也。丘聞之。木石之怪夔罔閬。水之怪龍罔象。土之
怪墳羊。吳伐越。墮會稽。得骨節專車。吳使使問仲尼。骨何者最大。仲尼曰。禹
致群神於會稽山。防風氏後至。禹殺而戮之。其節專車。此爲大矣。吳客曰。誰
爲神。仲尼曰。山川之神足以綱紀天下。其守爲神。社稷爲公侯。皆屬於王者。
客曰。防風何守。仲尼曰。汪罔氏之君。守封禺之山。爲釐姓。在虞夏商爲汪罔。
於周爲長翟。今謂之大人。客曰。人長幾何。仲尼曰僬僥氏三尺。短之至也。長
者不過十之。數之極也。於是吳客曰。善哉聖人。桓子嬖臣曰仲梁懷。與陽虎
有隙。陽虎欲逐懷。公山不狃止之。其秋懷益驕。陽虎執懷。桓子怒。陽虎因囚
桓子。與盟而醳之。陽虎由此益輕季氏。季氏亦僭於公室。陪臣執國政。是以
魯自大夫以下。皆僭離於正道。故孔子不仕。退而脩詩書禮樂。弟子彌衆。至
自遠方。莫不受業焉。定公八年。公山不狃不得意於季子。因陽虎爲亂。欲廢
三桓之適。更立其庶孽陽虎素所善者。遂執季桓子。桓子詐之得脫。定公九
年。陽虎不勝。奔于齊。是時孔子年五十。公山不狃以費畔季氏。使人召孔子。
孔子循道彌久。溫々無所試。莫能已用。曰。蓋周文武起豐鎬而王。今費雖小。
儻庶幾乎。欲往。子路不說止孔子。孔子曰。夫召我者豈徒哉。如用我其爲東
周乎。然亦卒不行。其後定公以孔子爲中都宰。一年四方皆則之。由中都宰
爲司空。由司空爲大司寇。定公十年。春及齊平。夏齊大夫黎鉏言於景公曰。
魯用孔丘。其勢危齊。乃使使告魯爲好會。會於夾谷。魯定公且以乘車好往。
孔子攝相事。曰。臣聞有文事者。必有武備。有武事者。必有文備。古者諸侯出
疆。必具官以從。請具左右司馬。定公曰。諾。具左右司馬。會齊侯夾谷。爲壇位。
土階三等。以會遇之禮相見。揖讓而登。獻酬之禮畢。齊有司趨而進曰。請奏
四方之樂。景公曰。諾。於是旍旄羽袚。矛戟劍撥。鼓譟而至。孔子趨而進。歷階
而登。不盡一等。擧袂而言曰。吾兩君爲好會。夷狄之樂何爲於此。請命有司。
有司却之。不去。則左右視晏子與景公。景公心怍。麾而去之。有頃齊有司趨

而進曰。請奏宮中之樂。景公曰。諾。優倡侏儒爲戲而前。孔子趨而進。歷階而登。不盡一等。曰。匹夫而熒惑諸侯者。罪當誅。請命有司。有司加法焉。手足異處。景公懼而動。知義不若。歸而大恐。告其群臣曰。魯以君子之道輔其君。而子獨以夷狄之道教寡人。使得罪於魯君。爲之奈何。有司進對曰。君子有過則謝以質。小人有過則謝以文。君若悼之。則謝以實。於是齊侯乃歸所侵魯之鄆汶陽龜陰之田以謝過。定公十三年夏。孔子言於定公曰。臣無藏甲。大夫毋百雉之城。使仲由爲季氏宰。將墮三都。於是叔孫氏先墮郈。季氏將墮費。公山不狃叔孫輒率費人襲魯。公與三子入於季氏之宮。登武子之臺。費人攻之弗克。入及公側。孔子命申句須樂頎下伐之。費人北。國人追之。敗諸姑蔑。二子奔齊。遂墮費。將墮成。公斂處父謂孟孫曰。墮成。齊人必至于北門。且成孟氏之保鄣。無成是無孟氏也。我將弗墮。十二月。公圍成弗克。定公十四年。孔子年五十六。由大司寇行攝相事。有喜色。門人曰。聞君子禍至不懼。

福至不喜。孔子曰。有是言也。不曰樂其以貴下人乎。於是誅魯大夫亂政者少正卯。與聞國政三月。粥羔豚者弗飾賈。男女行者別於塗。塗不拾遺。四方之客至乎邑者。不求有司。皆予之以歸。齊人聞而懼曰。孔子爲政必霸。霸則吾地近焉。我之爲先并矣。盍致地焉。犂鉏曰。請先嘗沮之。沮之而不可。則致地。庸遲乎。於是選齊國中女子好者八十人。皆衣文衣而舞康樂。文馬三十駟。遺魯君。陳女樂文馬於魯城南高門外。季桓子微服往觀再三。將受。乃語魯君爲周道游。往觀終日。怠於政事。子路曰。夫子可以行矣。孔子曰。魯今且郊。如致膰乎大夫。則吾猶可以止。桓子卒受齊女樂。三日不聽政。郊又不致膰俎於大夫。孔子遂行。宿乎屯。而師己送曰。夫子則非罪。孔子曰。吾歌可夫。歌曰。彼婦之口。可以出走。彼婦之謁。可以死敗。蓋優哉游哉。維以卒歲。師己反。桓子曰。孔子亦何曰。師己以實告。桓子喟然歎曰。夫子罪我以群婢故也夫。孔子遂適衛。主於子路妻兄顏濁鄒家。衛靈公問孔子。居魯得祿幾何。對

曰。奉粟六萬。衛人亦致粟六萬。居頃之。或譖孔子於衛靈公。靈公使公孫余假一出一入。孔子恐獲罪焉。居十月。去衛。將適陳。過匡。顏刻爲僕。以其策指之曰。昔吾入此。由彼缺也。匡人聞之。以爲魯之陽虎。陽虎嘗暴匡人。匡人於是遂止孔子。孔子狀類陽虎。拘焉五日。顏淵後。子曰。吾以汝爲死矣。顏淵曰。子在。回何敢死。匡人拘孔子益急。弟子懼。孔子曰。文王既沒。文不在茲乎。天之將喪斯文也。後死者不得與于斯文也。天之未喪斯文也。匡人其如予何。孔子使從者爲甯武子臣於衛。然後得去。去即過蒲。月餘反乎衛。主蘧伯玉家。靈公夫人有南子者。使人謂孔子曰。四方之君子。不辱欲與寡君爲兄弟者。必見寡小君。寡小君願見。孔子辭謝。不得已而見之。夫人在絺帷中。孔子入門北面稽首。夫人自帷中再拜。環珮玉聲璆然。孔子曰。吾鄉爲弗見。見之禮答焉。子路不說。孔子矢之曰。予所不者。天厭之。天厭之。居衛月餘。靈公與夫人同車。宦者雍渠參乘出。使孔子爲次乘。招搖市過之。孔子曰。吾未見好

德如好色者也。於是醜之。去衛過曹。是歲魯定公卒。孔子去曹適宋。與弟子習禮大樹下。宋司馬桓魋欲殺孔子。拔其樹。孔子去。弟子曰。可以速矣。孔子曰。天生德於予。桓魋其如予何。孔子適鄭。與弟子相失。孔子獨立郭東門。鄭人或謂子貢曰。東門有人。其顙似堯。其項類皐陶。其肩類子產。然自要以下不及禹三寸。纍々若喪家之狗。子貢以實告孔子。孔子欣然笑曰。形狀宋也。而似喪家之狗。然哉然哉。孔子遂至陳。主於司城貞子家。歲餘。吳王夫差伐陳。取三邑而去。趙鞅伐朝歌。楚圍蔡。蔡遷于吳。吳敗越王句踐會稽。有隼集于陳廷而死。楛矢貫之。石砮。矢長尺有咫。陳湣公使使問仲尼。仲尼曰。隼來遠矣。此肅愼之矢也。昔武王克商。通道九夷百蠻。使各以其方賄來貢。使無忘職業。於是肅愼貢楛矢石砮。長尺有咫。先王欲昭其令德。以肅愼矢分大姬。配虞胡公而封諸陳。分同姓以珍玉。展親。分異姓以遠方職。使無忘服。故分陳以肅愼矢。試求之故府。果得之。孔子居陳三歲。會晉楚爭彊。更伐陳。及

呉侵陳。陳常被寇。孔子曰。歸與歸與。吾黨之小子狂簡。進取不忘其初。於是孔子去陳過蒲。會公叔氏以蒲畔。蒲人止孔子。弟子有公良孺者。以私車五乘從孔子。其爲人長賢。有勇力。謂曰。吾昔從夫子遇難於匡。今又遇難於此。命也已。吾與夫子再罹難。寧鬪而死。鬪甚疾。蒲人懼謂孔子曰。苟毋適衞。吾出子。與之盟。出孔子東門。孔子遂適衞。子貢曰。盟可負耶。孔子曰。要盟也。神不聽。衞靈公聞孔子來。喜郊迎問曰。蒲可伐乎。對曰。可。靈公曰。吾大夫以爲不可。今蒲衞之所以待晉楚也。以衞伐之。無乃不可乎。孔子曰。其男子有死之志。婦人有保西河之志。吾所伐者不過四五人。靈公曰。善。然不伐蒲。靈公老怠於政。不用孔子。孔子喟然歎曰。苟有用我者。朞月而已。三年有成。孔子行。佛肸爲中牟宰。趙簡子攻范中行。伐中牟。佛肸畔。使人召孔子。孔子欲往。子路曰。由聞諸夫子。其身親爲不善者。君子不入也。今佛肸親以中牟畔。子欲往。如之何。孔子曰。有是言也。不曰堅乎。磨而不磷。不曰白乎。涅而不淄。我

豈匏瓜也哉。焉能繫而不食。孔子擊磬。有荷蕢而過門者。曰。有心哉擊磬乎。硜々乎。莫己知也夫。而已矣。孔子學鼓琴師襄子。十日不進。師襄子曰。可以益矣。孔子曰。丘已習其曲矣。未得其數也。有間曰。已習其數。可以益矣。孔子曰。丘未得其志也。有間曰。已習其志。可以益矣。孔子曰。丘未得其爲人也。有間曰。有所穆然深思焉。有所怡然高望而遠志焉。曰。丘得其爲人。黯然而黑。幾然而長。眼如望羊。如王四國。非文王其誰能爲此也。師襄子辟席再拜曰。師蓋云文王操也。孔子既不得用於衞。將西見趙簡子。至於河。而聞竇鳴犢舜華之死也。臨河而歎曰。美哉水洋々乎。丘之不濟此命也夫。子貢趨而進曰。敢問何謂也。孔子曰。竇鳴犢舜華。晉國之賢大夫也。趙簡子未得志之時。須此兩人而後從政。及其已得志。殺之乃從政。丘聞之也。刳胎殺夭。則麒麟不至郊。竭澤涸漁。則蛟龍不合陰陽。覆巢毀卵。則鳳皇不翔。何則君子諱傷其類也。夫鳥獸之於不義也。尙知辟之。而況乎丘哉。乃還息乎陬鄕。作爲陬

操以哀之。而反乎衞。入主蘧伯玉家。他日靈公問兵陳。孔子曰。俎豆之事則嘗聞之。軍旅之事。未之學也。明日與孔子語。見蜚鴈。仰視之。色不在孔子。孔子遂行。復如陳。夏衞靈公卒。立孫輒。是爲衞出公。六月。趙鞅內太子蒯聵于戚。陽虎使太子絻。八人衰絰。僞自衞迎者。哭而入。遂居焉。冬。蔡遷于州來。是歲。魯哀公三年而孔子年六十矣。齊助衞圍戚。以衞太子蒯聵在故也。夏魯桓釐廟燔。南宮敬叔救火。孔子在陳。聞之曰。災必於桓釐廟乎。已而果然。秋季桓子病。輦而見魯城。喟然歎曰。昔此國幾興矣。以吾獲罪於孔子。故不興也。顧謂其嗣康子曰。我卽死。若必相魯。相魯必召仲尼。後數日桓子卒。康子代立。已葬。欲召仲尼。公之魚曰。昔吾先君用之不終。終爲諸侯笑。今又用之不能終。是再爲諸侯笑。康子曰。則誰召而可。曰。必召冉求。於是使使召冉求。冉求將行。孔子曰。魯人召求。非小用之。將大用之也。是日孔子曰。歸乎歸乎。吾黨之小子狂簡。斐然成章。吾不知所以裁之。子貢知孔子思歸。送冉求因誡

曰。卽用以孔子爲招云。冉求既去。明年孔子自陳遷于蔡。蔡昭公將如呉。呉召之也。前昭公欺其臣遷州來。後將往。大夫懼復遷。公孫翩射殺昭公。楚侵蔡。秋。齊景公卒。明年孔子自蔡如葉。葉公問政。孔子曰。政在來遠附邇。他日葉公問孔子於子路。子路不對。孔子聞之曰。由爾何不對曰。其爲人也。學道不倦。誨人不厭。發憤忘食。樂以忘憂。不知老之將至云爾。去葉反于蔡。長沮桀溺耦而耕。孔子以爲隱者。使子路問津焉。長沮曰。彼執輿者爲誰。子路曰。爲孔丘。曰。是魯孔丘與。曰。然。曰。是知津矣。桀溺謂子路曰。子爲誰。曰。爲仲由。曰。子孔丘之徒與。曰。然。桀溺曰。悠々者。天下皆是也。而誰以易之。且與其從辟人之士。豈若從辟世之士哉。耰而不輟。子路以告孔子。孔子憮然曰。鳥獸不可與同群。天下有道。丘不與易也。他日子路行。遇荷蓧丈人。曰。子見夫子乎。丈人曰。四體不勤。五穀不分。孰爲夫子。植其杖而芸。子路以告。孔子曰。隱者也。復往則亡。孔子遷于蔡三歲。呉伐陳。楚救陳。軍于城父。聞孔子在陳蔡

之問、楚使人聘孔子。孔子將往拜禮。陳蔡大夫謀曰。孔子賢者。所刺譏皆中諸侯之疾。今者久留陳蔡之間。諸大夫所設行。皆非仲尼之意。今楚大國也、來聘孔子。孔子用於楚、則陳蔡用事大夫危矣。於是乃相與發徒役圍孔子於野。不得行。絕糧。從者病莫能興。孔子講誦弦歌不衰。子路慍見曰。君子亦有窮乎。孔子曰。君子固窮。小人窮斯濫矣。子貢色作。孔子曰。賜爾以予爲多學而識之者與。曰。然。非與。孔子曰。非也。予一以貫之。孔子知弟子有慍心。乃召子路而問曰。詩云。匪兕匪虎。率彼曠野。吾道非耶。吾何爲於此。子路曰。意者吾未仁耶。人之不我信也。意者吾未知耶。人之不我行也。孔子曰。有是乎。由、譬使仁者而必信。安有伯夷叔齊。使智者而必行。安有王子比干。子路出、子貢入見。孔子曰。賜、詩云。匪兕匪虎。率彼曠野。吾道非耶。吾何爲於此。子貢曰、夫子之道至大也。故天下莫能容夫子。夫子蓋少貶焉。孔子曰。賜、良農能稼而不能爲穡。良工能巧而不能爲順。君子能修其道。綱而紀之、統而理之、

而不能爲容。今爾不修爾道而求爲容。賜、而志不遠矣。子貢出。顏回入見。孔子曰。回、詩云。匪兕匪虎。率彼曠野。吾道非耶。吾何爲於此。顏回曰。夫子之道至大。故天下莫能容。雖然夫子推而行之。不容何病。不容然後見君子。夫道之不修也。是吾醜也。夫道既已大修而不用。是有國者之醜也。不容何病。不容然後見君子。孔子欣然而笑曰。有是哉顏氏之子。使爾多財。吾爲爾宰。於是使子貢至楚。楚昭王興師迎孔子。然後得免。昭王將以書社地七百里封孔子。楚令尹子西曰。王之使使諸侯。有如子貢者乎。曰。無有。王之輔相有如顏回者乎。曰。無有。王之將率。有如子路者乎。曰。無有。王之官尹。有如宰予者乎。曰。無有。且楚之祖封於周。號爲子男五十里。今孔丘述三王之法。明周召之業。王若用之。則楚安得世々堂々方數十里乎。夫文王在豐。武王在鎬。百里之君。卒王天下。今孔丘得據土壤。賢弟子爲佐。非楚之福也。昭王乃止。其秋。楚昭王卒于城父。楚狂接輿。歌而過孔子。曰。鳳兮鳳兮。何德之衰。往者不

可諫兮。來者猶可追也。已而已而。今之從政者殆而。孔子下欲與之言。趨而去。弗得與之言。於是孔子自楚反乎衛。是歲也。孔子年六十三。而魯哀公六年也。其明年。吳與魯會繒。徵百牢。太宰嚭召季康子。康子使子貢往。然後得已。孔子曰。魯衛之政。兄弟也。是時衛君輒父不得立。在外。諸侯數以爲讓。而孔子弟子。多仕於衛。衛君欲得孔子爲政。子路曰。衛君待子而爲政。子將奚先。孔子曰。必也正名乎。子路曰。有是哉。子之迂也。何其正也。孔子曰。野哉由也。夫名不正。則言不順。言不順。則事不成。事不成。則禮樂不興。禮樂不興。則刑罰不中。刑罰不中。則民無所錯手足矣。夫君子爲之必可名。言之必可行。君子於其言。無所苟而已矣。其明年。冉有爲季氏將師。與齊戰于郎。克之。季康子曰。子之於軍旅。學之乎。性之乎。冉有曰。學之於孔子。季康子曰。孔子何如人哉。對曰。用之有名。播之百姓。質諸鬼神而無憾。求之至於此道。雖累千社。夫子不利也。康子曰。我欲召之可乎。對曰。欲召之。則毋以小人固之。則可

矣。而衛孔文子將攻太叔。問策於仲尼。仲尼辭不知。退而命載而行。曰。鳥能擇木。木豈能擇鳥乎。文子固止。會季康子逐公華公賓公林。以幣迎孔子。孔子歸魯。孔子之去魯凡十四歲而反于魯。魯哀公問政。對曰。政在撰臣。季康子問政。曰。舉直錯諸枉。則枉者直。康子患盜。孔子曰。苟子之不欲。雖賞之不竊。然魯終不能用孔子。孔子亦不求仕。孔子之時。周室微而禮樂廢。詩書缺。追迹三代之禮。序書傳。上紀唐虞之際。下至秦繆。編次其事。曰。夏禮吾能言之。杞不足徵也。殷禮吾能言之。宋不足徵也。足則吾能徵之矣。觀殷夏所損益。曰。後雖百世可知也。以一文一質。周監二代。郁々乎文哉。吾從周。故書傳禮記自孔氏。孔子語魯太師。樂其可知也。始作翕如。縱之純如。皦如。繹如也以成。吾自衛反魯。然後樂正。雅頌各得其所。古者詩三千餘篇。及至孔子。去其重。取可施於禮義。上采契后稷。中述殷周之盛。至幽厲之缺。始於衽席。故曰。關雎之亂。以爲風始。鹿鳴爲小雅始。文王爲大雅始。清廟爲頌始。三百五

篇。孔子皆絃歌之。以求合韶武雅頌之音。禮樂自此可得而述。以備王道成六藝。孔子晩而喜易。序彖繫象説卦文言。讀易韋編三絶。曰。假我數年若是。我於易則彬々矣。孔子以詩書禮樂教。弟子蓋三千焉。身通六藝者七十有二人。如顏濁鄒之徒。頗受業者甚衆。孔子以四敎。文。行。忠。信。絶四。毋意。毋必。毋固。毋我。所愼齋。戰。疾。子罕言利與命與仁。不憤不啓。擧一隅不以三隅反。則弗復也。其於鄕黨恂々似不能言者。其於宗廟朝廷辯々言。惟謹爾。朝與上大夫言。誾誾如也。與下大夫言。侃々如也。入公門鞠躬如也。趨進翼如也。君召使儐色勃如也。君命召不俟駕行矣。魚餒肉敗。割不正不食。席不正不坐。食於有喪者之側未嘗飽也。是日哭則不歌。見齊衰瞽者雖童子必變。三人行。又得我師。德之不修。學之不講。聞義不能徙。不善不能改。是吾憂也。使人歌。善則使復之。然後和之。子不語怪。力。亂。神。子貢曰。夫子之文章。可得聞也。夫子言天道與性命。弗可得聞也已。顏淵喟然歎曰。仰之彌高。鑽之彌堅。瞻之在前。忽焉在後。夫子循々然善誘人。博我以文。約我以禮。欲罷不能。既竭吾才。如有所立卓爾。雖欲從之蔑由也已。達巷黨人童子曰。大哉孔子。博學而無所成名。子聞之曰。我何執。執御乎。執射乎。我執御矣。牢曰。子云不試。故藝。魯哀公十四年春狩大野。叔孫氏車子鉏商獲獸。以爲不祥。仲尼視之曰。麟也。取之。曰。河不出圖。雒不出書。吾已矣夫。顏淵死。孔子曰。天喪予。及西狩見麟。曰。吾道窮矣。喟然歎曰。莫知我夫。子貢曰。何爲莫知子。子曰。不怨天不尤人。下學而上達。知我者其天乎。不降其志。不辱其身。伯夷叔齊乎。謂柳下惠少連。降志辱身矣。謂虞仲夷逸。隱居放言。行中清。廢中權。我則異於是。無可無不可。子曰。弗乎弗乎。君子病沒世而名不稱焉。吾道不行矣。吾何以自見於後世哉。乃因史記作春秋。上至隱公。下訖哀公十四年。十二公。據魯親周。故殷。運之三代。約其文辭而指博。故吳楚之君自稱王。而春秋貶之曰子。踐土之會。實召周天子。而春秋諱之曰。天王狩於河陽。推此類以繩當世。

貶損之義。後有王者擧而開之。春秋之義行。則天下亂臣賊子懼焉。孔子在位。聽訟文辭。有可與人共者。弗獨有也。至於爲春秋。筆則筆。削則削。子夏之徒。不能贊一辭。弟子受春秋。孔子曰。後世知丘者以春秋。而罪丘者亦以春秋。明歲子路死於衞。孔子病。子貢請見。孔子方負杖逍遙於門。曰。賜。汝來何其晩也。孔子因歎歌曰。太山壞乎。梁柱摧乎。哲人萎乎。因以涕下。謂子貢曰。天下無道久矣。莫能宗予。夏人殯於東階。周人於西階。殷人兩柱間。昨暮予夢坐奠兩柱之間。予殆殷人也。後七日卒。孔子年七十三。以魯哀公十六年四月己丑卒。哀公誄之曰。旻天不弔。不憖遺一老。俾屛余一人以在位。煢々余在疚。嗚呼哀哉尼父。毋自律。子貢曰。君其不沒於魯乎。夫子之言曰。禮失則昏。名失則愆。失志爲昏。失所爲愆。生不能用。死而誄之。非禮也。稱余一人。非名也。孔子葬魯城北泗上。弟子皆服三年。三年心喪畢。相訣而去。則哭。各復盡哀。或復留。唯子貢廬於冢上。凡六年。然後去。弟子及魯人。往從冢而家者百有餘室。因命曰孔里。魯世々相傳。以歲時奉祠孔子冢。而諸儒亦講禮。鄕飮大射於孔子冢。孔子冢大一頃。故所居堂。弟子內。後世因廟。藏孔子衣冠琴車書。至于漢二百餘年不絶。高皇帝過魯。以太牢祠焉。諸侯卿相至。常先謁。然後從政。孔子生鯉。字伯魚。伯魚年五十。先孔子死。伯魚生伋。字子思。年六十二。嘗困於宋。子思作中庸。子思生白。字子上。年四十七。子上生求。字子家。年四十五。子家生箕。字子京。年四十六。子京生穿。字子高。年五十一。子高生子愼。年五十七。嘗爲魏相。子愼生鮒。年五十七。爲陳王涉博士。死於陳下。鮒弟子襄。年五十七。嘗爲孝惠皇帝博士。遷爲長沙太守。長九尺六寸。子襄生忠。年五十七。忠生武。武生延年及安國。安國爲今皇帝博士。至臨淮太守。蚤卒。安國生卬。卬生驩。

太史公曰。詩有之。高山仰止。景行行止。雖不能至。然心鄕往之。余讀孔氏書。想見其爲人。適魯觀仲尼廟堂車服禮器。諸生以時習禮其家。余祗回留之。

不能去云。天下君主、至于賢人衆矣。當時則榮、沒則已焉。孔子布衣、傳十餘世。學者宗之。自天子王侯、中國言六藝者、折中於夫子。可謂至聖矣。

中等漢文卷之三下　終

明治三十年十月三十日印刷
同　三十年十一月五日發行

定價金參拾錢

編者　山本廉　東京市麻布區霞町一番地
發行者兼印刷者　吉川半七　東京市京橋區南傳馬町一丁目十二番地
販賣者　林平次郎　東京市日本橋區通三丁目六番地

明治三十一年十一月四日　文部省檢定濟
尋常中學校漢文科教科用書

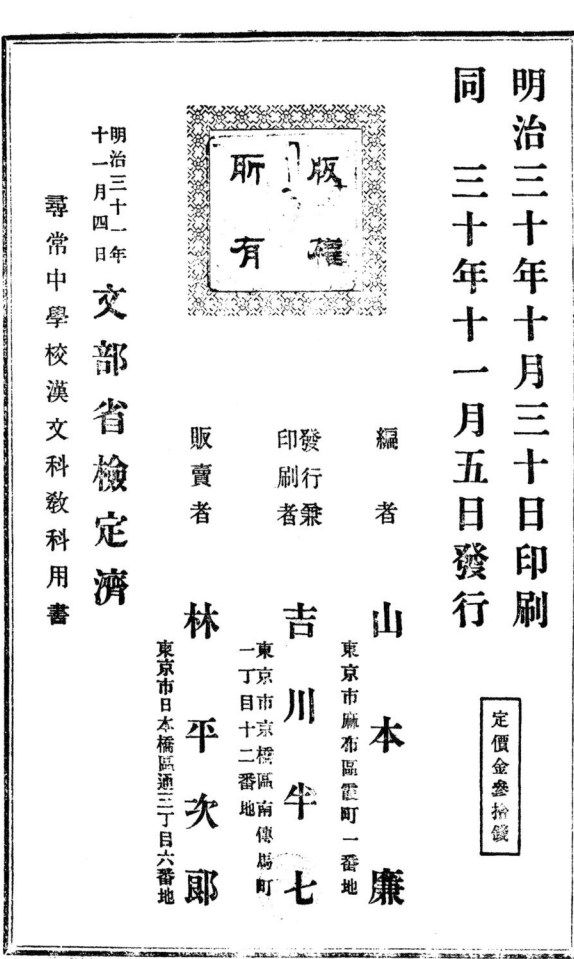

山本廉編

中等漢文

東京　吉川半七藏版

凡例

一本書は尋常中學校の漢文教科書に充つるを以て目的とす故に全部を分ちて五卷とし毎卷を又分ちて上中下の三編とす一編を一學期に一卷を一學年に課せむとして紙數をも略定せり

一材料の撰擇は既に生徒の知得したる歴史上の事實より苟も名教に稗益ある者を主とし地理博物に關する各種の文章に及ひたり

一明治征淸の役に關する編者の文は確實なる紀事に據りて漢譯せり行文拙劣能く其の眞象を見す能はずと雖も猶ほ將卒の忠勇義烈なる一斑を見るに足らむか

一卷の一二は主として邦人の文を撰び卷の三よりは主として漢人の文を採り又學期學年の進むに隨ひて難易の順序をも次第せり

一凡漢文に傍訓を附するは固より國語法に合するを要すと雖も强ひて拘泥せず國語法に反せざる限り普通の讀方に從ひたり蓋し漢文は自ら漢文の讀方あればなり

一卷の一二は左右に訓點を附し卷の三は左點をのみ卷の四五は句讀點をのみ附せり畢竟漢文に傍訓を附するは初學を導きて終に白文を讀み得せしむる方便なれは前に詳にして後にはこれを略せしなり

一一章を數節に分てるは教課の便宜を計りてなり必しも段落に關するにあらず

明治三十年三月

編者誌

中等漢文卷之四上

漢書　班固

山本廉 編

第一　高帝紀

高祖沛豐邑中陽里人也姓劉氏母媼嘗息大澤之陂夢與神遇是時雷電晦冥父太公往視則見交龍於上已而有娠遂產高祖高祖爲人隆準而龍顏美須髯左股有七十二黑子寬仁愛人意豁如也常有大度不事家人生產作業及壯試吏爲泗上亭長廷中吏無所不狎侮好酒及色常從王媼武負貰酒時飲醉臥武負王媼見其上常有怪高祖每酤留飲酒讎數倍及見怪歲竟此兩家常折券棄責高祖常繇咸陽縱觀秦皇帝喟然太息曰嗟乎大丈夫當如此矣單父人呂公善沛令辟仇從之客因家焉沛中豪桀吏聞令有重客皆往賀蕭何爲主吏主進令諸大夫曰進不滿千錢坐之堂下高祖爲亭長素易諸吏乃紿爲謁曰賀錢萬實不持一錢謁入呂公大驚起迎

之門呂公者好相人見高祖狀貌因重敬之引入坐上坐蕭何曰劉季固多大言少成事高祖因狎侮諸客遂坐上坐無所詘酒闌呂公因目固留高祖竟酒後呂公曰臣少好相人相人多矣無如季相願季自愛臣有息女願爲箕帚妾酒罷呂媼怒呂公曰公始常欲奇此女與貴人沛令善公求之不與何自妄許與劉季呂公曰此非兒女子所知卒與高祖呂公女卽呂后也生孝惠帝魯元公主高祖嘗告歸之田呂后與兩子居田中有一老父過請飲呂后因餔之老父相后曰夫人天下貴人也令相兩子見孝惠帝曰夫人所以貴者乃此男也相魯元公主亦皆貴老父已去高祖適從旁舍來呂后具言客有過相我子母皆大貴高祖問曰未遠乃追及問老父老父曰鄉者夫人兒子皆以君君相貴不可言高祖乃謝曰誠如父言不敢忘德及高祖貴遂不知老父處高祖爲亭長乃目竹皮爲冠令求盜之薛治時々冠之及貴常冠所謂劉氏冠也高祖以亭長爲縣送徒驪山徒多道亡自度比至皆亡

之到豐西澤中亭止飲夜皆解縱所送徒曰公等皆去吾亦從此逝矣徒中壯士願從者十餘人高祖被酒夜徑澤中令一人行前行前者還報曰前有大蛇當徑願還高祖醉曰壯士行何畏乃前拔劍斬蛇蛇分爲兩道開行數里醉因臥後人來至蛇所有一老嫗夜哭人問嫗何哭嫗曰人殺吾子人曰嫗子何爲見殺嫗曰吾子白帝子也化爲蛇當道今者赤帝子斬之故哭人乃以嫗爲不誠欲笞之嫗因忽不見後人至高祖覺告高祖高祖乃心獨喜自負諸從者日益畏之秦始皇帝嘗曰東南有天子氣於是東游以厭當之高祖隱於芒碭山澤間呂后與人俱求常得之高祖怪問呂后后曰季所居上常有雲氣故從往常得季高祖心喜沛中子弟或聞之多欲附者矣秦二世元年秋七月陳涉起蘄至陳自立爲楚王遣武臣張耳陳餘畧趙地八月武臣自立爲趙王郡縣多殺長吏以應涉九月沛令欲以沛應之掾主吏蕭何曹參曰君爲秦吏今欲背之帥沛子弟恐不聽願君召諸亡在外者

可得數百人因以劫衆衆不敢不聽乃令樊噲召高祖高祖之衆已數百人矣於是樊噲從高祖來沛令後悔恐其有變乃閉城城守欲誅蕭曹蕭曹恐踰城保高祖高祖乃書帛射城上與沛父老曰天下同苦秦久矣今父老雖爲沛令守諸侯並起今屠沛沛今共誅令擇可立立之以應諸侯卽室家完不然父子俱屠無爲也父老乃率子弟共殺沛令開城門迎高祖欲以爲沛令高祖曰天下方擾諸侯並起今置將不善一敗塗地吾非敢自愛恐能薄不能完父子兄弟此大事願更擇可者蕭曹等皆文吏自愛恐事不就後秦種族其家盡讓高祖諸父老皆曰平生所聞劉季奇怪當貴且卜筮之莫如劉季最吉高祖數讓衆莫肯爲高祖乃立爲沛公祠黃帝祭蚩尤於沛廷而釁鼓旗幟皆赤由所殺蛇白帝子殺者赤帝子故也於是少年豪吏如蕭曹樊噲等皆爲收沛子弟得三千人是月項梁與兄子羽起吳田儋與從弟榮橫起齊自立爲齊王韓廣自立爲燕王魏咎自立爲魏王陳涉之將周章西

入關至戲秦將章邯距破之
秦二年十月沛公攻胡陵還守豐秦泗川監平將兵圍豐二日出與戰破之
令雍齒守豐十一月沛公引兵之薛秦泗川守壯兵敗於薛走至戚沛公左
司馬得殺之沛公還軍亢父至方與趙王武臣爲其將所殺十二月楚王陳
涉爲其御莊賈所殺魏人周市畧地豐沛使人謂雍齒曰豐故梁徙也今魏
地已定者數十城齒今下魏魏以齒爲侯守豐不下且屠豐雍齒雅不欲屬
沛公及魏招之卽反爲魏守豐沛公攻豐不能取沛公還之沛怨雍齒與豐
子弟畔之正月張耳等立趙後趙歇爲趙王東陽甯君秦嘉立景駒爲楚王
在留沛公往從之道得張良遂與俱見景駒請兵以攻豐時章邯從陳別將
司馬尼將兵北定楚地屠相至碭東陽甯君沛公引兵西與戰蕭西不利還
收兵聚留二月攻碭三日拔之收碭兵得六千人與故合九千人三月攻下
邑拔之還擊豐不下四月項梁擊殺景駒秦嘉止薛沛公往見之項梁益沛
公卒五千人五大夫將十人沛公還引兵攻豐拔之雍齒奔魏五月項羽拔
襄城還項梁盡召別將六月沛公如薛與項梁共立楚懷王孫心爲楚懷王
章邯破殺魏王咎齊王田儋於臨濟七月大霖雨沛公攻亢父章邯圍田榮
於東阿沛公與項梁共救田榮大破章邯東阿田榮歸沛公項羽追北至城
陽攻屠其城軍濮陽東復與章邯戰又破之章邯復振守濮陽環水沛公項
羽去攻定陶八月田榮立田儋子市爲齊王定陶未下沛公項羽西略地至
雍丘與秦軍戰大敗之斬三川守李由還攻外黃外黃未下項梁再破秦軍
有驕色宋義諫不聽秦益章邯兵九月章邯夜銜枚擊項梁定陶大破之殺
項梁時連雨自七月至九月沛公項羽方攻陳留聞梁死士卒恐乃與將軍
呂臣引兵而東徙懷王自盱台都彭城呂臣軍彭城東項羽軍彭城西沛公
軍碭魏咎弟豹自立爲魏王後九月懷王幷呂臣項羽軍自將之以沛公爲
碭郡長封武安侯將碭郡兵以羽爲魯公封長安侯呂臣爲司徒其父呂靑

爲令尹章邯已破項梁以爲楚地兵不足憂乃渡河北擊趙王歇大破之歇
保鉅鹿城秦將王離圍之趙數請救懷王乃以宋義爲上將項羽爲次將范
增爲末將北救趙初懷王與諸將約先入定關中者王之當是時秦兵彊常
乘勝逐北諸將莫利先入關獨羽怨秦破項梁奮勢願與沛公西入關懷王
諸老將皆曰項羽爲人慓悍禍賊嘗攻襄城襄城無噍類所過無不殘滅且
楚數進取前陳王項梁皆敗不如更遣長者扶義而西告諭秦父兄秦父兄
苦其主久矣今誠得長者往毋侵暴宜可下項羽不可遣獨沛公素寬大長
者卒不許羽而遣沛公西收陳王項梁散卒乃道碭至陽城與杠里攻秦軍
壁破其二軍
秦三年十月齊將田都畔田榮將兵助項羽救趙沛公攻破東郡尉於成武
十一月項羽殺宋義幷其兵渡河自立爲上將軍諸將黥布等皆屬十二月
沛公引兵至栗遇剛武侯奪其軍四千餘人幷之與魏將皇欣武滿軍合攻
秦軍破之故齊王建孫田安下濟北從項羽救趙羽大破秦軍鉅鹿下虜王
離走章邯二月沛公從碭北攻昌邑遇彭越越助攻昌邑未下沛公西過高
陽酈食其爲里監門曰諸將過此者多吾視沛公大度乃求見沛公沛公方
踞牀使兩女子洗酈生不拜長揖曰足下必欲誅無道秦不宜踞見長者於
是沛公起攝衣謝之延上坐食其說沛公襲陳留沛公以爲廣野君以其弟
商爲將將陳留兵三月攻開封未拔西與秦將楊熊會戰白馬又戰曲遇東
大破之楊熊走之滎陽二世使使斬之以徇四月南攻潁川屠之因張良遂
略韓地時趙別將司馬卬方欲渡河入關沛公乃北攻平陰絕河津南戰雒
陽東軍不利從轘轅至陽城收軍中馬騎六月與南陽守齮戰犨東大破之
略南陽郡南陽守走保城守宛沛公引兵過宛西張良諫曰沛公雖欲急入
關秦兵尙衆距險今不下宛宛從後擊彊秦在前此危道也於是沛公乃夜
引軍從他道還偃旗幟遲明圍宛城三帀南陽守欲自剄其舍人陳恢曰死

未晩也乃踰城見沛公曰臣聞足下約先入咸陽者王之今足下留守宛宛郡縣連城數十其吏民自以爲降必死故皆堅守乘城今足下盡日止攻士死傷者必多引兵去宛宛必隨足下足下前則失咸陽之約後有彊宛之患爲足下計莫若約降封其守因使止守引其甲卒與之西諸城未下者聞聲爭開門而待足下足下通行無所累沛公曰善七月南陽守齮降封爲殷侯封陳恢千戶引兵西無不下者至丹水高武侯鰓襄侯王陵降還攻胡陽遇番君別將梅鋗與偕攻析酈皆降所過毋得鹵掠秦民喜遣魏人甯昌使秦是月章邯舉軍降項羽羽以爲雍王瑕丘申陽下河南八月沛公攻武關入秦秦相趙高恐乃殺二世使人來欲約分王關中沛公不許九月趙高立二世兄子子嬰爲秦王子嬰誅滅趙高遣將將兵距嶢關沛公欲擊之張良曰秦兵尙彊未可輕願先遣人益張旗幟於山上爲疑兵使酈食其陸賈往說秦將啗以利秦將果欲連和沛公欲許之張良曰此獨其將欲叛恐其士卒不從不如因其怠懈擊之沛公引兵繞嶢關踰蕢山擊秦軍大破之藍田南遂至藍田又戰其北秦兵大敗

元年冬十月五星聚于東井沛公至霸上秦王子嬰素車白馬係頸以組封皇帝璽符節降軹道旁諸將或言誅秦王沛公曰始懷王遣我固以能寬容且人已服降殺之不祥乃以屬吏遂西入咸陽欲止宮休舍樊噲張良諫乃封秦重寶財物府庫還軍霸上蕭何盡收秦丞相府圖籍文書十一月召諸縣豪桀曰父老苦秦苛法久矣誹謗者族耦語者弃市吾與諸侯約先入關者王之吾當王關中與父老約法三章耳殺人者死傷人及盜抵罪餘悉除去秦法吏民案堵如故凡吾所以來爲父兄除害非有所侵暴毋恐且吾所以軍霸上待諸侯至而定要束耳乃使人與秦吏行至縣鄉邑告諭之秦民大喜爭持牛羊酒食獻饗軍士沛公讓不受曰倉粟多不欲費民民又益喜唯恐沛公不爲秦王或說沛公曰秦富十倍天下地形彊今聞章邯降項羽

羽號曰雍王王關中即來沛公恐不得有此可急使守函谷關毋內諸侯軍稍徵關中兵以自益距之沛公然其計從之十二月項羽果帥諸侯兵西欲入關關門閉聞沛公已定關中羽大怒使黥布等攻破函谷關遂至戲下沛公左司馬曹毋傷聞羽怒欲攻沛公使人言羽曰沛公欲王關中令子嬰爲相珍寶盡有之欲以求封亞父范增說羽曰沛公居山東時貪財好色今聞其入關珍物無所取婦女無所幸此其志不小吾使人望其氣皆爲龍成五色此天子氣急擊之勿失於是饗士旦日合戰是時羽兵四十萬號百萬沛公兵十萬號二十萬力不敵會羽季父左尹項伯素善張良夜馳見張良具告其實欲與俱去毋特俱死良曰臣爲韓王送沛公不可不告亡去不義乃與項伯俱見沛公沛公與伯約爲婚姻曰吾入關秋豪無所敢取籍吏民封府庫待將軍所以守關者備他盜也日夜望將軍到豈敢反邪願伯明言不敢背德項伯許諾即夜復去戒沛公曰旦日不可不早自來謝項伯還具以沛公言告羽因曰沛公不先破關中兵公巨能入乎且人有大功擊之不祥不如因善之羽許諾沛公旦日從百餘騎見羽鴻門謝曰臣與將軍戮力攻秦將軍戰河北臣戰河南不自意先入關能破秦與將軍復相見今者有小人之言令將軍與臣有隙羽曰此沛公左司馬曹毋傷言之不然籍何以至此羽因留沛公飮范增數目羽擊沛公羽不應范增起出謂項莊曰君王爲人不忍汝入以劔舞因擊沛公殺之不者汝屬且爲所虜莊入爲壽壽畢曰軍中無以爲樂請以劔舞因拔劔舞項伯亦起舞常以身翼蔽沛公樊噲聞事急直入怒甚羽壯之賜以酒噲因譙讓羽有頃沛公起如廁招樊噲出置車官屬獨騎與樊噲靳彊滕公紀成步從間道走軍使張良留謝羽羽問沛公安在曰聞將軍有意督過之脫身去間至軍故使臣獻璧羽受之又獻玉斗范增增怒撞其斗起曰吾屬今爲沛公虜矣沛公歸數日羽引兵西屠咸陽殺秦降王子嬰燒秦宮室所過無不殘滅秦民大失望羽使人還報懷王

懷王曰如約羽怨懷王不肯令與沛公俱西入關而北救趙後天下約乃曰懷王者吾家所立耳非有功伐何以得專主約本定天下諸將與籍也春正月陽尊懷王爲義帝實不用其命二月羽自立爲西楚霸王王梁楚地九郡都彭城背約更立沛公爲漢王王巴蜀漢中四十一縣都南鄭三分關中立秦三將章邯爲雍王都廢丘司馬欣爲塞王都櫟陽董翳爲翟王都高奴楚將瑕丘申陽爲河南王都洛陽趙將司馬卬爲殷王都朝歌當陽君英布爲九江王都六懷王柱國共敖爲臨江王都江陵番君吳芮爲衡山王都邾故齊王建孫田安爲濟北王徙魏王豹爲西魏王都平陽徙燕王韓廣爲遼東王燕將臧荼爲燕王都薊徙齊王田市爲膠東王齊將田都爲齊王都臨菑徙趙王歇爲代王趙相張耳爲常山王漢王怨羽之背約欲攻之丞相蕭何諫乃止夏四月諸侯罷戲下各就國羽使卒三萬人從漢王楚子諸侯人之慕從者數萬人從杜南入蝕中張良辭歸韓漢王送至褒中因說漢王燒絕棧道以備諸侯盜兵亦視項羽無東意漢王既至南鄭諸將及士卒皆歌謳思東歸多道亡還者韓信爲治粟都尉亦亡去蕭何追還之因薦於漢王曰必欲爭天下非信無可與計事者於是漢王齋戒設壇場拜信爲大將軍問以計策信對曰項羽背約而王君王於南鄭是遷也吏卒皆山東之人日夜企而望歸及其鋒而用之可以有大功天下已定民皆自寧不可復用不如決策東鄉因陳羽可圖三秦易幷之計漢王大說遂聽信策部署諸將留蕭何收巴蜀租給軍糧食五月漢王引兵從故道出襲雍雍王迎擊漢陳倉雍兵敗還走戰好畤又大敗走廢丘漢王遂定雍地東如咸陽引兵圍雍王廢丘而遣諸將略地田榮聞羽徙齊王市於膠東而立田都爲齊王大怒以齊兵迎擊田都都走降楚六月田榮殺田市自立爲齊王時彭越在鉅野衆萬餘人無所屬榮與越將軍印因令反梁地越擊殺濟北王安榮遂幷三齊之地燕王韓廣亦不肯徙遼東秋八月臧荼殺韓廣幷其地塞王欣翟王

翳皆降漢初項梁立韓後公子成爲韓王張良爲韓司徒羽以良從漢王韓王成又無功故不遣就國與俱至彭城殺之及聞漢王幷關中而齊梁畔之羽大怒乃以故吳令鄭昌爲韓王距漢令蕭公角擊彭越越敗角兵時張良徇韓地遺羽書曰漢欲得關中如約卽止不敢復東羽以故無西意而北擊齊九月漢王遣將軍薛歐王吸出武關因王陵兵從南陽迎太公呂后於沛羽聞之發兵距之陽夏不得前

二年冬十月項羽使九江王布殺義帝於郴陳餘亦怨羽獨不王己從田榮藉助兵以擊常山王張耳耳敗走降漢漢王厚遇之陳餘迎代王歇還趙歇立餘爲代王張良自韓間行歸漢漢王以爲成信侯漢王如陝鎭撫關外父老河南王申陽降置河南郡使韓太尉韓信擊韓王鄭昌降十一月立韓太尉信爲韓王漢王還歸都櫟陽使諸將略地拔隴西以萬人若一郡降者封萬戶繕治河上塞故秦苑囿園地令民得田之春正月羽擊田榮城陽榮敗走平原平原民殺之齊皆降楚楚焚其城郭齊人復畔之諸將拔北地虜雍王弟章平赦罪人二月癸未令民除秦社稷立漢社稷施恩德賜民爵蜀漢民給軍事勞苦復勿租稅二歲關中卒從軍者復家一歲舉民年五十以上有修行能帥衆爲善置以爲三老鄕一人擇鄕三老一人爲縣三老與縣令丞尉以事相教復勿繇戍以十月賜酒肉三月漢王自臨晉渡河魏王豹降將兵從下河內虜殷王卬置河內郡至脩武陳平亡楚來降漢王與語說之使參乘監諸將南渡平陰津至洛陽新城三老董公遮說漢王曰臣聞順德者昌逆德者亡兵出無名事故不成故曰明其爲賊敵乃可服項羽爲無道放殺其主天下之賊也夫仁不以勇義不以力三軍之衆爲之素服以告之諸侯爲此東伐四海之內莫不仰德此三王之舉也漢王曰善非夫子無所聞於是漢王爲義帝發喪袒而大哭哀臨三日發使告諸侯曰天下共立義帝北面事之今項羽放殺義帝江南大逆無道寡人親爲發喪兵皆縞素

悉發關中兵。收三河士。南浮江漢以下。願從諸侯王。擊楚之殺義帝者。夏四月。田榮弟橫。收得數萬人。立榮子廣爲齊王。羽雖聞漢東。既擊齊。欲遂破之而後擊漢。漢王以故。得刼五諸侯兵。東伐楚。到外黃。彭越將三萬人歸漢。漢王拜越爲魏相國。令定梁地。漢王遂入彭城。收羽美人貨賂。置酒高會。羽聞之。令其將擊齊。而自以精兵三萬人。從魯出胡陵。至蕭。晨擊漢軍。大戰彭城靈壁東。睢水上。大破漢軍。多殺士卒。睢水爲之不流。圍漢王三帀。大風從西北起。折木發屋揚砂石。晝晦。楚軍大亂。而漢王得與數十騎遁去。過沛。使人求室家。室家亦已亡。不相得。漢王道逢孝惠魯元。載行。楚騎追漢王。漢王急。推墮二子。滕公下收載。遂得脫。審食其從太公呂后間行。反遇楚軍。羽常置軍中。以爲質。諸侯見漢敗。皆亡去。塞王欣翟王翳。降楚。殷王卬死。呂后兄周呂侯。將兵居下邑。漢王往從之。稍收士卒軍碭。漢王西過梁地至虞。謂謁者隨何曰。公能說九江王布。使舉兵畔楚。項王必留擊之。得留數月。吾取天下必矣。隨何往說布。果使畔楚。五月。漢王屯滎陽。蕭何發關中老弱未傅者。悉詣軍。韓信亦收兵與漢王會。兵復大振。與楚戰滎陽南京索間。破之。築甬道屬河。以取敖倉粟。魏王豹謁歸。視親疾。至則絕河津。反爲楚。六月。漢王還櫟陽。壬午。立太子。赦罪人。令諸侯子在關中者。皆集櫟陽爲衛。引水灌廢丘。廢丘降。章邯自殺。雍州定。八十餘縣。置河上渭南中地隴西上郡。令祠官祀天地四方上帝山川。以時祠之。興關中卒。乘邊塞。關中大飢。米斛萬錢。人相食。令民就食蜀漢。秋八月。漢王如滎陽。謂酈食其曰。緩頰往說魏王豹。能下之。以魏地萬萬封生。食其往。豹不聽。漢王以韓信爲左丞相。與曹參灌嬰。俱擊魏。食其還。漢王問魏大將誰也。對曰柏直。王曰是口尚乳臭。不能當韓信。騎將誰也。曰馮敬。曰是秦將馮無擇子也。雖賢不能當灌嬰。步卒將誰也。曰項它。曰是不能當曹參。吾無患矣。九月。信等虜豹。傳詣滎陽。定魏地。置河東太原上黨郡。信使人請兵三萬人。願以北舉燕趙。東擊齊。南絕楚糧道。漢王與之。

三年。冬十月。韓信張耳。東下井陘擊趙。斬陳餘。獲趙王歇。置常山代郡。甲戌晦。日有食之。十一月癸卯晦。日有食之。隨何既說黥布。布起兵攻楚。楚使項聲龍且攻布。布戰不勝。十二月。布與隨何。間行歸漢。漢王分之兵。與俱收兵至成皋。項羽數侵奪漢甬道。漢軍乏食。與酈食其謀撓楚權。食其欲立六國後以樹黨。漢王刻印。將遣食其立之。以問張良。良發八難。漢王輟飯吐哺曰。豎儒。幾敗乃公事。令趣銷印。又問陳平。乃從其計。與平黃金四萬斤。以間疏楚君臣。夏四月。項羽圍漢滎陽。漢王請和。割滎陽以西者爲漢。亞父勸項羽。急攻滎陽。漢王患之。陳平反間既行。羽果疑亞父。亞父大怒而去。發病死。五月。將軍紀信曰。事急矣。臣請誑楚。可以間出。於是陳平夜出女子東門二千餘人。楚因四面擊之。紀信乃乘王車。黃屋左纛。曰。食盡漢王降楚。楚皆呼萬歲。之城東觀。以故漢王得與數十騎出西門遁。令御史大夫周苛魏豹樅公。守滎陽。羽見紀信。問漢王安在。曰已出去矣。羽燒殺信。而周苛樅公相謂曰。反國之王。難與守城。因殺魏豹。漢王出滎陽。至成皋。自成皋入關。收兵欲復東。轅生說漢王曰。漢與楚相距滎陽數歲。漢常困。願君王出武關。項王必引兵南走。王深壁。令滎陽成皋間且得休息。使韓信等。得輯河北趙地。連燕齊。君王乃復走滎陽。如此則楚所備者多。力分。漢得休息。復與之戰。破之必矣。漢王從其計。出軍宛葉間。與黥布行收兵。羽聞漢王在宛。果引兵南。漢王堅壁不與戰。是月。彭越渡睢。與項聲薛公。戰下邳。破殺薛公。羽使終公守成皋。而自東擊彭越。漢王引兵北擊破終公。復軍成皋。六月。羽已破走彭越。聞漢復軍成皋。乃引兵西拔滎陽城。生得周苛。羽謂苛爲我將。以公爲上將軍。封三萬戶。周苛罵曰。若不趨降漢。今爲虜矣。若非漢王敵也。羽亨周苛。幷殺樅公。而虜韓王信。遂圍成皋。漢王跳。獨與滕公共車。出成皋玉門。北渡河。宿小脩武。自稱使者。晨馳入張耳韓信壁。而奪之軍。乃使張耳北收兵趙地。秋七

月有星孛于大角漢王得韓信軍復大振八月臨河南鄉軍小脩武欲復戰郎中鄭忠說止漢王高壘深塹勿戰漢王聽其計使盧綰劉賈將卒二萬人騎數百渡白馬津入楚地佐彭越燒楚積聚復擊破楚軍燕郭西攻下睢陽外黃十七城九月羽謂海春侯大司馬曹咎曰謹守成皋即漢王欲挑戰愼勿與戰勿令得東而已我十五日必定梁地復從將軍羽引兵東擊彭越漢王使酈食其說齊王田廣罷守兵與漢和

四年冬十月韓信用蒯通計襲破齊齊王亨酈生東走高密項羽聞韓信破齊且欲擊楚使龍且救齊漢果數挑成皋戰楚軍不出使人辱之數日大司馬咎怒渡兵汜水士卒半渡漢擊之大破楚軍盡得楚國金玉貨賂大司馬咎長史欣皆自剄汜水上漢王引兵渡河復取成皋軍廣武就敖倉食羽下梁地十餘城聞海春侯破乃引兵還漢軍方圍鍾離眛於滎陽東聞羽至盡走險阻羽亦軍廣武與漢相守丁壯苦軍旅老弱罷轉餉漢王羽相與臨廣

武之間而語羽欲與漢王獨身挑戰漢王數羽曰吾始與羽俱受命懷王曰先定關中者王之羽負約王我於蜀漢罪一也羽矯殺卿子冠軍自尊罪二也羽當以救趙還報而擅刼諸侯兵入關罪三也懷王約入秦無暴掠羽燒秦宮室掘始皇帝冢收私其財罪四也又彊殺秦降王子嬰罪五也詐阬秦子弟新安二十萬王其將罪六也羽皆王諸將善地而徙逐故主令臣下爭畔逆罪七也出逐義帝彭城自都之奪韓王地并王梁楚多自與罪八也使人陰殺義帝江南罪九也夫爲人臣而殺其主殺其已降爲政不平主約不信天下所不容大逆無道罪十也吾以義兵從諸侯誅殘賊使刑餘罪人擊公何苦乃與公挑戰羽大怒伏弩射中漢王漢王傷胸乃捫足曰虜中吾指漢王病創臥張良彊請漢王起行勞軍以安士卒毋令楚乘勝漢王出行軍疾甚因馳入成皋十一月漢信與灌嬰擊破楚軍殺楚將龍且追至城陽虜齊王廣齊相田橫自立爲齊王奔彭越漢立張耳爲趙王漢王疾瘉西入關

至櫟陽存問父老置酒梟故塞王欣頭櫟陽市留四日復如軍軍廣武關中兵益出而彭越田橫居梁地往來苦楚兵絕其糧食韓信已破齊使人言曰齊邊楚權輕不爲假王恐不能安齊漢王怒欲攻之張良曰不如因而立之使自爲守春二月遣張良操印立韓信爲齊王秋七月立黥布爲淮南王八月初爲算賦北貉燕人來致梟騎助漢漢王下令軍士不幸死者吏爲衣衾棺斂轉送其家四方歸心焉項羽自知少助食盡韓信又進兵擊楚羽患之漢遣陸賈說羽請太公羽弗聽漢復使侯公說羽羽乃與漢約中分天下割鴻溝以西爲漢以東爲楚九月歸太公呂后軍皆稱萬歲乃封侯公爲平國君羽解而東歸漢王欲西歸張良陳平諫曰今漢有天下太半而諸侯皆附楚兵罷食盡此天亡之時不因其幾而遂取之所謂養虎自遺患也漢王從之

五年冬十月漢王追項羽至陽夏南止軍與齊王信魏相國越期會擊楚至

固陵不會楚擊漢軍大破之漢王復入壁深塹而守謂張良曰諸侯不從奈何良對曰楚兵且破未有分地其不至固宜君王能與共天下可立致也齊王信之立非君王意信亦不自堅彭越本定梁地始君王以魏豹故拜越爲相國今豹死越亦望王而君王不早定今能取睢陽以北至穀城皆以王彭越從陳以東傅海與齊王信信家在楚其意欲復得故邑能出捐此地以許兩人使各自爲戰則楚易敗也於是漢王發使使韓信彭越至皆引兵來十一月劉賈入楚地圍壽春漢亦遣人誘楚大司馬周殷殷畔楚以舒屠六舉九江兵迎黥布並行屠城父隨何劉賈皆會十二月圍羽垓下羽夜聞漢軍四面皆楚歌知盡得楚地羽與數百騎走是以兵大敗灌嬰追斬羽東城楚地悉定獨魯不下漢王引天下兵欲屠之爲其守節禮義之國乃持羽頭示其父兄魯乃降初懷王封羽爲魯公及死魯又爲之堅守故以魯公葬羽於穀城漢王爲發喪哭臨而去封項伯等四人爲列侯賜姓劉氏諸民略在楚

者皆歸之漢王還至定陶馳入齊王信壁奪其軍初項羽所立臨江王共敖前死子尉嗣立爲王不降遣盧綰劉賈擊虜尉春正月追尊兄伯號曰武哀侯下令曰楚地已定義帝亡後欲存䘏楚衆以定其主齊王信習楚風俗更立爲楚王王淮北都下邳魏相國建城侯彭越勤勞魏民卑下士卒常以少擊衆數破楚軍其以魏故地王之號曰梁王都定陶又曰兵不得休八年萬民與苦甚今天下事畢其赦天下殊死以下於是諸侯上疏曰楚王韓信韓王信淮南王英布梁王彭越故衡山王吳芮趙王張敖燕王臧荼昧死再拜言大王陛下先時秦爲亡道天下誅之大王先得秦王定關中於天下功最多存亡定危救敗繼絕以安萬民功盛德厚又加惠於諸侯王有功者使得立社稷地分已定而位號比擬亡上下之分大王功德之著於後世不宣昧死再拜上皇帝尊號漢王曰寡人聞帝者賢者有也虛言亡實之名非所取也今諸侯王皆推高寡人將何以處之哉諸侯王皆曰大王起於細微滅亂秦威動海內又以辟陋之地自漢中行威德誅不義立有功平定海內功臣皆受地食邑非私之也大王德施四海諸侯王不足以道之居帝位甚實宜願大王以幸天下漢王曰諸侯王幸以爲便於天下之民則可矣於是諸侯王及太尉長安侯臣綰等三百人與博士稷嗣君叔孫通謹擇良日二月甲午上尊號漢王卽皇帝位于氾水之陽尊王后曰皇后太子曰皇太子追尊先媼曰昭靈夫人詔曰故衡山王吳芮與子二人兄子一人從百粵之兵以佐諸侯誅暴秦有大功諸侯立以爲王項羽侵奪之地謂之番君其以長沙豫章象郡桂林南海立番君芮爲長沙王又曰故粵王亡諸世奉粵祀秦侵奪其地使其社稷不得血食諸侯伐秦亡諸身帥閩中兵以佐滅秦項羽廢而弗立今以爲閩粵王王閩中地勿使失職帝乃西都洛陽夏五月兵皆罷歸家詔曰諸侯子在關中者復之十二歲其歸者半之民前或相聚保山澤不書名數今天下已定令各歸其縣復故爵田宅吏以文法教訓辨告勿笞

辱民以饑餓自賣爲人奴婢者皆免爲庶人軍吏卒會赦其亡罪而亡爵及不滿大夫者皆賜爵爲大夫故大夫以上賜爵各一級其七大夫以上皆令食邑非七大夫以下皆復其身及戶勿事又曰七大夫公乘以上皆高爵也諸侯子及從軍歸者甚多高爵吾數詔吏先與田宅及所當求於吏者亟與爵或人君上所尊禮久立吏前曾不爲決甚亡謂也異日秦民爵公大夫以上令丞與亢禮今吾於爵非輕也吏獨安取此且法以有功勞行田宅今小吏未嘗從軍者多滿而有功者顧不得背公立私守尉長吏教訓甚不善其令諸吏善遇高爵稱吾意且廉問有不如吾詔者以重論之帝置酒雒陽南宮上曰通侯諸將毋敢隱朕皆言其情吾所以有天下者何項氏之所以失天下者何高起王陵對曰陛下嫚而侮人項羽仁而敬人然陛下使人攻城略地所降下者因以與之與天下同利也項羽妒賢嫉能有功者害之賢者疑之戰勝而不與人功得地而不與人利此其所以失天下也上曰公知其一未知其二夫運籌帷幄之中決勝千里之外吾不如子房塡國家撫百姓給餽饟不絕糧道吾不如蕭何連百萬之衆戰必勝攻必取吾不如韓信三者皆人傑吾能用之此吾所以取天下者也項羽有一范增而不能用此所以爲我禽也群臣說服初田橫歸彭越項羽已滅橫懼誅與賓客亡入海上恐其久爲亂遣使者赦橫曰橫來大者王小者侯不來且發兵加誅橫懼乘傳詣雒陽未至三十里自殺上壯其節爲流涕發卒二千人以王禮葬焉戍卒婁敬求見說上曰陛下取天下與周異而都雒陽不便不如入關據秦之固上以問張良良因勸上是日車駕西都長安拜婁敬爲奉春君賜姓劉氏六月壬辰大赦天下秋七月燕王臧荼反上自將征之九月虜荼詔諸侯王視有功者立以爲楚王荆王臣信等十人皆曰太尉長安侯盧綰功最多請立以爲燕王使丞相噲將兵平代地利幾反上自擊破之利幾者項羽將羽敗利幾爲陳令降上侯之潁川上至雒陽舉通侯籍召之而利幾恐反後九月

徙諸侯子關中、治長樂宮、

六年冬十月、令天下縣邑城、人告楚王信謀反。上問左右、左右爭欲擊之、用陳平計、乃僞游雲夢、十二月。會諸侯于陳、楚王信迎謁、因執之、詔曰、天下既安、豪桀有功者封侯、新立未能盡圖其功。身居軍九年、或未習法令、或以其故犯法。大者死刑、吾甚憐之。其赦天下。田肯賀上曰、甚善。陛下得韓信。又治秦中。秦形勝之國也。帶河阻山、縣隔千里、持戟百萬、秦得百二焉、地勢便利、其以下兵於諸侯、譬猶居高屋之上、建瓴水也、夫齊東有琅邪即墨之饒、南有泰山之固。西有濁河之限、北有勃海之利。地方二千里、持戟百萬、縣隔千里之外、齊得十二焉、此東西秦也、非親子弟、莫可使王齊者、上曰、善、賜金五百斤。上還至雒陽、赦韓信、封爲淮陰侯、甲申。始剖符封功臣、曹參等爲通侯、詔曰、齊古之建國也。今爲郡縣、其復以爲諸侯、將軍劉賈數有大功。及擇寛惠修絜者、王齊荊地、春正月丙午、韓王信等奏請以故東陽郡鄣郡吳郡五十三縣、立劉賈爲荊王、以碭郡薛郡郯郡三十六縣、立弟文信君交、爲楚王、壬子、以雲中鴈門代郡五十三縣、立兄宜信侯喜、爲代王、以膠東膠西臨淄濟北博陽城陽郡七十三縣。立子肥、爲齊王、以太原郡三十一縣。爲韓國、徙韓王信都晉陽、上已封大功臣三十餘人、其餘爭功未得行封、上居南宮、從復道上、見諸將往々耦語。以問張良、良曰、陛下與此屬共取天下、今已爲天子、而所封皆故人所愛、所誅皆平生仇怨。今軍吏計功、以天下爲不足用徧封、而恐以過失及誅、故相聚謀反耳、上曰、爲之柰何、良曰、取上素所不快、計群臣所共知。最甚者一人、先封以示群臣、三月。上置酒、封雍齒。因趣丞相急定功行封。罷酒、群臣皆喜曰、雍齒且侯、吾屬亡患矣、上歸櫟陽。五日一朝太公、太公家令說太公曰。天亡二日。土亡二王、皇帝雖子、人主也。太公雖父、人臣也。柰何令人主拜人臣。如此則威重不行、後上朝、太公擁彗迎門卻行、上大驚。下扶太公。太公曰。帝人主、柰何以我亂天下法、於是上心善家令言、賜黃金五百斤。夏五月、丙午、詔曰、人之至親、莫親於父子、故父有天下、傳歸於子。子有天下、尊歸於父、此人道之極也。前日天下大亂。兵革竝起、万民苦殃、朕親被堅執鋭、自帥士卒、犯危難。平暴亂。立諸侯、偃兵息民、天下大安、此皆太公之教訓也、諸王通侯將軍群卿大夫、已尊朕爲皇帝、而太公未有號、今上尊太公。曰太上皇、秋九月。匈奴圍韓王信於馬邑、信降匈奴、

七年冬十月、上自將擊韓王信於銅鞮斬其將、信亡走匈奴、與其將曼丘臣、王黃。共立故趙後趙利爲王。收信散兵、與匈奴共距漢、上從晉陽連戰、乘勝逐北、至樓煩、會大寒、士卒墮指者、什二三、遂至平城、爲匈奴所圍七日、用陳平祕計、得出、使樊噲留定代地、十二月、上還過趙、不禮趙王、是月、匈奴攻代、代王喜棄國、自歸雒陽、赦爲合陽侯、辛卯、立子如意爲代王、春、令郎中有罪、耐以上請之。民產子、復勿事二歲。二月。至長安、蕭何治未央宮、立東闕北闕前殿武庫大倉。上見其壯麗、甚怒、謂何曰、天下匈々、勞苦數歲、成敗未可知。是何治宮室、過度也。何曰、天下方未定、故可因以就宮室、且夫天子以四海爲家、非令壯麗、亡以重威、且亡令後世有以加也。上說、自櫟陽徙都長安、置宗正官、以序九族、夏四月、行如雒陽、

八年冬。上東擊韓信餘寇於東垣、還過趙、趙相貫高等、恥上不禮其王、陰謀欲弑上、上欲宿、心動、問縣名、何曰柏人、上曰、柏人者、迫於人也、去弗宿、十一月、令士卒從軍死者爲櫝、歸其縣、縣給衣衾棺葬具、祠以少牢、長吏視葬、十二月、行自東垣至、春三月、行如雒陽、令吏卒從軍至平城、及守城邑者、皆復終身勿事、爵非公乘以上、毋得冠劉氏冠、賈人毋得衣錦繡綺縠絺紵罽、操兵乘騎馬、秋八月、吏有罪、未發覺者、赦之、九月、行自雒陽至、淮南王、梁王、趙王、楚王、皆從、

九年冬十月、淮南王、梁王、趙王、楚王、朝未央宮、置酒前殿、上奉玉卮、爲太上皇壽曰、始大人常以臣亡賴、不能治產業、不如仲力、今某之業所就、孰與仲

多殿上群臣皆稱萬歲大笑爲樂十一月徙齊楚大族昭氏屈氏景氏懷氏田氏五姓關中與利田宅十二月行如雒陽貫高等謀逆發覺逮捕高等幷捕趙王敖下獄詔敢有隨王罪三族郞中田叔孟舒等十人自髡鉗爲王家奴從王就獄王實不知其謀春正月廢趙王敖爲宣平侯徙代王如意爲趙王王趙國丙寅前有罪殊死已下皆赦之二月行自雒陽至賢趙臣田叔孟舒等十人召見與語漢廷臣無能出其右者上說盡拜爲郡守諸侯相夏六月乙未晦日有蝕之

十年冬十月淮南王燕王荊王梁王楚王齊王長沙王來朝夏五月太上皇后崩秋七月癸卯太上皇崩葬萬年赦櫟陽囚死罪已下八月令諸侯王皆立太上皇廟于國都九月代相國陳豨反上曰豨甞爲吾使甚有信代地吾所急故封豨爲列侯以相國守代今乃與王黃等劫掠代地吏民非有罪也能去豨黃來歸者皆赦之上自東至邯鄲上喜曰豨不南據邯鄲而沮漳水吾知其亡能爲矣趙相周昌奏常山二十五城亡其二十城請誅守尉上曰守尉反乎對曰不上曰是力不足亡罪上令周昌選趙壯士可令將者白見四人上嫚罵曰豎子能爲將乎四人慙皆伏地上封各千戶以爲將左右諫曰從入蜀漢伐楚賞未偏行今封此何功上曰非汝所知陳豨反趙代地皆豨有吾以羽檄徵天下兵未有至者今計唯獨邯鄲中兵耳吾何愛四千戶不以慰趙子弟皆曰善又求樂毅有後乎得其孫叔封之樂鄉號華成君問豨將皆故賈人上曰吾知與之矣乃多以金購豨將豨將多降

十一年冬上在邯鄲豨將侯敞將萬餘人游行王黃將騎千餘軍曲逆張春將卒萬餘人度河攻聊城漢將軍郭蒙與齊將擊大破之太尉周勃道太原入定代地至馬邑馬邑不下攻殘之豨將趙利守東垣高祖攻之不下卒罵上怒城降卒罵者斬之諸縣堅守不降反寇者復租賦三歲春正月淮陰侯韓信謀反長安夷三族將軍柴武斬韓王信於參合上還雒陽詔曰代地居

常山之北與夷狄邊趙乃從山南有之遠數有胡寇難以爲國頗取山南太原之地益屬代代之雲中以西爲雲中郡則代受邊寇益少矣王相國通侯吏二千石擇可立爲代王者燕王綰相國何等三十三人皆曰子恒賢知溫良請立以爲代王都晉陽大赦天下二月詔曰欲省賦甚今獻未有程吏或多賦以爲獻而諸侯王尤多民疾之令諸侯王通侯常以十月朝獻及郡各以其口數率人歲六十三錢以給獻費又曰蓋聞王者莫高於周文伯者莫高於齊桓皆待賢人而成名今天下賢者智能豈特古之人乎患在人主不交故也士奚由進今吾以天之靈賢士大夫定有天下以爲一家欲其長久世々奉宗廟亡絕也賢人已與我共平之矣而不與吾共安利之可乎賢士大夫有肯從我游者吾能尊顯之布告天下使明知朕意御史大夫昌下相國相國酇侯下諸侯王御史中執法下郡守其有意稱明德者必身勸爲之駕遣詣相國府署行義年有而弗言覺免年老癃病勿遣三月梁王彭越謀反夷三族詔曰擇可以爲梁王淮陽王者燕王綰相國何等請立子恢爲梁王子友爲淮陽王罷東郡頗益梁罷潁川郡頗益淮陽夏四月行自雒陽至令豐人徙關中者皆復終身五月詔曰粤人之俗好相攻擊前時秦徙中縣之民南方三郡使與百粤雜處會天下誅秦南海尉它居南方長治之甚有文理中縣人以故不耗減粤人相攻擊之俗益止俱賴其力今立它爲南粤王使陸賈即授璽綬它稽首稱臣六月令士卒從入蜀漢關中者皆復終身秋七月淮南王布反上問諸將滕公言故楚令尹薛公有籌策上召見薛公言布形勢上善之封薛公千戶詔王相國擇可立爲淮南王者群臣請立子長爲王上乃發上郡北地隴西車騎巴蜀材官及中尉卒三万人爲皇太子衛軍霸上布果如薛公言東擊殺荊王劉賈劫其兵度淮擊楚楚王交走入薛上赦天下死罪以下皆令從軍徵諸侯兵上自將以擊布

十二年冬十月上破布軍于會缶布走令別將追之上還過沛留置酒沛宮

悉召故人父老子弟佐酒發沛中兒得百二十人敎之歌酒酣上擊筑自歌
曰大風起兮雲飛揚威加海內兮歸故鄕安得猛士兮守四方令兒皆和習
之上乃起舞忼慨傷懷泣數行下謂沛父兄曰游子悲故鄕吾雖都關中萬
歲之後吾魂魄猶思樂沛且朕自沛公以誅暴逆遂有天下其以沛爲朕湯
沐邑復其民世々無有所與沛父老諸母故人日樂飮極歡道舊故爲笑樂
十餘日上欲去沛父兄固請上曰吾人衆多父兄不能給乃去沛中空縣皆
之邑西獻上留止張飮三日沛父兄皆頓首曰沛幸得復豐未得唯陛下哀
矜上曰豐者吾所生長極不忘耳吾特以其爲雍齒故反我爲魏沛父兄固
請之廼幷復豐比沛漢別將擊布軍洮水南北皆大破之追斬布番陽周勃
定代斬陳豨於當城詔曰吳古之建國也日者荊王兼有其地今死亡後朕
欲復立吳王其議可者長沙王臣等言沛侯濞重厚請立爲吳王已拜上召
謂濞曰汝狀有反相因拊其背曰漢後五十年東南有亂豈汝邪然天下同
姓一家汝愼毋反濞頓首曰不敢十一月行自淮南還過魯以太牢祠孔子
十二月詔曰秦皇帝楚隱王魏安釐王齊愍王趙悼襄王皆絕亡後其與秦
始皇帝守冢二十家楚魏齊各十家趙及魏公子亡忌各五家令視其冢復
亡與他事陳豨降將言豨反時燕王盧綰使人之豨所陰謀上使辟陽侯審
食其迎綰綰稱疾食其言綰反有端春二月使樊噲周勃將兵擊綰詔曰燕
王綰與吾有故愛之如子聞與陳豨有謀吾以爲亡有故使人迎綰綰稱疾
不來謀反明矣燕吏民非有罪也賜其吏六百石以上爵各一級與綰居去
來歸者赦之加爵亦一級詔諸侯王議可立爲燕王者長沙王臣等請立子
建爲燕王詔曰南武侯織亦粵之世也立以爲南海王三月詔曰吾立爲天
子帝有天下十二年于今矣與天下之豪士賢大夫共定天下同安輯之其
有功者上致之王次爲列侯下乃食邑而重臣之親或爲列侯皆令自置吏
得賦歛女子公主爲列侯食邑者皆佩之印賜大第室吏二千石徙之長安

受小第室入蜀漢定三秦者皆世々復吾於天下賢士功臣可謂亡負矣其
有不義背天子擅起兵者與天下共伐誅之布告天下使明知朕意上擊布
時爲流矢所中行道疾疾甚呂后迎良醫醫入見上問醫曰疾可治不醫曰
可治於是上嫚罵之曰吾以布衣提三尺取天下此非天命乎命乃在天雖
扁鵲何益遂不使治疾賜黃金五十斤罷之呂后問曰陛下百歲後蕭相國
旣死誰令代之上曰曹參可問其次曰王陵可然少戇陳平可以助之陳平
知有餘然難獨任周勃重厚少文然安劉氏者必勃也可令爲太尉呂后復
問其次上曰此後亦非乃所知也盧綰與數千人居塞下候伺幸上疾癒自
入謝夏四月甲辰帝崩于長樂宮盧綰聞之遂亡入匈奴呂后與審食其謀
曰諸將故與帝爲編戶民北面爲臣心常鞅々今乃事少主非盡族是天下
不安以故不發喪人或聞以語酈商酈商見審食其曰聞帝已崩四日不發
喪欲誅諸將誠如此天下危矣陳平灌嬰將十萬守滎陽樊噲周勃將二十
萬定燕代此聞帝崩諸將皆誅必連兵還鄕以攻關中大臣內畔諸將外反
亡可蹻足待也審食其入言之乃以丁未發喪大赦天下五月丙寅葬長陵
己下皇太子群臣皆反至太上皇廟群臣曰帝起細微撥亂世反之正平定
天下爲漢太祖功最高上尊號曰高皇帝初高祖不修文學而性明達好謀
能聽自監門戍卒見之如舊初順民心作三章之約天下旣定命蕭何次律
令韓信申軍法張蒼定章程叔孫通制禮儀陸賈造新語又與功臣剖符作
誓丹書鐵契金匱石室藏之宗廟雖日不暇給規模弘遠矣
贊曰春秋晉史蔡墨有言陶唐氏旣衰其後有劉累學擾龍事孔甲范氏其
後也而大夫范宣子亦曰祖自虞以上爲陶唐氏在夏爲御龍氏在商爲豕
韋氏在周爲唐杜氏晉主夏盟爲范氏范氏爲晉士師魯文公世奔秦後歸
于晉其處者爲劉氏劉向云戰國時劉氏自秦獲於魏秦滅魏遷大梁都于
豐故周市說雍齒曰豐故梁徙也是以頌高祖云漢帝本系出自唐帝降及

于周在秦作劉涉魏而東遂爲豊公豊公蓋太上皇父其遷日淺墳墓在豊鮮焉及高祖卽位置祠祀官則有秦晉梁荊之巫世祠天地綴之以祀豈不信哉由是推之漢承堯運德祚已盛斷蛇著符旗幟上赤協于火德自然之應得天統矣

第一　蕭何傳

蕭何沛人也以文毋害爲沛主吏掾高祖爲布衣時數以吏事護高祖高祖爲亭長常佑之高祖以吏繇咸陽吏皆送奉錢三何獨以五秦御史監郡者與從事辨之何廼給泗水卒史事第一秦御史欲入言徵何何固請得毋行及高祖起爲沛公何嘗爲丞督事沛公至咸陽諸將皆爭走金帛財物之府分之何獨先入收秦丞相御史律令圖書藏之沛公具知天下阸塞戸口多少彊弱處民所疾苦者以何得秦圖書也初諸侯相與約先入關破秦者王其地沛公既先定秦項羽後至欲攻沛公沛公謝之得觧羽遂屠燒咸陽與

范增謀曰巴蜀道險秦之遷民皆居蜀廼曰蜀漢亦關中地也故立沛公爲漢王而三分關中地王秦降將以距漢王漢王怒欲謀攻項羽周勃灌嬰樊噲皆勸之何諫之曰雖王漢中之惡不猶愈於死乎漢王曰何爲乃死也何曰今衆弗如百戰百敗不死何爲周書曰天予不取反受其咎語曰天漢其稱甚美夫能詘於一人之下而信於萬乘之上者湯武是也臣願大王王漢中養其民以致賢人收用巴蜀還定三秦天下可圖也漢王曰善乃遂就國以何爲丞相何進韓信漢王以爲大將軍說漢王令引兵東定三秦語在信傳何以丞相留收巴蜀塡撫諭告使給軍食漢二年漢王與諸侯擊楚何守關中侍太子治櫟陽爲令約束立宗廟社稷宮室縣邑輒奏上可許以從事即不及奏輒以便宜施行上來以聞計戸轉漕給軍漢王數失軍遯去何常興關中卒輒補缺上以此剸屬任何關中事

漢三年與項羽相距京索間上數使使勞苦丞相鮑生謂何曰今王暴衣露蓋數勞苦君者有疑君心爲君計莫若遣君子孫昆弟能勝兵者悉詣軍所上益信君於是何從其計漢王大說漢五年已殺項羽即皇帝位論功行封群臣爭功歲餘不決上以何功最盛先封爲酇侯食邑八千戸功臣皆曰臣等身被堅執兵多者百餘戰少者數十合攻城略地大小各有差今蕭何未有汗馬之勞徒持文墨議論不戰顧居臣等上何也上曰諸君知獵乎曰知之知獵狗乎曰知之上曰夫獵追殺獸者狗也而發縱指示獸處者人也今諸君徒能走得獸耳功狗也至如蕭何發縱指示功人也且諸君獨以身從我多者三兩人蕭何舉宗數十人皆隨我功不可忘也群臣後皆莫敢言列侯畢已受封奏位次皆曰平陽侯曹參身被七十創攻城略地功最多宜第一上已橈功臣多封何至位次未有以復難之然心欲何第一關內侯鄂千秋時爲謁者進曰群臣議皆誤夫曹參雖有野戰畧地之功此特一時之事夫上與楚相距五歲失軍亡衆跳身遯者數矣然蕭何常從關中遣軍補其

處非上所詔令召而數萬衆會上乏絶者數矣夫漢與楚相守滎陽數年軍無見糧蕭何轉漕關中給食不乏陛下雖數亡山東蕭何常全關中待陛下此萬世功也今雖無曹參等百數何缺於漢漢得之不必待以全奈何欲以一旦之功而加萬世之功哉蕭何當第一曹參次之上曰善於是乃令何第一賜帶劍履上殿入朝不趨上曰吾聞進賢受上賞蕭何功雖高待鄂君廼得明於是因鄂千秋故所食關內侯邑二千戸封爲安平侯是日悉封何父母兄弟十餘人皆食邑乃益封何二千戸以嘗繇咸陽時何送我獨贏錢二也

陳豨反上自將至邯鄲而韓信謀反關中呂后用何計誅信語在信傳上已聞誅信使使拜丞相爲相國益封五千戸令卒五百人一都尉爲相國衛諸君皆賀召平獨弔召平者故秦東陵侯秦破爲布衣貧種瓜長安城東瓜美故世謂東陵瓜從召平始也平謂何曰禍自此始矣上暴露於外而君守於

內非被矢石之難而益君封置衞者以今者淮陰新反於中有疑君心夫置
衞衞君非以寵君也願君讓封勿受悉以家私財佐軍何從其計上說其秋
黥布反上自將擊之數使使問相國何爲曰爲上在軍拊循勉百姓悉所有
佐軍如陳豨時客又說何曰君滅族不久矣夫君位爲相國功第一不可復
加然君初入關本得百姓心十餘年矣皆附君尙復孳孳得民和上所謂數
問君畏君傾動關中今君胡不多買田地賤貰貸以自汙上心安於是何從
其計上乃大說上罷布軍歸民道遮行上書言相國彊賤買民田宅數千人
上至何謁上笑曰今相國迺利民民所上書皆以與何曰君自謝民
後何爲民請曰長安地陿上林中多空地弃願令民得入田毋收槀爲獸食
上大怒曰相國多受賈人財物爲請吾苑乃下何廷尉械繫之數日王衞尉
侍前問曰相國胡大罪陛下繫之暴也上曰吾聞李斯相秦皇帝有善歸主
有惡自予今相國多受賈豎金爲請吾苑以自媚於民故繫治之王衞尉曰
夫職事苟有便於民而請之眞宰相事也陛下奈何乃疑相國受賈民錢乎
且陛下距楚數歲陳豨黥布反時陛下自將往當是時相國守關中關中搖
足則關西非陛下有也相國不以此時爲利乃利賈人之金乎且秦以不聞
其過亡天下夫李斯之分過又何足法哉陛下何疑宰相之淺也上不懌是
日使使持節赦出何何年老素恭謹徒跣入謝上曰相國休矣相國爲民請
吾苑不許我不過爲桀紂主而相國爲賢相吾故繫相國欲令百姓聞吾過
高祖崩何事惠帝何病上親自臨視何疾因問曰君即百歲後誰可代君對
曰知臣莫若主帝曰曹參何如何頓首曰帝得之矣何死不恨矣何買田宅
必居窮辟處爲家不治垣屋曰令後世賢師吾儉不賢毋爲勢家所奪孝惠
二年何薨謚曰文終侯子祿嗣薨無子高后迺封何夫人同爲酇侯小子延
爲筑陽侯孝文元年罷同更封延爲酇侯薨子遺嗣薨無子文帝復以遺弟
則嗣有罪免景帝二年制詔御史故相國蕭何高皇帝大功臣所與爲天下

也今其祀絕朕甚憐之其以武陽縣戶二千封何孫嘉爲列侯嘉則弟也薨
子勝嗣後有罪免武帝元狩中復下詔御史以酇戶二千四百封何曾孫慶
爲酇侯布告天下令明知朕報蕭相國德也慶則子也薨子壽成嗣坐爲太
常犧牲瘦免宣帝時詔丞相御史求問蕭相國後在者得玄孫建世等十二
人復下詔以酇戶二千封建世爲酇侯傳子至孫獲坐使奴殺人減死論成
帝時復封何玄孫之子南緣長喜爲酇侯傳子至曾孫王莽敗乃絕

第三　曹參傳

曹參沛人也秦時爲獄掾而蕭何爲主吏居縣爲豪吏矣高祖爲沛公也參
以中涓從擊胡陵方與攻秦監公軍大破之東下薛擊泗水守軍薛郭西復
攻胡陵取之徙守方與方與反爲魏擊之豐反爲魏攻之賜爵七大夫北擊
司馬欣軍碭東取狐父祁善置又攻下邑以西至虞擊秦將章邯車騎攻轅
戚及亢父先登遷爲五大夫北救東阿擊章邯軍陷陳追至濮陽攻定陶取
臨濟南救雍丘擊李由軍破之殺李由虜秦候一人章邯破殺項梁也沛公
與項羽引兵而東楚懷王以沛公爲碭郡長將碭郡兵於是乃封參執帛號
曰建成君遷爲戚公屬碭郡其後從攻東郡尉軍破之成武南擊王離軍成
陽南又攻杜里大破之追北西至開封擊趙賁軍破之圍趙賁開封城中西
擊秦將楊熊軍於曲遇破之虜秦司馬及御史各一人遷爲執珪從西攻陽
武下轘轅緱氏絕河津擊趙賁軍尸北破之從南攻犨與南陽守齮戰陽城
郭東陷陳取宛虜齮定南陽郡從西攻武關嶢關取之前攻秦軍藍田南又
夜擊其北軍大破之遂至咸陽滅秦
項羽至以沛公爲漢王漢王封參爲建成侯從至漢中遷爲將軍從還定三
秦攻下辨故道雍斄擊章平軍於好畤南破之圍好畤取壤鄉擊三秦軍壤
東及高櫟破之復圍章平平出好畤走因擊趙賁內史保軍破之東取咸陽
更名曰新城參將兵守景陵二十三日三秦使章平等攻參參出擊大破之

賜食邑於寧秦以將軍引兵圍章邯廢丘以中尉從漢王出臨晉關至河內下修武度圍津東擊龍且項佗定陶破之東取碭蕭彭城擊項籍軍漢軍大敗走參以中尉圍取雍丘王武反於外黃程處反於燕往擊盡破之柱天侯反於衍氏進破取衍氏擊羽嬰於昆陽追至葉還攻武彊因至滎陽參自漢中爲將軍中尉從擊諸侯及項王敗還至滎陽漢二年拜爲假左丞相入屯兵關中月餘魏王豹反以假左丞相別與韓信東攻魏將孫遬軍東張大破之因攻安邑得魏將王襄擊魏王於曲陽追至東垣生獲魏王豹取平陽得豹母妻子盡定魏地凡五十二縣賜食邑平陽因從韓信擊趙相國夏說軍於鄔東大破之斬夏說韓信與故常山王張耳引兵下井陘擊成安君陳餘而令參還圍趙別將戚公於鄔城中戚公出走追斬之迺引兵詣漢王在所韓信己破趙爲相國東擊齊參以左丞相屬焉攻破齊歷下軍遂取臨淄還定濟北郡收著漯陰平原鬲盧己而從韓信擊龍且軍於上假密大破之斬

龍且虜亞將周蘭定齊郡凡得七十縣得故齊王田廣相田光其守相許章及故將軍田既韓信立爲齊王引兵東詣陳與漢王共破項羽而參留平齊未服者漢王即皇帝位韓信立爲楚王參歸相印焉

高祖以長子肥爲齊王而以參爲齊相國高祖六年與諸侯剖符賜參爵列侯食邑平陽萬六百三十戶世々勿絕參以齊相國擊陳豨將張春破之黥布反參從悼惠王將車騎十二萬與高祖會擊黥布軍大破之南至蘄還定竹邑相蕭留參功凡下二國縣百二十二得王二人相三人將軍六人大莫囂郡守司馬候御史各一人孝惠元年除諸侯相國法更以參爲齊丞相參之相齊齊七十城天下初定悼惠王富於春秋參盡召長老諸先生問所以安集百姓而齊故諸儒以百數言人人殊參未知所定聞膠西蓋公善治黃老言使人厚幣請之既見蓋公蓋公爲言治道貴淸靜而民自定推此類具言之參於是避正堂舍蓋公焉其治要用黃老術故相齊九年齊國安集大

稱賢相蕭何薨參聞之告舍人輒治行吾且入相居無何使者果召參參去屬其後相曰以齊獄市爲寄愼勿擾也後相曰治無大於此者乎參曰不然夫獄市者所以幷容也今君擾之姦人安所容乎吾是以先之始參微時與蕭何善及爲宰相有隙至何且死所推賢唯參參代何爲相國舉事無所變更壹遵何之約束擇郡國吏長大訥於文辭謹厚長者即召除爲丞相史吏言文刻深欲務聲名輒斥去之日夜飮酒卿大夫以下吏及賓客見參不事事來者皆欲有言至者參輒飮以醇酒度之欲有言復飮酒醉而後去終莫得開說以爲常相舍後園近吏舍吏舍日飮歌呼從吏患之無如何迺請參遊後園聞吏醉歌呼從吏幸相國召按之乃反取酒張坐飮大歌呼與相和參見人之有細過掩匿覆蓋之府中無事參子窋爲中大夫惠帝怪相國不治事以爲豈少朕與迺謂窋曰女歸試私從容問乃父曰高帝新弃群臣帝富於春秋君爲相國日飮無所請事何以憂天下然無言吾告女也窋既洗

沐歸時間自從其所諫參參怒而笞之二百曰趣入侍天下事非乃所當言也至朝時帝讓參曰與窋胡治乎乃者我使諫君也參免冠謝曰陛下自察聖武孰與高皇帝上曰朕乃安敢望先帝參曰陛下觀參孰與蕭何賢上曰君似不及也參曰陛下言之是也且高皇帝與蕭何定天下法令既明具陛下垂拱參等守職遵而勿失不亦可乎惠帝曰善君休矣參爲相國三年薨謚曰懿侯百姓歌之曰蕭何爲法講若畫一曹參代之守而勿失載其淸靜民以寧壹窋嗣侯高后時至御史大夫傳國至曾孫襄武帝時爲將軍擊匈奴薨子宗嗣有罪完爲城旦至哀帝時乃封參玄孫之孫本始爲平陽侯二千戶王莽時薨子宏嗣建武中先降河北封平陽侯至今八侯

贊曰蕭何曹參皆起秦刀筆吏當時錄々未有奇節漢興依日月之末光何以信謹守管籥參與韓信俱征伐天下既定因民之疾秦法順流與之更始二人同心遂安海內淮陰黥布等己滅唯何參擅功名位冠群臣聲施後世

爲一代宗臣。慶流苗裔盛矣哉。

中等漢文卷之四上終

中等漢文卷之四中

漢書　班固　　山本廉編

第一　張良傳

張良字子房。其先韓人也。大父開地。相韓昭侯・宣惠王・襄哀王。父平相釐王・悼惠王。悼惠王二十三年。平卒。卒二十歲。秦滅韓。良年少。未宦事韓。韓破。良家僮三百人。弟死不葬。悉以家財求客。刺秦王。爲韓報仇。以五世相韓故。良嘗學禮淮陽。東見倉海君。得力士。爲鐵椎重百二十斤。秦皇帝東游。至博狼沙中。良與客狙擊秦皇帝。誤中副車。秦皇帝大怒。大索天下。求賊急甚。良乃更名姓。亡匿下邳。良嘗間從容。步游下邳圯上。有一老父。衣褐。至良所。直墮其履圯下。顧謂良曰。孺子下取履。良愕然欲毆之。爲其老。迺彊忍。下取履。因跪進。父以足受之。笑而去。良殊大驚。父去里所。復還曰。孺子可敎矣。後五日平明。與我期此。良因怪之。跪曰。諾。五日平明。良往。父已先在。怒曰。與老人期。

後何也。去。後五日。雞鳴往。父又先在。復怒曰。後何也。去。後五日。復蚤來。五日。良夜半往。有頃。父亦來。喜曰。當如是。出一編書曰。讀是則爲王者師。後十年興。十三年。孺子見我濟北。穀城山下黃石。即我已。遂去不見。旦日視其書。迺太公兵法。良因異之。常習誦。居下邳。爲任俠。項伯嘗殺人。從良匿。後十年。陳涉等起。良亦聚少年百餘人。景駒自立爲楚假王。在陳留。良欲往從之。行道遇沛公。沛公將數千人。略地下邳。遂屬焉。沛公拜良爲廐將。良數以太公兵法說沛公。沛公喜。常用其策。良爲它人言。皆不省。良曰。沛公殆天授。故遂從不去。

沛公之薛。見項梁。共立楚懷王。良乃說項梁曰。君已立楚後。而韓諸公子橫陽君成賢。可立爲王。益樹黨。項梁使良求韓成。立爲韓王。以良爲韓司徒。與韓王將千餘人。西略韓地。得數城。秦輒復取之。往來爲游兵潁川。沛公之從雒陽南。出轘轅。良引兵從沛公。下韓十餘城。擊楊熊軍。沛公迺令韓王成。留

守陽翟。與良俱南攻下宛。西入武關。沛公欲以二萬人擊秦嶢關下軍。良曰。
秦兵尚彊。未可輕。臣聞其將屠者子。賈豎易動以利。願沛公且留壁。使人先
行。爲五萬人具食。益張旗幟諸山上。爲疑兵。令酈食其持重寶啗秦將。秦將
果欲連和。俱西襲咸陽。沛公欲聽之。良曰。此獨其將欲叛。士卒恐不從。不從
必危。不如因其解擊之。沛公迺引兵擊秦軍。大破之。逐北至藍田。再戰。秦兵
竟敗。遂至咸陽。秦王子嬰降沛公。沛公入秦宮。宮室帷帳狗馬重寶婦女以千
數。意欲留居之。樊噲諫沛公。不聽。良曰。夫秦爲無道。故沛公得至此。爲天下
除殘去賊。宜縞素爲資。今始入秦。卽安其樂。此所謂助桀爲虐。且忠言逆耳。
利於行。毒藥苦口。利於病。願沛公聽樊噲言。沛公迺還軍覇上。項羽至鴻門。
欲擊沛公。項伯夜馳至沛公軍。私見良。欲與俱去。良曰。臣爲韓王送沛公。今
事有急。亡去不義。迺具語沛公。沛公大驚曰。爲之奈何。良曰。沛公誠欲背項
王邪。沛公曰。鯫生說我距關毋內諸侯。秦地可王也。故聽之。良曰。沛公自度。
能卻項王乎。沛公默然曰。今爲奈何。良因要項伯見沛公。沛公與伯飮。爲壽
結婚。令伯具言沛公不敢背項王。所以距關者。備它盜也。項羽後解。語在羽
傳。

漢元年。沛公爲漢王。王巴蜀。賜良金百溢。珠二斗。良具以獻項伯。漢王亦因
令良厚遺項伯。使請漢中地。項王許之。漢王之國。良送至褒中。遣良歸韓。良
因說漢王。燒絕棧道。示天下無還心。以固項王意。迺使良還。行燒絕棧道。良
歸至韓。聞項羽以良從漢王。故不遣韓王成之國。與俱東至彭城殺之。時漢
王還定三秦。良乃遺項王書曰。漢王失職。欲得關中。如約卽止。不敢復東。又
以齊反書遺羽曰。齊與趙欲幷滅楚。項羽以故北擊齊。良乃間行歸漢。漢王
以良爲成信侯。從東擊楚。至彭城。漢王兵敗而還。至下邑。漢王下馬踞鞍而
問曰。吾欲捐關以東等弃之。誰可與共功者。良曰。九江王布。楚梟將。與項王
有隙。彭越與齊王田榮反梁地。此兩人可急使。而漢王之將。獨韓信可屬大

事。當一面。卽欲捐之。捐之此三人。楚可破也。漢王乃遣隨何說九江王布。而
使人連彭越。及魏王豹反。使韓信特將北擊之。因舉燕代齊趙。然卒破楚者。
此三人力也。良多病。未嘗特將兵。常爲畫策臣。時々從。

漢三年。項羽急圍漢王於滎陽。漢王憂恐。與酈食其謀橈楚權。酈生曰。昔湯
伐桀。封其後杞。武王誅紂。封其後宋。今秦無道。伐滅六國。無立錐之地。陛下
誠復立六國後。此皆爭戴陛下德義。願爲臣妾。德義已行。南面稱伯。楚必斂
衽而朝。漢王曰。善。趣刻印。先生因行佩之。酈生未行。良從外來謁漢王。漢王
方食。曰。客有爲我計橈楚權者。具以酈生計。告良曰。於子房何如。良曰。誰爲
陛下畫此計者。陛下事去矣。漢王曰。何哉。良曰。臣請借前箸。以籌之。昔湯武
伐桀紂封其後者。度能制其死命也。今陛下能制項籍死命乎。其不可一矣。
武王入殷。表商容閭。式箕子門。封比干墓。今陛下能乎。其不可二矣。發鉅橋
之粟。散鹿臺之財。以賜貧窮。今陛下能乎。其不可三矣。殷事以畢。偃革爲軒。
倒載干戈。示不復用。今陛下能乎。其不可四矣。休馬華山之陽。示無所爲。今
陛下能乎。其不可五矣。息牛桃林之野。示天下不復輸積。今陛下能乎。其不
可六矣。且夫天下游士。左親戚。棄墳墓。去故舊。從陛下者。但日夜望咫尺之
地。今乃立六國後。唯無復立者。游士各歸事其主。從親戚。反故舊。陛下誰與
取天下乎。其不可七矣。且楚唯毋彊。六國復橈而從之。陛下焉得而臣之。其
不可八矣。誠用此謀。陛下事去矣。漢王輟食吐哺。罵曰。豎儒幾敗迺公事。令
趣銷印。後韓信破齊。欲自立爲假齊王。漢王怒。良說漢王。漢王使良授齊王
信印。語在信傳。

五年冬。漢王追楚至陽夏南。戰不利。壁固陵。諸侯期不至。良說漢王。漢王用
其計。諸侯皆至。語在高紀。漢六年。封功臣。良未嘗有戰鬪功。高帝曰。運籌策
帷幄中。決勝千里外。子房功也。自擇齊三萬戶。良曰。始臣起下邳。與上會留。
此天以臣授陛下。陛下用臣計。幸而時中。臣願封留足矣。不敢當三萬戶。迺

封良爲留侯。與蕭何等俱封。上已封大功臣二十餘人。其餘日夜爭功不決。未得行封。上居雒陽南宮。從復道。望見諸將往々數人偶語。上曰。此何語。良曰。陛下不知乎。此謀反耳。上曰。天下屬安定。何故而反。良曰。陛下起布衣。與此屬取天下。今陛下已爲天子。而所封皆蕭曹故人所親愛。而所誅者。皆平生仇怨。今軍吏計功。天下不足以徧封。此屬畏陛下不能盡封。又恐見疑過失及誅。故相聚而謀反耳。上迺憂曰。爲將奈何。良曰。上平生所憎。群臣所共知。誰最甚者。上曰。雍齒與我有故怨。數窘辱我。我欲殺之。爲功多不忍。良曰。今急先封雍齒。以示群臣。群臣見雍齒先封。則人々自堅矣。於是上置酒。封雍齒。爲什方侯。而急趣丞相御史。定功行封。群臣罷酒。皆喜曰。雍齒且侯。我屬無患矣。

劉敬說上都關中。上疑之。左右大臣皆山東人。多勸上都雒陽。雒陽東有成皐。西有殽黽。背河鄕雒。其固亦足恃。良曰。雒陽雖有此固。其中小。不過數百里。田地薄。四面受敵。此非用武之國。夫關中左殽函。右隴蜀。沃野千里。南有巴蜀之饒。北有胡苑之利。阻三面而固守。獨以一面。東制諸侯。諸侯安定。河渭漕輓天下。西給京師。諸侯有變。順流而下。足以委輸。此所謂金城千里。天府之國。劉敬說是也。於是上卽日駕。西都關中。良從入關。性多疾。卽道引不食穀。閉門不出。歲餘上欲廢太子。立戚夫人子趙王如意。大臣多爭。未能得堅決也。呂后恐不知所爲。或謂呂后曰。留侯善畫計。上信用之。呂后乃使建成侯呂澤劫良曰。君常爲上謀臣。今上日欲易太子。君安得高枕而臥。良曰始上數在急困之中。幸用臣策。今天下安定。以愛欲易太子。骨肉之間。雖臣等百人何益。呂澤彊要曰。爲我畫計。良曰。此難以口舌爭也。顧上有所不能致者四人。四人年老矣。皆以上嫚娒士。故逃匿山中。義不爲漢臣。然上高此四人。今公誠能毋愛金玉璧帛。令太子爲書。卑辭安車。因使辨士固請。宜來。來以爲客。時從入朝。令上見之。則一助也。於是呂后令呂澤使人奉太子書

卑辭厚禮。迎此四人。四人至。客建成侯所。

漢十一年。黥布反。上疾。欲使太子往擊之。四人相謂曰。凡來者將以存太子。太子將兵。事危矣。迺說建成侯曰。太子將兵有功。卽位不益。無功則從此受禍。且太子所與俱諸將。皆與上定天下梟將也。今迺使太子將之。此無異使羊將狼。皆不肯爲用。其無功必矣。臣聞母愛者子抱。今戚夫人日夜侍御。趙王常居前。上終不使不肖子居愛子上。明其代太子位必矣。君何不急請呂后承間爲上泣言。黥布天下猛將。善用兵。今諸將皆陛下故等夷。迺令太子將。此屬莫肯爲用。且布聞之。皷行而西耳。上雖疾。彊載輜車。臥而護之。諸將不敢不盡力。上雖苦。彊爲妻子計。於是呂澤夜見呂后。呂后承間爲上泣而言。如四人意。上曰。吾惟之。豎子固不足遣。迺公自行耳。於是上自將而東。群臣居守。皆送至覇上。良疾。彊起至曲郵。見上曰。臣宜從。疾甚。楚人剽疾。願上愼毋與楚爭鋒。因說上。令太子爲將軍。監關中兵。上謂子房。雖疾。彊臥傅太子。是時叔孫通已爲太傅。良行少傅事。漢十二年。上從破布歸。疾益甚。愈欲易太子。良諫不聽。因疾不視事。叔孫太傅稱說引古。以死爭太子。上陽許之猶欲易之。及宴置酒。太子侍。四人者從太子。年皆八十有餘。須眉皓白。衣冠甚偉。上怪問曰。何爲者。四人前對。各言其姓名。上迺驚曰。吾求公。避逃我。今公何自從吾兒游乎。四人曰。陛下輕士善罵。臣等義不辱。故恐而亡匿。今聞太子仁孝。恭敬愛士。天下莫不延頸願爲太子死者。故臣等來。上曰。煩公。幸卒調護太子。四人爲壽已畢趨去。上目送之。召戚夫人。指視曰。我欲易之。彼四人爲之輔。羽翼已成。難動矣。呂氏眞迺主矣。戚夫人泣涕。上曰。爲我楚舞。吾爲若楚歌。歌曰。鴻鵠高飛。一擧千里。羽翼以就。橫絕四海。橫絕四海。又可奈何。雖有良繳。尙安所施。歌數闋。戚夫人歔欷流涕。上起去罷酒。竟不易太子者。良本招此四人之力也。

良從上擊代。出奇計。下馬邑。及立蕭相國。所與上從容言天下事甚衆。非天

下所以存亡。故不著。良廼稱曰。家世相韓。及韓滅。不愛万金之資。爲韓報仇彊秦。天下震動。今以三寸舌。爲帝者師。封萬戸。位列侯。此布衣之極。於是足矣。願棄人間事。欲從赤松子游耳。廼學道。欲輕舉。高帝崩。呂后德良。廼彊食之曰。人生一世間。如白駒之過隙。何自苦如此。良不得已。彊聽食。後六歲薨。謚曰文成侯。良始所見下邳圯上老父與書者。後十三歲從高帝過濟北。果得穀城山下黃石。取而寶祠之。及良死。并葬黃石。每上冢伏臘。祠黃石。子不疑嗣侯。孝文三年坐不敬。國除。

第二　韓信傳

韓信淮陰人也。家貧無行。不得推擇爲吏。又不能治生爲商賈。常從人寄食。其母死無以葬。廼行營高燥地。令傍可置萬家者。信從下鄉南昌亭長食。亭長妻苦之。廼晨炊蓐食。食時信往。不爲具食。信亦知其意。自絕去。至城下釣。有一漂母。哀之飯信。竟漂數十日。信謂漂母曰。吾必重報母。母怒曰。大丈夫

不能自食。吾哀王孫而進食。豈望報乎。淮陰少年又侮信曰。雖長大好帶刀劍。怯耳。衆辱信曰。能死刺我。不能出跨下。於是信孰視。俛出跨下。一市皆笑信以爲怯。及項梁度淮。信乃杖劍從之。居戲下。無所知名。梁敗。又屬項羽。爲郎中。信數以策干項羽。羽弗用。漢王之入蜀。信亡楚歸漢。未得知名。爲連敖。坐法當斬。其疇十三人皆已斬。至信。信乃仰視。適見滕公。曰。上不欲就天下乎。而斬壯士。滕公奇其言。壯其貌。釋勿斬。與語大說之。言於漢王。漢王以爲治粟都尉。上未奇之也。數與蕭何語。何奇之。至南鄭。諸將道亡者數十人。信度何等已數言上。上不我用。即亡。何聞信亡。不及以聞。自追之。人有言上曰。丞相何亡。上怒如失左右手。居一二日。何來謁上。上且怒且喜。罵何曰。若亡何也。何曰。臣非敢亡。追亡者耳。上曰。所追者誰也。曰。韓信。上復罵曰。諸將亡者以數十。公無所追。追信詐也。何曰。諸將易得。至如信。國士無雙。王必欲長王漢中。無所事信。必欲爭天下。非信無可與計事者。顧王策安決。王曰。吾亦欲東

耳。安能鬱々久居此乎。何曰。王計必東。能用信。信即留。不能用信。信終亡耳。王曰。吾爲公以爲將。何曰。雖爲將。信不留。王曰。以爲大將。何曰。幸甚。於是王欲召信拜之。何曰。王素嫚無禮。今拜大將。如召小兒。此乃信所以去也。王必欲拜之。擇日齋戒。設壇場具禮。乃可。王許之。諸將皆喜。人々各自以爲得大將。至拜乃韓信也。一軍皆驚。

信已拜上坐。王曰。丞相數言將軍。將軍何以教寡人計策。信謝。因問王曰。今東鄉爭權天下。豈非項王邪。上曰。然。信曰。大王自料勇悍仁彊。孰與項王。漢王默然良久曰。弗如也。信再拜賀曰。唯信亦以爲大王弗如也。然臣嘗事項王。請言項王爲人也。項王意烏猝嗟。千人皆廢。然不能任屬賢將。此特四夫之勇也。項王見人恭謹。言語姁々。人有病疾。涕泣分食飲。至使人有功當封爵。刻印刓。忍不能予。此所謂婦人之仁也。項王雖霸天下。而臣諸侯。不居關中。而都彭城。又背義帝約。而以親愛王。諸侯不平。諸侯之見項王逐義帝江

南。亦皆歸逐其主。自王善地。項王所過。亡不殘滅。多怨百姓。百姓不附。特劫於威。彊服耳。名雖爲霸。實失天下心。故曰。其彊易弱。今大王誠能反其道。任天下武勇。何不誅。以天下城邑封功臣。何不服。以義兵從思東歸之士。何不散。且三秦王爲秦將。將秦子弟數歲。而所殺亡。不可勝計。又欺其衆降諸侯。至新安。項王詐阬秦降卒二十餘万人。唯獨邯欣翳脫。秦父兄怨此三人。痛於骨髓。今楚彊以威王此三人。秦民莫愛也。大王之入武關。秋毫亡所害。除秦苛法。與民約法三章耳。秦民亡不欲得大王王秦者。於諸侯之約。大王當王關中。關中民戸知之。王失職之蜀。民亡不恨者。今王舉而東。三秦可傳檄而定也。於是漢王大喜。自以爲得信晚。遂聽信計。部署諸將所擊。漢王舉兵東出陳倉。定三秦。三年。出關。收魏河南。韓殷王皆降。令齊趙共擊楚。彭城。漢兵敗散而還。信復發兵與漢王會滎陽。復擊破楚京索間。以故楚兵不能西。漢之敗卻彭城。塞王欣翟王翳亡漢降楚。齊趙魏亦皆反。與楚和。漢王使酈

生往說魏王豹豹不聽乃以信爲左丞相擊魏信問酈生魏得毋用周叔爲大將乎曰栢直也信曰豎子耳遂進兵擊魏魏盛兵蒲坂塞臨晉信迺益爲疑兵陳船欲渡臨晉而伏兵從夏陽以木罌缻渡軍襲安邑魏王豹驚引兵迎信信遂虜豹定河東使人請漢王願益兵三萬人臣請以北舉燕趙東擊齊南絕楚之糧道西與大王會於滎陽漢王與兵三萬人遣張耳與俱進擊趙代破代禽夏說閼與信之下魏代漢輙使人收其精兵詣滎陽以距楚信耳以兵數萬欲東下井陘擊趙趙王成安君陳餘聞漢且襲之聚兵井陘口號稱二十萬廣武君李左車說成安君曰聞漢將韓信涉西河虜魏王禽夏說新喋血閼與今乃輔以張耳議欲以下趙此乘勝而去國遠鬪其鋒不可當臣聞千里餽糧士有饑色樵蘇後爨師不宿飽今井陘之道車不得方軌騎不得成列行數百里其勢糧食必在後願足下假臣奇兵三萬人從間路絕其輜重足下深溝高壘勿與戰彼前不得鬪退不得還吾奇兵絕其後野無所掠鹵不至十日兩將之頭可致戲下願君留意臣之計不必爲二子所禽矣成安君儒者常稱義兵不用詐謀奇計謂曰吾聞兵法什則圍之倍則戰今韓信兵號數萬其實不能千里襲我亦以罷矣今如此避弗擊後有大者何以距之諸侯謂吾怯而輕來伐我不聽廣武君策信使間人窺知其不用還報則大喜乃敢引兵遂下未至井陘口三十里止舍夜半傳發選輕騎二千人人持一赤幟從間道萆山而望趙軍戒曰趙見我走必空壁逐我若疾入拔趙幟立漢幟令其裨將傳餐曰今日破趙會食諸將皆嘸然陽應曰諾信謂軍吏曰趙已先據便地壁且彼未見大將旗鼓未肯擊前行恐吾阻險而還乃使萬人先行出背水陳趙兵望見大笑平旦信建大將旗鼓鼓行出井陘口趙開壁擊之大戰良久於是信張耳棄鼓旗走水上軍復疾戰趙空壁爭漢鼓旗逐信耳信耳已入水上軍軍皆殊死戰不可敗信所出奇兵二千騎者候趙空壁逐利即馳入趙壁皆拔趙旗幟立漢赤幟二千趙軍已

不能得信耳等欲還歸壁壁皆漢赤幟大驚以漢爲皆已破趙王將矣遂亂遁走趙將雖斬之弗能禁於是漢兵夾擊破虜趙軍斬成安君泜水上禽趙王歇信乃令軍毋斬廣武君有生得之者購千金頃之有縛而至戲下者信解其縛東鄉坐西鄉對而師事之諸校効首虜休皆賀因問信曰兵法有右背山陵前左水澤今者將軍令臣等反背水陳曰破趙會食臣等不服然竟以勝此何術也信曰此在兵法顧諸君弗察耳兵法不曰陷之死地而後生投之亡地而後存乎且信非得素附循士大夫經所謂歐市人而戰之也其勢非置死地人々自爲戰今即予生地皆走寧尚得而用之乎諸將皆服曰非所及也

於是問廣武君曰僕欲北攻燕東伐齊何若有功廣武君辭曰臣聞亡國之大夫不可以圖存敗軍之將不可以語勇若臣者何足以權大事乎信曰僕聞之百里奚居虞而虞亡之秦而秦伯非愚於虞而智於秦也用與不用聽與不聽耳向使成安君聽子計僕亦禽矣僕委心歸計願子勿辭廣武君曰臣聞智者千慮必有一失愚者千慮亦有一得故曰狂夫之言聖人擇焉顧恐臣計未足用願效愚忠故成安君有百戰百勝之計一日而失之軍敗鄗下身死泜水上今足下虜魏王禽夏說不旬朝破趙二十萬衆誅成安君名聞海內威震諸侯衆庶莫不輟作怠情靡衣媮食傾耳以待命者然而衆勞卒罷其實難用也今足下舉勌敝之兵頓之燕堅城之下情見力屈欲戰不拔曠日持久糧食單竭若燕不破齊必距境而以自彊二國相持則劉項之權未有所分也臣愚竊以爲亦過矣信曰然則何由廣武君對曰當今之計不如按甲休兵百里之內牛酒日至以饗士大夫北首燕路然後發一乘之使奉咫尺之書以使燕燕必不敢不聽從燕而東臨齊雖有智者亦不知爲齊計矣如是則天下事可圖也兵故有先聲而後實者此之謂也信曰善敬奉教於是用廣武君策發使燕燕從風而靡乃遣使報漢因請立張耳王趙

以撫其國漢王許之楚數使奇兵度河擊趙王耳信往來救趙因行定趙城
邑發卒佐漢楚方急圍漢王滎陽漢王出南之宛葉得九江王布入成皐楚
復急圍之四年漢王出成皐度河獨與藤公從張耳軍脩武至宿傳舍晨自
稱漢使馳入壁張耳韓信未起即其臥奪其印符麾召諸將易置之信耳起
乃知獨漢王來大驚漢王奪兩人軍即令張耳備守趙地拜信爲相國發趙
兵未發者擊齊信引兵東未度平原聞漢王使酈食其已說下齊信欲止蒯
通說信令擊齊語在通傳信然其計遂度河襲歷下軍至臨菑齊王走高密
使使於楚請救信已定臨菑東追至高密西楚使龍且將號稱二十萬救齊
齊王龍且幷軍與信戰未合或說龍且曰漢兵遠鬭窮寇戰鋒不可當也齊
楚自居其地戰兵易敗散不如深壁令齊王使其信臣招所亡城城聞王在
楚來救必反漢漢二千里客居齊齊城皆反之其勢無所得食可毋戰而降
也龍且曰吾平生知韓信爲人易與耳寄食於漂母無資身之策受辱於跨

下無兼人之勇不足畏也且救齊而降之吾何功今戰而勝之齊半可得何
爲而止遂戰與信夾濰水陳信乃夜令人爲萬餘囊盛沙以壅水上流引兵
半渡擊龍且陽不勝還走龍且果喜曰固知信怯遂追渡水信使人決壅囊
水大至龍且軍大半不得渡即急擊殺龍且龍且水東軍散走齊王廣亡去
信追北至城陽虜廣楚卒皆降遂平齊使人言漢王曰齊夸詐多變反覆之
國南邊楚不爲假王以塡之其勢不定今權輕不足以安之臣請自立爲假
王當是時楚方急圍漢王於滎陽使者至發書漢王大怒罵曰吾困於此且
暮望而來佐我乃欲自立爲王張良陳平伏後躡漢王足因附耳語曰漢方
不利寧能禁信之自王乎不如因立善遇之使自爲守不然變生漢王亦寤
因復罵曰大丈夫定諸侯即爲眞王耳何以假爲遣張良立信爲齊王徵其
兵使擊楚楚以亡龍且項王恐使盱台人武涉往說信曰足下何不反漢與
楚楚王與足下有舊故且漢王不可必身居項王掌握中數矣然得脫背約

復擊項王其不可親信如此今足下雖自以爲與漢王爲金石交然終爲漢
王所禽矣足下所以得須臾至今者以項王在項王即亡次取足下何不與
楚連和三分天下而王齊今釋此時自必於漢王以擊楚且爲智者固若此
邪信謝曰臣得事項王數年官不過郎中位不過執戟言不聽畫策不用故
背楚歸漢漢王授我上將軍印數萬之衆解衣衣我推食食我言聽計用吾
得至於此夫人深親信我背之不祥幸爲信謝項王武涉已去蒯通知天下
權在於信深說以三分天下之計語在通傳信不忍背漢又自以功大漢王
不奪我齊遂不聽漢王之敗固陵用張良計徵信將兵會垓下項羽死高祖
襲奪信軍徙信爲楚王都下邳信至國召所從食漂母賜千金及下鄕亭長
錢百曰公小人爲德不竟召辱已少年令出跨下者以爲中尉告諸將相曰
此壯士也方辱我時寧不能死死之無名故忍而就此項王亡將鍾離眛家
在伊廬素與信善項王敗眛亡歸信漢怨眛聞在楚詔楚捕之信初之國行

縣邑陳兵出入有變告信欲反書聞上患之用陳平謀僞遊於雲夢者實欲
襲信信弗知高祖且至楚信欲發兵自度無罪欲謁上恐見禽人或說信曰
斬眛謁上上必喜亡患信見眛計事眛曰漢所以不擊取楚以眛在公若欲
捕我自媚漢吾今死公隨手亡矣乃罵信曰公非長者卒自剄信持其首謁
於陳高祖令武士縛信載後車信曰果若人言狡兎死良狗亨上曰人告公
反遂械信至雒陽赦以爲淮陰侯信知漢王畏惡其能稱疾不朝從由此日
怨望居常鞅々羞與絳灌等列嘗過樊將軍噲噲趨拜送迎言稱臣曰大王
乃肯臨臣信出門笑曰生乃與噲等爲伍上嘗從容與信言諸將能各有差
上問曰如我能將幾何信曰陛下不過能將十萬上曰如公何如曰如臣多
々益辨耳上笑曰多々益辨何爲爲我禽信曰陛下不能將兵而善將將此
乃信之爲陛下禽也且陛下所謂天授非人力也後陳豨爲代相監邊辭信
信挈其手與步於庭數匝仰天而歎曰子可與言乎吾欲與子有言豨因曰

唯將軍命信曰公之所居天下精兵處也而公陛下之信幸臣也人言公反陛下必不信再至陛下乃疑三至必怒而自將吾爲公從中起天下可圖也陳豨素知其能信之曰謹奉教

漢十年豨果反高帝自將而往信稱病不從陰使人之豨所而與家臣謀夜詐赦諸官徒奴欲發兵襲呂后太子部署已定待豨報其舍人得罪信信囚欲殺之舍人弟上書變告信欲反狀於呂后呂后欲召恐其黨不就乃與蕭相國謀詐令人從帝所來稱豨已破羣臣皆賀相國紿信曰雖病强入賀信入呂后使武士縛信斬之長樂鐘室信方斬曰吾不用蒯通計反爲女子所詐豈非天哉遂夷信三族高祖已破豨歸至聞信死且喜且哀之問曰信死亦何言呂后道其語高祖曰此齊辯士蒯通也召欲亨之通至自說釋弗誅語在通傳

第三　婁敬傳

婁敬齊人也漢五年戍隴西過雒陽高帝在焉敬脫輓輅見齊人虞將軍曰臣願見上言便宜虞將軍欲與鮮衣敬曰臣衣帛衣帛見衣褐衣褐見不敢易衣虞將軍入言上上召見賜食已而問敬敬說曰陛下都雒陽豈欲與周室比隆哉上曰然敬曰陛下王天下與周異周之先自后稷堯封之邰積德累善十餘世公劉避桀居豳大王以狄伐故去豳杖馬箠去居岐國人爭歸之及文王爲西伯斷虞芮訟始受命呂望伯夷自海濱來歸之武王伐紂不期而會孟津上八百諸侯遂滅殷成王卽位周公之屬傅相焉迺營成周都雒以爲此天下中諸侯四方納貢職道里鈞矣有德則易以王無德則易以亡凡居此者欲令務以德致人不欲阻險令後世驕奢以虐民也及周之衰分而爲二天下莫朝周周不能制非德薄形勢弱也今陛下起豐沛收卒三千人以之徑往卷蜀漢定三秦與項籍戰滎陽大戰七十小戰四十使天下之民肝腦塗地父子暴骸中野不可勝數哭泣之聲不絕傷夷者未起而欲比隆成康之時臣竊以爲不侔矣且夫秦地被山帶河四塞以爲固卒然有急百萬之衆可具因秦之故資甚美膏腴之地此所謂天府陛下入關而都之山東雖亂秦故地可全而有也夫與人鬭不搤其亢拊其背未能全勝今陛下入關而都按秦之故此亦搤天下之亢而拊其背也高帝問群臣群臣皆山東人爭言周王數百年秦二世則亡不如都周上疑未能決及留侯明言入關便即日駕西都關中於是上曰本言都秦地者婁敬婁者劉也賜姓劉氏拜爲郞中號曰奉春君漢七年韓王信反高帝自往擊至晉陽聞信與匈奴欲擊漢上大怒使人使匈奴匈奴匿其壯士肥牛馬徒見其老弱及羸畜使者十輩來皆言匈奴易擊上使劉敬復往使匈奴還報曰兩國相擊此宜夸矜見所長今臣往徒見羸瘠老弱此必欲見短伏奇兵以爭利愚以爲匈奴不可擊也是時漢兵以踰句注三十餘萬衆兵已業行上怒罵敬曰齊虜以舌得官迺今妄言沮吾軍械繫敬廣武遂往至平城匈奴果出奇兵圍

高帝白登七日然後得解高帝至廣武赦敬曰吾不用公言以困平城吾已斬先使十輩言可擊者矣迺封敬二千戶爲關內侯號建信侯高帝罷平城歸韓王信亡入胡當是時冒頓單于兵彊控弦四十萬騎數苦北邊上患之問敬敬曰天下初定士卒罷於兵革未可以武服也冒頓殺父代立妻群母以力爲威未可以仁義說也獨可以計久遠子孫爲臣耳然陛下恐不能爲上曰誠可何爲不能顧爲奈何敬曰陛下誠能以適長公主妻單于厚奉遺之彼知漢女送厚蠻夷必慕以爲閼氏生子必爲太子代單于何者貪漢重幣陛下以歲時漢所餘彼所鮮數問遺使辯士風諭以禮節冒頓在固爲子壻死外孫爲單于豈曾聞外孫敢與大父亢禮哉可毋戰以漸臣也若陛下不能遣長公主而令宗室及後宮詐稱公主彼亦知不肯貴近無益也高帝曰善欲遣長公主呂后泣曰妾唯以一太子一女奈何棄之匈奴上竟不能遣長公主而取家人子爲公主妻單于使敬往結和親約敬從匈奴來因言

匈奴河南白羊樓煩王去長安近者七百里輕騎一日一夕可以至秦中新破少民地肥饒可益實夫諸侯初起時非齊諸田楚昭屈景莫與今陛下雖都關中實少人北近胡寇東有六國彊族一日有變陛下亦未得安枕而臥也臣願陛下徙齊諸田楚昭屈景燕趙韓魏後及豪桀名家且實關中無事可以備胡諸侯有變亦足率以東伐此彊本弱末之術也上曰善乃使劉敬徙所言關中十餘萬口

第四　叔孫通傳

叔孫通薛人也秦時以文學徵待詔博士數歲陳勝起二世召博士諸儒生問曰楚戍卒攻蘄入陳於公何如博士諸生三十餘人前曰人臣無將將則反罪死無赦願陛下急發兵擊之二世怒作色通前曰諸生言皆非夫天下爲一家毀郡縣城鑠其兵視天下弗復用且明主在上法令具於下吏人人奉職四方輻輳安有反者此特群盜鼠竊狗盜何足置齒牙間哉郡守尉今

捕誅何足憂二世喜盡問諸生諸生或言反或言盜於是二世令御史按諸生言反者下吏非所宜言諸生言盜者皆罷之乃賜通帛二十疋衣一襲拜爲博士通已出反舍諸生曰生何言之諛也通曰公不知我幾不免虎口迺亡去之薛薛已降楚矣及項梁之薛通從之敗定陶從懷王懷王爲義帝徙長沙通留事項王漢二年漢王從五諸侯入彭城通降漢王通儒服漢王憎之迺變其服服短衣楚製漢王喜通之降漢從弟子百餘人然無所進剸言諸故群盜壯士進之弟子皆曰事先生數年幸得從降漢今不進臣等剸言大猾何也通迺謂曰漢王方蒙矢石爭天下諸生寧能鬬乎故先言斬將搴旗之士諸生且待我我不忘矣漢王拜通爲博士號稷嗣君漢王已并天下諸侯共尊爲皇帝於定陶通就其儀號高帝悉去秦儀法爲簡易群臣飲爭功醉或妄呼拔劍擊柱上患之通知上益饜之說上曰夫儒者難與進取可與守成臣願徵魯諸生與臣弟子共起朝儀高帝曰得無難乎通曰五帝異

樂三王不同禮禮者因時世人情爲之節文者也故夏殷周禮所因損益可知者謂不相復也臣願采古禮與秦儀雜就之上曰可試爲之令易知度吾所能行爲之於是通使徵魯諸生三十餘人魯有兩生不肯行曰公所事者且十主皆面諛親貴今天下初定死者未葬傷者未起又欲起禮樂禮樂所由起百年積德而後可興也吾不忍爲公所爲公所爲不合古吾不行公往矣毋汚我通笑曰若眞鄙儒不知時變遂與所徵三十人西及上左右爲學者與其子弟百餘人爲緜蕞野外習之月餘通曰上可試觀上使行禮曰吾能爲此迺令群臣習肄會十月漢七年長樂宮成諸侯群臣朝十月儀先平明謁者治禮引以次入殿門廷中陳車騎戍卒衛官設兵張旗志傳曰趨殿下郎中夾陛陛數百人功臣列侯諸將軍軍吏以次陳西方東鄉文官丞相以下陳東方西鄉大行設九賓臚句傳於是皇帝輦出房百官執戟傳警引諸侯王以下至吏六百石以次奉賀自諸侯王以下莫不震恐肅敬至禮畢

盡伏置法酒諸侍坐殿上皆伏抑首以尊卑次起上壽觴九行謁者言罷酒御史執法舉不如儀者輒引去竟朝置酒無敢讙譁失禮者於是高帝曰吾迺今日知爲皇帝之貴也拜通爲奉常賜金五百斤通因進曰諸弟子儒生隨臣久矣與共爲儀願陛下官之高帝悉以爲郎通出皆以五百金賜諸生諸生迺喜曰叔孫生聖人知當世務九年高帝徙通爲太子大傅十二年高帝欲以趙王如意易太子通諫曰昔者晉獻公以驪姬故廢太子立奚齊晉國亂者數十年爲天下笑秦以不早定扶蘇胡亥詐立自使滅祀此陛下所親見今太子仁孝天下皆聞之呂后與陛下攻苦食啖其可背哉陛下必欲廢適而立少臣願先伏誅以頸血汙地高帝曰公罷矣吾特戲耳通曰太子天下本本一搖天下震動奈何以天下戲高帝曰吾聽公及上置酒見留侯所招客從太子入見上遂無易太子志矣高帝崩孝惠即位迺謂通曰先帝園陵寢廟群臣莫習徙通爲奉常定宗廟儀法及稍定漢諸儀法皆通所論

著也惠帝爲東朝長樂宮及間往數蹕煩民作復道方築武庫南通奏事因
請間曰陛下何自築復道高帝寢衣冠月出游高廟子孫奈何乘宗廟道上
行哉惠帝懼曰急壞之通曰人主無過舉今已作百姓皆知之矣願陛下爲
原廟渭北衣冠月出游之益廣宗廟大孝之本上乃詔有司立原廟惠帝常
出游離宮通曰古者有春嘗菓方今櫻桃熟可獻願陛下出因取櫻桃獻宗
廟上許之諸菓獻由此興

第四　張釋之傳

張釋之字季南陽堵陽人也與兄仲同居以貲爲騎郎事文帝十年不得調
亡所知名釋之曰久宦減仲之產不遂欲免歸中郎將爰盎知其賢惜其去
乃請徙釋之補謁者釋之既朝畢因前言便宜事文帝曰卑之毋甚高論令
今可行也於是釋之言秦漢之間事秦所以失漢所以興者文帝稱善拜釋
之爲謁者僕射從行上登虎圈問上林尉禽獸簿十餘問尉左右視盡不能

對虎圈嗇夫從旁代尉對上所問禽獸簿甚悉欲以觀其能口對嚮應亡窮
者文帝曰吏不當如此邪尉亡賴詔釋之拜嗇夫爲上林令釋之前曰陛下
以絳侯周勃何如人也上曰長者又復問東陽侯張相如何如人也上復曰
長者釋之曰夫絳侯東陽侯稱爲長者此兩人言事曾不能出口豈效此嗇
夫喋々利口捷給哉且秦以任刀筆之吏爭以亟疾苛察相高其敝徒文具
亡惻隱之實以故不聞其過陵夷至於二世天下土崩今陛下以嗇夫口辯
而超遷之臣恐天下隨風靡爭口辨亡其實且下之化上疾於景嚮舉錯不
可不察也文帝曰善迺止不拜嗇夫就車召釋之驂乘除行行問釋之秦之
敝具以質言至宮上拜釋之爲公車令頃之太子與梁王共車入朝不下司
馬門於是釋之追止太子梁王毋入殿門遂劾不下公門不敬奏之薄太后
聞之文帝免冠謝曰教兒子不謹薄太后使使承詔赦太子梁王然後得入
文帝繇是奇釋之拜爲中大夫頃之至中郎將從行至覇陵上居外臨厠時

愼夫人從上指視愼夫人新豐道曰此走邯鄲道也使愼夫人鼓瑟上自倚
瑟而歌意悽愴悲懷顧謂群臣曰嗟乎以北山石爲槨用紵絮斮陳漆其間
豈可動哉左右皆曰善釋之前曰使其中有可欲雖錮南山猶有隙使其中
亡可欲雖亡石椁又何戚焉文帝稱善其後拜釋之爲廷尉頃之上行出中
渭橋有一人從橋下走乘輿馬驚於是使騎捕之屬廷尉釋之治問曰縣人
來聞蹕匿橋下久以爲行過旣出見車騎即走耳釋之奏當此人犯蹕當罰
金上怒曰此人親驚吾馬馬賴和柔令它馬固不敗傷我乎而廷尉迺當之
罰金釋之曰法者天子之所與天下公共也今法如是更重之是法不信於
民也且方其時上使使誅之則已今已下廷尉廷尉天下之平也一傾天下
用法皆爲之輕重民安所錯其手足唯陛下察之上良久曰廷尉當是也其
後人有盜高廟座前玉環得文帝怒下廷尉治案盜宗廟服御物者爲奏當
弃市上大怒曰人亡道迺盜先帝器吾屬廷尉者欲致之族而君以法奏之

非吾所以共承宗廟意也釋之免冠頓首謝曰法如是足也且罪等然以逆
順爲基今盜宗廟器而族之有如萬分一假令愚民取長陵一抔土陛下且
何以加其法乎文帝與太后言之乃許廷尉當是時中尉條侯周亞夫與梁
相山都侯王恬戚見釋之持議平迺結爲親友張廷尉繇此天下稱之文帝
崩景帝立釋之恐稱疾欲免去懼大誅至欲見則未知何如用王生計卒見
謝景帝不過也王生者善爲黃老言處士嘗召居廷中公卿盡會立王生老
人曰吾韈解顧謂釋之爲我結韈釋之跪而結之旣已人或讓王生獨奈何
廷辱張廷尉如此王生曰吾老且賤自度終亡益於張廷尉廷尉方天下名
臣吾故聊使結韈欲以重之諸公聞之賢王生而重釋之釋之事景帝歲餘
爲淮南相猶尚以前過也年老病卒其子摯字長公官至大夫免以不能取
容當世故終身不仕

第五　汲黯傳

汲黯字長孺。濮陽人也。其先有寵於古之衛君也。至黯十世。世爲卿大夫。以父任。孝景時。爲太子洗馬。以嚴見憚。武帝卽位。黯爲謁者。東粤相攻。上使黯往視之。至吳而還報曰。粤人相攻。固其俗。不足以辱天子使者。河內失火。燒千餘家。上使黯往視之。還報曰。家人失火。屋比延燒。不足憂。臣過河內。河內貧人。傷水旱萬餘家。或父子相食。臣謹以便宜。持節發河內倉粟。以振貧民。請歸節。伏矯制罪。上賢而釋之。遷爲滎陽令。黯恥爲令。稱疾歸田里。上聞迺召爲中大夫。以數切諫。不得久留內。遷爲東海太守。黯學黃老言。治官民。好清靜。擇丞史任之。責大指而已。不細苛。黯多病。臥閨內。不出歲餘。東海大治。稱之。上聞召爲主爵都尉。列於九卿。治務在無爲而已。引大體不拘文法。爲人性倨少禮。面折不能容人之過。合已者善待之。不合者弗能忍見。士亦以此不附焉。然好游俠。任氣節。行修潔。其諫犯主之顏色。常慕傅伯爰盎之爲人。善灌夫鄭當時及宗正劉棄疾。亦以數直諫。不得久居位。是時太后弟武

安侯田蚡爲丞相。中二千石。拜謁。蚡弗爲禮。黯見蚡。未嘗拜揖之。上方招文學儒者。上曰。吾欲云々。黯對曰。陛下內多欲。而外施仁義。奈何欲效唐虞之治乎。上怒變色而罷朝。公卿皆爲黯懼。上退謂人曰。甚矣汲黯之戇也。群臣或數黯。黯曰。天子置公卿輔弼之臣。寧令從諛承意。陷主於不誼乎。且已在其位。縱愛身。奈辱朝廷何。黯多病。病且滿三月。上常賜告者數。終不瘉。最後嚴助爲請告。上曰。汲黯何如人也。曰。使黯任職居官。亡以瘉人。然至其輔少主守成。雖自謂賁育。弗能奪也。上曰。然。古有社稷之臣。至如汲黯近之矣。大將軍青。侍中。上踞厠視之。丞相弘宴見。上或時不冠。至如見黯。不冠不見也。上嘗坐武帳。黯前奏事。上不冠。望見黯。避帷中。使人可其奏。其見敬禮如此。張湯以更定律令。爲廷尉。黯質責湯於上前。曰。公爲正卿。上不能褒先帝之功業。下不能化天下之邪心。安國富民。使囹圄空虛。何空取高皇帝約束。紛更之爲。而公以此無種矣。黯時與湯論議。湯辯常在文深小苛。黯憤發罵曰。

天下謂刀筆吏不可爲公卿。果然。必湯也。令天下重足而立。仄目而視矣。是時漢方征匈奴。招懷四夷。黯務少事。間常言與胡和親。毋起兵。上方嚮儒術。尊公孫弘。及事益多吏民巧。上分別文法。湯等數奏決讞以幸。而黯常毀儒。面觸弘等。徒懷詐飾智。以阿人主取容。而刀筆之吏專深文巧詆。陷人於罔。以自爲功。上愈益貴弘湯。弘湯心疾黯。雖上亦不說也。欲誅之以事。弘爲丞相。迺言上曰。右內史界部中。多貴人宗室。難治。非素重臣。弗能任。請徙黯爲右內史。數歲官事不廢。大將軍青既益尊。姊爲皇后。然黯與亢禮。或說黯曰。自天子。欲令群臣下大將軍。大將軍尊貴誠重。君不可以不拜。黯曰。夫以大將軍有揖客。反不重邪。大將軍聞愈賢黯。數請問以朝廷所疑。遇黯加於平日。淮南王謀反。憚黯曰。黯好直諫。守節死義。至說公孫弘等。如發蒙耳。上既數征匈奴有功。黯言益不用。始黯列九卿矣。而公孫弘張湯爲小吏。及弘湯稍貴。與黯同位。黯又非毀弘湯。已而弘至丞相封侯。湯御史大夫。黯時丞史

皆與同列。或尊用過之。黯褊心不能無少望。見上言曰。陛下用群臣。如積薪耳。後來者居上。黯罷。上曰。人果不可以無學。觀汲黯之言。日益甚矣。居無何。匈奴渾邪王。率衆來降。漢發車二萬乘。縣官亡錢。從民貰馬。民或匿馬。馬不具。上怒欲斬長安令。黯曰。長安令無罪。獨斬臣黯。民迺肯出馬。且匈奴畔其主而降漢。徐以縣次傳之。何至令天下騷動罷中國。甘心夷狄之人乎。上默然。後渾邪王至。賈人與市者。坐當死五百餘人。黯入請間。見高門。曰。夫匈奴攻當路塞。絕和親。中國擧兵誅之。死傷不可勝計。而費以鉅萬百數。臣愚以爲。陛下得胡人。皆以爲奴婢。賜從軍死者家。鹵獲因與之。以謝天下。塞百姓之心。今縱不能渾邪帥數萬之衆來。虛府庫賞賜。發良民侍養。若奉驕子。愚民安知市買長安中。而文吏繩以爲闌出財物。加邊關乎。陛下縱不能得匈奴之贏。以謝天下。又以微文。殺無知者五百餘人。臣竊爲陛下弗取也。上弗許曰。吾久不聞汲黯之言。今又復妄發矣。後數月。黯坐小法。會赦免官。於是

黯隱於田園者數年會更立五銖錢民多盜鑄錢者楚地尤甚上以爲淮陽楚地之郊也召黯拜爲淮陽太守黯伏謝不受印綬詔數強予然後奉詔召上殿黯泣曰臣自以爲塡溝壑不復見陛下不意陛下復收之臣常有狗馬之心今病力不能任郡事臣願爲中郞出入禁闥補過拾遺臣之願也上曰君薄淮陽邪吾今召君矣顧淮陽吏民不相得吾徒得君重臥而治之黯既辭過大行李息曰黯棄逐居郡不得與朝廷議矣然御史大夫湯智足以距諫詐足以飾非非肯正爲天下言專阿主意主意所不欲因而毀之主意所欲因而譽之好興事舞文法內懷詐以御主心外挾賊吏以爲重公列九卿不早言之何公與之俱受其戮矣息畏湯終不敢言黯居郡如其故治淮陽政清後張湯敗上聞黯與息言抵息罪令黯以諸侯相秩居淮陽居淮陽十歲而卒卒後上以黯故官其弟仁至九卿子偃至諸侯相黯姊子司馬安亦少與黯爲太子洗馬安文深巧善宦四至九卿以河南太守卒昆弟以安故

同時至二千石十人濮陽段宏始事蓋侯信信任宏宏亦再至九卿然衛人仕者皆嚴憚汲黯出其下

第六　枚乘

枚乘字叔淮陰人也爲吳王濞郞中吳王之初怨望謀爲逆也乘奏書諫曰臣聞得全者全昌失全者全亡舜無立錐之地以有天下禹無十戶之聚以王諸侯湯武之土不過百里上不絕三光之明下不傷百姓之心者有王術也故父子之道天性也忠臣不避重誅以直諫則事無遺策功流万世臣乘願披腹心而效愚忠唯大王少加意念惻怛之心於臣乘言夫以一縷之任係千鈞之重上縣無極之高下垂不測之淵雖甚愚之人猶知哀其將絕也馬方駭鼓而驚之係方絕又重鎭之係絕于天不可復結墜入深淵難以復出其出不出間不容髮能聽忠臣之言百舉必脫必若所欲爲危於累卵難於上天變所欲爲易於反掌安於泰山今欲極天命之壽敝無窮之樂究萬

乘之勢不出反掌之易以居泰山之安而欲乘累卵之危走上天之難此愚臣之所以爲大王惑也人性有畏其景而惡其跡者卻背而走迹愈多景愈疾不知就陰而止景滅迹絕欲人勿聞莫若勿言欲人勿知莫若勿爲欲湯之滄一人炊之百人揚之無益也不如絕薪止火而已不絕之於彼而救之於此譬猶抱薪而救火也養由基楚之善射者也去楊葉百步百發百中楊葉之大加百中焉可謂善射矣然其所止廼百步之內耳比於臣乘未知操弓持矢也福生有基禍生有胎納其基絕其胎禍何自來泰山之霤穿石單極之綆斷幹水非石之鑽索非木之鋸漸靡使之然也夫銖々而稱之至石必差寸々而度之至丈必過石稱丈量徑而寡失夫十圍之木始生如蘖足可搔而絕手可擢而拔據其未生先其未形也磨礱底厲不見其損有時而盡種樹畜養不見其益有時而大積德累行不知其善有時而用弃義背理不知其惡有時而亡臣願大王孰計而身行之此百世不易之道也吳王不

納乘等去而之梁從孝王游景帝卽位御史大夫鼂錯爲漢定制度損削諸侯吳王遂與六國謀反舉兵西鄕以誅錯爲名漢聞之斬錯以謝諸侯枚乘復說吳王曰昔者秦西舉胡戎之難北備楡中之關南距羌筰之塞東當六國之從六國乘信陵之籍明蘇秦之約厲荊軻之威并力一心以備秦然秦卒禽六國滅其社稷而并天下是何也則地利不同而民輕重不等也今漢據全秦之地兼六國之衆修戎狄之義而南朝羌筰此其與秦地相什而民相百大王之所明知也今夫讒諛之臣爲大王計者不論骨肉之義民之輕重國之大小以爲吳禍此臣所以爲大王患也夫舉吳兵以訾於漢譬猶蠅蚋之附群牛腐肉之齒利劍鋒接必無事矣天子聞吳率失職諸侯願責先帝之遺約今漢親誅其三公以謝前過是大王之威加於天下而功越於湯武也夫吳有諸侯之位而實富於天子有隱匿之名而居過於中國夫漢并二十四郡十七諸侯方輸錯出運行數千里不絕於道其珍怪不如東山之

府轉粟西鄉陸行不絕水行滿河不如海陵之倉修治上林雜以離宮積聚
玩好圈守禽獸不如長洲之苑游曲臺臨上路不如朝夕之池深壁高壘副
以關城不如江淮之險此臣之所以爲大王樂也今大王還兵疾歸尙得十
半不然漢知吳之有吞天下之心也赫然加怒遣羽林黃頭循江而下襲大
王之都魯東海絕吳之饟道梁王飭車騎習戰射積粟固守以備滎陽待吳
之飢大王雖欲反都亦不得已夫三淮南之計不負其約齊王殺身以滅其
跡四國不得出兵其郡趙囚邯鄲此不可掩亦已明矣大王已去千里之國
而制於十里之內矣張韓將北地弓高宿左右兵不得下壁軍不得大息臣
竊哀之願大王孰察焉吳王不用乘策卒見禽滅漢既平七國乘由是知名
景帝召拜乘爲弘農都尉乘久爲大國上賓與英俊並游得其所好不樂郡
吏以病去官復游梁梁客皆善屬辭賦乘尤高孝王薨乘歸淮陰武帝自爲
太子聞乘名及即位乘年老迺以安車蒲輪徵乘道死詔問乘子無能爲文
者後迺得其孼子皋皋字少孺乘在梁時取皋母爲小妻乘之東歸也皋母
不肯隨乘乘怒分皋數千錢留與母居年十七上書梁共王得召爲郎三年
爲王使與冗從爭見讒惡遇罪家室沒入皋亡至長安會赦上書北闕自陳
枚乘之子上得之大喜召入見待詔皋因賦殿中詔使賦平樂館善之拜爲
郎使匈奴皋不通經術詼笑類俳倡爲賦頌好嫚戲以故得媟黷貴幸比東
方朔郭舍人等而不得比嚴助等得尊官武帝春秋二十九迺得皇子群臣
喜故皋與東方朔作皇太子生賦及立皇子禖祝受詔所爲皆不從故事重
皇子也初衛皇后立皋奏賦以戒終皋爲賦善於朔也從行至甘泉雍河東
東巡狩封泰山塞決河宣房游觀三輔離宮館臨山澤弋獵射馭狗馬蹴鞠
刻鏤上有所感輒使賦之爲文疾受詔輒成故所賦者多司馬相如善爲文
而遲故所作少而善於皋皋賦辭中自言爲賦不如相如又言爲賦迺俳見
視如倡自悔類倡也故其賦有詆娸東方朔又自詆娸其文骫骳曲隨其事

皆得其意頗詼笑不甚閑靡凡可讀者不二十篇其尤嫚戲不可讀者尙數
十篇

第七　路温舒傳

路温舒字長君鉅鹿東里人也父爲里監門使温舒牧羊温舒取澤中蒲截
以爲牒編用寫書稍習善求爲獄小吏因學律令轉爲獄史縣中疑事皆問
焉太守行縣見而異之署決曹史又受春秋通大義舉孝廉爲山邑丞坐法
免復爲郡吏元鳳中廷尉光以治詔獄請温舒署奏曹掾守廷尉史會昭帝
崩昌邑王賀廢宣帝初即位温舒上書言宜尙德緩刑其辭曰臣聞齊有無
知之禍而桓公以興晉有驪姬之難而文公用伯近世趙王不終諸呂作亂
而孝文爲太宗繇是觀之禍亂之作將以開聖人也故桓文扶微興壞尊文
武之業澤加百姓功潤諸侯雖不及三王天下歸仁焉文帝永思至德以承
天心崇仁義省刑罰通關梁一遠近敬賢如大賓愛民如赤子內恕情之所
安而施之於海內是以囹圄空虛天下太平夫繼變化之後必有異舊之恩
此賢聖所以昭天命也往者昭帝即世而無嗣大臣憂戚焦心合謀皆以昌
邑尊親援而立之然天不授命淫亂其心遂以自亡深察禍變之故迺皇天
之所以開至聖也故大將軍受命武帝股肱漢國披肝膽決大計黜亡義立
有德輔天而行然後宗廟以安天下咸寧臣聞春秋正即位大一統而愼始
也陛下初登至尊與天合符宜改前世之失正始受命之統滌煩文除民疾
存亡繼絕以應天意臣聞秦有十失其一尙存治獄之吏是也秦之時羞文
學好武勇賤仁義之士貴治獄之吏正言者謂之誹謗遏過者謂之妖言故
盛服先生不用於世忠良切言皆鬱於胸譽諛之聲日滿於耳虛美熏心實
禍蔽塞此乃秦之所以亡天下也方今天下賴陛下恩厚亡金革之危飢寒
之患父子夫妻勠力安家然太平未洽者獄亂之也夫獄者天下之大命也
死者不可復生斷者不可復屬書曰與其殺不辜寧失不經今治獄吏則不

然上下相歐以刻爲明深者獲公名平者多後患故治獄之吏皆欲人死非憎人也自安之道在人之死是以死人之血流離於市被刑之徒比肩而立大辟之計歲以萬數此仁聖之所以傷也太平之未洽凡以此也夫人情安則樂生痛則思死棰楚之下何求而不得故囚人不勝痛則飾辭以視之吏治者利其然則指道以明之上奏畏卻則鍛練而周內之蓋奏當之成雖咎繇聽之猶以爲死有餘辜何則成練者衆文致之罪明也是以獄吏專爲深刻殘賊而亡極媮爲一切不顧國患此世之大賊也故俗語曰畫地爲獄議不入刻木爲吏期不對此皆疾吏之風悲痛之辭也故天下之患莫深於獄敗法亂正離親塞道莫甚乎治獄之吏此所謂一尚存者也臣聞烏鳶之卵不毀而後鳳皇集誹謗之罪不誅而後良言進故古人有言山藪藏疾川澤納汚瑾瑜匿惡國君含詬唯陛下除誹謗以招切言開天下之口廣箴諫之路掃亡秦之失尊文武之德省法制寬刑罰以廢治獄則太平之風可興於

世永履和樂與天亡極天下幸甚上善其言遷廣陽私府長內史舉溫舒文學高第遷右扶風丞時詔書令公卿選可使匈奴者溫舒上書願給厮養暴骨方外以盡臣節事下度遼將軍范明友太僕杜延年問狀罷歸故官久之遷臨淮太守治有異迹卒於官溫舒從祖父受歷數天文以爲漢厄三七之間上封事以豫戒成帝時谷永亦言如此及王莽篡位欲章代漢之符著其語焉溫舒子及孫皆至牧守大官

第八　蘇武傳

蘇武字子卿少以父任兄弟並爲郎稍遷至栘中廐監時漢連伐胡數通使窺觀匈奴留漢使郭吉路充國等前後十餘輩匈奴使來漢亦留之以相當天漢元年且鞮侯單于初立恐漢襲之迺曰漢天子我丈人行也盡歸漢使路充國等武帝嘉其義迺遣武以中郎將使持節送匈奴使留在漢者因厚賂單于答其善意武與副中郎將張勝及假吏常惠等募士斥候百餘人俱

既至匈奴置幣遺單于單于益驕非漢所望也方欲發使送武等會緱王與長水虞常等謀反匈奴中緱王者昆邪王姊子也與昆邪王俱降漢後隨浞野侯沒胡中及衞律所將降者陰相與謀劫單于母閼氏歸漢會武等至匈奴虞常在漢時素與副張勝相知私候勝曰聞漢天子甚怨衞律常能爲漢伏弩射殺之吾母與弟在漢幸蒙其賞賜張勝許之以貨物與常後月餘單于出獵獨閼氏子弟在虞常等七十餘人欲發其一人夜亡告之單于子弟發兵與戰緱王等皆死虞常生得單于使衞律治其事張勝聞之恐前語發以狀語武武曰事如此此必及我見犯迺死重負國欲自殺勝惠共止之虞常果引張勝單于怒召諸貴人議欲殺漢使者左伊秩訾曰即謀單于何以復加宜皆降之單于使衞律召武受辭武謂惠等屈節辱命雖生何面目以歸漢引佩刀自刺衞律驚自抱持武馳召毉鑿地爲坎置熅火覆武其上蹈其背以出血武氣絕半日復息惠等哭輿歸營單于壯其節朝夕遣人候問

武而收繫張勝武益愈單于使使曉武會論虞常欲因此時降武劒斬虞常已律曰漢使張勝謀殺單于近臣當死單于募降者赦罪舉劒欲擊之勝請降律謂武曰副有罪當相坐武曰本無謀又非親屬何謂相坐復舉劒擬之武不動律曰蘇君律前負漢歸匈奴幸蒙大恩賜號稱王擁衆數萬馬畜彌山富貴如此蘇君今日降明日復然空以身膏草野誰復知之武不應律曰君因我降與君爲兄弟今不聽吾計後雖欲復見我尚可得乎武罵律曰女爲人臣子不顧恩義畔主背親爲降虜於蠻夷何以女爲見且單于信女使決人死生不平心持正反欲鬭兩主觀禍敗南越殺漢使者屠爲九郡宛王殺漢使者頭縣北闕朝鮮殺漢使者卽時誅滅獨匈奴未耳若知我不降明欲令兩國相攻匈奴之禍從我始矣律知武終不可脅白單于單于愈益欲降之迺幽武置大窖中絕不飲食天雨雪武臥齧雪與旃毛幷咽之數日不死匈奴以爲神乃徙武北海上無人處使牧羝羝乳乃得歸別其官屬常惠

等。各置他所。武既至海上。廩食不至。掘野鼠去屮實而食之。杖漢節牧羊。臥
起操持。節旄盡落。積五六年。單于弟於靬王弋射海上。武能網紡繳。檠弓弩。
於靬王愛之。給其衣食。三歲餘。王病。賜武馬畜服匿穹廬。王死。後人衆徙去。
其冬丁令盜武牛羊。武復窮厄。初武與李陵俱爲侍中。武使匈奴明年。陵降。
不敢求武。久之單于使陵至海上。爲武置酒設樂。因謂武曰。單于聞陵與子
卿素厚。故使陵來說足下。虛心欲相待。終不得歸漢。空自苦亡人之地。信義
安所見乎。前長君爲奉車。從至雍棫陽宮。扶輦下除。觸柱折轅。劾大不敬。伏
劍自刎。賜錢二百萬以葬。孺卿從祠河東后土。宦騎與黃門駙馬爭船。推墮
駙馬河中溺死。宦騎亡。詔使孺卿逐捕。不得。惶恐飲藥而死。來時大夫人已
不幸。陵送葬至陽陵。子卿婦年少。聞已更嫁矣。獨有女弟二人。兩女一男。今
復十餘年。存亡不可知。人生如朝露。何久自苦如此。陵始降時。忽々如狂。自
痛負漢。加以老母繫保宮。子卿不欲降。何以過陵。且陛下春秋高。法令亡常。

大臣亡罪。夷滅者數十家。安危不可知。子卿尙復誰爲乎。願聽陵計。勿復有
云。武曰。武父子亡功德。皆爲陛下所成就。位列將。爵通侯。兄弟親近。常願肝
腦塗地。今得殺身自效。雖蒙斧鉞湯鑊。誠甘樂之。臣事君。猶子事父也。子爲
父死。無所恨。願勿復再言。陵與武飲數日。復曰。子卿一聽陵言。武曰。自分已
死久矣。王必欲降武。請畢今日之驩。效死於前。陵見其至誠。喟然嘆曰。嗟乎
義士。陵與衛律之罪。上通於天。因泣下霑衿。與武決去。陵惡自賜武。使其妻
賜武牛羊數十頭。後陵復至北海上。語武。區脫捕得雲中生口。言太守以下。
吏民皆白服。曰上崩。武聞之。南鄕號哭。歐血。旦夕臨數月。昭帝即位。數年。匈
奴與漢和親。漢求武等。匈奴詭言武死。後漢使復至匈奴。常惠請其守者與
俱。得夜見漢使。具自陳道。敎使者謂單于。言天子射上林中。得鴈。足有係帛
書。言武等在某澤中。使者大喜。如惠語以讓單于。單于視左右而驚。謝漢使。
曰。武等實在。於是李陵置酒賀武曰。今足下還歸。揚名於匈奴。功顯於漢室。

雖古竹帛所載。丹青所畫。何以過子卿。陵雖駑怯。令漢且貰陵罪。全其老母。
使得奮大辱之積志。庶幾乎曹柯之盟。此陵宿昔之所不忘也。收族陵家。爲
世大戮。陵尙復何顧乎。已矣。令子卿知吾心耳。異域之人。一別長絕。陵起舞。
歌曰。徑萬里兮度沙幕。爲君將兮奮匈奴。路窮絕兮矢刃摧。士衆滅兮名已
隤。老母已死。雖欲報恩將安歸。陵泣下數行。因與武決。單于召會武官屬。前
以降及物故。凡隨武還者九人。武以始元六年春至京師。詔武奉一大牢謁
武帝園廟。拜爲典屬國。秩中二千石。賜錢二百萬。公田二頃。宅一區。常惠徐
聖趙終根。皆拜爲中郎。賜帛各二百匹。其餘六人。老歸家。賜錢人十萬。復終
身。常惠後至右將軍。封列侯。自有傳。武留匈奴。凡十九歲。始以彊壯出。及還
須髮盡白。武來歸明年。上官桀子安。與桑弘羊及燕王蓋主謀反。武子男元
與安有謀。坐死。初桀安與大將軍霍光爭權。數疏光過失。予燕王令上書告
之。又言蘇武使匈奴二十年不降。還迺爲典屬國。大將軍長史無功勞爲搜

粟都尉。光顓權自恣。及燕王等反誅。窮治黨與。武素與桀弘羊有舊。數爲燕
王所訟。子又在謀中。廷尉奏請逮捕武。霍光寢其奏。免武官。數年。昭帝崩。武
以故二千石與計謀立宣帝。賜爵關內侯。食邑三百戶。久之。衛將軍張安世。
薦武明習故事。奉使不辱命。先帝以爲遺言。宣帝即時召武待詔宦者署。數
進見。復爲右曹典屬國。以武著節老臣。令朝朔望。號稱祭酒。甚優寵之。武所
得賞賜。盡以施予昆弟故人。家不餘財。皇后父平恩侯。帝舅平昌侯。樂昌侯。
車騎將軍韓增。丞相魏相。御史大夫丙吉。皆敬重武。武年老。子前坐事死。上
閔之。問左右。武在匈奴久。豈有子乎。武因平恩侯自白。前發匈奴時。胡婦適
產一子通國。有聲問來。願因使者致金帛贖之。上許焉。後通國隨使者至。上
以爲郎。又以武弟子爲右曹。武年八十餘。神爵二年病卒。甘露三年。單于始
入朝。上思股肱之美。迺圖畫其人於麒麟閣。法其形貌。署其官爵姓名。唯霍
光不名。曰大司馬大將軍博陸侯姓霍氏。次曰衛將軍富平侯張安世。次曰

車騎將軍龍頟侯韓增。次曰後將軍營平侯趙充國。次曰丞相高平侯魏相。次曰丞相博陽侯丙吉。次曰御史大夫建平侯杜延年。次曰宗正陽城侯劉德。次曰少府梁丘賀。次曰太子大傅蕭望之。次曰典屬國蘇武。皆有功德。知名當世。是以表而揚之。明著中興輔佐。列於方叔召虎仲山甫焉。凡十一人皆有傳。自丞相黃霸。廷尉于定國。大司農朱邑。京兆尹張敞。右扶風尹翁歸。及儒者夏侯勝等。皆以善終。著名宣帝之世。然不得列於名臣之圖。以此知其選矣。

第九　朱雲傳

朱雲字游。魯人也。徙平陵。少時通輕俠。借客報仇。長八尺餘。容貌甚壯。以勇力聞。年四十。廼變節從博士白子友受易。又事前將軍蕭望之受論語。皆能傳其業。好倜儻大節。當世以是高之。元帝時。瑯邪貢禹爲御史大夫。而華陰守丞嘉上封事。言治道在於得賢。御史之官。宰相之副。九卿之右。不可不選。

平陵朱雲。兼資文武。忠正有智略。可使以六百石秩。試守御史大夫。以盡其能。上廼下其事問公卿。太子少傅匡衡對。以爲大臣者。國家之股肱。萬姓所瞻仰。明王所愼擇也。傳曰。下輕其上爵。賤人圖柄臣。則國家搖動。而民不靜矣。今嘉從守丞。而圖大臣之位。欲以匹夫徒步之人。而超九卿之右。非所以重國家。而尊社稷也。自堯之用舜。文王於太公。猶試然後爵之。又況朱雲者乎。雲素好勇。數犯法亡命。受易頗有師道。其行義未有以異。今御史大夫禹。絜白廉正。經術通明。有伯夷史魚之風。海內莫不聞知。而嘉猥稱雲。欲令爲御史大夫。妄相稱擧。疑有姦心。漸不可長。宜下有司案驗。以明好惡。嘉竟坐之。是時少府五鹿充宗。貴幸爲梁丘易。自宣帝時。善梁丘氏說。元帝好之。欲考其異同。令充宗與諸易家論。充宗乘貴辯口。諸儒莫能與抗。皆稱疾不敢會。有薦雲者。召入。攝齋登堂。抗首而請。音動左右。旣論難。連拄五鹿君。故諸儒爲之語曰。五鹿嶽々。朱雲折其角。繇是爲博士。遷杜陵令。坐故縱亡命。會赦擧方正。爲槐里令。時中書令石顯用事。與充宗爲黨。百僚畏之。唯御史中丞陳咸年少抗節。不附顯等。而與雲相結。雲數上疏言。丞相韋玄成容身保位。亡能往來。而咸數毀石顯。久之有司考雲。疑風吏殺人。群臣朝見。上問丞相以雲治行。丞相玄成言。雲暴虐亡狀。時陳咸在前。聞之以語雲。雲上書自訟。咸爲定奏草。求下御史中丞。事下丞相。丞相部吏考立其殺人罪。雲亡入長安。復與咸計議。丞相具發其事。奏咸宿衞執法之臣。幸得進見。漏泄所聞。以私語雲。爲定奏草。欲令自下治。後知雲亡命罪人。而與交通。雲以故不得。上於是下咸雲獄。減死爲城旦。咸雲遂廢錮。終元帝世。至成帝時。丞相故安昌侯張禹。以帝師位特進。甚尊重。雲上書求見。公卿在前。雲曰。今朝廷大臣。上不能匡主。下亡以益民。皆尸位素餐。孔子謂鄙夫不可與事君。苟患失之。亡所不至者也。臣願賜尙方斬馬劍。斷佞臣一人。以厲其餘。上問誰也。對曰。安昌侯張禹。上大怒曰。小臣居下訕上。廷辱師傅。罪死不赦。御史將雲下。雲

攀殿檻。檻折。雲呼曰。臣得下從龍逢比干遊於地下。足矣。未知聖朝何如耳。御史遂將雲去。於是左將軍辛慶忌。免冠解印綬。叩頭殿下曰。此臣素著狂直於世。使其言是。不可誅。其言非。固當容之。臣敢以死爭。慶忌叩頭流血。上意解。然後得已。及後當治檻。上曰。勿易。因而輯之。以旌直臣。雲自是之後不復仕。常居鄠田。時出乘牛車從諸生。所過皆敬事焉。薛宣爲丞相。雲往見之。宣備賓主禮。因留雲宿。從容謂雲曰。在田野亡事。且留我東閤。可以觀四方奇士。雲曰。小生廼欲相吏邪。宣不敢復言。其敎授擇諸生。然後爲弟子。九江嚴望及望兄子元。字仲。能傳雲學。爲博士。望至泰山太守。雲年七十餘。終於家。病不呼醫飮藥。遺言以身服斂棺周於身。土周於槨。爲丈五墳。葬平陵東郭外。

第十　梅福傳

梅福字子眞。九江壽春人也。少學長安。明尙書穀梁春秋。爲郡文學。補南昌

尉後去官歸壽春數因縣道上言變事求假軺傳詣行在所條對急政輒報罷是時成帝委任大將軍王鳳鳳專勢擅朝而京兆尹王章素忠直譏刺鳳爲鳳所誅王氏浸盛災異數見群下莫敢正言福復上書曰臣聞箕子佯狂於殷而爲周陳洪範叔孫通遁秦歸漢制作儀品夫叔孫先非不忠也箕子非踈其家而畔親也不可爲言也昔高祖納善若不及從諫若轉圜聽言不求其能擧功不考其素陳平起於亡命而爲謀主韓信拔於行陳而建上將故天下之士雲合歸漢爭進奇異知者竭其策愚者盡其慮勇士極其節怯夫勉其死合天下之知幷天下之威是以擧秦如鴻毛取楚若拾遺此高祖所以亡敵於天下也孝文皇帝起於代谷非有周召之師伊呂之佐也循高祖之法加以恭儉當此時天下幾平繇此言之循高祖之法則治不循則亂何者秦爲亡道削仲尼之迹滅周公之軌壞井田除五等禮廢樂崩王道不通故欲行王道者莫能致其功也孝武皇帝好忠諫說至言出爵不待廉茂慶賜不須顯功是以天下布衣各厲志竭精以赴闕廷自衒鬻者不可勝數漢家得賢於此爲盛使孝武皇帝聽用其計升平可致於是積尸暴骨快心胡越故淮南王安緣間而起所以計慮不成而謀議泄者以衆賢聚於本朝故其大臣勢陵不敢和從也方今布衣迺窺國家之隙見間而起者蜀郡是也及山陽亡徒蘇令之群蹈藉名都大郡求黨與索隨和而亡逃匿之意此皆輕量大臣亡所畏忌國家之權輕故四夫欲與上爭衡也士者國之重器得士則重失士則輕詩云濟々多士文王以寧廟堂之議非草茅所當言也臣誠恐身塗野草尸幷卒伍故數上書求見輒報罷臣聞齊桓之時有以九九見者桓公不逆欲以致大也今臣所言非特九九也陛下距臣者三矣此天下之士所以不至也昔秦武王好力任鄙叩關自鬻繆公行伯繇余歸德今欲致天下之士民有上書求見者輒使詣尙書問其所言言可采取者秩以升斗之祿賜以一束之帛若此則天下之士發憤懣吐忠言嘉謀日聞於

上天下條貫國家表裏爛然可睹矣夫以四海之廣士民之數能言之類至衆多也然其儁桀指世陳政言成文章質之先聖而不繆施之當世合時務若此者亦亡幾人故爵祿束帛者天下之底石高祖所以厲世摩鈍也孔子曰工欲善其事必先利其器至秦則不然張誹謗之罔以爲漢歐除倒持泰阿授楚其柄故誠能勿失其柄天下雖有不順莫敢觸其鋒此孝武皇帝所以辟地建功爲漢世宗也今不循伯者之道迺欲以三代選擧之法取當世之士猶察伯樂之圖求騏驥於市而不可得亦已明矣故高祖棄陳平之過而獲其謀晉文召天王齊桓用其讎亡益於時不顧逆順此所謂伯道者也一色成體謂之純白黑雜合謂之駮欲以承平之法治暴秦之緖猶以鄉飲酒之禮理軍市也今陛下旣不納天下之言又加戮焉夫鳶鵲遭害則仁鳥增逝愚者蒙戮則知士深退間者愚民上踈多觸不急之法或下廷尉而死者衆自陽朔以來天下以言爲諱朝廷尤甚群臣皆承順上指莫有執正何以明其然也取民所上書陛下之所善試下之廷尉廷尉必曰非所宜言大不敬以此卜之一矣故京兆尹王章資質忠直敢面引廷爭孝元皇帝擢之以厲具臣而矯曲朝及至陛下戮及妻子且惡惡止其身王章非有反畔之辜而殃及室家折直士之節結諫臣之舌群臣皆知其非然不敢爭天下以言爲戒最國家之大患也願陛下循高祖之軌杜亡秦之路數御十月之歌留意亡逸之戒除不急之法下亡諱之詔博覽兼聽謀及疏賤令深者不隱遠者不塞所謂辟四門明四目也且不急之法誹謗之微者也往者不可及來者猶可追也方今君命犯而主威奪外戚之權日以益隆陛下不見其形願察其景建始以來日食地震以率言之三倍春秋水災亡與比數陰盛陽微金鐵爲飛此何景也漢興以來社稷三危呂霍上官皆母后之家也親々之道全之爲右當與之賢師良傅教以忠孝之道今迺尊寵其位授以魁柄使之驕逆至於夷滅此失親親之大者也自霍光之賢不能爲子孫慮故權

臣易世則危。書曰。毋若火始庸々。勢陵於君。權隆於主。然後防之。亦亡及已。上遂不納。成帝久無繼嗣。福以爲。宜建三統。封孔子之世。以爲殷後。復上書曰。臣聞不在其位。不謀其政。政者職也。位卑而言高者罪也。越職觸罪。危言世患。雖伏質橫分。臣之願也。守職不言。沒齒身全。死之日。尸未腐而名滅。雖有景公之位。伏歷千駟。臣不貪也。故願一登文石之陛。涉赤墀之塗。當戶牖之法坐。盡平生之愚慮。亡益於時。有遺於世。此臣寢所以不安。食所以忘味也。願陛下深省臣言。臣聞存人所以自立也。壅人所以自塞也。善惡之報。各如其事。昔者秦滅二周。夷六國。隱士不顯。佚民不舉。絕三統。滅天道。是以身危子殺。厥孫不嗣。所謂壅人以自塞者也。故武王克殷。未下車。存五帝之後。封殷於宋。紹夏於杞。明著三統。示不獨有也。是以姬姓半天下。遷廟之主。流出於戶。所謂存人以自立者也。今成湯不祀。殷人亡後。陛下繼嗣久微。殆爲此也。春秋經曰。宋殺其大夫。穀梁傳曰。其不稱名姓。以其在祖位。尊之也。此言孔子故殷後也。雖不正統。封其子孫。以爲殷後。禮亦宜之。何者。諸侯奪宗。聖庶奪適。傳曰。賢者子孫宜有土。而況聖人。又殷後哉。昔成王以諸侯禮葬周公。而皇天動威。雷風著災。今仲尼之廟。不出闕里。孔氏子孫。不免編戶。以聖人而歆四夫之祀。非皇天之意也。今陛下誠能據仲尼之素功。以封其子孫。則國家必獲其福。又陛下之名。與天亡極。何者。追聖人素功。封其子孫。未有法也。後聖必以爲則。不滅之名。可不勉哉。福孤遠。又譏切王氏。故終不見納。初武帝時。始封周後姬嘉。爲周子南君。至元帝時。尊周子南君。爲周承休侯。位次諸侯王。使諸大夫博士求殷後。分散爲十餘姓。郡國往々得其大家。推求子孫。絕不能紀。時匡衡議以爲。王者存二王後。所以尊其先王。而通三統也。其犯誅絕之罪者絕。而更封他親爲始封君。上承其王者之始祖。春秋之義。諸侯不能守其社稷者絕。今宋國已不守其統。而失國矣。則宜更立殷後。爲始封君。而上承湯統。非當繼宋之絕侯也。宜明得殷後而已。今之故宋

推求其嫡。久遠不可得。雖得其嫡。嫡之先已絕。不當得立。禮記孔子曰。丘殷人也。先師所共傳。宜以孔子世。爲湯後。上以其語不經。遂見寢。至成帝時。梅福復言。宜封孔子後。以奉湯祀。綏和元年。立二王後。推迹古文。以左氏穀梁世本禮記相明。遂下詔。封孔子世。爲殷紹嘉公。語在成紀。是時福居家。常以讀書養性爲事。至元始中。王莽顓政。福一朝弃妻子去九江。至今傳以爲仙。其後人有見福於會稽者。變名姓爲吳市門卒云。

中等漢文卷之四中 終

中等漢文卷之四下

漢書　班固　　山本廉編

文帝除誹謗罪詔

古之治天下。朝有進善之旌、誹謗之木。所以通治道而來諫者也。今法有誹謗妖言之罪。是使衆臣不敢盡情。而上無由聞過也。將何以來遠方之賢良。其除之。民或祝詛上。以相約而後相謾。吏以爲大逆。其有他言。吏又以爲誹謗。此細民之愚。無知抵死。朕甚不取。自今以來。有犯此者勿聽治。

文帝除肉刑詔

制詔御史。蓋聞有虞氏之時。畫衣冠異章服。以爲戮。而民弗犯。何治之至也。今法有肉刑三。而姦不止。其咎安在。毋乃朕德之薄。而教不明與。吾甚自愧。故夫訓道不純而愚民陷焉。詩曰。愷悌君子。民之父母。今人有過。教未施而刑已加焉。或欲改行爲善。而道亡繇至。朕甚憐之。夫刑至斷支體。刻肌膚。終身不息。何其刑之痛而不德也。豈稱爲民父母之意哉。其除肉刑。有以易之。及令罪人各以輕重不亡逃。有年而免。具爲令。

文帝遺匈奴書

皇帝敬問大單于無恙。使當戸且渠雕渠難、郎中韓遼遺朕馬二匹。已至。敬受。先帝制。長城以北。引弓之國。受命單于。長城以內。冠帶之室。朕亦制之。使萬民耕織射獵衣食。父子毋離。臣主相安。俱無暴虐。今聞渫惡民貪降其趨。背義絕約。忘萬民之命。離兩主之驩。然其事已在前矣。書云。二國已和親。兩主驩說。寢兵休卒養馬。世々昌樂。翕然更始。朕甚嘉之。聖者日新。改作更始。使老者得息。幼者得長。各保其首領。而終其天年。朕與單于。俱由此道。順天恤民。世々相傳。施之無窮。天下莫不咸嘉。使漢與匈奴鄰敵之國。匈奴處北地。寒殺氣早降。故詔吏遺單于秫糵金帛綿絮它物。歲有數。今天下大安。萬民熙々。獨朕與單于。爲之父母。朕追念前事。薄物細故。謀臣計失。皆不足以離兄弟之驩。朕聞天不頗覆。地不偏載。朕與單于。皆捐細故。俱蹈大道。墮壞前惡。以圖長久。使兩國之民。若一家子。元元萬民。下及魚鼈。上及飛鳥。跂行喙息。蠕動之類。莫不就安利避危殆。故來者不止。天之道也。俱去前事。朕釋逃虜民。單于毋言章尼等。朕聞古之帝王。約分明而不食言。單于留志。天下大安。和親之後。漢過不先。單于其察之。

景帝令二千石修職詔

雕文刻鏤。傷農事者也。錦繡纂組。害女紅者也。農事傷。則饑之本也。女紅害。則寒之原也。夫饑寒並至。而能亡爲非者寡矣。朕親耕。后親桑。以奉宗廟粢盛祭服。爲天下先。不受獻。減太官。省徭賦。欲天下務農蠶。素有蓄積。以備災害。彊毋攘弱。衆毋暴寡。老耆以壽終。幼孤得遂長。今歲或不登。民食頗寡。其咎安在。或詐僞爲吏。吏以貨賂爲市。漁奪百姓。侵牟萬民。縣丞長吏也。奸法與盜盜。甚無謂也。其令二千石。各修其職。不事官職耗亂者。丞相以聞。請其罪。布告天下。使明知朕意。

昭帝賜燕王旦璽書

昔高皇帝王天下。建立子弟。以藩屏社稷。先日諸呂陰謀大逆。劉氏不絕若髮。賴絳侯等誅討賊亂。尊立孝文。以安宗廟。非以中外有人。表裏相應故耶。樊酈曹灌。攜劍推鋒。從高皇帝。墾菑除害。耘鉏海內。當此之時。頭如蓬葆。勤苦至矣。然其賞不過封侯。今宗室子孫。曾無暴衣露冠之勞。裂地而王之。分財而賜之。父死子繼。兄終弟及。今王骨肉至親。敵吾一體。廼與他姓異族。謀害社稷。親其所疏。疏其所親。有悖逆之心。無忠愛之義。如使古人有知。當何面目。復奉齊酎。見高祖之廟乎。

賈誼上務農積貯疏

管子曰。倉廩實而知禮節。民不足而可治者。自古及今。未之嘗聞。古之人曰。一夫不耕。或受之饑。一女不織。或受之寒。生之有時。而用之無度。則物力必

屈古之治天下至纖至悉故其畜積足恃今背本而趨末食者甚衆是天下之大殘也淫侈之俗日月以長是天下之大賊也殘賊公行莫之或止大命將泛莫之振救生之者甚少而靡之者甚多天下財產何得不蹷漢之爲漢幾四十年矣公私之積猶可哀痛失時不雨民且狼顧歲惡不入請賣爵子既聞耳矣安有爲天下阽危者若是而上不驚者世之有饑穰天之行也禹湯被之矣卽不幸有方二三千里之旱國何以相恤卒然邊境有急數十百萬之衆國何以餽之兵旱相乘天下大屈有勇力者聚徒而衡擊罷夫羸老易子齩其骨政治未畢通也遠方之能僭擬者並舉而爭起矣乃駭而圖之豈將有及乎夫積貯者天下之大命也苟粟多而財有餘何爲而不成以攻則取以守則固以戰則勝懷敵附遠何招而不至今敺民而歸之農皆著於本使天下各食其力末技遊食之民轉而緣南畮則畜積足而人樂其所矣可以爲富安天下而直爲此廩々也竊爲陛下惜之

鼂錯上言兵事書

臣聞漢興以來胡虜數入邊地小入則小利大入則大利高后時再入隴西攻城屠邑敺略畜產其後復入隴西殺吏卒大寇盜竊聞戰勝之威民氣百倍敗兵之卒沒世不復自高后以來隴西三困於匈奴矣民氣破傷亡有勝意今茲隴西之吏賴社稷之神靈奉陛下之明詔和輯士卒底厲其節起破傷之民以當乘勝之匈奴用少擊衆殺一王敗其衆而有大利非隴西之民有勇怯廼將吏之制巧拙異也故兵法曰有必勝之將無必勝之民繇此觀之安邊境立功名在於良將不可不擇也臣又聞用兵臨戰合刃之急者三一曰得地形二曰卒服習三曰器用利兵法曰丈五之溝漸車之水山林積石經川邱阜草木所在此步兵之地也車騎二不當一土山邱陵曼衍相屬平原廣野此車騎之地也步兵十不當一平陵相遠川谷居間仰高臨下此弓弩之地也短兵百不當一兩陳相近平地淺草可前可後此長戟之地也

劒楯三不當一萑葦竹蕭草木蒙蘢支葉茂接此矛鋋之地也長戟二不當一曲道相伏險阨相薄此劒楯之地也弓弩三不當一士不選練卒不服習起居不精動靜不集趨利弗及避難不畢前擊後解與金鼓之音相失此不習勒卒之過也百不當十兵不完利與空手同甲不堅密與袒裼同弩不可以及遠與短兵同射不能中與亡矢同中不能入與亡鏃同此將不省兵之禍也五不當一故兵法曰器械不利以其卒予敵也卒不可用以其將予敵也將不知兵以其主予敵也君不擇將以其國予敵也四者兵之至要也臣又聞小大異形強弱異勢險易異備夫卑身以事彊小國之形也合小以攻大敵國之形也以蠻夷攻蠻夷中國之形也今匈奴地形技藝與中國異上下山阪出入溪澗中國之馬弗與也險道傾仄且馳且射中國之騎弗與也風雨罷勞饑渴不困中國之人弗與也此匈奴之長技也若夫平原易地輕車突騎則匈奴之衆易撓亂也勁弩長戟射疏及遠則匈奴之弓弗能格也堅甲利刃長短相雜遊弩往來什伍俱前則匈奴之兵弗能當也材官騶發矢道同的則匈奴之革笥木薦弗能支也下馬地鬭劒戟相接去就相薄則匈奴之足弗能給也此中國之長技也以此觀之匈奴之長技三中國之長技五陛下又興數十萬之衆以誅數萬之匈奴衆寡之計以十擊一之術也雖然兵凶器戰危事也以大爲小以彊爲弱在俛仰之間耳夫以人之死爭勝跌而不振則悔之無及也帝王之道出於萬全今降胡義渠蠻夷之屬來歸誼者其衆數千飲食長技與匈奴同可賜之堅甲絮衣勁弓利矢益以邊郡之良騎令明將能知其習俗和輯其心者以陛下之明約將之卽有險阻以此當之平地通道則以輕車材官制之兩軍相爲表裏各用其長技衡加之以衆此万全之術也傳曰狂夫之言而明主擇焉臣錯愚陋昧死上狂言惟陛下財擇

劉向諫起昌陵疏

臣聞易曰安不忘危存不忘亡是以身安而國家可保也故賢聖之君博觀
終始窮極事情而是非分明王者必通三統明天命所授者博非獨一姓也
孔子論詩至於殷士膚敏祼將于京喟然歎曰大哉天命善不可不傳於子
孫是以富貴無常不如是則王公其何以戒愼民萌何以勸勉蓋傷微子之
事周而痛殷之亡也雖有堯舜之聖不能化丹朱之子雖有禹湯之德不能
訓末孫之桀紂自古及今未有不亡之國也昔高皇帝旣滅秦將都雒陽感
寤劉敬之言自以德不及周而賢於秦遂徙都關中依周之德因秦之阻世
之長短以德爲効故常戰慄不敢諱亡孔子所謂富貴無常蓋謂此也孝文
皇帝居霸陵北臨廁意悽愴悲懷顧謂群臣曰嗟乎以北山石爲椁用紵絮
斮陳漆其間豈可動哉張釋之進曰使其中有可欲雖錮南山猶有隙使其
中無可欲雖無石椁又何慼焉夫死者無終極而國家有廢興故釋之之言
爲無窮計也孝文寤焉遂薄葬不起山墳易曰古之葬者厚衣之以薪葬之

中野不封不樹後世聖人易之以棺槨棺槨之作自黃帝始黃帝葬於橋山
堯葬濟陰邱壠皆小葬具甚微舜葬蒼梧二妃不從禹葬會稽不改其列殷
湯無葬處文武周公葬於畢秦穆公葬於雍橐泉宮祈年館下樗里子葬於
武庫皆無邱壠之處此聖帝明王賢君智士遠覽獨慮無窮之計也其賢臣
孝子亦承命順意而薄葬之此誠奉安君父忠孝之至也夫周公武王弟也
葬兄甚微孔子葬母於防稱古墓而不墳曰丘東西南北之人也不可不識
也爲四尺墳遇雨而崩弟子修之以告孔子孔子流涕曰吾聞之古者不修
墓蓋非之也延陵季子適齊而反其子死葬於嬴博之間穿不及泉斂以時
服封墳掩坎其高可隱而號曰骨肉歸復於土命也魂氣則無不之也夫嬴
博去吳千有餘里季子不歸葬孔子往觀曰延陵季子於禮合矣故仲尼孝
子而延陵慈父舜禹忠臣周公弟々其葬君親骨肉皆微薄矣非苟爲儉誠
便於體也宋桓司馬爲石槨仲尼曰不如速朽秦相呂不韋集知畧之士而

造春秋亦言薄葬之義皆明於事情者也逮至吳王闔閭違禮厚葬十有餘
年越人發之及秦惠文武昭莊襄五王皆大作邱壠多其瘞臧咸盡發掘暴
露甚足悲也秦始皇帝葬於驪山之阿下錮三泉上崇山墳其高五十餘丈
周回五里有餘石槨爲游館人膏爲燈燭水銀爲江海黃金爲鳧鴈珍寶之
臧機械之變棺槨之麗宮館之盛不可勝原又多殺宮人生薶工匠計以萬
數天下苦其役而反之驪山之作未成而周章百萬之師至其下矣項籍燔
其宮室營宇往者咸見發掘其後牧兒亡羊羊入其鑿牧者持火照求羊失
火燒其臧槨自古及今葬未有盛如始皇者也數年之間外被項籍之災內
離牧豎之禍豈不哀哉是故德彌厚者葬彌薄知愈深者葬愈微無德寡知
其葬愈厚邱壠彌高宮廟甚麗發掘必速由是觀之明暗之效葬之吉凶昭
然可見矣周德旣衰而奢侈宣王賢而中興更爲儉宮室小寢廟詩人美之
斯干之詩是也上章道宮室之如制下章言子孫之衆多也及魯莊公刻飾

宗廟多築臺囿後嗣再絕春秋刺焉周宣如彼而昌魯秦如此而絕是則奢
儉之得失也陛下卽位躬親節儉始營初陵其制約小天下莫不稱賢明及
徙昌陵增埤爲高積土爲山發民墳墓積以萬數營起邑居期日迫卒功費
大萬百餘死者恨於下生者愁於上怨氣感動陰陽因之以饑饉物故流離
以十萬數臣甚惽焉以死者爲有知發人之墓其害多矣若其無知又安用
大謀之賢知則不說以示衆庶則苦之若苟以說愚夫淫侈之人又何爲哉
陛下慈仁篤美甚厚聰明疏達蓋世宜弘漢家之德崇劉氏之美光昭五帝
三王而顧與暴秦亂君競爲奢侈比方邱壠說愚夫之目隆一時之觀違賢
知之心亡萬世之安臣竊爲陛下羞之唯陛下上覽明聖黃帝堯舜禹湯文
武周公仲尼之制下觀賢知穆公延陵樗里張釋之之意孝文皇帝去墳薄
陵以儉安神可以爲則秦昭始皇增山厚藏以侈生害足以爲戒初陵之撫
宜從公卿大臣之議以息衆庶

劉歆責讓太常博士書

昔唐虞既衰而三代迭興聖帝明王累起相襲其道甚著周室既微而禮樂不正道之難全也如此是故孔子憂道之不行歷國應聘自衛反魯然後樂正雅頌乃得其所修易序書制作春秋以紀帝王之道及夫子沒而微言絕七十子終而大義乖重遭戰國棄籩豆之禮理軍旅之陳孔子之道抑而孫吳之術興陵夷至于暴秦燔經書殺儒士設挾書之法行是古之罪道術由是遂滅漢興去聖帝明王遐遠仲尼之道又絕法度無所因襲時獨有一叔孫通略定禮儀天下唯有易卜未有它書至孝惠之世乃除挾書之律然公卿大臣絳灌之屬咸介冑武夫莫以爲意至孝文皇帝始使掌故鼂錯從伏生受尙書尙書初出於屋壁朽折散絕今其書見在時師傳讀而已詩始萌芽天下衆書往々頗出皆諸子傳說猶廣立於學官爲置博士在漢朝之儒唯賈生而已至孝武皇帝然後鄒魯梁趙頗有詩禮春秋先師皆起於建元之間當此之時一人不能獨盡其經或爲雅或爲頌相合而成泰誓後得博士集而讀之故詔書稱曰禮壞樂崩書缺簡脫朕甚閔焉時漢興已七八十年離於全經固已遠矣及魯恭王壞孔子宅欲以爲宮而得古文於壞壁之中逸禮有三十九書十六篇天漢之後孔安國獻之遭巫蠱倉卒之難未及施行及春秋左氏邱明所修皆古文舊書多者二十餘通臧於秘府伏而未發孝成皇帝閔學殘文缺稍離其眞乃陳發秘藏校理舊文得此三事以考學官所傳經或脫簡傳或間編傳問民間則有魯國桓公趙國貫公膠東庸生之遺學與此同抑而未施此乃有識者之所惜閔士君子之所嗟痛也往者綴學之士不思廢絕之闕苟因陋就寡分文析字煩言碎辭學者罷老且不能究其一藝信口說而背傳記是末師而非往古至於國家將有大事若立辟雍封禪巡狩之儀則幽冥而莫知其源猶欲保殘守缺挾惟恐見破之私意而無從善服義之公心或懷妒嫉不考情實雷同相從隨聲是非抑此

三學以尙書爲備謂左氏爲不傳春秋豈不哀哉今聖上德通神明繼統揚業亦閔文學錯亂學士若茲雖昭其情猶依違謙讓樂與士君子同之故下明詔試左氏可立不遣近臣奉指銜命將以輔弱扶微與二三君子比意同力冀得廢遺今則不然深閉固距而不肯試猥以不誦絕之欲以杜塞餘道絕滅微學夫可與樂成難與慮始此乃衆庶之所爲耳非所望士君子也且此數家之事皆先帝所親論今上所考視其古文舊書皆有徵驗外內相應豈苟而已哉夫禮失求之於野古文不猶愈於野乎往者博士書有歐陽春秋公羊易則施孟然孝宣皇帝猶復廣立穀梁春秋梁邱易大小夏侯尙書義雖相反猶並置之何則與其過而廢之也寧過而立之傳曰文武之道未墜於地在人賢者志其大者不賢者志其小者今此數家之言所以兼包大小之義豈可偏絕哉若必專己守殘黨同門妒道眞違明詔失聖意以陷於文吏之議甚爲二三君子不取也

董仲舒賢良策對

制曰朕獲承至尊休德傳之無窮而施之罔極任大而守重是以夙夜不遑康寧永惟萬事之統猶懼有闕故廣延四方之豪儁郡國諸侯公選賢良修潔博習之士欲聞大道之要至論之極今子大夫褎然爲舉首朕甚嘉之子大夫其精心致思朕垂聽而問焉蓋聞五帝三王之道改制作樂而天下洽和百王同之當虞氏之樂莫盛于韶於周莫盛于勺聖王已沒鐘鼓筦絃之聲未衰而大道微闕陵夷至乎桀紂之行王道大壞矣夫五百年之間守文之君當塗之士欲則先王之法以戴翼其世者甚衆然猶不能反日以仆滅至後王而後止豈其所持操或誖繆而失其統與固天降命不可復反必推之於大衰而後息與嗚呼凡所爲屑々夙興夜寐務法上古者又將無補與三代受命其符安在災異之變何緣而起性命之情或夭或壽或仁或鄙習聞其號未燭厥理欲風流而令行刑輕而姦改百姓和樂政事宣昭何修何

飭而膏露降百穀登德潤四海澤臻草木三光全寒暑平受天之祜享鬼神之靈德澤洋溢施乎方外延及群生子大夫明先聖之業習俗化之變終始之序講聞高誼之日久矣其明以諭朕科別其條勿猥勿并取之于術愼其所出迺其不正不直不忠不極枉于執事書之不泄興于朕躬毋悼後害子大夫其盡心靡有所隱朕將親覽焉

仲舒對曰陛下發德音下明詔求天命與性情皆非愚臣之所能及也臣謹案春秋之中視前世已行之事以觀天人相與之際甚可畏也國家將有失道之敗而天迺先出災害以譴告之不知自省又出怪異以警懼之尚不知變而傷敗迺至以此見天心之仁愛人君而欲止其亂也自非大亡道之世者天盡欲扶持而全安之事在彊勉而已矣彊勉學問則聞見博而知益明彊勉行道則德日起而大有功此皆可使還至而立有效者也詩曰夙夜匪解書曰茂哉茂哉皆彊勉之謂也道者所繇適於治之路也仁義禮樂皆其具也故聖王已沒而子孫長久安寧數百歲此皆禮樂教化之功也王者未作樂之時迺用先王之樂宜於世者而以深入教化於民教化之情不得雅頌之樂不成故王者功成作樂樂其德也樂者所以變民風化民俗也其變民也易其化民也著故聲發於和而本於情接於肌膚臧於骨髓故王道雖微缺而筦弦之聲未衰也夫虞氏之不爲政久矣然而樂頌遺風猶有存者是以孔子在齊而聞韶也夫人君莫不欲安存而惡危亡然而政亂國危者甚衆所任者非其人而所繇者非其道是以政日以仆滅也夫周道衰於幽厲非道亡也幽厲不繇也至於宣王思昔先王之德興滯補弊明文武之功業周道粲然復興詩人美之而作上天佑之爲生賢佐後世稱頌至今不絕此夙夜不解行善之所致也孔子曰人能弘道非道弘人也故治亂廢興在於己非天降命不可得反其所操持誖謬失其統也臣聞天之所大奉使之王者必有非人力所能致而自至者此受命之符也天下之人同心歸之若

歸父母故天瑞應誠而至書曰白魚入于王舟有火復于王屋流爲烏此蓋受命之符也周公曰復哉復哉孔子曰德不孤必有鄰皆積善累德之效也及至後世淫佚衰微不能統理群生諸侯背叛殘賊良民以爭壤土廢德教而任刑罰刑罰不中則生邪氣邪氣積於下怨惡畜於上上下不和則陰陽繆盭而妖孽生矣此災異所緣而起也臣聞命者天之令也性者生之質也情者人之欲也或夭或壽或仁或鄙陶冶而成之不能粹美有治亂之所生故不齊也孔子曰君子之德風也小人之德草也草上之風必偃故堯舜行德則民仁壽桀紂行暴則民鄙夭夫上之化下下之從下猶泥之在鈞唯甄者之所爲猶金之在鎔唯冶者之所鑄綏之斯俫動之斯和此之謂也臣謹案春秋之文求王道之端得之正正次王王次春春者天之所爲也正者王之所爲也其意曰上承天之所爲而下以正其所爲正王道之端云爾然則王者欲有所爲宜求其端於天天道之大者在陰陽陽爲德陰爲刑刑主殺而德主生是故陽常居大夏而以生育養長爲事陰常居大冬而積於空虛不用之處以此見天之任德而不任刑也天使陽出布施於上而主歲功使陰入伏於下而時出佐陽陽不得陰之助亦不能獨成歲終陽以成歲爲名此天意也王者承天意以從事故任德教而不任刑刑者不可以治世猶陰之不可任以成歲也爲政而任刑不順於天故先王莫之肯爲也今廢先王德教之官而獨任執法之吏治民毋乃任刑之意歟孔子曰不教而誅謂之虐虐政用於下而欲德教之被四海故難成也臣謹案春秋謂一元之意一者萬物之所從始也元者辭之所謂大也謂一爲元者視大始而欲正本也春秋深探其本而反自貴者始故爲人君者正心以正朝廷正朝廷以正百官正百官以正萬民正萬民以正四方四方正遠近莫敢不一於正而亡有邪氣奸其間者是以陰陽調而風雨時群生和而萬民殖五穀熟而草木茂天地之間被潤澤而大豐美四海之內聞盛德而皆俫臣諸福之物可致之

祥莫不畢至而王道終矣孔子曰鳳鳥不至河不出圖吾已矣夫自悲可致此物而身卑賤不得致也今陛下貴爲天子富有四海居得致之位操可致之勢又有能致之資行高而恩厚知明而意美愛民而好士可謂誼主矣然而天地未應而美祥莫至者何也凡以教化不立而萬民不正也夫萬民之從利也如水走下不以教化隄防之不能止也是故教化立而姦邪皆止者其隄防完也教化廢而姦邪並出刑罰不能勝者其隄防壞也古之王者明於此是故南面而治天下莫不以教化爲大務立大學以教於國設庠序以化於邑漸民以仁摩民以義節民以禮故其刑罰甚輕而禁不犯者教化行而習俗美也聖王之繼亂世也掃除其迹而悉去之復修教化而崇起之教化已明習俗已成子孫循之行五六百歲尙未敗也至周之末世大爲亡道以失天下秦繼其後獨不能改又益甚之重禁文學不得挾書棄捐禮誼而惡聞之其心欲盡滅先聖之道而顓爲自恣苟簡之治故立爲天子十四歲而國破亡矣自古以來未嘗有以亂濟亂大敗天下之民如秦者也其遺毒餘烈至今未滅使習俗薄惡人民嚚頑抵冒殊扞熟爛如此之甚者也孔子曰腐朽之木不可彫也糞土之牆不可圬也今漢繼秦之後如朽木糞牆矣雖欲善治之亡可奈何法出而姦生令下而詐起如以湯止沸抱薪救火愈甚亡益也竊譬之琴瑟不調甚者必解而更張之乃可鼓也爲政而不行甚者必變而更化之乃可理也當更張而不更張雖有良工不能善調也當更化而不更化雖有大賢不能善治也故漢得天下以來常欲善治而至今不可善治者失之於當更化而不更化也古人有言曰臨淵羨魚不如退而結網今臨政而願治七十餘歲矣不如退而更化更化則可善治善治則災害日去福祿日來詩云宜民宜人受祿于天爲政而宜于民者固當受祿于天夫仁誼禮知信五常之道王者所當修飾也五者修飾故受天之祐而享鬼神之靈德施於方外延及群生也

司馬相如諭巴蜀檄

告巴蜀太守蠻夷自擅不討之日久矣時侵犯邊境勞士大夫陛下即位存撫天下集安中國然後興師出兵北征匈奴單于怖駭交臂受事屈膝請和康居西域重譯納貢稽首來享移師東指閩越相誅右弔番禺太子入朝南夷之君西僰之長常效貢職不敢惰怠延頸舉踵喁々然皆鄕風慕義欲爲臣妾道里遼遠山川阻深不能自致夫不順者已誅而爲善者未賞故遣中郎將往賓之發巴蜀之士各五百人以奉幣帛衛使者不然靡有兵革之事戰鬪之患今聞其乃發軍興制驚懼子弟憂患長老郡又擅爲轉粟運輸皆非陛下之意也當行者或亡逃自賊殺亦非人臣之節也夫邊郡之士聞烽舉燧燔皆攝弓而馳荷戈而走流汗相屬唯恐居後觸白刃冒流矢議不反顧計不旋踵人懷怒心如報私讐彼豈樂死惡生非編列之民而與巴蜀異主哉計深慮遠急國家之難而樂盡人臣之道也故有剖符之封析圭而爵位爲通侯居列東第終則遺顯號於後世傳土地於子孫行事甚忠敬居位甚安佚名聲施於無窮功烈著而不滅是以賢人君子肝腦塗中原膏液潤野草而不辭也今奉幣使至南夷即自賊殺或亡逃抵誅身死無名諡爲至愚恥及父母爲天下笑人之度量相越豈不遠哉然此非獨行者之罪也父兄之教不先子弟之率不謹寡廉鮮恥而俗不長厚也其被刑戮不亦宜乎陛下患使者有司之若彼悼不肖愚民之如此故遣信使曉諭百姓以發卒之事因數之以不忠死亡之罪讓三老孝弟以不教誨之過方今田時重煩百姓已親見近縣恐遠所谿谷山澤之民不徧聞檄到亟下縣道使咸喻陛下之意毋忽

司馬相如諫獵書

臣聞物有同類而殊能者故力稱烏獲捷言慶忌勇期賁育臣之愚竊以爲人誠有之獸亦宜然今陛下好陵阻險射猛獸卒然遇逸材之獸駭不存之

地犯屬車之清塵輿不及還轅人不暇施巧雖有烏獲逢蒙之技不得用枯木朽株盡爲難矣是胡越起於轂下而羌夷接軫也豈不殆哉雖萬全而無患然本非天子之所宜近也且夫清道而後行中路而馳猶時有銜橛之變況涉乎蓬蒿馳乎邱墳前有利獸之樂而內無存變之意其爲害也不難矣夫輕萬乘之重不以爲安樂出萬有一危之塗以爲娛臣竊爲陛下不取蓋明者遠見於未萌而智者避危於無形禍固多藏於隱微而發於人之所忽者也故鄙諺曰家累千金坐不垂堂此言雖小可以喻大臣願陛下留意幸察

徐樂上言世務書

臣聞天下之患在於土崩不在瓦解古今一也何謂土崩秦之末世是也陳涉無千乘之尊尺土之地身非有王公大人名族之後鄉曲之譽非有孔曾墨子之賢陶朱猗頓之富也然起窮巷奮棘矜偏袒大呼天下從風此其故

何也由民困而主不恤下怨而上不知俗已亂而政不修此三者陳涉之所以爲資也此之謂土崩故曰天下之患在乎土崩何謂瓦解吳楚齊趙之兵是也七國謀爲大逆號皆稱萬乘之君帶甲數十萬威足以嚴其境內財足以勸其士民然不能西攘尺寸之地而身爲禽於中原者此其故何也非權輕於匹夫而兵弱於陳涉也當是之時先帝之德未衰而安土樂俗之民衆故諸侯無竟外之助此之謂瓦解故曰天下之患不在瓦解由此觀之天下誠有土崩之勢雖布衣窮處之士或首難而危海內陳涉是也況三晉之君或存乎天下雖未治也誠能無土崩之勢雖有彊國勁兵不得還踵而身爲禽吳楚是也況群臣百姓能爲亂乎此二體者安危之明要賢主之所留意而深察也間者關東五穀數不登年歲未復民多窮困重之以邊境之事推數循理而觀之民宜有不安其處者矣不安故易動易動者土崩之勢也故賢主獨觀萬化之原明於安危之機修之廟堂之上而銷未形之患也其要

期使天下無土崩之勢而已矣故雖有彊國勁兵陛下逐走獸射飛鳥宏游燕之囿淫從恣之觀極馳騁之樂自若金石絲竹之聲不絕於耳帷幄之私俳優朱儒之笑不乏於前而天下無宿憂名何必禹湯俗何必成康雖然臣竊以爲陛下天然之質寬仁之資而誠以天下爲務則禹湯之名不難侔而成康之俗未必不復興也此二體者立然後處尊安之實揚廣譽於當世親天下而服四夷餘恩遺德爲數世隆南面負依攝袂而揖王公此陛下之所服也臣聞圖王不成其敝足以安安則陛下何求而不得何爲而不成奚征而不服哉

嚴安上言世務書

臣聞鄒子曰政教文質者所以云救也當時則用過則舍之有易則易之故守一而不變者未睹治之至也今天下人民用財侈靡車馬衣裘宮室皆競修飾調五聲使有節族雜五色使有文章重五味方丈於前以觀欲天下彼

民之情見美則願之是教民以侈也侈而無節則不可贍民離本而徼末矣末不可徒得故搢紳者不憚爲詐帶劍者夸殺人以矯奪而世不知媿故姦軌浸長夫佳麗珍怪固順於耳目故養失而泰樂失而淫禮失而采教失而僞僞采淫泰非所以範民之道也是以天下人民逐利無已犯法者衆臣願爲民制度以防其淫使貧富不相燿以和其心心既和平其性恬安恬安不營則盜賊銷盜賊銷則刑罰少刑罰少則陰陽和四時正風雨時草木暢茂五穀蕃孰六畜遂字民不夭厲和之至也臣聞周有天下其治三百餘歲成康其隆也刑措四十餘年而不用及其衰亦三百餘年故五伯更起五伯者常佐天子興利除害誅暴禁邪匡正海內以尊天子五伯既沒賢聖莫續天子孤弱號令不行諸侯恣行彊陵弱衆暴寡田常篡齊六卿分晉並爲戰國此民之始苦也於是彊國務攻弱國修守合從連衡馳車轂擊介冑生蟣蝨民無所告愬及至秦王蠶食天下并吞戰國稱號皇帝一海內之政壞諸侯

之城銷其兵鑄以爲鍾虡示不復用元々黎民得免於戰國逢明天子人々自以爲更生鄕使秦緩刑罰薄賦斂省繇役貴仁義賤權利上篤厚下佞巧變風易俗化於海內則世々必安矣秦不行是風循其故俗爲知巧權利者進篤厚忠正者退法嚴令苛讇諛者衆日聞其美意廣心逸欲威海外使蒙恬將兵以北攻彊胡辟地進境戍於北河飛芻輓粟以隨其後又使尉屠睢將樓船之士攻越使監祿鑿渠運糧深入越地越人遁逃曠日持久糧食乏絕越人擊之秦兵大敗秦乃使尉佗將卒以戍越當是時秦禍北構於胡南挂於越宿兵於無用之地進而不得退行十餘年丁男被甲丁女轉輸若不聊生自經於道樹死者相望及秦皇帝崩天下大畔陳勝吳廣舉陳武臣張耳舉趙項梁舉吳田儋舉齊景駒舉郢周市舉魏韓廣舉燕窮山通谷豪士並起不可勝載也然本皆非公侯之後非長官之吏無尺寸之勢起閭巷杖棘矜應時而動不謀而俱起不約而會同壤長地進至乎伯王時敎使然也

秦貴爲天子富有天下滅世絕祀窮兵之禍也故周失之弱秦失之彊不變之患也今徇南夷朝夜郎降羌僰略薉州建城邑深入匈奴燔其龍城議者美之此人臣之利非天下之長策也今中國無狗吠之驚而外累於遠方之備靡敝國家非所以子民也行無窮之欲甘心快意結怨匈奴非所以安邊也禍挐而不解兵休而復起近者愁苦遠者驚駭非所以持久也今天下鍛甲磨劍矯箭控弦轉輸軍糧未見休時此天下所共憂也夫兵久而變起事煩而慮生今外郡之地或幾千里列城數十形束壤制帶脅諸侯非宗室之利也上觀齊晉所以亡公室卑削六卿太盛也下覽秦之所以滅刑嚴文刻欲大無窮也今郡守之權非特六卿之重也地幾千里非特閭巷之資也甲兵器械非特棘矜之用也以逢萬世之變則不可勝諱也

東方朔客難

客難東方朔曰蘇秦張儀一當萬乘之主而都卿相之位澤及後世今子大

夫修先王之術慕聖人之義諷誦詩書百家之言不可勝數著於竹帛脣腐齒落服膺而不釋好學樂道之效明白甚矣自以智能海內無雙則可謂博聞辯智矣然悉力盡忠以事聖帝曠日持久官不過侍郞位不過執戟意者尙有遺行邪同胞之徒無所容居其故何也東方先生喟然長息仰而應之曰是固非子之所能備也彼一時也此一時也豈可同哉夫蘇秦張儀之時周室大壞諸侯不朝力政爭權相禽以兵幷爲十二國未有雌雄得士者彊失士者亡故談說行焉身處尊位珍寶充內外有廩倉澤及後世子孫長享今則不然聖帝流德天下震慴諸侯賓服連四海之外以爲帶安於覆盂動發擧事猶運之掌賢不肖何以異哉遵天之道順地之理物無不得其所故綏之則安動之則苦尊之則爲將卑之則爲虜抗之則在青雲之上抑之則在深淵之下用之則爲虎不用則爲鼠雖欲盡節效情安知前後夫天地之大士民之衆竭精馳說並進輻湊者不可勝數悉力慕之困於衣食或失門

戶使蘇秦張儀與僕並生於今之世曾不得掌故安敢望常侍郞乎傳曰天下無害雖有聖人無所施才上下和同雖有賢者無所立功故曰時異事異雖然安可以不務修身乎哉詩云鼓鍾于宮聲聞于外鶴鳴于九皐聲聞于天苟能修身何患不榮太公體行仁義七十有二迺設用於文武得信厥說封於齊七百歲而不絕此士所以日夜孶々修學敏行而不敢怠也辟若鶺鴒飛且鳴矣傳曰天不爲人之惡寒而輟其冬地不爲人之惡險而輟其廣君子不爲小人之匈々而易其行天有常度地有常形君子有常行君子道其常小人計其功詩云禮義之不愆何恤人之言故曰水至清則無魚人至察則無徒冕而前旒所以蔽明黈纊充耳所以塞聰明有所不見聰有所不聞擧大德赦小過無求備於一人之義也枉而直之使自得之優而柔之使自求之揆而度之使自索之蓋聖人敎化如此欲自得之自得之則敏且廣矣今世之處士塊然無徒廓然獨居上觀許由下察接輿計同范蠡忠合子

胥。天下和平。與義相扶。寡耦少徒。固其宜也。子何疑於我哉。若夫燕之用樂毅。秦之任李斯。酈食其之下齊。說行如流。曲從如環。所欲必得。功若丘山。海內定。國家安。是遇其時也。子又何怪之邪。語曰。以筦闚天。以蠡測海。以莛撞鐘。豈能通其條貫。考其文理。發其音聲哉。繇是觀之。譬猶鼱鼩之襲狗。孤豚之咋虎。至則靡耳。何功之有。今以下愚而非處士。雖欲勿困。固不得已。此適足以明其不知權變。而終惑於大道也。

楊惲報孫會宗書

惲材朽行穢。文質無所底。幸賴先人餘業。得備宿衛。遭遇時變。以獲爵位。終非其任。卒與禍會。足下哀其愚蒙。賜書教督以所不及。殷勤甚厚。然竊恨足下不深惟其終始。而猥隨俗之毀譽也。言鄙陋之愚心。若逆指而文過。默而息乎。恐違孔氏各言爾志之義。故敢略陳其愚。唯君子察焉。惲家方隆盛時。乘朱輪者十人。位在列卿。爵爲通侯。總領從官。與聞政事。曾不能以此時有

所建明。以宣德化。又不能與群僚同心幷力。陪輔朝廷之遺忘。已負竊位素餐之責久矣。懷祿貪勢。不能自退。遭遇變故。橫被口語。身幽北闕。妻子滿獄。當此之時。自以夷滅不足以塞責。豈意得全首領。復奉先人之丘墓乎。伏惟聖主之恩。不可勝量。君子游道。樂以忘憂。小人全軀。說以忘罪。竊自思念。過已大矣。行已虧矣。長爲農夫以沒世矣。是故身率妻子。戮力耕桑。灌園治產。以給公上。不意當復用此爲譏議也。夫人情所不能止者。聖人弗禁。故君父至尊親。送其終也。有時而旣。臣之得罪。已三年矣。田家作苦。歲時伏臘。烹羊炰羔。斗酒自勞。家本秦也。能爲秦聲。婦趙女也。雅善鼓瑟。奴婢歌者數人。酒後耳熱。仰天擊缶而呼烏烏。其詩曰。田彼南山。蕪穢不治。種一頃豆。落而爲萁。人生行樂耳。須富貴何時。是日也。拂衣而喜。奮裒低昂。頓足起舞。誠荒淫無度。不知其不可也。惲幸有餘祿。方糴賤販貴。逐什一之利。此賈豎之事。汙辱之處。惲親行之。下流之人。衆毀所歸。不寒而栗。雖雅知惲者。猶隨風而靡。

尙何稱譽之有。董生不云乎。明明求仁義。常恐不能化民者。卿大夫意也。明々求財利。常恐困乏者。庶人之事也。故道不同。不相爲謀。今子尙安得以卿大夫之制而責僕哉。夫西河魏土。文侯所興。有段干木田子方之遺風。漂然皆有節概。知去就之分。頃者足下離舊土。臨安定。安定山谷間。昆戎舊壤。子弟貪鄙。豈習俗之移人哉。於今迺睹子志矣。方當盛漢之隆。願勉旃。毋多談。

魏相諫伐匈奴書

臣聞之。救亂誅暴。謂之義兵。兵義者王。敵加於已。不得已而起者。謂之應兵。兵應者勝。爭恨小故。不忍憤怒者。謂之忿兵。兵忿者敗。利人土地貨寶者。謂之貪兵。兵貪者破。恃國家之大。矜民人之衆。欲見威於敵者。謂之驕兵。兵驕者滅。此五者非但人事。乃天道也。間者匈奴嘗有善意。所得漢民。輒奉歸之。未有犯於邊境。雖爭屯田車師。不足致意中。今聞諸將軍。欲興兵入其地。臣愚不知此兵何名者也。今邊郡困乏。父子共犬羊之裘。食草萊之實。常恐不

能自存。難以動兵。軍旅之後。必有凶年。言民以其愁苦之氣。傷陰陽之和也。出兵雖勝。猶有後憂。恐災害之變。因此以生。今郡國守相。多不實選。風俗尤薄。水旱不時。案今年計。子弟殺父兄。妻殺夫者。凡二百二十二人。臣愚以爲此非小變也。今左右不憂此。欲發兵報纖介之忿於遠夷。殆孔子所謂吾恐季孫之憂。不在顓臾。而在蕭牆之內也。願陛下與平昌侯、樂昌侯、平恩侯及有識者。詳議乃可。

匡衡政治得失疏

臣聞。五帝不同樂。三王各異教。民俗殊務。所遇之時異也。陛下躬聖德。開太平之路。閔愚吏民。觸法抵禁。比年大赦。使百姓得改行自新。天下幸甚。臣竊見大赦之後。姦邪不爲衰止。今日大赦。明日犯法。相隨入獄。此殆導之未得其務也。蓋保民者。陳之以德義。示之以好惡。觀其失而制其宜。故動之而和。綏之而安。今天下俗。貪財賤義。好聲色。上侈靡。廉恥之節薄。淫辟之意縱。綱

紀失序。疏者踰內。親戚之恩薄。婚姻之黨隆。苟合徼幸。以身設利。不改其原。雖歲赦之。刑猶難使錯而不用也。臣愚以爲宜壹曠然大變其俗。孔子曰。能以禮讓。爲國乎何有。朝廷者天下之楨幹也。公卿大夫相與循禮恭讓。則民不爭。好仁樂施。則下不暴。上義高節。則民興行。寬柔和惠。則衆相愛。四者明主之所以不嚴而成化也。何者。朝有變色之言。則下有爭鬪之患。上有自專之士。則下有不讓之人。上有克勝之佐。則下有傷害之心。上有好利之臣。則下有竊盜之民。此其本也。今俗吏之治。皆不本禮讓。而上克暴。或忮害。好陷人於罪。貪財而慕勢。故犯法者衆。姦邪不止。雖嚴刑峻法。猶不爲變。此非其天性有由然也。臣竊考。國風之詩。周南召南被賢聖之化深。故篤於行。而廉於色。鄭伯好勇。而國人暴虎。秦穆貴信。而士多從死。陳夫人好巫。而民淫祀。晉侯好儉。而民畜聚。太王躬仁。邠國貴恕。由此觀之。治天下者。審所上而已。今之僞薄忮害。不讓極矣。臣聞教化之流。非家至而人說之也。賢者在位。能

者布職。朝廷崇禮。百僚敬讓。道德之行。由內及外。自近者始。然後民知所法。遷善日進。而不自知。是以百姓安。陰陽和。神靈應。而嘉祥見。詩曰。商邑翼々。四方之極。壽考且寧。以保我後生。此成湯所以建至治。保子孫。化異俗而懷鬼方也。今長安天子之都。親承聖化。然其習俗。無以異於遠方。郡國來者。無所法則。或見侈靡。而放效之。此教化之原本。風俗之樞機。宜先正者也。臣聞。天人之際。精祲有以相盪。善惡有以相推。事作乎下者。象動乎上。陰陽之理。各應其感。陰變則靜者動。陽蔽則明者晻。水旱之災。隨類而至。今關東連年饑饉。百姓乏困。或至相食。此皆生於賦斂多。民所共者大。而吏安集之不稱之效也。陛下祗畏天戒。哀閔元元。大自減損。省甘泉建章宮衛。罷珠厓。偃武行文。將欲度唐虞之隆。絕殷周之衰也。諸見罷珠厓詔書者。莫不欣欣。人自以將見太平也。宜遂減宮室之度。省靡麗之飾。考制度。修外內。近忠正。遠巧佞。放鄭衛。進雅頌。舉異材。開直言。任溫良之人。退刻薄之吏。顯絜白之士。昭

無欲之路。覽六藝之意。察上世之務。明自然之道。博和睦之化。以崇至仁。匡失俗。易民視。令海內昭然。咸見本朝之所貴。道德弘於京師。淑問揚乎疆外。然後大化可成。禮讓可興也。

楊雄諫不許單于朝書

臣聞六經之治。貴於未亂。兵家之勝。貴于未戰。二者皆微。然而大事之本。不可不察也。今單于上書求朝。國家不許而辭之。臣愚以爲。漢與匈奴。從此隙矣。本北地之狄。五帝所不能臣。三王所不能制。其不可使隙。甚明。臣不敢遠稱。請引秦以來。明之。以秦始皇之彊。蒙恬之威。帶甲四十餘萬。然不敢窺西河。迺築長城以界之。會漢初興。以高祖之威靈。三十萬衆。困於平城。士或七日不食。時奇譎之士。石畫之臣甚衆。卒其所以脫者。世莫得而言也。高皇后嘗忿匈奴。群臣庭議。樊噲請以十萬衆。橫行匈奴中。季布曰。噲可斬也。妄阿順指。於是大臣權書遺之。然後匈奴之結解。中國之憂平。及孝文時。匈奴侵

暴北邊。候騎至雍甘泉。京師大驚。發三將軍。屯細柳棘門霸上以備之。數月迺罷。孝武卽位。設馬邑之權。欲誘匈奴。使韓安國將三十萬衆。徼於便墜。匈奴覺之而去。徒費財勞師。一虜不可得見。況單于之面乎。其後深惟社稷之計。規恢萬載之策。迺大興師數十萬。使衛青霍去病操兵。前後十餘年。於是浮西河。絕大幕。破寘顏。襲王庭。窮極其地。追奔逐北。封狼居胥山。禪於姑衍。以臨翰海。虜名王貴人。以百數。自是之後。匈奴震怖。益求和親。然而未肯稱臣也。且夫前世豈樂傾無量之費。役無罪之人。快心於狼望之北哉。以爲不壹勞者不久佚。不暫費者不永寧。是以忍百萬之師。以摧餓虎之喙。運府庫之財。塡盧山之壑而不悔也。至本始之初。匈奴有桀心。欲掠烏孫。侵公主。迺發五將之師十五萬騎。獵其南。而長羅侯以烏孫五萬騎。震其西。皆至質而還。時鮮有所獲。徒奮揚威武。明漢兵若雷風耳。雖空行空反。尚誅兩將軍。故北狄不服中國。未得高枕安寢也。逮至元康神爵之間。大化神明。鴻恩溥洽。

而匈奴內亂五單于爭立日逐呼韓邪攜國歸死扶伏稱臣然尙羈縻之計不顓制自此之後欲朝者不距不欲者不强何者外國天性忿鷙形容魁健負力怙氣難化以善易肆以惡其强難詘其和難得故未服之時勞師遠攻傾國殫貨伏尸流血破堅拔敵如彼之難也既服之後慰薦撫循交接賂遺威儀俯仰如此之備也往時嘗屠大宛之城蹈烏桓之壘探姑繒之壁藉蕩姐之場艾朝鮮之旃拔兩越之旗近不過旬月之役遠不離二時之勞固已犂其庭掃其閭郡縣而置之雲徹席卷後無餘菑唯北狄爲不然眞中國之堅敵也三垂比之懸矣前世重之茲甚未易可輕也今單于歸義懷款誠之心欲離其庭陳見於前此迺上世之遺策神靈之所想望國家雖費不得已者也奈何距以來厭之詞疏以無日之期消往昔之恩開將來之隙夫款而隙之使有恨心負前言緣往辭歸怨於漢因以自絕終無北面之心威之不可諭之不能焉得不爲大憂乎夫明者視於無形聽者聽於無聲誠先於未然即蒙恬樊噲不復施棘門細柳不復備馬邑之策安所設衛霍之功何得用五將之威安所震不然壹有隙之後雖智者勞心於內辯者轂擊於外猶不若未然之時也且往者圖西域制車師置城郭都護三十六國費歲以大萬計者豈爲康居烏孫能踰白龍堆而寇西邊哉迺以制匈奴也夫百年勞之一日失之費十而愛一臣竊爲國不安也唯陛下少留意於未亂未戰以遏邊萌之禍

中等漢文卷之四下終

明治三十年十月三十日印刷
同　三十年十一月五日發行

定價金參拾錢

版權所有

編者　山本廉
東京市麻布區霞町三番地

發行兼印刷者　吉川半七
東京市京橋區南傳馬町一丁目十二番地

販賣者　林平次郎
東京市日本橋區通三丁目六番地

山本廉編

中等漢文

東京　吉川半七藏版

凡例

一本書は尋常中學校の漢文教科書に充つるを以て目的とす故に全部を分ちて五卷とし每卷を又分ちて上中下の三編とす一編を一學期に一卷を一學年に課せむとして紙數をも略定せり

一材料の撰擇は既に生徒の知得したる歷史上の事實より苟も名教に裨益ある者を主とし地理博物に關する各種の文章に及ひたり

一明治征淸の役に關する編者の文は確實なる紀事に據りて漢譯せり行文拙劣能く其の眞象を見す能はずと雖も猶ほ將卒の忠勇義烈なる一斑を見るニ足らむか

一卷の一二は主として邦人の文を撰び卷の三よりは主として漢人の文を採り又學期學年の進むに隨ひて難易の順序をも次第せり

一凡漢文に傍訓を附するは固より國語法に合するを要すと雖も强ひて拘泥せず國語法ニ反せざる限り普通の讀方に從ひたり蓋し漢文は自ら漢文の讀方あれはなり

一卷の一二は左右に訓點を附し卷の三は左點をのみ卷の四五は句讀點をのみ附せり畢竟漢文に傍訓を附するは初學を導きて終に白文を讀み得せしむる方便なれは前に詳にして後にはこれを略せしなり

一一章を數節ニ分てるは教課の便宜を計りてなり必しも段落に關するにあらず

明治三十年三月

編者誌

中等漢文卷之五上

山本庶編

第一　梁惠王　　孟軻

孟子見梁惠王。王曰。叟不遠千里而來。亦將有以利吾國乎。孟子對曰。王何必曰利。亦有仁義而已矣。王曰何以利吾國。大夫曰何以利吾家。士庶人曰何以利吾身。上下交征利而國危矣。萬乘之國。弒其君者。必千乘之家。千乘之國。弒其君者。必百乘之家。萬取千焉。千取百焉。不爲不多矣。苟爲後義而先利。不奪不饜。未有仁而遺其親者也。未有義而後其君者也。王亦曰仁義而已矣。何必曰利。

第二　靈臺　　孟軻

孟子見梁惠王。王立於沼上。顧鴻鴈麋鹿曰。賢者亦樂此乎。孟子對曰。賢者而後樂此。不賢者雖有此。不樂也。詩云。經始靈臺。經之營之。庶民攻之。不日成之。經始勿亟。庶民子來。王在靈囿。麀鹿攸伏。麀鹿濯々。白鳥鶴々。王在靈沼。於牣魚躍。文王以民力爲臺爲沼。而民歡樂之。謂其臺曰靈臺。謂其沼曰靈沼。樂其有麋鹿魚鼈。古之人與民偕樂。故能樂也。湯誓曰。時日害喪。予及女偕亡。民欲與之偕亡。雖有臺池鳥獸。豈能獨樂哉。

第三　五十步百步　　孟軻

梁惠王曰。寡人之於國也。盡心焉耳矣。河內凶則移其民於河東。移其粟於河內。河東凶亦然。察鄰國之政。無如寡人之用心者。鄰國之民不加少。寡人之民不加多。何也。孟子對曰。王好戰。請以戰喩。塡然鼓之。兵刃既接。棄甲曳兵而走。或百步而後止。或五十步而後止。以五十步笑百步。則何如。曰不可。直不百步耳。是亦走也。曰王如知此。則無望民之多於鄰國也。不違農時。穀不可勝食也。數罟不入洿池。魚鼈不可勝食也。斧斤以時入山林。材木不可勝用也。穀與魚鼈不可勝食。材木不可勝用。是使民養生喪死無憾也。養生喪死無憾。王道之始也。五畝之宅。樹之以桑。五十者可以衣帛矣。雞豚狗彘之畜。無失其時。七十者可以食肉矣。百畝之田。勿奪其時。數口之家。可以無飢矣。謹庠序之教。申之以孝悌之義。頒白者不負戴於道路矣。七十者衣帛食肉。黎民不飢不寒。然而不王者。未之有也。狗彘食人食而不知檢。塗有餓莩而不知發。人死則曰非我也。歲也。是何異於刺人而殺之。曰非我也。兵也。王無罪歲。斯天下之民至焉。

第四　文王之囿　　孟軻

齊宣王問曰。文王之囿。方七十里。有諸。孟子對曰。於傳有之。曰若是其大乎。曰民猶以爲小也。曰寡人之囿。方四十里。民猶以爲大。何也。曰文王之囿。方七十里。芻蕘者往焉。雉兎者往焉。與民同之。民以爲小。不亦宜乎。臣始至於境。問國之大禁。然後敢入。臣聞郊關之內。有囿方四十里。殺其麋鹿者。如殺人罪。則是方四十里。爲阱於國中。民以爲大。不亦宜乎。

第五　天時地利　　孟軻

孟子曰。天時不如地利。地利不如人和。三里之城。七里之郭。環而攻之而不勝。夫環而攻之。必有得天時者矣。然而不勝者。是天時不如地利也。城非不高也。池非不深也。兵革非不堅利也。米粟非不多也。委而去之。是地利不如人和也。故曰。域民不以封疆之界。固國不以山谿之險。威天下不以兵革之利。得道者多助。失道者寡助。寡助之至。親戚畔之。多助之至。天下順之。以天下之所順。攻親戚之所畔。故君子有不戰。戰必勝矣。

第六　景春　　孟軻

景春曰。公孫衍張儀。豈不誠大丈夫哉。一怒而諸侯懼。安居而天下熄。孟子曰。是焉得爲大丈夫乎。子未學禮乎。丈夫之冠也。父命之。女子之嫁也。母命之。往送之門。戒之曰。往之女家。必敬必戒。無違夫子。以順爲正者。妾婦之道

也居天下之廣居立天下之正位行天下之大道得志與民由之不得志獨行其道富貴不能淫貧賤不能移威武不能屈此之謂大丈夫

第七 公都子 孟軻

公都子曰外人皆稱夫子好辯敢問何也孟子曰予豈好辯哉予不得已也天下之生久矣一治一亂當堯之時水逆行氾濫於中國蛇龍居之民無所定下者爲巢上者爲營窟書曰洚水警余洚水者洪水也使禹治之禹掘地而注之海驅蛇龍而放之菹水由地中行江淮河漢是也險阻既遠鳥獸之害人者消然後人得平土而居之堯舜既沒聖人之道衰暴君代作壞宮室以爲汙池民無所安息棄田以爲園囿使民不得衣食邪說暴行又作園囿汙池沛澤多而禽獸至及紂之身天下又大亂周公相武王誅紂伐奄三年討其君驅飛廉於海隅而戮之滅國者五十驅虎豹犀象而遠之天下大悅書曰丕顯哉文王謨丕承哉武王烈佑啓我後人咸以正無缺世衰道微邪說暴行有作臣弑其君者有之子弑其父者有之孔子懼作春秋春秋天子之事也是故孔子曰知我者其惟春秋乎罪我者其惟春秋乎聖王不作諸侯放恣處士橫議楊朱墨翟之言盈天下天下之言不歸楊則歸墨楊氏爲我是無君也墨氏兼愛是無父也無父無君是禽獸也公明儀曰庖有肥肉廐有肥馬民有飢色野有餓莩此率獸而食人也楊墨之道不息孔子之道不著是邪說誣民充塞仁義也仁義充塞則率獸食人人將相食吾爲此懼閑先聖之道距楊墨放淫辭邪說者不得作作於其心害於其事作於其事害於其政聖人復起不易吾言矣昔者禹抑洪水而天下平周公兼夷狄驅猛獸而百姓寧孔子成春秋而亂臣賊子懼詩云戎狄是膺荊舒是懲則莫我敢承無父無君是周公所膺也我亦欲正人心息邪說距詖行放淫辭以承三聖者豈好辯哉予不得已也能言距楊墨者聖人之徒也

第八 齊人驕妻妾 孟軻

齊人有一妻一妾而處室者其良人出則必饜酒肉而後反其妻問所與飲食者則盡富貴也其妻告其妾曰良人出則必饜酒肉而後反問其與飲食者盡富貴也而未嘗有顯者來吾將瞯良人之所之也蚤起施從良人之所之徧國中無與立談者卒之東郭墦間之祭者乞其餘不足又顧而之他此其爲饜足之道也其妻歸告其妾曰良人者所仰望而終身也今若此與其妾訕其良人而相泣於中庭而良人未之知也施施從外來驕其妻妾由君子觀之則人之所以求富貴利達者其妻妾不羞也而不相泣者幾希矣

第九 伯夷 孟軻

孟子曰伯夷目不視惡色耳不聽惡聲非其君不事非其民不使治則進亂則退橫政之所出橫民之所止不忍居也思與鄉人處如以朝衣朝冠坐於塗炭也當紂之時居北海之濱以待天下之清也故聞伯夷之風者頑夫廉懦夫有立志伊尹曰何事非君何使非民治亦進亂亦進曰天之生斯民也使先知覺後知使先覺覺後覺予天民之先覺者也予將以此道覺此民也思天下之民匹夫匹婦有不與被堯舜之澤者若己推而內之溝中其自任以天下之重也柳下惠不羞汙君不辭小官進不隱賢必以其道遺佚而不怨阨窮而不憫與鄉人處由々然不忍去也爾爲爾我爲我雖袒裼裸裎於我側爾焉能浼我哉故聞柳下惠之風者鄙夫寬薄夫敦孔子之去齊接淅而行去魯曰遲々吾行也去父母國之道也可以速而速可以久而久可以處而處可以仕而仕孔子也孟子曰伯夷聖之清者也伊尹聖之任者也柳下惠聖之和者也孔子聖之時者也孔子之謂集大成集大成也者金聲而玉振之也金聲也者始條理也玉振之也者終條理也始條理者智之事也終條理者聖之事也智譬則巧也聖譬則力也由射於百步之外也其至爾力也其中非爾力也

第十 魚我所欲 孟軻

孟子曰、魚我所欲也。熊掌亦我所欲也。二者不可得兼。舍魚而取熊掌者也。生亦我所欲也。義亦我所欲也。二者不可得兼。舍生而取義者也。生亦我所欲、所欲有甚於生者。故不爲苟得也。死亦我所惡。所惡有甚於死者。故患有所不辟也。如使人之所欲。莫甚於生、則凡可以得生者、何不用也。使人之所惡。莫甚於死者、則凡可以辟患者。何不爲也。由是則生。而有不用也。由是則可以辟患。而有不爲也、是故所欲有甚於生者。所惡有甚於死者。非獨賢者有是心也。人皆有之、賢者能勿喪耳。一簞食。一豆羹。得之則生。弗得則死、嘑爾而與之。行道之人弗受。蹴爾而與之。乞人不屑也、萬鍾則不辨禮義而受之。萬鍾於我何加焉。爲宮室之美。妻妾之奉。所識窮乏者得我與。鄕爲身死而不受。今爲宮室之美爲之。鄕爲身死而不受。今爲妻妾之奉爲之。鄕爲身死而不受。今爲所識窮乏者得我而爲之。是亦不可以已乎。此之謂失其本心。

第十一　報燕惠王書　　樂毅

臣不佞。不能奉承王命。以順左右之心。恐傷先王之明、有害足下之義、故遁逃走趙、今足下使人數之以罪。臣恐侍御者不察先王之所以畜幸臣之理。又不白臣之所以事先王之心。故敢以書對。臣聞。賢聖之君。不以祿私親、其功多者賞之。其能當者處之。故察能而授官者。成功之君也。論行而結交者。立名之士也。臣竊觀先王之擧也、見有高世主之心、故假節於魏、以身得察於燕、先王過擧、廁之賓客之中。立之群臣之上。不謀父兄、以爲亞卿。臣竊不自知。自以爲奉令承敎、可幸無罪、故受命而不辭。先王命之曰。我有積怨深怒於齊。不量輕弱。而欲以齊爲事。臣曰。夫齊霸國之餘業。而最勝之遺事也。練於甲兵。習於攻戰。王若欲伐之。必與天下圖之。與天下圖之。莫若結於趙。且又淮北宋地、楚魏之所欲也、趙若許而約四國攻之。齊可大破也、先王以爲然、具符節。南使臣於趙、顧反命、起兵擊齊。以天之道。先王之靈、河北之地。

隨先王而擧之濟上。濟上之軍、受命擊齊。大敗齊人。輕卒銳兵、長驅至國、齊王遁而走莒、僅以身免、珠玉財寶、車甲珍器、盡收入於燕、齊器設於寧臺。大呂陳於元英。故鼎反乎磨室。薊丘之植。植於汶篁。自五霸以來。功未有及先王者也。先王以爲慊於志。故裂地而封之。使得比小國諸侯。臣竊不自知。自以爲奉命承敎。可幸無罪。是以受命不辭。臣聞、賢聖之君。功立而不廢。故著於春秋。蚤知之士。名成而不毀。故稱之後世。若先王之報怨雪恥。夷萬乘之彊國。收八百歲之蓄積。及至棄群臣之日。餘敎未衰。執政任事之臣。修法令。愼庶孼。施及乎萌隸。皆可以敎後世。臣聞之。善作者不必善成。善始者不必善終。昔伍子胥說聽於闔閭。而楚王遠迹至郢。夫差弗是也。賜之鴟夷而浮之江。吳王不寤先論之可以立功。故沈子胥而不悔。子胥不蚤見主之不同量。是以至於入江而不化。夫免身全功。以明先王之迹。臣之上計也。離毀辱之誹謗。墮先王之名。臣之所大恐也。臨不測之罪。以幸爲利。義之所不敢出也。臣聞。古之君子交絕。不出惡聲。忠臣去國、不潔其名。臣雖不佞、數奉敎君子矣。恐侍御者之親左右之說。不察疏遠之行。故敢獻書以聞。唯君王之留意焉。

第十二　遺燕將書　　魯仲連

吾聞之。智者不倍時而棄利、勇士不怯死而滅名。忠臣不先身而後君。今公行一朝之忿。不顧燕王之無臣。非忠也。殺身亡聊城。而威不信於齊。非勇也。功廢名滅。後世無稱。非智也。故智者不再計、勇士不怯死。今死生榮辱。尊卑貴賤。此其一時也。願公之詳計而無與俗同也、且楚攻南陽。魏攻平陸。齊無南面之心。以爲亡南陽之害。不若得濟北之利、故定計而堅守之。今秦人下兵。魏不敢東面。橫秦之勢合。則楚國之形危。且棄南陽。斷右壤。存濟北、計必爲之。今楚魏交退。燕救不至。齊無天下之規、與聊城共據期年之敝。即臣見公之不能得也。齊必決之於聊城。公無再計。彼燕國大亂。君臣過計。上下迷

戎棄腹誤以十萬之衆五折於外萬乘之國被圍於趙壤削主困爲天下戮公聞之乎今燕王方寒心獨立大臣不足恃國敝禍多民無所歸心今公又以聊城之民距全齊之兵期年不解是墨翟之守也食人炊骨士無反北之心是孫臏吳起之兵也能已見於天下矣故爲公計不如罷兵休士全車甲歸報燕王燕王心喜士民見公如見父母交游攘臂而議於世功業可明矣上輔孤主以制群臣下養百姓以資說士矯國革俗於天下功名可立也意者亦捐燕棄世東游於齊乎請裂地定封富比陶衛世々稱寡與齊久存此亦一計也二者顯名厚實也願公熟計而審處一也且吾聞效小節者不能行大威惡小耻者不能立榮名昔管仲射桓公中鉤篡也遺公子糾而不能死怯也束縛桎梏辱身也此三行者鄉里不通也世主不臣也鄉使管仲窮抑幽囚而不出慙耻而不見窮年沒壽則亦名不免爲辱人賤行矣臧獲且羞與之同名矣況世俗乎故管子不耻身在縲紲之中而耻天下之不治不耻不死公子糾而耻威之不信於諸侯故兼三行之過而爲五覇首名高天下光燭鄰國曹子爲魯將三戰三北而亡地五百里鄉使曹子計不反顧議不旋踵刎頸而死則亦名不免爲敗軍禽將矣曹子棄三北之耻而退與魯君計桓公朝天下會諸侯曹子以一劍之任劫桓公於壇坫之上顏色不變辭氣不悖三戰之所亡一朝而復之天下震動諸侯驚駭威加吳越若此二士者非不能行小節死小耻也以爲殺身亡軀絕世滅後功名不立非智也故去感忿之怨立終身之名棄忿悁之節定累世之功是以業與三王爭流而名與天壤相弊也願公擇一而行之

第十三　逐客上書　　李　斯

臣聞吏議逐客竊以爲過矣昔者繆公求士西取由余於戎東得百里奚於宛迎蹇叔於宋求丕豹公孫支於晉此五人者不產於秦而繆公用之幷國二十遂霸西戎孝公用商鞅之法移風易俗民以殷盛國以富彊百姓樂用

諸侯親服獲楚魏之師舉地千里至今治彊惠王用張儀之計拔三川之地西幷巴蜀北收上郡南取漢中包九夷制鄢郢東據成皐之險割膏腴之壤遂散六國之從使之西面事秦功施到今昭王得范雎廢穰侯逐華陽彊公室杜私門蠶食諸侯使秦成帝業此四君者皆以客之功由此觀之客何負於秦哉向使四君却客而不納疏士而不用是使國無富利之實而秦無彊大之名也今陛下致崑山之玉有隨和之寶垂明月之珠服太阿之劍乘纖離之馬建翠鳳之旗樹靈鼉之鼓此數寶者秦不生一焉而陛下說之何也必秦國之所生然後可則是夜光之璧不飾朝廷犀象之器不爲玩好而趙國之女不充後宮駿馬駃騠不實外廐江南金錫不爲用西蜀丹青不爲采所以飾後宮充下陳娛心意說耳目者必出於秦然後可則是宛珠之簪傅璣之珥阿縞之衣錦繡之飾不進於前而隨俗雅化佳冶窈窕趙女不立於側也夫擊甕叩缶彈箏搏髀而歌呼嗚々快耳者眞秦之聲也鄭衞桑間韶虞象武者異國之樂也今棄擊甕叩缶而就鄭衞退彈箏而取韶虞若是者何也快意當前適觀而已矣今取人則不然不問可否不論曲直非秦者去爲客者逐然則是所重者在乎色樂珠玉而所輕者在乎人民也此非所以跨海內制諸侯之術也臣聞地廣者粟多國大者人衆兵彊者士勇是以泰山不讓土壤故能成其大河海不擇細流故能就其深王者不却衆庶故能明其德是以地無四方人無異國四時充美鬼神降福此五帝三王之所以無敵也今乃棄黔首以資敵國却賓客以業諸侯使天下之士退而不敢西向裹足不入秦此所謂藉寇兵而齎盜糧者也夫物不產於秦可寶者多士不產於秦願忠者衆今逐客以資敵國損民以益讎內自虛而外樹怨於諸侯求其國之無危不可得也

第十四　說難　　韓　非

凡說之難非吾知之有以說之難也又非吾辯之難能明吾意之難也又非

吾敢橫佚能盡之難也凡說之難在知所說之心可以吾說當之所說出於爲名高者也而說之以厚利則見下節而遇卑賤必棄遠矣所說出於厚利者也而說之以名高則見無心而遠事情必不收矣所說實爲厚利而顯爲名高者也而說之以名高則陽收其身而實疏之若說之以厚利則陰用其言而顯棄其身此之不可不知也夫事以密成語以泄敗未必其身泄之也而語及其所匿之事如是者身危貴人有過端而說者明言善議以推其惡者則身危周澤未渥也而語極知說行而有功則德亡說不行而有敗則見疑如是者身危夫貴人得計而欲自以爲功說者與知焉則身危彼顯有所出事乃自以爲也故說者與知焉則身危彊之以其所必不爲止之以其所不能已者身危故曰與之論大人則以爲間己與之論細人則以爲鬻權論其所愛則以爲借資論其所憎則以爲嘗己徑省其辭則不知而屈之汎濫博文則多而久之順事陳意則曰怯懦而不盡慮事廣肆則曰草野而倨侮

此說之難不可不知也凡說之務在知飾所說之所敬而滅其所醜彼自知其計則無以其失窮之自勇其斷則無以其敵怒之自多其力則無以其難概之規異事與同計譽異人與同行者則以飾之無傷也有與同失者則明飾其無失也大忠無所拂辭悟言無所擊排迺後伸其辯知焉此所以親近不疑知盡之難也得曠日彌久而周澤既渥深計而不疑交爭而不罪迺明計利害以致其功直指是非以飾其身以此相持此說之成也伊尹爲庖百里奚爲虜皆所由干其上也故此二子者皆聖人也猶不能無役身而涉世如此其汙也則非能仕之所設也宋有富人天雨牆壞其子曰不築且有盜其鄰人之父亦云暮而果大亡其財其家甚知其子而疑鄰人之父昔者鄭武公欲伐胡迺以其子妻之因問群臣曰吾欲用兵誰可伐者關其思曰胡可伐迺戮關其思曰胡兄弟之國也子言伐之何也胡君聞之以鄭爲親己而不備鄭鄭人襲胡取之此二說者其知皆當矣然而甚者爲戮薄者見疑

非知之難也處知則難矣昔者彌子瑕見愛於衛君衛國之法竊駕君車者罪至刖既而彌子之母病人聞往夜告之彌子矯駕君車而出君聞之而賢之曰孝哉爲母之故而犯刖罪與君游果園彌子食桃而甘不盡而奉君君曰愛我哉忘其口而念我及彌子色衰而愛弛得罪於君君曰是嘗矯駕吾車又嘗食我以其餘桃故彌子之行未變於初也前見賢而後獲罪者愛憎之至變也故有愛於主則知當而加親見憎於主則罪當而加疏故諫說之士不可不察愛憎之主而後說之矣夫龍之爲蟲也可擾狎而騎也然其喉下有逆鱗徑尺人有嬰之則必殺人人主亦有逆鱗說之者能無嬰人主之逆鱗則幾矣

管仲論　　蘇洵

管仲相威公霸諸侯攘戎狄終其身齊國富彊諸侯不敢叛管仲死豎刁易牙開方用威公薨於亂五公子爭立其禍蔓延訖簡公齊無寧歲夫功之成

非成於成之日蓋必有所由起禍之作不作於作之日亦必有所由兆故齊之治也吾不曰管仲而曰鮑叔及其亂也吾不曰豎刁易牙開方而曰管仲何則豎刁易牙開方三子彼固亂人國者顧其用之者威公也夫有舜而後知放四凶有仲尼而後知去少正卯彼威公何人也顧其使威公得用三子者管仲也仲之疾也公問之相當是時也吾意以仲且舉天下之賢者以對而其言乃不過曰豎刁易牙開方三子非人情不可近而已嗚呼仲以爲威公果能不用三子矣乎仲與威公處幾年矣亦知威公之爲人矣乎威公聲不絕乎耳色不絕乎目而非三子者則無以遂其欲彼其初之所以不用者徒以有仲焉耳一日無仲則三子者可以彈冠而相慶矣仲以爲將死之言可以繫威公之手足耶夫齊國不有患三子而患無仲有仲則三子者三匹夫耳不然天下豈少三子之徒哉雖威公幸而聽仲誅此三人而其餘者仲能悉數而去之耶嗚呼仲可謂不知本者矣因威公之問舉天下之賢者以

自代、則仲雖死、而齊國未爲無仲也、夫何患三子者、不言可也、五伯莫盛於威文、文公之才、不過威公、其臣又皆不及仲、靈公之虐、不如孝公之寬厚、文公死、諸侯不敢叛晉、晉襲文公之餘威、猶得爲諸侯之盟主、百餘年、何者、其君雖不肖、而尚有老成人焉、威公之薨也、一敗塗地、無惑也、彼獨恃一管仲、而仲則死矣、夫天下未嘗無賢者、蓋有有臣而無君者矣、威公在焉、而曰天下不復有管仲者、吾不信也、仲之書、有記其將死論鮑叔賓胥無之爲人、且各疏其短、是其心以爲是數子者、皆不足以托國、而又逆知其將死、則其書誕謾不足信也、吾觀史鰍以不能進蘧伯玉而退彌子瑕、故有身後之諫、蕭何且死、擧曹參以自代、大臣之用心、固宜如此也、夫一國以一人興、以一人亡、賢者不悲其身之死、而憂其國之衰、故必復有賢者、而後可以死、彼管仲者、何以死哉、

始皇論　蘇軾

秦始皇時、趙高有罪、蒙毅按之、當死、始皇赦而用之、長子扶蘇好直諫、上怒、使北監蒙恬兵於上郡、始皇東遊會稽、並海走瑯琊、少子胡亥、李斯、蒙毅、趙高從、道病、使蒙毅還禱山川、未及還、上崩、李斯趙高、矯詔立胡亥、殺扶蘇蒙恬蒙毅、卒以亡秦、蘇子曰、始皇制天下輕重之勢、使內外相形、以禁姦備亂、可謂密矣、蒙恬將三十萬人、威震北方、扶蘇監其軍、而蒙毅侍帷幄爲謀臣、雖有大姦賊、敢睥睨其間哉、不幸道病、禱祀山川、尙有人也、而遣蒙毅、故高斯得成其謀、始皇之遣毅、毅見始皇病、太子未立、而去左右、皆不可以言智、雖然天之亡人國、其禍敗必出於智之所不及、聖人爲天下、不恃智以防亂、恃吾無致亂之道耳、始皇致亂之道、在用趙高、夫閹尹之禍、如毒藥猛獸、未有不裂肝碎首者也、自有書契以來、惟東漢呂彊、後唐張承業二人、號稱善良、豈可望一二、於千萬、以取必亡之禍哉、然世主皆甘心而不悔、如漢桓靈唐肅代、猶不足深怪、始皇漢宣皆英主、亦湛趙高恭顯之禍、彼自以爲聰明人傑也、奴僕薰腐之餘、何能爲、及其亡國亂朝、乃與庸主不異、吾故表而出之、以戒後世人主、如始皇漢宣者、或曰李斯佐始皇、定天下、不可謂不智、扶蘇親始皇子、秦人戴之久矣、陳勝假其名、猶足以亂天下、而蒙恬持重兵在外、使二人不卽受誅而復請之、則斯高無遺類矣、以斯之智而不慮此、何哉、蘇子曰、嗚呼、秦之失道、有自來矣、豈獨斯高之罪、自商鞅變法、以誅死爲經典、以參夷爲常法、人臣狠顧脅息、以得死爲幸、何暇復請、方其法之行也、求無不獲、禁無不止、鞅自以爲軼堯舜、而駕湯武矣、及其出亡、而無所舍、然後知爲法之弊、夫豈獨鞅悔之、秦亦悔之矣、荊軻之變、持兵者、熟視始皇環柱而走、而莫之救者、以法重故也、李斯之立胡亥、不復忌二人者、知威令之素行、而臣子不敢復請也、二人之不敢復請、亦知始皇之鷙悍而不可回也、豈料其僞也哉、周公曰、平易近民、民必歸之、孔子曰、有一言而可以終身行之、其恕矣乎、夫以忠恕爲心、而以平易爲政、則上易知而下易達、雖有賣國之姦、無所投其隙、倉卒之變、無自發焉、而其令行禁止、蓋有不及商鞅者矣、而聖人終不以此易彼、鞅立信於徙木、立威於棄灰、刑其親戚師傅、無惻容、積威信之極、以至始皇、秦人視其君、如雷電鬼神不可測也、古者公族有罪、三宥而後致刑、今至使人矯殺其太子而不忌、太子亦不敢請、則威信之過也、夫以法毒天下者、未有不反中其身、及其子孫、漢武始皇皆果於殺者也、故其子如扶蘇仁、則寧死而不請、如戾太子之悍、則寧反而不訴、知訴之必不察也、戾太子豈欲反者哉、計出於無聊也、故爲二君之子者、有死與反而已、李斯之智、蓋足以知扶蘇之必不反也、吾又表而出之、以戒後世人主之果於殺者、

孟子論　蘇轍

智勇可以定天下、而天下之所以不定、常由用智勇、我以智加彼、彼將以智對焉、我以勇施、彼將以勇報焉、智與智遇、勇與勇會、紛錯拏攫、無知其所底、是

七國所以不定於一也七國之時有孟子者出欲以其道定天下當是之時長槍大劍旁午天下勇悍之將智辨之士如雲而起務以其所能爭奪大利猶以爲未也而孟子非唐虞三代衣裳之治不說何孟子之迂濶也吾嘗讀戰國諸策參諸孟子之書其始未嘗不嗤其迂焉而其終也撫卷而嘆曰嗚呼天下之捷利者孰如孟子哉自孟子視之戰國所謂勇悍智辯者皆迂濶之甚者也何以言之當時謀人國者必曰富之夫我萬乘之國也彼亦萬乘之國也我富其萬乘而彼豈獨不富其萬乘乎當時謀人兵者必曰强之夫我萬乘之兵也彼亦萬乘之兵也我强其萬乘而彼豈獨不强其萬乘乎而謂我獨能之也則可謂濶時情矣以一萬乘當六萬乘將以幾歲夷之乎非迂而何秦以七世夷之而其國亦隨亡雖定天下果何益哉然則奚爲曰有奕者於此各角其技无相上下也有國碁者傍観爲下其子必有出其意表七國之時天下莫不自以爲智且勇也大人君子代爲之謀其規略必有衆

人不及知者衆人以爲迂濶而其實天下之至智至勇者也天下之民譬之嬰兒彼鞭撻之驅迫之以求其所欲而我獨施之飴蔗縱其嬉娛嬰兒豈有不卒歸於我者哉孟子所謂王道蓋此方已太史公傳孟子曰方是時秦用商鞅楚魏用吳起齊用孫子田忌視孟子爲迂遠濶時情以吾視之商鞅之務農孟子深耕易耨已盡之矣其怯私鬪勇公戰孟子孝悌忠信親其上死其長已盡之矣而吳起孫臏之論兵亦無不本此是七國之智勇皆孟子之所不屑爲而其所爲亦莫能出孟子之範天下之捷利者孰如孟子哉

書孟母斷機圖後　安井衡

予嘗游長崎觀於出島見和蘭娶崎娼所生之子年十三四髻剃服佩盡從皇制而赤髮粉面深目高鼻一見知其爲蘭種於是益信聖人尊父之盡義至命也然歴觀古今賢母之子多賢而賢父之子未必賢是豈由資於母氣之多而然乎哉仲尼曰性相近習相遠蓋父嚴而母親幼之時父未敎之以道其所視聽言笑皆母也至七八歲出就外傅而其習既染其所學固不若其所習之安也故古者尤重婦德以周家積累之德詩人極美其得賢妃蓋不獨以閨門修穆之故亦喜其得賢子孫焉爾夫高貴之人有保傅慈姆之屬不自撫育其子孫然必有賢妃而後能得賢子孫况於懷抱乳哺之者安得不染母習哉後世專貪色不復講婦德及其育子弄孫夫妻不反目則婦姑勃谿其子幼而習焉視以爲人道之常而父之敎子又不及古人十分之一其不化爲魑魅者蓋亦幸耳偶有觀孟母斷機之圖者不堪古今隆替之感書以質乎後人

讀孟嘗君傳　王安石

世皆稱孟嘗君能得士士以故歸之而卒賴其力以脫於虎豹之秦嗟乎孟嘗君特雞鳴狗盜之雄耳豈足以言得士不然擅齊之强得一士焉宜可以南面而制秦尚何取雞鳴狗盜之力哉夫雞鳴狗盜之出其門此士之所以

不至也

過秦論中　賈誼

秦孝公據殽函之固擁雍州之地君臣固守以窺周室有席卷天下包擧宇內囊括四海之意并呑八荒之心當是時也商君佐之內立法度務耕織修守戰之備外連衡而鬪諸侯於是秦人拱手而取西河之外孝公既沒惠王武王蒙故業因遺策南取漢中西擧巴蜀東割膏腴之地北收要害之郡諸侯恐懼會盟而謀弱秦不愛珍器重寶肥美之地以致天下之士合從締交相與爲一當是時齊有孟嘗趙有平原楚有春申魏有信陵此四君者皆明智而忠信寬厚而愛人尊賢而重士約從離衡并韓魏燕趙齊楚宋衛中山之衆於是六國之士有寗越徐尚蘇秦杜赫之屬爲之謀齊明周最陳軫昭滑樓緩翟景蘇厲樂毅之徒通其意吳起孫臏帶佗兒良王廖田忌廉頗趙奢之朋制其兵嘗以十倍之地百萬之衆叩關而攻秦秦人開關而延敵九

國之師。逡巡遁逃。而不敢進。秦無亡矢遺鏃之費。而天下諸侯已困矣。於是從散約解。爭割地而賂秦。秦有餘力而制其敝。追亡逐北。伏尸百萬。流血漂鹵。因利乘便。宰割天下。分裂河山。彊國請服。弱國入朝。延及孝文王莊襄王。享國日淺。國家無事。及至始皇。奮六世之餘烈。振長策而御宇內。吞二周而亡諸侯。履至尊而制六合。執敲朴以鞭笞天下。威振四海。南取百越之地。以爲桂林象郡。百越之君。俛首係頸。委命下吏。乃使蒙恬北築長城。而守藩籬。卻匈奴七百餘里。胡人不敢南下而牧馬。士不敢彎弓而報怨。於是廢先王之道。焚百家之言。以愚黔首。墮名城。殺豪俊。收天下之兵。聚之咸陽。銷鋒鍉。鑄以爲金人十二。以弱天下之民。然後踐華爲城。因河爲池。據億丈之城。臨不測之谿。以爲固。良將勁弩。守要害之處。信臣精卒。陳利兵而誰何。天下已定。始皇之心。自以爲關中之固。金城千里。子孫帝王萬世之業也。始皇既沒。餘威振於殊俗。然而陳涉甕牖繩樞之子。甿隸之人。而遷徙之徒也。才能不

及中人。非有仲尼墨翟之賢。陶朱猗頓之富。躡足行伍之間。而倔起阡陌之中。率罷散之卒。將數百之衆。轉而攻秦。斬木爲兵。揭竿爲旗。天下雲集響應。贏糧而景從。山東豪俊。遂並起而亡秦族矣。且夫天下非小弱也。雍州之地。殽函之固自若也。陳涉之位。非尊於齊楚燕趙韓魏宋衛中山之君也。鉏耰棘矜。非銛於鉤戟長鎩也。謫戍之衆。非抗於九國之師也。深謀遠慮。行軍用兵之道。非及鄉時之士也。然而成敗異變。功業相反也。試使山東之國。與陳涉度長絜大。比權量力。則不可同年而語矣。然秦以區々之地。致萬乘之權。招八州而朝同列。百有餘年矣。然後以六合爲家。殽函爲宮。一夫作難而七廟墮。身死人手。爲天下笑者。何也。仁義不施。而攻守之勢異也。

過秦論下　　賈誼

秦并海內。兼諸侯。南面稱帝。以養四海。天下之士。斐然鄉風。若是者何也。曰近古之無王者久矣。周室卑微。五霸既沒。令不行於天下。是以諸侯力政。彊侵弱。衆暴寡。兵革不休。士民罷敝。今秦南面而王天下。是上有天子也。既元元之民。冀得安其性命。莫不虛心而仰上也。當此之時。守威定功。安危之本。在於此矣。秦王懷貪鄙之心。行自奮之智。不信功臣。不親士民。廢王道。立私權。禁文書而酷刑法。先詐力而後仁義。以暴虐爲天下始。夫并兼者高詐力。安定者貴順權。此言取與守不同術也。秦離戰國而王天下。其道不易。其政不改。是其所以取之守之者異也。孤獨而有之。故其亡可立而待。借使秦王計上世之事。並殷周之迹。以制御其政。後雖有淫驕之主。而未有傾危之患也。故三王之建天下。名號顯美。功業長久。今秦二世立。天下莫不引領而觀其政。夫寒者利短褐。而飢者甘糟糠。天下之嗷々。新主之資也。此言勞民之易爲仁也。鄉使二世有庸主之行。而任忠賢。臣主一心。而憂海內之患。縞素而正先帝之過。裂地分民。以封功臣之後。建國立君。以禮天下。虛囹圄而免刑戮。除去收帑汙穢之罪。使各反其鄉里。發倉廩。散財幣。以賑孤獨窮困之

士。輕賦少事。以佐百姓之急。約法省刑。以持其後。使天下之人。皆得自新。更節修行。各愼其身。塞萬民之望。而以威德與天下。天下集矣。卽四海之內。皆讙然。各自安樂其處。唯恐有變。雖有狡猾之民。無離上之心。則不軌之臣。無以飾其智。而暴亂之姦止矣。二世不行此術。而重之以無道。壞宗廟與民。更始作阿房宮。繁刑嚴誅。吏治刻深。賞罰不當。賦斂無度。天下多事。吏弗能紀。百姓窮困。而主弗收恤。然後姦僞並起。而上下相遁。蒙罪者衆。刑戮相望於道。而天下苦之。自君卿以下。至於衆庶。人懷自危之心。親處窮苦之實。咸不安其位。故易動也。是以陳涉不用湯武之賢。不藉公侯之尊。奮臂於大澤。而天下響應者。其民危也。故先王見始終之變。知存亡之機。是以牧民之道。務在安之而已。天下雖有逆行之臣。必無響應之助矣。故曰安民可與行義。而危民易與爲非。此之謂也。貴爲天子。富有天下。身不免於戮殺者。正傾非也。是二世之過也。

高祖論

蘇洵

漢高祖挾數用術以制一時之利害不如陳平揣摩天下之勢舉指搖目以劫制項羽不如張良微此二人則天下不歸漢而高帝乃木強之人而止耳然天下已定後世子孫之計陳平張良智之所不及則高帝嘗先爲之規畫處置使夫後世之所爲曉然如目見其事而爲之者蓋高帝之智明於大而暗於小至於此而後見也帝嘗語呂后曰周勃重厚少文然安劉氏必勃也可令爲太尉方是時劉氏安矣勃又將誰安耶故吾之意曰高帝之以太尉屬勃也知有呂氏之禍也雖然其不去呂后何也勢不可也昔者武王沒成王幼而三監叛帝意百歲後將相大臣及諸侯王有如武庚祿父而無有以制之也獨計以爲家有主母而豪奴悍婢不敢與弱子抗呂氏佐帝定天下爲諸將大臣素所畏服獨此可以鎭壓其邪心以待嗣子之壯故不去呂后者爲惠帝計也呂后既不可去故削其黨以損其權使雖有變而天下不搖

是故以樊噲之功一旦遂欲斬之而無疑嗚呼彼豈獨於噲不仁耶且噲與帝偕起拔城陷陣功爲不少方亞父嗾項莊時微噲譙羽則漢之爲漢未可知也一旦人有惡噲欲滅戚氏者時噲出伐燕立命平勃即軍中斬之夫噲之罪未形也惡之者誠僞未必也且高帝之不以一女子斬天下之功臣亦明矣彼其娶於呂氏呂氏之族若產祿輩皆庸才不足卹獨噲豪健諸將所不能制後世之患無大於此者矣夫高帝之視呂后猶醫者之視毒也使其毒可以治病而不至於殺人而已噲死則呂氏之毒將不至於殺人高帝以爲是足以死而無憂矣彼平勃者遺其憂者也噲之死於惠帝之六年天也使之尙在則呂祿不可紿太尉不得入北軍矣或謂噲於高帝最親使之尙在未必與產祿叛夫韓信黥布盧綰皆南面稱孤而綰又最爲親幸然及高祖之未崩也皆相繼以誅誰謂百歲之後椎埋屠狗之人見其親戚得爲帝王而不欣然從之耶吾故曰彼平勃者遺其憂者也

項羽贊

司馬遷

太史公曰吾聞之周生曰舜目蓋重瞳子又聞項羽亦重瞳子羽豈其苗裔邪何興之暴也夫秦失其政陳涉首難豪傑蠭起相與競爭不可勝數然羽非有尺寸乘勢起隴畝之中三年遂將五諸侯滅秦分裂天下而封王侯政由羽出號爲霸王位雖不終近古以來未嘗有也及羽背關懷楚放逐義帝而自立怨王侯叛己難矣自矜功伐奮其私智而不師古謂霸王之業可以力征經營天下五年卒亡其國身死東城尙不覺悟而不自責過矣乃引天亡我非用兵之罪也豈不謬哉

范增論

蘇軾

漢用陳平計間疏楚君臣項羽疑范增與漢有私稍奪其權增大怒曰天下事大定矣君王自爲之願賜骸骨歸卒伍歸未至彭城疽發背死蘇子曰增之去善矣不去羽必殺增獨恨其不早耳然則當以何事去增勸羽殺沛公

羽不聽終以此失天下當於是去耶曰否增之欲殺沛公人臣之分也羽之不殺猶有君人之度也增曷爲以此去哉易曰知幾其神乎詩曰相彼雨雪先集維霰增之去當於羽殺卿子冠軍時也陳涉之得民也以項燕扶蘇項氏之興也以立楚懷王孫心而諸侯叛之也以弒義帝且義帝之立增爲謀主矣義帝之存亡豈獨爲楚之盛衰亦增之所與同禍福也未有義帝亡而增獨能久存者也羽之殺卿子冠軍也是弒義帝之兆也其弒義帝則疑增之本也豈必待陳平哉物必先腐也而後蟲生之人必先疑也而後讒入之陳平雖智安能間無疑之主哉吾嘗論義帝天下之賢主也獨遣沛公入關不遣項羽識卿子冠軍於稠人之中而擢以爲上將不賢而能如是乎羽既矯殺卿子冠軍義帝必不能堪非羽弒帝則帝殺羽不待智者而後知也增始勸項梁立義帝諸侯以此服從中道而弒之非增之意也夫豈獨非其意將必力爭而不聽也不用其言而弒其所立羽之疑增必自是始矣方羽殺

卿子冠軍增與羽比肩而事義帝君臣之分未定也爲增計者力能誅羽則誅之不能則去之豈不毅然大丈夫也哉增年已七十合則留不合則去不以此時明去就之分而欲依羽以成功名陋矣雖然增高帝之所畏也增不去項羽不亡嗚呼增亦人傑也哉

留侯論　蘇軾

古之所謂豪傑之士必有過人之節人情有所不能忍者匹夫見辱拔劍而起挺身而鬪此不足爲勇也天下有大勇者卒然臨之而不驚無故加之而不怒此其所挾持者甚大而其志甚遠也夫子房受書於圯上之老人也其事甚怪然亦安知其非秦之世有隱君子者出而試之觀其所以微見其意者皆聖賢相與警戒之義而世不察以爲鬼物亦已過矣且其意不在書當韓之亡秦之方盛也以刀鋸鼎鑊待天下之士其平居無事夷滅者不可勝數雖有賁育無所獲施夫持法太急者其鋒不可犯而其勢未可乘子房不忍忿々之心以匹夫之力而逞於一擊之間當此之時子房之不死者其間不能容髮蓋亦危矣千金之子不死於盜賊何者其身可愛而盜賊之不足以死也子房以蓋世之才不爲伊尹太公之謀而特出於荆軻聶政之計以僥倖於不死此圯上老人所爲深惜者也是故倨傲鮮腆而深折之彼其能有所忍也然後可以就大事故曰孺子可教也楚莊王伐鄭鄭伯肉袒牽羊以逆莊王曰其君能下人必能信用其民矣遂舍之勾踐之困於會稽而歸臣妾於吳者三年而不倦且夫有報人之志而不能下人者是匹夫之剛也夫老人者以爲子房才有餘而憂其度量之不足故深折其少年剛鋭之氣使之忍小忿而就大謀何則非有平生之素卒然相遇於草野之間而命以僕妾之役油然而不怪者此固秦皇之所不能驚而項籍之所不能怒也觀夫高祖之所以勝項籍之所以敗者在能忍與不能忍之間而已矣項籍唯不能忍是以百戰百勝而輕用其鋒高祖忍之養其全鋒而待其弊此子房教之也當淮陰破齊而欲自王高祖發怒見於辭色由是觀之猶有剛强不能忍之氣非子房其誰全之太史公疑子房以爲魁梧奇偉而其狀貌乃如婦人女子不稱其志氣嗚呼此其所以爲子房歟

書留侯傳後　袁枚

四皓高祖故人也當高祖除秦苛法天下如出炎火登春臺四皓不披羊裘受物色其行徑過高非人情一旦震于金幣齊其足雙々而倶至不爲高祖用乃爲惠帝用失人又不類高士既來之則安之惠帝可與遊宜少留焉若伯夷太公之就西伯卒奄々無聞偕行耶同日死耶何汲汲也不賢惠帝而來不智賢惠帝而不輔不仁不在其位而與人家國不義四皓亦陋矣哉高祖謂戚夫人曰彼羽翼已成不可搖動其言尤可疑四皓無碩德重望塡輔東宮苟搖動之彼冢中枯骨何足介意呂后時產祿封王惠帝搖動者數矣不得已而痛飲求早崩爲可悲也彼四皓安在羽翼又何在然則四皓何如人曰史遷好奇于留侯傳曰滄海君曰力士曰黃石公曰赤松子曰四皓皆不著姓名成其虛誕飄忽之文而已温公作通鑑删之宜哉宜哉

三傑佐漢孰優論　齋藤謙

智孰大不自用之爲大才孰大善用人之爲大漢高以一木强人偃然處三傑之上能使其俯首屈體竭股肱布心腹爭爲之用者無他以其不自用而善用人也夫名父之門必有賢士肖其父者名將之下必有材士肖其將者高帝之臣亦豈可無肖高帝者哉求之當時群臣獨有一酇侯近之留侯淮陰不與焉淮陰攻取戰勝無敵天下留侯運籌畫策決勝千里皆不世出之才顧其用之者高帝也而使高帝任之弗疑者酇侯之力也何以言之淮陰之卑也侯識之其逋也侯追之其擢也侯薦之而其叛也侯誅之乃知淮陰久在其掌中留侯之深智遠識非淮陰將才之比然以羈旅入參帷幄故舊大臣之所忌而不聞侯一言沮之乃知留侯亦在其度内者耳至若躬鎭撫

關中。不圖進取、足國計、贍軍需、所守管籥、所掌錢穀、其名不華、其功不顯、英雄豪傑之所不屑、而侯取以爲任、居之不疑、使謀臣將帥、得展力於天下、以建不世之勳、無侯則淮陰之才、留侯之策、並無所施、蓋高帝不若三傑、而善用三傑、酇侯不若二人、而能任二人、故高帝之大、天下莫尙焉、而酇侯獨次之、留侯猶弗能及、況淮陰乎、況平勃曹參乎、侯嘗與曹參有惡、臨卒舉以自代、其忘身憂國之心、至死不衰、宜其能任用二人也、夫悅華而遺實、人之常情也、今觀其傳、碌々無奇節、或遂疑其不若二人、當時漢廷群臣論功、亦謂侯之功不若曹參、獨高帝謂、走得獸、功狗耳、發縱指示、功人也、其唯群臣不能知、而高帝獨能知之、侯之優於二人、正在於此也、古人謂唐房杜、傳無可書之事、予於酇侯亦云。

三傑贊　古賀樸

張良

震動天地、豈爲身謀、世臣義重、報韓之讎、乘機而行、蹶項興劉、不愆于素、與赤松游、藏用退步、偉業孰疇、始如處女、貌乃可求。

蕭何

龍飛赤霄、風雲摩盪、刀筆文吏、化爲將相、切務惟收、圖書之藏、追亡寄閫、調兵轉饋、如水有源、隨涸隨瀁、三用規戒、銷釋猜謗、發縱先賞、流榮無量。

韓信

忍市人辱、驅市人戰、此在兵法、神化鬼變、罵使奪兵、智昧先見、解推衣食、恃謂寵眷、若夫鈐韜、由此其選、多々益辨、分數明練、登壇數語、備見針線。

陳平論　安井衡

毋后專權、嗣子孱弱、天下之事、不可以爲、捨而不爲、則害於國、奮而爲之、則害於身、唯明者能察其機於數十年之前、潛鋒默窺、乘其可爲而急爲之、故身安而國賴其烈矣、予嘗歷涉西史、求其能勝是任者、於漢得陳平、於唐得

狄仁傑、是二人者、才智穎敏、無機不透、豈不知事其朝之爲危且辱哉、然優游蹉跎、不敢奉身而退者、其意謂國家之形、危如累卵、身旣爲大臣、不得不與國同休戚、與其潔身以快一時之心、豈若保宗社、以及民庶哉、不幸身死、亦舉能繼其志者、以終其事、雖功不出於己、固非所憂也、是以隱密晦養、甘受天下後世之疑、而不敢避焉、是其弘量偉識、固非小丈夫以身試國家者之所能窺測也、武曌之虐、過於呂雉、至改其國號、然二孤猶存、而姑姪不和、凡有心腸者、皆能辨之、則仁傑之事、猶有易爲者焉、呂雉妬悍、剪滅劉宗、其所生唯孝惠魯元、而惠帝又無子、則其意所注、專在呂氏、其未顯與漢絕者、特以有平勃諸人耳、當是之時、使平爭王諸呂、如王陵、呂雉之怒如烈火、而幾之不能一日安其身於朝廷、平旣去、無復有維持於冥々之中者、餘炎所及、雖齊代諸王、亦不能保其全、則劉氏之政熄、而呂氏之謀成矣、劇盜質其子以刼其財、爲之父者、不能不竭心力而厭其欲、非不欲殺之、勢不得與之抗也、故善處國家之變者、力能制之則制之、力不能制、姑順適其意、以全我所愛、苟不計其勢、不較其力、獨見其理之可爲而爲之、未有不并其所愛而亡之者也、王陵唯不見此機也、故不能成安漢之功、李敬業唯不見此機也、故身死而唐室益艱、議者乃曰寧爲陵而去、不爲平而留、且其功成於陸賈合將相、則亦出於徼倖、非平本謀也、甚矣迂儒之濶於事情也、凡國家之形、有大有小、大形定於數十年之前、而小形之變、紛然如織、雖明者不能預謀而素定、故臨事而懼、以成其謀、自昧者觀之、若無成算者、而其中自瞭焉、然則賈之合將相、不過助而成之、安得以此而沒平之忠謀哉、況當時宮中稱帝者、旣非劉氏、不是之問、而區々爭王諸呂、此豈大丈夫之所宜以身殉焉哉、自世儒喜議論、潔身之說勝、而濟民之義衰、一事之微、聚訟盈廷、至國家大謀大計、則茫焉不知其所措、其迂至有如此者、于嗟此禹域之所以日趨衰弱也與。

鼂錯論　　蘇　軾

天下之患最不可爲者名爲治平無事而其實有不測之憂坐觀其變而不爲之所則恐至於不可救起而强爲之則天下狃於治平之安而不吾信惟仁人君子豪傑之士爲能出身爲天下犯大難以求成大功此固非勉强朞月之間而苟以求名之所能也天下治平無故而發大難之端吾發之吾能收之然後有辭於天下事至而循々焉欲去之使他人任其責則天下之禍必集於我昔者鼂錯盡忠爲漢謀弱山東之諸侯山東諸侯竝起以誅錯爲名而天子不之察以錯爲之說天下悲錯之以忠而受禍不知錯有以取之也古之立大事者不惟有超世之才亦必有堅忍不拔之志昔禹治水鑿龍門决大河而放之海方其功之未成也蓋亦有潰冒衝突可畏之患惟能前知其當然事至不懼而徐爲之圖是以得至於成功夫以七國之强而驟削之其爲變豈足怪哉錯不於此時捐其身爲天下當大難之衝而制吳楚之命乃爲自全之計欲使天子自將而已居守且夫發七國之難者誰乎已欲求其名安所逃其患以自將之至危與居守之至安已爲難首擇其至安而遺天子以其至危此忠臣義士所以憤怨而不平者也當此之時雖無袁盎錯亦未免于禍何者已欲居守而使人主自將以情而言天子固已難之矣而重違其議是以袁盎之說得行於其間使吳楚反錯以身任其危日夜淬礪東向而待之使不至於累其君則天子將恃之以爲無恐雖有百盎可得而間哉嗟夫世之君子欲求非常之功則無務爲自全之計使錯自將而討吳楚未必無功惟其欲自固其身而天子不悅奸臣得以乘其隙錯之所以自全者乃其所以自禍歟

七國反漢論　　賴　襄

封建之於天下利害相半要制其勢如何而已七國反漢以誅鼂錯爲名漢誅錯謝之是七國爲政而漢聽之也甚矣諸侯之難制也自古言封建之害

者莫不舉此爲證余獨謂封建之利因此而可見已當呂氏之危漢漢之將相大臣如周勃陳平皆婞阿附和莫敢支吾至齊王起兵入討遣灌嬰將重兵防之而嬰與齊連和於是平勃始聲義誅產祿產祿之誅非成於平勃也由於齊王也齊王以誅呂氏爲名其實未必然七國之以誅錯爲名其跡雖異其勢一也夫制天下之勢者使其內外相維本末相制然後天下無傾覆搖動之患漢之中葉以前朝無權姦者以諸侯鎭壓其外也是封建之利也獨恨其本末不相稱故貽此禍害耳高帝百戰有天下欲傳之子孫而子姪衆多愛有所分於是剖裂而封之猶暴富之民分產諸子而不知强其本宗文帝入紹大統而諸藩王皆有比肩接踵之心動至驕傲不法而漢不得不削之削之輙反莫足怪者其禍出於高帝之制勢不盡善耳不得曰封建之害如此也七國反之後漢之君臣徒知諸侯之爲害而務削弱之末日以太輕本日以太重是以王氏擅權於內而天下莫復起而爭之者當是時使有外藩如齊趙吳楚則必起兵內向以誅王氏爲名以破其膽何姦之敢爲哉唯其無强諸侯是以坐移漢祚如此之易猶家無支黨而狡奴黠僕無所顧忌是亦不善制勢之過也嗚呼是豈獨西漢而已哉吾恐後世有不察於勢而徒防其害以削弱之爲得計者也故論之

中等漢文卷之五上　終

中等漢文卷之五中

山本廉編

第一 師說

韓愈

古之學者必有師師者所以傳道授業解惑也人非生而知之者孰能無惑惑而不從師其爲惑也終不解矣生乎吾前其聞道也固先乎吾吾從而師之生乎吾後其聞道也亦先乎吾吾從而師之吾師道也夫庸知其年之先後生於吾乎是故無貴無賤無長無少道之所存師之所存也嗟乎師道之不傳也久矣欲人之無惑也難矣古之聖人其出人也遠矣猶且從師而問焉今之衆人其去聖人也亦遠矣而耻學於師是故聖益聖愚益愚聖人之所以爲聖愚人之所以爲愚其皆出於此乎愛其子擇師而敎之於其身也則耻師焉惑矣彼童子之師授之書而習其句讀者也非吾所謂傳其道解

其惑者也句讀之不知惑之不解或師焉或不焉小學而大遺吾未見其明也巫醫樂師百工之人不恥相師士大夫之族曰師曰弟子云者則群聚而笑之問之則曰彼與彼年相若也道相似也位卑則足羞官盛則近諛嗚呼師道之不復可知矣巫醫樂師百工之人君子不齒今其智乃反不能及可怪也歟聖人無常師孔子師郯子萇弘師襄老聃郯子之徒其賢不及孔子孔子曰三人行則必有我師是故弟子不必不如師師不必賢於弟子聞道有先後術業有專攻如斯而已李氏子蟠年十七好古文六藝經傳皆通習之不拘於時學於余余嘉其能行古道作師說以貽之

爭臣論

韓愈

或問諫議大夫陽城於愈可以爲有道之士乎哉學廣而聞多不求聞於人也行古人之道居於晉之鄙晉之鄙人薫其德而善良者幾千人大臣聞而薦之天子以爲諫議大夫人皆以爲華陽子不色喜居於位五年矣視其德

如在野彼豈以富貴移易其心哉愈應之曰是易所謂恒其德貞而夫子凶者也惡得爲有道之士乎哉在易蠱之上九云不事王侯高尙其事蹇之六二則曰王臣蹇々匪躬之故夫不以所居之時不一而所蹈之德不同也若蠱之上九居無用之地而致匪躬之節以蹇之六二在王臣之位而高不事之心則冐進之患生曠官之刺興志不可則而尤不終無也今陽子在位不爲不久矣聞天下之得失不爲不熟矣天下待之不爲不加矣而未嘗一言及於政視政之得失若越人視秦人之肥瘠忽焉不加喜戚於其心問其官則曰諫議也問其祿則曰下大夫之秩也問其政則曰我不知也有道之士固如是乎哉且吾聞之有官守者不得其職則去有言責者不得其言則去今陽子以爲得其言乎哉得其言而不言與不得其言而不去無一可者也陽子將爲祿仕乎古之人有云仕不爲貧而有時乎爲貧謂祿仕者也宜乎辭尊而居卑辭富而居貧若抱關擊柝者可也蓋孔子嘗爲委吏矣嘗爲乘

田矣亦不敢曠其職必曰會計當而已矣必曰牛羊遂而已矣若陽子之秩祿不爲卑且貧章々明矣而如此其可乎哉或曰否非若此也夫陽子惡訕上者惡爲人臣招其君之過而以爲名者故雖諫且議使人不得而知焉書曰爾有嘉謀嘉猷則入告爾后于內爾乃順之于外曰斯謀斯猷惟我后之德夫陽子之用心亦若此者愈應之曰若陽子之用心如此滋所謂惑者矣入則諫其君出不使人知者大臣宰相者之事非陽子之所宜行也夫陽子本以布衣隱於蓬蒿之下主上嘉其行誼擢在此位官以諫爲名誠宜有以奉其職使四方後代知朝廷有直言骨硬之臣天子有不僭賞從諫如流之美庶巖穴之士聞而慕之束帶結髮願進於闕下而伸其辭說致吾君於堯舜熙鴻號於無窮也若書所謂則大臣宰相之事非陽子之所宜行也且陽子之心將使君人者惡聞其過乎是啓之也或曰陽子之不求聞而人聞之不求用而君用之不得已而起守其道而不變何子過之深也愈曰自古聖

人賢士皆非有求於聞用也閔其時之不平人之不乂得其道不敢獨善其身而必以兼濟天下也孜々矻々死而後已故禹過家門不入孔席不暇暖而墨突不得黔彼二聖一賢者豈不知自安佚之爲樂哉誠畏天命而悲人窮也夫天授人以聖賢才能豈使自有餘而已誠欲以補其不足者也耳目之於身也耳司聞而目司見聽其是非見其險易然後身得安焉聖賢者時人之耳目也時人者聖賢之身也且陽子之不賢則將役於賢以奉其上矣若果賢則固畏天命而閔人窮也惡得以自暇逸乎哉或曰吾聞君子不欲加諸人而惡訐以爲直者若吾子之論直則直矣無乃傷于德而費於辭乎好盡言以招人過國武子之所以見殺於齊也吾子其亦聞乎愈曰君子居其位則思死其官未得位則思修其辭以明其道我將以明道也非以爲直而加人也且國武子不能得善人而好盡言於亂國是以見殺傳曰惟善人能受盡言謂其聞而能改之也子告我曰陽子可以爲有道之士也今雖不

能及已陽子將不得爲善人乎哉

應科目時與人書　韓愈

月日愈再拜天地之濱大江之濆曰有怪物焉蓋非常鱗凡介之品彙匹儔也其得水變化風雨上下於天不難也其不及水蓋尋常尺寸之間耳無高山大陵曠塗絶嶮爲之關隔也然其窮涸不能自致乎水爲獱獺之笑者蓋十八九矣如有力者哀其窮而運轉之蓋一舉手一投足之勞也然是物也負其異於衆也且曰爛死於沙泥吾寧樂之若俛首帖耳搖尾而乞憐者非我之志也是以有力者遇之熟視之若無覩也其死其生固不可知也今又有有力者當其前矣聊試仰首一鳴號焉庸詎知有力者不哀其窮而忘一舉手一投足之勞而轉之清波乎其哀之命也其不哀之命也知其在命而且鳴號之者亦命也愈今者實有類於是是以忘其疎愚之罪而有是說焉閣下其亦憐察之

送楊少尹序　韓愈

昔疏廣受二子以年老一朝辭位而去于時公卿設供張祖道東門外車數百兩道傍觀者多歎息泣下共言其賢漢史既傳其事而後世工畫者又圖其迹至今照人耳目赫々若前日事國子司業楊君巨源方以能詩訓後進一旦以年滿七十亦白丞相去歸其鄉世常說古今人不相及今楊與二疏其意豈異也予忝在公卿後遇病不能出不知楊侯去時城門外送者幾人車幾兩馬幾四道傍觀者亦有歎息知其爲賢與否而太史氏又能張大其事爲傳繼二疏蹤跡否不落莫否見今世無工畫者而畫與不畫固不論也然吾聞楊侯之去丞相有愛而惜之者白以爲其都少尹不絶其祿又爲歌詩以勸之京師之長於詩者亦屬而和之又不知當時二疏之去有是事否古今人同不同未可知也中世士大夫以官爲家罷則無所於歸楊侯始冠舉於其鄉歌鹿鳴而來也今之歸指其樹曰某樹吾先人之所種也某水某

丘吾童子時所釣游也鄉人莫不加敬誡子孫以楊侯不去其鄉爲法古之所謂鄉先生沒而可祭於社者其在斯人歟其在斯人歟

送李愿歸盤谷序　韓愈

太行之陽有盤谷盤谷之間泉甘而土肥草木藂茂居民鮮少或曰謂其環兩山之間故曰盤或曰是谷也宅幽而勢阻隱者之所盤旋友人李愿居之愿之言曰人之稱大丈夫者我知之矣利澤施於人名聲昭于時坐于廟朝進退百官而佐天子出令其在外則樹施旗羅弓矢武夫前呵從者塞途供給之人各執其物道而疾馳喜有賞怒有刑才俊滿前道古今而譽盛德入耳而不煩曲眉豐頰清聲而便體秀外而惠中飄輕裾翳長袖粉白黛綠者列屋而閑居妬寵而負恃爭妍而取憐大丈夫之遇知於天子用力於當世者之所爲也吾非惡此而逃之是有命焉不可幸而致也窮居而野處升高而望遠坐茂樹以終日濯清泉以自潔採於山美可茹釣於水鮮可食起居

無時惟適之安與其有譽於前孰若無毀於其後與其有樂於身孰若無憂於其心車服不維刀鋸不加理亂不知黜陟不聞大丈夫不遇於時者之所爲也我則行之伺候於公卿之門奔走於形勢之途足將進而趦趄口將言而囁嚅處穢汚而不羞觸刑辟而誅戮僥倖於萬一老死而後止者其於爲人賢不肖何如也昌黎韓愈聞其言而壯之與之酒而爲之歌曰

盤之中維子之宮盤之土可以稼盤之泉可濯可礪盤之阻誰爭子所窈而湙廓其有容繚而曲如往而復嗟盤之樂兮樂且無央虎豹遠跡兮蛟龍遁藏鬼神守護兮呵禁不祥飲且食兮壽而康無不足兮奚所望膏吾車兮秣吾馬從子于盤兮終吾生以徜徉

祭十二郎文

韓愈

年月日季父愈聞汝喪之七日乃能銜哀致誠使建中遠具時羞之奠告汝十二郎之靈嗚呼吾少孤及長不省所怙惟兄嫂是依中年兄歿南方吾與汝俱幼從嫂歸葬河陽既又與汝就食江南零丁孤苦未嘗一日相離也吾上有三兄皆不幸早世承先人後者在孫惟汝在子惟吾兩世一身形單影隻嫂常撫汝指吾而言曰韓氏兩世惟此而已汝時尤小當不復記憶吾時雖能記憶亦未知其言之悲也吾年十九始來京城其後四年而歸視汝又四年吾往河陽省墳墓遇汝從嫂喪來葬又二年吾佐董丞相於汴州汝來省吾止一歲請歸取其孥明年丞相薨吾去汴州汝不果來是年吾佐戎徐州使取汝者始行吾又罷去汝又不果來吾念汝從於東東亦客也不可以久圖久遠者莫如西歸將成家而致汝嗚呼孰謂汝遽去吾而歿乎吾與汝俱少年以爲雖暫相別終當久與相處故捨汝而旅食京師以求斗斛之祿誠知其如此雖萬乘之公相吾不以一日輟汝而就也去年孟東野往吾書與汝曰吾年未四十而視茫々而髮蒼々而齒牙動搖念諸父與諸兄皆康强而早世如吾之衰者其能久存乎吾不可去汝不肯來恐旦暮死而汝抱

無涯之戚也孰謂少者歿而長者存强者夭而病者全乎嗚呼其信然耶其夢邪其傳之非其眞邪信也吾兄之盛德而夭其嗣乎汝之純明而不克蒙其澤乎少者强者而夭歿長者衰者而存全乎未可以爲信也夢也傳之非其眞也東野之書耿蘭之報何爲而在吾側也嗚呼其信然矣吾兄之盛德而夭其嗣矣汝之純明宜業其家者不克蒙其澤矣所謂天者誠難測而神者誠難明矣所謂理者不可推而壽者不可知矣雖然吾自今年來蒼々者或化而爲白矣動搖者或脫而落矣毛血日益衰志氣日益微幾何不從汝而死也死而有知其幾何離其無知悲不幾時而不悲者無窮期矣汝之子始十歲吾之子始五歲少而强者不可保如此孩提者又可冀其成立耶嗚呼哀哉嗚呼哀哉汝去年書云比得軟脚病往々而劇吾曰是疾也江南之人常々有之未始以爲憂也嗚呼其竟以此而殞其生乎抑別有疾而至斯乎汝之書六月十七日也東野云汝歿以六月二日耿蘭之報無月日蓋東野之使者不知問家人以月日如耿蘭之報不知當言月日東野與吾書乃問使者使者妄稱以應之耳其然乎其不然乎今吾使建中祭汝弔汝之孤與汝之乳母彼有食可守以待終喪則待終喪而取以來如不能守以終喪則遂取以來其餘奴婢並令守汝喪吾力能改葬終葬汝於先人之兆然後惟其所願嗚呼汝病吾不知時汝歿吾不知日生不能相養以共居歿不能撫汝以盡哀斂不憑其棺窆不臨其穴吾行負神明而使汝夭不孝不慈而不得與汝相養以生相守以死一在天之涯一在地之角生而影不與吾形相依死而魂不與吾夢相接吾實爲之其又何尤彼蒼者天曷其有極自今以往吾其無意於人世矣當求數頃之田於伊潁之上以待餘年敎吾子與汝子幸其成長吾女與汝女待其嫁如此而已嗚呼言有窮而情不可終汝其知也邪其不知也邪嗚呼哀哉尚饗

鱷魚文

韓愈

維年月日潮州刺史韓愈使軍事衙推秦濟以羊一猪一投惡谿之潭水以與鱷魚食而告之曰昔先王旣有天下烈山澤罔繩擉刄以除蟲蛇惡物爲民害者驅而出之四海之外及後王德薄不能遠有則江漢之間尙皆棄之以與蠻夷楚越况潮嶺海之間去京師萬里哉鱷魚之涵淹卵育於此亦固其所今天子嗣唐位聖神慈武四海之外六合之內皆撫而有之况禹跡所揜揚州之近地刺史縣令之所治出貢賦以供天地宗廟百神之祀之壤者哉鱷魚其不可與刺史雜處此土也刺史受天子命守此土治此民而鱷魚睅然不安谿潭據處食民畜熊豕鹿獐以肥其身以種其子孫與刺史亢拒爭爲長雄刺史雖駑弱亦安肯爲鱷魚低首下心伈々睍々爲民吏羞以偸活於此邪且承天子命以來爲吏固其勢不得不與鱷魚辯鱷魚有知其聽刺史言潮之州大海在其南鯨鵬之大蝦蟹之細無不容歸以生以食鱷魚朝發而夕至也今與鱷魚約盡三日其率醜類南徙於海以避天子之命吏三日不能至五日五日不能至七日七日不能是終不肯徙也是不有刺史聽從其言也不然則是鱷魚冥頑不靈刺史雖有言不聞不知也夫傲天子之命吏不聽其言不徙以避之與冥頑不靈而爲民物害者皆可殺刺史則選材技吏民操强弓毒矢以與鱷魚從事必盡殺乃止其無悔

桐葉封弟辯　柳宗元

古之傳者有言成王以桐葉與小弱弟戲曰以封汝周公入賀王曰戲也周公曰天子不可戲乃封小弱弟於唐吾意不然王之弟當封耶周公宜以時言於王不待其戲而賀以成之也不當封耶周公乃成其不中之戲以地以人與小弱者爲之主其得爲聖乎且周公以王之言不可苟焉而已必從而成之耶設有不幸王以桐葉戲婦寺亦將舉而從之乎凡王者之德在行之何若設未得其當雖十易之不爲病要於其當不可使易也而况以其戲乎若戲而必行之是周公教王遂過也吾意周公輔成王宜以道從容優樂要歸之大中而已必不逢其失而爲之辭又不當束縛之馳驟之使若牛馬然急則敗矣且家人父子尙不能以此自克况號爲君臣者耶是直小丈夫缺々者之事非周公所宜用故不可信或曰封唐叔史佚成之

箕子碑　柳宗元

凡大人之道有三一曰正蒙難二曰法授聖三曰化及民殷有仁人曰箕子實具玆道以立於世故孔子述六經之旨尤殷勤焉當紂之時大道悖亂天威之動不能戒聖人之言無所用進死以併命誠仁矣無益吾祀故不爲委身以存祀誠仁矣與亡吾國故不忍具是二道有行之者矣是用保其明哲與之俯仰晦是謨範辱於囚奴昏而無邪隤而不息故在易曰箕子之明夷正蒙難也及天命旣改生人以正乃出大法用爲聖師周人得以序彝倫而立大典故在書曰以箕子歸作洪範法授聖也及封朝鮮推道訓俗惟德無陋惟人無遠用廣殷祀俾夷爲華化及民也率是大道叢於厥躬天地變化我得其正其大人歟於虖當其周時未至殷祀未殄比干已死微子已去向使紂惡未稔而自斃武庚念亂以圖存國無其人誰與共理是固人事之或然者也然則先生隱忍而爲此其有志於斯乎唐某年作廟汲郡歲時致祀嘉先生獨列於易象作是頌云

蒙難以正授聖以謨宗祀用繁夷民其蘇憲々大人顯晦不渝聖人之仁道合隆汙明哲在躬不陋爲奴冲讓居禮不盈稱孤高而無危卑不可踰非死非去有懷故都時詘而伸卒爲世模易象是列文王爲徒大明宣昭崇祀式孚古闕頌辭繼在後儒

與韓愈論史官書　柳宗元

正月二十一日某頓首十八丈退之侍者前獲書言史事云具與劉秀才書及今乃見書藁私心甚不喜與退之往年言史事甚大謬若書中言退之不宜一日在館下安有探宰相意以爲苟以史榮一韓退之耶若果爾退之豈

宜虛受宰相榮已而冒居館下近密地食奉養役使掌故利紙筆爲私書取以供子弟費古之志於道者不宜若是且退之以爲紀錄者有刑禍避不肯就尤非也史以名爲褒貶猶且恐懼不敢爲設使退之爲御史中丞大夫其褒貶成敗人愈益顯其宜恐懼尤大也則又將揚々入臺府美食安坐行呼唱於朝廷而已耶在御史猶爾設使退之爲宰相生殺出入升黜天下士其敵益衆則又將揚々入政事堂美食安坐行呼唱於內庭外衢而已耶何以異不爲史而榮其號利其祿者也又言不有人禍則有天刑若以罪夫前古之爲史者然亦甚惑凡居其位思直其道道苟直雖死不可回也如回之莫若亟去其位孔子之困於魯衛陳蔡宋齊楚者其時暗諸侯不能以也其不遇而死不以作春秋故也當其時雖不作春秋孔子猶不遇而死也若周公史佚雖紀言書事猶遇且顯也又不得以春秋爲孔子累范曄悖亂雖不爲史其族亦赤司馬遷觸天子喜怒班固不檢下崔浩沽其直以鬬暴虜皆非中道左邱明以疾盲出於不幸子夏不爲史亦盲不可以是爲戒其餘皆不出此是退之宜守中道不忘其直無以他事自恐退之之恐唯在不直不得中道刑禍非所恐也凡言二百年文武士多有誠如此者今退之曰我一人也何能明則同職者又所云若是後來繼今者又所云若是人々皆曰我一人則卒誰能紀傳之耶如退之但以所聞知孜々不敢怠同職者後來繼今者亦各以所聞知孜々不敢怠則庶幾不墜使卒有明也不然徒信人口語每々異辭日以滋久則所云磊々軒天地者决必不沉沒且亂雜無可攷非有志者所忍恣也果有志豈當待人督責迫蹙然後爲官守耶又凡鬼神事眇茫荒惑無可準明者所不道退之之智而猶懼於此今學如退之辭如退之好言論如退之慷慨自爲正直行行焉如退之猶所云若是則唐之史述其卒無可託乎明天子賢宰相得史才如此而又不果甚可痛哉退之宜更思可爲速爲果卒以爲恐懼不敢則一日可引去又何以云行且謀也今當

爲而不爲又誘館中他人及後生者此大惑已不勉已而欲勉人難矣哉

梓人傳

柳宗元

裴封叔之第在光德里有梓人款其門願傭隙宇而處焉所職尋引規矩繩墨家不居礱斲之器問其能曰吾善度材視棟宇之制高深圓方短長之宜吾指使而群工役焉捨我衆莫能就一宇故食於官府吾受祿三倍作於私家吾收其直太半焉他日入其室其牀闕足而不能理曰將求他工余甚笑之謂其無能而貪祿嗜貨者其後京兆尹將飾官署余往過焉委群材會衆工或執斧斤或執刀鋸皆環立向之梓人左持引右執杖而中處焉量棟宇之任視木之能舉揮其杖曰斧彼執斧者奔而右顧而指曰鋸彼執鋸者趨而左俄而斤者斲刀者削皆視其色俟其言莫敢自斷者其不勝任者怒而退之亦莫敢慍焉畫宮於堵盈尺而曲盡其制計其毫釐而構大廈無進退焉既成書於上棟曰某年某月某日某建則其姓氏也凡執用之工不在列余圜視大駭然後知其術之工大矣繼而歎曰彼將捨其手藝專其心智而能知體要者歟吾聞勞心者役人勞力者役於人彼其勞心者歟能者用而智者謀彼其智者歟是足爲佐天子相天下法矣物莫近乎此也彼爲天下者本於人其執役者爲徒隸爲鄉師里胥其上爲下士又其上爲中士爲上士又其上爲大夫爲卿爲公離而爲六職判而爲百役外薄四海有方伯連率郡有守邑有宰皆有佐政其下有胥吏又其下皆有嗇夫版尹以就役焉猶衆工之各有執技以食力也彼佐天子相天下者舉而加焉指而使焉條其綱紀而盈縮焉齊其法制而整頓焉猶梓人之有規矩繩墨以定制也擇天下之士使稱其職居天下之人使安其業視都知野視野知國視國知天下其遠邇細大可手據其圖而究焉猶梓人畫宮於堵而績於成也能者進而由之使無所德不能者退而休之亦莫敢慍不衒能不矜名不親小勞不侵衆官日與天下之英才討論其大經猶梓人之善運衆工而不伐藝也夫

然後相道得而萬國理矣相道既得萬國既理天下擧首而望曰吾相之功也後之人循跡而慕曰彼相之才也士或談殷周之理者曰伊傅周召其百執事之勤勞而不得紀焉猶梓人自名其功而執用者不列也大哉相乎通是道者所謂相而已矣其不知體要者反此以恪勤爲公以簿書爲尊衒能矜名親小勞侵衆官竊取六職百役之事听々於府庭而遺其大者遠者焉所謂不通是道者也猶梓人而不知繩墨之曲直規矩之方圓尋引之短長姑奪衆工之斧斤刀鋸以佐其藝又不能備其工以至敗績用而無所成也不亦謬歟或曰彼主爲室者儻或發其私智牽制梓人之慮奪其世守而道謀是用雖不能成功豈其罪邪亦在任之而已余曰不然夫繩墨誠陳規矩誠設高者不可抑而下也狹者不可張而廣也由我則固不由我則圮彼將樂去固而就圮也則卷其術默其智悠爾而去不屈吾道是誠良梓人耳其或嗜其貨利忍而不能捨也喪其制量屈而不能守也棟撓屋壞則曰非我罪也可乎哉可乎哉余謂梓人之道類於相故書而藏之梓人蓋古之審曲面勢者今謂之都料匠云余所遇者楊氏潛其名

論選皇子疏

歐陽修

臣聞言天下之難言者不敢冀必然之聽知未必聽而不可不言者所以盡爲忠之心況臣遭遇聖明容納諫諍言之未必不聽其可默而不言臣伏見自去歲以來群臣多言皇嗣之事臣亦嘗因災異竊有奏陳雖聖度包容不加誅戮而愚誠懇至天聽未回臣實不勝愛君之心日夜區々未嘗忘此思欲再陳狂瞽而未知所以爲言今者伏見兗國公主近已出降臣因竊思人之常道莫親於父子之親人之常情亦莫樂於父子之樂雖在聖哲異於凡倫其爲天性於理則一陛下嚮雖未有皇嗣而尙有公主之愛上慰聖顏今既出降漸疎左右則陛下萬幾之暇處深宮之中誰可與語言誰可承顏色臣愚以謂宜因此時出自聖意於宗室之中選材賢可喜者錄以爲皇子使

其出入左右問安侍膳亦足以慰悅聖情臣考於書史竊見自古帝王雖曰至尊未嘗獨處也其出而居外也不止百司公見奏事而已必有儒臣學士講論於間宴又有左右侍從顧問語言其入而居內也不止宦官宮妾在於左右而已其平居燕寢也則有太子問安侍膳於朝夕其優游宴樂也多與宗室子弟懽然相接如家人計其一日之中未嘗一時獨處也今陛下日御前後殿百司奏事者往々仰瞻天顏而退其甚幸者得承一二言之德音君臣之情不通上下之意不接其餘在廷之臣儒學侍從之列未聞一人從容親近於左右入而居內則至於問安侍膳亦闕於朝夕是則陛下富有四海之廣窮享万乘之尊居外則無一人可親居內則無一人得親此臣所以區々而欲言也伏惟陛下荷祖宗之業承宗廟社稷之重皇子未降儲位久虛群臣屢言大議未決臣前所奏陳以謂未必立爲儲貳而且養爲子既可以徐察其賢否亦可以待皇子之降生於今爲之亦其時也臣言狂計愚伏俟斧鉞

朋黨論

歐陽修

臣聞朋黨之說自古有之惟幸人君辨其君子小人而已大凡君子與君子以同道爲朋小人與小人以同利爲朋此自然之理也然臣謂小人無朋惟君子則有之其故何哉小人所好者祿利也所貪者財貨也當其同利之時暫相黨引以爲朋者僞也及其見利則爭先或利盡而交疎則反相賊害雖其兄弟親戚不能相保故臣謂小人無朋其暫爲朋者僞也君子則不然所守者道義所行者忠信所惜者名節以之修身則同道而相益以之事國則同心而共濟終始如一此君子之朋也故爲人君者但當退小人之僞朋用君子之眞朋則天下治矣堯之時小人共工驩兜等四人爲一朋君子八元八凱十六人爲一朋舜佐堯退四凶小人之朋而進元凱君子之朋堯之天下大治及舜自爲天子而皋夔稷契等二十二人並列于朝更相稱美更相

推讓凡二十二人爲一朋而舜皆用之天下亦大治書曰紂有臣億萬惟億萬心周有臣三千惟一心紂之時億萬人各異心可謂不爲朋矣然紂以亡國周武王之臣三千人爲一大朋而周用以興後漢獻帝時盡取天下名士囚禁之目爲黨人及黃巾賊起漢室大亂後方悔悟盡解黨人而釋之然已無救矣唐之晩年漸起朋黨之論及昭宗時盡殺朝之名士咸投之黃河曰此輩清流可投濁流而唐遂亡矣夫前世之主能使人人異心不爲朋莫如紂能禁絶善人之爲朋莫如漢獻帝能誅戮清流之朋莫如唐昭宗之世然皆亂亡其國更相稱美推讓而不自疑莫如舜之二十二臣舜亦不疑而皆用之然而後世不誚舜爲二十二人朋黨所欺而稱舜爲聰明之聖者以能辯君子與小人也周武之世舉其國之臣三千人共爲一朋自古爲朋之多且大莫如周然周由此而興者善人雖多而不厭也夫興亡治亂之迹爲人君者可以鑒矣

縱囚論

歐陽修

信義行於君子而刑戮施於小人刑人於死者乃罪大惡極此又小人之尤甚者也寧以義死不苟幸生而視死如歸此又君子之尤難者也方唐太宗之六年錄大辟囚三百餘人縱使還家約其自歸以就死是以君子之難能期小人之尤者以必能也其囚及期而卒自歸無後者是君子之所難而小人之所易也此豈近於人情哉或曰罪大惡極誠小人矣及施恩德以臨之可使變而爲君子蓋恩德入人之深而移人之速有如是者矣曰太宗之爲此所以求此名也然安知夫縱之去也不意其必來以冀免所以縱之乎又安知夫被縱而去也不意其自歸而必獲免所以復來乎夫意其必來而縱之是上賊下之情也意必免而其復來是下賊上之心也吾見上下交相賊以成此名也烏有所謂施恩德與夫知信義者哉不然太宗施德於天下於玆六年矣不能使小人不爲極惡大罪而一日之恩能使視死如歸而存信義此又不通之論也然則何爲而可曰縱而來歸殺之無赦而又縱之而又來則可知爲恩德之致爾然此必無之事也若夫縱而來歸而赦之可偶一爲之爾若屢爲之則殺人者皆不死是可爲天下常法乎不可爲常者其聖人之法乎是以堯舜三王之治必本於人情不立異以爲高不逆情以干譽

明論

蘇洵

天下有大知有小知人之智慮有所及有所不及聖人以其大知而兼其小知之功賢人以其所及而濟其所不及愚者不知大知而以其所不及喪其所及故聖人之治天下也以常而賢人之治天下也以時旣不能常又不能時悲夫殆哉夫惟大知而後可以常以其所及濟其所不及而後可以時常也者無治而不治者也時也者無亂而不治者也日月經乎中天大可以被四海其小或不能入一室之下彼固無用此區々小明也故天下視日月之光儼然其若君父之威故自有天地而有日月以至於今而未嘗可以一日

無焉天下嘗有言曰叛父母褻神明則雷霆下擊之雷霆固不能爲天下盡擊此等輩也而天下之所以就々然不敢犯者有時而不測也使雷霆日轟々焉遶天下以求夫叛父母褻神明之人而擊之則其人未必能盡而雷霆之威無乃褻乎故夫知日月雷霆之分者可以用其明矣聖人之明吾不得而知也吾獨愛夫賢者之用其心約而成功博也吾獨怪夫愚者之用其心勞而功不成也是無他也專於其所及而及之則其及必精兼於其所不及而及之則其及必粗及之而精人將曰是惟無及及則精矣不然吾恐姦雄之竊笑也齊威王卽位大亂三載威王一奮而諸侯震懼二十年是何脩何營耶夫齊國之賢者非獨一卽墨大夫明矣亂齊國者非獨一阿大夫與左右譽阿而毀卽墨者幾人亦明矣一卽墨大夫易知也一阿大夫易知也左右譽阿而毀卽墨者幾人易知也從其易知而精之故用心甚約而成功博也天下之事譬如有物十焉吾舉其一而人不知吾之不知其九也歷數之

至於九而不知其一不如舉一之不可測也而況乎不至於九也

送石昌言爲北使引　　蘇洵

昌言舉進士時吾始數歲未學也憶與群兒戲先府君側昌言從旁取棗栗啖我家居相近又以親戚故甚狎昌言舉進士日有名吾後漸長亦稍知讀書學句讀屬對聲律未成而廢昌言聞吾廢學雖不言察其意甚恨後十餘年昌言及第第四人守官四方不相聞吾日以壯大乃能感悟摧折復學又數年游京師見昌言長安相與勞問如平生歡出文十數首昌言甚喜稱善吾晚學無師雖日爲文中心自慚及聞昌言說乃頗自喜今十餘年又來京師而昌言官兩制乃爲天子出使萬里之外强悍不屈之虜庭建大旆從騎數百送車千乘出都門意氣慨然自思爲兒時見昌言先府君旁安知其至此富貴不足怪吾於昌言獨自有感也大丈夫生不爲將得爲使折衝口舌之間足矣往年彭任從富公使還爲我言曰既出境宿驛亭聞介馬數萬騎馳過劍槊相摩終夜有聲從者怛然失色及明視道上馬跡尚心掉不自禁凡虜所以誇耀中國者多此類中國之人不測也故或至於震懼而失辭以爲夷狄笑嗚呼何其不思之甚也昔者奉春君使冒頓壯士健馬皆匿不見是以有平城之役今之匈奴吾知其無能爲也孟子曰說大人則藐之況於夷狄請以爲贈

木假山記　　蘇洵

木之生或蘖而殤或拱而夭幸而至於任爲棟梁則伐不幸而爲風之所拔水之所漂或破折或腐幸而得不破折不腐則爲人之所材而有斧斤之患其最幸者漂沉汨沒於湍沙之間不知其幾百年而其激射齧食之餘或髣髴於山者則爲好事者取去强之以爲山然後可以脫泥沙而遠斧斤而荒江之濆如此者幾何不爲好事者所見而爲樵夫野人所薪者何可勝數則其最幸者之中又有不幸者焉予家有三峯予每思之則疑其有數存乎其

間且其蘖而不殤拱而不夭任爲棟梁而不伐風拔水漂而不破折不腐不破折不腐而不爲人所材以及於斧斤出於湍沙之間而不爲樵夫野人之所薪而後得至乎此則其理似不偶然也然予之愛之則非徒愛其似山而又有所感焉非徒愛之而又有所敬焉予見中峯魁岸踞肆意氣端重若有以服其旁之二峯二峯者莊栗刻峭凜乎不可犯雖其勢服於中峯而岌然決無阿附意吁其可敬也夫其可以有所感也夫

名二子說　　蘇洵

輪輻蓋軫皆有職乎車而軾獨若無所爲者雖然去軾則吾未見其爲完車也軾乎吾懼汝之不外飾也天下之車莫不由轍而言車之功轍不與焉雖然車仆馬斃而患不及轍是轍者禍福之間轍乎吾知免矣

潮州韓文公廟碑　　蘇軾

匹夫而爲百世師一言而爲天下法是皆有以參天地之化關盛衰之運其生也有自來其逝也有所爲矣故申呂自嶽降而傅說爲列星古今所傳不可誣也孟子曰我善養吾浩然之氣是氣也寓於尋常之中而塞乎天地之間卒然遇之則王公失其貴晉楚失其富良平失其智賁育失其勇儀秦失其辨是孰使之然哉其必有不依形而立不恃力而行不待生而存不隨死而亡者矣故在天爲星辰在地爲河嶽幽則爲鬼神而明則復爲人此理之常無足怪者自東漢以來道喪文弊異端並起歷唐貞觀開元之盛輔以房杜姚宋而不能救獨韓文公起布衣談笑而麾之天下靡然從公復歸于正蓋三百年於此矣文起八代之衰道濟天下之溺忠犯人主之怒而勇奪三軍之帥此豈非參天地關盛衰浩然而獨存者乎蓋嘗論天人之辨以謂人無所不至惟天不容僞智可以欺王公不可以欺豚魚力可以得天下不可以得匹夫匹婦之心故公之精誠能開衡山之雲而不能回憲宗之惑能馴鱷魚之暴而不能弭皇甫鎛李逢吉之謗能信於南海之民廟食百世而不

能使其身一日安於朝廷之上蓋公之所能者天也其所不能者人也始潮人未知學公命進士趙德爲之師自是潮之士皆篤於文行延及齊民至于今號稱易治信乎孔子之言君子學道則愛人小人學道則易使也潮人之事公也飮食必祭水旱疾疫凡有求必禱焉而廟在刺史公堂之後民以出入爲艱前太守欲請諸朝作新廟不果元祐五年朝散郎王君滌來守是邦凡所以養士治民者一以公爲師民既悅服則出令曰願新公廟者聽民懽趨之卜地於州城之南七里期年而廟成或曰公去國萬里而謫于潮不能一歲而歸沒而有知其不眷戀于潮也審矣軾曰不然公之神在天下者如水之在地中無所往而不在也而潮人獨信之深思之至焄蒿悽愴若或見之譬如鑿井得泉而曰水專在是豈理也哉元豐元年詔封公昌黎伯故榜曰昌黎伯韓文公之廟潮人請書其事于石因爲作詩以遺之使歌以祀公其辭曰

公昔騎龍白雲鄉手抉雲漢分天章天孫爲織雲錦裳飄然乘風來帝旁下與濁世掃粃糠西遊咸池略扶桑草木衣被昭回光追逐李杜參翱翔汗流籍湜走且僵滅沒倒景不得望作書詆佛譏君王要觀南海窺衡湘歷舜九嶷弔英皇祝融先驅海若藏約束鮫鱷如驅羊鈞天無人帝悲傷謳吟下招遣巫陽犪牲雞卜羞我觴於粲荔丹與蕉黃公不少留我涕滂翩然被髮下大荒

方山子傳　　蘇軾

方山子光黃間隱人也少時慕朱家郭解爲人閭里之俠皆宗之稍壯折節讀書欲以此馳騁當世然終不遇晩乃遯於光黃間曰岐亭庵居蔬食不與世相聞棄車馬毀冠服徒步往來山中人莫識也見其所著帽方屋而高曰此豈古方山冠之遺像乎因謂之方山子余謫居於黃過岐亭適見焉曰嗚呼此吾故人陳慥季常也何爲而在此方山子亦矍然問余所以至此者余告之故俯而不答仰而笑呼余宿其家環堵蕭然而妻子奴婢皆有自得之意余既聳然異之獨念方山子少時使酒好劍用財如糞土前十有九年余在岐山見方山子從兩騎挾二矢游西山鵲起於前使騎逐而射之不獲方山子怒馬獨出一發得之因與余馬上論用兵及古今成敗自謂一世豪士今幾日耳精悍之色猶見於眉間而豈山中之人哉然方山子世有勳閥當得官使從事於其間今已顯聞而其家在洛陽園宅壯麗與公侯等河北有田歳得帛千疋亦足以富樂皆棄不取獨來窮山中此豈無得而然哉余聞光黃間多異人往々陽狂垢汚不可得而見方山子儻見之與

上樞密韓太尉書　　蘇轍

太尉執事轍生好爲文思之至深以爲文者氣之所形然文不可以學而能氣可以養而致孟子曰我善養吾浩然之氣今觀其文章寬厚宏博充乎天地之間稱其氣之小大太史公行天下周覽四海名山大川與燕趙間豪俊交游故其文疎蕩頗有奇氣此二子者豈嘗執筆學爲如此之文哉其氣充乎其中而溢乎其貌動乎其言而見乎其文而不自知也轍生十有九年矣其居家所與游者不過其鄰里鄕黨之人所見不過數百里之間無高山大野可登覽以自廣百氏之書雖無所不讀然皆古人之陳迹不足以激發其志氣恐遂汨沒故決然捨去求天下奇聞壯觀以知天地之廣大過秦漢之故都恣觀終南嵩華之高北顧黃河之奔流慨然想見古之豪傑至京師仰觀天子宮闕之壯與倉廩府庫城池苑囿之富且大也而後知天下之巨麗見翰林歐陽公聽其議論之宏辯觀其容貌之秀偉與其門人賢士大夫游而後知天下之文章聚乎此也太尉以才略冠天下天下之所恃以無憂四夷之所憚以不敢發入則周公召公出則方叔召虎而轍也未之見焉且夫人之學也不志其大雖多而何爲轍之來也於山見終南嵩華之高於水見黃河之大且深於人見歐陽公而猶以爲未見太尉也故願得觀賢人之光

爛闊一言以自壯。然後可以盡天下之大觀而無憾矣。轍年少。未能通習吏事。嚮之來。非有取於斗升之祿。偶然得之。非其所樂。然幸得賜歸待選。使得優游數年之間。將歸益治其文。且學爲政。太尉苟以爲可教。而辱敎之。又幸矣。

爲兄軾下獄上書　蘇轍

臣聞困急而呼天。疾痛而呼父母者。人之至情也。臣雖草芥之微。而有危迫之懇。惟天地父母。哀而憐之。臣早失怙恃。惟兄軾一人。相須爲命。今者竊聞其得罪。逮捕赴獄。擧家驚號。憂在不測。臣竊思念。軾居家在官。無大過惡。惟是賦性愚直。好談古今得失。前後上章論事。其言不一。陛下聖德廣大。不加譴責。軾狂狷寡慮。竊恃天地包含之恩。不自抑畏。頃年通判杭州。及知密州日。每遇物托興。作爲歌詩。語或輕發。向者曾經臣寮繳進。陛下置而不問。軾感荷恩貸。自此深自悔咎。不敢復有所爲。但其舊詩已自傳播。臣誠哀軾愚於自信。不知文字輕易。迹涉不遜。雖改過自新。而已陷於刑辟。不可救止。軾之將就逮也。使謂臣曰。軾早衰多病。必死牢獄。死固分也。然所恨者。少抱有爲之志。而遇不世出之主。雖齟齬於當年。終欲效尺寸於晩節。今遇此禍。雖欲改過自新。洗心以事明主。其道無由。況立朝最孤。左右親近。必無爲言者。惟兄弟之親。試求哀於陛下而已。臣竊哀其志。不勝手足之情。故爲冒死一言。昔漢淳于公得罪。其女子緹縈。請沒爲官婢。以贖其父。漢文因之。遂罷肉刑。今臣螻蟻之誠。雖萬々不及緹縈。而陛下聰明仁聖。過於漢文遠甚。臣欲乞納在身官。以贖兄軾。非敢望末減其罪。但得免下獄死爲幸。兄軾所犯若顯有文字。必不敢拒抗。不承以重得罪。若蒙陛下哀憐。赦其萬死。使得出於牢獄。則死而復生。宜何以報。臣願與兄軾。洗心改過。粉骨報効。惟陛下所使。死而後已。臣不勝孤危迫切。無所告訴。歸誠陛下。惟寬其狂妄。特許所乞。臣無任祈天請命。激切隕越之至。

六國論　蘇轍

嘗讀六國世家。竊怪天下之諸侯。以五倍之地。十倍之衆。發憤西向。以攻山西千里之秦。而不免於滅亡。嘗爲之深思遠慮。以爲必有可以自安之計。蓋未嘗不咎其當時之士。慮患之疎。而見利之淺。且不知天下之勢也。夫秦之所與諸侯爭天下者。不在齊楚燕趙也。而在韓魏之郊。諸侯之所與秦爭天下者。不在齊楚燕趙也。而在韓魏之野。秦之有韓魏。譬如人之有腹心之疾也。韓魏塞秦之衝。而蔽山東之諸侯。故夫天下之所重者。莫如韓魏也。昔者范雎用於秦而收韓。商鞅用於秦而收魏。昭王未得韓魏之心。而出兵以攻齊之剛壽。而范雎以爲憂。然則秦之所忌者。可以見矣。秦之用兵於燕趙。秦之危事也。越韓過魏。而攻人之國都。燕趙拒之於前。而韓魏乘之於後。此危道也。而秦之攻燕趙。未嘗有韓魏之憂。則韓魏之附秦故也。夫韓魏。諸侯之障。而使秦人得出入於其間。此豈知天下之勢耶。委區々之韓魏。以當強虎豹之秦。彼安得不折而入於秦哉。韓魏折而入於秦。然後秦人得通其兵於東諸侯。而使天下徧受其禍。夫韓魏不能獨當秦。而天下之諸侯。藉之以蔽其西。故莫如厚韓親魏以擯秦。秦人不敢逾韓魏。以窺齊楚燕趙之國。而齊楚燕趙之國。因得以自完於其間矣。以四無事之國。佐當寇之韓魏。使韓魏無東顧之憂。而爲天下出身以當秦兵。以二國委秦。而四國休息於內。以陰助其急。若此。可以應夫無窮。彼秦者將何爲哉。不知出此。而乃貪疆埸尺寸之利。背盟敗約。以自相屠滅。秦兵未出。而天下諸侯已自困矣。至使秦人得伺其隙以取其國。可不悲哉。

戰國策目錄序　曾鞏

劉向所定戰國策三十三篇。崇文總目稱十一篇者闕。臣訪之士大夫家。始盡得其書。正其誤謬。而疑其不可考者。然後戰國策三十三篇復完。叙曰。向叙此書。言周之先。明敎化。修法度。所以大治。及其後謀詐用而仁義之路塞。

所以大亂其說既美矣卒以謂此書戰國之謀士度時君之所能行不得不然則可謂惑於流俗而不篤於自信者也夫孔孟之時去周之初已數百歲其舊法已亡舊俗已熄久矣二子乃獨明先王以謂不可改者豈將强天下之主以後世之不可爲哉亦將因其所遇之時所遭之變而爲當世之法使不失乎先王之意而已二帝三王之治其變固殊其法固異而其爲國家天下之意本末先後未嘗不同也二子之道如是而已蓋法者所以適變也不必盡同道者所以立本也不可不一此理之不易者也故二子者守此豈好爲異論哉能勿苟而已矣可謂不惑乎流俗而篤於自信者也戰國之遊士則不然不知道之可信而樂於說之易合其設心注意偸爲一切之計而已故論詐之便而諱其敗言戰之善而蔽其患其相率而爲之者莫不有利焉而不勝其害也有得焉而不勝其失也卒至蘇秦商鞅孫臏吳起李斯之徒以亡其身而諸侯及秦用之者亦滅其國其爲世之大禍明矣而俗猶莫之寤也惟先王之道因時適變爲法不同而考之無疵用之無弊故古之聖賢未有以此而易彼也或曰邪說之害正也宜放而絶之則此書之不泯其可乎對曰君子之禁邪說也固將明其說於天下使當世之人皆知其說之不可從然後以禁則齊使後世之人皆知其說之不可爲然後以戒則明豈必滅其籍哉放而絶之莫善於是是以孟子之書有爲神農之言者有爲墨子之言者皆著而非之至於此書之作則上總春秋下至楚漢之起二百四十五年之間載其行事固不可得而廢也此書有高誘注者二十一篇或曰二十二篇崇文總目存者八篇今存者十篇

墨池記　　曾鞏

臨川之城東有地隱然而高以臨於溪曰新城新城之上有池窪然而方以長曰王羲之之墨池者荀伯子臨川記云也羲之嘗慕張芝臨池學書池水盡黑此爲其故蹟豈信然邪方羲之之不可强以仕而嘗極東方出滄海以

娛其意於山水之間豈有徜徉肆恣而又嘗自休於此邪羲之之書晩乃善則其所能蓋亦以精力自致者非天成也然後世未有能及者豈其學不如彼邪則學固豈可以少哉況欲深造道德者邪墨池之上今爲州學舍教授王君盛恐其不章也書晉王右軍墨池之六字於楹間以揭之又告於鞏曰願有記推王君之心豈愛人之善雖一能不以廢而因以及乎其跡耶其亦欲推其事以勉其學者耶夫人之有一能而使後人尙之如此況仁人莊士之遺風餘思被於來世者何如哉

進戒疏　　王安石

臣某昧死再拜上疏皇帝陛下臣竊以爲陛下既終亮陰考之於經則群臣進戒之時而臣待罪近司職當先事有言者也竊聞孔子論爲邦先放鄭聲而後曰遠佞人仲虺稱湯之德先不邇聲色不殖貨利而後曰用人惟己蓋以謂不淫耳目於聲色玩好之物然後能精於用志能精於用志然後能明於見理能明於見理然後能知人能知人然後佞人可得而遠忠臣良士與有道之君子類進於時有以自竭則法度之行風俗之成甚易也若夫人主雖有過人之材而不能早自戒於耳目之欲至於過差以亂其心之所思則用志不精用志不精則見理不明見理不明則邪說詖行必窺間乘殆而作則其至於危亂也豈難哉伏惟陛下即位以來未有聲色玩好之過聞於外然孔子聖人之盛尙自以爲七十而後敢縱心所欲也今陛下以鼎盛之春秋而享天下之大奉所以惑移耳目者爲不少矣則臣之所豫慮而陛下之所深戒宜在於此天之生聖人之材甚吝而人之値聖人之時甚難天既以聖人之材付陛下則人亦將望聖人之澤於此時伏惟陛下自愛以德而自强以赴功使後世不失聖人之名而天下皆蒙陛下之澤則豈非可願之事哉臣愚不勝惓々唯陛下恕其狂妄而幸賜省察

遊褒禪山記　　王安石

褒禪山亦謂之華山。唐浮圖慧褒始舍於其址。而卒葬之。以故其後名之曰褒禪。今所謂慧空禪院者。褒之廬冢也。距其院東五里。所謂華山洞者。以其乃華山之陽名之也。距洞百餘步。有碑仆道。其文漫滅。獨其爲文。猶可識曰花山。今言華如華實之華者。蓋音謬也。其下平曠。有泉側出。而記遊者甚衆。所謂前洞也。由山以上五六里。有穴窈然。入之甚寒。問其深。則其好遊者不能窮也。謂之後洞。余與四人擁火以入。入之愈深。其進愈難。而其見愈奇。有怠而欲出者。曰不出。火且盡。遂與之俱出。蓋予所至。比好遊者。尚不能十一。然視其左右。來而記之者已少。蓋其又深。則其至又加少矣。方是時。予之力尚足以入。火尚足以明也。既其出。則或咎其欲出者。而予亦悔其隨之。而不得極夫遊之樂也。於是予有歎焉。古人之觀於天地山川草木蟲魚鳥獸。往々有得。以其求思之深。而無不在也。夫夷以近。則遊者衆。險以遠。則至者少。而世之奇偉瑰怪非常之觀。常在於險遠。而人之所罕至焉。故非有志者。不能至也。有志矣。不隨以止也。然力不足者。亦不能至也。有志與力。而又不隨以怠。至於幽暗昏惑。而無物以相之。亦不能至也。然力足以至焉。於人爲可譏。而在己爲有悔。盡吾志也。而不能至者。可以無悔矣。其孰能譏之乎。此予之所得也。余於仆碑。又有悲夫古書之不存。後世之謬其傳。而莫能名者。何可勝道也哉。此所以學者。不可以不深思而愼取之也。四人者。廬陵蕭君圭君玉。長樂王回深父。余弟安國平父。安上純父。至和元年七月某日。臨川王某記。

泰州海陵縣主簿許君墓誌銘

王安石

君諱平。字秉之。姓許氏。余嘗譜其世家。所謂今泰州海陵縣主簿者也。君既與兄元相友愛稱天下。而自少卓犖不羈。善辨說。與其兄俱以智略爲當世大人所器。寶元時。朝廷開方略之選。以招天下異能之士。而陝西大帥范文正公。鄭文肅公。爭以君所爲書以薦。於是得召試爲太廟齋郎。已而選泰州海陵縣主簿。貴人多薦君有大才。可試以事。不宜棄之州縣。君亦常慨然自許。欲有所爲。然終不得一用其智能以卒。噫其可哀也已。士固有離世異俗。獨行其意。罵譏笑侮困辱而不悔。彼皆無衆人之求。而有所待於後世者也。其齟齬固宜。若夫智謀功名之士。窺時俯仰以赴勢物之會。而輒不遇者。乃亦不可勝數。辯足以移萬物。而窮於用說之時。謀足以奪三軍。而辱於右武之國。此又何說哉。嗟乎彼有所待而不遇者。其知之矣。君年五十九。以嘉祐某年某月某甲子。葬眞州之揚子縣甘露鄕某所之原。夫人李氏。子男瓌不仕。璋眞州司戶參軍。琦太廟齋郎。琳進士。女子五人。已嫁二人。進士周奉先。泰州泰興縣令陶舜元。銘曰。

有拔而起之。莫擠而止之。嗚呼許君而已於斯。誰或使之。

中等漢文卷之五中 終

中等漢文卷之五下

山本廉編

第一　酒味色論

魯共公

梁主魏嬰觴諸侯於范臺。酒酣。請魯君舉觴。魯君興避席擇言曰。昔者帝女令儀狄作酒而美。進之禹。禹飲而甘之。遂疏儀狄。絕旨酒。曰。後世必有以酒亡其國者。齊桓公夜半不嗛。易牙乃煎熬燔炙。和調五味而進之。桓公食之而飽。至旦不覺。曰。後世必有以味亡其國者。晉文公得南之威。三日不聽朝。遂推南之威而遠之。曰。後世必有以色亡其國者。楚王登强臺而望崩山。左江而右湖。以臨彷徨。其樂忘死。遂盟强臺而弗登。曰。後世必有以高臺陂池亡其國者。今主君之尊。儀狄之酒也。主君之味。易牙之調也。左白台而右閭須。南威之美也。前夾林而後蘭臺。强臺之樂也。有一於此。足以亡其國。今主君兼此四者。可無戒與。

第二　潛夫貴忠篇

王符

夫帝王之所尊敬者。天也。皇天之所愛育者。人也。今人臣受君之重位。牧天之所愛。焉可以不安而利之。養而濟之哉。是以君子任職則思利人。達上則思進賢。故居上而下不怨。在前而後不恨也。書稱天工人其代之。王者法天而建官。故明主不敢以私授。忠臣不敢以虛受。竊人之財。猶謂之盜。况偸天官以私已乎。以罪犯人。必加誅罰。况乃犯天。得無咎乎。五代之臣。以道事君。澤及草木。仁被率土。是以福祚流衍。本支百世。季世之臣。以諂媚主。不思順天。專仗殺伐。白起蒙恬。秦以爲功。天以爲賊。息夫董賢。主以爲忠。天以爲盜。易曰。德薄而位尊。智小而謀大。鮮不及矣。是故德不稱。其禍必酷。能不稱。其殃必大。夫竊位之人。天奪其鑒。雖有明察之資。仁義之志。一旦富貴。則背親捐舊。喪其本心。疎骨肉而親便辟。薄知友而厚犬馬。寧見朽貫千萬。而不忍貸人一錢。情知積粟腐倉。而不忍貸人一斗。骨肉怨望於家。細人謗讟於道。

前人以敗。後爭襲之。誠可傷也。歷觀前政貴人之用心也。與嬰兒子。何其異哉。嬰兒有常病。貴臣有常禍。父母有常失。人君有常過。嬰兒常病。傷於飽也。貴臣常禍。傷於寵也。哺乳多則生痂病。富貴盛則致驕疾。愛子而賊之。驕臣而滅之者。非一也。極其罰者。乃有仆死深牢。銜刀都市。豈非無功於天。有害於人者乎。夫鳥以山爲卑。而增巢其上。魚以泉爲淺。而穿穴其中。卒所以得者。餌也。貴戚願其宅吉。而制爲令名。欲其門堅。而造作鐵樞。卒其所以敗者。非苦禁忌少而門樞朽也。常苦崇財貨而行驕僭耳。不上順天心。下育人物。而欲任其私智。竊弄君威。反戾天地。欺誣神明。居累卵之危。而圖泰山之安。爲朝露之行。而思傳世之功。豈不惑哉。豈不惑哉。

第三　顏眞卿論

侯方域

殉國以死之謂忠。抗道不回之謂直。若此者。魯公顏眞卿能之。然而當天下變故之際。亂成於前。而禍伏於後。强藩不順。人心不服。中外觀其設施。賴其

彈壓。所謂大人宰相之事也。以忠臣當之可乎。曰不可。忠臣能不負國而已。以直臣當之可乎。曰不可。直臣能不貶道而已。然則眞卿何如。曰。眞卿者。所謂唐之大人宰相也。唐用之不盡其長。公僅以忠直見焉而已。推公之心。蓋嘗慷慨以經濟自許。而思所以用之。豈樂夫悻悻孤子。必置其身於危地。而與天下後世。爭此一日之名哉。當祿山叛。而平原固守。稍識逆順者皆然。不必眞卿也。卽云早知其叛。而預爲之備。彼之蓄有逆志也久矣。特明皇不悟耳。又不足爲眞卿異也。逮夫凶焰轉張。諸郡連陷。公乃謀於衆曰。賊鋭甚。不可抗。委命辱國。非計也。不若徑赴行在。嗚乎。天下有其實未固。而助之以聲。其威尙隱。而係之以望。公所謂以聲望係唐之强弱者歟。祿山甫叛。而堂堂天子。倉皇西走。哥舒老將。一戰投戈。河北二十四郡。無復忠臣。獨有一魯公。奮袂而起。椎牛歃血。號召連結。以橫塞賊衝。是其聲望豈渺小哉。固賊人之所震而驚。而天下之忠義所觀望而激發也。設不審時度力。而一旦成擒。則

逆賊之氣彌振、而天下之志以挫、而威以消沮矣、豈特一郡之得失。一身之死生而已哉。委之而去、正其全身以全國者也。不然公之生平豈愛一死者而使聞風逃潰之徒、得以借口哉。公益熟知逆賊之情形。而又自料其廓清之才、當在李郭之列、帷幄之算、當與鄴侯相伯仲。而不肯遂以平原、畢一旦之命也、其見上也、而以爲御史大夫、又以爲司寇、唐人不知公也、其後代宗在陝。是時僕固懷恩雖未叛、然其逆節已著矣、公請自往召之、諭以勤王、補過使用其言。豈有回紇連兵之禍哉。代宗得以保全其功臣。而一時强藩之歸命者不至、再爲猜阻。目前又得其兵以自衛。此皆轉移於呼吸之間。不動聲色。而因敗爲功、化有事爲無事。是其深識老謀、惟李泌陸贄、僅知之耳、特區々辨逆順者哉、又有不止於此者、玄宗在蜀、而祝册署嗣皇帝、則眞卿諫、李輔國遷太上皇於西內、則眞卿率百官問安以諫、代宗自陝還、先入宮而不謁陵廟。則眞卿又諫、此皆名分節目之要。而當時自魯公外。無有能言之

者。嗚呼唐之三百年、治日少而乱日多。其君臣父子之間、傳授不明、而將順不正、六月四日之變、神堯遂退爲太上皇、而太宗卽位、房玄齡杜如晦不知其非也。太平公主誅、睿宗遂退爲太上皇、而玄宗卽位。宋璟不知其非也、浸假而至於靈武之事。天下益以爲固然矣、獨公於事後、猶能辨其幾微、而謹嚴之於大義、使得盡出其底蘊。如房杜諸人之遭際、必有舉措適宜、使天下相觀而喩、而有以逆銷其僭亂之萌、又豈必待其著、而力爭於甲兵權數之間哉、然則魯公之學術、獨見其大、固唐三百年之一人也、雖爲宰相、可也、

第四　愛蓮說

周敦頤

水陸草木之花、可愛者甚蕃。晉陶淵明、獨愛菊、自李唐來、世人甚愛牡丹、予獨愛蓮之出淤泥而不染、濯清漣而不妖、中通外直、不蔓不枝、香遠益清、亭々淨植、可遠觀、而不可褻翫焉、予謂菊花之隱逸者也、牡丹花之富貴者也。蓮、花之君子者也、噫。菊之愛。陶後鮮有聞、蓮之愛、同予者何人、牡丹之愛、宜乎衆矣、

第五　觀八駿圖說

柳宗元

古之書、有記周穆王馳八駿、升崑崙之墟者。後之好事者爲之圖。宋齊以下傳之。觀其狀甚怪、咸若騫若翔、若龍鳳麒麟、若螳螂然、其書尤不經、世多有、然不足采。世聞其駿也。因以異形求之、則其言聖人者亦類是矣、故傳伏犧曰牛首、女媧曰其形類蛇。孔子如倛頭、若是乎甚衆、孟子曰、何以異於人哉、堯舜與人同耳。今夫馬者駕而乘之、或一里而汗。或十里而汗或千百里而不汗者、視之。毛物尾鬣、四足而蹄。齕草飲水、一也、推是而至於駿、亦類也。今夫人、有不足爲負販者、有不足爲吏者。有不足爲士大夫者。有足爲者、視之、圓首橫目、食穀而飽肉、絺而清、裘而燠、一也、推是而至於聖、亦類也、然則伏犧氏女媧氏孔子氏是亦人而已矣、驊騮白羲山子之類、若果有之、是亦馬而已矣又烏得爲牛爲蛇、爲倛頭、爲龍鳳麒麟螳螂然也哉。然而世之慕駿

者、不求之馬。而必是圖之似。故終不能有得於駿也、慕聖人者、不求之人、而必若牛若蛇若倛頭之間、故終不能有得於聖人也。誠使天下有是圖者。舉而焚之。則駿馬與聖人出矣

第六　捕蛇者說

柳宗元

永州之野、產異蛇、黑質而白章。觸草木盡死。以齧人、無禦之者、然得而腊之以爲餌、可以已大風攣踠瘻癘、去死肌。殺三蟲、其始太醫以王命聚之。歲賦其二、募有能捕之者、當其租入、永之人爭奔走焉、有蔣氏者、專其利三世矣、問之、則曰吾祖死於是、吾父死於是、今吾嗣爲之十二年、幾死者數矣、言之、貌若甚戚者、余悲之、且曰若毒之乎、余將告於莅事者、更若役、復若賦、則何如、蔣氏大戚、汪然出涕曰、君將哀而生之乎、則吾斯役之不幸、未若復吾賦不幸之甚也、嚮吾不爲斯役、則久已病矣。自吾氏三世居是鄉、積於今六十歲矣。而鄉鄰之生日蹙、殫其地之出、竭其廬之入、號呼而轉徙、饑渴而頓踣、

觸風雨。犯寒暑。呼噓毒癘。往々而死者。相藉也。曩與吾祖居者。今其室十無一焉。與吾父居者。今其室十無二三焉。與吾居十二年者。今其室十無四五焉。非死則徙爾。而吾以捕蛇獨存。悍吏之來吾鄉。叫囂乎東西。隳突乎南北。譁然而駭者。雖雞狗不得寧焉。吾恂々而起。視其缶而吾蛇尚存。則弛然而臥。謹食之。時而獻焉。退而甘食其土之有。以盡吾齒。蓋一歲之犯死者二焉。其餘則熙々而樂。豈若吾鄉鄰之旦旦有是哉。今雖死乎此。比吾鄉鄰之死則已後矣。又安敢毒耶。余聞而愈悲。孔子曰。苛政猛於虎也。吾嘗疑乎是。今以蔣氏觀之。猶信。嗚呼。孰知賦斂之毒。有甚是蛇者乎。故爲之說。以俟夫觀人風者得焉。

第七　賣柑者言　劉基

杭有賣菓者。善藏柑。涉寒暑不潰。出之燁然。玉質而金色。置于市。賈十倍。人爭鬻之。予貿得其一。剖之如有煙撲口鼻。視其中則乾若敗絮。予怪而問之曰。若所市於人者。將以實籩豆。奉祭祀。供賓客乎。將衒外以惑愚瞽也。甚矣哉爲欺也。賣者笑曰。吾業是有年矣。吾賴是以食吾軀。吾售之人取之。未嘗有言。而獨不足子所乎。世之爲欺者不寡矣。而獨我也乎。吾子未之思也。今夫佩虎符。坐皐比者。洸々乎干城之具也。果能授孫吳之略耶。峨大冠。拖長紳者。昂々乎廟堂之器也。果能建伊皐之業耶。盜起而不知禦。民困而不知救。吏姦而不知禁。法斁而不知理。坐糜廩粟而不知恥。觀其坐高堂。騎大馬。醉醇醴。而飲肥鮮者。孰不巍々乎可畏。赫々乎可象也。又何往而不金玉其外。敗絮其中也哉。今子是之不察。而以察吾柑。予默然無以應。退而思其言。類東方生滑稽之流。豈其憤世疾邪者耶。而託于柑以諷耶。

第八　雜說上　韓愈

龍噓氣成雲。雲固弗靈於龍也。然龍乘是氣。茫洋窮乎玄間。薄日月。伏光景。感震電。神變化。水下土。汩陵谷。雲亦靈怪矣哉。雲龍之所能使爲靈也。若龍之靈。則非雲之所能使爲靈也。然龍弗得雲。無以神其靈矣。失其所憑依。信不可歟。異哉。其所憑依。乃其所自爲也。易曰。雲從龍。既曰龍。雲從之矣。

第九　雜說下　韓愈

世有伯樂。而後有千里馬。千里馬常有。而伯樂不常有。故雖有名馬。祇辱於奴隸人之手。駢死於槽櫪之間。不以千里稱也。馬之千里者。一食或盡粟一石。食馬者不知其能千里而食也。是馬也。雖有千里之能。食不飽力不足。才美不外見。且欲與常馬等。不可得。安求其能千里也。策之不以其道。食之不能盡其材。鳴之不能通其意。執策而臨之曰。天下無良馬。嗚呼。其眞無馬邪。其眞不識馬邪。

第十　獲麟解　韓愈

麟之爲靈昭々也。詠於詩。書於春秋。雜出於傳記百家之書。雖婦人小子。皆知其爲祥也。然麟之爲物。不畜於家。不恒有於天下。其爲形也不類。非若馬牛犬豕豺狼麋鹿然。然則雖有麟。不可知其爲麟也。角者。吾知其爲牛。鬣者。吾知其爲馬。犬豕豺狼麋鹿。吾知其爲犬豕豺狼麋鹿。惟麟也。不可知。不可知。則其謂之不祥也亦宜。雖然。麟之出。必有聖人在乎位。麟爲聖人出也。聖人者必知麟。麟之果不爲不祥也。又曰。麟之所以爲麟者。以德不以形。若麟之出。不待聖人。則謂之不祥也亦宜。

第十一　家藏古硯銘　唐子西

硯與筆墨。蓋氣類也。出處相近。任用寵遇相近也。獨壽夭不相近也。筆之壽以日計。墨之壽以月計。硯之壽以世計。其故何也。其爲體也。筆最銳。墨次之。硯鈍者也。豈非鈍者壽而銳者夭乎。其爲用也。筆最動。墨次之。硯靜者也。豈非靜者壽而動者夭乎。吾於是得養生焉。以鈍爲體。以靜爲用。或曰。壽夭數也。非鈍銳動靜所制。借令筆不銳不動。吾知其不能與硯久遠也。雖然。寧爲此。勿爲彼也。銘曰。

不能銳。因以鈍爲體。不能動。因以靜爲用。惟其然。是以能永年。

第十二　書洛陽名園記後　李格

洛陽處天下之中。挾殽黽之阻。當秦隴之襟喉。而趙魏之走集。蓋四方必爭之地也。天下當無事則已。有事則洛陽必先受兵。余故嘗曰。洛陽之盛衰。天下治亂之候也。方唐貞觀開元之間。公卿貴戚。開館列第於東都者。號千有餘邸。及其亂離。繼以五季之酷。其池塘竹樹。兵車蹂蹴。廢而爲丘墟。高亭大榭。烟火焚燎。化而爲灰燼。與唐共滅而俱亡。無餘處矣。余故嘗曰。園囿之興廢。洛陽盛衰之候也。且天下之治亂。候於洛陽之盛衰而知。洛陽之盛衰。候於園囿之興廢而得。則名園記之作。余豈徒然哉。嗚呼。公卿大夫方進於朝。放乎一已之私。自爲之。而忘天下之治忽。欲退享此。得乎。唐之末路是已。

第十三　袁州州學記　李覯

皇帝二十有三年。制詔州縣立學。惟時守令。有哲有愚。有屈力殫慮。祗順德意。有假宮借師。苟具文書。或連數城。亡誦弦聲。倡而不和。教尼不行。三十有三年。范陽祖君無擇。知袁州。始至進諸生。知學官闕狀。大懼人材放失。儒教闊疎。亡以稱上意旨。通判潁川陳君侁。聞而是之。議以克合。相舊夫子廟。陿隘不足改爲。乃營治之東。厥土燥剛。厥位面陽。厥材孔良。殿堂門廡。黝堊丹漆。舉以法。故生師有舍。庖廩有次。百爾器備。並手偕作。工善吏勤。晨夜展力。越明年成。舍采且有日。盱江李覯。諗于衆曰。惟四代之學。考諸經可見已。秦以山西鏖六國。欲帝萬世。劉氏一呼。而關門不守。武夫健將。賣降恐後。何耶。詩書之道廢。人惟見利而不聞義焉耳。孝武乘豐富。世祖出戎行。皆孳々學術。俗化之厚。延于靈獻。草茅危言者。折首而不悔。功烈震主者。聞命而釋兵。群雄相視。不敢去臣位。尙數十年。教道之結人心如此。今代遭聖神。爾袁得賢君。俾爾由庠序。踐古人之跡。天下治則譚禮樂以陶吾民。一有不幸。尤當仗大節。爲臣死忠。爲子死孝。使人有所賴。且有所法。是惟朝家教學之意。若其弄筆墨。以徼利達而已。豈徒二三子之羞。抑亦爲國者之憂。

第十四　岳陽樓記　范仲淹

慶曆四年春。滕子京謫守巴陵郡。越明年。政通人和。百廢具興。乃重修岳陽樓。增其舊制。刻唐賢今人詩賦于其上。屬予作文以記之。予觀夫巴陵勝狀。在洞庭一湖。銜遠山。吞長江。浩々湯々。橫無際涯。朝暉夕陰。氣象萬千。此則岳陽樓之大觀也。前人之述備矣。然則北通巫峽。南極瀟湘。遷客騷人。多會於此。覽物之情。得無異乎。若夫霪雨霏々。連月不開。陰風怒號。濁浪排空。日星隱曜。山岳潛形。商旅不行。檣傾楫摧。薄暮冥々。虎嘯猿啼。登斯樓也。則有去國懷鄕。憂讒畏譏。滿目蕭然。感極而悲者矣。至若春和景明。波瀾不驚。上下天光。一碧萬頃。沙鷗翔集。錦鱗游泳。岸芷汀蘭。郁々青々。而或長烟一空。皓月千里。浮光躍金。靜影沈璧。漁歌互答。此樂何極。登斯樓也。則有心曠神怡。寵辱皆忘。把酒臨風。其喜洋々者矣。嗟夫予嘗求古仁人之心。或異二者之爲。何哉。不以物喜。不以己悲。居廟堂之高。則憂其民。處江湖之遠。則憂其君。是進亦憂。退亦憂。然則何時而樂耶。其必曰先天下之憂而憂。後天下之樂而樂歟。噫微斯人。吾唯與歸。

第十五　喜雨亭記　蘇軾

亭以雨名。志喜也。古者有喜則以名物。示不忘也。周公得禾。以名其書。漢武得鼎。以名其年。叔孫勝敵。以名其子。其喜之大小不齊。其示不忘。一也。予至扶風之明年。始治官舍。爲亭於堂之北。而鑿池其南。引流種樹。以爲休息之所。是歲之春。雨麥於岐山之陽。其占爲有年。既而彌月不雨。民方以爲憂。越三月乙卯乃雨。甲子又雨。民以爲未足。丁卯大雨。三日乃止。官吏相與慶於庭。商賈相與歌于市。農夫相與抃於野。憂者以喜。病者以愈。而吾亭適成。於是舉酒於亭上。以屬客而告之。曰五日不雨可乎。曰五日不雨則無麥。十日不雨可乎。曰十日不雨則無禾。無麥無禾。歲且薦饑。獄訟繁興。而盜賊滋熾。

則吾與二三子雖欲優游以樂於此亭其可得耶今天不遺斯民始旱而賜之以雨使吾與二三子得相與優游而樂於此亭者皆雨之賜也其又可忘耶既以名亭又從而歌之曰使天而雨珠寒者不得以爲襦使天而雨玉饑者不得以爲粟一雨三日伊誰之力民曰太守太守不有歸之天子天子曰不然歸之造物造物不自以爲功歸之太空太空冥々不可得而名吾以名吾亭

第十六　象祠記　　王陽明

靈博之山有象祠焉其下諸苗夷之居者咸神而事之宣慰安君因諸苗夷之請新其祠屋而請記於予予曰毀之乎其新之也曰新之新之也何居乎曰斯祠之肇也蓋莫知其原然吾諸蠻夷之居是者自吾父吾祖溯曾高而上皆尊奉而禋祀焉舉之而不敢廢也予曰胡然乎有庳之祠唐之人蓋嘗毀之象之道以爲子則不孝以爲弟則傲斥于唐而猶存於今毀有庳而猶盛于茲土也胡然乎我知之矣君子之愛若人也推及于其屋之烏而況於聖人之弟乎哉然則祀者爲舜非爲象也意象之死在其干羽既格之後乎不然古之驁桀者豈少哉而象之祠獨延於世吾於是益有以見舜德之至入人之深而流澤之遠且久也象之不仁蓋其始焉爾又烏知其終之不見化于舜也書不云乎克諧以孝烝々乂不格姦瞽瞍亦允若則已化而爲慈父象猶不弟不可以爲諧進治於善則不至於惡不抵於姦則必入於善信乎象蓋已化於舜矣孟子曰天子使吏治其國象不得以有爲也斯蓋舜愛象之深而慮之詳所以扶持輔導之者之周也不然周公之聖而管蔡不免焉斯可以見象之見化于舜故能任賢使能而安于其位澤加於其民既死而人懷之也諸侯之卿命於天子蓋周官之制其殆倣於舜之封象歟吾於是蓋有以信人性之善天下無不可化之人也然則唐人之毀之也據象之始也今之諸夷之奉之也承象之終也斯義也吾將以表於世使知人之不善雖若象焉猶可以改而君子之修德及其至也雖若象之不仁而猶可以化之也

松風閣記　　劉基

雨風露雷皆出乎天雨露有形物待以滋雷無形而有聲惟風亦然風不能自爲聲附於物而有聲非若雷之怒號訇礚于虛無之中也惟其附於物而爲聲故其聲一隨於物大小清濁可喜可愕悉隨其物之形而生焉土石屓贔雖附之不能爲聲谷虛而大其聲雄以厲水蕩而柔其聲洶以感皆不得其中和使人駭膽而驚心故獨於草木爲宜而草木之中葉之大者其聲窒葉之槁者其聲悲葉之柔者其聲懦而不揚是故宜於風者莫加松蓋松之爲物幹挺而枝樛葉細而條長離奇而龍從瀟灑而扶疎鬖髿而玲瓏故風之過之不壅不激疏通暢達有自然之音故聽之可以解煩黷滌昏穢曠神怡情恬淡寂寥逍遙大空與造化遊宜乎適意山林之士樂之而不能違也金雞之峯有三松焉不知其幾百年矣微風拂之聲如暗泉颯々走石瀨稍大則如奏雅樂其大風至則如揚波濤又如振鼓隱々有節奏方舟上人爲閣其下而名之曰松風之閣予嘗過而止之洋々乎若將留而忘歸焉蓋雖在山林而去人不遠夏不苦暑冬不酷寒觀于松可以適吾目聽于松可以適吾耳偃蹇而優游逍遙而相羊無外物以汨其心可以喜樂可以永日又何必濯穎水而以爲高登首陽而以爲清也哉予四方之寓人也行止無所定而於是閣不能忘情故將與上人別而書此以爲之記時至正十五年七月九日也

白雲山舍記　　劉基

物之出于山惟雲爲神靈而士有類焉其發也如縷浩々然盈天下士之達而用于世者類之歛其色密其跡忽然而生泯然而潛其形士之隱而不用于世者類之是故悠然而風行滃然而晦冥砉然而震霆蛟龍乘焉鬼神憑

中華漢文卷之五下

焉人皆駭之洩々潏々淸凉炎熱容々汁々沛爲膏澤人皆仰之神矣哉人莫得而窺也或冒于石或棲于木或起或伏揚槷擢葉靡漫巖谷或隆或窪或舒或葩布護交加旖旋紛挐拂水浮沙上騰爲緺爤乎成光蔚乎爲章合散五色變化無極而士之文者類之夫既類於人矣則人之好之宜也大章上人居天台之五峯命其室曰白雲僧舍求予記夫天台南紀之名山也山以出雲爲神靈南紀之山以神靈稱者莫天台若也雲之所發所聚千態萬狀無不備有則不取夫靑黃赤黑而獨取其白者何耶山之阿澗之濱洋々漠々惟意之適雲之處而未出者也上人方外之士無役世之志則惟澹而不華素而不雜者可以適吾情也今夫雲人莫不見而鮮能知之惟日夕與處而於其動靜有默契者斯知之矣故觸石而出膚寸而合不終朝而雨天下者雲也其始也白而已矣然則上人其知雲哉不可以不記也於是乎記

前赤壁賦

蘇軾

壬戌之秋七月既望蘇子與客泛舟遊於赤壁之下淸風徐來水波不興擧酒屬客誦明月之詩歌窈窕之章少焉月出於東山之上徘徊於斗牛之間白露橫江水光接天縱一葦之所如凌萬頃之茫然浩々乎如馮虛御風而不知其所止飄々乎如遺世獨立羽化而登仙於是飲酒樂甚扣舷而歌之歌曰桂棹兮蘭槳擊空明兮泝流光渺々兮予懷望美人兮天一方客有吹洞簫者倚歌而和之其聲嗚々然如怨如慕如泣如訴餘音嫋々不絕如縷舞幽壑之潛蛟泣孤舟之嫠婦蘇子愀然正襟危坐而問客曰何爲其然也客曰月明星稀烏鵲南飛此非曹孟德之詩乎西望夏口東望武昌山川相繆鬱乎蒼々此非孟德之困於周郎者乎方其破荊州下江陵順流而東也舳艫千里旌旗蔽空釃酒臨江橫槊賦詩固一世之雄也而今安在哉況吾與子漁樵于江渚之上侶魚鰕而友麋鹿駕一葉之扁舟擧匏樽以相屬寄蜉蝣於天地眇滄海之一粟哀吾生之須臾羨長江之無窮挾飛仙以遨遊

中華漢文卷之五下

抱明月而長終知不可乎驟得託遺響于悲風蘇子曰客亦知夫水與月乎逝者如斯而未嘗往也盈虛者如彼而卒莫消長也蓋將自其變者而觀之則天地曾不能以一瞬自其不變者而觀之則物與我皆無盡也而又何羨乎且夫天地之間物各有主苟非吾之所有雖一毫而莫取惟江上之淸風與山間之明月耳得之而爲聲目遇之而成色取之無禁用之不竭是造物者之無盡藏也而吾與子之所共適客喜而笑洗盞更酌肴核既盡杯盤狼籍相與枕藉乎舟中不知東方之既白

後赤壁賦

蘇軾

是歲十月之望步自雪堂將歸于臨皐二客從予過黃泥之坂霜露既降木葉盡脫人影在地仰見明月顧而樂之行歌相答已而歎曰有客無酒有酒無殽月白風淸如此良夜何客曰今者薄暮擧網得魚巨口細鱗狀如松江之鱸顧安所得酒乎歸而謀諸婦婦曰我有斗酒藏之久矣以待子不時之需於是攜酒與魚復遊赤壁之下江流有聲斷岸千尺山高月小水落石出曾日月之幾何而江山不可復識矣予乃攝衣而上履巉巖披蒙茸踞虎豹登虬龍攀栖鶻之危巢俯馮夷之幽宮蓋二客不能從焉劃然長嘯草木震動山鳴谷應風起水涌予亦悄然而悲肅然而恐凜乎其不可留也反而登舟放乎中流聽其所止而休焉時夜將半四顧寂寥適有孤鶴橫江東來翅如車輪玄裳縞衣戛然長鳴掠予舟而西也須臾客去予亦就睡夢一道士羽衣蹁躚過臨皐之下揖予而言曰赤壁之遊樂乎問其姓名俛而不答嗚呼噫嘻我知之矣疇昔之夜飛鳴而過我者非子也耶道士顧笑予亦驚悟開戶視之不見其處

弔古戰場文

李華

浩々乎平沙無限夐不見人河水縈帶群山糾紛黯兮慘悴風悲日曛蓬斷草枯凜若霜晨鳥飛不下獸挺亡群亭長告余曰此古戰場也常覆三軍往

々鬼哭天陰則聞傷心哉秦歟漢歟將近代歟吾聞夫齊魏徭戍荊韓召募萬里奔走連年暴露沙草晨牧河冰夜渡地濶天長不知歸路寄身鋒刃腷臆誰訴秦漢而還多事四夷中州耗斁無世無之古稱戎夏不抗王師文教失宣武臣用奇奇兵有異於仁義王道迂濶而莫爲嗚呼噫嘻吾想夫北風振漢胡兵伺便主將驕敵期門受戰野豎旌旗川廻組練法重心駭威尊命賤利鏃穿骨驚沙入面主客相搏山川震眩聲析江河勢崩雷電至若窮陰凝閉凜冽海隅積雪沒脛堅冰在鬚鷙鳥休巢征馬踟蹰繒纊無溫墮指裂膚當此苦寒天假強胡憑陵殺氣以相剪屠徑截輜重橫攻士卒都尉親降將軍復沒屍塡巨港之岸血滿長城之窟無貴無賤同爲枯骨可勝言哉鼓衰兮力盡矢竭兮絃絕白刃交兮寶刀折兩軍蹙兮生死決降矣哉終身夷狄戰矣哉暴骨沙礫鳥無聲兮山寂々夜正長兮風淅々魂魄結兮天沈々鬼神聚兮雲冪々日光寒兮草短月色苦兮霜白傷心慘目有如是耶吾聞之牧用趙卒大破林胡開地千里遁逃匈奴漢傾天下財殫力痡任人而耳其在多乎周逐獫狁北至太原既城朔方全師而還飲至策勳和樂且閑穆々棣々君臣之間秦起長城竟海爲關荼毒生靈萬里朱殷漢擊匈奴雖得陰山枕骸遍野功不補患蒼々烝民誰無父母提攜捧負畏其不壽誰無兄弟如足如手誰無夫婦如賓如友生也何恩殺之何咎其存其沒家莫聞知人或有言將信將疑悁々心目寤寐見之布奠傾觴哭望天涯天地爲愁草木悽悲弔祭不至精魂何依必有凶年人其流離嗚呼噫嘻時耶命耶從古如斯爲之奈何守在四夷

祭田橫墓文　韓愈

貞元十一年九月愈如東京道出田橫墓下感橫義高能得士因取酒以祭爲文而弔之其辭曰事有曠百世而相感者余不自知其何心非今世之所稀孰爲使余歔欷而不可禁余既博觀乎天下曷有庶幾乎夫子之所爲死

者不復生嗟余去此其從誰當秦氏之失鹿得一士而可王何五百人之擾々而不能脫夫子於劒鋩抑所寶之非賢亦天命之有常昔闕里之多士孔聖云其遑々苟余行之不迷雖顚沛其何傷自古死者非一夫子至今有耿光跽陳辭而薦酒魂髣髴而來享

祭亡弟文　侯方域

君之垂歿也執余之手而屬之曰必葬先夫人之墓而以晳兒爲嗣魄既冷而目不瞑余號哭請於大人許焉以復乃瞑今葬君於先夫人之側伯兄墓之左而晳兒奉君之婦杖而哀是日主祭拜見賓客年六歲禮如成人賓客皆曰君有子矣蓋二事皆如君易簀之言也敢告

代三省督府張公祈雨文　侯方域

某聞天生民而明以寄之岳牧幽以寄之社稷百神其有疾病水旱則岳牧爲之請命於君百神爲之請命於天其義一也今某謬爲國家領岳牧之任實與神共事玆土而五月不雨三農之失其業者號呼之聲日徹於耳某心竊憂焉至廢寢食則神之惻之可知也然而某久禱而不應何也豈神固未之知耶抑知之而不爲之請耶或請之而不許耶或某之不職已夙獲戾於神而玆又禱之不以誠耶夫果未知之是無神也知吾民之顚連如此而不爲之請是神瀆其司也若其請之而帝不許是必且仁愛化爲慘刻尤某所不敢信也或某之不職與不誠則殃咎宜加某之身而又何與乎斯民也凡若此無一可者神必有所以處之矣某敢不蠲潔以待命

前出師表　諸葛亮

臣亮言先帝創業未半而中道崩殂今天下三分益州疲敝此誠危急存亡之秋也然侍衛之臣不懈於內忠志之士忘身於外者蓋追先帝之殊遇欲報之於陛下也誠宜開張聖聽以光先帝遺德恢弘志士之氣不宜妄自菲薄引喩失義以塞忠諫之路也宮中府中俱爲一體陟罰臧否不宜異同若

有作奸犯科及爲忠善者宜付有司論其刑賞以昭陛下平明之治不宜偏
私使內外異法也侍中侍郎郭攸之費禕董允等此皆良實志慮忠純是以
先帝簡拔以遺陛下愚以爲宮中之事事無大小悉以咨之然後施行必能
裨補闕漏有所廣益也將軍向寵性行淑均曉暢軍事試用於昔日先帝稱
之曰能是以衆議舉寵爲督愚以爲營中之事事無大小悉以咨之必能使
行陳和穆優劣得所也親賢臣遠小人此先漢所以興隆也親小人遠賢臣
此後漢所以傾頹也先帝在時每與臣論此事未嘗不嘆息痛恨於桓靈也
侍中尙書長史參軍此悉貞亮死節之臣也願陛下親之信之則漢室之隆
可計日而待也臣本布衣躬耕南陽苟全性命於亂世不求聞達於諸侯先
帝不以臣卑鄙猥自枉屈三顧臣於草廬之中諮臣以當世之事由是感激
遂許先帝以驅馳後値傾覆受任於敗軍之際奉命於危難之間爾來二十
有一年矣先帝知臣謹愼故臨崩寄臣以大事也受命以來夙夜憂慮恐付
託不效以傷先帝之明故五月渡瀘深入不毛今南方已定甲兵已足當帥
將三軍北定中原庶竭駑鈍攘除姦凶興復漢室還於舊都此臣所以報先
帝而忠陛下之職分也至於斟酌損益進盡忠言則攸之禕允之任也願陛
下託臣以討賊興復之效不效則治臣之罪以告先帝之靈若無興德之言
則責攸之禕允等之咎以彰其慢陛下亦宜自謀以諮諏善道察納雅言深
追先帝遺詔臣不勝受恩感激今當遠離臨表涕泣不知所云

後出師表

諸葛亮

先帝深慮漢賊不兩立王業不偏安故託臣以討賊以先帝之明量臣之才
固當知臣伐賊才弱敵彊然不伐賊王業亦亡惟坐而待亡孰與伐之是故
託臣而弗疑也臣受命之日寢不安席食不甘味思惟北征宜先入南故五
月渡瀘深入不毛臣非不自惜也顧王業不可偏安於蜀都故冒危難以奉
先帝之遺意也而議者謂爲非計今賊適疲於西又務於東兵法乘勞此進

趨之時也謹陳其事如左高帝明並日月謀臣淵深然涉險被創危然後安
今陛下未及高帝謀臣不如良平而欲以長策取勝坐定天下此臣之未解
一也劉繇王朗各據州郡論安言計動引聖人群疑滿腹衆難塞胸今歲不
戰明年不征使孫策坐大遂幷江東此臣之未解二也曹操智計殊絕於人
其用兵也髣髴孫吳然困於南陽險於烏巢危於祁連偪於黎陽幾敗北山
殆死潼關然後僞定一時耳況臣才弱而欲以不危而定之此臣之未解三
也曹操五攻昌霸不下四越巢湖不成任用李服而李服圖之委任夏侯而
夏侯敗亡先帝每稱操爲能猶有此失況臣駑下何能必勝此臣之未解四
也自臣到漢中中間朞年耳然喪趙雲陽群馬王閻芝丁立白壽劉郃鄧銅
等及曲長屯將七十餘人突將無前賨叟青羌散騎武騎一千餘人此皆數
十年之內所糾合四方之精銳非一州之所有若復數年則損三分之二當
何以圖敵此臣之未解五也今民窮兵疲而事不可息事不可息則駐與行
勞費正等而不及蚤圖之欲以一州之地與賊持久此臣之未解六也夫難
平者事也昔先帝敗軍於楚當是時曹操拊手謂天下已定然後先帝東連
吳越西取巴蜀舉兵北征夏侯授首此操之失計而漢事將成也然後吳更
違盟關羽毀敗秭歸蹉跌曹丕稱帝凡事如是難可逆料臣鞠躬盡力死而後
已至於成敗利鈍非臣之明所能逆覩也

陳情表

李密

臣密言臣以險釁夙遭閔凶生孩六月慈父見背行年四歲舅奪母志祖母
劉愍臣孤弱躬親撫養臣少多疾病九歲不行零丁孤苦至于成立旣無伯
叔終鮮兄弟門衰祚薄晚有兒息外無朞功彊近之親內無應門五尺之童
煢煢孑立形影相弔而劉夙嬰疾病常在牀蓐臣侍湯藥未嘗廢離逮奉聖
朝沐浴淸化前太守臣逵察臣孝廉後刺史臣榮舉臣秀才臣以供養無主
辭不赴會詔書特下拜臣郎中尋蒙國恩除臣洗馬猥以微賤當侍東宮非

臣隕首所能上報臣具以表聞辭不就職詔書切峻責臣逋慢郡縣逼迫催臣上道州司臨門急於星火臣欲奉詔奔馳則以劉病日篤欲苟順私情則告訴不許臣之進退實爲狼狽伏惟聖朝以孝治天下凡在故老猶蒙矜育況臣孤苦特爲尤甚且臣少事僞朝歷職郎署本圖宦達不矜名節今臣亡國賤俘至微至陋過蒙拔擢寵命優渥豈敢盤桓有所希冀但以劉日薄西山氣息奄々人命危淺朝不慮夕臣無祖母無以至今日祖母無臣無以終餘年母孫二人更相爲命是以區々不能廢遠臣密今年四十有四祖母劉今年九十有六是臣盡節於陛下之日長報劉之日短也烏々私情願乞終養臣之辛苦非獨蜀之人士及二州牧伯所見明知皇天后土實所共鑒願陛下矜愍愚誠聽臣微志庶劉僥倖卒保餘年臣生當隕首死當結草臣不勝犬馬怖懼之情謹拜表以聞

上高宗封事

胡銓

謹按王倫本一狎邪小人市井無頼頃緣宰相無識遂舉以使虜惟務詐誕欺罔天聽驟得美官天下之人切齒唾罵今者無故誘致虜使以詔諭江南爲名是欲臣妾我也是欲劉豫我也劉豫臣事醜虜南面稱王自以爲子孫帝王萬世不拔之業一旦豺狼改慮捽而縛之父子爲虜商鑒不遠而倫又欲陛下效之夫天下者祖宗之天下也陛下所居之位祖宗之位也奈何以祖宗之天下爲犬戎之天下以祖宗之位爲犬戎藩臣之位陛下一屈膝則祖宗廟社之靈盡汙夷狄祖宗數百年之赤子盡爲左衽朝廷宰執盡爲陪臣天下士大夫皆當裂冠毀冕變爲胡服異時豺狼無厭之求安知不加我以無禮如劉豫也哉夫三尺童子至無知也指犬豕而使之拜則怫然怒今醜虜則犬豕也堂々天朝相率而拜犬豕曾童孺之所羞而陛下忍爲之耶倫之議乃曰我一屈膝則梓宮可還太后可復淵聖可歸中原可得嗚呼自變故以來主和議者誰不以此啗陛下哉而卒無一驗是虜之情僞已可知矣陛下尙不覺悟竭民膏血而不恤忘國大讎而不報含垢忍恥舉天下而臣之甘心焉就令虜決可和盡如倫議天下後世謂陛下何如主況醜虜變詐百出而倫又以奸邪濟之梓宮決不可還太后決不可復淵聖決不可歸中原決不可得而此膝一屈不可復伸國勢陵夷不可復振可爲痛哭流涕長大息也向者陛下間關海道危如累卵當時尙不肯北面臣虜況今國勢稍張諸將盡銳士卒思奮只如頃者醜虜陸梁僞豫入寇固嘗敗之于襄陽敗之于淮上敗之於渦口敗之於淮陰較之前日蹈海之危已萬々矣儻不得已而遂至於用兵則我豈遽出虜人下哉今無故而反臣之欲屈萬乘之尊下穹廬之拜三軍之士不戰而氣亦索此魯仲連所以義不帝秦非惜夫帝秦之虛名惜夫天下大勢有所不可也今內而百官外而軍民萬口一談皆欲食倫之肉謗議洶々陛下不聞正恐一旦變作禍且不測臣切謂不斬王倫國之存亡未可知也雖然倫不足道也秦檜以腹心大臣而爲之陛下

有堯舜之資檜不能致陛下如唐虞而欲導陛下如石晉近者禮部侍郎曾開等引古誼以折之檜乃厲聲曰侍郎知故事我獨不知則檜之遂非狠愎已自可見而乃建白令臺諫從臣僉議可否是乃畏天下議己而令臺諫從臣共分謗耳有識之士皆以爲朝廷無人吁可惜哉孔子曰微管仲吾其被髮左衽矣夫管仲霸者之佐耳尙能變左衽之區爲衣冠之會秦檜大國之相也反驅衣冠之俗歸左衽之鄉則檜也不唯陛下之罪人實管仲之罪人矣孫近附會檜議遂得參知政事天下望治有如饑渴而近伴食中書漫不可否事檜曰虜可講和近亦曰可和檜曰天子當拜近亦曰當拜嗚呼參贊大政徒取充位如此有如虜騎長驅尙能折衝禦侮耶臣竊謂秦檜孫近亦可斬也臣備員樞屬義不與檜等共戴天區々之心願斬三人頭竿之藁街然後羈留虜使責以無禮徐興問罪之師則三軍之士不戰而氣自倍不然臣有赴東海而死耳寧能處小朝廷求活耶

卻聘書　　　謝枋得

夷齊雖不仕周。食西山之薇。亦當知武王之恩。四皓雖不仕漢。茹商山之芝。亦當知高帝之恩。況蒸藜含糗于大元之名地乎。大元之赦某屢矣。某受大元之恩。亦厚矣。若效魯仲連。蹈東海而死則不可。今既爲大元之游民矣。莊子曰。呼我爲馬者。應之以爲馬。呼我爲牛者。應之以爲牛。世之人。有呼我爲宋之逋播臣者亦可。呼我爲大元游惰民者亦可。呼我爲宋頑民者亦可。呼我爲大元之逸民者亦可。爲輪爲彈。與化往來。蟲臂鼠肝。隨天付予。若貪戀官爵。昧于一行。縱大元仁恕。天涵地容。哀憐孤臣。不忍加戮。某有何面目見大元乎。某與太平草木。同沾聖朝之雨露。生稱善士。死表于道。曰宋處士謝某之墓。雖死之日。而生之年。感恩感德。天實臨之。司馬子長有言。人莫不有一死。死或重於泰山。或輕于鴻毛。先民廣其說曰。慷慨赴死易。從容就義難。公亦可以察某之心矣。

中等漢文卷之五下終

明治三十年十月三十日印刷
同　三十年十一月五日發行

定價金參拾錢

編者　山本廉　東京市麻布區霞町三番地
發行兼印刷者　吉川半七　東京市京橋區南傳馬町一丁目十二番地
販賣者　林平次郎　東京市日本橋區通三丁目六番地

明治三十二年一月二十五日
文部省檢定濟

文學士黒板勝美 校閲
遊佐誠甫
富永岩太郎 合編

卷之一

中等漢文讀本

東京 集英堂

中等漢文讀本

凡例

一此書爲尋常中學校課本、分十卷、毎年課二卷、五年而畢、若夫同等學校、亦準用之。

一各卷所收、大抵卑近之作、初採小品、漸及長篇、量受業者之力也。

一書中所載、務網羅諸般事實、是應辨諸文體、易應實用也。

一訓點、期與國語不相戻、然務避繁從簡、即所以便初學也。

一卷六已下省訓點、單施轉讀之符、而白文則闕之、恐初學難講讀也。

一講讀漢文、在初學頗爲不易、教授者所苦心也、乃別著漢文教授法刊行、幸就看焉、思過半。

明治三十一年二月　編者識

中等漢文讀本卷之一目次

中等漢文讀本卷之一

文學士 黑坂勝美 訂正
遊佐誠甫
富永岩太郎 合編

地球 第一

地球略說

地球每日從西向東自轉一次、成一晝夜。隨處總以半面向日。故得日光處則爲晝。背日光處則爲夜。

地球 第二

地球略說

地球表面有水有陸。水多地少。大約陸占其一分、水占其三分。而陸之分列、共有六大洲。其中、四洲在地球東半。而二洲在西半。

日本國

地球略說

日本國係海嶋。北大嶋名北海道。中嶋至大、名本土。南有二大嶋、一曰四國、一曰九洲。而數千嶋嶼屬之。其地在亞細亞洲東。

日本人風俗 第一

地球略說

日本人民形狀禮儀、大約與支那人相同。然男不梳辮、女不裹足。力強健、絶少爭鬭。俗尚潔、街衢時

時掃滌男女衣服皆大領闊袖。但女則加長以曳地。

調伊企儺　　巖垣松苗

欽明天皇二十三年遣大將軍紀男麿副將河邊瓊缶討新羅。我軍不利。軍人伊企儺爲虜所擒。虜勸誘令降。不從。拔刀逼之曰、汝須言日本之將欽我臀肉。伊企儺大呼曰、新羅王欽予臀肉。竟見殺。

公助受撻　　德川光圀

下毛野公助、父武則攝政兼家隨身也。嘗從父賭射右近馬場不勝。武則怒撻之。公助伏而受之。人曰、何不逃。公助曰、父老足弱。追我疾走、則懼致顛蹶。若有損傷、是重吾罪也。是以受而不逃。聞者感嘆焉。

松下禪尼　　服部元喬

北條時賴母曾邀招時賴。前一日見窻紙多破、手自補之。其兄義景在前言、宜命家僮耳。母曰、未必勝我。義景復曰、更紙新之、則工省而觀自美。母曰、然。我非不爾思。但亦自誡。物不必悉改。隨壞補之可也。庶使年少輩知所意耳。

青砥藤綱　　山本信有

青砥藤綱宵征將在公。渉滑川墜十錢。命買炬、炬錢五十、照以索之。得而後去。或誹其得之不如失。藤綱嘆曰、其然。所以然者、我恐十錢腐水泥職余之由。是以費五十錢出之。出之之錢布人間、不失爲寶。以得失立臧否者、市井議也。非者大愧。

石田三成第一　　大槻清崇

豐公秀吉嘗放鷹於野。渴甚。扣一僧寺乞茶太急。有行童進一大椀茶。微温盛到七八分。公一喫稱快。更進一椀。少熱不滿半椀。公徐喫了。又要一椀。於是代以小椀。太熱不可遽口。公愛其才敏、請之住持僧、携歸以爲小臣。漸愛寵之。後竟列爲五奉行。治部少輔石田三成是也。

石田三成第二　　大槻清崇

一歳暴風雨。淀水大溢。隄防善崩。奉行三成急發京橋口米庫、出數十百囊、命土民盡運以塞其壞處。既而雨止水退。三成下令曰、速造土豚以代米

囊。其囊則聽汝等所取。民爭趨之、不日隄成。而堅實倍乎前。三成之敏慧投機、率此類。

月蝕

地球略說

月蝕之時、有一黑形、遮蓋月光。此黑影、即是地球之影。此時、日與月相對、而地球適在中間。以是、日光照著地球、不能射到月中。故地影得以遮掩月色。而其黑影、正圓。然則可知地球全體、必是圓形。

地球旋轉

地球略說

地球之轉、常向東。故人常見日由東出。此一小周

也。又有一大周。蓋地球圜日而轉、每年必圜日一周、以定四時。計陽曆每年一次、弱陰曆則自前冬至算至後冬至、總計三百六十五日、二時七刻有奇是也。

大洋

地球略說

地球上之水、有至大之處。則名曰洋。其味極鹹。亦分五處。曰大東洋。此洋較他洋、風少浪歛。故又名太平洋。曰大西洋。曰印度洋、又名南洋。曰北氷洋。曰南氷洋。大東洋者、洋面最廣、闊約三四萬里。而印度洋、最狹、不過一萬五六千里。

貝原益軒

角田簡

貝原益軒謙謹醞藉。嘗自京師歸、取路于海上。同舩數人、名姓不相知、諜々相語。中有一少年。意氣傲然、掉頭鼓舌、解說經義。益軒沈默竦聽、如不知字者。既而及舩達岸、各告其姓名鄉里。少年始知爲益軒、恧然不自容。遂不陳其名、鼠竄去。

釋月仙

角田簡

僧月仙、修淨土教、住伊勢寂照寺。嗜畫、從圓山應

舉學、後倣雪舟筆意、以寫山水人物。名顯四方。請求者多。以是、致貲巨萬。以其貪錢、甚人或譏之。及晚、建山門、修佛殿、廣買經疏、振救貧。臨死遺言、又納金於官、以備振救。於是人始服焉。

紀平洲

東條耕

紀平洲、幼好讀書、誦讀既遍。歲十七、而請遊學於京師、單身趣之。與伊勢人北畠世規者、同舍僑居。垢衣弊帶、食糲啗蔬、務儉費用。先是、父正長、爲之與金五十兩、使適其用。在京一年、費散十兩、以其

餘、購得書數百卷。及歸期、馱兩馬而還。鄉里皆以美談之。

伊藤仁齋　原善

伊藤仁齋、家故赤貧。歲暮不能買糯餈。亦曠然不以爲意。妻跪進曰、家道育鞠、妾未嘗爲不堪。而獨其不可忍者、孺子原藏、未解貧爲何物、羨人家有餈、連求不已。妾雖口能譙呵之、腸爲斷絶。言訖泣下。仁齋隱几閱書、一言不爲之答。直卸其所著外套、以授妻。

藤原保昌　服部元喬

袴垂、京都大盜。夜見藤原保昌吹笛獨行、欲劫奪之衣。踵行里許、數欲發、心坐畏難。既乃抽刃逼從。保昌徐停笛、顧問其名。袴垂不覺屈伏、自首作劫袴垂者也。保昌曰、奴久聞之。叱使從後。復吹笛徐行到家。取一袴與之曰、奴不足殺。後乏求我。勿彼作爾。

阿部忠秋　鹽谷世弘

阿部忠秋、仁厚愛物。每出見途有棄兒、輙收養之。窮民待忠秋過、往々故棄之。由是所收歲數十人。其宰患之、伺間諫之。忠秋曰、人孰不愛子。而至於棄之、思其父母之心、安得不惻然。且所鞠育、隨長用之、不爲耗財。其後所收養、日長男子隨才器使、女爲資裝嫁之。

榕樹　地球略說

印度、植物大者多。就中可奇者、有極大之樹、名曰榕樹。根株不必言。但其枝倒垂於地、而枝復生根、綿延不絶。如是者、方圓約二三里。其下可容三四

千人、遠望之、恰如林。

鬪牛之戲　地球略說

西班牙人、最好鬪牛之戲。男女觀者如堵。其鬪也、縱一雄牛於場。勇有力者、先將牛激之、使怒後、乃奮身馬上、手執長鎗、與牛相鬪。或落馬鬪之、有時馬被傷、有時人被傷。至獲勝則千萬人皆歡呼迎賀。

隊商　地球略說

亞拉比亞人、風俗陋、匪人不少。固大半爲盜。雖居

内地者、遇有財物行人、亦每行劫奪。以故、商旅務須結隊同行、否則必罹盜劫也。至人民行走、貨物負載、多用駱駝。蓋野曠水窮、馬無飲而不能行、惟駱駝七八日雖不與飲、亦無妨耳。

濠洲奇獸　地球略說

濠洲有奇獸。名更格盧。身如大鹿、足前短後長、尾亦長。善跳躍、每以後足蹴地爲力。尾亦然、如助之也。肚下有皮下垂、約如袋形。跳動時、見所生之子、不能同行、則納於袋內、如襁負然。又有一物、居水

中。名鴨嘴獸。首足共如鴨形。身似鼠而尾短。卵生、而能哺以乳。亦異物也。

北條泰時　賴襄

泰時爲人、敦親族、常推叔父時房而下之。嘗在評定所。聞弟朝時第有寇、輙趣援。平盛綱曰、是小事耳、公任重職、何自輕也。泰時曰、兄弟有難、何曰小事。以吾視之、與建保承久二役奚擇。苟喪吾親、重職何爲。朝時書藏於家曰、世世子孫、毋背武州裔也。

北條時賴　服部元喬

大佛宣時、老後謂人曰、昔者、相州一夕見邀。使者致命曰、既夜、不必裝束。願疾見臨。乃著故直衣往。至、則相州自挈酒出曰、偶有此物、不可獨酌。故迎爾。恨無下物。廚下或有餘餐。然夜深人定、願煩君。余乃秉燭、入廚徧索無有。既見庋上土器、豆豉著餘在其中。乃舉以至。相州曰、亦足矣。乃暢然酌、遂至歡醉。

毛利元就　大槻清崇

元龜二年六月、藝侯元就病將死、致諸子於前、呼取箭數條、一一如其子之數。乃手自糾爲一束、極力折之、不能斷也。單抽其一條、隨折隨斷。因戒曰、兄弟猶此箭也。和則相依濟事、不和則各人各敗。汝等銘心勿忘。次子隆景進曰、夫兄弟之爭、必起於欲。棄欲思義、何不和之有。元就悅以爲然。顧餘子曰、宜從仲兄之言。

僧西行　服部元喬

鎌倉公出途、見一老頭陀、風韻頗高。使人問之、即

西行也。公素欽行名、乃大喜延請。行乃至府。行本將家子孫、少壯練習武事。公因請問其略。行曰、自棄以來、家世所傳、亦已散亡。今乃風月之外、都無所記。然亦不甚拒。爲公談兵一夕。及旦將出、公苦留不可。乃出銀造猫爲贈。行受而出、門前見兒嬉、便與之去。

鎌倉權五郎景政

青山延光

堀川天皇寛治元年九月、源義家帥兵數萬、擊淸原家衡、武衡。前鋒進薄金澤柵。柵中呼譟、矢石雨注。官軍死傷者衆。相模人鎌倉景政、年十六、挺身奮戰。矢中其眼、不拔而進。射殺敵兵、乃還營。三浦爲繼欲爲拔矢、以足履其面。景政挺刀欲刺爲繼。爲繼驚問。景政曰、寧死鋒鏑、不忍面受人足。爲繼乃膝壓而拔之。

野見宿禰

青山延光

垂仁天皇七年秋七月乙亥、左右奏言、當麻邑有勇士、曰當麻蹶速。膂力絕倫。恒謂人曰、天下孰能當我者。我願遇勁敵決死。帝謂群臣曰、孰能當彼者。或進曰、臣聞出雲有勇士、曰野見宿禰。請試召之。即日遣使召野見宿禰。與蹶速角力。二人對立、各擧足相蹶。蹶速脇骨作折。乃踏折其腰殺之。帝奪蹶速地、賜野見宿禰。野見宿禰乃留仕焉。

牛若丸

青山延于

源義朝納妾常磐、生三子。曰今若、乙若、牛若。平治之敗、常磐携三子自詣六波羅、請就刑。清盛悅其色、遂納爲妾、宥其三兒。後使今若、乙若爲僧、以牛若附鞍馬寺僧覺日、改名遮那王。年甫十一。適閱諸家譜牒、慨然以爲我世將種、而流落至此。如至長大、必當剪滅平氏、以雪父祖之恥。於是晝讀書策、夜習武技。覺日勸之披剃、不肯。常欲往陸奧依藤原秀衡。

上毛野形名妻

青山延光

舒明天皇九年、蝦夷不朝。帝拜大仁上毛野形名爲將軍討之。不克、退入壘。爲蝦夷所圍。官軍逃散。形名窘迫、欲潰圍而逃。妻謂之曰、君祖先萬里濟海、宣威海外。君奈何辱祖先、取笑後世。乃酌酒飲

之形名醉臥。妻親佩劍、令婢數十人鳴弦。蝦夷以爲官軍猶多、稍引退。形名適起、妻乃進器仗、散卒亦聚。遂擊蝦夷、大敗之。

細川幽齋　　大槻清崇

細川兵部大輔藤孝、少小不喜國歌。自謂、是縉紳婦女之技、非武夫之事也。偶某地之戰、追敵之棄馬走者、不及而返。從者執馬銜、以諫曰、窮追勿失。臣驗馬背尚暖、以知其行不遠。古歌不云乎、君波麻太遠具波行志我袖乃袂乃涙比延志果年磬。

藤孝領之、即馳、遂執其人以還。從此潜心歌道、深沈奥妙、至窮古今集秘訣。所謂幽齋玄旨是也。

外人齎綿種　　青山延于

桓武帝延暦十八年七月、有一人乘小舩、漂著參河。以布覆背、左肩著紺布、形似袈裟。年可二十、身長五尺五分、耳長三寸餘、言語不通、不知何國人。唐人見之曰、崑崙人。後頗習中國語、自謂天竺人。常彈一絃琴、歌聲哀楚。閲其資物、有如草實者、謂之綿種。因居之川原寺。以其所齎綿種、試令紀伊、淡路、阿波、讃岐、伊豫、土佐等國植之。

印度風俗　　地球略說

印度、即天竺國也。其人民、身矮體弱、面黑唇青。笑容靄靄可親。禮儀彬彬有度。大約皆循規蹈矩、不敢胡爲妄作也。性多聰穎、如織羊毛、爲極細布匹、即此可見。所著皆長套單布之衣、頭不戴帽、以白布紮之。足著草鞋、大半又跣足焉。耳掛金銀圈環、手帶戒指一二。所食之物、米菜及百種菓子、肉食則間有之。

義犬救遭難者　　地球略說

瑞西國有高山、名亞力伯山。此山極高、山上終年積雪。雖値炎夏、山下暑熱薫蒸、而山上之雪、仍不少減。且氷雪交凝、渾如瀑布。有時播下、沿山村莊房舍被壞、人多壓死。又山上有大路一條。好施者、嘗建義莊數間於中路。爲寒冷氷雪驟甚時、以救行人之凍餓者。其救之之法、或養義犬數隻、毎二隻作一隊、一背上縛服件、一項間掛食物、能於山路上尋覓凍餓者。其人如尚能行走、二犬則引歸

義莊。否則轉知莊人中同來救歸。

日本人風俗第二

地球略説

女多美髮。日洗滌薫以香油。前後綰髻。皆挿玳瑁簪。或有事外出。坐車用人力曳走。不用牛馬。所住屋宇。以泥爲墻。不甚堅固。其分間。糊厚紙爲壁。厚紙上加以花紋細紙。以示美也。席地而坐。不椅。不桌。屋内極整潔。地上鋪花席。爲美觀。所食之物。多嗜米餅茶葉烟酒。至肉食間有之。國内書院極多。男女俱入學。

保科正之

青山延于

正之好學。用心政事。其治會津。興學校。建社倉。民懷其德。教化大行。正之嘗賞孝子。閭閻化之。不孝者。多爲孝子。正之欲賞之。老臣白正之曰。前日之所賞眞孝子也。今公之所欲賞者僞孝子也。賞之近濫。宜按問眞僞。正之曰。否。我賞孝子。欲使不孝者倣之。吾當傾府帑以賞之。且疑其詐僞而按問之。誰敢爲善。故苟爲不孝。不得不罰。苟有爲孝。安得不賞。老臣歎服而退。

烈奴

大槻清崇

稻葉氏之奴。有忤旨抵罪者。臨刑。輾轉號泣。而不已。吏問汝畏死乎。奴忿恚曰。咄。吾豈畏死者哉。吾惟恨不伸一臂於君前。以雪冤耳。一徹聞之。遽令曰。急急解縛。奴苟以爲冤。我將甘受其報焉。吏乃縱遣之。居數年。一徹病死。既葬。奴走詣其墓。復泣曰。奴久欲遂宿志。而屢失其機。遷延至此。今則已矣。吾今日而不死。君必以奴爲畏死。苟生者。奴爲天下恥之。遂屠腹其旁。出腸以死。

岩間大藏

大槻清崇

岩間大藏爲人魁梧。儼然一丈夫也。信玄拔之伶人中。以列士伍。而性怯懦畏死殊甚。信玄試之戰陣。七進七退。信玄曰。是不可以常法馭焉。我聞西域崑崙山。鐵化爲金。則人性怯懦。亦在鼓鑄如何耳。一日臨戰。俄捕大藏縛之竹牌外。使向敵坐。一步不能動。則矢丸雨下。礮聲如雷。大藏膽落神死。無復人色。幸而不中。竟戰。惴惴以得無恙。於是大藏翻然改悟曰。人苟有命。矢丸且不能中。死豈足

畏哉。自此每戰鼓勇先登。遂以成驍名。

稻葉一徹　大槻清崇

稻葉伊豫守一徹、既服從織田氏。而信長意未釋然也。乃設茗讌、延之茶室、竊使其臣三人、託伴接以圖之。一徹從容入室、朗誦壁間所挂詩、曰、雲横秦嶺家安在。雪擁藍關馬不前。三人就問其義。一徹一一分解、幷說其典甚詳。信長隔壁傾聽、忽然走出、謂一徹曰、我初謂汝一武勇男子也。今乃知其文學如此、猜疑之心頓消矣。一徹頓首而謝。於

是命三人各取匕首於懷、以示之。一徹亦袖裏出一刀、笑謂三人曰、今日之事、僕亦期不徒死耳。

元氣　鹽谷世弘

東照公嘗欲官一士、問之土井利勝。利勝曰、彼不常來臣家。臣未知其如何。公弗懌曰、汝秉國鈞、務在訪人材。材者豈肯附權勢。如汝所言、則知恥好義者、將日趣柔媚。知恥好義、國家之元氣也。元氣消亡、國家衰耗。其能久乎。昔酒井忠世、以神谷清正不禮己也、謂我曰、清正貞可用者。因請倍其俸。忠世爲公忘我、奬勵士風。汝輩何不類焉。

忠興譬喩　鹽谷世弘

細川忠興、受學藤原肅、通文義。其語道理、善取譬喩諭人。大將軍嘗問治國之要。對曰、如方筐而圓蓋方可。又問、如何是良材。對曰、似赤石浦之貝殼爲良材。大將軍稱善。他日問左右、忠興所言、汝等以爲何如。皆答不解。大將軍曰、赤石浦、風濤尤猛。貝之生其地者、激蕩磨淬、光澤殊濯。人亦如是。嘗險阻、受砥礪者、方成良材。

甲斐德本　角田簡

長田德本、號知足齋。三河大濱村人。貧窶自甘、不慕勢利。以醫周遊四方。大永享祿間、如甲斐、遊事武田信虎。常驅使峻藥、機宜應變、未嘗誤人。藥價每貼十八錢。寬永初、大君不豫、百方無驗。典藥頭今大路氏、乃薦德本。因命召之。德本時年百十有餘。頸掛藥囊、踞牛背而來。一診上峻藥。數日得愈。賞賜固辭、只乞定價而去。

三浦梅園　角田簡

三浦梅園豐後杵築人。自奉節儉、有贏必施。又醵米錢、歉歲出貸、豐年入息、由是免饑寒者多矣。孝子、順孫、節婦、忠奴、湮滅無聞者、梅園爲稱揚顯之、或告之于官、使得褒賜、或募之鄕邑、以爲救助。又自餽米鹽、日月相給、而使奉養無缺。閭閻子弟、有小善、必褒焉。有小惡、必誡焉。是以、人皆憚其嚴、懷其惠。感服之甚、至或合掌拜謝焉。嘗有十數村民、連合騷擾、將入城府。梅園要諸塗、解喩再三。事乃平。

大政奉還

小笠原勝長

慶應三年九月。德川慶喜作手書、示親藩譜第將士。曰、昔王綱解紐、相家執權。保平之亂、權移武門。至我祖宗、特蒙寵眷。紹述業二百有餘年、傳至孤。孤雖奉其職、擧措失當、勢至今日。是孤菲德所致、悔恨何及。顧今日外交日盛、而政令二途、綱紀不立。乃欲還大政於朝廷。是孤之所以報皇國也。汝等各陳所見。十月、慶喜上表、辭軍職、還政權。

白虎隊

小笠原勝長

明治元年八月二十三日、昧爽、官軍進戰大野原、強清水、走會人。會將上田某等苦戰而死。敗兵卻守瀧澤村。初會編諸隊、爲四。曰朱雀、最銳。曰青龍。次之。而老者爲玄武、幼者爲白虎。是日、白虎隊將日向某率隊、戰瀧澤不利。或死、或走。留者十六人、苦戰知力不支。登飯盛山、望見城外火起。以爲城已陷。乃向城再拜曰、臣事畢矣。各耦刺而死。

義農救飢

小笠原勝長

寬保二年八月。畿內、東海、東山、北陸大水。人多溺

死。相模久下戶村、有荻生正卿。漕糶米穀、與被水災者。載疲者數百人歸。請父曰、大人之節儉、正爲今日也。願賑濟之。飢民聞之、奔波塡途。穀盡、乃馳人於四方、買米及大豆給之。金又盡。以田爲質、以繼之。自十月至明年四月、所活數百人。幕府賞賜錢帛、旌表門閭。正卿師事成嶋鳳卿、敎授鄕里。

舞妓阿國

大槻清崇

天正中、有妓稱阿國者。妙麗善舞。名藉藉於京畿。少將秀康之在伏水、欲觀其伎倆、召致之客館。阿

國繫頸、以水晶念珠。少將意其品不稱、賜珊瑚念珠以寵之。既而阿國進奏其技。羅衣從風、長袖交橫、極其宛轉之妙。少將凝視者久。因大號泣。左右怪問其故。少將乃曰、渠雖裙釵之流、既爲天下第一名矣。我則堂堂一丈夫而曾不得稱海內一人。豈能不羞而泣耶。

上杉景勝　　大槻清崇

上杉景勝豪邁而膽大。其臨陣、前隊既交戰、矢丸雨下、呼聲震天地、而景勝身尚臥幕中、鼾聲如雷。

其朝于京師、一行鹵簿數十百人、寂不聞咳聲。唯覺人馬行聲肅肅然耳。嘗渡冨士川。人多船小。中流殆欲沈。景勝怒立舟頭、舉鞭一揮。衆皆躍入水、游而涉。船乃得達岸。平素未曾見喜悅之色。家有所養胡孫。偶蒙景勝所脫巾帽、走升庭樹、向景勝點頭者三。景勝始莞然。左右侍御、見景勝笑顏、唯此一事云。

善射者某　　大槻清崇

織田氏臣、有善射者。信長聞之、欲試其技倆、爲設演射場、卜日往觀之。餘士皆多中。某終日而射、卒不能中也。信長不懌歸而嘆曰、所見不稱所聞。人言果不足信耳。其後、國內土寇蜂起、勢頗猖獗。信長自將討之。衆逡巡不進。當此時、某直進、立信長馬前、引滿當敵、縱橫放射、率無虛箭。寇爲之卻走。信長於是歎曰、有是哉、渠之深於技也。嚮之不中者、非不能中也。欲養餘力、以收異日之功耳。諺云、良鷹藏爪。猶信厚賜物以賞之。

右府察微　　大槻清崇

信長嘗自剪十指甲、使侍臣收其剪餘。侍臣搜索左右、久而不去。信長問汝何故不退。答曰、剪餘既得九、而未見其一。信長爲起拂兩袖、則爪片墜者一。信長大賞之曰、人之用心、當如此緻密。又嘗召侍臣。至則曰、事既辨矣。無復用也。侍臣徒爾而退。少選復召一人。亦如此。最後一人、應召而往、伺候良久。亦復不命事。侍臣將退、顧拾席間所遺塵埃、以出。信長俄呼止之曰、坐。吾語汝。凡進退必有機。見機而動。是爲軍之善謀。汝如今之退、可謂能知

兵機者。

義犬

菅野　潔

讃岐太夫人畜一犬。鍾愛甚。飼以粱肉。侍御不得妄叱。歳餘夫人卒。犬傍徨不食數日。如有憂者。夫人歸葬于國。素旐發邸。犬自來隨伏。衆叱毆之不去。尾躡一日程。從士意其有故。不復逐。置于輿隷中飲食之。犬不食腥羶。十餘日達于國。夫人窆于城外先塋。犬又隨儀仗如初。窆畢。犬蹲伏墓前。哀鳴不已。衆益怪之。遂縛而舁之。遣還東邸。既就舟。犬齧縛斷之。自趣水死。衆莫不驚嘆而感其義。因瘞之太夫人塋側。作義犬冢云。

義猴

芳野世育

東京谷中善光寺坂。有業種樹伊三郎者。畜猴甚慧。能解人意。鍾愛有年。甲戌春。伊三郎罹病。頗爲祟患。請治信夫尚貞。每往診。猴必踞侍。甚有憂色。與物不食。如諦聽二人之言者然。尚貞竊異焉。已而伊歿。猴悲號哀慕。不離柩。欲自經者再矣。家人驚愕。慰喩之。猶且絶粒。及至葬。失其所在。多方搜

索得之牀下。以繩緊縛其喉。兩手握其端而殪。因窆之伊墓側。

岐蘇深谷氏

山田　球

岐蘇深谷中有村焉。其民未嘗知有鏡矣。有好事者。齎天玻瓈而往。欲戸戸而示之。造一戸。其主翁與兄友愛篤摯。而兄新歿。乃鑑視已影。以爲兄之靈現形也。擁鏡大哭。絮語縷縷不止。鏡主大笑。急取鏡去。又造一戸。其主強暴壯夫。與兄相仇視。絶往來。亦一鑑以爲兄至。大怒戟手向之。則鏡中之影亦戟焉。益怒。極力一擊。鏡立片碎矣。

中等漢文讀本卷之一終

（自一巻至五巻）明治三十一年三月十一日印刷
明治三十一年三月十四日發行
（自六巻至十巻）明治三十一年七月四日印刷
明治三十一年七月七日發行

中等漢文讀本

定價	
一巻金貳拾錢	二巻金貳拾錢
三巻金貳拾三錢	四巻金貳拾三錢
五巻金貳拾五錢	六巻金貳拾三錢
七巻金貳拾五錢	八巻金貳拾五錢
九巻金貳拾五錢	十巻金貳拾五錢

編者　東京市本郷區元町二丁目六十六番地　遊佐誠甫
編者　東京市本郷區菊坂町七十五番地　冨永岩太郎
發行兼印刷者　東京市日本橋區通旅籠町十一番地　小林八郎
印刷所　東京市麹町區内幸町一丁目五番地　集英堂活版所

發兌書肆　東京市日本橋區通旅籠町十一番地　株式會社集英堂
大賣捌所　各府縣下書肆

文學士黒板勝美　校閲
遊佐誠甫
冨永岩太郎　合編

中等漢文讀本

巻之二

東京　集英堂

中等漢文讀本卷之二目次

中等漢文讀本卷之二

文學士　黒板勝美校閲
遊佐誠甫
富永岩太郎　合編

天體

氣海觀瀾

日月星、謂之天體。大小不同、遠近大異。天體、分為四類。曰、恒星、游星、衛星、彗星是也。恒星、常同其處、自發光輝、其數最多、太陽亦其一也。游星、常異其處。受光於太陽、其數十一、地球亦其一也。衛星有三動、彗星、則有光芒、其形不一、行道、圓長。

光

氣海觀瀾

光之為德、廣大無窮、普彌天地、明照物體。若無之、則兩間之一大戲場、不可觀焉。金銀珍寶之貴、不可玩焉。妻子朋友之愛相、不可悅焉。禽獸草木之盛榮、不可樂焉。古今聖賢之載籍、不可讀焉。猶住墳墓之下、而過無限之夜。試見暗處之草木、異色、瓶裏之花卉、向陽。亦可以悟其德。

三有

氣海觀瀾

凡萬物、分之、則為二。曰、有機體、曰、無機體。有機分

爲二。曰動物。曰植物。無機則礦物也、此曰三有動物則有內識、有活機、資養於內、居動自由。植物生而成長、着土而不移。無機體、一名山物、礦類是也。同質相聚、自外襲成。不如有機體之資養於內者也。

鍾馗　齋藤馨

一野人信鍾馗、門戶之間、屛障之上、皆著其像。謂可以避邪鬼也。一日、其子溺水而死。未幾其妻亦焚死爐火中。其人爲之悲哀、成病、數日乃死。終

無嗣、金帛貨財、皆爲僮僕所取去。但鍾馗之像、歷落於頹門敗屛間耳。吁、有高明正大之人、則上天保佑、妖邪靡所由犯。不然、雖有百鍾馗、末如之何已。野人平日之行、適足以招邪鬼、而徒鍾馗是奉。顧盼之間、既河伯之祟、祝融之禍、病魔之患至矣。悲夫。

藤原實資　賴襄

藤原實資、性剛直明達、不惑邪說。初攝政道長專權、擧朝阿附。實資獨侃然正色、屢發忠憤、天子倚賴焉。上東門院入內。道長乞一時名流作和歌屛風。中納言藤原公任爲選首。華山法皇亦有御製。實資時爲大納言、獨拒之曰、安有官列上達部、而爲女御資裝者邪。後一條帝、有凶夢、或勸講最勝經。實資止之曰、陛下唯正己修政、邪不能犯也。

魚商八兵衛　蒲生秀實

後光明帝以痘瘡崩。時朝議依舊、將火葬。有一民鬻魚爲業者。呼八兵衛。常聽命於宰夫、出入宮門。聞之大悲慟、歎曰、嗚呼聖天子何天命之薄也。可

奈之何。且夫火葬者、非聖人之道也。況今大行在天之靈、蓋嘗疾浮屠之虛誕、斥異端最甚。送終尚猶從事於其所斥耶。吾小人、苟目不瞑、不肯從朝議。敢諫爭止之。不能則身死之。於是奔走於仙洞及執政之門、所至號哭悲泣、敢請止火葬、以從大行之志。朝議輙爲之改、而火葬止焉。蓋感八兵衛忠誠也。

示三上仲敬　柴野邦彥

力人之養力也、飯之生熟失度、不食。魚之多骨不

食。娼妓之養美也、日食豆腐滓、以悅澤其肌膚。又減食忍飢、以纖細其腰肢。夫力之爲用、止爲一搏之勝而已矣。美之爲用、止爲一夫之悅而已矣。而以力人娼妓之智、猶能自惜自愛。乃爾大丈夫、將繼往開來、出則濟此民於仁壽、處則傳斯文於將來。今乃艷乎一醉一飽之快、以危性命者何哉。孟子曰、飲食之人則賤之矣。蓋以娼妓力人、是不如也。

示塾生

藤澤東甫

余頃訪某氏。某氏謂余曰、子塾何如。余曰、吾塾雖五尺之童、皆能讀書屬文、皆謹言愼行。某氏笑曰、子讀之與屬、我不之知。至謹愼二字、似不然。我聞子塾、値子出門之後、則長少雜沓、狂劇于此、謾戲于彼、動喧近隣、大率以爲常。如斯、豈可謂之謹愼乎。余愧不能答。夫諸生平日繙經史、則論禮義、講忠信、嘖嘖不已。今也、某氏之言姑置之、盍自愧平日之言。若使某氏之言妄歟。天監在上、固無傷於諸生、亦吾塾之幸耳。不妄邪、各反其身可也。是日余又將出門、因書示之。

孝女阿富

松崎傒

阿富、阪府松屋街楮舖之女也。與母及兄弟居。一夜有盜、入其家。母既逃去。盜挺刀劫兄求財。女擁弟、從容謂盜曰、我家四人、因兄糊口。兄見殺、則母餓矣。願以兒代兄。乃出碎銀與盜。盜感其言、不受而去。事聞于官。東尹柴田公、召女褒稱、賜十錠。半醫生曰、奇哉女也。甫十歲、一言却盜。所謂至誠動物也。盜亦感其義而去。可謂梁上君子乎。

楠正行之母

賴襄

足利尊氏入京師、送正成首於河内。一家聚哭。正行起入其室。其母尾而闚之、則執父所授刀、將自殺。母徑入奪刀、而泣曰、汝何惑焉。乃父之遣歸汝、豈教汝自殺也。汝啣遺命歸來、告我、而女先忘之、惡能任王事。正行大悟。自是以討國賊、復父讐爲志。常與兒童嬉戲、爲馳逐狀曰、逐足利也。爲斬首狀曰、獲尊氏元也。楠氏族黨、多死湊川。而河内、紀伊之間、猶有義故存者、皆思戴正行。

瓜生保母

德川光圀

瓜生保、母逸其姓名。延元中、新田義貞據金崎城。保與弟義鑑、源琳、重照、據杣山城、奉脇屋義治、以里見時成為將、往援之。敵將高師泰、出兵要于敦賀津、敗之。保、義鑑、姪七郎、與時成、俱戰死。源琳、重照、收散卒還于杣山。而城中軍士、多死亡、號哭滿街。唯保母神色自若、無敢戚容。進謁義治曰、兒曹不力、使里見君戰沒、竊恐大傷郎君之心也。幸二子從死、足以少謝。妾家兒曹本為郎君、起大事、苟使賊平亡、百千子姪、固非所悔。三子猶在、再舉可

期、是妾所以轉哀為喜也。因起為義治、行酒、士衆感激、皆思自奮。

分類　氣海觀瀾

物之為體、千形而萬狀、欲就而論之、將何所說起。且就眼前而言之、則此凡真性悉具。推之、則彼椅、彼竃、皆然。逐一論之、莫有紀極。故不可不分類而統論也。若夫乳汁壜、亦然。壜者凝體也。乳者流體也。煎之則為氣狀也。統之則凝、流、彈也。此曰三態。萬物、無外此者。又試想、乳何物生、壜何物造、凡何物、成要之土類、與動植也。此曰三有。如氣與天象、則外此者也。須別說焉。

假性　氣海觀瀾

寒温、燥濕、明暗、凝流、硬柔、張撓、是謂假性。非物之必然也。隨時變化者也。温者普通萬體、蘊而為火也。寒則温少者也。燥者無水分也。濕則反之。明者光輝透徹也。暗則反之。凝者引力太強、其分子不自移動者也。流者聚力微弱、觸之即開、觸止隨闔者也。硬則聚力之強、觸而知之者也。柔則反之。撓

則受物之陷、而屈者也。張則陷止、復故者也。

櫻井驛訣別　賴襄

正成、與弟正季、子正行等、辭闕而西、至櫻井驛。正行時年十一矣。正成、遣歸之河内、誡之曰、汝雖幼、已過十歲、猶能記吾言。今日之役、天下安危所決、意吾不復見汝也。汝聞吾已戰死矣、則天下盡歸足利氏、可知也。慎勿計較禍福、嚮利忘義、以廢乃父之忠。苟使我之族隸、而有一人存者、則率以守金剛山舊趾、以身殉國、有死無他。汝所以報我、莫

大於此。因以帝所嘗賜寶刀、授之訣別。正行請從
共死。正成叱之起。正行揮涙而去。

兒島高德題櫻樹　賴襄

帝之在笠置也、範長、高德、欲赴援。聞笠置陷、楠氏
敗、乃止。已而聞帝西遷、高德謂其衆曰、吾聞、志士
仁人、有殺身以成仁、見義不爲無勇也。盍要奪駕、
以擧義。衆奮從之。伏舟坂山而待之。久之不至。遣人
候之、曰駕向山陰道。乃間道至杉坂、則已過矣。衆
乃散去。高德悵恨不能去。乃變服、尾駕而行。數日、

欲一見帝有所言。而不得間。於是夜入帝館、白櫻
樹而書之曰、天莫空勾踐、時非無范蠡。旦日護兵
聚視、不能讀也。乃奏之。帝熟視之、欣然、心知有勤
王者也。

元軍來寇　賴襄

北條時宗爲人強毅不撓、幼善射。弘長中、大射於
極樂寺第。將軍欲觀小笠懸、顧命諸士、無敢應者。
時賴曰、太郎能之。太郎時宗幼字也。召而上場、時
年十一、跨馬出。一發而中、萬衆齊呼。時賴曰、此兒

必任負荷。當是時、宋氏爲胡元所滅、諸隣國、皆服
於元。獨我邦不通使聘。元主忽必烈、令韓人致書、
於我曰、不服則尋兵。朝廷欲答之、下鎌倉議。時宗
以其書辭無禮、執爲不可。元主復遣使者趙良弼
來。時宗令太宰府逐之。凡元使至、前後六反、皆拒
不納。

其二　賴襄

文永十一年十月、元兵可一万、來攻對馬。地頭宗
助國死之。轉至壹岐、守護代平景隆死之。事報六

波羅。令鎭西諸將赴拒。少貳景資、力戰射殪虜將
劉復亨。虜兵亂奔。而元主必欲遂初志。後宇多天
皇建治元年、元使者杜世忠、何文著等九輩、至長
門、留不去。欲必得我報。時宗致之鎌倉、斬于龍口。
以上總介北條實政、爲鎭西探題、遣東兵、衛京師。
西兵衛者悉從實政、益築太宰府水城、省冗費充
兵備。

其三　賴襄

弘安二年、元使周福等復至宰府。復斬之。元主聞

我再誅使者、則憤恚大發舟師、合漢胡韓兵、凡十餘萬人。以范文虎將之、入寇。四年七月、抵水城。舳艫相銜。實政將草野七郎、潛以兵艦二艘、邀擊于志賀島。斬首虜二十餘級。虜列大艦、鐵鎖聯之、𣪍弩其上。我兵不得近。河野通有、奮前。矢中其左肘。通有益前、仆檣、架虜艦、登之。擒虜將王冠者。安達次郎、大友藏人、踵進。虜終不能上岸。收據鷹嶋。時宗遣宇津宮貞綱、將兵援實政。未到、閏月大風雷、虜艦敗壞。少貳景資等、因奮擊、鏖虜兵。伏屍蔽海。

海可步而行。虜兵十萬、脫歸者纔三人。元不復窺我邊、時宗之力也。

朝鮮地圖

松林漸

朝鮮地圖、坊間有諸本、此圖、成於其國人之手。故爲最詳且核。吾友某、遊對馬得焉。其記道途之里程、必繫以休憩之數。其數多者險也。其數少者易也。昔者、豐公之征朝鮮、豫頒地圖于諸將部署其所嚮。設使此圖在當時、則吾知其價不啻千金矣。今也我虜猖獗、國勢陵夷、自救之不暇。此圖、殆爲無用之物。嗚呼圖亦不幸哉。然天之生人、原無古今。安知後世有雄才大略、如豐公者。則此圖也、儻有遇耶。吾故寫而藏之。乙丑孟秋。

朝鮮之沿革

桂山義樹

朝鮮、在鴻荒之世、檀君開其國、而自漢土入、治者、以殷箕子爲祖。初有朝鮮之號。是稱前朝鮮。逐箕氏王其地者衞滿也。是稱後朝鮮。至孫右渠、而朝鮮之域、盡入於漢、以爲郡縣。厥後漢人號令、不及殊方。由是種類分爲數郡、其爲君長者三。馬韓、辰

韓、辨韓是也。後三韓各改國名。馬韓稱百濟、辰韓稱新羅、辨韓稱高麗。當唐時、新羅滅高麗百濟、而一之。五季之初、新羅之臣王建、自立爲王。國總稱曰高麗。逮明、主中國、其臣李成桂、滅王氏立國、復朝鮮之號、傳迄於今。是其大略也。

寃鬼 其一

博物新篇

或問、世有寃鬼之說、人往往見之。又其談鬼者最多。他所見者、姑舍之。唯余曾親見。余幼爲某氏之僕、常以樓上爲寢室。其窻臨墓地。夜睡初覺、時鐘

聲報二時。將就再睡、而忽聞墓所騷擾、駭起、從窻
窺之、寃鬼群行。皆着長白衣。余不堪驚駭、身戰膽
寒、匍匐衾中、幸得睡。翌朝覺而見之、窻塞而不覺
嘗開閉、是實可怪也。然當時聞鐘聲、則足以徵其
醒覺乎。

寃鬼 其二

博物新篇

答曰、汝其時見時儀乎。曰否、余貧無此器。唯以寺
鐘知時耳。曰不足怪也。余亦曾有此類之事。若其
時不檢時儀、則余亦將陷此惑。余之曾在學寮也、

近鐘樓。夜中睡醒、時鐘聲報三時。有物登階、履聲
甚大、排闥而入。余怖伏衾中、不能見彼來我身邊、
大呌而去。余氣初蘇、而心悸猶未止。既而至辨人
事、自疑其夢。然已聞鐘聲、不可以爲夢。雖然恐其
聞鐘亦夢、急起取時儀、照窻前之月光而見、果僅
過一時。於是知前聞鐘聲之夢也。是余之時儀可
以斷我夢、汝之窻戶可以証汝夢。古今雖多寃鬼
之說、大概如此。

寃鬼 其三

博物新篇

有一人、朧月之夜、過寺院、一隅有頭上生兩角者。
透見於玻璃障。彼以爲鬼、疾走遁、鬼亦隨逐之。彼
益狼狽失道、誤落新葬穴。忽聞鬼吼、恰羊聲也。是
一牡羊、見己影之映玻璃障、誤爲牝羊、躍出而追
來也云。又有一怯士、歸於野外、路傍籬上有物。長
頸巨頭、向己動搖。彼大驚慌、快手揮刀、則巨頭落
地。奔歸家、誇曰、我今於某地斬妖、乃應手而斃。而
翌日過此、則葫蘆中斷在地、蔕尚掛籬上。見之大
慚。故凡有異事、則細心可以察其因也。

忠勝辭封

青山延光

酒井忠勝、典樞機三十餘年、爲天下所憑賴。大猷
公最親任之。嘗欲封以駿河十八萬石之地。忠勝
辭曰、此東照宮蒐裒之地也。臣不敢當。後又欲封
以甲斐二十四萬石。又辭曰、此武田氏割據之地
也。臣不敢當。公遣人諭之曰、卿不欲去若狹、吾當
給隣近之地。近江二郡、卿勿復辭。忠勝又辭曰、臣
之所以辭封者、亦有說焉。自古執柄之臣、祿厚則
驕、驕則覆。如本多正純可以見矣。臣而受厚祿、安

知異日之不生侈心。臣縱能恭謙終身、又安知子孫之不招禍。故臣之辭封、非特爲一身也。公嗟歎而止。

川越縣令某　鹽谷世弘

寛永十六年己卯正月、加松平信綱三万石、自忍城移封川越城。信綱欲引玉川、漑其境内、命縣令開渠。九十餘里已成。踰歳水不入溝。信綱召令問之。對曰、水今至。君宜無憂。居久之、渠尚乾。信綱復問之。對曰、水之所以不來、由民之灌漑田畝者多也。若膏澤濡野、水必至矣。後歳餘乾涸如故。信綱復問於令。對之如初。信綱怒曰、汝不測地勢、而暗籌妄作。故至此爾。令固執前議、毫無撓色。已而秋大霖雨、溝洫盈溢。由是田野大開、磽确之地盡爲膏田。信綱召縣令、大賞增祿。

加藤嘉明　大槻清崇

左馬助嘉明、沈勇而有識量。其待諸臣、恩威兼洽。嘗好聚舶載甕器。每明商至長崎、託而致之。家有青甕鐘子、淺碟各十枚。嘉明最愛玩之、有佳客輒供之。一日侍臣某誤墜之地、破其一枚。侍臣思主怒、恐惶待罪。嘉明聞之、如有所思。乃召侍臣曰、汝勿患。我豈爲小過棄一士耶。因呼取其餘九枚、盡毀之曰、汝等勿謬以我爲洩憤之擧。吾有所大悔也。顧使此器永存、每後來供客、人必曰、某年某日、某姓名破其一、是以唯九。此則以器玩之故、永遺一士罪名也。吾心所甚憎。是以如此。蓋自此絶意不復愛奇物。

戸川肥後　大槻清崇

浮田直家病篤、自知不起。召侍臣曰、寡人旦暮將入地。汝等能殉於我乎。皆曰、臣等受君洪恩、爲日久矣。今日下從、何敢辭。直家喜而賜之酒、遂各書姓名於簡、遺命收之柩。戸川肥後後至。獨不肯曰、人各有能、有不能。夫破堅挫鋭、殿君於萬死之中、是臣之所能。若夫徒死以從君於冥途、臣之所不能。君必要殉死、宜莫若夫法華僧焉。何則僧揮麈、一唱引導死者、猶且使之得成佛。而況自殉以導君、於冥冥之中、其登天堂受快樂必矣。且夫僧未

甞一犯矢石之難。而君之所以尊禮寵賜、十倍臣等。是雖以蒙恩之厚薄、且不可以不報也。如臣等、何敢。能直家爽然自悟曰、吾過矣。遂不復責殉死。

小田原之役　大槻清崇

天正十八年三月朔、關白豐公、自將歩騎十七萬、東征北條氏。前隊諸將、先發在駿河。内府信雄軍於三枚橋、東照公軍於長窪。二十六日、關白率諸軍至駿河。内府照公、與諸將士迎之浮嶋原。關白被緋甲、戴唐冠、帶金粧太刀二口、執彤弓、騎金甲馬而來。扈從士、皆異樣式裝、鮮麗奪目。而茶筅背旗、皤叟裝束、尤奇異可駭云。既而關白過二公前、瞥然下馬、撫刀揖二公曰、聞卿等異志。有一角鬭耳、疾起決雌雄。信雄赧然無言、慚汗浹背。照公則徐進、賜言於衆曰、當出師之初、先擬一刀於此。實是行之大慶。敬賀敬賀。諸將士同聲拜賀。關白乃超乘而上、揚揚擧鞭、以馳。衆莫弗感歎照公勇智。

長湫之役　大槻清崇

長湫之役、成頼小吉、年甫十七。獨騎馳入敵中、獲首一級、而返致之照公馬前。公壯之。且曰、麾下兵寡、汝且留在此。既而小吉見前隊辟易、復馳出。從者援轡止之曰、君功既成矣。乃送死於敵、無爲已。小吉怒曰、顧小利失大義、武夫所恥。今日之戰宜破敵陷陣、追亡逐北、而後止。豈以一首級自足。當此之時、距麾下可三十歩。公呼曰、勿止。前隊馬足亂矣。正是壯士死戰之秋。從者不及縱轡。小吉直馳入敵、大呼勵我軍。我軍爲之奮躍、鼓勇競進、軍遂大捷。是歲公擢小吉、爲根來圍隊長、大賞其功、曰、雖老將宿帥、不能過焉。蓋公麾下、成童爲將者、小吉一人云。

澳太利亞人　地球略説

澳太利亞人、概業遊牧、出毛羊、又多織呢絨、爲生計。今又尋得金礦。其金多許、而民以掘金爲事者亦甚衆焉。至其土人、約與亞非利加人相同。面黑脣厚、鼻凹髮鬈、常裸體、唯頭上腰間、紮以布。周身之間、又不時而抹以油。性心最愚蠢。禮儀文學、惘乎未知。教述亦未聞何從。其事藝大約獵獸捕魚、

而已。捕魚之舩。或取木頭一枝。或取樹皮數張。縛如舩形。用以浮載。

亞米利加

地球略説

亞米利加大洲。爲地球之西土。初居地球之東半者。皆未知有此土。後於西暦一千四百九十年間。以太利國人。有可倫波者。覓得之。初可倫波以巳力不能行遠。嘗請諸國王。發舩以尋覓遠地。王不許。乃復請西班牙王。許之。始得是地。後西班牙舩之外。英吉利葡萄牙二國亦各有航海而過其地。爾

時三國之人。皆與土人交戰。土人敗。遂稱藩屬。以故洲内之地。三國各有所轄。今則大都自主其治。

亞米利加合衆國之獨立

隨園漫筆

北米合衆國。本英吉利所轄。當時英之國王。以重斂苛虐其民。民已不能堪。而國之律法。又慢自爲主。不聽衆議。民更苦之。於是國人皆怒。遂舉兵拒英。不受其轄。有華盛頓者。少有大志。雄略過人。國人推爲將帥。與英決戰八年。英不能勝。於是國人立之爲主。時一千七百七十六年間也。按華盛頓在戰陣時。歷受艱辛。不避矢石。其心固切於救民。既罷兵。衆推爲統領。而酌議國事。則盡善盡美。上下皆賴以治。故民敬之重之。稱爲國父。

四條畷

青山延于

正平三年春正月。賊將高師直。將兵八万。侵河内。河内守楠正行及楠正時。和田正朝。和田賢秀。與師直戰於四條畷。死之。初師直之入寇也。正行詣行宮。奏曰。曩者先臣正成。展微力。平強敵。以安宸憂。無幾天下復亂。逆徒入寇。終致死於湊川。臣時

年十一。遺言遣還河内。糾合義旅。欲殄滅兇逆。俾宇内再歸皇化也。臣年既壯。常恐一旦嬰疾。孤負遺命。方今師直。師泰來犯。實臣報効之秋也。若非獲彼首。則臣必授首於彼。雌雄之決。在此一戰。願得一拜龍顏而去。言畢泣下。帝慰諭之。正行頓首而出。率衆拜後醍醐帝廟。題和歌於如意輪堂壁曰。加倍羅自斗。加禰氏於毛倍波。阿豆佐由美。奈幾嘉儒珥以流。奈烏曽斗斗牟流。至是果戰死。

南木夢

青山延光

元弘元年、後醍醐帝幸笠置、造行宮。時大和、河内、伊賀兵稍聚行在。而未有一巨族來應者。帝憂之。適夢紫宸殿前有一鉅樹、南枝最茂。下設御坐。帝怪問故。有二童答曰、今天下無地可駐蹕。獨此坐、爲陛下設耳。帝覺而異之、以爲木南於字爲楠。輔朕平天下者、其楠氏歟。乃召寺僧成就房、問曰、此地有楠氏乎。僧答曰、否。河内金剛山西、有楠正成者。左大臣橘諸兄之裔。其母禱志貴毘沙門、有所夢生之。故小字曰多聞。實有勇名。帝乃遣藤房徵

正成。正成拜曰、武夫至榮也。即詣行在。帝大悅。令藤房傳旨曰、卿應徵即至。朕深嘉卿。今日之事、一委之卿。卿何策能克。正成曰、賊恃逆滔天。天威所加、何所不克。戰在智與勇。以勇則武藏、相模天下勁兵。以智則彼徒豕突、無足畏者。然兵不能無勝敗。敗亦不足勞聖慮。臣而不死、必爲陛下滅此賊。辭還城赤阪。

正成城赤阪　其一

青山延光

正成城赤阪。慮行在不守、欲迎駕拒戰。阪築方畢、而行在陷。正成勵衆固守。十月十五日、大佛貞直、帥兵圍赤阪城。方可二町、隍池淺狹、樓櫓僅完。賊侮之曰、此不足勞我隻手。彼能一日拒守、吾獲厚賞。乃急進攻。城中善射者二百餘、乘高雨射。殺傷千餘。賊驚沮而退。正成豫使弟正季、及和田正遠、帥兵三百、伏山中。賊方解鞍脫甲、忽望見菊水旗於山間。怪曰、敵耶我耶。伏兵突起、大喊而進。城兵開門夾擊。賊悉崩潰、走石川河原。獲其器械鞍馬。不可勝算。賊咸褫氣、欲伐山木火民家、然後進攻。

本間、澁谷勵衆復進、踰塹毀柵。城中寂然。賊懼曰、得無伏乎。乃分兵備之。遂四面蟻附攀陴。正成豫造懸陴、應時斷繩。賊從而墜。乃投大木鉅石、殺七百餘人。

正成城赤坂　其二

青山延光

居數日、賊怒曰、安有擧八國攻孤城、而不能拔者。乃蒙楯齊進、擧鐵搭鉤陴。陴將壞。正成隨機扞禦。賊益沮、乃退。植柵圍守、欲持久困之。正成守戰二旬、糧食將罄。乃謂衆曰、我殺獲非不多。奈賊兵甚

衆何。況今糧盡援絕、將何以守。吾先天下唱義、死不足惜。然臨事而懼、好謀而成、武夫所尚。吾今佯死、以誑賊。賊必引去。賊去則來、賊來則去、彼必困矣。衆稱善。乃穿大坑、塡以賊屍、留一卒誡曰、候我去遠、火城。會風雨。正成分衆散去。比過賊營、賊覺而誰何、紿曰、大將士卒失道耳。適火起、賊爭登。賊見灰中亂屍、以爲正成眞死、引兵東歸、令湯淺定佛守赤阪。正成與衆議、以金剛山高峻峭拔、人懼其神、不敢登。登者僅有修驗。吾爲天子擧義、宜憑伏神威。乃入金剛山。

正成迎龍駕

青山延光

元弘三年五月二十八日、駕次兵庫。赤松則村以兵五百餘迎謁。帝曰、中興之功、實在卿等。詔令警衛。時鎌倉捷問未至。上下猶懷危懼。六月朔、有使者持書馳至。衆驚奏之。乃義貞捷書也。衆咸歡呼。敕授使者官。二日、駕發兵庫。楠正成以兵七千來迎。帝勞之曰、國家再造、卿之力也。正成謝曰、不藉陛下威靈、臣豈能展尺寸、以出重圍乎。詔令前驅。

四日、還京師、御東寺。百官絡繹奉迎、車騎雲合。議者或謂宜用重祚之禮。左大臣藤原道平奏言、陛下雖久播越、躬奉神器。臣以爲宜用巡狩還宮之儀。帝從之。五日、還宮。足利高氏、直義、以騎兵五千、後拒。楠、名和、赤松諸將皆從。儀衛嚴肅。觀者莫不相慶。

塚原卜傳

中村和

土佐人塚原卜傳、善擊劍。自號其宗旨、曰無手勝。嘗遊近江、舟渡矢走。同載六七人、中有一士人。年三十七八、以劍術自誇。傍若無人。卜傳曰、我亦擊劍、然不欲勝人、欲不負人耳。士曰、何言之遜也。因叩其宗旨。卜傳答以無手勝。士曰、果無手勝、則子所佩劍、實爲長物。但不知無手而能勝否。卜傳曰、我劍本爲活人劍。雖然、對惡人、則變爲殺人劍矣。士聞之大怒、叱舟子曰、速達舟于岸。我將與渠勝負。卜傳指一孤島曰、彼地可。舟已達島。士一躍上岸、拔長劍曰、來。卜傳曰、臨事寧靜、我家法也。徐徐攝裳、脫兩刀、付舟子曰、何用劍爲。因親操棹、立舷

頭撐岸開舟、呼曰、盍游泳來、以決勝負。無手勝之秘、是已。士頓足怒罵、而舟已杳矣。

大槻清崇

雲居和尚

雲居和尚、塙團右衛門之子也。德慧名望、高乎一時。團死於大阪之役。雲居索其遺骸、厚葬之。遂治任趣奧州。蓋以有國主之聘也。取路東山、出青野原。有草賊七人、遮路來逼。曰、奴輩苦饑寒。欲乞貴僧草鞋錢。雲居從容應之曰、不腆腰纏、得御公等窮幸矣。舉囊付之、而行。盜等傾囊得七金。各分其

一、猶尾而來。曰、欲并衣帶得之。雲居於是拋錫、曰、甚哉公等之不悟也。夫千里裸跣、雖緇徒不可、爲公等必欲得之、請并身命取之。端坐不動。盜等惻然感悟、相告謂、吾輩久行剽掠、未見舉止整暇、如此。是必高德之僧也。各返其金、羅拜道旁、曰、願削髮爲弟子。幸恕前過。雲居乃起曰、公等苟如此、貧道亦不敢辭。遂相從至松島瑞岩寺。後皆修業、各爲一庵住僧。

岡野左内

大槻清崇

岡野左内、本上杉氏臣也。及景勝移封於米澤、去仕蒲生秀行、食一万石。左内好貨殖、家資累巨万。每月二三次、陳列大小判、及他碎粒諸金於一室、身枕藉其中、以爲樂焉。人皆賤之。偶隣閭有鬭者、有人來告。左内不暇摒擋、直往和解之、信宿而返。則黄白猶散在室中。衆始服其宏度。先是關原兵起。左内獻永樂錢一万貫於景勝、曰、非敢資軍需也。聊以酬將士之勞。有馬奴、藏黄金一枚。左内大奇之曰、人之用心、當如此。賞之以十金。左内後稱

越後守、仕至忠鄉時而死。其病革也、獻遺金三万兩於忠鄉、副以正宗刀一口。以三千金獻其弟忠知曰、聊以報平昔之恩。其遺贈諸友者、自五金十金、以至百金、各有等差。而借約舊券、則并其櫃燒之。

翁媪

帆足万里

有翁媪同居者。翁樵於野、獲狸。生縛懸之梁上、將出行。謂媪、殺狸爲羹、炊粟以待我。已行。媪舂粟苦。狸從梁上謂媪曰、媪蓋暫解我縛。我代媪舂。媪以

爲然、解其縛。狸俄推媼臼中、擧杵舂殺之。割其股爲羹。置屍竈後、自爲媼、炊粟以待翁。翁至、食羹甘之。狸時微誦、蓋視竈後。翁視之、媼屍在。怒擊之。狸傷且走、追之不能及。翁欲報狸、計無所出。謀於前山兎公。曰、吾爲子報之。狸病傷而臥。兎公即爲醫、以謁。舂蕃椒傳瘡、瘡大痛。兎公曰、子病甚、何不出遊以解之。乃豫具二舟於江上、自乘其木舟、鼓枻、曰、泛泛乎木舟也。使狸次乘土舟、鼓枻、曰、泛泛乎土舟也。未離岸、沈溺而死。

二女斃狼

安井衡

信地、僻於山、多猛獸。松代封内、農家之女、年十七、拂曉蒭於山足。老狼嚝於林。女見而愕然。嘗聞父老之言、狼性、走則噬、止則去。乃右手持鎌、凝立向之。狼徐進、間可三歩。怒躍噬胸。女捽其兩耳壓之地。欲鎌斷其喉。恐奮起拏噬。然勢不可止。稍鬆左手。狼果奮起相搏。躍噬其頭。不中。女捉兩耳、而側之膝、據狼前脚。而鄰相搏。已失鎌、不可如何。乃長號救我。有一女、走來、遙謂之曰、姐非某氏乎。曰、是也。精力盡矣。幸來救。曰、救哉。緊捉勿鬆。遂走進、抽鎌於腰、亂斫狼脰、且突且抉。狼勢大衰。乃捨而走、歸具告父兄。年少八九人、聞之、走往、老狼果伏於莽。懼不敢近、拾礫投之、不動。乃往觀之。狼帶十餘傷、蠕動未死。遂擊殺之、舁以至家。一村盡驚。救者其從姉也。長女一歲。松代侯、賜錢六千賞之。女五千錢。實嘉永戊申秋九月之事也。

武田勝頼夫人

飯田忠彦

武田勝頼婦人、北條氏、左京大夫氏康女也。天正

壬午春、軍敗。勝頼將走天目山、更無舁夫。使婦人騎荷駄馬、侍婢皆著草履而從。會府城火起、敵已迫。天目山亦有寇、拒而不納。稍入田野時、三月十日、終夜狼狽。次日土寇起、導敵來襲。勝頼使秋山紀伊守來謂曰、命運既盡。卿者婦女也、宜犇小田原、以保身。婦人泣下曰、妾嫁而既七年、胡爲役得見他人乎。願殉死以報恩德。而弗聽。顧傳母誡曰、汝往小田原、以可傳我訃。乃截髮、詠絶命歌曰、久呂加美乃、彌多禮太留預曾、波天之那伎、於毛比

爾幾由流、都瑜乃多末能遠。會飛銃雨注、左右或勸避銃於巖崖。掉頭曰、今將死、何爲懾矢丸乎。而聞左右皆驚、唱佛名、自剖腹而死。

捕鯨

齋藤正謙

今茲、天保辛卯夏、初王井生、自南紀來、盛談能野捕鯨事。曰、鯨之來、每在冬春間。群漁豫具走舸、以族。聞螺鳴輒發、疾如電。各載三人。一人操櫓、一人持鏢、一人瞻旄。旄長三丈、漁長執之、立高岡上、麾之右、衆舸從而右。麾之左、亦從而左。進退分合、惟

旄之瞻。往逆鯨於洋中。鯨來、若山嶽之移。噴沫成雨、不可嚮邇。乃轉出於其背、鼓譟怖之、驅入灣內。衆舸從之爭擲鏢、攢於鯨背。及鯨創重將斃、募一壯夫、入水。刀屠其腹、貫索而出、繫之以兩大舩、邪許曳之。比至沙際、金鳴舸散。乃置酒饗衆、賞先登及入水者、各與十金、餘有差云。

小金原捉馬

佐藤坦

總之野、曰小金。曠衍數十里、渺茫無際。官放牧、龍種。年以蕃息。今不知其爲幾千百群也。每歲十月、牧長率其屬、驅而捉之。年有定額。捉捕之所、四面起壘。高二丈餘、區爲內外。內小外大、皆缺前面。先期數日、所在發丁、自數里外而馳之。柵斷奔路、使其可嚮入、而不可外逸。迨期、牧長束麾而騎。其屬亦皆騎從。遙見馬之所聚、則雖林莽之蘙密、藪澤之深阻、無不縱横出沒。疾呼而從之。丁夫數百人、作聲拍手、應指麾而驅之。初馬之爲群、不過五六若七八。而見驅迫、欻成數十百。奔騰驚逸、響動萬雷。使其避之無地、皆入外壘。有一人、持竿索、二人

徒手從之。擇其可捉者、驅諸內壘、突入、索約其頸、駭懼之際、一抱頸、一掣尾、合勢踣之、直以大索絡之。其可留爲種者、印烙放去。蓋捉捕之術、在於脅制其氣、使蹄齧之不暇也。嗚呼可謂巧且熟矣。

土井利勝

大槻清崇

大炊頭土井利勝、擧漢絲零餘尺許、付侍臣大野仁兵、曰、謹藏之。同僚或有笑其鄙吝者。利勝置不問。居三年、偶利勝腰刀帶尾解矣。急呼仁兵、曰、持往所付漢絲來。仁兵應曰、唯。在此。直取之腰袋、以

呈。利勝乃手自拮据、以結束其帶尾、欣然微笑曰、無用之用、今而驗矣。遂召其老寺田與左衛門、命之曰、寡人甚嘉大野仁兵、謹愨而重主命也。其增與祿三百石。抑漢絲之爲物、成於彼土桑婦蠶繅苦辛之手。而展轉航于海、以入我都。其勞人力何如哉。雖則寸殘尺餘、徒委之流塵、是棄天物也。吾心所最懼、而仁兵之守以不失、謂之事天者可也。因戲曰、一尺之絲、博三百之祿、所獲亦多矣。夫笑鄙吝者、欲何爲。

了伯聽平語

大槻清崇

佐野城主天德寺了伯、屬北條氏、驍名夙顯、嘗招瞽師善琵琶者、某演平語。瞽師爲唱二曲。一係佐佐木高綱事、一係那須宗高事。了伯每聽一曲、嗚咽歔欷、而不已。他日從容問左右曰、昨聽平語、若何。皆曰、甚可樂也。但所演皆係赫赫功名之事、而君獨泣不已、何也。了伯聞之、仰天大息曰、吾今而知汝等不足爲我用也。顧高綱之辭鎌倉公、乞其所愛名馬、而約先登於不可必之前、其心固無生還之理矣。宗高立馬於兩軍屬目之中、而射扇眼乎海波數百步之外。不幸一發不中、唯有自刎以投於海耳。吾推究二子心事、至此則感慨悲壯、不自覺涕淚之交乎睫也。今日弓箭之士、果能以二子之心爲心、則何戰不勝、何功不成。汝等乃曰、見其可樂、不見其可悲。吾是以知其無能爲也。

大久保彥左衛門

鹽谷衡

大久保忠教、睥睨權貴、足未嘗踵執政之門。松平信綱使監察秋山正重、風之曰、翁之蒙優遇天下所知、誰責其禮法。雖然、執政者代上而行令者也。敬執政、即所以敬上也。翁雖老、而列在朝、何不時候執政之門。亦奉上之道也。忠教曰、諾、某亦念之。然我往彼來、禮之常。我往亦勞彼也。且今媚權門者、爭以珍奇爲獻。吾貧不能得貨、故不敢。然子幸見誨、謹奉教。忠教謂、此必信綱使之。於是苞蔓菁數十根、一奴負而從之。先踵信綱門、呼曰、大久保彥左爲諂諛來。家貧無以致奇珍、不腆圃菜、敢進左右。以苞苴寘諸階。泥土狼藉、謁者大駭、以爲狂

人不敢通之。忠教曰、權門勢家、珍異日臻。寒士野菜、何足進。公等不通、亦宜也。請持去。徐自收之而去。至他執政、皆如之。最後詣正重。曰、前日幸受教、故今悉候諸公之門、敢致不腆之賂。然諸公不受。請致諸厨下。乃置而去。後執政會公堂、談及此事、大笑。

中等漢文讀本卷之二　終

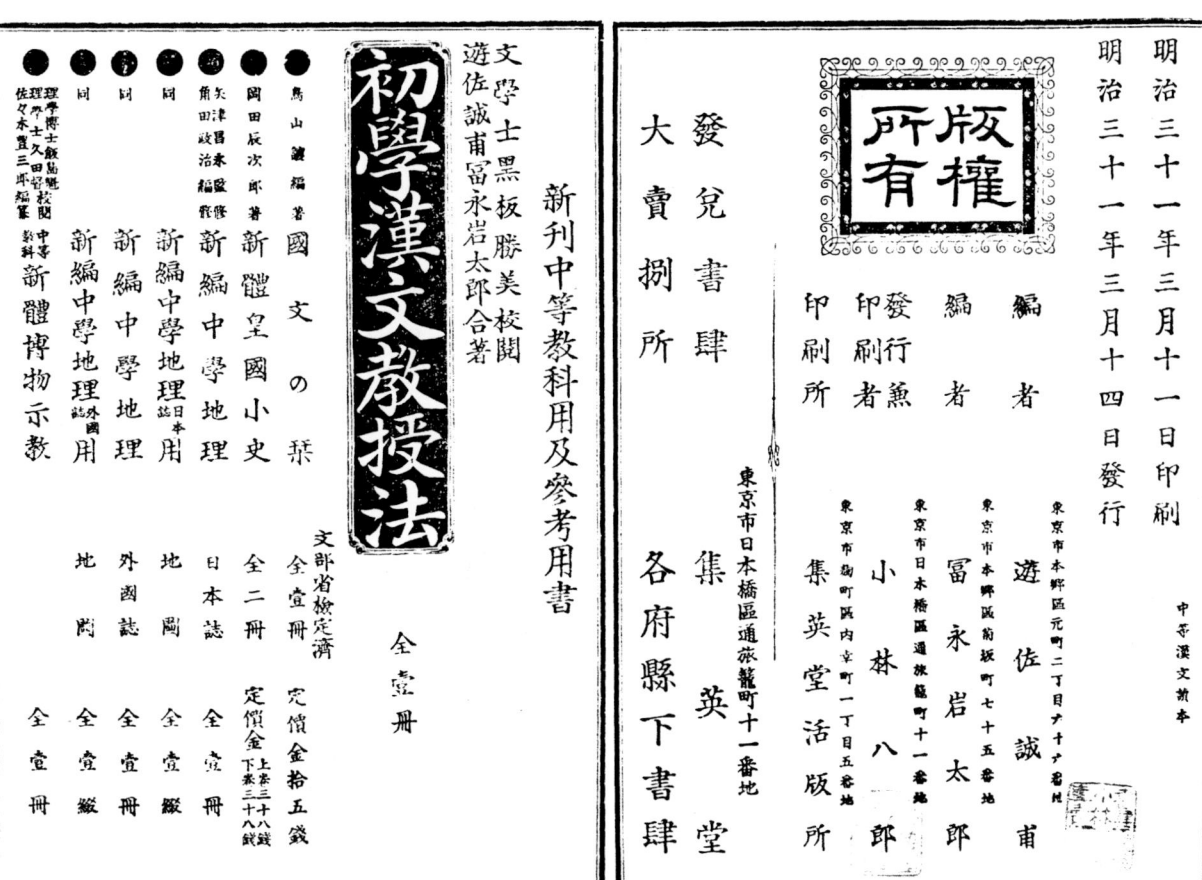

中等漢文讀本

明治三十一年三月十一日印刷
明治三十一年三月十四日發行

編者　東京市本郷區元町二丁目六十六番地　遊佐誠甫
編者　東京市本郷區菊坂町七十五番地　冨永岩太郎
發行者兼印刷者　東京市日本橋區通旅籠町十一番地　小林八郎
印刷所　東京市麹町區内幸町一丁目五番地　集英堂活版所

發兌書肆　東京市日本橋區通旅籠町十一番地　集英堂
大賣捌所　各府縣下書肆

明治三十二年一月二十五日
文部省檢定濟

文學士黒板勝美 校閱
遊佐誠甫
富永岩太郎 合編

卷之三

中等漢文讀本

東京 集英堂

中等漢文讀本卷之三目次

中等漢文讀本卷卷三

文學士　黑板勝美　校閱
遊佐誠甫
冨永岩太郎　合編

稚郎子皇子讓位

巖垣松苗

應神帝嘗問大鷦鷯尊、汝等愛子耶。對曰、甚愛之。又問長與少孰最愛。曰長者多經寒暑、既爲成人、更無憂矣。唯少者未知成不、故甚憐之。帝悅尊性孝、知帝欲立稚郎子爲太子、故對如是。遂立稚郎子爲皇太子、使大鷦鷯輔之。尊太子之兄也。帝崩、皇太子稚郎子、避之菟道、讓位于大鷦鷯曰、大王仁孝遠聞、宜爲天下之君矣。且昆上而弟下、聖君而愚臣、古今之常典也。大王勿疑。大鷦鷯曰、先帝謂、天位不可一日空、故預選明德、立王爲貳。我雖不敏、何違先帝之命、敢從弟王之志乎。固辭弗嗣、互相讓、空位垂三年、民之貢獻者、不知所適歸。大鷦鷯執心益確。皇太子知其不可奪、遂慨然自殺。大鷦鷯驚馳至菟道慟哭。

仁德天皇

青山延光

天皇即位、都于攝津難波。謂之高津宮。宮室不堊、

務從節儉。一日帝登臺、遠望人烟、不起。以爲百姓窮乏、家無炊者。詔除課役三年、宮垣頹敗、無所營作。比及三年、五穀豐穰、百姓殷冨、歡聲盈路。其後帝復登臺、遠望見炊烟盛起、謂皇后曰、朕既冨矣。後何憂乎。后曰、今宮室朽壞、不免暴露、何謂冨乎。帝曰、君以民爲本。民貧則朕貧也。民冨則朕冨也。未有民冨而君貧者矣。今炊烟盛起、冨庶可知也。諸國請輸税調、以修宮室。不聽。後數年、始科課役、造宮室。百姓扶老携幼、爭先來趣、運材負簣、日夜勞作、未幾宮室悉成。

太田某

大槻清崇

台德公時、太田某有功。公召見、賜之祿五百石。太田怫然而作、直擲其賞狀於地以出。公怒其無禮、欲處之死。井上正就曰、是宜稟之太公而後決焉。乃使正就往駿府而問。太公欣然曰、善哉問。將軍之用心如此、泰平之開既有期矣。顧太田所爲誠無禮矣。雖然信賞必罰、政治之所由行。賞罰苟不中、群下將何所歸怨。太田蓋欲諫之、而未有由。故今日捐身以諷之耳。不然、太田豈不知犯法之可畏哉。抑我又有可語汝者。昔在參河、牙兵鈴木久

三、私取池籞之魚、自烹食之、我聞之、不堪忿怒、急召久三、拔眉尖刀擬之。久三袒而當之、大聲罵曰。噫暗主、以人伐禽魚、惡能定天下。我感其言、退而思之、此時有戈於囿被拘者。久三蓋諫之也。乃命釋其人、召久三、以褒之。今太田之所爲、殆亦久三之意耳。汝速歸告之將軍、增之以三千石。正就歸以報焉。公大喜、乃增太田祿、召正就而謝曰、孤因汝之言、知孝道矣。又知賞罰之道矣。賜之以左文字刀。

月岡左門

中井積德

上野重長、與憲政戰而敗、遂降焉。誘拘之別館。守衞嚴固、弗得歸。重長悔降、大息曰、我死矣。夫吾寧爲戰場之鬼、則不辱矣。月岡左門曰、臣請自殺。君使人持臣首、先告于門曰、寡君欝抑發狂、手刃侍者。月岡請出棄焉。君因臥于草席中、隨而出則可。重長佯笑曰、曩者戲言耳。左門宵留書而死。曰、必如臣之言。重長視之悲泣、遂如其言。旦日其老告焉。東條左近在門曰、席中有人、請一槍驗死生。然後出之。老怒曰、同僚之屍、寧忍視人倳刃哉。他日君則能忍與。左近笑曰、以月岡之忠、吾子之智、而主遭難、豈非天邪。竟不許出。乃反。是夜左近潛來、見老曰。今日之事、人各有職、勿相尤也。然月岡之忠、不可棄也。明旦我且代、事在別人、吾子其用前策試之。明日乃得出。

丁子風爐

大槻清崇

或有贈丁子風爐於掃部頭井伊直通。直通喜甚、使臣安之於床、愛護殊至。每晨夕拂拭、必戒侍臣曰、苟有少損、不敢貸一語。侍臣苦之。其長武川、杉原、柏原等相謀、各出金若干、新購風爐三箇。謂侍臣曰、誰敢碎主風爐者、其按劒之怒、則我三人者

當之。侍臣藤田金彌唯而起、爲誤拂拭失手者、墜之地、盡破。直通怒甚、直起欲手刃之。三人進而止曰。君何惜風爐之甚。如此尋常器、臣等皆能藏之。乃呼三個風爐、陳之前。皆制造不讓主物。直通瞠然。三人因諫曰、爲君愛護甚之故、侍臣等懼失誤之罪、殆不安寢食。安有人主而以一玩器、苦人者乎。直通怒稍解、走入內。是夜召三人及金彌謝之曰、汝等納身於惡、而不忘諫君。可謂忠矣。賞三人以上下衣各一領、金彌則賜時服云。

太田忠兵衛

大槻清崇

慶長中、大内有散樂、下令縱民觀焉。於是遠近來觀者、如墻堵。時漆工吉岡建法、亦往。朝吏惡其無禮、叱而去之。建法怒歸、私藏刀於衣中、而再往、斬朝吏。事出不意。萬衆驚擾。此時京尹板倉勝重、在日華門。觀之怒甚。直拔眉尖刀而起。其臣太田忠兵衛、止之曰、是不足煩主公。臣請代往。排衆而進。遇建法於紫宸殿階下。相呼欲鬬。建法偶顚而倒矣。忠呼曰、乘人蹉跌、武夫所恥。疾起決輸贏。建法翻身起。忠揮刀、一擊殪之。萬衆歡呼。勝重大悅。歸第、賜之酒、因徐問曰、我聞建法雖賤工、亦善擊劍

者。今其倒者天也。汝蓋乘焉。乃待其起耶。忠謹對曰、是劍法虛實之辨也。請爲主公一言之。夫其倒也、虛於倒、而所以捍身者實也。我臨其實矣往往有反爲所斬者。其起也、實於起、而所以防敵者虛也。我乘其虛矣。率少不先於彼者。是雖小技、可以通於兵法矣。勝重大感、增忠以祿若干。

小笠原勝脩

墨使彼理至浦賀

嘉永五年六月、北亞墨利加主、斐謨美棘達、將彼理帥兵艦四艘、至浦賀。浦賀奉行戸田氏榮使吏問之。對曰、奉國書方物、求通信互市。幕府命大名、嚴武藏、安房、上下總、伊豆、相模沿海戍。起方百里、假館于栗濱、爲接使所。命會津、彦根二藩、警備水陸。前中納言德川齊昭、從參幕議。氏榮等莅栗濱、接彼理。以兵三百七十餘人、旗鼓而進、獻書函及方物、請謁將軍、開函。其略曰、我合衆國、產黃白金、水銀、寶玉、許多、貴國亦多產。相往來、必有大利。試市、或五年、或十年。即不利貴國、則罷之。幕府議、以昇平日久、武備不完、宜先爲之備、而後絕。使氏榮等報彼理曰、明年使和蘭人、在長崎者、傳報。仍賜本邦物產。彼理曰、明年入泊、亦乞互市。如聽之、假

一島、建商館、常留五十人。尋四艦皆去。

小笠原勝脩

吉田松陰

安政元年三月、墨艦至下田港。送致長門人吉田松陰、澁木某。初二人就墨艦、請與俱航海。彼理不肯。護送遣歸。二人坐犯國禁、事連佐久間象山。象山松代人、好學、該博通蕃書。善火技。松陰少學兵象山。象山曰、生今之世者、宜航海審虜情。會幕府託和蘭購兵艦。象山建言曰、不如遣人殊域、學製艦伎功、便宜購之。邦人來往、自熟操舷、方賴以審各國形勢、益莫大焉。幕府不納。松陰聞之感

憤。會魯艦入長崎。欲從之航洋。告別象山、佯稱趣長崎。象山察其意、給旅資、詩而送之。松陰西、魯艦已去。乃還江戶、問謀象山。象山授之方略。而事覺就捕。幕府乃拘三人於各藩。

望琵琶湖

齋藤正謙

七日、早發過勢田橋。望琵琶湖、渺瀰粘天。適大風驚濤洶洶如海。抵石山寺。山以石爲體、突怒偃蹇、奇怪萬狀。得磴而上。上有佛堂。堂中有源氏室。傳是紫姬草源語處。寺藏其影像及硯云。又有觀月亭。臨湖風概無比。尤宜於秋夜觀月。故名八景中

所謂石山秋月是也。反出官路、過粟津、訪今井兼平墓。墓在野田中。兼平雖不能諫止義仲之叛、奮鬪致死、不負所事。其志可哀。過膳所。道傍有義仲寺。門閉固。不甚欲入。不叩而去。抵三井寺。躡磴而上數百級。佛殿壯閎、俯臨湖水。唐崎竹生島諸勝、一覽在掌。取路古關入京。

潄玉園記

龜田興

武州幡羅郡、玉井邑、鯨井勝喜、邑之豪富也。其父別營室于宅後、築丘植樹、以爲菟裘之園。郡有圳焉。自荒川而引水、以灌于一郡之田。乃欲引其水、以達于園。以地勢之不便、遂止不果。常謂吾園無潄玉觀爲憾焉。勝喜於是凝思殫心、攷其水理、遂疏圳水而引之。其水自丘之西、繞其尾而南、滙而爲池。環洄渟滀、如招而來。蔓衍轉注、爲滙者大小凡三。泠泠可以清耳、瑩徹可以澄心。又植蓮蓄魚、架橋置石、以寓濠濮間之想。園中幽清者、皆得之於此水云。其父大喜、謂是足以樂吾餘年矣。因自名曰潄玉園。池成、徵記于余。余感其養志之孝、於是乎記。

植物成長

氣海觀瀾

草木養液在土中。根細管吸收之、從皮下昇莖幹。其管螺轉展之、恰如拔栓子。而其上輸養液、則啻不因引力、更有傳送之之勢、猶動物。此液一分爲草木實質、一分遇日光而蒸散、爲所有鴻益人畜之氣類。葉上細管司蒸發、裡面小孔爲吸收。故葉落而浮水上、若裡面接水、則久不凋也。草根固有溫、以能堪嚴寒。春夏之間、爲日光增此溫。如球根草則得此溫而膨脹。且得雨濕、殊速忽生綠葉軟莖。而若遇嚴寒、則葉中之液枯涸而不巡環、其葉爲之凋落。松柏後凋者、其質強硬而能堪冬寒也。

花

氣海觀瀾

花有諸部之別、一曰蕚、外面綠色而撐花者是也。二曰瓣、即花片是也。三曰蕋、四曰實礎、上有柱而其上端有印痕、爲之陰。而一花有具雌雄、如常花、又一株有具雌雄花、如瓜類。又有一株唯開雌花、一株開雄花、如大麻是也。園花柱有雄蕋者、常所多見也。而雄蕋細如糸、上端有球、戴粉。故有粉蕋之名。此粉落柱上、則其陰受而胎孕。一花中有雌雄、則傳花精、如此其便也。反之、若雌雄兩花在異枝若異株、則爲風若蜂蝶所振而傳之於雌蕋。

記廉爺事

信夫粲

一老爺、僑居本鄉丸山。家極貧、織屨才活。一日拾楮幣六七葉于市。驚喜欲舞。忽見一僮泣來物色。問故、曰、奉主翁之命、懷金以使、今遺諸路。曰、吾獲焉。問其數、數符矣。乃還之。問其名居、不告而去。昔者東涯先生、獲遺金于路。乃欲候遺者還之。立待久之不來。因納之於伊勢神庫。世傳以爲美談。今者爺目不知丁字、且貧困如彼。而其所爲、與先生符。不亦奇乎。嗟夫士而不知廉恥、惟財貨之視者。聞爺之風、豈不愧死乎。記以示于世之貪欲無厭

守錢奴

記良秀事

伊藤維楨

昔日畫工有良秀者。善畫佛像。一日隣家忽失火、延及其家。秀不顧家財器物、倉惶趍出門外。人皆以爲驚怖失措。秀觀火、嘉歎者久之。乃顫首揮手、左右瞻視、歡喜踊躍而不已。見者驚怪以爲狂。秀曰、吾自幼至今、繪不動尊像、不知其幾千百幅。然當其畫火焰、筆澁氣衰、卒不能如意。今我忽得畫法三昧。不自知手之舞之足之踏之耳。我豈不愛資財。意不能以彼而易此耳。世傳其畫、以爲至寶。夫畫學小藝耳。然非專心致志、唯畫之耽、不恤其他、若此、則自不能臻其妙矣。學者爲聖人之道、如存如亡、或作或輟、悠悠歲月、卒不能造其藩閾。況於入室奧乎。亦秀之罪人也。予適讀俗間所傳物語者、得良秀事。乃不勝慨歎。因爲學者表而出之。

狩虎

鹽谷世弘

征韓之役、豐公下命薩侯曰、欲得虎肉以資藥。須獵以貢之。書以文祿四年正月至軍。時積雪埋山、不可得而獵焉。三月八日、薩侯與世子、乘舩於唐

島至昌原。明日勒軍圍山、終日無所見。其翌、披荊棘、躋險阻、深入數里、列卒數千、分曹吶喊。峯巒爲震。俄而雨降、烟霧濛密。有虎走出、將突圍。安田次郎兵衛者、島津守右衛門尉彰久之臣也。舞刀逐之、虎還顧迎、啖安田。刺其口殪之。須臾二虎跳躍飛走、直逼麾下。世子恐其迫父也、將身當之。舍人上野權右衛門、揮刃邀擊。虎蜚騰咥之、以牙投可五步、負嵎大嗥。帖佐六七、急奮斫頭。刀三下。虎怒噬其股。側有老松枝條下垂。福永助十郎、捽尾纏枝、極力逆曳。永野助七郎、進擊斃之。其一遂遁。六

七亦病瘡死。於是薩侯狀其事、獻獲于肥前行臺。豐公大悅、下手書褒賞。世傳之、以爲虎狩云。

貓狗說

賴襄

貓捕鼠于內、狗警盜于外。各有其職、以事主者也。然諺曰、畜貓三歲、三日忘恩。畜狗三日、三歲不失。而人常愛貓而疎狗、何哉。以其形體、則狗之粗、不若貓之膩也。以其聲音、則狗之厲、不若貓之嬌也。以其性情、則狗之剛決、不若貓之善柔便辟也。是以貓之於主人、不離其左右、出入其閨闥、食有魚、寢有褥。而狗則寢於土、而食於餕、終歲不得望見主人之面。認盜而吠無賞、縱鼠而不捕無罰。可悲也夫。

捕雀說

賴襄

雀小黠善畏、望食而不敢下。鴉多智善就利避害。鴉之所在、雀則下之。故捕雀者、以鴉爲招、縶鴉之足、環散粟而隱網其傍。鴉俯啄粟也、群雀望視之、嘖嘖然。蓋相告曰、彼在焉、我可以往也。連翼而下、百啄喧爭。而網已掩之矣。嗚呼彼自謂智且巧、莫或敢侮予。而爲食縶其手足、貪戀不能自脫。而視之者、不以爲可憫、而以爲可與歸胥溺於禍機。而

兩不悟也。可不哀哉。

藤說

齋藤馨

草木之生、區以別矣。然皆根爲之本、而枝由以茂。各隨天性而足一也。若夫根有所依、枝有所附、一立一仆、不能自主、而求助於外者、唯藤爲然。藤之爲物、性柔體弱、垂蔓裊娜、攀松纏柏而生。維暮之春、紫葩豔發、嬌姿欲舞、清芬馥馥襲人。觀之儼然一佳卉也。而所攀之柯折、則從之而折、所纏之幹仆則從之而仆。究竟依物爲命。將與夫無名野草、比肩亦不可得也。余由悲。世之立脚進步莫能自

主、往往依人以成立。一旦失所託、則敗亡立至。嗚呼謂之人中之藤也亦宜。

駱駝說

齋藤正謙

駝之爲物、其大倍蓰牛馬。頸長腹張、背有兩峯。脚三折、長鬣而非馬。岐蹄而非牛也。近西洋人、貢之於我。我邦人、少見多怪。初駭其說異、終笑其春癡、紛然喧於都市云。吾聞駝之在西域、能察熱風、能知伏流、能負千金之重、日行七百里之遠。其能過牛馬遠矣。西人常資以爲用。唯見其材能、未見其說異也。今來在此。地殊而用異。徒充說觀、遂嗤笑

之、不亦寃乎。嗟呼以出群之材、居非其地、用違其性、終身默默不得自效。而爲世人笑者、皆駝類也、悲夫。

御馬說

安井衡

有善騎者。駑則逸、悍則馴。終日騎而馬有餘力。當其驅駸鞭驟、倏忽百里、前無險路。而馬不喘汗、人不軒輊。鞍上平穩、安於坐席。或怪而問之。答曰、我亦不知也。然我正吾志、不悖其性。故駑我激之、悍我懷之。至駸與驟、任其所爲。而我不與焉。鞍我據之而已、未曾攻其背。轡我按之而已、未嘗擾其口。

務適馬性、而不盡其力、而馬之與我、相忘於轡鞍之間、如此而已。或聞而歎曰、子之言道也、進於技矣。苟擧子道而施之民、天下無窮民矣。

鷄育鶩說

伊藤長胤

余方幼、家畜數鷄。冬春之交、育卵甚蕃。竊取其卵、以鶩卵易之。母鷄不知。日覆翼之、煦嘔于窠中者、旬有餘日、而鶩雛出于其㲉。其形漸成、母鷄相將養之、如一。啄啄庭中、拾蟲蟻哺之。其既長也、與母徜徉乎池沼之畔、喜其清冽、鼓翼投之、唼喋荷荇汎汎其樂、不復顧其母。鷄戀戀躑躅乎其側、不忍

棄去、鳴聲甚悲。吁鷄不知哉、吁鶩不仁哉。鶩之不仁、其性固然。鷄而不智、可憐之甚哀矣。夫今之人、己之骨肉、爲人所離間、不能保焉。反鞠其非類者、以幹其蠱。幹其蠱者、兇狼剛愎、覆産圮族、親戚旁觀、而不能之救。遂取笑乎世間。雖悔何及。噫不知豈特鷄而已哉。

阿市

芳野世育

天保中、醫官須原通玄、嘗斫板壁作窻。工撤板見壁虎長尺許、釘胴腿、旋回屈伸、甚苦。乃知往年工、併板釘之。假令免要害、何食不死。或呑氣導引如…

龜然歟。擧家聚觀、甚異之。已而又有一來、豕蜘蛛食之。雌歟雄歟、蓋其匹矣。所以不死也已。壁虎之爲物、狀獰獰可惡。而偶求餌養之、以至今日。何情意之摯厚也。衆益奇之、亟拔釘放之、騈頭欣然去。有婢慘然垂涙、乞放遣。叩其由曰、妾向嫁人。居年所、夫發惡疾。請絕婚、弗聽。棄而去。今視二蟲、戚然中傷、忸怩汗浹、始知夫婦之道尤重焉。願歸養、以終吾道。主人感嗟、即允之。婢還請父母、就媒謝罪白情。夫嗚咽久之曰、嗟然歟、吾疾天之所刑。今也淪骨沈體。吾猶醜之。彼若執婦道、至今日、吾亦將謝而遣之。方棄去、怨怒。吾則陋矣。今悔悟如此、吾怨怒釋然。請改而去之。欣然而起、書絕婚帖與之。婢聞之泣曰、果然、不亦庶說謡求帖乎。非妾之情也。固請。竟允之。歸養一年、夫没。善事舅姑、菽水承懽。

瀧鶴臺妻

林長孺

貞婦者、萩藩士某氏女也。名某、面貌醜黑、眉眼如鬼。及笄人不娶之。父兄憫之曰、苟有娶之、雖賤人欲許之。而某則自選耦、常語人曰、妾得如鶴臺瀧先生者爲夫足矣。時鶴臺學德高于一世。故人皆笑之。鶴臺聞之曰、此吾知己也、必善治内矣。遂娶之。某既歸瀧氏、日夕執事、靡弗婉順。然其識亦高。鶴臺與客談、某常坐屛外聽之。談或及國政、則諫止之。居數年。一日周旋間、忽有赤絲團自其袖中出墜。怪問之、某赧然曰、妾愚、平日行事、多可悔者。意欲少其過。因嘗製赤白二絲團、恒藏之袖中。若有惡念、則結赤絲、有善念、則結白絲。一二年間、赤團益大、白團自若也。於是惕然自反、更加修省工夫。今致赤白二團、其大相埒。此亦薰陶良人之所致也。但羞未見白團大於赤團耳。言畢又出一白

團于袖中、以示之。嗚呼古今婦女、以貞淑稱者亦多矣。未嘗聞識見高邁、克治精功、如此婦者也。奇哉。

山内一豐妻

大槻清崇

山内猪右衛門一豐、始筮仕織田氏也、適有東國人、來販名馬者。安土諸將士、皆驚其神駿。然爲價高之故、不能購也。販者將牽馬徒還。一豐見之不勝流涎、歸家獨自嘆曰、痛哉貧也。我嘗事君之初獲此名馬、以見主公者、不唯一豐一人之榮、抑亦織田氏之榮矣。其妻聞之、就問價。曰黃金十兩矣。

妻曰、夫君必欲獲之、妾能辨焉。乃取金於鏡匳致之一豐前。一豐且喜且恨曰、比來窮困之極、或恐及卿顚覆。而卿絕不言有金。何卿之忍耶。妻曰、夫君言亦有理。顧昔者妾之來嫁也、妾父自納之鏡底。戒曰、汝勿以夫家貧故、費此金。必也有關夫君一大事、然後用之。妾聞、近日京師有箇馬之擧。今夫君而獲此馬、是一世之榮。而所謂大事、無乃此耶。是以敢爾。一豐泣而謝曰、卿之惠也、嶽翁之恩也。遂購其馬。無幾、箇馬之期至矣。一豐乃騎而入京。風骨峻爽、奮鬣一嘶。信長望見大驚曰、猪右何

所獲此乘乎。一豐具告其故。信長歎曰、我家多士、而不能購一馬。洵爲上國之恥。汝落魄歸於我、乃能爲此非常之擧、以一洒我恥。武夫用心、不當如此耶。一豐釋褐五百石。於是增爲千石。遂以見任用。

賣醴者愚水

土井有恪

寛文間、有賣醴於都市者。始不知何名、以其業醴也、號曰愚水。邦俗謂人愚者爲甘。又醴之爲味、主於甘、而水濟之。故自命若此。而人亦以是呼之云。愚水爲人有氣誼。力與尋常二人敵。所負擔最重、

又善售。是時某侯之族某、爲某官。頗怙勢弄權、縱子弟暴橫於閭里。吏不敢詰。愚水近諸塗。其徒若干人、皆俠裝。抽刃擬口、因奪擔攘其醴。牛飲十餘椀、遂趺碎器物、敗壺殘滓、狼藉於街衢。乃大叱曰、汝有非男子者三。能知之乎。曰未知。曰吾奪汝擔、而汝不能禁、一也。飲醴如許、汝不能乞直、二也。欲去而不去、似有所慳、三也。愚水笑曰、吾始以汝爲蠢物。乃能知天壤間、有男子二字。大奇。今汝亦有非男子者三。辱一市翁、何須多人。又須挺刃。又何須大聲。三者、汝皆冒之、而不知愧。猶自以爲男子

乎。其人顧左右、神色大沮、相率直去。某亦爲之少止。

僧方壺傳

林長孺

僧方壺、不知何許人。亦未詳其姓氏。人問之、方壺皆不應。或曰、江戸人。少時爲父復讐、棄家爲僧。因自韜晦。甚嗜詩酒。好與寠儒貧生交。人與詩酒、輙喜膜拜。不與則涕泣乞之。不必論詩酒美惡也。常攜一瓢酒、行傾飲。醉則叩瓢吟詩、嗚嗚大慟。及倦坐臥路上、優然自迪。群犬遶吠之、方壺亦吟以和之。遂與群犬近、且狎。或望月于橋下、或賞花于路

傍。輙曰、恨此樂不令太白見之。余久聞其名、未嘗相識。一日集生徒講易。有僧來扣余門。未及延接。已突入坐。乃問云、大極如何。余答以無極。則大笑曰、吾聞子貧儒有詩酒癖。乃來耳。今聞洛閩愚說、使人發嘔。子勿復言矣。於是傾瓢飲高歌、旁若無人。忽賦一詩贈余。余見其落款、始知其爲方壺也。乃相與驩然對酌。方壺亦狂態百出、與在路上時不異。後屢來以爲常。及余命剟職、不復來。

義丐　大槻清崇

江戸室街商吉兵、跟隨市十郎、歲暮討帳、受金而

歸。誤遺一囊。納三十金者。十郎驚愕無措。走就來路、行索數里、無有也。乍有一乞兒、來問曰、何索。十郎曰、我索吾遺金耳。乞兒曰、果然。我拾之矣。吾意其人來索、故物色在此。苟有證左、我且還之。十郎詳陳囊色與其中所有。乞兒乃舉而付之。十郎狂喜不已。且取其中五金、謝乞兒。不受。強之。乞兒曰、子亦何迂。吾苟利五金、何不有於三十金。顧此金若是主家之金。其人痛苦可知。今幸得其人、以還之。於我何所望。趨而避之。十郎追及、乃舉一星金、與之曰、今夜寒甚。請以此買醉。乞兒欣然曰、此則之惠也。敢不拜受。問其名、曰、車善七手下八兵。十郎歸具語以狀。吉兵感歎不已。竟欲與五金於八兵。翌早差十郎於善七。問之則曰、八兵昨得金於人而還。沽酒聚伴、醉飽極歡。不料今曉既死矣。十郎且驚且悲。遂乞八兵骸、以其金厚葬之。江東萬人塚。

血液循環　氣海觀瀾

心有兩室、分左右。以動脈與其末梢之細管、送血於全身。而其已巡畢之血、傳之靜脈。靜脈還輸之於心之右室。而其血復自心之左室入動脈、更運

輸之於全身。宛如環之無端。日夜無有間斷。然血之歸來右室者、非復直巡全身。其一回爲巡流之間、大生污物、而粘凝。於是乎有肺以清滌之。肺主呼吸。以小囊細管成、而開孔於口內。夫吸氣之經氣管入肺也、細管小囊爲膨脹、其狀恰如吹張一囊。而心之右室縮搾、自靜脈所歸來血、送肺動脈、以注肺、通百千細管、以使觸吸氣。於是大氣攝取血之污物、附與溫與流動性於血。血爲之稀解、爲清潔。而以呼氣次之。肺收縮肺中清血、經肺靜脈入心之左室。又因心之縮力、巡全身。是所以大靜

脈之血、黯赤而動脈之血鮮紅色。以是、動物保生、則須臾不可虧新氣。絶之則死。

食物消化

氣海觀瀾

動物皆各有口齒。以供食養。人用諸種食物。故有前齒、供嚙斷。有後齒、司磨碎。草食動物不要嚙斷。故有後齒耳。肉食獸有銳利之大牙、且有利爪、以供握裂。鳥亦然。鷲鷹鴟梟類是也。又有小喙者。有唯食草木實者、有食蟲魚者。有長喙者、供刺水而取食。是皆以各物有各異之食也。夫人之食物也、口齒咬咀之、混津液以助消化。經食道送胃、暫留此、而和胃液消化。後自胃下口輸腸。混膽液、膵液及腸液等、而益化熟。以爲可養身體之性。方此時、腸裡毛細管、噏收此養液。恰如草根取養液於土中。而此液聚乳糜囊中、傍脊骨而升、來心邊合血中。補血以養全身。

池田光政

鹽谷世弘

光政、年甫五歲。初謁東照公、進諸膝下、撫其髮曰、輝政之孫也。手賜佩鈹。光政拔而觀之。退。東照公目送之曰、神采秀徹、非凡兒也。及長英爽好學。一日讀孝經、至爭臣章、謂宰臣在側者曰、汝輩宜留心于此、以匡予之不逮。亦須各求忠益、莫諱鯁言。中川謙叔曰、君及是言、邦家之福也。然君有痘瘡、相貌猙獰、眸子射人。非溫其色、焉能來諫者。既罷、或謂謙叔子之言不亦甚耶。謙叔曰、國家設人臣、豈便其身圖哉。吾爲社稷言。忘其不恭矣。嘗進柑、侍醫云、寒宵御冷菓、非宜。既而光政入後聞、獨嘆、殆哉殆哉。侍嬪問其故。光政擧醫語曰、吾時欲云吾亦知之矣。此言一出、則人誰諫我。思之今復慄慄也。一日狩于郊。進行厨、毀羹嚙沙。光政色變。庖人前曰、風砂入口耳。飯羹豈藏塵坌耶。光政意乃解。謙叔近江隱士、中江原之門人也。原、德行醇雅、爲時名儒。光政崇慕之。每東行、請而見諸大津驛、問道求人材。故其弟子多仕於因幡。

阿若丸

巖垣松苗

日野資朝之子國光、小名阿若丸。年僅十三。聞北條高時命佐渡守護本間、殺父。欲往面別。母泣止之。固請遂往。請見其父。本間感其孝志、而恐事聞鎌倉、不肯許焉。遂使其族三郎殺資朝。國光謂本間不許一見父於生前。此怨不可不報。稱病留其家數日。一夕風雨晦冥。國光候夜深人定、潛覘其

寢室、不見入道。唯見三郎。因意是手斬吾父者。殺之亦少足報怨。將入室。恐燈明。會有飛蛾。集紙窻外。開窻蛾即入。撲滅其燈。國光乃潛入。蹴三郎枕。驚覺急刺其心、且絶其吭。即欲自殺。翻然謂、我有母、不可不養也。有君、不可不仕也。亡父之志、不可不繼也。或不免、則天命耳。乃欲潛逃。門皆緊閉。深池匝館。池邊多竹、便攀至梢。竹偃池外、身遂得脱。走趣海濱、搭舩而去。追者不及。因得歸京。

阿王

中井積德

南北之時、赤松光範、爲津守護、屢爲楠正儀所窘。

憤懣不知所出。其隸宇野氏之子阿王、父死于墨江之役、年十歳。告光範曰、楠氏父讎也。請往事之、待以歳月、必可得志矣。光範曰、汝年少耳。死事者之子也。吾不忍矣。阿王曰、年大豈得事焉。乃遣之。阿王抵赤阪、獨與一僮彷徨城下。有人訊之。曰、我爲宇野六郎之子、父死而族人奪宗。躬無所容。將投丘壑、自托緇流也。其人以歸、告于正儀。正儀哀之、寘于左右。正儀素仁惠、推心善視之。阿王亦勤敏服役。居數歳、正儀益器之。嘗授以邑。阿王辭以未有軍功。浮屠氏之法、爲死者祈福、以七紀數。於是宇野六郎死之七年、遭其忌。阿王感念、將以是夜刺正儀。適正儀以阿王年大也、召而冠之、賜名曰正寛、慶以御賜兜鍪。阿王感激、無地侍坐。抵夜。得間既起身、而平日恩義、弗可棄也。加以晝日之過、弗忍也。正儀亦從容背坐、無復防閑。勉強自厲、竟弗能也。出而哭之慟。衆愕共視之。阿王具告之實曰、吾唯有死而已矣。抽刀自刺、爲所奪。乃髡髮爲僧、入山中、以正寛爲其號、以終其身云。

無腸翁傳

村瀨之熙

吾友無腸翁、猖介峭直、視富貴如腐鼠。以俗士爲

蟯蝦。世俗忌其病、畏而避之。遊其門者、屢屢如也。然一毀一譽、於翁乎何有。翁初住城中、厭其擾擾。遂苫茆于瑞龍山中。一裘一葛、疏糲自安。翁博聞強識、過眼成誦。是以不蓄一書。室中唯有二三茶具而已。最長于國字文章、及國風之詩。興到則一日數十百篇、言出于口、皆成文。所著數種、已行于世。又有萬葉集訓詁、及筆記八十餘卷。一日命其徒、湮之廢井中。余聞之也遲、不能奪去藏之名山。嘆惜無及。後値翁、詰其故。翁笑曰、一時漫筆、意未盡者頗多矣。然年力頽侵、不能區區就鉛槧之業。

且與夢中說夢向痴人、不如投井清我魂。

群瞽圖卷摹本序　林長孺

僧月仙群瞽行旅圖一卷、係隨念寺所藏。余借而覽之。卷中所圖、策杖行者一二人、或五六人。且連且斷、亂次以進。此爲卷首。負琵琶行者、俯首行談者、聞吠犬驚走者、驚倒者、擧杖逐犬者、奮杖擬擊者、誤擊人者、遭一擊而倒者、彈琵琶者、聞琵琶而驚者、口吹烟、兩手弄煙管者、左手持煙管、右手搜火氣者、按摩者、令人按摩者、放屁者、蹙額掩鼻者、笑而背者、搖摺扇以避臭氣者。此爲卷中。搴裳擬

涉河者、匍匐橋上者、橋斷沒水者。此爲卷尾。合計凡百三人。其俯仰行止、坐作走倒之態、觀樂欣笑、疑懼悲驚之情、描寫精巧、一一逼眞。構思變化、筆筆不同。可謂奇畫矣。余展觀之際、不勝賞贊。而又有所感焉。余試閱歷代之史。其浮競躁進者、卷首之瞽也。無知妄作、自誤誤人者、卷中之瞽也。晚節蹉跌、遂喪其身者、卷尾之瞽也。彼月仙亦老於禪者。豈寓規戒于此畫乎。觀畢、乃令吉田久道摸寫一本、以藏之。因錄前言于卷首。

書藏本皇朝史略後　松林漸

往年余與松本士權、相識於江戶。臨別、士權贈余、以此書。且囑作其生傳。余諾焉。而未果。壬戌以後、士權夙夜盡瘁、奔走王事、以一布衣、先天下倡義。雖事不成、而靖獻先王、死有餘烈。噫今而後、此書始重於九鼎大呂矣。匪特故人之贈也。士權平居、好讀國史。此書多不離手。書中每有大江廣元姓名、輒墨筆抹擦。蓋鄙其佐覇也。可知其勤王有素。非出於一時之奮激者。余也從事文墨、半生白面、於世無毫裨益。有愧於士權者不尠。而其生傳之囑、反爲死傳。悲夫。甲子中秋前二日。

原田龜太郎畫像記　森田益

門人原田龜太郎被刑之後數十日、其父市十郎翁、持遺像及獄中書來曰、我兒亡矣。願先生因此書記此像。余展像觀之、容貌逼眞、意氣可想。乃使翁讀其書、正席聽之。翁讀曰、二月某日、不肖子龜泣血頓首再拜、奉書大人膝下。去年八月、中山侍從之擧義兵於大和也、龜亦與焉。戰敗、龜等數十人、就囚繫京獄、被刑者數人。龜亦自分必死。夫人誰不蒙父母之恩。而如龜尤深。今未能報萬分之一、反遺父母憂。不孝之罪、其謂之何。翁至此欲泣

不能讀。余亦泣。已而又讀曰、雖然、龜之死、爲義、非徒死也。請恕其罪。弟妹友愛、代龜孝養是祈。龜泣血頓首再拜。節齋子曰、大和之擧、余未知其合義與否。姑書之、爲畫像記、以待天下後世論焉。元治元甲子秋九月。

書地獄圖後

安井衡

死者有知乎、我不得而知之也。死者無知乎、我不得而知之也。塊然之形、化爲纖土、而魂氣則無所不之乎。我不得而知之也。倏忽乎來。倏忽乎去。禍福糾纏、孰知其極。所可知者、獨生人之道而已。今

觀此圖。凡今生所爲、皆有報復。錙計銖量、如刻吏鍛獄。而刑戮拷掠之慘、更甚於此間矣。然則不唯死者有知、又別有一世界、以爲此間賞罰之地也。吁可懼哉。然浮屠氏以輪廻立說。來世之於現在、猶今我之於前身。我既不知前身之爲何物。則來世豈能知前身之爲我哉。然則今之與後、各一物耳。其禍其福、我何與焉。而世人背君父、蔑人倫、以求不知何物者之福。何其妄也。故聖人說生、而不說死。語道而不語怪。至矣。

傷兒敬

鹽谷誠

嗚呼汝何爲而生哉。汝之在母、未辨男女。試卜之、男也。及生、呱呱振屋壁。不問而知其爲男兒也。日肥月慧。嫣然媚笑、能應和人。人亦頗弄愛汝也。我家貧、夫妻相對、終日寂然、無歡笑之聲。及汝之生、稍譁矣。而一旦捐父母、將何以慰情。汝軀幹肥大、眉目清朗。未嘗有微恙。意期其成立。汝以何疾、而殤哉。夭殤若是、則不如不生之愈。惟憾汝未知父母耳。然使汝知父母、則父母之戀汝、必將不止乎此矣。均之死也。與其後一日而死、毋寧先一日而死歟。嗚呼雖汝未知父母、而父母終身忘汝也哉。

楠公墓記

貝原篤信

楠公者、本朝之忠良、而振古之豪傑也。吾邦歷代名士、出其右者蓋罕。其忠義勇智、校之異域之英俊、毫無所恥也。若夫愛君憂世之心、足以動天地、感鬼神、貫人心、耀古今。聞公之風者、百世之下、莫不感激而仰慕。非公之忠誠、豈能如此乎。今茲暮春。余發自京師、將歸于故里。偶阻西風、泊舟於攝津兵庫、到湊河北、而見之墓。墓在平田之中。榛莽蕪穢、無挺隊、無墳封、又無碑碣。塋上唯有松梅二株。悲風蕭蕭、春草青青。余歔欷良久。低佪不能去。

忽謂、今無碑石如此、恐後世或不認爲公之墓。古墓犂爲田、松梅摧爲薪、亦未可知也。於是託兵庫館人、繪屋氏。欲建小石碑於其塋上。頗與彼爲營計。而去焉。予歸鄉、自顧念、公之偉烈洪名、不待區區之揄揚、而明矣。今欲稱述彼德業、勒之石碑、非老于文者、則不能也。且吾儕微賤、而立石碑於他邦。恐不能免僭率之罪。終送書於兵庫館人、令輟彫刻。然感歎之餘、不能默止。聊記其所懷云爾。

藤原藤房

清田儋叟

建武元年、平高時伏誅、海內復歸一統。既而帝頗

怠政事、日近酒婦人、唯婦言是用。諸將士怨望思亂。又大修宮室、賦役煩苛、民不聊生。出雲守佐佐木高貞、進馬。蓋龍種云。帝時宴弓場殿。使善騎者調之驅驟如神。帝問侍臣曰、龍馬出、爲瑞爲妖。侍臣承意、妄說諛辭奏之。帝大悅。中納言藤原藤房、末至。帝問。藤房正色奏曰、臣聞明主所瑞者人才。奇異之物、非所瑞矣。周穆王八駿西巡、徐戎叛亂。漢文帝、東漢光武帝時、俱有進千里馬者。二君不受。蓋天子之出、鹵簿儀衛自有程式。千里馬非所用矣。蓋夫兵戈騷擾之際、羽檄飛捷、尚或藉斯物。方今新經喪亂、戶口凋衰。有功之士、封賞未行。歸順之人、危疑未安。方適憂勞撫育、與天下更始休息之時。龍馬非所用矣。玩物怠務、明主不爲。臣竊謂、宜少賜高貞物、附龍馬其人、却遣。使海內之人、知陛下所瑞者人才、龍馬非所瑞矣。於是帝默然無言、因罷宴云。

電報

隨園漫筆

夫世之至神至速、倏去倏來者、蓋莫如電。藉電以傳信、則其捷也可知。昔有美國之士、好學深思、精於格致。得引電之法、以利世用。此電線之所由昉

焉。今泰西各邦、皆設電報、無論隔山隔海、頃刻通音。誠啓古今未曾有之奇、洩造化莫名之秘。如有兩國構釁、賴電報以傳遞軍機、則有者多勝、而無者多敗。商賈貿易、藉電報以通達市價、則無者常絀、而有者常贏。強冨之功、基於此矣。即以英國而論、其電報設於王家商民。欲通電報者、須繳工費。每年所入、除電線局開銷之外、餘充國用。至本國有軍機密事、分文不費。其利豈不溥哉。然此猶言承平時耳。若兩國交戰、出奇制勝、則電報更爲要圖。昔年普法構兵、普人於行軍之處、俱設電線。而

法人所設之電線悉爲普人所毀是以法敗而普勝也。

火輪車記 其一

隨園漫筆

舟以行水車以行陸舟既可以火輪取捷車亦何不可以火輪取捷泰西久已創行往年曾于中國上海地方小試其端咸稱精絶其時沈文肅公力持不可故未一載即毀去今乘輪舟從海至義大利之拿波利都城舍舟親試其車廠製機器一車六輪架之石炭一車四輪架之二車當前牽引此後各車聯屬可積至數十輛之多客車分上中下

三等貨車少異其式至于牛羊騾馬之車尨木土石之車各式不一機車既行衆車隨之其迅速如箭之離弦鳥之展翼耳中但聞風聲而已竭一日之力可千餘里亦有日夜長行者每穿山洞而過雖晝如夜然當將入洞口時則已倏忽燃燈蓋以電氣行火徧及各車之中也。

火輪車記 其二

隨園漫筆

車道所經之處節節置人守卡手掌白綠紅三色之旗屆時分別展颺以示駕車之人若軌道無礙則以白旗示駕者於一二里外瞭見即駛車暢行無所顧忌或軌道小損急修未竣則以綠旗示車遂緩行聊作停頓以待之倘軌道大損或突被急流沖設整理須時則以紅旗示車遂勒止不前如有搭客在站次守候亦以紅旗示俾止而登焉入夜則以色燈代旗其防備之周至如此又沿途更換機車煤車亦按時整備以俟無或稽遲車中可坐可臥可以促膝談心可以當窗遠眺頗不寂寞至足怡情較之輪舟既無風濤之險遂無眩暈之憂且同一不翼而飛不脛而馳人則逸而不勞期則速而不淹雖起古人於九原亦當驚爲奇絶彼

駒稱千里僅一人騎耳若此雖十萬人雖千万里無難立至焉然則世所豔稱千金市駿者視此瞠乎後矣。

梅谿遊記 第一篇

齋藤正謙

何地無梅何鄕無山水唯和州梅溪花挾山水而奇山水得花而麗爲天下絶勝然地在州之東陬頗幽僻舊罕造觀者名不甚顯顯自我伊人始云溪傍種梅爲業者凡十村曰石打曰尾山曰長引曰桃野曰月瀨曰嵩曰獺瀨曰廣瀨屬和州曰白樫曰治田屬伊州在我上野城南三里許我藩封

疆、除全伊半勢外、又有城和之田五萬石。環梅溪、而處。而種梅之村、多屬他封。獨和之廣瀨嵩村、伊之白樫治田、爲我治下而已。然按舊志、月瀨諸村、多屬伊。伊人道、戰國之際、豪強相奪。此地始屬和。今審其地勢、近上野城、山脈相通。理固應然。故和人之來常少、而四五十年來、伊人常往觀焉。溪之勝、於是乎顯矣。十村之梅、不知幾萬株。然不盡臨溪。臨溪者最爲清絕。溪發源於和之宇陀、歷伊之名張、而到於此。廣始百步。尾山在其北岸。嵩月瀨桃野在其南岸。危峯層巖、簇簇錯立其間。梅爲之

經、而松爲之緯、水竹點綴之。余住津城、距梅溪、殆二日程。久願游而未能也。庚寅二月十八日、與宮崎子達、子淵、山下直以、如伊州、遂往游焉。上野人、服部文稼、深井士發等爲導。美濃梁公圖、及其妻張氏、遠江福田半香、亦來會。未下出城門、行一里餘。爲白樫。山谷間、已多梅花。漸入佳境。又半里弱、爲石打。又行未一里、尾山在目。爲之躍然。至則遍地皆花。余初恐違花期。見之心降。入憩三學院。約宿而出。往觀一目千本。梅溪之賞、始於是矣。

梅溪遊記 第八篇　齋藤正謙

天復晴。過杉谷。尾山之第六谷也。岡阜陂陁。得徑而上。俯見花堆積谷中。疑爲殘雪。土人爲導者曰、雪若不消、花蕊凍瘁、獲實不饒。幸消釋盡、今年必豐矣。余因詳問一歲之入。曰、尾山一村、上熟得乾梅二百馱。每馱壹斛五斗、重貳百斤。併此間十餘村、中熟大抵得千四百馱。上熟二千馱。每馱價銀玖什錢、或伯錢云。蓋地既磽确、不可耕。以此當穀。及實熟採乾、送京師染肆。獲錢不減萬石之入。亦山中經濟也。聞備後三原、有大梅林。未知與此如何。公圖曰、吾遊三原者再。爲地平遠、與此間異趣。

花之饒、或可相頡頏。地之勝、則不及遠矣。愈上則一目千本、見於左。又前望南岸之花、不減月瀨之觀。適斜日射之、花光煥發、芳霧瀰山谷。殆使人目眩、不能正視。亦一奇也。

淶井觀菊記　南摩綱紀

或飡落英、或愈病倍壽、是皆愛菊花者、而至抛五斗米、而博一籬花者、則可謂愛之之深且至矣。然之數子、皆知菊花之爲菊花而已。豈知菊花之化爲仁田四郎、爲阿部保親、爲西王母、爲若菜姬、或爲猪、爲狐、爲桃、爲蜘哉。是蓋近世槖駝之所造意。

其集結花葉、分排諸色、以造各種之形。一一逼眞。眞可謂奪造化也。試起數子於九原、使觀之、其謂之何。曰、數子必將罵且唾曰、何物俗漢、失此隱逸之天眞。

鬻蕎麪者傳

中井積德

城西沙場、有鬻蕎麪者。曰泉氏。善售。蓄婢僮數十百人。袒而磨者、巾而篩者、溲者、棍者、縷者、淪者、陳器者、置漿者、待客者、日出而作、夜闌而後息。吾聞、蕎麪價之廉者、雖善啖者、不耐百錢。少者其六之一而飽。然而泉氏收錢、日數十百緡、可謂善售矣。

其北街、亦有鬻焉者。亦曰泉氏。諸沽乎南泉氏者、過其門而弗顧。久之、將更業。南泉氏聞之、踵門而訊曰、我與汝同業乎。是兄弟也。今汝以不售廢業、不可也。我且貸乎汝。北泉氏謝曰、雖能貸之、而不售也。恐弗繼。南泉氏曰、我能使汝售焉。還命輸之錢。夜則戌而收舖。有叩戶求沽者、輒曰、戌之後沽乎北泉氏。亦猶我也。於是諸沽乎南泉氏者、戌之後皆之乎北泉氏。由是北泉氏不售於晝、而售於夜。亦富。鄉鄰之聞者、咸曰、善哉。然而南泉氏益售。卒大富。嗚呼泉氏市井賤人耳。然能推兄弟之愛、

者。又類乎己欲達而達人者。其致富、益有以也。今夫仕之駢肩於朝、其祿於國者、獨不有兄弟之親邪。至其同職聯事、益近而益相嫉。曾寇讐之不若者、能無愧於泉氏耶。吾聞泉氏多異行者、此其異之一。

猪神童桃郎傳序

長野確

猪氏之子有奇才、名良堅、以其奇也。人不復童視之。比於冠者、因字曰子駿。生三歲、便能誦周興嗣千字文、朱子章句大學。卽在他兒、才孩笑之可辨。而子駿咿唔之聲、宛轉可愛。一座傾聽、莫不驚愕歎異。六歲能詩、八歲能文。自四子五經、至左氏國語、國策、遷固之史、及諸子百家之言、默識在心。誦讀如流。觀者詫以爲奇。子駿乃曰、我所能者、能人之所能耳。非能驅逐鬼神、役使風雨也。惡在其爲奇哉。豐山子聞之、笑曰、夫將自不奇而視之、則以奇爲奇。自奇者而視之、則以不奇爲奇。宜乎子駿不自知其奇也。然則世之白首挾策、妄竊虛名、其實瞶瞶不能辨白黑者、子駿指以爲奇歟。子駿今年十歲。戲著桃郎傳。文辭粲然斯奇矣。自此以往、猶能養其才、殖其學、則愈出愈奇。鬼神出沒、風雨

變幻之奇、他日余於其文見之矣。而余則碌碌、不能奇者。然子駿誤信余之篤。故不得不爲之一言而說其奇也。

四河記

林長孺

河之大於參者二。曰吉田、曰矢矧。大於遠者亦二。曰大猪、曰天龍。吾審視四河形勢、夐然不同矣。矢矧吉田沙多石寡。川身深而水流靜。常水寬緩不迫、優遊無波。秋霖河肥、亦不爲激怒。其或暴漲致橋堤之敗者、數十年間僅僅有一二耳。若夫大猪與天龍則不然也。水淺而流急、泥沙渙散、石皆尖尖露頭角。雖常水、湍悍迅疾、激石若吼。及其溢溢也、波浪騰躍、奔放馳騁。小漲則毀橋梁、決堤防。大漲則傷及數十村。其害民蠹國也、尤甚若此者。或一年數次。或數年一次。是以治河之吏無歲不至。築修之役、前後相繼。而水害不能息矣。是四河之大概也。嗚呼二州接壤隣界。而四河不同、若此何也。癸丑歲、余補參遠代官。友人鹽谷世弘來別。因曰、聞子所轄多在天龍河邊。河邊民風險惡、其布政必不易矣。其勿忽諸。當時余未知其言信否。及到任數年、徐考之、二州民風、其險夷淺深、亦猶四河之不同。而天龍河邊民風尤險惡。於是乎始知世弘之言果不虛矣。古人云、民性因風土而變。爲民牧者、豈可不留心于此乎。

吾妻橋

東條耕

吉桃樹、號雨岡道人。吉田氏。自修爲吉。江戶人。給仕于幕府。明和中、有獻謀、使造長橋於花川渡之津。衆議皆言、水底有横石。不便於植柱。且以其費巨劇、遂不果。安永中、再有旨。使諸曹衆議之。雨岡使善泳潛者檢之、能得按址法。斷然建言上策。官許容之、竟能造作。往來庶人官仕者外、不論農工及商、每人以錢二文爲稅。用費雖巨、不糜官帑、得速成之。既成之後數日、會江東吾妻神祠賽祭。都人士女始步新架。不煩舟楫濟于此。呼曰吾妻橋。公私至今皆便之。按江戶郭外、東渡之水、皆隅陀川下流。一曰永代、二曰大橋、三曰兩國、皆長橋也。四曰廐渡、五曰花川渡、皆官津也。花川渡造營獨在最後。而貴賤遠邇、須臾不止。所以便於遞解兌運等。其舉全成于雨岡之所建言云。天明丙午之歲、關東諸州洚水。利根川溢殊甚。隅陀瀨溝合吾妻橋以在下流、忽將壞墮。雨岡時住居于本所

南割溝。聞之、不及以聞。命役徒數十人、斷橋、中間數丈、水勢猛激、最所衝突。橋賴得不全壞墮矣。朝野之人、皆歎服其捷敏。

木曾紀行

齋藤馨

九日、過郷原、平野無際。所謂桔梗原。爲武田氏戰場。至洗馬、始與中山道合。櫻澤有橋、爲木曾之界。屬尾侯之封境。鳥居嶺甚險。二水自嶺頂分流、一東爲犀川、經越入海。一西爲木曾河、經勢注海。過巴淵、有八幡祠。木曾義仲之墟、在其上。不及往。宿宮越。十日、福島有關、山村氏世司管鑰、爲尾之附

庸。二里、有小板橋。標曰棧道遺跡。昔者此地、山斷成壑。飛棧以架之。爲木曾最險之地。慶安中、尾侯大興徒役、疊石築岸、脩爲板橋。不復甚危險。而此間皆山峭樹邃。木曾河沿路而下。兩壁千仞。水觸石而怒、震蕩雷吼。令人寒骨。抵上松、臨泉寺枕溪崖。其下萬石森聳。水爲之束。湛碧不動。有一石、平如牀榻。謂之寢醒牀。相傳、浦島太郎、垂釣處。宿御殿。十一日、妻籠有竹林。蓋木曾不生竹。而此地獨有之也。凡木曾水冽。故少魚。地高寒。故人家皆板壁、不塗塈。乏竹。故以檜代桶箍。其與他境異、如此類、者不少。踰馬籠嶺、爲木曾之盡頭。至落合。濃信以此爲界。以二州之水流而合一。故名。從大井至大湫三里、以多坂路、乍登乍降。曰十三嶺。地皆石礫、鞋底爲穿。十二日、渡太田川。即木曾河與飛驒河合處。勢愈宏壯。乘流而下、可以至於勢。其間石奇、水灼、皆足駭人目。

千葉佐倉紀行

細川潤次郎

千葉街、古千葉氏所居。常將以來、子孫相承、歷三十世七百餘年之久。爲阪東名門。街中舊有一萬二千家。千葉氏亡後、戶口頓減、不及什一。近年縣

署新建、官人移家、而商賈之來者亦衆。過縣署、學校、及養病院、上千葉氏墟。墟在小邱上。稱猪鼻。土人墾而種紫芋。惟有疎松。或是千葉氏舊物耳。謁千葉神社。爲縣社之一。祭天御中主尊、配享經津主命、日本武尊。係長保二年創建。其旁有妙見寺、香火甚盛、神社之名殆爲之掩矣、明治七年寺罹災。而神社則免。又有大日寺。墓域中石塔纍纍。曰千葉常胤至胤將十六世、皆葬于此。予見之、其塔非不古。而塋小如匹夫墓。不似諸侯之墓。或曰、千葉氏之墳、故在他處。而大日寺僧、竊移于此。蓋或

然也。十九日、馬車發千葉街、東北入林叢中。越岡阜、四里半餘、至佐倉。佐倉在一山支之上。西南臨印幡湖。故堀田侯所城。今有兵營。營之東街衢修整、士第與商鄽相連。爲一都會。入郡署而憩。將渡印幡湖。郡長命艤舟、且具酒飯。既告備。乃出。街盡下坂、入舟而去。船首西北向、繞一山嘴、眼界漸濶。湖上山巒環繞。沙嘴參差、蒲葦獵獵。風帆與之相掩映、遠近小舟、如風中之葉。西見一岡斗入湖中、上有枯樹。同舟人指之曰、是臼井村山王祠古樟樹也、今枯矣。既而船首稍東、更覺曠濶。抵柏木、捨

舟而上、村吏具車以待。乃馳里許、抵公津臺方村。値宗五祠賽會。士女麕至。祠傍有陳舊物、觀衆處。入而閲之、大抵傍近社寺、及故家所藏書畫、文券、器具、金石之類、奇古者、皆集。不遑詳觀。出祠而行、未半里、而與孔道合。

中等漢文讀本卷之三 終

（自一巻至五巻）明治三十一年三月十一日印刷
明治三十一年三月十四日發行
（自六巻至十巻）明治三十一年七月四日印刷
明治三十一年七月七日發行

版權所有

中等漢文讀本 定價

一巻金貳拾錢	三巻金貳拾三錢	五巻金貳拾三錢	七巻金貳拾五錢	九巻金貳拾五錢
二巻金貳拾錢	四巻金貳拾三錢	六巻金貳拾三錢	八巻金貳拾五錢	十巻金貳拾五錢

編者　東京市本郷區元町二丁目六十六番地　遊佐誠甫
編者　東京市本郷區菊坂町七十五番地　冨永岩太郎
發行兼印刷者　東京市日本橋區通旅籠町十一番地　小林八郎
印刷所　東京市麹町區内幸町一丁目五番地　集英堂活版所

發兌書肆　東京市日本橋區通旅籠町十一番地　集英堂
大賣捌所　各府縣下書肆

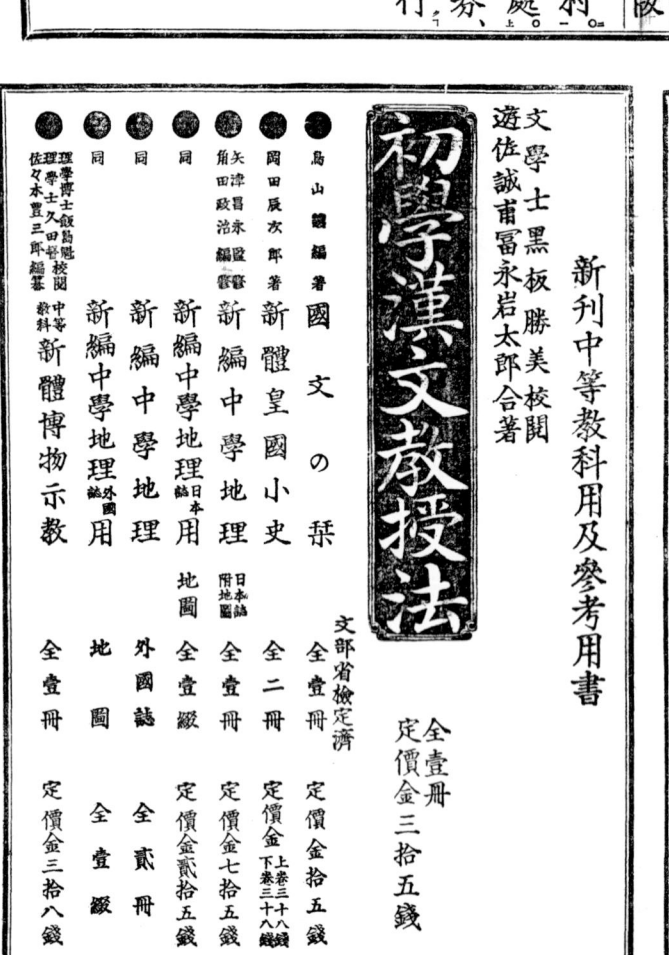

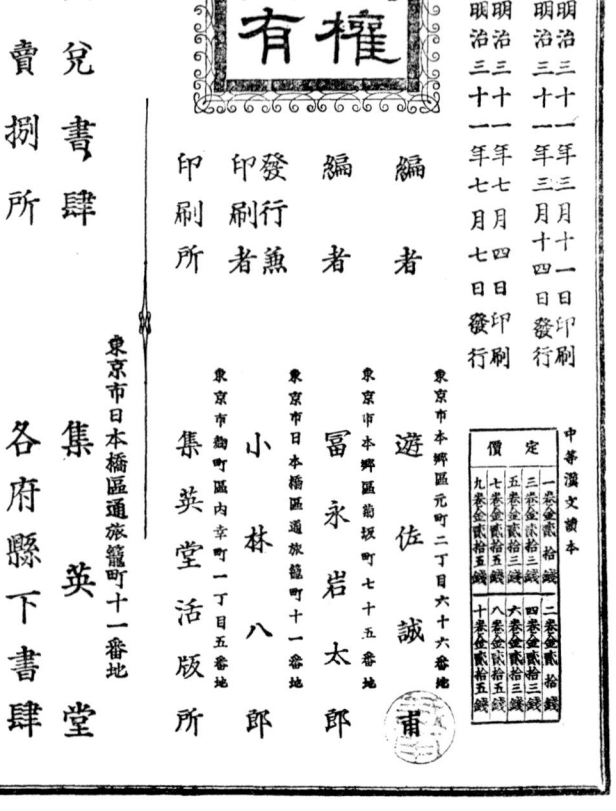

明治三十二年一月二十五日
文部省檢定濟

中等漢文讀本

卷之四

文學士黒板勝美 校閱
遊佐誠甫
富永岩太郎 合編

東京 集英堂

中等漢文讀本卷之四目次

集英堂藏版

中等漢文讀本卷之四

文學士　黑板勝美　校閱
遊佐誠甫
富永岩太郎　合編

後三條天皇

青山延于

後三條天皇、諱尊仁、後朱雀帝第二子也。母陽明門院。寛德二年、立爲皇太子。治曆四年、即位於太政官廳。延久元年、始置記錄所於太政官朝所。帝久在儲宮、經歷世故。雅好文學、博通古今。及即位、總攬權綱。時權貴多占莊園、爲民蠹害。帝患之。至是置記錄所、檢覈虛實。四年、定斗升法。帝欲審量制、命新作器、使藏人頭藤原資仲督之。帝親抽簾竹、截爲之準。及成、資仲等率藏人出納小舍人、量殿庭沙、試之。而取穀倉院米、量之。後世遵用、謂之宣旨升。冬、帝不豫、讓位皇太子。初帝在東宮、見藤原氏擅權、心甚不平。又數緣事、積怨賴通。而含忍不發。及即位、痛抑其權、奪之政柄。教通雖居台輔、備員而已。教通嘗作南圓堂。時禁國司再任。教通請再任如故。帝奮髯震怒曰、攝關之可憚者、唯國之外祖而已。朕則無所畏。峻拒其奏。教通艴然拂

衣而起、大呼曰、藤原氏卿相悉罷、春日神威今日盡矣。於是諸藤咸起、隨教通而出。帝不得已召還許之。帝躬行節儉、御扇用檜柄藍紙、炙青魚頭塗胡椒、以充御膳。一條帝以來、政歸外戚、朝憲稍弛。帝剛健嚴命、不受牽制、勵精圖治、紀綱大張。帝欲傳位東宮、居院決政。然去位未幾而崩。賴通嘆曰、我邦不幸、莫甚於斯。大江匡房謂、教化被世、可比隆於承和延喜也。

延喜之治

青山延于

醍醐天皇昌泰二年、以大納言藤原時平、爲左大

臣。權大納言菅原道眞、爲右大臣。延喜元年、貶道眞爲太宰權帥。秋、時平等上三代實錄。七年上延喜格。九年定天下常平倉穀價。升直三錢。十四年、詔求直言。式部大輔三善清行、條陳便宜十二。延長五年、左大臣藤原忠平等、上延喜式。先是詔左大臣藤原時平、大納言藤原定國等、撰格式。未成而時平等薨。其後詔忠平等編集之。至是成。八年、帝崩。壽四十六。帝臨御日久、勵精圖治。延喜中新立格制。而風俗奢侈、多犯者。帝患之。一日藤原時平盛飾而入。帝見而大怒、使職事讓之曰、今者嚴立格制、左大臣身長百僚、首犯國禁、大臣擧動豈宜如此。時平惶懼、歸第屛居月餘。自是奢侈頓改。帝性慈仁愛民、寒夜親脫御衣、以省民間凍餒。每見群臣、假以顏色。嘗曰、持己嚴格、人難盡言。故朕常溫顏色、以來諫者。

菅原道眞

青山延于

菅原道眞、是善之子也。幼而穎悟。年甫十一、是善命賦詩、立成。是善歎異。後從都良香游。貞觀中、擧文章生、對策及第。陽成天皇元慶六年、渤海國使、斐題來。以道眞權行治部大輔事、與島田惟臣接

伴之。斐題稱道眞詩、以爲近白居易體。宇多天皇寛平三年、爲遣唐大使。會唐亂、不果行。九年帝禪位於皇太子。詔道眞及藤原時平、輔少主、參決機務。醍醐天皇昌泰二年、道眞爲右大臣、時平爲左大臣。道眞權勢甚盛。文章博士三善清行、勸之退避。道眞不從。延喜元年、貶道眞爲太宰權帥。初時平與道眞執政。道眞以碩儒宿德、有時望。而時平年少、才亦不及。以故道眞眷注日厚。時平意甚不平。會宇多法皇、與帝議、欲以道眞爲關白。因召道眞、密諭其意。道眞固辭。時平聞而益不悅。遂與源

光、藤原菅根等、誣構道眞。帝信之、竟貶黜。法皇聞之、欲見帝申理。菅根遏絶不通。道眞男女二十三人、皆坐配流。三年春二月、道眞薨于貶所。年五十九。道眞歷事五朝、爲宇多帝所親任。帝嘗好游獵。道眞諫止之。隨事獻替、多所匡救。及被配、閉門不出。託文墨自遣。雖謫居無憀、未曾忘忠愛之意。一日遇重陽、賦詩曰、去年今夜侍清涼、秋思詩篇獨斷腸。恩賜御衣今在此、捧持毎日拜餘香。聞者莫不感嘆。至是薨。天暦初、建祠於右近馬場、以祀之、號北野社。

鈴木清助殉難記 其一

佐倉　孫三

君諱直義、稱清助。鈴木氏。千葉縣佐倉人。父稱羽右衛門。母片岡氏。以萬延元年四月二十八日生。兄弟八人、君其第四子也。明治十五年、爲巡査。後轉看守、未幾復爲巡査。在佐倉警察署。二十三年四月四日、受官金護衛之命、趣千葉。先是有強賊、掠奪官金於途。爾來輸送之際、必附護衛。午牌發署。過千代田村。有一男子、尾來。其狀可異。試問所之。應答不明。君疑其賊、心竊戒焉。比踰千葉郡夫婦坂、日已暮。四顧寂寥。忽轟然一聲、飛丸射君臂。君拔劍顧叱之。賊逡巡猶彈者三。一丸傷左腕。君猛進薄之、揮刀擊左肩。將直兩斷之。忽自謂、今殺之、則何賴得其狀。乃捨刀格搏、伏而縛左手。將及右手。右手猶持銃、所殘二丸、中腹。君三負重傷、鮮血淋漓、痛苦徹骨、猶鼓勇不撓。賊亦決死抗拒、索將絶。乃解褌緊縛之。時賊力窮、紿曰、奴未知君膽勇、誤犯虎威、萬死所甘。唯奴有所志、苟免則謝以千金矣。君嗤不應。引賊抵民家。先是傳丁見君難、走報千葉警察署。衆馳至則君按劍、端坐、神色不變。衆護君入千葉病院。縣知事石田公、警部長渡

邊君等、親臨蓐訪狀。君肅然改容、徐陳遭難顛末、詳悉不遺一事。公以下皆感泣、賜褒狀及金若干。又進一級、爲巡査部長。蓋特典也。

鈴木清助殉難記 其二

佐倉　孫三

君在病院也、國手究術、而毒丸之深入臂腹者、牢不可脫去。遂以月之八日歿。年三十有一。即日輿歸佐倉、翌葬於延覺寺。會者凡一千餘人。道路觀者、無識與不識、皆泣而稱其義勇。配古川氏會病、聞之、悲哀不禁、尋又歿。有一男、猶幼。君幼精悍、有膽氣、常指揮群兒、爲戰鬪之狀。人呼曰、英雄兒。既

長好武、學游泳於笹沼氏、擊劍於夏見氏。後受拳法於戶塚氏、得秘術。君雖不甚讀書、善知順逆、有臨事斷乎不動之識。性豪宕澹泊、不修邊幅。交人重然諾、好趨人急。是以僚友畏而愛焉。臨終謂人曰、吾講武以待變、今日聊試之。死猶無憾焉。嗚呼平時嘵嘵唱節義、一旦瀕危、逡巡顧望者、人情之常也。獨君抵死不撓、以奏捕獲之功。其忠肝義膽、足以爲警士之龜鑑矣。況其臨死言、從容不迫、以明平生之節。雖古烈丈夫、何以遠過焉。頃朝野有志之士、相謀欲錄其功於石、以傳不朽、徵余文。余不敢辭、記其梗概云。

火山記 第一

隨園漫筆

自越印度洋、即聞客言火山狀、姑妄聽之。迄度紅海、過地中海、將履義大利境、又有客指前途山嶺之烟縷縷者曰、此即火山也。初以爲山皆出雲、無足異焉。仍姑妄聽之。及抵拿波利、舍舟登陸、假寓客舍。舍樓四重、左睇火山、如在睫下。細審之、有雲一縷自山巓出入。夜則上爲雲、下爲火。色熊熊然、光耀駭目。越日乘車、直詣山下。車本駕兩馬、至是又增一馬。迤邐盤旋、不知幾十百折、始達山腰。其地闢以木柵、有人盤詰。由此再登、直至機器室外、下車入室少憩。便乘機車、車式斜立、座分三層、可容十二人。吹號二次、機器展動、車自緣鐵索而上。山形壁立、而循軌極穩。約兩刻許、造巓車止。又以肩輿舁行碎沙中。輿人持杖助力、防失足也。既至絕頂、舍輿徒步、距出火處三丈許、乃止足焉。但見濃烟從竇中出、直冲霄漢。且時作轟隆聲、於烟中湧出紛紛紅片、大小不一。落地便作黑色、似煤非煤、似石非石。及其熱時、投以銅錢、尚能含入。蓋初猶軟、後則堅也。立既久、覺熱氣甚盛。且洞口土石、

色若硫礦。隙際雜出烟焰、凜乎其不可久留也。

火山記 第二

隨園漫筆

俯視山趾、則大海當其前、民居環其下、車軌一道、細若羊腸、搖搖然若懸旌。吾不異夫山之高、路之峻、特異夫不勞而陟、如履平地、則斯人之巧思奇製、誠卓絕乎千古、而非前人所意想得到也。山之東又一峯、亦有焦灼痕據。引導人云、火本從彼處出、繼彼塞此通、正不知幾何年。又云、前二十年、此山曾湧瀉一次、如冶鑪中傾出鐵汁者。然所過房屋人畜、以及草木、皆蕩然無存。至今形迹宛在。因

由窗前察之、尚作黄色、以下則或紫或黑。堅者如石、散者如土。仍為波濼旋渦狀、散漫而下、直至山前數十里之遠、歷歷可指。緣是處至今仍未生育草木故也。又云、二千年前亦曾湧瀉一次、則全境成墟、人民無一免者。噫為禍之烈、至于如此。又豈洞若觀火者所能料及哉。山腰以下、草木蓬蓬然、果實離離然。沿山至海、則禾黍芃芃然、人民擾擾然。人言、山無水則不能滋生。故不毛之童山、形皆濯濯。以其下無泉故也。若此山、有火、乃亦能滋生。可見水火皆能生物。其理之精微處、格致家定能詳究之。吾不敢贅。游事既畢、循徑下山、則已六街燈火、如入不夜之城矣。抵寓篝燈、泚筆記此、以識奇觀焉。

盜喩

安井衡

盜行於市、過兌金舖前。家僮輩方算金秤銀。盜竊視久之、忽奮袂突入、攫百金而走。一舖愕然、爭起追之。及之百步之外、拏以至家、群罵之曰、鼠竊大膽、白日稠人中、敢攫百金。汝不知人亦有耳目手足邪。盜哀訴曰、死罪。曏者唯見金、而不見人也。世皆笑之、不知世之笑之者、亦類是盜也。夫人暗於事機、見其利、而不見其害。短於鑒識、見其忠、而不見其奸。誇者之狥名、貪夫之死權、亦皆獨見其所欲、而不知人冷笑漫罵於其後也。與是盜何擇。故聖人視利思義、事逆於心、必求之道、事順於心、必求之匪道。我鑒於盜、知所以修吾身矣。作盜喩。

雲喩

齋藤正謙

屬者余糾合同志、創文會。衆索題目。余乃以雲喩應之。且謂之曰、雲可以喩文。蓋物莫切焉。吾嘗登山巓而覽觀其狀、因有所發悟焉。請為諸君言之。其始起也、浮浮焉如蒸黍、縷縷焉如吐絲、散而如綿出篋、鎔而如銀在冶。繚樹而行、拕石而憩。徘徊顧望、躊躇不前。泊乎騰至於天際、俯仰百變。拖者若練、張者若帳、行者若水、斂者若鱗、突怒者若峯、貏豸者若坡、若馬奔、若虎蹲、若龍躍、若鳳翔。翻為旌旗、瞬為瓔珞、覆為蓋、旋為輪、亘為樓閣城闕、峙為山嶽。種種異狀、弗可殫述。俄而洸然、潰然、洶洶然、如浪駭、如濤舂、如陂塘之決。紛紜擾亂、如大軍之移動。圍既合、戰既酣、則雨霈然至、不終朝而徧於天下矣。烏虖是可謂天下之至奇至變者也。然皆一氣之變、非有意為之。故曰、雲無心而出岫。文

能如是亦非其至者歟。請與諸君學之。雖然雲而不致雨、文而不濟用、雖奇而無益也。易曰、雲上於天需。人之需於雲、非爲雨故歟。方夫旱魃作虐也、百苗稿、百物瘏。人人引領望雲、猶疲民之於天吏。是非望雲也。望雨也。雲而無雨將何所望焉。唯其油然載雨、行之於下土、使稿者勃然以興、病者霍然以起。此其所以爲人物所需也。文能如此而後、有用於天下矣。請與諸君勉之。衆唯唯而退。遂書其言、以塞課責。

蠟燭說

賴襄

會津產蠟。蠟燭、最著。有華蠟燭者。繪其膚、華紋繡錯、爍可眩目。余數得於其人、試燒之、非加明也。則置之筐、以供觀玩、而用以燒乃無華者。夫蠟燭何用哉。玩之邪、抑照物也。苟照物而明矣、雖無可觀可玩、而名爲燭不愧矣。名爲燭而其實無益於明、安在其爲蠟燭乎。且求物之可觀玩者、何必用蠟燭。今儒士亦國之蠟燭也。爲物雖微、無此莫以燭治亂、而救昏暗。凝其膏潤、含其光明、舍之可藏、以待舉用。唯不舉也。舉則可以辨群物、照四疆。類如椽之燭者、則古之賢才豪傑也。次之而下、隨質之小大、皆可用燭物。是之謂儒已。而今或以爲席上之珍、以玩物視之。而儒亦以玩物自視其名曰儒、不儒邪俳優邪、徒藻繪其外、而驗其中之通且明、不如幗幅之俗士。是華蠟燭耳。然彼燭也、特曰其華之無益於明云爾。非不可燭也。則是不足以比焉邪。添川仲穎會津產也。質厚好學善文。而不衒於人。吾知其爲燭不爲華蠟燭也。於其歸言此以勉之。

爲學說

尾藤孝肇

君子之爲學也、欲以明人之義也。何謂人之義。父

子有親也。君臣有義也。夫婦有別也。長幼有序也。朋友有信也。是謂天下之大經。人之所以爲義者、是已。苟欲明之乎、不可弗求諸聖賢之訓。聖賢之訓、布在方策。亡論四子六經洛閩之書、即漢唐諸詁之爲詁、元明諸說之爲說、旁逮馬班諸史董韓諸家、森然備焉。靄然存焉。而其讀之也、亦各有次第。不可純駁無辨、雅鄭并奏。亦須有所采擇焉。讀之之方、宜奈何。朱子曰、讀書之法、莫貴於循序而致精。而致精之本、則又在於居敬而持志。蓋不循序而致精、則所涉雖廣、所歷雖博、亦汗漫而已矣。

紛錯而已矣。何所得而明之哉。夫記問之學、不足以爲人師。載記以識其無得也。故君子之爲學也、自卑而高、自邇而遠、盈乎此而進乎彼、優而游之、涵而泳之、怡然有以自得焉。而後爲愉快。然欲其致精、而不知居敬而持志、則所謂釋巻而茫然者、亦何所得而明之哉。夫子曰、操則存。舍則亡。出入無時、莫知其鄕、惟心之謂歟。大學曰、心不在焉、視而不見。聽而不聞。食而不知其味。故操而存之、使心常在焉。然後乃始可以致夫精也。學者誠能從事於斯、則人之義者、其亦庶乎有以明之矣。

濱田彌兵衛 其一

齋藤正謙

臺灣在支那東南海中。古無聞焉。明天啓初、海徽人顏振泉、聚衆據之、招我邦邊民、入其黨。因自稱日本甲螺。甲螺猶謂頭目。我日本謂頭目爲加志螺。音近甲螺。故遂訛稱耳。先是泉州人鄭芝龍、少流落往來我邦。因入振泉之黨。及振泉死、衆推芝龍爲甲螺。雄視海上。後受明將之撫、去移閩中。我邊民代之爲甲螺。而紅毛夷來借地、約歲輸鹿皮三万。既而築城郭據之、役使土人、如奴隸、不復輸幣。且我商舶往印度者、過其近海、爲被殺掠。甲螺不能如之何。適本邦商人濱田某至。衆交訴之、圖報復。某許之。某字彌兵衛、長崎人也。勇而有謀。弟某、字小左衛門。子某、字新藏。並有膽略。力無數人。乃與甲螺之黨二十人、還請之大府。大府允之、檄長崎代官末次平藏、備舩募卒、附之於彌兵。彌兵盡裝其從兵數百、爲農丁、被簑笠、持鍬钁、行到臺灣海口。請守吏曰、日本之氓、聞臺地土廣人寡、中多萊蕪、欲移住以開墾之。守吏以告甲必丹。弗信。以哨舩圍之、數重、不遽許上陸。使人來言曰、汝之來、決非好意。不然、何從人之多也。彌兵曰、唉公何疑

人之甚耶。假使日本欲略海外之國、當遣猛將精兵來。日本素不乏其人。奚使我儕小民之爲。守吏檢舟中、僅有數十副防身刀。其他唯有耕耨之具而已。還備告甲必丹。甲必丹意稍解、乃許衆登陸。

濱田彌兵衛 其二

齋藤正謙

彌兵得入城、謁見甲必丹、請受廛爲氓。弗許。請還本邦。亦弗許。留數月。屢入請之。甲必丹依違不答。彌兵謂衆曰、甲必丹不許我去留、其意不可測也。大丈夫入不測之地、當死中求活耳。衆憤然欲死之。一日昧爽、彌兵父子三人入城。衆從之、留於門

外。三人挺身排闥而進。甲必丹猶寢在牀。驚起叱
曰、汝等入人閨閤、何無禮也。彌兵咆哮奮前、擒甲
必丹於牀、自懷出匕首、擬其喉曰、汝有死罪。尚何
咎人之無禮耶。左右欲刃之、小左新藏拔刀遮立、
瞋目叱之。左右披靡、不敢迫。甲必丹惶恐乞饒命
甚哀。彌兵曰、汝欲生、何不停城上放礮。甲必丹曰、
謹奉命。曰、汝嚮所掠之貨、倍數還之。甲必丹曰、唯
命之從。從兵聞變、走入鬪於庭。其後入者、爲礮被
傷。彌兵乃左手扼甲必丹之臂、右手執匕首、俱起。
小左新藏擁其前後而出。夷卒不敢動。甲必丹傳

命、停放礮、令其卒艤蠻舶一隻、及日本船二隻、裝
貨山積。彌兵入而檢之、乃欲拉甲必丹去。甲必丹
曰、嶋民皆仰其指揮。某去則倀倀乎無所歸焉。某
有一兒、年十二歲。願代某從去。公幸垂愛憐、使某
全父子之情。非敢所望也。彌兵許之。乃質其子及
頭目數人、歸報於鎭臺。鎭臺稟大府、厚賞之。於是
彌兵之名、震一時。時寛永五年也。

記卯兵衛谷平事　　中井積德

上毛新田郡、有酒井村。秋社張肆、爲市。屋島村有
販魚谷平。適市、途經安養寺村。墓樹上烏鵲噪甚。
谷平謂墓間有何怪異。旋行矙之、見文蛇横碑間。
谷平謂是也。頃之、蛇不動。漸就視之、則棉絲綠縱
矣。牽之則布囊出焉。啓之則金五十兩、封題曰卯
兵衛。谷平大駭、尋思、謂安養寺村、唯有一卯。多貲
善價、數十里內、無復多財之卯。渠且適市而遺之
也。乃懷金而往焉。卯果在肆。號而問曰、君有所遺
歟。卯掉頭曰、否否。谷平謂、衆而言之、吾之過也。乃
去之、鬻酤市散後往焉。就而問曰、君有所遺歟。卯
曰、否否。谷平謂、猶在他人之室也。亦吾過矣。又去
之。時其歸而踵其家、請見卯曰、何所言。谷平曰、君

必有所遺也。盍爲我言之。卯曰、否否。谷平慍曰、五
十之金、題曰卯者、非君復何卯矣。取囊投其前、因
告所以得金者。卯不肯受金曰、此我遺之。既非吾
之有。而子拾之、即子之財矣。吾何與焉。谷平曰、吾
非拾之也。欲還諸君。故擧之耳。固相讓、皆不肯取。
卯叉手思之良久。熟視言曰、子強辯抗於我、又能
抗於天歟。曰、不能。卯乃曰、我適市過而拜墓無事
也。夫金人之所重、而我偶遺之。豈非天乎。鵲噪蛇
偃、導子拾之、亦天也。卯兵衛不得違天而取金矣。
谷平亦安得違天而還金焉。谷平嘿然久之、乃言

曰、谷平不違天矣。天使他人拾之乎、則他人之有矣。谷平者義不苟取、有拾必訪主而還焉者、今天使不苟取之谷平拾之、則訪主而還焉。是奉天道也。君焉得復辭。言畢趨出。卯猶提嚢追之、不及。至歳竟、餽米三苞金二方、爲谷平之壽。歳以爲常、終谷平之身。卯事親孝。親没。將他適、必謁墓而告。反亦如之。恒好施與。村中之窮乏者賑焉。力業者賞焉。臨終遺命、稻麥三倉、雖有急不得輙糶。必交新舊。曰、三倉足以濟一村之饑也。以其善治財也、毎施散而財常有餘云。

記越中魚津浦畫海市事

皆川愿

越中魚津浦、孟夏之月、常現海市。晴日無風、薄雲罩天之日、則必見之。風生則雖見而忽復息。見之之初、常必先起自滑川。滑川去魚津三里。而將見之時、其岸際林木、皆化成其物。其間長可六丈、其餘一二里間、則樹色悉成至黑色。而海市之生、初先如數柱並植者。而其柱形亦數斷不全。既而稍當其東、生如樓櫓者四五處。其高者可二三仭。又生城墻。高可六尺。墻見如白壁。白壁之間、特透明。舟帆來者、映見于其中云。寛政九年夏、四月十三日、生始未刻、至於申下刻而息。是日午時、金澤侯駕到此地。適見海市。因令扈駕諸臣、皆出觀之。蓋百年前、侯始祖某公之時、嘗到此見海市。而某公年至八十。是以今公亦喜以爲吉徵。是日大阪和田隆侯幹僕福田成政者、適亦客寓在其地。而親觀之云。成政前此凡三見之。並皆朦朧不明。獨此日所見爲鮮明。魚津之地、當能登東十二三里。而海市唯在魚津及其近邑、巖瀨五里之間見之。能登海上之人、不能見之云。海市又有時變幻不一。

金澤士人加藤維明者、嘗見其成松樹驛道。前田某者、嘗見其松樹中有一柳樹、而其上植竹竿、以曬一汗衫者。野村貞英乃嘗見其成一長橋。此三士、皆嘗來爲魚津宰。是以見之云。又云、魚津土人、乃皆云、魚津近國、無有如此城墻樓櫓松樹長橋者。疑是空氣攝近江勢多城松樹長橋之景、以寫作此海市者也。

觀不知火記 其一

菊池純

昔者稱二肥、謂之前火後火之國。後世忌火、改以肥字、宜矣。其火之變幻起滅、不易測知也。火以毎

歲三月三十日、現焉。遠近蟻集、喧傳以爲奇觀矣。南溪子、西游、欲觀其所謂不知火者、以七月中旬發崎嶼、途登雲仙嶽、將航趣于島原。詢邑人。曰、觀火孰地最奇。曰、宇土、八代。凡沿海一帶地方、無適不奇。而其最壯觀者、獨在天草島。乃拏舩而渡焉。此日天氣開霽、海面如席。其背面依依、若送其行者、則雲仙嶽也。其東南黛色遠近、若迓其舩者、則爲天草島。舩進島移、一瞬數里、蚤已抵天草。乃轉棹入浦溆彎曲之間、山水清淑、眺矚絶佳、白沙翠竹、與漁家蜑戸相連綴、頗有平遠山水畫致。凝眸、

久之。回棹抵惣象。乃倩導者、登高埠。埠高七八町。地勢爽塏、前接于大洋。俯而眺之、則宇土、熊本、八代諸邑、皆攢簇其脚下。其東南則天水一碧、不見其際涯。島嶼無數、點綴其間。曰鼠島、曰大嶋、曰某、曰某、不遑悉擧也。

觀不知火記 其二

菊池純

既而日落、烟合、四顧曛黒、不辨人影。四方來觀火者、蜂屯蟻集、爭點松明、歌舞吹彈、不問交之生熟、而獻酬交錯。荒陬之地、變爲鬧熱世界。今歲秋暑、比例最劇。此夜沼海地方、天霽氣爽、風露淒涼、頓忘炎威、可畏也。夜半海面茫洋、絶不觀一火影。故初來觀者、或疑以爲虚妄矣。少焉洋心有物閃爍離波。熟視之、則火光也。忽然一火分爲兩火、兩火分爲三四點。先後現出、連亘於數里外。明而欲燃者、幽而欲滅者、高者如翔、低者如走、或雙、或隻、或合、或離、旁午來往、不可方物。喩諸祇園祭會萬燈映射、燦然照波、終夜煌煌、不啻白日。大抵觀火、其地形高則觀亦隨奇矣。土人號曰龍神火。此夜嚴禁漁獵、止航海。往歲熊本藩士、泛舟趣火所到、則火已遠在數里外。至天明、則火光星散、滅没波上。

遂不知其所在也。

蝸説

松崎復

松子倦誦、臥竹床。久雨乍晴、林庭瀟洒、地潤而苔滑。有蝸上牆而行。行而兩角觸觸而警。警而縮。縮而首尾倶藏、入殼中。松子喟然嘆曰、蝸哉蝸哉。夫得潤而行、何似夫遇時而行者耶。觸警而縮、何似夫言而當忌諱、自反而引咎者耶。縮而藏、何似夫不用而自善者耶。古之人以汝名廬、抑亦以此歟。蝸哉蝸哉、何甚似君子乎。又嘆曰、得潤而行、何似夫得幸而進者耶。觸警而縮、何似夫外剛而内荏、

者邪。縮而藏、何似夫緘口畏罪、而固其祿位者邪。古之人、以汝爲醯。抑亦以此歟。嫣哉嫣哉、何甚似小人乎。夫君子以似汝而爲君子。小人以似汝而爲小人。故吾甚好汝、而又甚惡汝焉。好汝則但恐其不爲汝。惡汝則但恐其爲汝也。是以欲居汝廬而爲君子。又欲食汝醯而不爲小人矣。是故先作汝說。

日本刀說

山田球

日本刀之利、赫赫然於萬國矣。然懦夫執焉、嬰兒狎之。弱將執焉、敵國輕之。庸君執焉、夷狄侮之。而

亂臣得以弑其君、賊子得以弑其父。執非其人、果不可歟。然則恃刀不如恃人。磨日本刀不如磨日本膽也。今也、人之不恃、膽之不磨、是非榮辱、來襲而不知拒、聲色貨利、來侵而不知防、揚揚然橫三尺秋水。一庸夫當前焉。強夫則悍然抗之、懦夫則戰栗避之。其何問敵國哉。其何問夷狄哉。所謂日本膽何也、曰仁、曰義、曰忠、曰孝。夫仁義忠孝、人之固有而列聖之所恃以維持世道人心於千萬年。善磨之則其光芒威靈、足寒姦賊之心、而禦腥膻之侮矣。嗚呼是人也、直可執日本刀也。故藤原氏能誅入鹿、北條氏能攘蒙古、名和楠氏諸將、能復王室。是豈非不恃刀而恃人、不磨刀而磨膽之効耶。不然、赫然日本刀、安知不爲亂臣賊子之用哉。

虛心平氣說

尾藤孝肇

讀書偶獲一說、質諸古人而協焉、徵諸今世而弗悖焉。欣然自喜、以爲至理。他日無事、獨坐窗下、俛思之。協焉者、猶有不協也。弗悖焉者、猶有悖也。是何其見之瞭乎後而眊乎前哉。論事偶獲一義、考諸古人而合焉、驗諸今世而弗謬焉。快然自足、以爲至道。他日無事、獨坐窗下、俛思之。合焉者猶有

不合也。弗謬焉者猶有謬也。是何其知之昭于後而昏于前哉。嗚呼我知之矣。蓋心不虛則蔽、氣不平則蕩。當其獲之之時也、欣然快然者、其氣爲之蕩也。以爲至理、以爲至道者、其心爲之蔽也。他日能覺之者、其心虛其氣平也。今夫水之性、貞清可鑑。而有土汩之、方圓之不能察。苟心蔽氣蕩、寧不謬紫於朱乎哉。是故舍其所執而讀之、無讀不通。忘其所持而論之、無論不當。優柔厭飫以之、講習切劘以之。凡書之微旨、事之得失、莫不氷釋理順焉。譬諸出於荊棘、觀於平原。正路與旁徑、宛在目

中。豈難於擇而由之乎。豈不誠欣然快然乎。橫渠先生曰、濯去舊見、以來新意。夫唯虛平、可得而來之。

隣花樓記

室　直清

有客來告余曰、春將半。而花向盛。吾子無意於觀花乎。若欲待爛熳之時、則其後開者獨盛、而先開者將半謝枝矣。況寇風賊雨、有不可計者乎。請與子出遊、以取一日之樂。不亦可乎。余曰諾、遂與客游歷鄉曲、觀人家花、殆乎遍矣。既而造一茅屋。而登其樓、則四隣之花、猶在庭中。自樓上下視之、其

美而艷也、如少年之人頭著縞巾、飄揚于春風之中。曳曳如雲、皎皎如雪。於是酌酒賦詩而樂之久。乃知造化之妙、使人忘勢利、消鄙吝、悠然優游自得于塵世之外。雖所謂春風沂水之樂、亦庶幾乎。因名其樓曰隣花之樓。夫以四隣之花、爲家庭之花隣家之花、則我花矣。其在彼與在我、亦何擇乎。苟推此義、而克之、則君子取人之善、以爲己之善者、如此爾。吾於是得大益矣。斯義也吾將表而出之、以附大舜取善於人之遺意。豈唯一時名樓云爾哉。遂爲之記。

靜古館記

林　長孺

佐嘉穀堂古賀先生、新築館於其鄉金毘羅山、名之曰靜古。蓋取山靜如太古之句也。頃使其鄉人永山德夫、命長孺爲之記。而長孺未嘗履其地、奚能得而記之哉。雖然先生既名之以靜古、則其山之勝景可想而得焉也。因問德夫曰、山有花乎、曰有焉。有竹乎、曰有焉。有溪乎、曰有焉。苟有花則二三月之候、風香雨紅乎、曰然。苟有竹則流翠欲滴、清涼可掬、所謂六月秋者乎、曰然。苟有溪則水落石出、苔碧沙明、扁舟繫灣、小橋截緣、雪於奇而月

於勝乎、曰然。人之往此山者幾多、曰無幾也。徑此山而往來者幾多、曰無幾也。然則鳥啼雲繞、泉響磬答、而伐木丁丁、聞乎數里之外者有焉乎、曰然。余乃嘆曰、宜哉先生之以靜古名此館哉。天下苟有花紅竹涼溪清之地、則子女遊賞、趾相錯也。此山獨寂莫如此。可謂靜矣。而先生在此讀古書、臨古帖、慕古人、行古道。無往而不古焉。則可謂古矣。靜而古、靜古之名、良不誣也。因書德夫所以語余者爲記、質之先生。

歌聖堂記

賴　襄

歌聖堂者、藤井機園所以祭人丸也。初機園過所識家、見其祭蛭子、覺其像有異。拂塵煤諦視之、蓋人丸也。以示鑒古者。以爲昔者頓阿上人、手刻人丸像百副、散落人間。是其一云。機園懇請獲之。安諸堂中而吟咏其下。遂額以此名、請余記之。夫人丸、永言娛情、忘其形骸。寧料後世有頓阿者、雕其面目鬚眉、至百副之多哉。頓阿刻像、自寄景慕、寧亦料後世有機園者、收而祭之、以名其堂哉。然機園適獲其一、而已。其九十九、不知各在誰家。恐皆錯認以爲蛭子三郎耳。物之遇合、出於自然。而有

數存其間焉。噫亦奇矣。或曰、機園善和歌、喜古雅澹秀之致。蓋沿草庵之流、而泝古今万葉之源。其夢寐歌聖非一日。故有此奇遇焉爾。在機園固爲欣幸矣。而在像不可知其爲幸與否也。夫其巾而坐、手有所執、肖矣。而歌聖所執、離藻之筆。而蛭子所執、釣利之鉤也。故蛭子濁、歌聖清。蛭子俗、歌聖雅。雖然、較其氣焰勢力、則歌聖不能及蛭子之萬一。何者祭蛭子、則致貲巨萬、則世不絕祭。歌聖則不過善哦三十一字、終身學爲蛙鳴蟲啼之聲。故橫目之民、莫不知蛭子之可祭。而祭歌聖者、千万人中一二人而已。使此像終冒稱蛭子、則酒肉羞奠隨在不乏。一經機園之鑒、呼曰歌聖也。當其在機園之堂、則享一瓣香之供矣。苟離其手、誰保其不餒哉。賴襄曰、然。雖然使像有知、寧餒而歌聖不飽而蛭子也。遂書爲記。

蘇彝士河記

黎　庶昌

蘇彝士河、亦名蘇愛斯、亦名新開河。地當亞細亞阿非利加相聯屬處。屬埃及國。法人勒色布斯創鑿爲河、以通舟楫。謂自亞細亞至歐羅巴、可省却水程二萬餘里。此二萬餘里中、即輪舟捷速、亦須

歷二十餘日、乃可由彼達此。既有此河、不過兩日之期。時日之相較也速、風濤之可虞也免、石炭之可省也多。厥功實無既極。聞其經費之浩大、雖中有兩湖、因勢利導、然已耗金錢數百餘萬矣。又聞、當河之未開也、濱河一帶、往往十餘年不得一雨。河成後、雨水稍密。惟河道甚狹、僅容一舟。有來舟相遇時、須於寬處暫停以讓。故聞英國現有另濬一河之議。河水深三丈、雖極重之舟、亦可行駛。惟河中定章、不得任意趲行。務當緩緩展輪、以免水勢激盪致損河岸。故雖三百餘里、必兩日乃得出。

口、至其修撈河道之工、則固常年、不能間斷、惟恐淤淺致礙。按此河之工役、爲法人首創、以其地屬埃及、遂乃兩國共主之。繼以英人大助經費、遂又三國共主之。今則取道此河者、每噸貨須納洋銀二元、每客亦納二元、以助經費。其數隱加于船價貨價中、是收利之溥、又未可限量。然則觀于此河、固不得不服其謀深慮遠、有志竟成焉。是烏可以不記。

天士河記

隨園漫筆

天士河、一名巓迷士河。倫敦之勝景也。河亘穿城垣而過、清流映帶、屈曲綿長。兩岸則綠樹參天、芳草匝地、間有樓閣、皆冨商巨紳納涼息靜之所。溯流而上、建牌重重、船之踰牌也、必集待數十、然後啓。令叢聚於槽、俟下流之牌既閉、乃啓上流之牌。節節如是。其製極精。測其水勢之高下、相距幾及一丈、設無此重疊障水之法、則其流必時虞涸竭矣。雖嬉戲之務、其不吝工費也如此。河中游艇極多、往來如織。男女雜遝、三五成群、率皆手自打槳鳴橈、泛乎中流、容與蕩漾、致足樂也。沿流垂釣者有。又圜飲者有。又舟中人亦皆停橈登岸、擇綠草如茵處、席地歡飲。履舄交錯、杯盤狼藉。亦既醉飽、則又乘興鼓棹、爭先隨波上下、以相取樂。間有泛小火輪舟、游乎其中者。舟内肴核具備、團圞聚飲。水色山光、都歸眼底、更形暢適。所尤悅目者、婦女輩亦解操舟、翠袖紅裙、放浪于青溪綠水間。較之中土秦淮虎邱西子湖平山堂、別又一般樂趣。吾不異夫景之佳、境之幻、而獨異其國家之不惜帑金、縱人娛樂、至於如此。蓋陸地既築有海舶、利津舶諸大園林、足以容千人萬人、鎮日嬉游笑傲、而又障此河流、葺成勝景。水嬉無禁、競渡成風、深合與民同樂、與衆樂樂之意。宜乎、生長此鄉者、熙熙皞皞、如登春臺、無貧冨貴賤之分、而咸得生人之旨趣焉。然則觀于此河、亦可想見其庶政之畢舉矣。

高橋生傳

林長孺

高橋生名其、稱喜右衛門、武州川越人。爲人縱逸負氣、健步過人。尤嗜書法。來江戸、客寓數年。困極、仕幕朝士横田新五兵衛家。囊無半錢、弗恤也。暇則從事於學書。書一以僧空海爲法。常懷其墨本、時出臨摹。又好遠行。行不必尋佳山名水、亦不必

訪奇技異能之士。唯漫然杖履信脚而歩耳。有時陟降山坂、跋渉原野。一日行數百里。曰快矣。旬餘不遠行、意殊嗛嗛。其在路上小憩、亦必展玩空海墨本。好作大字。字方二丈餘、楮墨之費、不能自辨。及其欲書也、輒携一巨棒、馳行大師河原。大師河原、在都南郊。白砂平鋪、可畫以作字。生乃出空海墨本熟視。久之意有所會、欣然大呼、躍身揮棒、作數十大字於砂上。字皆活潑飛動、作蛟龍勢。乃環視曰快矣。初生夢一老人、素衣烏帽、手持巨毫一枝、書法一卷、來與之。既寤、以爲空海現身、授秘訣、

也。自是書進一境。生既能大字、而細字則不能作。尤窘於作書札。然主家命之、則強書。字大尚寸許。其作之、呻吟苦惱、屈身縮手、僅作十數字、而既倦極矣。字皆拙甚。殆不可辨。生晩好學、來入吾家塾。余時擧古今天下治亂興亡之際、英雄豪傑之事、以語之。生亦撫掌大呼曰快矣。後不知所往。

女丈夫傳

古賀煜

女丈夫者、女子阿婉也。以其行事卓犖、無愧古烈丈夫、故今以此稱焉。阿婉父某、嘗仕羽之米澤。既而有故辭祿、退居都下新川之上、以醫鳴。求治者不絶。列侯或給以月俸。阿婉夙喪母、與一妹從父而居。一夕夜半有人叩門、告其家人病勢阽危甚。父趣裝趨與之倶往。獨二女居守。時列侯所餉月俸、適積在堂。隣近惡少、時主人之亡、又蔑二女無能爲也。四人成群、排門而入、更擔米苞以出。阿婉時年甫十六、而妹僅八九歳。阿婉語妹曰、吾雖儜弱一女子乎、坐視賊入吾室奪吾粟、而不能抗、他日何顏見人。且也阿爺以剛嚴聞。吾見賊退縮、不能出手、譴罰必不小。吾將挺身當之。乃潜匿妹于庋閣中、少開其戸、使瞰其外、謂曰、吾一婦人、纖柔

無力。加之以寡敵衆。萬無生理。吾死之後、阿爺還家、汝具陳所見焉可也。吾所以囑汝者、獨此而已。便提刀潜從側戸出、伏於玄關外。有一賊正負米出。直進剸刀於其腹、立斃。有一賊當後、謂其跌而僵、趨將救之。又刺之、亦斃。於是一賊覺暗中有人、來將前捕己。阿婉揮刀擊之、斷其一臂。砉然墮地。其一逃走、追擊傷之。少之父方歸、聞之大驚。事聞町奉行。奇其義勇、賞以銀錠、且痛禁死傷者家、令不得仇怨。實享保季年事也。阿婉斫盜之刀、蓋左文字、其父在米澤時、君賜之者也。蚓操子曰、余每

病、輓近世教化無具、而閨壼爲甚。乃若阿婉之壯烈英偉、亦可以立懦砭愚矣。寧忍泯而勿傳邪。明季阮太沖憤將士孱弱不能制流賊、雜取古女子婦人建義旗滅盜賊事、著女雲臺二卷、以諷時。余於是傳亦猶太沖之志也。但彼則專勵鬚眉男子。是爲小不同耳。

蒲生君平傳 其一

蒲生重章

蒲生君平、名秀實、字君藏、君平其一字、稱伊三郎。下野宇都宮人。其先出自會津參議蒲生氏鄉。初氏鄉有庶子、稱帶刀。及蒲生氏徙宇都宮、帶刀食

秩三千石、納邑豪福田氏女爲妾、有身。會蒲生氏役封於會津。帶刀從之、留妾外家、生男。妾父母不忍遠遣之於會津、佯稱女子、鞠于福田氏。因冒其姓、爲宇都宮編戶之民。帶刀玄孫曰正榮。有五子。君平其末男也。幼而穎悟。一旦聽祖母語其家系、慨然發憤、誓欲興祖先之名聲、自復氏蒲生、折節讀書、不事生產。嘗寓于下野鹿沼鈴木石橋家。會歲暮掃煤塵、擧家匆忙、而君平不在。索之遍乎堂室廚厠、而弗得。見屋上、君平端坐閱書。如始不知其忙者。衆升屋引下之、君平悠然手不釋卷。既長、益好讀書史。然不甚研究章句。特通忠孝大義、景仰千古英雄豪傑而已。常慨然謂其友曰、吾生也晩矣。前之、弗能出大化大寶之世、而遇大織冠、淡海二先公相業之盛。後之、弗能際天慶天正之亂、而觀秀鄉氏鄉兩先君將略之雄。今昇平二百年矣。草莽布衣、何所施設。願多著書、以裨補於世道人心、庶幾乎不忝爲名族之苗裔矣。其患天下蒼生疲乎姦臣俗吏也、乃作革弊賦役諸篇、號曰今書。其患制度律令之不復古也、乃作職官神祇姓族等志。其患山陵之荒廢而不修也、乃作山陵志。

其患夷醜之跋扈而不之攘也、乃作不恤緯。嘗上山陵不恤緯二書於幕府、有司謂其皆非布衣所宜言、却之、且議處之重法。會一鉅儒爲權貴所重者、辨解其無他、得免焉。君平自此不復言。號默默齋、以自警。益專力著述。題其讀書之庵、曰修靜。曰此吾之所以修身而成名也。常自以關東布衣稱、終身不筮仕。晩娶紅葉山伶人多氏女、無子。文化十年癸酉七月五日、以疾歿于江戶僑居。享年四十六。其疾革也、自作修靜庵大人墓碑銘。文極恠奇。而其三寶之說、皆愛君憂國之正言也。

蒲生君平傳 其二

蒲生重章

君平爲人、眞率不修邊幅。故人多輕之。嘗聞仙臺
林子平有奇士之名、訪之。行裝弊惡、寠如一野人。
子平心鄙之曰、咄、野翁、不能自修、而何能弗禮。君
平亦忿曰、吁、山澤腐儒、何自尊大至此耶。廼去。平
素忠孝慷慨之氣、發乎肝肺、不能自抑遏。嘗航佐
渡、拜順德帝陵、見其荒蕪頽廢、而悲泣、欲告之鈴
木石橋、直歸。路遇一川暴漲、乃解衣厲之、直走行、
不覺其爲躶體也。行路皆指而笑之。大竹與五者、
自京師來說。朝廷近者贈役小角神變大菩薩之

號。君平聞輒泣曰、歷世天皇山陵荒蕪、且有未上
謚號者矣。而如彼小角、則異端左道之徒。何賜追
號爲。號哭展轉、殆墜地。嘗路過東寺、見足利尊氏
像、不堪忿忿、大聲數其罪、鞭之數百。廼去。又途見
朋友之讐、輒欲報爲人所扼。讐得間而逃。在下野
古河、夏夜與客飮酒。酣君平起之厠。聚蚊如雷。君
平揮厠中團扇、掃臂驅之。不知其涂不潔也。既而
聞談及楠公事。一人曰、公之死早矣。不念全生扶
持王室、乃潔己售名。豈得爲眞忠臣哉。座客皆雷
同。君平不能平、卒出厠、揮團扇而辨駁。一座異其

臭、甚掩鼻而作。行酒者、指君平所揮團扇曰、是厠
中物也。視之涂不潔。而座上杯盤、君平衣袴亦皆
莫不汚。座客惘然。君平至性、居祖母喪、盡哀骨立。

林子平傳 其一

齋藤馨

仙臺有奇士、曰林子平。父源五兵衛、名良通。仕幕
府、有故削籍。而姉既聘爲本藩側室。故子平、及兄
嘉膳、皆受藩俸。然子平倜儻有大志。常見人之酣
豢於富貴、飽暖自安者、以爲是遭變故則不堪其
用也。於是寒素自給、雖藍縷糲食不厭、自視猶在
兵陣間、性健步好遊四方、靡遠弗至。行輒躡屐、如

往來隣里者。人不知其行千里之遠也。所過風土
之美惡、地勢之利害、政刑民俗之得失、皆諳知之。
尤注心於邊防。前是寓藩醫工藤球卿家。球卿素
有邊防之議。子平論與之合。於是從鎭臺再游長
崎、接異邦人、咨訪海外諸國情狀、益知邊防之爲
急。適清商在館者、激事忤命。鎭臺命子平及諸士
勦之。子平奮鬭先衆、生虜數人、曰、吾知西人之技
倆矣。既東歸、遂著海國兵談若干卷。大意以爲、西
北諸蕃、概以奪地拓疆爲務、威力日強。必且朶頤
於我。而彼長航海、洪波大濤、視如坦途。我環國皆

海、近自日本橋、至鄂羅斯阿蘭陀、同一水路、無有阻隔。彼欲來即來、而我拱手無備、亦已危矣。必也節國用、修兵備、瀕海要地、設臺置砲、數年而沿岸皆壘、儼然成一大長城矣。然後一旦有變、以逸待勞。庶可無患、而尤可慮者、我南北諸島、委而不顧、彼或據之、是異日之大患也。因著三國通覽、以論諸嶋之形勢。二書既上梓、海内未嘗知外寇之如此也。咸謂、諸蕃之來、商舶耳、漁舩耳、曷有他志。彼張皇無根之事、不過爲釣名計。幕議亦以爲然、命毀梓、且禁錮于仙臺。時寛政壬子、五月十六日也。

林子平傳 其二

齋藤馨

先是、閑院宮贈謚未決、物議騷然。子平見樂翁公、公談及其事。子平笑曰、天朝之於幕府、是一家事。縱令有變、亦猶夫妻衽席之爭耳。不至失家也。若夷虜、則是在外之大盜。苟不爲慮、必至併家奪之。安可不憂哉。蓋其以邊防爲憂也如此。至是子平作六無歌、自號六無齋主人。實以寓逍遙自適之意焉。時輒爲子弟談兵、罵世之講兵、主一家曰甲、曰越者曰、彼何適用。苟欲適用、不若讀古戰記錄、而察其勝敗之由、爲有得也。又見子弟之讀書者曰、讀書可也。然足迹遍天下者、然後讀書、亦足以爲用。卿輩足未嘗出里閈、何足爲用哉。嵗嘗饑、爲藩老佐藤伊賀、著富國策。以爲、東海多鯨、苟能捕之、亦足以助國用。其他陳省費濟財之術、雖不行、識者知其可用焉。又著父兄訓。蓋謂、前是童蒙有訓。然今之世、父兄亦不可無訓也。隨筆雜記、有數卷、皆居常聞見所得、巨細盡載。亦多裨人者。同時高山正之、蒲生秀實、皆以奇士稱。然不與子平合。初子平在京師、謁中山亞相。亞相盛稱正之慷慨論時事、淚隨言下。狀子平曰、彼有泣癖耳。今時昇

平、奚以泣爲。即可憂者、唯邊防。而彼一泣、外計無所出。公亦以彼爲善。不知一旦外寇之變、坐風浪于萬一耶。秀實亦嘗訪子平、行裝甚野。子平一見罵曰、何物措大、鄙野乃爾。秀實亦怒曰、田舍翁之慢人、亦至此耶。不交他語而去。子平既廢、閲歲沒。其後十餘年、東陲果有鄂虜之變。秀實服其先見、上閣老書曰、祭子平之墓、而謝其靈可也。及幕議修邊防、蓋亦有取於其言。追賜赦、姪某始封其墓。事在天保壬寅、距其死凡五十年。子平名友直、子平其字也。

銀行

盛世危言

古人曰、惟聖人、能以美利利天下。故利於己而不能利於人者、非美利也。利於民而不能利於國者、亦非美利也。自中外互市以來、我國金錢、日流於外。有心世道者、咸思仿行西法、以挽回補救之。而無非逐末忘本、得皮毛遺精髓者、比比然也。夫洋務之興、莫要於商務。商務之本、莫切於銀行。泰西各國、多設銀行、以維持商務。長袖善舞、爲百業之總樞。以濬財源、以維大局。茲略擧其利民利國之大要言之、銀行之盛衰、隱關國本。上下遠近、聲氣

相通。聚通國之財、收通國之利。呼應甚靈、不形支絀。其便一。國家有大興作、如造鐵路設船廠種種工程、可以代籌。其便二。國家有軍務賑務緩急之需、隨時通融、咄嗟立辦。其便三。國家借欵、不須重息。銀行自有定章。無經手中飽之弊。其便四。國家借欵重疊、即或支應不敷、可以他處匯通、無須關票作押。以全國體。其便五。中國各殷實行、實銀號錢莊、或一時周轉不靈、諸多窒礙、銀行可力爲轉移、不至敗壞市面商務、藉可擴充。其便六。各省公欵、寄存銀行。

三計塾記

安井衡

三計者何。一日之計在朝、一年之計在春、一生之計在少壯之時也。何以名吾塾。處諸生之晏起與春嬉也。凡遊吾塾者、皆有志於此道者也。何爲過慮其晏起與春嬉也。人少則恃於年、氣盛則動於物。恃於年而動於物、惰嬉之所由生也。惰嬉既生、則一生之計亦荒矣。物之生於天地間、唯人爲貴、而我得爲人。人以男爲貴、而我得爲男。男以士爲貴、而我得爲士。天之與我厚矣。而君父資我、使我學至大至高之道。則又士中之最厚者也。而終不

能自標異於世、蠢蠢乎遊嬉於走尸行肉之中、以爲得計、與虱棲褌何擇。故入吾塾者、不可不思三者之計也。思之有術焉。一生之計在一年、一年之計在一日、日復一日、心與習化。見夫惰嬉者、邈焉不接于心、然後天與君父之恩皆可得而報、而我之所以爲貴者伸矣。此三計之本也。

習說

尾藤孝肇

攀絕壁、踏懸崖、而眩焉。乃人之情、而山中之民不眩也。涉狂濤、歷驚瀾、而慴焉。乃人之情、而海上之民不慴也。夫絕壁懸崖、衝天且欲顚。狂濤驚瀾、捲

地、且忽倒。彼奚爲、而不眩惼也。習使之然也。故習而熟之、山海之險、猶可夷視。況事之近于人情者乎。然世之爲學者、孜孜矻矻、非不勤焉、而言行才藝、百職之務、終不能充其志者何也。是豈非以習之不熟邪。嗚呼山中之民善其事、而吾不能也、海上之民善其事、而吾不能也。即其孜孜矻矻、惡在其爲習也。是以君子其考也洽、其思也精。循循不已。繹繹其達、無不明焉。無不察焉。而言行才藝、百職之務、凡其所習、無之而不自得焉。乃可以攀絕壁、可以踏懸崖、可以渉狂濤、可以歷驚瀾。天下之事、何不可爲之有。此君子之所以爲習也歟。抑亦君子之所以不器也哉。

進學諭 其一

柴野邦彦

三月二十二日、詰旦、輕裝取路、東寺南。暮春天氣風日和煦、加以西山吉峯大士像啓龕。都人士女相將行香。輿者、騎者、歩者、負者、抱者、絡繹載路。吾以獨行心孤。謾與路人問語、相勞乞火吹煙、分果、醫渴、行相訴謔以自慰。但予以前途遼遠、心遽脚忙、不能與近郊遊人、差馳逍遙。與一人言未了、又及前者語。如此數人之後、顧初與言者、既在數里之後。不復可辨眉目也。半日後、則山轉林蔽、杳不見影響也。吾思、與嚮數人、擧足進歩、校之一歩之間、其所爭雖多、不能以寸。惟積數分之多、漸進而先也。初其數十百歩之相前後、亦便旋佇立之頃、猶可一蹶而及焉。半日後、非復一蹶之可庶幾矣。如此而至乎十日之後、則雖有輕車駿馬、將無所可企望也。我羸弱難於歩、而彼非皆老幼婦女也。然而吾所以能漸先彼而進者何也。此無他、彼之所期在十數里之内矣。故其心怠也。吾之所期在數百里之外矣。故其心勤也。我於是曉學之方焉。請諸君期於數百里之外、而無忽一歩之功也可。

進學喩 其二

柴野邦彦

勝尾山、出大士殿門、而有二道。其左者、達箕尾瀑、右者山路也。時方營佛殿、取材山後。右者因以廣坦、其左者低入谷中。蕪穢不似正路。余惑、欲待人來而問。俄而大坂二賈人至。一僮子挑擔而先、輕輕就右路、粗不置疑。余號而問之。云欲適箕尾。行歌不顧而去。余謂是習於此者。乃從之行、二里許、遇山脊、路又岐。左從其稍夷者。既轉山腰、則敧側茅塞、不可遂進也。乃反取山脊、右路入林。路益分、

益細、縱横如綫、無適可從。問賈人、云皆始來于此者。吾於是知爲所誤。俯聽谷底、如聞水泉潺潺。余甞聞人言、山行失道、當沿水而下也。乃不復謀賈人、直尋水聲而下。下盡峽間成澗、澗渴無水。沙土之上、如微有人行跡。石岈岈如劍戟、榛莽又蒙其上、不可容步也。諸人皆欲反。余叱曰、迷既遠矣。反之更勞。使奴甘草擠荊棘而先。余勇奮從之。枝之針刺見擠者、挺而來、勢如風雨、急避之、石稜齧蹠者毒於砭。上護頭目、下屭脾脚、仆而起者八九。體膚被鉤刺、皆見血。顧視賈人、色如土、亦相踵而進。

顚頓狼狽、數十折、始得小澗橫前。遂循澗數里、僅得復正路至箕尾。此日欲盡西攝勝投兵庫驛宿、以失道之故、不達十餘里。至西宮驛、則既昏黒矣。余因思、初寺前不有新路曠坦、則余與賈人固不迷矣。又賈人童子、若能知疑而問、則余亦必審而後由焉。亦不迷矣。惟新路既可悅。又以童子妄自信、遂誤人至此、使余有前路十餘里未達之難也。嗚呼、人壽幾何、轉眴成翁。學誤失正路、雖則能不遠而復、亦一日迷則後來造詣、必有一日之未達矣。一年迷則其造詣亦必有一年之不達矣。臨死必有不勝其悔者也。諸君請、務從古人所由、無爲輕俊快意之言所誤、枉費精神功力、臨死而有悔也可。

峽中紀行 第一

荻生茂卿

勝沼驛東行、有大橋。横吹川也。至鶴瀨、關吏迎謁。擇店之可宿、留一傔看裝、還出關、由橋前左、山行一里許、有諏訪祠。始則與都道但隔一川、行人之語、驛竪之歌、往往相聞。衣皂白尚可辨識。漸行所隔之川、又隔山、其水聲漸不聞。寥寂甚。土人指語、云、後主之棄新府東遁也、鶴縣違順。廼不得已、將

固天目山、時猶莫有是路。冒翳排薈、緣前山以進、鄉豪土兵、處處屯結助逆、盜賊蠭生、聲勢相扇、將校扈從士、日日減竄、夫人侍姬、徒跣荊棘中、路草爲之色變。父老目擊其事者、傳言至今、尚爲潛然。予與省吾、不覺歔欷久之。山徑忽東、忽北、足指稍稍向上、過水坌村。時有陟降。右沿一溪、則龍門下流也。率行五六里而至景德院。山門南向。入門謁後主廟、後主郎君夫人影像、皆新造者。太俗不可觀。廟前有後主所踞自裁者石二。竹落其外。謁畢詣籌室、與住持僧語、似有道骨者。問遺墳所在、則

云後主兵解時閩州麻亂莫爲修後事者僧拈橋者在廣嚴院聞之來赴既過七日屍血淋漓君臣不辨廼同葬一壙即今建廟處以故別無窀穸所一二年後神祖命伊奈熊三者建寺奉祀特賜六七里地供香火而猶且草創寺莫有所名之州撒郡符但以田野精舍爲稱七八年後始得成寺云

峽中紀行 第二

荻生茂卿

未暮至所擇宿鶴瀨人家宿家雖隘而主人頗能話問之勝國間事今景德院門前處其時有二三人家後主之走至此追者既逼則納夫人衆姬妾

一民家其人名清右其子孫見在尚語其時事時會積茅于庭場命搬以擁塞其門口呼一炬火之侍女輩或有走出者皆斫投諸燄烟中南牟聲與哭泣俱聞後主曰今而心頭無罣礙其烈可知廼覓地稍高者得構廟處出寶甲盾無者衣郎君土屋宗藏爲之師顛沛間其執禮不苟者如是後主則提偃月刀欲出奮戰宗藏諫曰主君則新羅三郎宗統所在承二十八世社稷之重上天之不弔一旦運移業已至是而豈可效匹夫之勇授首奴子輩哉後主抑憤解甲端坐石上使宗藏奉刀取

終或云使小原丹後也從行將校皆耦互刺以死最後宗藏及僧鱗岳在岳謂弓刀之士方其運刃自居力或不足欲死而不能呼吸綫存是豈不大不可欲事哉僧則亡害也廼使宗藏先審眎其克裏事而後岳以口伏刀鋒貫其背死世謂後主殞於攢戟下者傳聞之誤也予始拜後主影像猶如不拜然至是不勝悚然

那智瀑

北圃恭

詣諸宮右轉峽中三十町至市野村雲間覩一條之雪旛乃那智山上之懸川也距尚數里而氷肌

婥妁於咫尺僅轉則失二十町有橋當華表即那智山口橋下數尺活活鳴躋磴左右老杉每一町立一石標標六而得樓門題曰日本第一過門而右傍澗曲上駢杉陰淒蒙籠晝晦意短景之向沈也初過華表聞聲之發乎杳冥際淜滂似風之廻洞乍止乍起漸上則轆轆若車之過殷殷似遙雷冉冉而闐矣未知其爲瀑布而心爲之駭焉至此則聲轉洪矣三標道下仰左峻磴行若干有小堂奉空海像左舍主祀僧也磴滑而濡唯足之謹既杉漸白聲益洪而淒滄凛栗道與澗倶窮焉而得

瀑布矣。那智瀑、大者三。而是爲魁。土人稱曰一瀑布。上者爲二、又上者爲三。二三其次第也。實負然不能伯仲於一瀑布。餘雖有數尋者、亦不齒焉。昔在白河帝、沈璧而祭。曰日本第一。響忽遏。曰天下第一、即鳴。泉上之蟠松、若攝絶壁成寛、吐爲三。咽爲一。矯矯乎龍排絳霄、訇訇乎雷擊壘岩。雪蜚玉碎、洶湧變轉、山谷皆動。嘻、夫布引箕面攝之所盛詩者、猶河伯之於秋水耳。諺曰、山則富士、瀑則那智。今而知其至言矣。達二十町許、不動堂前有一亭。命以觀泉。余乃倚杖賦詩。激水霧散、衣袂盡濕。時一僧來。訶曰、申鐘鳴。客速去。反卻三町、右折上磴、亦有石標六級。投僧房而宿。

中等文讀本卷之四 終

(自一卷至五卷) 明治三十一年三月十一日印刷 明治三十一年三月十四日發行
(自六卷至十卷) 明治三十一年七月四日印刷 明治三十一年七月七日發行

版權所有

中等漢文讀本

定價				
一卷金貳拾錢	三卷金貳拾三錢	五卷金貳拾三錢	七卷金貳拾五錢	九卷金貳拾五錢
二卷金貳拾錢	四卷金貳拾三錢	六卷金貳拾三錢	八卷金貳拾五錢	十卷金貳拾五錢

編者 東京市本郷區元町二丁目六十六番地 遊佐誠甫
編者 東京市本郷區菊坂町七十五番地 冨永岩太郎
發行者兼印刷者 東京市日本橋區通旅籠町十一番地 小林八郎
印刷所 東京市麹町區内幸町一丁目五番地 集英堂活版所
發兌書肆 東京市日本橋區通旅籠町十一番地 集英堂
大賣捌所 各府縣下書肆

文學士黒板勝美 校閲

遊佐誠甫
富永岩太郎 合編

中等漢文讀本

巻之五

東京 集英堂

中等漢文讀本巻之五目次

中等漢文讀本巻之五　集英堂藏版

中等漢文讀本巻之五

文學士　黒板勝美校閲
遊佐誠甫
冨永岩太郎　合編

勸諭子弟　藪弘篤

巍々乎皇和、海氣所蒸、物多精英、保而無害、人必得上壽。矣。謂之海上仙山者、是耶非耶。正直儉素、崇德慕古、是吾國之風。謂之君子國者、是耶非耶。鐵劍之利、神威不殺、何虞之有、天下固稱之而已。方今堯君舜臣、治具大備、君君臣臣、父父子子。物各止其所、無陵忽侵奪之患、人皆高枕、浴無爲之化。嗚呼生斯國、逢斯時、幸矣哉。夫三代之盛、尚

中等漢文讀本巻之五　集英堂藏版

有徭戍之苦、則後世焉得肖似之。吾士人輩、老死田野、尚有餘矣。亦何待之有。然今之士人、世承朝恩、各食田賦、以是不足以樂者奢矣。爲有不慊者妄矣。務去奢與妄、益可以爲士人也。如其不然、猶不生斯國逢斯時也。因惟今之士人、間暇安逸、亦復無比者也。無所謀爲、遂爲天地一蠹賊矣。宜退而平心整慮、思念所以上順天道、下明人倫者、而各養孝順忠義之心、以保身、有家、傳之子孫百世。此爲翼無爲於冥々者。夫天運而無息、時移而不居。然則持万世太平之治者、其亦不在乎此耶。苟爲名、爲利者、於天道也忤、於民義也悖。雖多亦怒孤而已。豈足以翼無爲、語太平也哉。謹書此以自勵、又以諭子弟之屬云。

禮　佐藤坦

自學之不講、而禮非其禮。今之所謂禮、其迹也已。古之聖人、欲息天下之爭、故教以讓。欲遏天下之僞、故教以謙。欲弭天下之諂、故教以恭。然唯迹之循、而心之弗究、其不陷於爭與僞與諂者鮮矣。今有人焉。爲讓而至於再至於三乃可。必欲終日推遜、什弗已佰弗已、則爭也。非讓也。爲謙而曰吾不肖。曰吾不敢乃可。必欲曰吾夷狄也、吾禽獸也、則是僞也。非謙也。爲恭而翼其手、輪其足、乃可。必欲雙其屈、鼠其伏、則是諂也。非恭也。聖人之教讓也、固欲其不爭。而爭愈熾。謙也固欲其不僞、而僞愈滋。恭也固欲其不諂。而諂愈甚。夫如此、聖人之教、果無益於世邪。曰、非然也。夫

禮中而已矣。或過焉、或不及焉、是謂非禮。猶射之有鵠、不昂不低、必期乎中焉。猶衡之有權、不輕不重、必期乎中焉。讓無過不及、必息其爭也。斯讓中其禮焉。謙無過不及、必遏其僞也。斯謙中其禮焉。恭無過不及、必弭其諂也。斯恭中其禮焉。故禮也者、秩於天而庸於人。所謂衷也。聖人固有之、衷以爲之教。而人弗或求焉耳矣。然則誰謂教之罪云哉。

莊助兄弟　村瀨之熙

天明癸卯秋、東國大饑、津輕東部流民、歸食于我藩者、以千數。於是兇狼亡賴之徒、多爲剽劫、出沒乎里巷之間云。莊三郎者、雄勝小野農戶也。男女子凡三人。長女珊適隣人權四郎。二男長莊助、季莊藏。家雖無贏餘、縕袍足以禦冬、糠豆足以療饑。是歲十二月三日夜、風且雪。賊十數人、相與謀欲掠其家、迺使一人爲行旅者、敲其戶曰、我輩皆過路客商、會遭風雪、失前途、凍餒至于斯。尚君幸濟之。時家人方寢。莊三郎獨起、啓戶。則三賊尖入、搤莊三郎。莊三郎撞扠而踣之。妻與有力。莊助亦驚起、捽領投一人。而衆賊鬭至。母子遂爲所縛。莊藏以年幼、獨得免。莊三郎走而取槍於室、刺賊中腕。旁有一賊、就勢奪其槍。莊三郎刀擊之。賊被創、怒且格。莊三郎擠而拉之地。一賊從後來、手槍洞莊三郎腋、鋒見於胸。莊藏見賊持血槍踦父屍、乃從背後掣其柄。賊以爲儕類、輒放之。莊藏直奪、刺其股。走出竄堆

藁中、以俟動靜。衆賊怒莊藏、搜縛之柱、飛槍刺之不中。將刃之。母哭泣乞命。乃得免。時權四郎亦聞敲其戶、起啓之。則賊各爲吏裝、稱三尺以縛夫妻、留二賊炊飯。餘悉往隣家。飯將熟、一賊亦去索蔬。珊意謂、父性素剛、而賊勢凶如斯。其遇害也必矣。縱不能殺賊、若使被一創、則他日或可物色、以爲報仇之地。顧身已繫、亡如之何。乃稍々扭身、轉腕、縄漸弛解。會有小刀有傍。舒臂探之、狙賊不意急刺其項。賊大叫。衆聞之復集、縛益緊。既而賊盡負筐篋之藏、扶傷者而逃。然以鄉舍頗遠、村中莫之能識。權四郎悉力齧斷其縛、直往問舅氏。則已斃矣。即解衆縛、與莊助走詣村正條陳。村正幸二人、訴院內守堡大夫山義福。義福遣騎

吏二、健兒十人、逐捕之。郡官艸刈重廣、亦使牧人四出、爲珊所刺者屍、仆在村側。被莊藏刺者、及傷腕者、亦併捕送府。推鞫一如所訴。時珊年二十三、莊藏年十二。公義其孝勇、賜二人廩穀、以終其身、義福亦與賞錢若干。

義奴市兵衛　荻生茂卿

寶永乙酉春三月、有司奉旨、以流人上總州市原縣姉崎邑治郎兵衛之田宅、沒在官者五町七段、還畀其子萬五郎、以邑之無主田六町、授其奴市兵衛、以賞市兵衛也。始次郎兵衛、爲邑之里正。元祿乙亥歲、同甲惣兵衛、放銃驅野豕於人家竹林中、誤中人之妻而斃。歲猛獸在田、官授民以鳥銃、里銃丁幾名、銃幾門。籍其戶、假其器、唯火硝藥、勿用鉛石、任其驅逐、不得擅殺。著在令甲、齊民遵守。皆所以防亂源、廣慈惠也。而惣兵衛之銃、有子處斬。次郎兵衛身爲里正、不以聞、事覺猶爲弗知、流于豆大島、其田宅皆沒入官。次郎兵衛父、老且羸。子二、女六歲。男三歲。既行。其妻方產頗難、生女而死。奴市兵衛寘諸懷抱中、遍丐於里之有乳者、乳之。親戚弗顧。三口者煢然無所依。兒女則呱呱啼弗已。市兵衛與其妻、謀所以養之。售己之女爲人婢、直若干、與其佃人田所受者若干、獲中金八兩、悉出買一小田、以處次郎兵衛之父、與子女者、奉而事之。若其主在日。益佃它人田、以裒其外合之贏、而饘褐之、供四口者。於是乎無飢寒之患焉。市兵衛猶恐己之妻之或育、而朝夕

之弗給也、遂不與俱同床蓐者十有一年矣。次郎兵衛就罪之日、市兵衛業已詣東都、俯伏官廳、請以身代其主之罪。姉崎去東都二百來里。往還可三日程、而市兵衛來請若初者、月必一二次弗輟、弗措亦十有一年矣。都下店主人稍稍知其所爲、遂弗與擧籌云。是歲二月某日、市兵衛又來訴于官者如初、而自矢不虛還。吏訊其由、次郎兵衛之父、今年八十三、患風、三歲弗差。起臥手足莫已聽、旦暮則曰、願一獲見次郎兵衛、則死無憾矣。其哀籲弗忍聽也。且三子者、益長愈纍、日夜悲泣。是爲可忍視耶。小人無狀告愬弗勤、以貽斯慼。故敢特冒官威、懇請甦赦次郎兵衛之罪、放還以獲與老父訣、則小人擅訴之罪、身首殊處、亦所不辭也。辭色哀惻、聳動官廳。旁訊隣里、情實弗爽。事遂聞、下之閣老僉議。以爲次郎兵衛罪、在不赦。而市兵衛丹誠是可嘉。其以其主之田宅、賜之市兵衛。教曰可。有司傳旨、市兵衛不肯奉命、乃曰、始之爲主、卒之爲己、小人義不敢奉命。願賜之舊主之子萬五郎。事再聞、遂有令命。

山水小景記　藤森大雅

余嘗獲山水小景一卷於骨董、爲畫三幀、皆無款識。其一、緗長尺有五寸、竪八寸有奇。樹石施淡彩、筆墨蕭散、寓巧緻於簡淡。其法蓋本於沈石田。其一長、減三分之一、竪乃加十分之一、墨汁淋漓、煙嵐滿幅、曠如無天、窅如無地。全用徐青藤法。其一最小、方七寸餘。皴擦渲染、惜墨如金、爭

勝於神韻、是董文敏之筆意也。雖非妙品、絕無塵俗之習氣。思是明季高士、遠跡於山林、各弄筆墨、以自消遣者。決非尋常畫工之所能也。余心深愛之、居則當臥游、往則爲行莊。後游於常陸、悠失之。居恒不能忘於懷。數以語人、人或笑以爲不達。曰、古人於書畫、譬之雲烟過眼。子何思之深也。余應之曰、夫遠跡於山林、以筆墨自消遣、是高逸之士、余常欲見之、而未得者。因此畫而想其人、猶神交。今失吾好友、豈得比之雲烟過眼哉。嗚呼、友道不講、人情澆薄、情之所鍾、適在吾輩爾。乃書以識吾思焉。

遊箕面山遂入京記

齋藤正謙

余在攝既浹旬、遂將入京。久聞箕面之勝冠於畿甸、謀迂路過觀、從與子信俱。二十七日午下發大坂、東北渡長柄川、行五里至山下。盤廻而上、則淨境別開、清溪奔駛、紅欄橋架焉。此間竹經松緯、一往幽折、心甚樂之。但日昏黑、寺門閉矣。投宿門前茶店。背即溪、終夜有聲。琅然到枕。明旦門開、至觀音堂。稍前左右有燈。左爲行者堂、右爲辨天宮。並宏麗。合名之曰瀧安寺。滿山皆楓、爛然飽霜、色如渥丹、綺錯水巖之間。時有墜錦、點波。杳然流去。談者多言其勝在高雄之上。意然。出後門、沿徑而行、楓盡松來、水窮石出。有巨巖竦峙。大如夏屋。曰唐人戻。戻之爲言反也。相傳、昔有外國人、來游至此、畏險反去。故名。更進、聞大聲鞺鞳、震山谷。徑轉、望見瀑布掛絕壁。長可二百尺。噴珠飛空、跳擲

而下、至潭底復逆上。輒轟然雷動。有一佛堂、面瀑。余與子信登觀焉。凜然魄悸、不能久留而去。聞近畿瀑布、以那智爲第一。此瀑亞之。想當然。且此瀑直下、略不遲回。比之曳布瀑、曲折而下者、其勝各異。曲者委蛇著態、小品之文也。直者奔放駕勢、大篇之文也。或謂、文貴曲而賤直。非通論也。余觀二瀑、而知文有大小之別矣。自堂右躡磴而上、出瀑頂。頂凹蓄碧、方三丈。上流灌注、底深不測。蓋瀑之源也。從後門至此、凡十八町。又一里許、至勝尾寺。中堂安觀音大士。爲西國三十三所之一。出門前下坂五十町、至郡山、遂北上入京。數日往遊高雄、及東福寺。兩地之楓、冠於都下。號稱勝區。然余終不能忘箕面之勝矣。

遊天王山記

市村謙

吾高槻、四面皆山也。其最近而著者、爲天王山。山屬城州。即豐臣公討叛賊明智光秀之地也。歲己巳春、二月初七日、余偶登遊。昧爽出家、東北行里餘、至櫻井驛址。實楠公父子所訣別之處。路傍有一大松樹。盤欝老蒼、見千古之色。余乃徘徊松下、緬懷當時、欽慕感嘆、殆不能去也。既而北行里許、抵山崎。是爲天王山麓。遂登于寶寺。由堂後左折、攀磴者數十步、得一華表。側有枯松、號曰太閤懸旗松。朽幹中折、其高丈餘、疊石護根株。尚有蚪龍拏攫雲中之勢。又上數百武、抵八王子祠。側有小院。院主邀余、進茶款晤、如舊相識。爲導余至山頂、指一故墟語曰、某丘則豐公

所陣也。某山則光秀所營也。曰此某址也。曰彼某蹟也。余隨而縱覽、形勝歷々如觀其當時對壘布陣之狀、松風颾颾、若聞其昔日叱咤鼓噪之聲。慨然者久之。既而還院、乃出所攜瓢酒、貽院主、以報嚮導之勞。時日方晡。山氣冷峭、不可久留。乃辭院下山、復至懸旗松下而小憩。回顧前所見諸峯、奔青走碧。氣象萬千、而男山隔河屹立。笠置川自東、桂川自西北、皆與淀川合流、滾々滔々、南入浪華。而沿川有堊壁一帶、隱見於翠松間。即淀城也。北望京師、南望浪華、宛然若一村落然。余屢往來京坂間、觀都會之盛、人家之稠、而今反如此。此尼山之所以有東山小魯之歎也與。於是予將賦詩紀遊。適山雨霎至。匆々下山、至觀音寺。

寺頗宏敞、無復可記者。余購一硯。形圓如月。挈而歸、遂用其硯、以記一日之遊云。

高山仲繩祠堂記 第一

川田剛

今上登極之元年、幕府奉還政權、二年王師戡亂于伏水、于甲野越與。五年秋、列侯納封土、乃廢二百六十二藩、更置三府七十二縣。是冬、前岡山藩大隊長水原君久雄、爲三潴縣參事。初下車、首訪高山仲繩墓。曰國家中興、雖由君明臣良、諸藩效力。抑亦草莽義徒、講明名分、振起士氣之功居多。而仲繩實爲首唱。向者官籙其子孫、旌表其閭。今此藏魄之地、而無所表勵崇飭、可乎。於是君與其僚屬、及管內好義者、捐財鳩工。前久留米藩知事有馬侯、亦出

金若干圓、資其資、以建祠堂於旗埼、介權少史金井君、請余文記之。夫仲繩曠世偉人。而先儒錄其事者、前則淇園、栗山、石梁、茶山。後則幽谷、復堂、山陽、拙堂。有序有傳。有祭文碑銘。多且備矣。顧獨未推究其所以死。或目爲病風喪心之所致。余竊憾焉。蓋仲繩忠義、根乎天性、而其先又殉節南朝。嘗讀太平記、大有所感憤。當是時、光格天皇在位、妙齡英發、佐以九條中山諸公。而幕府則大將軍浚明公、寵任田沼意次、群小弄柄、綱紀大紊。仲繩謂此可以復王權矣。乃託名文事、周遊四方、觀地形、察民情、每遇人輒論正閏王霸、以陰募同志者。既而公薨、文恭公繼立、黜意次、用松平定信、衆賢茅茹。百弊頓革、德川氏之業復興。於是、

仲繩自知其時機未至、殺身以滅其跡。昔者後鳥羽上皇、遣善走者押松、歷說東國、後醍醐帝時、藏人頭藤原俊基、佯爲修驗者、巡察諸州。今仲繩之所爲。殆有類焉。向使其遲疑偸生、爲幕吏所逮捕、則承久元弘之變、可立而待、何其見幾之早且明也。

高山仲繩祠堂記 第二

川田剛

或譏其不受勅而妄動、是亦過矣。何者、事成則功歸朝廷、不成亦害止一身。又安問乎其受勅與否焉。且夫九重深嚴、尊卑懸隔。而仲繩以東鄙一匹夫、納交公卿、嘗得竊窺天顏、則其奉密旨、以募義故、亦未可知。不然、其將死、寸裂手記、以投水中者何也。其東向遙拜帝都者何也。其寄語、

海内豪傑、好在者何也。嗚呼、仲縄之死、上救公卿流竄之禍於當時。下啓志士勤王之端於後日。其忠不愧藤原公、而其智勇果決、萬非押松輩之所企及也。記不云乎。以死勤事則祀之。余既韙仲縄之功、又喜是擧之合乎禮。故據其跡推其心、以表章其成仁取義之美如此。三瀦縣者、舊久留米藩、而旗崎在縣治東一里。先是、有馬侯祀仲縄於此、又築招魂場、以合祀癸丑以降、其藩士死王事者、三十八人。呼、此三十八人、東西馳驅、踏白刄冒銃丸、知有國而不知有身、亦安知非聞仲縄之風而興起也。明治八年九月、一等修撰、正六位、川田剛撰。

流燈會之碑　成島弘

墨之水、浩蕩數十里、經武總、南注於海。我東京之地、往昔屬莽蒼。徳川氏未開府之前數百年。墨水之名、業已見於書傳詞句。而今人、擧東京之勝、先僂指墨水矣。春花之艷、秋月之美、毋論也。納涼乎夏、觀梅於冬。游客之跡、四時不斷。凡賣酒鬻肉、培花種樹之徒、亦多卜居。而物之産於此、最舊而其名最鳴者、都鳥也。元慶中、左近衛權中將兼相模守、在原業平、遊此地、賦都鳥歌。世傳爲絶唱。中將既逝、後人欽其風藻、建祠於加茂巖本而祀焉。明治十年丁丑、實爲中將一千年忌辰。墨上須崎村、言問亭主人、欲爲修法會、適有薩隅之亂而不果。乃以十一年戊寅七月、請官行流燈會於墨上。紙製燈籠、形擬都鳥、點火中心、其數無

慮千百箇。夜々放之、水上閃々隨流而下。寔爲奇觀矣。往時牛島弘福寺僧、毎歳孟秋、例行流澄會於此。而近世則絶。斯擧蓋有所據也。都鄙士女來觀者、陸續接踵。始自七月一日、終於八月二十八日。燈日加多、而觀客倍衆。主人又請三緑山僧侶、誦經舟中、大修法會。一切費用、捐貲辨之。其尚古追遠之志、洵可嘉也。今茲十二年己卯二月、主人卜築田園數畝、造一宇、祀中將。以擬巖本祠。名其處曰言問岡。將建碑以記流燈之事。請余撰文。余也、昔生於墨之西瀕、今又隱於墨之東岸。凡墨之遊事景物、一無所不闚也。況於平素仰慕中將文藻、而與主人相親善乎。乃不辭謭劣、以記顛末。主人名佐吉、姓外山、以種樹爲業。世家於墨上。其亭曰言問者、蓋取於中將都鳥歌中之語云。

斷橋之難　松本原

寛政之初、大君尚幼。大臣輔政、事無細大、去奢從儉。先是、都下大祭有二。其一曰山王、其一曰神田。皆官祭而都民擧奉其祀。凡觀戲服飾、相高以侈、至于富者敗産、貧者賣子以給其費。於是嚴禁奢侈、至于美服者有罰。官祭猶然。況礫川之白山、芝濱之神明、其他天王天神之類。或三年一擧、或五年一擧、甚者有廢至七八年者。是自撥奢反質之道、而國政所先。至今三十餘年、如一月。然都下輕浮之風、尚未漸澌也。間有盛祭美飾而被責者。今茲丁卯八月、江東深川祭幡神。蓋其南北數百街之所虔奉、其祭不擧

已二十六年。至此官始許之。於是踊躍相慶、設觀場、競巧爭技、導徒服飾燦爛眩目、其聲扇動四境、皆謂今世之一大壯觀也。將以月十五日行事。陰雨不果。改卜十九日。天晴氣清、觀者傾都、十室九空、居此者自二州橋、西則自新大橋、南則自永代橋。其嚮集蜂擁、如百万之兵、啓肱相角趨敵也。然以神輿踰永代橋、雖西北人、尚且由此者多。於是乎、橋上雲委、殷殷如雷、肉薄逼拶、足不黙地、進退維谷、流汗如雨。乍一聲磅礚、橋板中斷、倒投皆陷水、疊雙蹂躙、連袂交臂而擠歴、頭戴上者足、足蹈下者頭、叫號江河、哀泣震百里、溺者以國量、平澤若蕉。乃急發小舩數十拯之。有幸而免者。有欲拯而溺者。有善泅而免者。有牽泅者而

共死者。有子溺而父呼搶於陸者。有婦負子、兄携弟而溺者。有失君而臣自投者。有一家舉死者。有轎從共溺者。其幸而免者、或失父兄、或失子弟、或將他人兒而失之、或失所將之父兄、道途鼎沸、有泣而走。有絶氣而倒。其家聞變、發人訪求、棺桶相望、不絶於途。撈水取屍、積如丘山、子之求父、弟之求兄、號泣僵屍間、轉覆再三、洗面認衣、而後始得之。抱屍哀叫者、接踵按肩、凡死者七百餘人、其他折手足、毀形體、僅得生者不可勝計。嗟乎佛氏所謂地獄、則吾不之知。清明之世、如是積屍、未曾有也。

攝生說

中村正直

盍試觀一點之燈乎。炷大則油速燥、而燈亦速滅。故欲其終夜照室、非小其炷、則不可得也。人之生也、有限。與一缸所受之油、孰多孰寡。七情聲色之感、寒暑燥濕之變、煽其中、而攻其外。苟縱其情欲、而不知所以攝之、則猶炷之大也。故古之欲長生者、必淡泊其心、使七情之感適其中、而後病無由而生、壽可得而保也。養生蓋亦多術矣。然莫要乎愼食色焉。不愼於此、而徒服金石、餌草木、以求長生、猶爨沙而望飯之成焉。可得乎。今夫白刃、其光晃耀、人莫敢犯者。食色之過度、其殺人與白刃何異。然人每以身徇於此、而不悔者何也。余嘗有養生要訣。恐人不能行耳。曰何也。曰亦從事聖賢之訓而已。聖賢之訓如何。曰敬以治心、勤以治身。蓋敬勤二字、治身心之至要、而養生之奥秘也。

程子曰、人不學則老而衰。呂東萊論周之王無逸得壽之理、曰、主靜則悠遠博厚、自強則堅實精明、操存則血氣循軌而不亂、收斂則精神内固而不浮。是皆得壽之理。吉哉言乎。然則無逸一篇、雖稱之曰攝生論可也。

紙鳶說

野田逸

紙鳶非鳶也。而及依人手乘諸順風也、隨而颺、隨而高、翰飛戻天、震雄聲於雲間。方此間、眞鳶亦不能過之也。逆風忽起、則細縧中斷、骨折肉飛、傾覆流離而下、或落于泥沙、或困于葛藟于鴟鴉。忽而雲霄、忽而糞土。其不可測者如此。夫順逆無定者、天上之風也。因其無定之風、爲其身之安危。爲紙鳶不亦難乎。蓋依人而成事者、不得不因人取

矣。待物而得勢者、不得不因物失矣。今夫紙鳶、身不能自飛、待風以飛。身不能自騰、依人以騰。一上一下、一安一危、莫非待風依人也。甚矣、其與權相相肖也。夫權相之登顯職。致身於青雲、高牙大纛、叱咤風生者、是順風之紙鳶也。一旦鼎折覆餗、刑剭纖之者、是逆風之紙鳶也。何其終始懸絕、一至於斯乎。抑彼之所依者、皆人也。亦不得不因人失也。彼之所待者、皆物也。亦不得不因物敗也。是必然之勢、奚足恠焉。不見彼眞鳶乎。雄姿橫發、自得於冥々。勢不可則早飛、斂翼翺翔於林水之間。一上一下、唯意是從。豈如彼紙鳶之依人待風者然哉。不見彼眞人乎。不依人、不待物。高而不忘卑、卑而不忘高。達則伸沖天之志、一擧清四海。不達則翛然斂迹、優游於環堵、樂以忘憂。一屈一伸、唯意是從。豈如權相之依人待物者然哉。嗚呼余觀眞人之不異於眞鳶、而有以益信權相之不異於紙鳶矣。紙鳶玩器也。一敗而可復製也。一敗而不可復製者、可不畏與。

猫說

野田逸

猫之捕鼠也、與生倶生者。生而墮地、則有捕鼠之能。鼠之畏猫也、亦與生倶生者。生而墮地則知畏猫。猫之捕鼠、與鼠之畏猫、一焉耳。是故猫之捕鼠也、無足稱者。所貴乎猫者、在不與鼠相抗也。余家多鼠、利昏、伺瞞、旁睨側出、猖獗陸梁、無所不至。余患其暴。因乞得一猫。魁然如虎、爪牙如戟。旬而誅一鼠、月而誅一鼠。誅一懲百、無復鼠之患矣。或曰、子之猫、雄則雄矣。何其捕鼠之少也。曰、天地之間、物各有強弱、弱之肉、強之食也。猫而悉誅鼠耶、鼠未可悉誅、而猫已將罹禍。況千百鼠而當一猫。豈有不敵之理哉。而彼猶以爲不能敵者、特畏其威而已矣。若捕之多、則其威損、損則抗。猫而與鼠抗、豈在其爲猫哉。然則其捕鼠少者、乃其所以自逞其威也。今夫人爲一縣之令、一官之長、則自高大、假威弄權、操下如束濕薪。唯其訶責之不至是懼。於是乎、爲下者、睊睊相譏、側目而疾視之。嗚呼鼠窮則咬猫。令民窮矣。焉知其不反噬令長也。必也、能以猫之心、爲心者、可以爲令爲長矣。

立志說

摩島弘

人之於志也、車之轄也、戸之樞也。人其可無志乎。而立之甚難矣。蓋不立之、以勇則因循苟且、有半途中廢之失。不立之、以專則流蕩消耗、有一暴十寒之累。故勇之與專、立志之本也。既勇且專則天下何事不可成哉。凡古人之所爲、或修身傳道、亘乎万古而不朽。或高坐廟堂、撑拄乾坤。其學問功業、皆發軔乎此矣。故爲舜爲蹠、志之所致也。爲聖爲狂、志之所致也。若夫學樂乎、援琴鶴舞、志之至也。學射乎、調弓猿號、志之至也。學醫乎、視牆一方人、志之至也。且天下之人、志農者、播種不失時。志商者、販鬻而保利。或志梓匠、或志朽墁、爲陶爲漁、吾未見志其事而弗成也。其沮格廢置、中道而輟者、志之不至也。故匹夫不可奪志。況

爲士者乎。士而不能立志、則不及販夫賈豎遠矣。然人心之危、出入無時、動靜不定。其持志也、亦猶御悍馬。一縱即逸。往々不能自制焉。蓋嘗觀輕躁之士、其始立志也、疾風迅雨、不能及之、銳兵精甲、不能禦之。必將一進不退、百變不磨也。及其久也、名韁利鎖、勒之於內、蛾眉靡音蕩之於外、或窮困梏之、或喜怒擾之、紛紜轇轕、日喪月失、少而勇者、老而爲怯、少而廉者、老而爲貪。時少省之、何益之有。故曰、立之以勇。勇則能守。守則不變。立之以專。專則不分。不分則精。是以惰氣將生、則勇以挫之、慾心將萌、則勇以鎭之。猶將之御士卒、主之令童僕也。將嚴主明、則雖有悍卒黠僕、久而自伏矣。外物之誘、專則不應。患難之來、專則不

動。猶松柏挺立、肅霜積雪、不能虐之也。然後身可榮辱也。志不可榮辱矣。身可生死也。志不可生死矣。所謂立其大者、小者不能奪、此之謂也。余性怯懦、不能以志帥氣、將陷暴棄。因作此說、以自勵焉。

曾我兄弟復讎　中井　積德

建久四年四月廿七日、源賴朝、大田于冨士野。廿八日、會曾我十郎祐成、五郎時宗、復讎、宵殺工藤祐經于行營。祐成者、伊東祐親之孫也。父曰祐泰。祐經者、祐親之從弟。祐經幼孤。祐親相其室。既長有違言、祐經忿賊祐親于郊。祐親傷、祐泰死。祐成生五年、其母改醮于曾我祐信。二子從母。故亦稱曾我氏。幼有復讎志。時宗尤驁悍。其母懼遣時宗入浮圖。時宗不肯、爲僧逃還。母怒而弗子。祐成則居常依母。及賴朝起、祐親亟死。其子孫不得入仕籍。祐經貴寵用事、自衛甚嚴。祐成時宗、志益堅、而不得間。每有蒐狩之役、二人輒潛行、瞯窺以求濟事。祐信亦貴。然二人者、不欲累之、不以告焉。是役也、祐經祐信、皆從。祐經聚娼而飲酒、醉而寢、備禦有懈。二人入帳中、蹴祐經、呼曰、祐成時宗、報父讎。祐經起受刃。祐經驟興、拔刃尺而首隕。軍中驚擾、爭擊。二人奮鬪、殺人如麻、祐成刀折死兵中。時宗轉入中軍急。僮五郎蒙衣立戶側。時宗入。從後抱之、號曰、獲賊。兵聚、縛時宗。明日引時宗造于庭、使左右訊狀。時宗瞋目叱曰、時宗今日死矣。豈與汝輩言哉。賴朝乃親問焉。時宗對曰、

祐經父讎也。何故殺傷吾軍士。曰、非吾所讎諸人。乃諸人擊我、而受創也。入吾中軍何居。曰、君者祖父之讎也。賴朝壯之、欲宥其死。祐經之子叩頭請命。乃引出斬之。

伊賀復讎　塩谷　世弘

寬永十一年十一月、因幡渡邊數馬、殺河合又五郎於伊賀上野城之下、以報父仇。初數馬父曰靭負、與又五郎同仕備前國主池田忠雄。又五郎殺靭負亡來江戶、投朝士荒井四郎、請偕室自盡。時天野十郎左衛門池田勘兵衛近藤騰之助、會四郎家飲酒。皆任俠少年。四郎謂又五郎曰、近日天下無快事。此足以少吐氣。子須自愛。吾儕保無他。乃移書以招友。應者六十九人。忠雄聞之怒、乃因又五

郎母、使四郎請又五郎。四郎不與焉。忠雄益怒、欲殺其母。四郎乃遣勘兵衛、說忠雄曰、又五郎知罪矣。請與其母換焉。忠雄乃使輿送其母。四郎奪其母、而不與又五郎。忠雄大怒、乃與仙臺、阿波侯謀上書、請得四郎等四人、甘心焉。四郎亦聚黨自備、至朝士六百餘人。居亡幾、忠雄病卒、子光仲嗣封。忠雄臨終遺命、必斬又五郎、以祭吾墓、雖由此喪國、不顧也。既而有命。幽四郎等四人、而錮又五郎。又五郎匿于參河海濱。數馬時十六、辭仕、以報讐。光仲謂數馬曰、又五郎慓悍多黨、恐不易敵也。誰居戮力者。對曰、欲適郡山、借力姉夫荒木村光。乃許之。村光稱又右衛門、舊伊賀荒木村農夫而勇、趫軀幹魁梧、力兼十夫、學劍於柳生

中等漢文讀本　卷之五　十八　集英堂藏版

宗矩、游四方角技、無有能抗者。郡山城主本多政朝聘之。故仕於郡山。及數馬往請、村光奮曰、子之讐乃吾之讐。請與共焉。乞暇政朝、政朝義而允之、賜金。不受。賜佩刀、乃受。託孥其師、頒器財於弟子。弟子北藤喜兵衛、山根武兵衛、請而從焉。又五郎有伯父、曰櫻井甚右衛門、其弟曰甚佐。亦仕郡山。及聞又五郎事、皆致仕以去、將相拉以如鎮西。時四郎等既蒙赦、復黨又五郎、令劍客星合段兵衛、勘兵衛、他力士十人護送。及從隷數十名。以肥後球麻僻遠、屬城主相良氏、以舍又五郎。相良氏許諾、發人爲導。徐由間道。數馬諜而得之。蹤及伊賀、日既晡矣。數馬謂、吾仇間於天下。夜襲非武、且恐逋逸。不若白日相面而鬪。翌日天明、要諸上野城之下。村光先斫櫻井、數馬與又五郎合刃。星合等、左右夾湊、以擊數馬。喜兵武兵、捍禦奮鬪。村光虬髯虎視。舞長刀、縱橫豨突、所當應聲而斃。敵射之、不中。再抽矢、即身首既判矣。喜兵殪四人、武兵殪七人、與數馬從隷皆死。而數馬輸贏未決。村光所擊殺十有七人。最後提刃、立乎數馬側、數馬蒙三創、全身朱殷、微却而倒。又五郎投鎗而進、數馬跳縛其左臂、遂獲首。街近上野城、城主藤堂高次、使公族玄蕃、玄蕃率兵數百人、周衛。塗巷觀者如堵。既勝、玄蕃進問故、村光爲說顚末、辭氣安徐、不異平日。明日、高次召見數馬及村光。寵奬備至。先是、光仲自備前移封因幡。高次馳价告之。光仲使步騎數隊迎之。詣伏水。高次亦

中等漢文讀本　卷之五　十九　集英堂藏版

發士卒、護送二士。光仲褒賞數馬及村光、皆祿三千石、構宅郭內、深湟高垣以居之。世謂之伊賀復讐。

慶安之變　　菊地純

慶安四年四月、亂人由井正雪伏誅。正雪駿河由井之人。父業染戶、正雪之幼、欲使爲僧、正雪不肯。一日讀大閤記、有所感奮。去遊江戶。適有一處士。自稱云楠氏之裔、家傳兵書。正雪從之遊、約爲父子、遂冒楠氏、以兵法教授。弟子日進。嘗密撰造楠氏系譜、及菊水章旗、埋藏之淺間山。至是托靈夢發開之、自稱楠氏遠裔、竊畜異圖。與其黨丸橋忠彌、欲乘喪作亂。忠彌者、長曾我部盛親遺孼、以善槍法、聞焉。正雪與之親善。一夕會衆於道灌山、定約束、布號令、

謂忠彌曰、卿預盛火藥於酒榼、悉置之酒肆。一肆點火、則
闔都烏有。吾亦見火光騰、徑火駿府、據久能山、以遙相應、
則大事可集也。既而正雪歸駿府、忠彌留江戸、將刻期相
發。忠彌慮軍須或乏、請借金於田代氏。因啗以利、曰、事成
則賞以封侯。田代氏佯諾之。忠彌大喜、又說弓匠藤四郎、
以秘計。二人驚愕、即夜馳上變。老中松平信綱、聞其善槍、
恐多傷人、直遣捕吏、闖其家、連呼曰、失火失火。忠彌倉皇
登樓望之。衆乃突入擒之、更遣駒井右京於駿府、捕正雪。
是日黎明、正雪東向眺矚久之、曰、大事睽矣。既而右京果
至、與城代大久保忠成謀、遣吏圍之。正雪及其徒八人、皆
已自殺。賞田代氏以千金、其他論功行賞有差。先是、松平

信綱、遇忠彌於和田倉門外。忠彌踞而敬。信綱問左右曰、
誰居踞而敬者。答曰、丸橋忠彌。信綱愁然不樂曰、彼有反
相。天下無事則已、苟有事乎、彼必將圖不軌。後數月而忠
彌就捕。人服其識鑒。冬十一月、磔丸橋忠彌以下三十餘
人於品川。

櫻田之變　岡千仞

井伊氏、既錮烈公水戸、遣安藤對州、諭慶篤曰、勅書非出
叡旨、宜奉還。慶篤曰、勅書至重、宜直上還朝廷。對州曰、卿
疑朝旨乎。出示一宸翰、辨其非聖旨。蓋詮勝謀九條氏所
作、非眞翰也。烈公不敢自斷。會群臣議之。金子高橋二氏、
獲罪居。曰、今日之事、有盡藩力奉勅書而已。與同志數百

人、屯集長岡驛、要遮藩宰齎勅書者。烈公遣左右、說諭之、
二氏傲然論納勅之失體、格鬪互有死傷。烈公深難違幕
旨、命青山延光、率藩學書生、往討。衆皆散走。乃命藩宰大
場氏、齎勅書南上。原仲寧、疏納勅失體十條。大場亦爲之
留行。金子高橋二氏、與同志議曰、聞薩長藩士、會輦下謀
舉事。宜先殲彥賊、協力彼輩、以唱義天下。高橋父子西上、
金子以下留江戸、謀井伊氏。三月三日、井伊氏登營。此日
風雪、咫尺不辨。過櫻田門。有一人捧書、伏路傍者。左右爲
一鄙人訴事。叱而避之。不聽。匍匐近輿側。忽有數士人、拔
刀衝鹵簿。儀從淆亂。號砲一發、伏者十數名、蹶起挾進、刃
騶卒曰、國賊。舁夫棄輿而走。一人乘機、蹴輿、自呼其名、曰、

薩摩浪士有村兼武、拽出直弼、一擊僵之、貫首刀尖、走且
呼曰、大願成就。衆乃止鬪四走。邸人聞變馳至、不及。伏尸
縱橫、相顧茫然。輿主屍而退。兼武馳至龍口、創劇、投首路
傍、自屠而死。諸士凡二十名。大關、森、杉山、森山四名、至細
川氏邸自首。黑澤、蓮田、齋藤、佐野四名、至脇坂氏邸自首。
廣岡、山口、鯉淵、稻田四名、創斃路上。廣木、增子、關、海後、金
子、佐藤、岡部八名遁。後皆逮捕。佐野氏創劇、不能言。手示
懷。自側搜出疏狀、題曰斬姦旨意書、署每人名氏、曰、賊臣
井伊直弼、挾幼主、擅威福、黜罪宗戚烈公及諸曹賢者、逼
朝廷、幽屏親王公卿、遂至議主上讓位。臣等義不與賊臣
戴天。謹爲天下加誅戮。不敢自逃避。首實就鼎鑊。高橋至、

大坂、寓友人家。逮卒來逼。呼酒與其子庄左訣飲。衆簇擁不敢逼。提刀而出。衆皆逡巡。徐步行投天王寺子舍。斬指題和歌窓紙自殺。大關以下獄決處斬。海後岡部獨免。

遊漢辨記

阪井華

全一山唯松。望之三面峭絕、一面稍夷、可登者、熊谷氏古城也。遶山有溪、清深多魚。石堰洩水、潨然如風雨者、橫川也。傍溪有村、簇簇千餘家。商賈輻湊、牛馬如織者、漢辨也。余遊漢辨三。每望古城、未嘗不欲登以觀成敗之跡。而未能也。今茲又遊焉。則又雨不果。豈古城之靈、有所忌而不欲人之窺其墟邪。當天正之際、熊谷氏虎踞此山、咸名著一州。而能來爲敵者、武田光和也。余來時、過武田氏古城、

下、見道傍祭大石高如人長。問之則曰、光和所手投云。二將勇力相倚、地險相敵、勝負相持。而今皆亡矣。厚壁深塹、大樓重寨、所以備要害、圖久安者、莫不皆廢墜堙夷。而樵牧侵而麋鹿栖矣。此固興亡常數、古人譬諸夜旦、錯行無足怪者也。然要之、上下二百年之間而已矣。則安知二百年後、不反覆相替如斯哉。余於是大有感焉。漢辨商賈之區。得利則喜、失利則悲、孜々朝夕唯貨是求。誰有與余同其感者哉。夜深雨休、星月娟々。乃出戶望古城、獨立石堰之上久之。

遊松島記

阪谷素

松島可記乎、非可記也。記之者多矣。而非其眞也。丙午秋、末、余自羽踰有無關、入仙臺。探宮城野、末松山、多賀城等諸勝址、謁鹽竈神、宿祠下。時二十一日也。翌早起、寒頗烈。叩舩戶一醉待潮候。須臾數客至。乃一舸翩然剪浪進。勁颸吹潮、飛沫如霰、舳艫蕩漾、榾々甚勤。舟左右蕩抗、馳鎔銀中。兩涯漸箕張、前幻一島。佳境方開、蓬萊咫尺、不覺心魂之飛越也。舟益進、島益出、島外皆島、島內皆島。島生島滅。一島萬化、不可諦視。舟沿左崖行、巖壁連亘、滙爲淵、延爲湫、聳爲峯巒。轉々爲態、無一雷同者。崖上皆松、島上皆松、四面翠碧。爲風蕩摩、爲行雲、爲積氣、往來萋斐、如織。舟行之妙、至是窮矣。巽二益桀驁、頭上鳥雲、奔駛如矢。時載暴雨至。島間之行、雖不至危殆、奔浪洩怒、於舟中與

雨相競、烈寒刺肌、滿舩戰々、蒙雨衣伏。篙子至得意處、吺々贊賞。輒擡頭、身既入仙境。顧眄皆流霞飛霧、如數重紫闥、倏忽闔闢。其遙々往來者、如群仙朝天、揖讓進退。獨缺佩玉鳴鑾之聲而已。蓋松島之妙、最在舟行、而舟行最嫌風雨。今又加以勁寒。其減幾層、觀可知也。偷眼管窺、猶覺絕佳罕比。余於是乎益知松島不可記也。舍舟于御島、步島上。氣象亦絕佳、有堂有窟。磬聲和浪、響震空際。但俗碑刺目、綦可厭。獨寧一山碑、頗爲可愛已。過小橋、出松島鄉、鄉對島、列屋待客。瞻眺亦妙矣。周觀瑞巖寺五大堂嶋之勝、出高城驛里半許。躋富山、風雨暴至、笠簷盡裂。幸開霽、得免狼狽。山極峻峭。得一刹。曰大仰寺。寺庭望海、甚偉。松

島在眼下。鷗泳鳧游、布置之妙、不可思議也。諺曰、冨山之景在松島。松島之景在冨山。不誣焉耳。若春風秋月、與二三良友、一葦載酒、翩遷縦遊、然後宿于此、延素光、賞出日、倒樽而賦、悠々乎可以鳴快於一時也。而余則時與日俱失矣。其又何言。翌日午入涌谷、訪故人、共語其勝而作記。嗚呼松島非可記也。而余又最非可記也。然而記之者、以此行、所主姑藉此以遣懐耳。若夫名状典故之詳、世已有其書、余不復贅。

紙奴說

與野純

都下方春有放風鳶之戲。其製以竹糊紙、塗以丹青、或鶴或鵠、或孔雀、其形模大小不一。各從其所好。不獨鳶也。又有爲鬴奴形以鬻焉者。余戲詰之曰、風鳶戾天之物也。故製者皆取其飛翔之類、固其宜也。夫奴隷隨人後、爲人役、上堂且不得。況天乎。子製之抑有說乎。鬻者笑曰、噫、子何不解事之甚也。奴固有戾天者矣。昔衛青少時、其父兄皆奴畜之。相者曰、貴人也。至封侯。青笑曰、人奴之生、得無笞罵即足矣。安得望封侯乎。及其壯也、拔擢陞大將軍。然是猶漢土之事也已。以我邦言之、豐公是已。豐公亦非挈鞋奴乎。遭風雲之會、手提三尺、叱咤群傑、遂并六十六州。奴豈不可戾天耶。今夫放紙奴於春風也、怒而飛、激而鳴、其力衝層層之雲、其聲轟隆隆之雷、恣睢跋扈、高逼帝閽。方此時、霄間之百鳥、相顧愕眙、斂翼縮首、莫敢出聲。其勢可

謂盛矣。然紙奴之所以登雲路者、時因風與絲之力焉耳。是故風變絲斷、則顛覆墜墮、或觸屋瓦、或陷溝渠、其不裂膚折骨者幾希矣。善放紙奴者、及其高颺也、不極其戲、輒牽而下之。故無風變絲斷之患矣。豐公之起猶紙奴之駕順風、瞬息之間上雲霄。惟其方隆盛之時、而不知儆懼以節其欲。是以忽興忽亡、爲後人之笑。嗚呼後之英雄、以善放紙奴者爲法、則庶乎可免矣。余默然無以對、退而爲之說。

天野屋利兵衛傳

賴惟完

天野屋利兵衛、名直之、大坂人。爲鄕長。世往還於赤穗城主淺野君之門、特見眷顧。赤城元祿之變、諸士會議、直之即走於赤城。聞其處分、欲爲効萬一之力。久之、義士相結、復讐之議定。殊秘而不出、內外莫知之者。獨直之以其忠誠得與聞焉。大石良雄、又竊與直之議。凡所用兵仗器械、一切屬託直之製造之。既而義徒各自潛匿于三都之間。直之在大坂、一謀成之。乃妻子僕從亦不令知之。躬自奔走於工肆、隨而輸之于江戶矣。冶工神力氏者、詣官曰、有請造一長兵者。以其在職、而詰而未爲之。但其制甚奇異、是以敢告。求其人、則直之也。乃逮而至、按驗之。直之曰、是市井備偷兒之具耳。豈有他乎。詰其制之非常、則曰、一武人巧思之所創。聊效之也。時都下鍛工匠人、傳聞之、其嘗爲直之作兵器者、皆告於官。遂下諸理。拷掠甚急。而不

服乃收錄妻子拷問極辛毒皆曰實不知官請憫之言辭慘然直之曰此事家人一無所知敢請其所受辛於直之身聽之乃復鞠訊水火備至身無完膚殘絕者數矣居頃之直之請曰此事有所由自始莅事自分死豈謂有生路乎但至明春當自首不然身且虀粉不敢白也其容貌安諦辭氣慤實不似有慝者官以故許之而不問既踰年世間盛傳去年十二月十四日赤穗諸士襲吉良氏之第殺義英以復先君之讐也獄卒徒隷亦相傳稱直之詳其事乃請自首引至于庭則曰直之歷世辱赤穗城主之顧義作臣子當良雄諸士圖大事屬直之製造兵器向之所為即其用也今聞既復讎直之之事畢矣當傳刑之秋也官

恐事之洩又憫刑之及故未始使妻孥知覺也仰願宥彼刑使直之一人就鼎鑊也則雖死猶生之年言畢淚如雨流官聞之感其義心減死放之家資悉賜其子襲為鄉長其子稱利右衛門直之入京寓鄗北瑞光院以院與淺野家有舊也改名姓曰松永土齋以壽終

赤穗義士論　大槻清崇

赤穗遺臣大石良雄等四十七人謂之義士邪深夜結黨破人門戶掩擊以奪朝貴之首矣謂之亂賊邪一片精忠百折不挫一擧以復故君之讎矣二者之目將何所定曰深夜結黨奪朝貴之首者其跡也一片精忠復故君之讎者其心也心苟純乎忠矣雖迹或涉暴亂君子必有取焉良雄等四十七人義士也忠臣也果非亂賊也曰然則朝廷之不待以忠臣義士而擬之群不逞之徒以賜自盡者何邪曰亦以其事涉暴亂耳事涉暴亂而不正刑典何以戒制天下懲後世不軌之徒乎雖然良雄等之為忠臣為義士朝廷終不得而沒也有僧焉收其屍以封之墓置而不問也有儒士焉目以義士錄其事以傳不朽置而不問也天下寧有封亂賊奪墓目之以義人而不敢禁之者乎由此觀之朝廷之所以處義雄等可謂恩威並行而不悖矣而良雄等則一成故君之志慰幽魂於地下臣事果矣自裁之令固所甘受其又何怨曰義士之目則既得聞命矣抑復讎之名先儒猶有異議焉有人殺其君父矣臣子

以為讐而復之古今之通義也今也不然赤穗侯以私憤刃人於朝坐大不敬賜死非吉良氏之所敢殺也良雄等安得而讐之哉曰以常理論之亦有似焉獨不有所謂君辱臣死之義乎夫吉良氏挾權柄傲貪而無厭銜赤穗侯之不賂於己屢挫之於朝廷以鄙野之子不知禮節罵之其辱之亦至矣赤穗侯於是不堪積忿欲逞之一擊之下而不幸不中幽憤吞恨以死則為之臣者何心能忍而與吉良氏共戴天乎是以良雄等所以為讎出萬不得已則天理之至人情之盡尚何暇問古義有無乎哉嗚呼吾既偕春秋誅心之心反賞良雄等忠義之心又據君辱臣死之義斷然決吉良氏之可以為讐則良雄等四十七人之

爲忠臣、爲義士、昭然明白、可以暴於天下萬世矣。彼拘儒紛紜之論、又何暇置諸齒牙之間矣。

米國獨立　徐繼畬

初英吉利探得北亞米利加之地、驅逐土蕃、據其膏腴之土、徙三島之人實其地。英人趨之、如水赴壑。佛蘭西、荷蘭、嗹國、瑞國、無業之民、亦航海歸之、日漸墾闢、遂成沃壤。英以大臣居守、沿海遍置城邑、榷稅以益國用。貿易日益繁盛、以此驟致富強。先是英與佛蘭西構兵、連年不解。百方括餉、稅額倍加。舊例茶葉賣者納稅。英人下令、買者亦納稅。米人不能堪。於是紳耆聚公局、欲與居守大酋酌議。酋逐議者、督征愈急。衆皆怒、投船中茶葉於海、謀擧兵拒英。

有華盛頓者、米別部人。十歲喪父、母教成之。少有大志、兼資文武、雄烈過人。嘗爲英吉利武職。時方與佛郎西構兵。土蠻寇鈔南境。華盛頓率兵禦之、所向克捷。英帥沒其功、不錄。鄕人欲推華盛頓爲酋長。華盛頓謝病歸、杜門不出。至是衆既畔英、強推爲帥。時事起倉卒、軍械火藥糧草皆無。華盛頓以義氣激勵之、部署既定、薄其大城。時英將屯水師於城外。忽大風起、船悉吹散。米軍乘勢攻之、取其城。後英師大集、轉戰而前。米軍敗。衆恇怯欲散去。華盛頓意氣自如。收合成軍、再戰而克。由是血戰八年、屢蹶屢奮。華盛頓志氣不衰、而英師老矣。佛郎西擧師渡海、與米人夾攻英軍。西班牙荷蘭亦勸兵勸和。英不能支。乃與米人盟、晝界址、爲鄰國。其北境荒寒之土、仍屬英人。南界膏腴之土、悉以歸米。時西曆千七百八十二年也。華盛頓既定國、謝兵柄、欲歸田。衆不肯捨、堅推立爲國主。華盛頓乃與衆議曰、得國而傳子孫、是私也。牧民之任、宜擇有德者爲之。仍各部之舊、分建爲國、每國正統領一、副統領佐之。以四年爲任滿、集部衆議之。衆皆曰賢、則再留四年。否則推其副者爲正。副或不協人望、則別行推擇鄕邑之長。各以所推書姓名、投匭中。畢則啓匭、視所推獨多者立之。或官吏、或庶民、不拘資格。退位之統領、依然與齊民齒、無所異也。全國中又推一總統領、專主會盟戰伐之事、各國皆聽命。其推擇之法、與推擇各國統領同。亦以四年爲任滿、再任

則八年。自華盛頓至今無渝。

論道　賴襄

道一而已矣。道之在天下也、猶日月也。日月者天下之日月也、非一國所私有也。道亦然。父子君臣夫婦、無國無之。而慈孝忠義、有別不雜、皆存於自然、非有待於人作也。我邦列聖保民如子、不讓堯舜禹湯。其風俗尊君親上、相愛相養。又有過唐虞三代之民、則雖無經籍、其道固具在。特未有名而敎之、曰仁、曰義者耳。譬若人家、同是一里也。而居之有舊有新、某巷陌、某井溝、皆有名目、記以帳簿。新者必問於舊者而知之。舊者曰、是吾巷陌井溝也、可乎。今天下之仁義也。儒者指而私之曰、是漢之道也。有稱國學者、

斥而外之曰、是非我之道也。皆非也。道豈有彼此哉。以文、彼較舊於我。彼來而貢之、我取用之、與釀治織縫之工何異。載籍者、織縫、釀治也。而仁義者、蠶也、桑也、麴米、銅鐵也。以麴米、銅鐵、蠶桑、爲自彼來者、儒者之見也。欲廢織縫、釀治者、國學者之說也。故曰、皆非也。夫道一也。則學亦一也。寧有所謂國學云者乎。陋哉。且夫先王已取而用之、著爲令典矣。而敢非議之、是議先王之典者矣。而幸免於誅也。

那須宗高射扇 其一　柴野邦彥

既而阿波、讃岐、叛平氏而待源氏者、所在山洞、往々十騎、二十騎、相將而來歸。判官兵及三百餘。當日日向暮、不可決勝。源平交收兵而退。海上艷裝一小舟、望岸搖來。距岸七八段、轉而橫舳而止。源軍疑而視焉。舟中出宮娃。年可十八九。綠衣紅袴、開純紅扇畫旭曦者、挿竿樹之船頭、向岸而招。判官召後藤實基、問曰、彼欲何爲。對曰、是應使我射也。臣意或者將軍進當箭道、而觀翫姬妓。則欲巧狙而射落也。但扇則似可使射者焉。判官曰、我軍可能射者爲誰。對曰、巧射固多。就中下野國人、那須太郎資高之子、與市宗高云者、力雖稍劣、而手則巧利矣。判官曰、有徵乎。曰、諾。其賭射禽鳥、三必二得矣。乃命召之。與市尚二十左右之男子也。披茶褐戰袍、紅錦飾襟袂、擐青緇甲、佩白帶刀、背負一箙。二十四枚斑羽箭、加插鷹羽鳴鏑一枚、腋繳纏漆弓、脫鍪繫鎧紐、進而跪馬前。判官曰、宗高汝射扇正中、令敵軍寓目、則如何。辭曰、臣自料、不知其可能也。若誤射、則永爲我軍弓矢之辱矣。請更命定能者。判官大怒曰、此行發鎌倉、赴西國者、其豈可違義經之令。若毫存枝梧者、須速歸鎌倉也。

那須宗高射扇 其二　柴野邦彥

與市私謂、若再辭、恐成惡意。乃曰、然則其逸則臣不敢知也。既有命矣、請嘗試之。乃起鐵驪肥健、駕金稜鞍、以跨之、整頓弓在手、促轡向汀而步。我兵目送久之。言曰、此壯夫定能者。判官亦視、似以爲委得人焉。既的道較遠。驅馬入海一段許。距扇猶有七段遠近。時二月十有八日、日已加酉。會北風頗烈、高浪打岸、船乍湧乍陷、而漂泛、扇亦不安竿而閃曜。海面則平軍一行、列舳而注目、岸上則源軍並轡而凝視。極爲顯揚盛事矣。與市閉目默禱曰、南無八幡大菩薩、殊我國日光權現、宇都宮那須温泉大明神、請令射夫扇正中也。若誤事、有折弓自裁、面不可再向人也。神欲使一歸本國者、此矢勿使逸焉。既開目、風粗恬。扇如容射者。乃取鳴鏑、架上引滿而發。雖然劣力、而十二拳、飛鏑、響浦長鳴、射斷扇眼上寸許。餘力遠去入海。扇則揚而舞空、被春風翻弄一再、颯然散落海中。純紅之扇、夕日映發、委白波浮沈泛泛。舟師擊舷而賞贊、陸軍鼓箙而嚾呼。

壇浦之戰　中井積德

文治元年二月、源義經既破平氏於八島。平氏趨引島。義經會其兄範賴于周防、倶追之。熊野湛增、以戰艦二百、河野四郎、以戰艦百五十、皆來屬焉。於是源軍愈益振。戰艦凡三千。而平氏艦不滿千。戰有期日。梶原景時以後爲無功、固請先鋒。義經弗許。景時竊罵義經。義經怒、把刀而起。景時亦撫刀。諸子露刃、隨其後。義經辨慶等環逼梶原氏。諸將救之而解。然景時之憾義經也益深。三月廿四日、大舟戰壇浦。知盛猜阿波重能有異志、請斬之。宗盛弗聽。重能果以其衆降源軍。曰、平之良在兵艦、華鷁輜重已。於是大軍四萃其兵艦。平軍大敗績。知盛度不免、走而促然。二位尼。抱安德帝、踏海而殂。平太后及大納言時忠、溺而不

死、並獲焉。教盛、經盛、資盛、有盛、行盛、皆負碇、相攜而沈。獨宗盛其子清宗、不能自決。仰天而立。人或擠宗盛墜於水。清宗從之。然身輕弗沈。相顧而游。義盛飛射鉤之、幷虜之。及內藏頭信基、左中將時實、兵部少輔尹明、僧全眞、忠快、祐圓皆獲焉。教經射殺敵數十百人、箭竭。抽長刀奮戰、奪舟而前。所向披靡。知盛使謂之曰、無敵乎哉。多殺何爲。教經曰、諾。乃輕甲短刀、索義經。義經急挺身超舟而走。教經不能從焉。戟手罵曰、孰能虜我者、我且與賴朝語。安藝太郎、其弟二郎、暨其卒皆力人也。走就之。教經蹴卒墜於水、雙挾兩人、跳入于海。時年二十八。知盛掃除舟中、其故紙褻衣器皿、悉投之海。曰、吾事畢矣。負重甲自投而死。平氏亡。源軍凱旋。

林子平畫像記

松林漸

仙臺岡天爵、齎藩人林子平畫像一軸、來示余曰、此摸林氏傳家肖像也。請子爲記焉。余受而觀之、摸寫入神、鬚眉皆生動。嗟乎士負不世之才、抱絶人之明、而轗軻困頓、不得施於用、垂空言以傳世者、蓋有待乎後之在位者。而後之在位者、徒誦其言、不能有所施、雖則有所施、而不能盡用其言、竟致天下之禍、潰裂四出、而莫之救。使其人獨獲知言之名。如吾子平者是已。子平家貧無妻子、常痛心於外夷、著海國兵談、三國通覽諸書。言觸忌諱、幽囚以死。自今觀之、何其見之明、言之切。而當時在位者、狃承平、曾

無遠慮、無怪乎以子平爲罪也。余聞子平在藩邸、一日擐甲上馬、出邸門、直馳入水戸侯邸。門卒詰其故、曰馬逸也。問其姓名、曰仙臺林某。卒白之侯。侯素聞其名、召入。蓬髮毿々然、眼光射人。問曰、汝非著海國兵談者耶。曰然。因賜酒、遣還。蓋其放蕩不羈、類踈狂者之爲、而其實眷々憂世。未嘗食頃忘也。今觀其像、益使人想見其生平之槪焉。像縱八寸、撗六寸、穿小袴、帶長刀、爲行旅之裝。踞磐石上、左手握墨斗、右手提筆、如有所思者。蓋子平遊歷海內、探地形之險夷、山川之阨塞、以坐守一室爲恥。故其畫旅裝者、見其志也。特其皮肉豐腴、不類有憂者。豈其胸中無所恨故然耶。子平之歿、蒲生君平上書、請爲立墓。而官不許。其

後有外人之患、其言皆驗。乃始許立墓。於是人或謂子平當含笑於地下。惡是何言也。子平而有知、必且悲其言之不幸而中矣。

名和公畫像記　　森田益

均是武夫也。生於漢土文明之邦、而有不讀書暗於大義者。生於本邦文運未開之時、而有讀書明於大義者。如梁王彥章、我名和公是也。彥章爲梁猛將。功蓋一世、勇冠三軍。然其所事逆賊朱溫之朝也。所爲死、逆賊之子孫也。事逆賊之朝、死逆賊之子孫。雖功蓋一世、勇冠三軍、亦一逆賊耳。然彥章亦天資絶人。使其讀書、必知講義理矣。唯其不讀書、所以不能明義理也。淸湯來賀論彥章爲殺身

成仁、當矣。是豈非不讀書暗於大義者耶。名和公方元弘之時、與新楠諸公共討滅逆賊、成中興之業。及天下再亂、遂殉節。公忠義固出於天性。然其能全節、蓋有所由來矣。閒作州眞島郡雲南寺、有公所戲書宋詩。余嘗覩其摹本。遒勁高邁、頗有晉唐之風。公文采風流如此。是其平生讀書講義理也必矣。唯其讀書講義理、所以全節也。所謂殺身成仁、公有焉。是豈非讀書明於大義者耶。夫彥章事逆賊爲逆賊死。其肖像可不必記。而歐陽脩記之、嘆賞不措。公之精忠大義、赫々如是。而莫記之者、豈非千古之缺典乎。伯耆名和莊氏殿神祠、公木像在焉。因幡人赤石必摹一本、來請記。余展觀之、英采四射、使人不覺起敬。乃焚香盥漱而記之。抑余記公像、有所深望於方今之士焉。蓋自洋夷窺邊、和戰之論興、天下殆成分裂割據之勢。方此時、士能辨順逆、則爲公。不能辨順逆、則爲彥章。苟欲辨順逆、在讀書明大義而已矣。是余之所以望於方今之士也。元治元年五月十日、大和處士森田益謹撰。

鏡背輿圖記　　賴襄

北野菅神廟、龜前大鏡、相傳、加藤肥州所獻。蓋在慶長庚子之後、未詳其年月。鏡背鑄輿圖。好事者戀之廟祝、搨以爲珍玩。六十六國、國署其名、旁及諸島、略備。以波紋周之、而四角有桐花章、其下各以桔梗三花爲品字者承之。隱起代鏡鼻。故所搨紙徹破焉。桔梗其家號、桐號豐家所賜

也。源金吾孟仲得一本示我而言曰、子謂肥州何如人也。當時英雄、人有爭心。肥州莫乃亦然乎。否則鏡背豈無他圖可畫。而摸此大物、以己徽號四維之何哉。安諸神廟、以當禱詛其志不可測也。余曰不然。假使肥州有異志、庚子之亂、何所不爲。物情既定、乃規非望禱祠而求之。是庸人所不爲。曾謂肥州聰明英雄而爲之乎。而菅神忠臣之靈、而受之也。孟仲曰、或云、肥州忠於豐氏。桐花爲豐氏號、是祈其主恢復舊物也。是亦不然。豐家之不可再興、亦不待智者而知之。愛而禍之、肥州必不爲也。肥州佐豐臣氏、耀武海外。既而天下有所歸、則去逆就順、佐其撥亂之功、其於功名可謂成矣。銘之金石、寘於神廟、謀不朽焉耳。豈有

他哉。吾想、當日工成、檢視必指其壹與對曰、彼我少時所鑑而度也。指其豊與筑曰、彼吾中年所騎而横行也。既而自鑑於其面曰、吾老矣。蓋如是而已。孟仲笑曰、子猶親見肥州也。遂屬我爲之記。因書其所問答於圖下返之。

公法　　鄭觀應

公法者、萬國之大和約也。中國爲五州冠冕。開闢最先。唐虞三代、相承爲封建之天下。秦併六國、改爲郡縣。歷漢唐以迄今。莫之或易。其間可得而變易者、宗子之封藩、疆域之分合也。其雖變而莫之或易者、概不得專禮樂征伐之權也。然均有相維相繫之勢、而統屬於天子則一也。統屬於天子一故、內外之辨、夷夏之防、亦不能不一。其名曰有

天下、實未盡天覆地載者、全有之。夫固天下之一國耳。知此乃可與言公法。公法者、彼是自視其國、爲萬國之一。可相維繫、而不能相統屬者也。可相維繫者何、合性法、例法言之之謂。夫語言、文字、政教、風俗、固難強同、而是非好惡之公、不甚相遠。故有通使之法、有通商之法、有合盟合會之法。俗有殊、尚非法不聯。不能相統屬者何、專主性法言之、謂。夫各國之權利、無論爲君主、爲民主、爲君民共主。皆其所自有、他人不得侵奪。良以性法中、決無可以奪人、與甘爲人奪之理。故有均勢之法、有互相保護之法。國無大小、非法不立。爾雅釋訓云、法常也。可常守也。釋名曰、法偪也。使有所限也。列邦雄長、各君其國、各子其民。不有常法以

範圍之、其何以大小相維、永敦輯睦。彼遵此例以待我。亦望我守。此例以待彼也。且以天下之公、好惡爲衡而事之曲直。登諸日報、載之史鑑、以褒貶爲榮辱、亦擁護公法之域。故曰、公法者萬國一大和約也。

和氣清磨論　　賴襄

所貴於士、以其有氣節。無氣節非士也。士之有氣節、不獨以立其一身也。足以維持國家、定天下之安危。國之有士氣也、猶家之有柱也、舟之有檝也。舟無檝則覆。家無柱則傾。國無士氣則亡。吾觀於和氣清磨之事、有以知之。神龜寶守之際、朝廷之士、可謂無氣節矣。橘諸兄以華胄位極正一位矣。聖武之惑溺婦言、事無益興造、不聞其一言匡

救之也。帝之慶盧舍那佛也、與皇后皇太子、備儀衛往。諸兄爲後乘、合掌膜拜、以當萬衆之觀、而不恥也。吉備眞備、以儒學受寵、兩朝位至大臣、稱爲帝師矣。玄昉之濁亂宮闈、而熟視之而已。仲滿之驕横、道鏡之僭竊、而如不聞知。相率拜賀、仰爲法王而不恥也。觀此二人之所爲、可以推其他矣。景雲之元、釋奠大學。其二年、旌表孝子貞婦。其三年、百官朝道鏡於西宮。噫釋奠之禮、何禮乎。旌表之典、何典乎。而眞備則以爲道行矣乎。故講禮講學、儼然稱士大夫、而無氣節焉。則其無益於國也如此。夫以赫々天朝、祖宗百世之天下、而欲傳之一比丘、誰不知其不可。而無敢言者何哉。曰懼禍也。當此時、有一人焉、言之、是損其一身、

以存祖宗之天下也。清麻呂是已。故曰、士之氣節、關係天下國家。有天下國家者、不可不養此以為倚賴也。及光仁天皇之即位、首召還清麻呂、復其本官、是矜式士大夫、定天下之所向也。嗚呼可謂知所務矣。天下可百年無如諸兄眞備者。不可一日無如清麻呂者。

楠氏論贊第一　賴襄

外史氏曰、予脩將門之史、至於平治承久之際、未嘗不舍筆而歎也。嗚呼、世道之變、名實之不相讐、一至於此歟。古之所謂武臣者、勤王云爾。如源氏平氏、莫不皆然。至於平治之後、乘綱維之弛、以逞鴟梟之欲。有暴悍無忌者焉。有雄猜匪測者焉。雖所為不同、而其蔑王憲、營私利一耳。然猶有可言。曰王族也。將家也。至於北條氏、以將門厮隸、而坐制朝廷。天下之事不復忍言也。且夫承久之事、孰曲孰直、筆而傳之者、皆出北條氏盛時。今安考信焉。況君臣之隆、寧可較曲直也。乃指斥憑怒、極其凌辱、視萬乘之尊、不啻如孤豚。嗚呼、八州生民、誰不被先生之遺澤。當時所謂武士者、狃其豢養、供其使嗾、雖名位族望遠出其右者、奔走驅馳、甘為之役、之不暇。氣類所召、習以為常、豈可勝言哉。即稱為公卿者、平時趨蹌朝廷之上、取天子之爵秩、以驕天下、而及於此際、未嘗畫一策以救危難。袖手傍觀、以聽其所為。是曷尤於武人邪。雖時勢有所未可、君德有所未洽、以致乎此禍。而亦臣子之罪矣。自是以來、百餘年間、

廢立黜陟、一仰其處分。而朝廷戚々如被束縛、至於窺其顏色以為憂喜。何其甚也。

楠氏論贊第二　賴襄

余聞、後鳥羽上皇之徙隱岐也、因石窟縛屋、纔庇風雨、十有九年乃崩。蓋父子三帝、隔絕千里、各居窮海、終天不得相見。是其心何嘗一日忘北條氏哉。則元弘之事、万不可已也。而其勤王之功、余以楠氏為第一。微楠氏則西狩之駕、吾見其與承久歸一轍而止而已。何哉。彼北條氏、雖失於政、其權力有更甚焉。藉累世之威、而加積弱之餘。百万虎狼、隨其指呼、炰咻中國、莫之或攖。天下方以承久為戒、重踵屛息、莫敢言勤王之事。而楠公獨以眇眇之軀、唱義其間、當其衝路、挫其爪牙、以鼓舞四方義士之氣、使之一時蹱起。殄戮元惡於斧鉞之下。報列聖之深仇、雪累朝之大恥。天下万姓、再得仰日月之光。雖曰屬皇運之泰、而非公為之唱、焉能至此。是焉知非天生斯人、以匡濟世道哉。後之論者、或有比之唐張巡者。巡戴全盛之唐室、拒狂胡之偏師。有二顏為之先、有許遠為之助。而不過遮蔽江淮、守城致死。以公視之、勢之難易、功之大小、豈可同日而語也。要之、位不滿其器、莫能展其才。而終能以躬殉國、靖獻先王。餘烈所及、不獨其子孫、自公卿自將士、各執弓箭、以勤王事。概皆聞楠氏之風、而起者也。嗚呼如楠氏者、眞可謂不愧武臣之名矣。余故敍楠氏之事、以繼源平氏云。

上樂翁公書第一　賴襄

布衣賴襄、謹再拜、白少將樂翁公閣下。襄嘗讀宋蘇轍上韓魏公書、愛之。以爲、自昔進言於當世王侯者、大抵有求而自售。識者所鄙。獨轍偉魏公人物、比之名山大川。欲接其言貌、以養己作文之氣。言雖近狂、其澹泊無求、可知也。雖然、魏公是時猶當路秉權、人將疑轍之有求焉。閣下今代之魏公也。而勇退高蹈、久處閒地。使襄學轍所爲、可以無嫌矣。特貴賤懸絕、不啻如轍於魏公。則徒仰而心嚮之而已。今茲、尊嫡君侯膺幕命入朝、謝大拜之恩。襄伏在草莽、側聞盛事。而不圖邸吏帶閣下之命、來就襄家、取所著私史、欲賜覽觀。禮意殷勤、愧悚交至。夫襄不敢求於閣下、而閣下求於襄。襄之榮大矣。復何所嫌而辭避乎。雖未接謦欬聞其詞命、亦可以自壯。於是忘其蕪穢、出以納下執事。又敢有所瀆告。轍書稱史遷文有奇氣。他日自作古史、則論遷之疎略輕信淺陋無識。夫遷官太史、總領天下文籍。猶不免疎略之譏。況如襄、以寒陋一書生、獨力罔羅古今。其不自揣而招大方嗤笑、必也。然少小嗜讀國乘、每病常藩史之浩穰、又恨其有闕。至近代之事與夫隆治之所由、非無先輩撰著。又未有斷其端緒、綜各家終始者。於是、私倣遷史世家、而加詳備、斷自源平氏、至於今代、間以中興諸將及割據羣雄關係治亂者、家別紀之。或錯而合之、要覽其成敗盛衰之狀、與臣屬謀戰忠邪之跡。取其大

體最明確者。若夫博引旁搜、辨析錙銖、世自有其人。以爲非襄輩所及也。

上樂翁公書第二　賴襄

至其義例、蓋亦有貽淺陋之嘲者。事繫一姓之下、而不有統紀以總之。列將家而雜以雄長、擧今代而稱謂論說、如欽尊崇者。是自有說焉。夫右族迭興、甲起乙仆、以成海宇之沿革。而事不必關於王室者、我中世以還之國勢也。故假實創體、以形世變、而其中貫以帝系年號、以表條理。至大義所繫、必用特書。雖厠權豪於元帥、隨成敗次第、而因署題以見總屬。而載之事實、名分截然。讀者自能見之。至若今代稱謂、則謹據奕葉名爵天下公行之稱。名實輕重、按跡可知。不敢私撰名號、以黷今代、而昧後世耳目。閲首至尾、睹其得失之相形、明其分裂統合之所漸、則今日無前之功德、有不待言者。又不敢喋々頌贊、使人疑其諛與溢。自謂敬之至也。凡是襄區々撰述之本意、不可不爲閣下一言之。野人朴直、以所謂無求之心、著書。取其簡約、自便省覽。始非謀公之世也。所以引据剪裁、皆成一家私乘之體。至寫錄體貌、又一倣古史、不肯學輓近之文縟。是以拮据二十餘年、藏之篋笥、未嘗示人。今乃得閣下之寓目、以取信於天下後世、眞意外之幸也。襄雖無求於今日、而不無求於千百載。非經大賢之鑒識、不足以保其傳也。然苟得流傳、不別今與後、其損益於世道人心、尤不可不加

謹、襄也病羸、不能效力父母之邦。況敢望有益於世。然生遭此極盛之運、以其庸陋之筆墨、裨補萬一焉、則不負為太平之民也。蘇轍謂魏公、苟以為可教、而教之、則幸矣。閤下其亦有以教襄焉。冒瀆尊嚴。惶惧無已。文政十年丁亥五月廿一日、布衣、賴襄謹、再拜、白。

山田長正傳

齋藤正謙

暹羅國在南天竺。隋志稱為赤土。暹與羅斛、本為二國。當元之時、合為一。周迴萬里、物豐人繁、號為善國。而我山田長正覇於此云。長正字仁左衛門、或曰伊勢祠官之隷。或曰尾張人。自稱織田右府之孫。少而磊落有大志。不事商販作業、好譚兵、雄傑自喜、流落寓於駿府。元和初天下始

定、士之求仕者皆于侯伯。長正弗屑曰、此間無立功名處、唯遊海外、或可以展吾志耳。時下海無禁。府有經商二人、曰瀧、曰太田、將航海回易臺灣。艤舟於大坂。長正請附乘之。二人弗許。長正乃先到大坂、求二人之舟、入而匿焉。既而二人至、揚帆而發。長正乃從艙間出、申前請。二人大驚不能如之何、許之。既到臺灣、商事畢、將俱還。長正曰、某在鄉國、殆不能自存、姑欲留此土、見喫飯處。二人方患長正之狂、心私喜、委而去之。方此之時、支那姦民、稱日本甲螺、誘我邦邊民、占據臺地。長正通覽地方、蕞爾一嶋。且已有主、不可有為也。又附蠻舶西遊暹羅。會邦内騷亂、四隣交侵。而六昆最強。暹羅國主、出師禦之。長正見其行軍無紀

律、私言其必敗。既而果然。人或傳其語、聞於國主。國主奇之、召見長正、詢方略。長正指畫陳策。鑿鑿可用。國主大喜、擢長正為上將軍、往禦六昆。時本邦人、流寓暹羅者衆。長正糾合數百人、雜以土兵、亡慮萬餘人、皆為日本裝、聲言日本援兵大至。六昆軍沮。因縱兵奮擊、大破之。六昆王憤甚、傾國來寇。兵數十萬。長正曰、敵衆強盛、難與爭鋒。唯以謀撓之、破之易易耳。乃分軍為三、一伏山陰、一艤海濱。長正自率其一、出於海陸間、進挑戰。兵既交、佯敗走。六昆兵追之、將及。號砲俄發、海陸二軍吶喊齊進、火槍亂發。長正視機反之、衷敵軍、前後擊之、大破六昆兵、殺數萬人、遂追北、長驅入其都、擒六昆王以歸。威震遠近。四隣爭送欵於

暹羅。於是國主大賞長正、妻以其女、封六昆及匹皮留之地。號曰唵普良。唵普良、蓋諸侯王之謂也。久之、國主年既高、頗倦勤、使長正攝行國事。於是唵普良之名、噪於印度諸國。而本邦地隔遠、未聞知也。數歲瀧太田、復回易海外、行到暹羅。既入其界、迓勞之使沓至、相迎入館。少焉有吏來戒。王召見二人。二人初不知其故、心頗疑懼、且從吏入見。王冠服在交椅上、金珠粲目、儀衛甚盛。二人俯伏膝行、不敢仰視。及退就館、飲食供御、如待貴客者。意益不安。既夜、復有吏傳呼至。曰、王來。二人驚出迎。王便服入座、笑拍二人之肩曰、故人無恙。二人愕眙、仰視乃長正也。長正自備說其發跡之由。二人叩頭謝曰、鄙人愚矇、嘗相從於塵

埃中、無禮獲罪多矣。不意大王能自致於寥廓之上也。長正曰、予之有今日、實由二子之賜。抑人有德於我、可不報哉。既罷。厚賜遣之。本邦商旅聞之、多遊暹羅。長正皆善遇之。長正雖富貴、而常懷桑梓、不置。每臨戰、遙禱於駿府淺間之神。軍輒勝。至是命工摹繪當時戰鬪之狀、爲扁、附商舶、獻於淺間廟、以報賽焉。又屢牒執政、納方物於大府、不失恭順之意。頃之國主殂、世子代立、長正退就封。先是、國主之妃、與其近臣姦亂、謀除國主、畏長正而不發。及長正去、遂弑之。長正聞之、則謀興兵討之。二姦大懼、募人潛往毒之。長正死。時寛永十七年也。長正無子。有一女、名阿因。勇武有父風。親將其衆、欲復父讎、屢敗暹羅之兵。通國震

恐、盡發屬國之兵、來戰。衆寡不敵、阿因遂敗亡、其下逃歸於本邦。長正之弟某、在江戸、聞長正獲志、欲往從之。適有人傳長正死、乃止。先是紅毛夷酋賂日本甲螺、奪臺灣據之、剽掠我商舩。當時有濱田某、脅紅毛夷酋而報之。

中等漢文讀本卷之五　終

明治三十一年三月十一日印刷
明治三十一年三月十四日發行

中等漢文讀本　全五冊　定價金壹圓〇九錢

版權所有

編者　東京市本郷區元町二丁目六十六番地　遊佐誠甫
編者　東京市本郷區駒坂町七十五番地　冨永岩太郎
發行兼印刷者　東京市日本橋區通旅籠町十一番地　小林八郎
印刷所　東京市麹町區内幸町一丁目五番地　集英堂活版所
發兌書肆　東京市日本橋區通旅籠町十一番地　集英堂
大賣捌所　各府縣下書肆

明治三十二年一月二十五日
文部省檢定濟

文學士黒板勝美 校閲
遊佐誠甫
富永岩太郎 合編

卷之六

中等漢文讀本

東京 集英堂

中等漢文讀本卷六目次

後赤壁賦　蘇軾
周瑜卒　資治通鑑
邯鄲之圍第一　資治通鑑
邯鄲之圍第二　資治通鑑
郭泰奬訓士類　綱目通鑑
黨錮之禍第一　綱目通鑑
黨錮之禍第二　綱目通鑑

中等漢文讀本巻之六

文學士　黒板勝美校閲
遊佐誠甫
冨永岩太郎　合編

淺野長政諫太閤

中井積善

文祿元年、秋七月、明師救朝鮮。大兵且至。交章荐告急。太閤益發漕運、日會諸将、議方略。黒田如水、在其署。語旁人曰、出師之要、在乎選将。今可能統大兵定殊域者、莫若德川氏、其佗則前田氏與我而已。浮田氏匪其器。故加藤小西、負勇相讎、以私忘公。吾聞之、小西置法、加藤沮之。加藤布令、小西格之。所向唯務攻伐、而無綏御之方。故種人皆悔懼逃竄。我所得諸道、不生寸草。如此而欲平定。豈不難乎。太閤側耳戸外、聽而頷之。一日會列侯大臣曰、征韓諸将、皆不勝任。我當親往、留而統大政、源亞相其人也。亞相一人在焉、我無內顧憂。我以兵十万将中軍。加賀宰相以十万将左。會津宰相以十万将右。一戰擧韓、鼓行覆明巢。正帝號、撫華域、實千歳一時。卿等亟具舟艦。大君弗懌曰、某自幼事武、未嘗以恇怯自撓。今殿下與名公巨藩航海。某獨遺落在後、何恥若之。彈正長政離次、言於大君曰、太閤狐憑矣。狂言則然、公勿以爲意。太閤虓怒蹶起、援刀擬長政。利家氏鄕、牽袂諫曰、不須殿下下手。不敬之罪、請識正典刑。長政神色自若曰、死而有益於國家、闔門寸斬唯

命。曩日喪亂之久、天下靡沸。以殿下戡定、億兆欲息肩。乃狩興遠役、玩武黷兵、瘡痍之民、忍痛荷戈。老弱徙瘁於漕挽。加以國計乏匱、徵斂亡度。愁怨之聲、都鄙相接。今而殿下一航海、則雄鎭大藩、無所統御。羣盜乘虛蜂起、四方反側子、將響應而雲合。上有瓦解之心、下有土崩之勢、天下危機敗症、一朝而駢至。源納言獨留、亦未如之何。願及今疾罷征韓之師、振旅於京師、縮凶器、布寛典、與民休息、可以興頌聲、可以祈永年。實天下幸甚。太閤滋怒。利家氏卿、麾長政退。長政還舍待罪。居數日、肥後急警至。初薩人梅北宮内在肥。聚羣盜、時加藤氏不在。襲佐敷取之。郡邑多畔而應之。太閤聞警大愕、急召長政曰、彈正吾甚慙焉。遣汝兒如肥後援勦。願大君曰、幸長猶少。請假本多中書。大君令忠勝從焉。既而肥人堺興西、以計紿斬宮内。佐敷人爭興助興西。遂擊餘黨平之。幸長忠勝途歸。太閤遣長政、如肥綏撫焉。召興西祿之。

逸史氏曰、善夫彈正之爭也。雖其言不悉行也、一時狂謀、爲之沮敗。所補不淺々也矣。自是役之興、中外明知其非。又知豊公之慓悍、不可攖也。故與其言出而禍隨也、寧結舌以遠害耳。彈正忠憤之氣、有積而後發。張壯膽批逆鱗、非有肥之兵變、以霽其威。殆矣哉。當時豊公之門、猛將謀士如林。徒知致死於鋒鏑之下、爭功於智力之末、至於國家大計、盍闕如也。乃彈正氏蹇々匪躬之節、其所關係尤大且重。實可嘉尚焉爾矣。

太閤遊醍醐　　中井積善

慶長三年。太閤從容謂篠山侯玄以曰、貴賤誰無死。雲於月、風於花。人說來茲、鬼爲抵掌。孤欲以三月賞花於醍醐山、令婦女不出閨閣者、遊騁乎山間、供帳華盛、飲饌豊侈、以窮娛樂於一日。乃命玄以及甲侯長政、郡山侯長盛、佐和山侯三成、水口侯正家、大膳三寶院。飭山谷、開林麓。起臺榭、鑿池沼。列廬舍、鏟道路。務使資用充牣、無所闕焉。三月太閤遊醍醐山。世子秀賴、及元妃諸姬皆從焉。輿馬服飾、競爲華麗新奇。令京極宰相高次、福島左衛門大夫正則、増田右衛門尉長盛等、護衛四郊。群臣或於山門、設茶房酒亭、殫巧以伺候顏色。上皇使使者慰問。公卿爭贈遺。列侯守令、以至畿甸富戶、饋獻闐咽、以水陸珍奇相高。奇技淫巧、眩耀人目、以市恩寵。太閤驩甚。伎樂徹夜、供滋賞賜之。費累鉅萬、醼飲之隆、前代無比。愚民駭悦、傳爲盛事。

逸史氏曰、君人者、顧戀富貴、縱慾如此。而以克永世、非攸聞也。世傳、當時或榜於道傍曰、奢者不久。太閤見之、令大署其傍曰、不奢者亦不久。嗟乎、是亦不幾乎一言而喪邦乎哉。

豊太閤論　　松林漸

英雄之取天下、豈有他哉。必先籠絡豪傑之心。使弱者俯首聽命、強者不敢抗我。而我乘機以定天下。是霸者之微

權、英雄之妙機。豪傑之士、陷其術中、而不自知也。何以致之、曰量、苟其量不足以容群雄、而欲爭輸贏於錙銖之間、天下紛紛、吾未知其何所底止也。當室町之季、海內裂爲八九。如藝之毛利、越之上杉、奧之伊達、其尤大者、其人皆負不世之才、據有爲之資、龍驤虎視、不相下。而豐太閤乃起人奴、徒手戡定禍亂。向之爲龍爲虎者、俛首搖尾、以就其條鏇。無他、以其量之大耳。何則高松之役、前有強敵、而變起乎內。使恒人處之、必狼狽喪膽、乘夜以遁。而今乃明告以情、無一毫驚懼之色。於是毛利氏、果爲其所籠絡、而與之平矣。其征佐佐氏也、率十餘騎、踰險入越。夫一使之往來、未足以知其情僞。而遠度險阻、使景勝伏兵禽之、則

一力士之事耳。太閤單騎深入其境、出彼不意。於是上杉氏、亦爲其所籠絡。而盟始成矣。政宗之桀黠、素輕太閤、不從其命。及小田原之役、始執謁軍門。其意以爲、太閤必喜見己、而太閤使人詰之、然後引見。指示屯營用兵之要、放遣歸其國。有請留之者、而不聽。而政宗亦已陷其籠絡矣。夫能籠絡豪傑之士、於籠絡天下乎何有。能籠絡天下、於定天下乎何有。或曰、太閤之量、能籠絡三氏、而至吾東照公、則不能少加焉。至質母而招之。安得謂籠絡天下耶。曰、噫是以不籠絡籠絡之也。公文武智勇、材德之隆、資望之重、冠天下。太閤以爲、苟得其心、天下不足定也。而知其天質英毅、不可以聲勢屈致。故首之以玉帛。次之以婚姻。終之以質母。公始往見、然後天下翕然歸之。是乃太閤之術、所以不籠絡而籠絡之也。而公亦安能脫其籠絡哉。嗚呼太閤之爲量、天地未足爲大也。江河未足爲廣也。其起人奴、以能鼓舞顚倒一世之豪傑、而使甘爲之役者、抑以此也夫。

大江廣元論　　賴襄

抱濟天下之才、而不之用。是士之所謂不幸也。雖然用而不得其當、不如不用之爲幸也。夫吾才不可自用矣。則必求天下有力之人、借其力以濟天下。是之謂用人以成吾事。夫苟用人以成吾事、而不暇擇其人之善惡、遇善人可也。遇惡人勢不可中止、則其所成、無往不惡。惡之大小、隨

才之高下。才下則其惡小、才高則其惡大。以蓋世之才。濟滔天之惡。不爲天下之戮者幾希。吾於大江廣元乎見之。保平以還、天下大亂、廣元爲源賴朝所收。進其計畫以致平定。世以爲、賴朝之用廣元。吾以爲、廣元之用賴朝也。承久之變、北條泰時、由廣元之策、以靖其難。亦廣元之用泰時也。夫賴朝之起事、不過欲撫父祖舊、據有一方。而其下皆粗猛椎朴、知效力戰鬪而已。及廣元持大計、往而教之。始說而從之。北條氏、遇京師擻至、欲退守八州。非廣元決策、天下之亂、何所底止。非廣元用此輩而何乎。蓋廣元之才、足以濟天下。而不爲朝廷所知也。則不得不借關東之力、以展之。夫苟借其力、以濟天下、吾事成矣。彼源氏北條

氏、一起一仆、於吾何者哉。是以賴家失行、而不肯諫。賓朝陷禍、而不肯救。時政義時之謀簒竊、而不肯齟齬。泛然中立、自免於禍。世不原其志所在、而咎其不忠過矣。吾獨惜其所用以展其才者、非其人也。廣元獨非王朝世臣乎、莫己知則斯已。急於偕人之力、而不知其助盜賊也。微廣元、則賴朝亦一桀黠將帥而止耳。何至坐擁王權如此哉。承久之變、流竄帝王、敢行大逆。亦非泰時輩所能辨。待廣元附會故例、處分裁決、然後奉而行之爾。夫業已用是人、以成吾事。是人之敗、敗將及己。故不能不竭力扶之。是勢之必至、無足怪者。其罪遠出源氏北條氏之上。廣元初念或不及於此。豈不可惜也。且吾又有爲廣元惜焉者。夫管仲用小白、使之扶周。王猛用苻堅、使之無侵晉。廣元之才、足以用賴朝泰時矣。所以駕馭箝制之、使不能肆其噬搏、以陰裨於朝廷者、豈爲無計哉。嗚呼豈爲無計哉。

鳥獸略論　　合信

天下昆蟲禽獸種類甚多。人知其名而識其性者、計得三十萬種。其有脊骨之屬、一爲胎生、二爲卵生、三爲魚類、四爲介類。四類之中以胎生爲最靈。西人分其類爲八族。一曰韋族、如犀象豕馬是也。二曰脂族、如江豚海馬鯨鯢是也。三爲翻芻族、如牛羊駝鹿之類。四爲食蟻族、如穿山甲之類。五爲錯齒族、如貂蝟兎鼠之類。六爲啖肉族。如猫獅虎獺豺熊之類。七爲飛鼠族、如蝙蝠之類。八爲禺族、如獼

猴之類。各種各族、皆有自然之性。如蜂之釀蜜作窠、鳥之作巢抱卵、魚鱉之覓水生鰤、蛛蠶之吐絲作繭。均出于本原之智。不教不學、不減不增。惟獸類。或有練增原智者。蓋因其五官妙用、各有所長。如鹿兎善聽、猫虎善嗅、獮猴善覺、食肉類善視。莫不愈老愈靈。若蛇耳善聽樂、鷹目能望遠。亦終不能以本原之質、而加以習學之智也。夫天之生物、各適其宜。魚浮以肥、魚游以翅。鳥飛以翼翮、禦冷以茸毛。鵝鴨之能游泳、以其掌也。鶴鷺覓食于水、項足長也。蝙蝠無足、不能行地、則有翼端懸掛之鉤。象類頸短不能俯仰、自有鼻端拾掇之指。鹿牛食草而難化、則有反芻之胃。雀鳥食穀而乾澁、則有脭嗉之能。蛛食蠅蚋而不能飛、自能出絲以網之。鷹隼食肉而無齒牙、自有嘴爪以攫之。雞鴨生而能食、脫殼即行。鳥雛生而必啄、嘴有黃喙。棉羊無自衛之能、夜識歸欄而宿。烏賊防他魚之噬、險則噴墨而蒙。蝟遇虎狼聳毛若箭。蜂虫禦敵蠆螫如針。蚱蜢爲飛鳥之糧。特出纖涎而保命。蛇蜈乃長軀之物、毒隨牙發、以攻仇。他如螺壳蟹鉗、莫不有護身之法。是皆化工使之自衛其生者。某地有碩鼠。腹有外胎、胎有數乳。產後育子于其中。一遇險厄、母即囊子逃逸。又外海多鯊魚。其腹恒餓、見食無已時。然其口在肚下。見有人畜落水、必反身能吞之。善泅泳者、每能持刃以伺刺之。嘗有某甲、入海遇鯊。追逐急不能避。竟被吞噬半身。某乙大怒、隨即入海、刺鯊格鬪

良久。乃殺鯊而上。共剖鯊腹。其甲半身尚在。遂將兩半合而葬之。嗚呼海有鯊鱷、山有虎狼、天爲生乎此。盖禽獸蕃殖、日積月多。若不相殘相殺、勢必逼人無地、必不得已而有虎鱷焉。皆爲化工之深意。所謂無物而不合世用者此也。

風論　　合信

地氣受日熱之蒸、輕而上騰。他處之氣、流動以補其缺。謂之曰風。如掬盤心之水、盤旁水即流動、以塡其空也。其行有徐有疾。日夜不停。一時而行一里者、人物不覺。水雲不動。一時而行五里者、和暢宜人。水紋烟捲。一時而行十五里者、松竹有聲。一時而行二十里者、芙蓉颭水。一時而行

三十里者、飛燕斜退。一時而行三十五里者、人不耐吹。一時而行四十里者、蓬飛笠展、帽落塵颺。一時而行五十里者、萬竅怒號、海波洶濤。一時而行七十里者、船沈屋破、樹拔桅傾。一時而行百里者、草木皆摧、鳥獸多死。飛砂走石、物無完膚。此風勢之大略。隨在皆然者也。若在赤道迤北三十度內、四季常吹東北。迤南二十七度內、四季常吹東南。恒年不易。盖因赤道與日近。其氣受日熱上升、南北二方之氣流動、以補其缺。而地球向東左旋、地氣乃輕浮之物、不能隨地體速運。故其氣斜向西而流也。假使赤道之海、並無陸地阻隔、可以一帆順駛、轉地一週。今海客在赤道海之南北、名其風爲恒信風。以其四季不易。然其風在水面則然。若在陸地則不然。如支那、緬甸、暹羅、安南、皆在赤道迤北三十度之內。而暑天則吹南風、寒天則吹北風。何也。盖赤道迤北多陸地、地面之氣熱于水面之氣。且夏季北極朝日、其地爲尤熱。熱則氣輕而上升。故海風自南來、補其缺。若冬季則南極朝日、北極陰寒。故朔風自北而來、以補其空。此夏南冬北之原由也。海外諸島處赤道之中、自巳至酉、常吹海風。自戌至辰、常吹陸風。亦因晝日陸熱于水。故風從水至。夜時水熱于陸。故風從陸來。皆此理也。

遊鹽原記　　黎庶昌

鹽原在山峽中、當日本下野國鹽谷郡之西。連山皆石、而

獨宜木産楓、尤盛葉。又先紅於他郡者。盖其地高多風而早寒也。始以峽中深險、無塗徑。好游者不一至焉。勝亦遂不顯。明治十八年、櫔木縣令三島通庸、闢山穿道、使與外通。鹽原之名始著。輪車既達於那須。宮中顧問官高崎星岡君時一往游、乃盡窮鹽原之蘊。樂其林巒之森美也。度地置別墅。暇輒休沐其間。盖得山水之趣莫善於此。一日導余往游。余以中土人未嘗有先者。游之當自余始。自那須西行十餘里、入山、紆道盤詘而上、入愈深、峽愈束、奇益愈顯。泉之淙然鳴琴者、瀑之洶然赴壑者、松之偃立若亭若傘者、石之綳若雲者、矗若筍者、垂壁可摩刻者、磥硊嶔崟、熊升鳥騫者、巖之斗出者、輿者、曠者、竇者、厂者、窈窕而

脩秀者。使人攬挼不厭、幾二十里而後至。至則緣山皆楓葉。參々叢々、紅者若線、紺者若緅、絳者若丹、日光射之皆斑駁成錦彩。誠極天下之大觀也。若夫山中之景、四時變幻、不同。雨暘明晦、霜月高潔、凡邂遘於心目、而得諸興象之間、雖善游者莫能盡其狀也。高崎君別墅。在箒川、甘湯川交會處。川大水名也。而此實小溪。有橋當其前、旁有蓬菜叢。高崎君所命。溯甘湯行數百步、水流亂石間動岩。可喜。踰嶺而西、則人家數十、沿箒川居。宮內次官吉井三峯別業在焉。與高崎君相望也。古諸侯卿大夫、聘問鄰國、感物造耑登高而賦者有矣。未始輶傳四出、互駐其國都、履人國猶戶庭。如今日者。然則鹽原之游、余及高崎君、窮幽

極深、一再信宿、相與俛仰嘯歌於一堂之上、以敘布衣昆弟之歡、殆古人所不逮也。此於交鄰之道、若與若不與。夫豈苟焉以娛悅耳目為快哉。同游者、爵位局主事宮島誠一郎、譯官陶大均、凡四人。清國光緒十五年九月、游後五日、使者遵義黎庶昌記。

訪徐福墓記

黎庶昌

紀伊、日本南海也。斗入海中、號為多佳山水處。與大和國中隔大山。紀伊在其南、大和在其北。大和者、神武天皇始都之橿原也。由大和出紀伊、多險絕難行。非五七日不至。而海道一日夜可達。紀伊有那智瀑、高百餘丈。自海中望之、如白霓下垂。以此名尤著。其地今屬和歌山縣牟婁郡。

當上古未立郡時、概稱熊野云。熊野三山、曰那智、曰本宮、曰新宮。新宮近海。徐福墓、在新宮山下。余以七月二十四日、自神戶趁商舶、抵三輪崎登岸。入山行十餘里、至其地。新宮人士導而前。後踰一山、得平田八九頃。禾苗盈望。福墓在其中央。循田稜數百武、至墓所。面山背海、僅餘荒土一坵未壄耳。縱橫可四五丈、無所謂冢、有古樹二株、為記墓。前一碑、題秦徐福之墓。傳為朝鮮人書。元文元年、新宮藩主水野氏所立。元文元年、當中國乾隆元年也。碑左右積竹筒百餘、中插花朶樹枝。新宮人嘗祈禱於此、以此為獻。旁有二十餘冢。各距數十百步、傳為福之親近。陵夷僅存其七。余見者纔二墓。東北又數百步、為神倉山。山麓有

飛鳥祠。福祠在其旁。久圮故址、猶可辨識。迄至新宮神社、觀所謂福之遺物。事甚荒渺、不足道。獨古老傳言、福始至時、尚在新宮東北七里許海岸。名秦須地。尤陋隘。後乃徙此。其言致足信。以余游歷所經見、日本平原廣澤甚多、福胡為而獨取此、豈當日風漂所至無暇細擇歟。抑將以近其國都歟。非可得而詳已。福之子孫、或言多姓秦。今皆分散各處、維新後悉易他姓。或言、藤澤驛福岡平一郎、為福之後人。嘗有贈物寄新宮神社。或言、有徐某在和歌山縣、充醫士。皆疑。莫能明方。秦始皇之遣福入海求神仙也、豈意其止而不來。及福挾童男女三千人以至、亦欲廣強支庶貽之無窮。今二千一百餘年間。而族姓無一存者。古與

令相續、其事皆大氐如此也。然而人之欲爲福、而猶不止者、則又何也。光緒十六年八月、歸後十日記。黎庶昌。

核舟記

魏學洢

明有奇巧人、曰王叔遠。能以徑寸之木、爲宮室器皿人物。以至鳥獸木石、罔不因勢象形各具情態。嘗貽余核舟一。蓋大蘇泛赤壁云。舟首尾長約八分有奇。高可二黍許。中軒敞者爲艙。箬篷覆之。旁開小窗。左右各四共八扇。啓窗而觀雕欄相望焉。閉之則右刻山高月小、水落石出。左刻清風徐來水波不興。石青糝之。船頭坐三人。中峨冠而多髯者爲東坡。佛印居右。魯直居左。蘇黃共閱一手卷。東坡右手執卷端、左手撫魯直背。魯直左手執卷末、右手指卷。

如有所語。東坡現右足、魯直現左足、各微側。其兩膝相比者、各隱卷底衣褶中。佛印絕類彌勒、袒胸露乳、矯首昂視。神情與蘇黃不屬。臥右膝、詘右臂支船而豎其左膝。左臂掛念珠倚之。珠可歷歷數也。舟尾橫臥一楫。楫左右舟子各一人。居右者椎髻仰面。左手倚一衡木、右手攀右趾。若嘯呼狀。居左者、右手執蒲葵扇。左手撫爐。爐上有壺。其人視端容寂、若聽茶聲然。其船背稍夷、則題名其上。文曰、天啓壬戌秋日、虞山王毅叔遠甫刻。細若蚊足。鉤畫了了、其色墨。又用篆章一。文曰、初平山人、其色丹。通計一舟、爲人五、爲窗八、爲箬篷、爲楫、爲爐、爲壺、爲手卷、爲念珠各一。對聯題名幷篆文、爲字共三十有四。而計其長、曾不盈寸。蓋簡桃核修狹者爲之。魏子詳矚既畢、詫曰、嘻、技亦靈怪矣哉。莊列所載、稱驚猶鬼神者良多。然誰有游削於不寸之質、而鬚眉瞭然者。假有人焉。擧我言以復於我、亦必疑其誑。乃今親睹之。繇斯以觀、棘刺之端、未必不可爲母猴也。嘻、技亦靈怪矣哉。

下岐蘇川記

齋藤正謙

天保丁酉、四月、余竣役、與兩藩士倶自江戸還。取路東山。舍輿步行。旁探名勝。五月四日、下十三嶺。晚宿伏見驛。連日崎嶇、經涉山間、頗疲。至奴輩把槍荷鎧者、或瘖痛不能起。且聞水路之勝熟矣。因謀賃舟下岐蘇川。至桑名殆二十里、不一日而達。乃召舟人戒之。翌日夙起、趨水濱求舟。

舟人家在前岸樹林中。閉戸未起。阻以灘聲喧豗。累呼不達。脣焦舌燥、久之乃應。與其兒艤舟來迎。日已加辰。乃發。舟狹長、薄版爲之。呼爲鷁飼。兒纔十三歲耳。父在舳、兒在艫。各持橈、操縱甚習。灘急舟走、兩崖巑巘、一時皆搖。當前所見、倏忽在後。唯見岸行山走、而不覺舟移。山皆石身戴土。松爲之髮。而紅杜鵑雜點於其間、腥血如滴。又處處有水簾懸焉。縱々灑々、墜於潭石上。石皆奇狀、羅列兩岸。或特立若柱。或拆裂若門。或若渴驥飲澗。或若臥牛橫道。五色陸離相間。皺率作大小斧劈、有作荷葉披麻者。濯波浪以出、交替去來、不暇應接。蓋譎詭變幻中、帶清秀深穩之態、非荊關之筆、倪黃之手、不能狀也。雖僕隸輩、不解山水

之趣者、皆連呼奇不絕聲。忽過一大巖屹立水中。舟殆觸之。少誤則虀粉矣。衆懼而默。舟人笑捩柁避之。輙掠巖角過。如此者數處。未嘗差絲毫。但經巖際、波激舟舞、飛沫撲人、衣袂盡濕。回視僕從、各握兩把汗、殆無人色。舟人甚閒暇、從容吹煙而坐。視上流舩、併力挽上者、難易懸絕。已而離峽漸平遠。犬山城露於翠微上、粉壁鮮明、衆望見歡然。比至城下、又有暗礁。齧舟、砉然欲裂。衆復相顧瞿然。過此以往。漁舟相望、歌唱互答。衆心始降矣。蓋始發抵此、爲陸行半日之程。不一餉時而至。其快可知矣。嘗讀盛廣之鄖道元所記、誇稱江水迅急之狀。至唐李白、述其意云。千里江陵一日還。平生竊疑以爲文人虛談。今過此際、始知其不誣也。但舟行甚迅、不能徐翫峽中之勝、爲可恨已。又三里抵笠松。鳴鐘方報巳。登憩岸上店。目猶眩。仰見屋椽、動搖不定。瞑坐良久乃止。進鱒、脆美媚口。此行跋涉山谷、蔬食彌旬。獲之以解菜。飯已、復入舟。岸愈濶、水愈緩。險阻已遠、無復可觀。枕藉而臥。風方逆、舟人用力、搰々甚勞。櫓聲喧聒、使人煩冤。午下、稍得風便、揚帆復走。衆乃瞌鼾、比醒達於桑名。日尚高、謝遣舟人、登陸而行。至四日市宿焉。自伏見至此、殆爲二日半路程。道上行見家家插菖蒲、彩旗翩然飜風。衆在行旅、倥傯涉日、殆忘月日。至是乃知屬端午節。不圖今日舟行、爲弔屈之擧。抑亦奇矣。且舟凌危險、布帆無恙、免爲汨羅之鬼、不亦厚幸乎。蓋天下之至奇至

美者、每在於艱難危險之地、不獨山水之勝也。求之者、比於入虎穴探龍頷。危而後有所獲矣。余於是乎有感焉。未可以語千金之子也。姑記之以示苦學勵行之人。

耶馬溪圖卷記

賴襄

余嘗讀昔人畫、疑其山貌太奇峭、恐非天壤間所有、畫人一時興到、鼓舞其筆墨耳。及覩豐耶馬溪、乃知造物奇怪、畫手亦有寫不到者也。歲戊寅、遊鎭西、過海南望彥山於雲際。已覺其有異矣。既經二肥薩隅、還寓豐後隈邑。臘月五日、入豐前、遇一水北來。蓋發源彥山者、沿焉而東數十里。昏黑、覺左右峰巒皆非凡。山溪相迫處、鑿山巖爲道。又穿牖取明。余買炬以入。遇牖、窺見月在溪水朗然。宿民家。翌大霧。待霽乃發。復沿溪東。愈東愈奇。群峯夾水攢竦、如春筍矗出。有土戴石者、石挾土者、全石者、全石破裂成洞穴者、兩石相鬬、其一欲仆者、石數層累成夏雲狀者。而樹自石罅横生縦生倒生、而上指、叢生蔽石、如與石爭勢而欲勝之。石又自樹中奮躍而出。而石陰皆苔、紫綠相間。或沒石半面、或沒全身。又如援樹攻石者。大抵峰勢石皴、如董巨刻意圖。時窮冬、老木葉脫、槎牙瘦古、皆倪黃筆法。而苔枯藏蒼潤者、王叔明也。古人筆墨不吾欺也。至柿坂、憩孤店。店面石壁數丈。飛泉懸焉。仰則更有高峯、不知其幾十丈。余急釋所佩酒瓢、命煖之。竈突肅然。會一獵師新獲豪猪、劏而煮之。肪脆如水。連引數大白。又行。溪又數曲。隨

峰勢上下、或激雷噴雪、或渟膏凝碧、峰影爲之或碎或全。
似水蚯山而亂其影也。至屈智林、溪稍開。有小村。過一橋、
自此行溪北、開者益開。數十里、詣古城正行寺。寺主含公、
余故人。竢余既久。余先訖曰、君州山水大奇。含公曰、更有
奇者。使子目之。居二日、與含公南行、行田塍間、至仙人巖。
巖石突立山頂、含公指示余、余不甚賞。其明又徑田塍、至
羅漢寺。寺掘山鑿山、作洞窿橋梁狀。安五百像。余復不甚
賞。宿寺前逆旅、挑燈而談。余曰、山不得水不生動。石不得
樹不蒼潤。所以余賞馬溪而不賞仙巖。至於羅漢則人工
耳。然皆馬溪之支裔矣。且馬溪、溪山相迫、無田塍礙目、而
其路坦夷、眞可遊也。然爲二豐通道、過者慣看。況公等生
長此土、宜不覺其奇也。余則再遊不可期、將復溯之以諦
觀之。含公奮袂與偕早發、過一水北出馬溪口。峰容樹色、
忽覺迴別。自淺入深、自平入奇。泝前數曲者。一曲奇於一
曲。比諸前遊、更可喜也。復至絕壁下孤店。店主識余面、驚
曰、是前喫猪客也。有何幹再來此耶。余曰、欲看山耳。曰、山
有何好看。吾不禁子看也。遂席溪畔、與含公傾瓢、一醉宿
山寺。明雨。偕轎西還。山峰得雨、皆變幻作態。或前以爲一
山者、分成數峯。如群仙駢肩露其半身。萬松振鬣鼓濤於
雲中。又如廿五菩薩奏樂而至也。還至屈智林。含公慮吾
酒盡、豫戒家僮、馱樽於馬來取醉、宿阿保村。翌歸寺。又三
日辭去。踰海東歸。自海雲中顧望鎮西山岳、其屬豐前者、

皆有別態。彥山其尤大者。耶馬山脉水理、蓋皆自彥山發。
故獨絕耳。余足跡殆半海內。弱冠東遊得妙義山、以爲無
雙。今馬溪百里、如妙義者不知幾十峯。謂之海內第一、或
不誣也。己卯之臘、胠篋得爾時寫山粉本數紙。戲以意接
屬之、爲橫長一卷。又記其由、併錄所得詩九首。余詩文笨
拙、不足狀其髣髴。況畫乎。後有能者如董巨倪黃之流者、
躡其境而補成之、庶幾不負此山水。然目此山水、爲海內
第一者、乃自賴子成始。圖爲含公取去。備後故友橋元吉、
亦好山水。請爲寫一本。諾而未果。今茲己丑、護母至尾路。
留旬日。乃踐前約、而舊圖不在。尋諸胸臆、冥搜默運、覺山
精水神、或來助我。遂能成此。屈指已十二年矣。憶當時歸
帆外、豐山依依如相送者。今猶在目中也。

張巡守雍丘　資治通鑑

天寶十四載二月、眞源令張巡、起兵討賊。吏民樂從者數
千人。巡選精兵千人、西至雍丘、與賈賁合。賊將令狐潮、引
精兵、攻雍丘。賁出戰敗死。巡力戰却賊。因兼領賁衆。自稱
吳王先鋒使。三月潮復與賊將李懷仙、楊朝宗、謝元同等
四萬餘衆、至城下。衆懼莫有固志。巡曰、賊兵精銳、有輕我
心。今出其不意擊之、彼必驚潰。賊勢小折、然後城可守也。
乃使千人乘城、自帥千人、分數隊、開門突出。巡身先士卒、
直衝賊陣。人馬辟易、賊遂退。明日進攻城。設百礮環城。樓
堞皆盡。巡於城上立木柵、以拒之。賊蟻附而登。巡束蒿灌

脂、焚而投之。賊不得上。時伺賊隙、出兵擊之。或夜縋斫營、積六十餘日。大小三百餘戰、帶甲而食、裹瘡復戰。賊遂敗走。巡乘勝追之。獲胡兵二千人而還。軍聲大振。至德元載五月、潮復引兵攻雍丘。潮與巡有舊。於城下相勞苦如平生。潮令說巡曰、天下事去矣。足下堅守危城、欲誰爲乎。巡曰、足下平生以忠義自許。今日之擧、忠義何在。潮慙而退。秋七月、潮圍巡於雍丘。相守四十餘日。朝廷聲聞不通。潮聞玄宗已幸蜀、復以書招巡。有大將六人、官皆開府特進。白巡以兵勢不敵。且上存亡不可知、不如降賊。巡陽許諾。明日、堂上設天子畫像、帥將士朝之。人人皆泣。巡引六將於前、責以大義斬之。士心益勸。城中矢盡。巡縛藁爲人千

餘、被以黑衣、夜縋城下。潮兵爭射之。久乃知其藁人。得矢數十万。其後復夜縋人。賊笑不設備。乃以死士五百、斫潮營。潮軍大亂。焚壘而遁。追走十餘里。潮慙、益兵圍之。巡使郎將雷萬春、於城上與潮相聞。賊弩射之、面中六矢而不動。潮疑其木人、使諜問之。乃大驚、遙謂巡曰、向見雷將軍、方知足下軍令矣。然其如天道何。巡謂之曰、君未識人倫、焉知天道。未幾出戰、擒賊將十四人、斬首百餘人級。賊乃夜遁。收兵入陳留、不敢復出。頃之、賊步騎七千餘衆、屯白沙渦。巡夜襲擊大破之。還至桃陵。遇賊救兵四百餘人。悉擒之。分別其衆、嬀檀及胡兵、悉斬之。滎陽陳留脅從兵皆散令歸業。旬日間、民去賊來歸者万餘戶。十二月、賊將楊朝宗、帥馬步二万、將襲寧陵、斷巡後。巡遂拔雍丘、東守寧陵、以待之。始與睢陽太守許遠相見。是日楊朝宗至寧陵城西北。巡遠與戰、晝夜數十合。大破之。斬首万餘級。流尸塞汴、而下。賊收兵夜遁。敕以巡爲河南節度副。二載春正月、尹子奇、以嬀檀及同羅奚兵十三万、趣睢陽。遠告急于巡。巡自寧陵引兵入睢陽。

昆陽之戰

資治通鑑

王莽聞嚴尤陳茂敗、乃遣司空王邑馳傳與司徒王尋、發兵平定山東。徵諸明兵法六十三家以備軍吏、以長人巨毋霸爲壘尉、又驅諸猛獸虎豹犀象之屬、以助威武。邑至洛陽。州郡各選精兵、牧守自將、定會者四十二萬人、號百

萬餘。在道者、旌旗輜重、千里不絕。夏五月、尋邑南出潁川、與嚴尤陳茂合。諸將見尋邑兵盛、皆反走入昆陽、惶怖憂念妻孥、欲散歸諸城。劉秀曰、今兵穀既少、而外寇強大、并力禦之、功庶可立。如欲分散、勢無俱全。且宛城未拔、不能相救。昆陽即拔、一日之間、諸部亦滅矣。今不同心膽共擧功名、反欲守妻子財物邪。諸將怒曰、劉將軍何敢如是。秀笑而起。會候騎還言、大兵且至城北、軍陳數百里、不見其後。諸將素輕秀、及迫急、乃相謂曰、更請劉將軍計之。秀復爲圖畫成敗。諸將皆曰諾。時城中唯有八九千人。秀使王鳳與廷尉大將軍王常守昆陽、夜與五威將軍李軼等十三騎、出城南門、于外收兵。時莽兵到城下者、且十萬。秀等

幾不得出、尋邑縱兵圍昆陽。嚴尤說邑曰、昆陽城小而堅。今假號者在宛、亟進大兵、彼必犇走、宛敗昆陽自服。邑曰吾昔圍翟義、坐不生得、以見責讓、今將百萬之衆、遇城而不能下、非所以示威也。當先屠此城、蹀血而進、前歌後舞顧不快邪。遂圍之數十重、列營百數、鉦鼓之聲聞數十里。或爲地道、衝輣撞城、積弩亂發、矢下如雨。城中負戶而汲、王鳳等、乞降不許。尋邑自以爲功在漏刻、不以軍事爲憂。嚴尤曰兵法圍城爲之闕、宜使得逸出以怖宛下。邑又不聽。劉秀至郾定陵、悉發諸營兵。諸將貪惜財物、欲分兵守之。秀曰今若破敵、珍寶萬倍、大功可成。如爲所敗、首領無餘。何財物之有、乃悉發之。六月己卯朔、秀與諸營俱進、自將步騎千餘、爲前鋒。去大軍四五里、而陳、尋邑亦遣兵數千合戰、秀奔之。斬首數十級。諸將喜曰、劉將軍平生見小敵怯。今見大敵勇、甚可怪也。且復居前請助將軍、秀復進、尋邑兵却、諸部共乘之。斬首數百千級。連勝遂前、諸將膽氣益壯、無不一當百。秀乃與敢死者三千人、從城西水上、衝其中堅。尋邑易之、自將萬餘人行陳、敕諸營皆按部毋得動、獨迎與漢兵戰不利、大軍不敢擅相救。尋邑陳亂、漢兵乘銳奔之、遂殺王尋。城中亦鼓譟而出、中外合勢、震呼動天地。莽兵大潰、走者相騰踐、伏尸百餘里。會大雷風、屋瓦皆飛、雨下如注。滍川盛溢、虎豹皆股戰、士卒赴水溺死者以萬數、水爲不流。王邑嚴尤陳茂、輕騎乘死人度水逃去。盡獲其軍實輜重、不可勝算、擧之連月不盡、或燔燒其餘。士卒奔走各還其郡。王邑獨與所將長安勇敢數千人、還洛陽。關中聞之震恐。於是海內豪桀、翕然響應、皆殺其牧守、自稱將軍。用漢年號、以待詔命。旬日之閒、偏于天下。

岳忠武王小傳

單　恂

岳飛字鵬擧、相州湯陰人。少負氣節、家貧力學。尤好左氏春秋孫吳兵法。生有神力。未冠、挽弓三百斤、弩八石。宋建炎紹興閒、奉詔討金虜、平流賊。用兵如神、所向無前。中原響應、浸浸乎有恢復之勢。時秦檜爲相、專主講和。欲盡淮以北棄之。金將兀朮、遺檜書曰、汝朝夕以和請。而岳飛方爲河北圖。必殺飛始可和。檜亦以飛不死、終梗和議、已必及禍、百方誣陷、遂逮飛下獄。死年三十九。官至少保樞密副使。淳熙六年、謚武穆、後追封鄂王。飛初隸留守宗澤、大奇之曰、爾勇智才藝、古良將不能過。然好野戰、非萬全計。因授以陣圖。飛曰、陣而後戰、兵法之常。運用之妙、存乎一心。事親孝、家無姬侍、吳玠素服飛。願與交驩。飾名姝遺之。飛曰、主上宵旰、豈大將安樂時邪。却不受。玠益敬服。帝欲爲飛營第。飛辭曰、金虜未滅、何以家爲。或問、天下何時太平。飛曰、文臣不愛錢、武臣不惜死、天下太平矣。卒有取民一縷、以束芻者。立斬以徇。卒夜宿。民開門願納。無敢入者。軍號凍死、不拆屋。餓死不鹵掠。卒有疾。飛爲調藥、凡有犒賞、秋毫不私。善以少擊衆。嘗以八百人、破羣盜王善等五

十万衆、於南薫門。以八千人、破曹成十万衆於桂嶺。其戰兀朮於順昌、則以背嵬八百。於朱仙鎮、則以五百、皆破其衆十餘万。凡有所擧、盡召諸統制與謀。謀定而後戰。故有勝無敗。猝遇敵不動。故敵爲之語曰、撼山易、撼岳家軍難。張浚嘗問用兵之術。飛曰、仁信智勇嚴、闕一不可。飛好賢禮士、覽經史。雅歌投壺、恂恂如書生。毎辭官必曰、將士效力。飛何功之有。然忠憤激烈、議論持正、不挫於人。卒以此、得禍。

洞庭之戰　　南宋書

紹興五年、命岳飛捕湖寇楊么。飛部皆西北人、不習水戰。飛曰、兵何常。顧用之如何耳。先遣使招諭之。賊黨黄佐曰、

岳節使號令如山。與戰必不勝。不如降之。節使誠信、必善遇我。遂降。飛表授佐官。單騎按部。拊佐曰、子知逆順者、封侯豈足道。子能至湖中、視可乘者擒之、可勸者招之。佐誓以死報。張浚以軍事至潭。參政席益、疑飛玩寇、欲奏之。浚曰、岳侯忠孝人也。兵有深機、何可易言。益慙而止。佐襲殺周倫、擒陳貴。飛上其功、遷武功大夫。會召浚還。防秋。飛袖小圖、示浚曰、都督能少留八日、可破賊。浚曰、何言之易。飛曰、王四廂以王師攻水寇則難。飛以水寇攻水寇則易。若因敵用敵、奪其手足、離其腹心。八日内必獻俘。浚許之。飛如鼎州、佐招楊欽來降。飛喜曰、欽驍悍既降。賊腹心潰矣。表授武義大夫。禮遇甚厚。復遣歸湖中。以降者來。飛詭罵曰、賊不盡降、何來也、杖而遣之。是夜掩賊營、降衆數萬。么方浮舟湖中。以輪激水行。旁置撞竿、官舟迎之輙碎。飛伐木爲巨筏、塞諸港、以亂草浮上流、遣善罵者挑之。賊怒來追、則草木壅積、輪礙不行。官軍乘筏、張牛革以蔽矢石。擧巨木撞其舟、舟盡壞。么投水、牛皐擒斬之。飛親行諸砦、慰撫之。縱老弱歸田。果八日而平。浚歎曰、岳侯神算也。初賊恃險、曰、犯我者、除是飛來。人以爲讖云。

乞出師劄　　岳飛

臣伏白、國家變故以來、起於白屋。實懷捐軀報國、復讐雪恥之心。幸憑社稷威靈、前後粗立薄効。而陛下録臣微勞、擢自布衣。曾未十年、官至太尉、品秩比三公。恩數視二府。

又增重使名、宣撫諸路。臣一介賤微、寵榮超躐、有踰涯分。今者又蒙益臣軍馬、使濟恢圖。臣實何人、誤辱神聖之知如此。敢不晝度夜思、以圖報稱。臣揣敵情、所以立劉豫於河南、而付之齊秦之地、蓋欲荼毒中原生靈、以中原而攻中原。粘罕因得休兵養馬、觀釁乘隙。包藏不淺。臣不及此時、稟陛下睿算妙略、以伐其謀、使劉豫父子隔絶、五路叛將還歸、兩河故地漸復、則金賊詭計日生、它時浸益難圖。臣愚、欲望陛下假臣日月、勿復拘臣淹速、使敵莫測。臣擧措萬一得便、可入、則提兵、直趨京洛、據河陽陝府潼關、以號召五路叛將、則劉豫必捨汴都、而走河北。京畿陝右、可以盡復。至京東諸郡、陛下付之韓世忠張浚。亦可便下。臣

然後分兵濬滑、經略兩河。劉豫父子、斷可成擒。如此則金賊有破滅之理。爲陛下社稷長久、無窮之計。實在此舉。假令汝潁、陳蔡、堅壁清野、商於、虢洛、分屯要害、進或無糧可因、攻或難於餽運。臣須斂兵還保上流。賊定追襲而南。臣俟其來、當率諸將或挫其鋭、或待其疲。賊利速戰、不得所欲。勢必復還。臣當設伏邀其歸路、小入則小勝。大入則大勝。然後徐謀再舉。設若賊見上流進兵。併力來侵淮上、或分兵攻犯四川。臣即長驅擣其巣穴、賊困於奔命。勢窮力殫。縱令年未盡平殄、來歲必得所欲。亦不過二三年間、可以盡復故地。陛下還歸舊京、或進都襄陽關中。惟陛下所擇也。臣聞、興師十萬、日費千金。邦内騷動、七十萬家。此豈細事。然古者命將出師、民不再役。糧不再藉。蓋慮周而用足也。今臣部曲、遠在上流、去朝廷數千里、平時每有糧食不足之憂。是以去秋、臣兵深入陝洛、而在寨卒伍、有飢餓閃走。故臣急還、不遂前功。致使戰地陷僞。忠義之人、旋被屠殺。皆臣之罪、今日唯賴陛下戒勅有司、廣爲儲備、俾臣得一意靜慮、不爲兵食亂其方寸、則謀定計審。仰遵陛下成算、必能濟此大事也。異時迎還太上皇帝、崇徳皇后梓宮、奉邀天眷。歸國使宗廟再安、萬姓同歡、陛下高枕、無北顧憂、臣之志願畢矣。然後乞身還田里。此臣夙昔所自許者。伏惟陛下、恕臣狂易。臣無任戰汗、取進取。

陳情表

李密

臣密言、臣以險釁、夙遭閔凶。生孩六月、慈父見背。行年四歲、舅奪母志。祖母劉、愍臣孤弱、躬親撫養。臣少多疾病、九歲不行。零丁孤苦。至于成立、既無叔伯。終鮮兄弟。門衰祚薄、晚有兒息。外無朞功強近之親、内無應門五尺之童。煢煢子立、形影相弔。而劉夙嬰疾病、常在牀蓐。臣侍湯藥、未嘗廢離。逮奉聖朝、沐浴清化。前太守臣逵、察臣孝廉。後刺史臣榮、舉臣秀才。臣以供養無主、辭不赴命。詔書特下、拜臣郎中。尋蒙國恩、除臣洗馬。猥以微賤、當侍東宮。非臣隕首所能上報。臣且以表聞、辭不就職。詔書切峻、責臣逋慢。郡縣逼迫、催臣上道。州司臨門、急於星火。臣欲奉詔奔馳、則以劉病日篤。欲苟順私情、則告訴不許。臣之進退、實爲狼狽。伏惟、聖朝以孝治天下。凡在故老、猶蒙矜育。況臣孤苦、特爲尤甚。且臣少事僞朝、歷職郎署。本圖宦達、不矜名節。今臣亡國賤俘、至微至陋、過蒙拔擢、寵命優渥。豈敢盤桓、有所希冀。但以劉日薄西山、氣息奄奄、人命危淺、朝不慮夕。臣無祖母、無以至今日。祖母無臣、無以終餘年。母孫二人、更相爲命。是以區區不能廢遠。臣密今年四十有四、祖母劉今年九十有六、是臣盡節於陛下之日長、報劉之日短也。烏鳥私情、願乞終養。臣之辛苦、非獨蜀之人士、及二州牧伯所見明知。皇天后土、實所共鑒。願陛下矜愍愚誠、聽臣微志、庶劉僥倖、卒保餘年。臣生當隕首、死當結草。不勝犬馬怖懼之情、謹拜表以聞。

前出師表

諸葛亮

臣亮言、先帝創業未半、而中道崩殂。今天下三分、益州疲弊、此誠危急存亡之秋也。然侍衛之臣、不懈於內。忠志之士、忘身於外者、蓋追先帝之殊遇、欲報之於陛下也。誠宜開張聖聽、以光先帝遺德、恢弘志士之氣。不宜妄自菲薄、引喩失義、以塞忠諫之路也。宮中府中、但爲一體、陟罰臧否、不宜異同。若有作姦犯科、及爲忠善者、宜付有司、論其刑賞、以昭陛下平明之治。不宜偏私使內外異法也。侍中侍郎郭攸之、費禕、董允等。此皆良實、志慮忠純。是以先帝簡拔以遺陛下。愚以爲宮中之事、事無大小、悉以諮之、然後施行、必能裨補闕漏、有所廣益也。將軍向寵、性行淑均、

曉暢軍事。試用於昔日、先帝稱之曰能。是以衆議、擧寵以爲督。愚以爲、營中之事、事無大小、悉以諮之、必能使行陣和睦、優劣得所也。親賢臣、遠小人、此先漢所以興隆也。親小人、遠賢臣、此後漢所以傾頽也。先帝在時、毎與臣論此事、未嘗不歎息痛恨於桓靈也。侍中尙書長史參軍、此悉貞亮死節之臣也。願陛下親之信之、則漢室之隆、可計日而待也。臣本布衣、躬耕南陽、苟全性命於亂世、不求聞達於諸侯。先帝不以臣卑鄙、猥自枉屈、三顧臣於草廬之中、諮臣以當世之事。由是感激、遂許先帝以驅馳。後値傾覆、受任於敗軍之際、奉命於危難之間。爾來二十有一年矣。先帝知臣謹愼。故臨崩、寄臣以大事也。受命以來、夙夜憂慮、恐付託不效、以傷先帝之明。故五月渡瀘、深入不毛。今南方已定、甲兵已足。當奬帥三軍、北定中原。庶竭駑鈍、攘除姦凶、興復漢室、還於舊都。此臣所以報先帝、而忠陛下之職分也。至於斟酌損益、進盡忠言、則攸之、禕、允之任也。願陛下託臣以討賊興復之效。不效則治臣之罪、以告先帝之靈。若無興德之言、則責攸之、禕、允等之咎、以彰其慢。陛下亦宜自謀、以諮諏善道、察納雅言、深追先帝遺詔。臣不勝受恩感激。今當遠離、臨表涕泣、不知所云。

赤壁之戰　第一

資治通鑑

初魯肅聞劉表卒、言於孫權曰、荊州與國鄰接、江山險固、沃野萬里、士民殷富、若據而有之、此帝王之資也。今劉表

新亡、二子不協、軍中諸將、各有彼此。劉備天下梟雄。與操有隙。寄寓於表。表惡其能、而不能用也。若備與彼協心、上下齊同、則宜撫安、與結盟好。如有離違、宜別圖之、以濟大事。肅請得奉命弔表二子、幷慰勞其軍中用事者、及說備使撫表衆。同心一意、共治曹操、備必喜而從命。如其克諧、天下可定也。今不速往、恐爲操所先。權即遣肅行。到夏口、聞操已向荊州、晨夜兼道、比至南郡、而琮已降。備南走。肅徑迎之。與備會于當陽長坂。肅宣權旨、論天下事勢、致殷勤之意、且問備曰、豫州今欲何至。備曰、與蒼梧太守吳巨有舊、欲往投之。肅曰、孫討虜聰明仁惠、敬賢禮士。江表英豪、咸歸附之。已據有六郡。兵精糧多、足以立事。今爲君計、

莫若遣腹心、自結於東、以共濟世業。而欲投吳巨。巨是凡人、偏在遠郡、行將為人所併。豈足託乎。備甚悅。肅又謂諸葛亮曰、我子瑜友也。即共定交。子瑜者亮兄瑾也。避亂江東、為孫權長史。備用肅計、進住鄂縣之樊口。曹操自江陵、將順江東下。諸葛亮謂劉備曰、事急矣。請奉命、求救於孫將軍。遂與魯肅俱詣孫權。亮見權於柴桑。說權曰、海內大亂、將軍起兵江東。劉豫州收衆漢南。與曹操共爭天下。今操芟夷大難、略已平矣。遂破荊州、威震四海。英雄無用武之地。故豫州遁逃至此。願將軍量力而處之。若能以吳越之衆、與中國抗衡、不如蚤與之絕。若不能、何不按兵束甲北面而事之。今將軍、外託服從之名、而內懷猶豫之計。事急而不斷、禍至無日矣。權曰、苟如君言、劉豫州何不遂事之乎。亮曰、田橫齊之壯士耳。猶守義不辱。況劉豫州、王室之冑、英才蓋世、衆士慕仰、若水之歸海。若事之不濟、此乃天也。安能復為之下乎。權勃然曰、吾不能舉全吳之地、十萬之衆、受制於人。吾計決矣。非劉豫州莫可以當曹操者。然豫州新敗之後、安能抗此難乎。亮曰、豫州軍雖敗於長坂、今戰士還者、及關羽水軍、精甲萬人。劉琦合江夏戰士、亦不下萬人。曹操之衆、遠來疲敝、聞追豫州、輕騎一日一夜、行三百餘里、此所謂強弩之末勢、不能穿魯縞者也。故兵法忌之。曰、必蹶上將軍。且北方之人、不習水戰。又荊州之民附操者、偪兵勢耳。非心服也。今將軍、誠能命猛將、統

兵數万、與豫州協規同力、破操軍必矣。操軍破、必北還。如此則荊吳之勢強、鼎足之形成矣。成敗之機、在於今日。權大悅、與其群下謀之。是時、曹操遺權書曰、近者奉辭伐罪、旌麾南指、劉琮束手。今治水軍八十万衆、方與將軍會獵於吳。權以示臣下、莫不響震失色。長史張昭等曰、曹公豺虎也。挾天子以征四方。動以朝廷為辭。今日拒之、事更不順。且將軍大勢、可以拒操者長江也。今操得荊州、奄有其地。劉表治水軍、蒙衝鬭艦、乃以千數。操悉浮以沿江、兼有步兵。水陸俱下。此為長江之險、已與我共之矣。而勢力衆寡、又不可論。愚謂、大計不如迎之。魯肅獨不言。權起更衣、肅追於宇下。權知其意、執肅手曰、卿欲何言。肅曰、向察衆人之議、專欲誤將軍。不足與圖大事。今肅可迎操耳。如將軍、不可也。何以言之、今肅迎操、操當以肅還付鄉黨。品其名位、猶不失下曹從事。乘犢車、從吏卒、交游士林、累官。故不失州郡也。將軍迎操、欲安所歸乎。願早定大計、莫用衆人之議也。權歎息曰、諸人持議、甚失孤望。今卿廓開大計、正與孤同。時周瑜受使至番陽。肅勸權召瑜還。

赤壁之戰 第二　　資治通鑑

瑜至、謂權曰、操雖託名漢相、其實漢賊也。將軍以神武雄才、兼仗父兄之烈、割據江東。地方數千里、兵精足用、英雄樂業。當橫行天下、為漢家除殘去穢。況操自送死、而可迎之邪。請為將軍籌之。今北土未平。馬超、韓遂、尚在關西。為

操後患、而操舍鞍馬、仗舟楫、與吳越爭衡。今又盛寒、馬無藁草。驅中國士衆、遠涉江湖之間、不習水土、必生疾病。此數者、用兵之患也。而操皆冒行之。將軍禽操、宜在今日。瑜請得精兵數萬人、進住夏口、保爲將軍破之。權曰、老賊欲廢漢自立久矣。徒忌二袁、呂布、劉表、與孤耳。今數雄已滅、惟孤尚存。孤與老賊、勢不兩立。君言當擊、甚與孤合。此天以君授孤也。因拔刀斫前奏案曰、諸將吏敢復有言當迎操者、與此案同。乃罷會。是夜、瑜復見權曰、諸人徒見操書言水步八十萬、而各恐懾、不復料其虛實、便開此議、甚無謂也。今以實校之、彼所將中國人、不過十五六萬、且已久疲。所得表衆、亦極七八萬耳。尚懷狐疑。夫以疲病之卒、御

狐疑之衆、衆數雖多、甚未足畏。瑜得精兵五萬、自足制之。願將軍勿慮。權撫其背曰、公瑾、卿言至此。甚合孤心。子布、元表諸人、各顧妻子、挾持私慮。深失所望。獨卿與子敬與孤同耳。此天以卿二人贊孤也。五萬兵難卒合。已選三萬人、船糧戰具俱辦。卿與子敬程公、便在前發。孤當續發人衆、多載資糧、爲卿後援。卿能辦之者誠決。邂逅不如意、便還就孤。孤當與孟德決之。遂以周瑜程普、爲左右督。將兵與備幷力逆操。以魯肅爲贊軍校尉。助畫方略。劉備在樊口、日遣邏吏於水次、候望權軍。吏望見瑜船、馳往白備。備遣人慰勞之。瑜曰、有軍任、不可得委署。儻能屈威、誠副其所望。備乃乘單舸、往見瑜曰、今拒曹公、深爲得計。戰卒有幾。瑜曰、三萬人。備曰、恨少。瑜曰、此自足用。豫州但觀瑜破之。備欲呼魯肅等共會語。瑜曰、受命不得妄委署。若欲見子敬、可別過之。備深愧喜。進與操遇於赤壁。時操軍衆、已有疾疫。初一交戰、操軍不利。引次江北。瑜等在南岸。瑜部將黃蓋曰、今寇衆我寡。難與持久。操軍方連船艦、首尾相接。可燒而走也。乃取蒙衝鬭艦十艘、載燥荻枯柴、灌油其中、裹以帷幕、上建旌旗。豫備走舸、繫於其尾。先以書遺操、詐云欲降。時東南風急。蓋以十艦最著前。中江擧帆、餘船以次俱進。操軍吏士、皆出營立觀。指言蓋降。去北軍二里餘、同時發火。火烈風猛、船往如箭。燒盡北船。延及岸上營落。頃之烟炎張天。人馬燒溺、死者甚衆。瑜等率輕銳、繼其

後。雷鼓大震。北軍大壞。操引軍、從華容道步走。遇泥濘道不通。天又大風。悉使羸兵負艸塡之。騎乃得過。羸兵爲人馬所蹈藉、陷泥中死者甚衆。劉備、周瑜、水陸並進。追操至南郡。時操軍兼以飢疫。死者太半。操乃留征南將軍曹仁、横野將軍徐晃、守江陵。折衝將軍樂進、守襄陽。引軍北還。

前赤壁賦　蘇軾

壬戌之秋七月既望、蘇子與客泛舟、遊赤壁之下。清風徐來、水波不興。擧酒屬客、誦明月之詩、歌窈窕之章。少焉月出於東山之上、徘徊於斗牛之間。白露横江、水光接天。縱一葦之所如、凌萬頃之茫然。浩浩乎如馮虛御風、而不知其所止。飄飄乎如遺世獨立、羽化而登仙。於是飮酒樂甚。

扣舷而歌之曰、桂棹兮蘭槳。擊空明兮泝流光。渺渺兮予懷。望美人兮天一方。客有吹洞簫者。倚歌而和之。其聲嗚嗚然、如怨如慕、如泣如訴、餘音嫋嫋、不絕如縷。舞幽壑之潛蛟、泣孤舟之嫠婦。蘇子愀然正襟、危坐而問客曰、何爲其然也。客曰、月明星稀、烏鵲南飛。此非曹孟德之詩乎。西望夏口、東望武昌。山川相繆、鬱乎蒼蒼。此非孟德之困於周郎者乎。方其破荊州、下江陵、順流而東也、舳艫千里、旌旗蔽空。釃酒臨江、横槊賦詩。固一世之雄也。而今安在哉。況吾與子、漁樵於江渚之上、侶魚鰕而友麋鹿。駕一葉之扁舟、舉匏樽以相屬、寄蜉蝣於天地。渺滄海之一粟。哀吾生之須臾、羨長江之無窮。挾飛仙以遨遊、抱明月而長終、

知不可乎驟得。託遺響於悲風。蘇子曰、客亦知夫水與月乎。逝者如斯。而未嘗往也。盈虛者如彼。而卒莫消長也。蓋將自其變者而觀之、則天地曾不能以一瞬。自其不變者而觀之、則物與我皆無盡也。而又何羨乎。且夫天地之間、物各有主。苟非吾之所有、雖一毫而莫取。惟江上之清風、與山間之明月、耳得之而爲聲、目遇之而成色。取之無禁、用之不竭。是造物者之無盡藏也。而吾與子之所共適。客喜而笑。洗盞更酌、肴核既盡、杯盤狼藉。相與枕藉乎舟中、不知東方之既白。

後赤壁賦　蘇軾

是歲十月之望、步自雪堂將歸于臨皐。二客從予過黃泥之坂。霜露既降、木葉盡脫、人影在地、仰見明月、顧而樂之、行歌相答。已而歎曰、有客無酒、有酒無殽。月白風清、如此良夜何。客曰、今者薄暮、舉網得魚。巨口細鱗、狀似松江之鱸。顧安所得酒乎。歸而謀諸婦。婦曰、我有斗酒、藏之久矣。以待子不時之需。於是攜酒與魚、復遊於赤壁之下。江流有聲、斷岸千尺。山高月小、水落石出。曾日月之幾何、而江山不可復識矣。予乃攝衣而上、履巉巖、披蒙茸、踞虎豹、登虬龍、攀栖鶻之危巢、俯馮夷之幽宮。蓋二客不能從焉。劃然長嘯、草木震動、山鳴谷應、風起水湧。予亦悄然而悲、肅然而恐、凜乎其不可留也。反而登舟、放乎中流、聽其所止而休焉。時夜將半。四顧寂寥。適有孤鶴、横江東來。翅如車

輪、玄裳縞衣、戛然長鳴、掠予舟而西也。須臾客去、予亦就睡。夢一道士、羽衣蹁躚、過臨皐之下、揖予而言曰、赤壁之遊樂乎。問其姓名、俛而不答。嗚呼噫嘻、我知之矣。疇昔之夜、飛鳴而過我者、非子也耶。道士顧笑。予亦驚悟。開戶視之、不見其處。

周瑜卒　資治通鑑

漢獻帝、建元十五年、冬十二月。孫權南郡守將周瑜卒。權以魯肅代領其兵。

劉表故吏士、多歸劉備。備以周瑜所給地少、不足以容其衆。乃自詣孫權、求都督荊州。瑜上疏曰、劉備以梟雄之姿、而有關羽張飛熊虎之將。必非久屈爲人用者。謂宜徙備

置呉、盛爲宮室、多其美女玩好、以娛其耳目。而分羽飛各置一方、使如瑜者挾與攻戰、大事可定也。今猥割土地以資業人。聚此三人、俱在疆場、恐蛟龍得雲雨、終非池中物也。權不從。備還、乃聞之、歎曰、天下智謀之士、所見略同。前時、孔明諫孤莫行、其意亦慮此也。瑜詣京見權曰、今曹操新敗、憂在腹心。未能與將軍連兵相事也。乞與奮威俱進取蜀、而并張魯、因留奮威、固守其地、與馬超結援、瑜還與將軍據襄陽以蹙操、北方可圖也。權許之。奮威者、權從弟瑜也。周瑜還、治行裝、道病困。與權牋曰、瑜短命矣。誠不足惜。但恨微志未展、不復奉教命耳。今曹操在北、疆場未靜。劉備寄寓、有似養虎。此朝士旰食之秋、至尊垂慮之日也。魯肅忠烈、臨事不苟、可以代瑜。倘所言可采、瑜死不朽矣。卒於巴丘。權聞之、哀慟曰、公瑾有王佐之才、今忽短命、孤何賴哉。自迎其喪於蕪湖、爲子登娶其女。而以女妻其子循胤。初瑜見友於孫策、太夫人又使權以兄奉之。時諸將賓客爲禮尚簡。而瑜便執臣節。程普以年長數陵侮瑜、瑜折節下之、終不與校。普後自敬服、乃告人曰、與公瑾交、若飲醇醪、不覺自醉。權以肅代瑜、肅勸權以荊州借劉備、與共拒曹操、權從之。初權謂呂蒙曰、卿今當塗掌事、不可不學。蒙辭以軍中多務。權曰、孤豈欲卿治經爲博士邪。但當涉獵見往事耳。卿言多務、孰若孤。孤常讀書、自以爲大有所益。蒙乃始就學。及肅過尋陽、與蒙議論、大驚曰、卿今者

才略、非復呉下阿蒙。蒙曰、士別三日、即更刮目相待、大兄何見事之晚乎。肅遂拜蒙母、結友而去。

邯鄲之圍第一　　資治通鑑

五十七年正月、王陵攻邯鄲少利、益發卒佐陵。陵亡五校。武安君病愈。王欲使代之。武安君曰、邯鄲實未易攻也。且諸侯之救日至、彼諸侯怨秦之日久矣。秦雖勝於長平、士卒死者過半、國内空、遠絶河山而爭人國都、趙應其内、諸侯攻其外、破秦軍必矣。王自命不行。乃使應侯請之、武安君終辭疾不肯行。乃以王齕代王陵。趙王使平原君求救於楚。平原君約其門下食客、文武備具者二十人與之俱、得十九人、餘無可取者。毛遂自薦於平原君。平原君曰、夫賢士之處世也、譬若錐之處囊中、其末立見。今先生處勝之門下三年於此矣。左右未有所稱誦、勝未有所聞。是先生無所有也。先生不能。先生留。毛遂曰、臣乃今日請處囊中耳。使遂蚤得處囊中、乃脱穎而出。非特其末見而已。平原君乃與之俱。十九人相與目笑之。平原君至楚、與楚王言合從之利害。日出而言之、日中不決。毛遂按劍歷階而上、謂平原君曰、從之利害、兩言而決耳。今日出而言、日中不決何也。楚王怒叱曰、胡不下。吾乃與而君言、汝何爲者也。毛遂按劍而前曰、王之所以叱遂者、以楚國之衆也。今十步之内、王不得恃楚國之衆也。王之命、懸於遂手。吾君在前、叱者何也。且遂聞、湯以七十里之地、王天下、文王以

百里之壤、而臣諸侯。豈其士卒衆多哉。誠能據其勢、而奮其威也。今楚、地方五千里、持戟百萬、此霸王之資也。以楚之彊、天下弗能當。白起小豎子耳。率數萬之衆、興師以與楚戰。一戰而擧鄢郢、再戰而燒夷陵、三戰而辱王之先人。此百世之怨、而趙之所羞。而王弗之惡焉。合從者爲楚、非爲趙也。吾君在前、叱者何也。楚王曰、唯々、誠若先生之言。謹奉社稷以從。毛遂曰、從定乎。楚王曰、定矣。毛遂謂楚王之左右曰、取鷄狗馬之血來。毛遂奉銅盤、而跪進之楚王曰、王當歃血以定從。次者吾君、次者遂。遂定從於殿上。毛遂左手持盤血、而右手招十九人曰、公等相與歃此血於堂下。公等碌々、所謂因人成事者也。平原君已定從而歸。

至於趙曰、勝不敢相天下士矣。遂以毛遂爲上客。於是楚王使春申君將兵救趙。魏王亦使將軍晉鄙將兵十萬救趙。秦王使謂魏王曰、吾攻趙、旦暮且下。諸侯敢救之者、吾已拔趙、必移兵先擊之。魏王恐、遣人止晉鄙、留兵壁鄴。名爲救趙、實挾兩端。又使將軍新垣衍、間入邯鄲。因平原君說趙王。欲共尊秦爲帝、以却其兵。齊人魯仲連、在邯鄲圍之、往見新垣衍曰、彼秦者、棄禮義、而上首功之國也。彼即肆然而爲帝於天下、則連有蹈東海而死耳。不願爲之民也。且梁未睹秦稱帝之害故耳。吾將使秦王烹醢梁王。新垣衍怏然不悅曰、先生惡能使秦王烹醢梁王。魯仲連曰、固也。吾將言之。昔九侯、鄂侯、文王、紂之三公也。九侯有子而好、獻之於紂。紂以爲惡、醢九侯。鄂侯爭之彊、辯之疾。故脯鄂侯。文王聞之、喟然而嘆。故拘之牖里之庫百日。欲令之死。今秦萬乘之國也。梁亦萬乘之國也。俱據萬乘之國、各有稱王之名。奈何睹其一戰而勝、欲從而帝之、卒就脯醢之地乎。且秦無已而帝、則將行其天子之禮、以號令於天下。則且變易諸侯之大臣。彼將奪其所不肖、而與其所賢、奪其所憎、而與其所愛。彼又將使其子女讒妾、爲諸侯妃姬、處梁之宮。梁王安得晏然而已乎。而將軍又何以得故寵乎。新垣衍起再拜曰、吾乃今知先生天下之士也。吾請出、不敢復言帝秦矣。

資治通鑑

邯鄲之圍第二

初魏公子無忌、仁而下士。致食客三千人。魏有隱士、曰侯嬴。年七十、家貧爲大梁夷門監者。公子置酒、大會賓客。坐定。公子從車騎、虛左自迎侯生。侯生攝敝衣冠、直上載公子上座不讓。公子執轡愈恭。侯生又謂公子曰、臣有客在市屠中。願枉車騎過之。公子引車入市。侯生下見其客朱亥、睥睨故久立。與其客語、微察公子。公子色愈和。乃謝客就車。至公子家。公子引侯生坐上座、徧贊賓客。賓客皆驚。及秦圍趙。趙平原君之夫人、公子無忌之姉也。平原君使者、冠蓋相屬於魏、讓公子曰、勝所以自附於婚姻者、以公子之高義、能急人之困也。今邯鄲旦暮降秦、而魏救不至。縱公子輕勝棄之、獨不憐公子姉邪。公子患之、數請魏王、

勅晉鄙令救趙。及賓客辯士、游說萬端。王終不聽。公子乃屬賓客、約車騎百餘乘、欲赴鬪以死於趙。過夷門見侯生。侯生曰、公子勉之矣。老臣不能從。公子去。行數里。心不快。復還見侯生。侯生笑曰、臣固知公子之還也。今公子無佗端、而欲赴秦軍、譬如以肉投餒虎、何功之有。公子再拜問計。侯嬴屛人曰、吾聞晉鄙兵符、在王臥內。而如姬最幸、力能竊之。嘗聞公子、爲如姬報其父仇。如姬欲爲公子、死無所辭。公子誠一開口、則得虎符、奪晉鄙之兵、北救趙、西却秦。此五伯之功也。公子如其言、果得兵符。公子行。侯生曰、將在外、君令有所不受。有如晉鄙合符、而不授兵、復請之、則事危矣。臣客朱亥、其人力士、可與俱。晉鄙若聽、大善。不

聽可使擊之。於是公子請朱亥、與俱至鄴。晉鄙合符疑之。擧手視公子曰、吾擁十萬之衆、屯於境上。今單車來代之、何如哉。朱亥袖四十斤鐵椎、椎殺晉鄙。公子遂勒兵、下令軍中曰、父子俱在軍中者、父歸。兄弟俱在軍中者、兄歸。獨子無兄弟者、歸養。得選兵八萬人、將之而進。王齕久圍邯鄲、不拔。諸侯來救。戰數不利。武安君聞之曰、王不聽吾計、今何如矣。王聞之怒。彊起武安君。武安君稱病篤、不肯起。五十八年十月、免武安君爲士伍、遷之陰密。十二月益發卒、軍汾城旁。武安君病。未行。諸侯攻王齕。齕數却。使者日至。王乃使人遣武安君、不得留咸陽中。武安君出咸陽西門十里、至杜郵。王與應侯群臣謀曰、白起之遷、意尚怏々、

有餘言。王乃使使者賜之劍。武安君遂自殺。秦人憐之、鄕邑皆祭祀焉。魏公子無忌、大破秦師於邯鄲下。王齕解邯鄲圍、走。鄭安平爲趙所困、將二萬人降趙。應侯由是得罪。公子無忌、既存趙、遂不敢歸魏、與賓客留居趙。使將將其軍還魏。趙王與平原君計、以五城封公子。趙王掃除自迎、執主人之禮、引公子就西階。公子側行辭讓、從東階上。自言罪過以負於魏無功於趙。趙王與公子飮、至暮、口不忍獻五城。以公子退讓也。趙王以鄗爲公子湯沐邑。魏亦復以信陵奉公子。公子聞趙有處士毛公、隱於博徒、薛公隱於賣漿家、欲見之。兩人不肯見。公子乃間步從之游。平原君聞而非之。公子曰、吾聞平原君之賢、故背魏而救趙。今

平原君所與遊、徒豪擧耳。不求士也。以無忌從此兩人遊、尚恐其不我欲也。平原君乃以爲羞乎。爲裝欲去。平原君免冠謝、乃止。平原君欲封魯連、使者三返。終不肯受。又以千金爲魯連壽。魯連笑曰、所貴於天下士、爲人排患、釋難解紛亂、而無取也。卽有取、是商賈之事也。遂辭平原君而去。終身不復見。

郭泰奬訓士類　　通鑑綱目

七年春二月。邟鄕侯黄瓊卒。瓊薨。謚曰忠。四方名士、會其葬者、六七千人。初瓊教授於家。徐穉從之、咨訪大義。及瓊貴穉絕不復交。至是往弔、進酹哀哭而去。人莫知者。諸名士曰、必徐孺子也。於是選能

言者陳留茅容、輕騎追及、爲沽酒市肉、稱爲飲食。容問國家事、稱不答。更問稼穡、稱乃答之。容還以語諸人。或曰可與言、而不與言。孺子其失人乎。太原郭泰曰、不然。孺子之爲人、清潔高廉。飢不可得食、寒不可得衣、而爲季偉飲食。此爲已知季偉之賢故也。所以不答國事者、是其智可及、其愚不可及也。泰博學善談論。初游雒陽時、人莫識。陳留符融一見嗟異。因以介於河南尹李膺。膺與爲友。後歸鄉里。諸儒送至河上、車數千兩。膺唯與泰同舟而濟。泰性明知人、好獎訓士類。茅容年四十餘。耕於野、與等輩避雨樹下。衆皆夷踞、容獨危坐。泰見而異之、因請寓宿。旦日容殺雞食母。餘半庋置。自以草蔬與客同飯。泰曰、卿賢哉遠矣。

郭林宗猶減三牲之具以供賓旅、而卿如此、乃我友也、起對之揖、勸令從學。鉅鹿孟敏、荷甑墮地、不顧而去。泰見問之。對曰、甑已破矣、視之何益。泰以爲有分決、亦勸令遊學。陳留申屠蟠、爲漆工。鄢陵庾乘爲門士、泰奇之。後皆爲名士。自餘或出於屠沽卒伍、因泰獎進成名者甚衆。或問范滂曰、郭林宗何如人。滂曰、隱不違親、貞不絕俗、天子不得臣、諸侯不得友、吾不知其他。泰擧有道不就。或勸之仕。泰曰、吾夜觀乾象、晝察人事、天之所廢、不可支也。吾將優游卒歲而已。然猶周施京師、誨誘不息。徐稺以書戒之曰、夫大木將顚、非一繩所維、何爲栖栖不遑寧處。泰感悟曰、謹拜斯言、以爲師表。濟陰黃允、以儁才知名。泰見而謂曰、卿高才絕人、足成偉器、然當深自匡持、不然將失之矣。後司徒袁隗、欲爲從女求姻。見允歎曰、得婿如是足矣。允聞而黜遣其妻。妻請大會宗親、數允隱慝而去。允由是廢。初允與漢中晉文經、恃其才智、徵辟不就。託言療病京師、不通賓客。公卿大夫遣門生問疾、郎吏雜坐其門。三公辟召、輒以訪之。符融謂李膺曰、二子行業無聞、以豪傑自置、遂使公卿問疾、王臣坐門。融恐其小道破義、空譽違實、特宜察焉。膺然之。後並以罪廢。陳留仇香、至行純嘿、鄉黨無知者。年四十、爲蒲亭長。勸人生業、爲制科令、令子弟就學、賑恤窮寡、朞年大化。民有陳元、獨與母居。母詣香告元不孝。香驚曰、吾近日過元舍、廬落整頓、耕耘以時、此非罪人、當是

教化未至耳。母守寡養孤、苦身投老、奈何以一旦之忿、棄歷年之勤乎。且母養人遺孤、不能成濟、若死者有知、百歲之後、當何以見亡者。母涕泣而起。香乃親到元家、爲陳人倫、譬以禍福。元感悟、卒爲孝子。考城令王奐、署香主簿、謂之曰、聞在蒲亭、陳元不罰而化、得無少鷹鸇之志邪。香曰、以爲鷹鸇不若鸞鳳、故不爲也。奐曰、枳棘非鸞鳳所集、百里非大賢之路、乃以一月俸資香、使入大學、與符融比宇。融賓客盈室、香常自守。融謂之曰、今英雄四集、志士交結之秋。香正色曰、天子設大學、豈但使人遊談其中邪。高揖而去。融以告郭泰。因就房謁之。泰嗟歎、起拜牀下曰、君泰之師、非泰之友也。香雖宴居、必正衣服、妻子事之若嚴君、

妻子有過、免冠自責、妻子庭謝思過、香冠。妻子乃敢外堂、終不見其喜怒聲色之異。不應徵辟、卒於家。

黨錮之禍第一　　通鑑綱目

孝靈皇帝、建寧元年秋九月。太傅陳蕃、大將軍竇武、奏誅宦者曹節等。節等殺之。遂遷太后於南宮。

初竇太后之立也、陳蕃有力焉。及臨朝、政無大小、皆委於蕃。蕃與竇武同心戮力、以獎王室。徵天下名賢李膺・杜密・尹勳・劉瑜等、皆列於朝廷、與共參政事。於是天下之士、莫不延頸想望太平。而帝乳母趙嬈、及諸女尚書、旦夕在太后側。中常侍曹節・王甫等、共相朋結、諂事太后。太后信之、數出詔命、有所封拜。蕃武疾之。嘗共會朝堂。蕃私謂武曰、曹節・王甫操弄國柄、濁亂海內、今不誅之、後必難圖。武深然之。蕃大喜、以手推席而起。武乃引尚書令尹勳、共定計策。會有日食之變。蕃謂武曰、昔蕭望之困一石顯。況今石顯數十輩乎。蕃以八十之年、欲為將軍除害。今可因此斥罷宦官、以塞天變。武乃白太后曰、故事、黃門常侍、但當給事省內門戶、主近署財物耳。今乃使與政事任重權。子弟布列、專為貪暴。天下匈匈、正以此故。宜悉誅廢、以清朝廷。太后曰、故事世有宦官。但當誅其有罪者、豈可盡廢耶。時中常侍管霸頗有才略、專制省內。武光白收霸及蘇康等。皆坐死。武復數白誅節等。太后冘豫未忍。蕃上疏言。矦覽曹節・公乘昕・王甫・鄭颯等、與趙夫人諸尚書、並亂天下。今

不急誅、必生變亂。願出臣章、宣示左右、并令天下諸姦、知臣疾之。太后不納。八月、太白犯房之上將、入太微。劉瑜惡之、上書皇太后曰、案占書、宮門當閉、將相不利、姦人在主傍。願急防之。又與武蕃書、勸以速斷大計。於是武蕃以朱寓為司隸校尉、劉祐為河南尹、虞祁為雒陽令。奏免黃門令魏彪、以所親小黃門山冰代之。收長樂尚書鄭颯送北寺獄。蕃曰、此曹子便當收殺、何復考為。武不聽。令冰與尹勳雜考。辭連曹節・王甫。勳冰即奏收節等、使劉瑜內奏。九月、武出宿歸府。典中書者、先以告長樂五官史朱瑀。瑀盜發武奏、罵曰、放縱者自可誅耳。我曹何罪、而當盡見族滅。因大呼曰、陳蕃竇武、奏白太后、廢帝為大逆。乃夜召所親共普等十七人、歃血共盟。曹節請帝出御前殿、拔劍踊躍。趙嬈等擁衛左右、閉諸禁門、召尚書官屬、挾以白刃、使作詔版。拜王甫為黃門令、持節至北寺獄、收勳冰殺之、出颯。還兵劫太后、奪璽綬、使颯等持節收武等。武馳入步兵營、召會北軍五校士數千人、屯都亭下。令軍士曰、黃門常侍反。盡力者封侯重賞。陳蕃聞難、將官屬諸生八十餘人、並拔刃突入尚書門、攘臂呼曰、大將軍忠以衛國。黃門反逆。何云竇氏不道耶。王甫使劍士收蕃。蕃拔劍叱甫、甫辭色愈厲、遂被執送北寺獄。即日殺之。時張奐徵還。節等以奐新至、不知本謀、矯制使奐率五營士討武。甫將千餘人、出與奐合。使其士大呼武軍曰、竇武反。汝皆禁兵、當宿衛宮省、何故

隨反者乎。營府素畏服中官。於是武軍稍稍歸甫。自旦至食時、兵降略盡。武自殺。梟首都亭、收捕宗親賓客、悉誅之。及劉瑜馮述、皆夷其族。遷皇太后於南宮、徙武家屬於日南。門生故吏、皆免官禁錮。議郎巴肅始同謀。節等不知、但坐禁錮、後乃知而收之。肅自載詣縣。縣令解印綬、欲與俱去。肅曰、為人臣者、有謀不敢隱、有罪不逃刑、遂被誅。曹節遷長樂衛尉、與王甫等六人皆封列侯。蕃友朱震收葬蕃屍、匿其子逸、事覺繫獄。震受考掠、誓死不言。逸由是得免。武孫輔年二歳、詐以為己子、與令史張敞共匿之、亦得免。張奐遷大司農、封侯。奐深病為節等所賣、固辭不受。

黨錮之禍第二　　通鑑綱目

二年冬十月、復治鉤黨。殺前司隸校尉李膺等、百餘人。初李膺等雖廢錮、天下士大夫、皆高尚其道、而汙穢朝廷。更相標榜、為之稱號、以竇武陳蕃劉淑為三君。君者、言一世之所宗也。李膺、荀昱、杜密、王暢、劉祐、魏朗、趙典、朱寓為八俊。俊者、言人之英也。郭泰、范滂、尹勳、巴肅、宗慈、夏馥、蔡衍、羊陟、為八顧。顧者、言能以德行引人者也。張儉、翟超、岑晊、苑康、劉表、陳翔、孔昱、檀敷、為八及。及者、言其能導人追宗者也。度尚、張邈、王孝、劉儒、胡母班、秦周、蕃嚮、王章、為八廚。廚者、言能以財救人者也。及陳竇用事、復舉拔膺等。陳竇誅。膺等復廢。宦官疾惡膺等、每下詔書、輒申黨人之禁。

侯覽惡張儉尤甚。覽鄉人朱並上書告、儉與同鄉二十四人別相署號、共為部黨、圖危社稷。詔刊章捕儉等。十月、曹節諷有司、奏諸鉤黨者、虞放、李膺、杜密、朱寓、荀昱、翟超、劉儒、范滂等、請下州郡考治。是時上年十四。問節等曰、黨人何用為惡、而欲誅之邪。對曰、相舉群輩、欲為不軌。上曰、不軌欲如何。對曰、欲圖社稷。上乃可其奏。或謂李膺曰、可去矣。對曰、事不辭難、罪不逃刑、臣之節也。吾年已六十、死生有命、去將安之。乃詣詔獄、考死。門生故吏、並被禁錮。侍御史景毅子顧為膺門徒、未有錄牒、不及於譴。毅慨然曰、本謂膺賢、遣子師之、豈可以漏脫名籍苟安而已。遂自表免歸。汝南督郵吳導、受詔捕范滂。至征羌、抱詔書閉傳舍、伏

牀而泣。一縣不知所為。滂聞之曰、必為我也、即自詣獄。縣令郭揖大驚。出解印綬、引與俱亡、曰天下大矣、子何為在此。滂曰、滂死則禍塞、何敢以罪累君。又令老母流離乎。其母就與之訣、曰、汝今得與李杜齊名、死亦何恨。滂跪受教、再拜而辭。凡黨人死者百餘人、妻子皆徙邊。天下豪傑、及儒學有行義者、宦官一切指為黨人。有怨隙者、因相陷害。睚眦之忿、濫入黨中。或有未嘗交關、亦罹禍毒。其死徙廢禁者、又六七百人。郭泰聞之、私為之慟曰、詩云、人之云亡、邦國殄瘁。漢室滅矣、但未知瞻烏爰止于誰之屋耳。泰雖好臧否、而不為危言覈論、故能處濁世、而怨禍不及焉。

中等漢文讀本卷之六　終

(自一巻至五巻)明治三十一年三月十一日印刷
明治三十一年三月十四日發行
(自六巻至十巻)明治三十一年七月四日印刷
明治三十一年七月七日發行

版權所有

中等漢文讀本

定價	
一巻金貳拾錢	二巻金貳拾錢
三巻金貳拾三錢	四巻金貳拾三錢
五巻金貳拾三錢	六巻金貳拾三錢
七巻金貳拾五錢	八巻金貳拾五錢
九巻金貳拾五錢	十巻金貳拾五錢

編者　遊佐誠甫
東京市本郷區元町二丁目六十六番地

編者　冨永岩太郎
東京市本郷區菊坂町七十五番地

發行兼印刷者　小林八郎
東京市日本橋區通旅籠町十一番地

印刷所　集英堂活版所
東京市麹町區内幸町一丁目五番地

發兌書肆　株式會社集英堂
東京市日本橋區通旅籠町十一番地

大賣捌所　各府縣下書肆

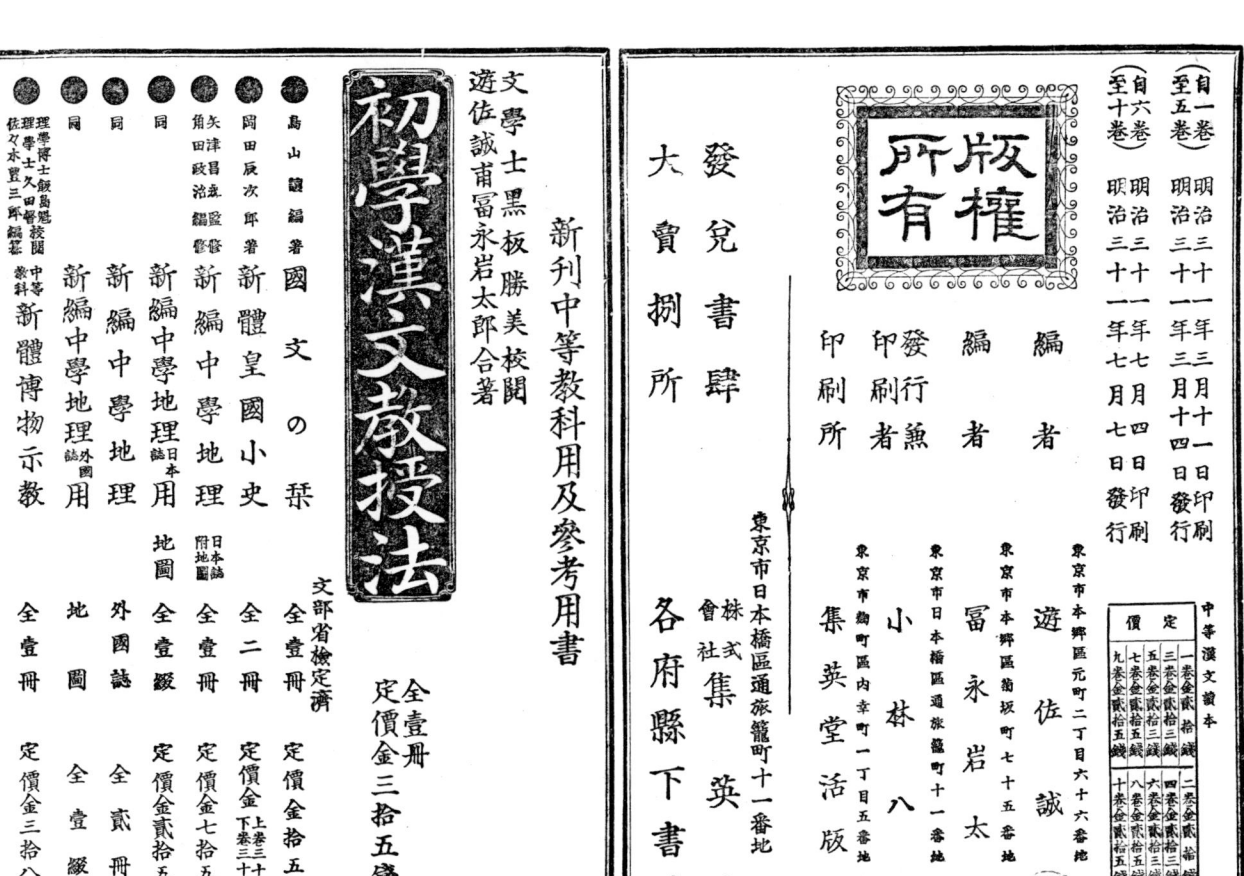

文學士黒板勝美校閲
遊佐誠甫
冨永岩太郎 合編

中等漢文讀本

巻之七

東京　集英堂

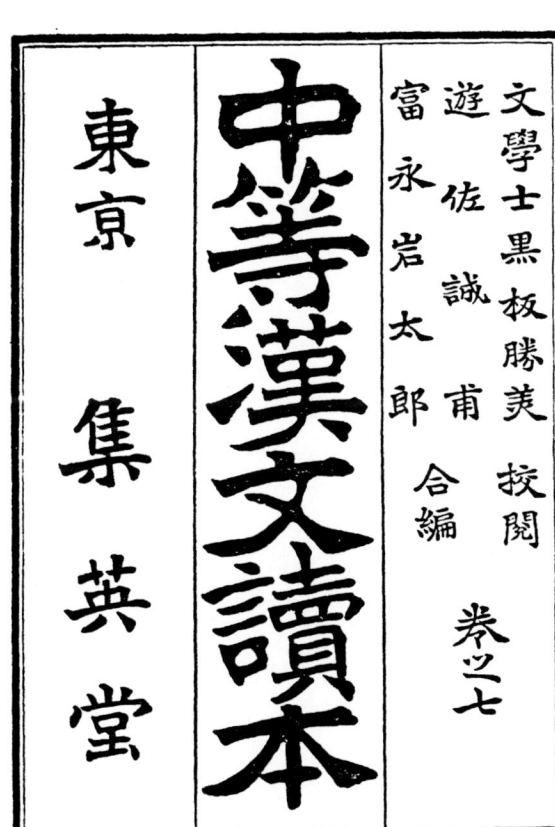

中等漢文讀本卷之七目次

中等漢文讀本卷七

文學士　黒板勝美　校閲
遊佐誠甫
冨永岩太郎　合編

房玄齡諫伐高麗疏　唐書

上古所不臣者、陛下皆臣之。所不制者、陛下皆制之矣。爲中國患、無如突厥。而大小可汗、相次束手。弛辮握刀、分典禁衞。延陁鐵勒、披置州縣。高昌吐渾、偏師掃除。惟高麗歷代逋命、莫克窮討。陛下責其弑逆、身自將六軍、征荒裔。不旬日拔遼東。虜獲數十万、殘衆孽君、縮氣不敢息。可謂功倍前世矣。易曰、知進退存亡、不失其正者、其惟聖人乎。蓋

進有退之義、存有亡之機、得有喪之理。爲陛下惜者此也。傳曰、知足不辱、知止不殆。陛下威名功烈、既云足矣。拓地開疆、亦可止矣。邊夷醜種、不足待以仁義、責以常禮。古者以禽魚畜之、必絕其類。恐獸窮則搏、苟救其死。且陛下每決死罪、必三覆五奏、進疏食、停音樂、以人命之重。爲感動也。今士無一罪、驅之行陣之間、委之鋒鏑之下、使肝腦塗地、老父孤子、寡妻慈母、望轊車、抱枯骨、摧心一泣。其所以變動陰陽、害傷和氣、實天下之痛也。使高麗違失臣節、誅之可也。侵擾百姓、滅之可也。能爲後世患、夷之可也。今無是三者。而坐敝中國、爲舊王雪恥、新羅報仇、非所存小、所損大乎。臣願下沛然之詔、許高麗自新、焚陵波之船、罷應募之衆。即臣死骨不朽。

魏徵薨　唐書

貞觀十七年、魏徵疾甚。帝親問疾、流涕問所欲。對曰、嫠不恤緯。而憂宗周之亡。帝將以衡山公主、降其子叔玉。時主亦從。帝曰、公彊視新婦。徵不能謝。是夕、帝夢徵若平生。及旦薨。帝臨哭、爲之慟。罷朝五日。詔內外百官、朝集使、皆赴喪。贈司空相州都督。諡曰文貞。帝登苑西樓、望哭盡哀。晉王奉詔致祭、帝作文于碑、遂書之。又賜家封戶九百。帝後臨朝歎曰、以銅爲鑑、可正衣冠。以古爲鑑、可知興替。以人爲鑑、可知得失。朕嘗保此三鑑、內防己過。今魏徵逝、一鑑亡矣。朕比使人至其家、得書一紙。始半藁其可識者。曰天

下之事、有善有惡。任善人則國安、用惡人則國弊。公卿之內情有愛憎。憎者惟見其惡、愛者止見其善。愛憎之間、所宜詳愼。若愛而知其惡、憎而知其善。去邪勿疑、任賢勿猜。可以興矣。其大略如此。朕顧思之、恐不免斯過。公卿侍臣、可書之於笏、知而必諫也。徵狀貌不逾中人。有志膽。每犯顏進諫。雖逢帝甚怒、神色不徙。而天子亦爲霽威。議者謂、賁育不能過。嘗上冢還奏曰、向聞陛下有關南之行、既辦而止何也。帝曰、畏卿遂停耳。始喪亂後、典章湮散、徵奏引諸儒、校集秘書。國家圖籍、粲然完整。嘗以小戴禮、綜彙不倫、更作類禮二十篇、數年而成。帝美其書、錄寘內府。帝本以兵定天下。雖已治、不忘經略四夷也。故徵侍宴、奏破陣

武德舞、則俛首不顧。至慶善樂、則諦玩無斁。擧有所諷切如此。徵亡。帝思不已。登凌烟閣、觀畫像、賦詩悼痛。聞者媢之、毀短百爲。徵嘗薦杜正倫、侯君集才任宰相。及正倫以罪黜、君集坐逆誅、讒人遂指爲阿黨。又言、徵嘗錄前後諫爭語、示史官褚遂良。帝滋不悅。乃停叔玉昏、而仆所爲碑。顧其家衰矣。遼東之役、高麗靺鞨犯陳。李勣等力戰破之。軍還、悵然曰、魏徵若在、吾有此行邪。即召其家、到行在、賜勞妻子、以少牢祠其墓、復立碑。恩禮加焉。

十思疏　　魏　徵

臣聞、求木之長者、必固其根本。欲流之遠者、必浚其泉源。思國之安者、必積其德義。源不深、而望流之遠。根不固、而求木之長。德不厚、而思國之理。臣雖下愚、知其不可。而況於明哲乎。人君當神器之重、居域中之大、將崇極天之峻、永保無疆之休。不念居安思危、戒奢以儉。德不處其厚、情不勝其欲。斯亦伐根以求木茂。塞源而欲流長者也。凡百元首、承天景命、莫不殷憂而道著、功成而德衰。有善始者實繁、能克終者蓋寡。豈取之易、而守之難乎。昔取之而有餘、今守之而不足。何也。夫在殷憂、必竭誠以待下、既得志、則縱情以傲物。竭誠、則胡越爲一體。傲物、則骨肉爲行路。雖董之以嚴刑、震之以威怒、終苟免而不懷仁。貌恭而不心服。怨不在大、可畏惟人。載舟覆舟、所宜深愼。奔車朽索、其可忽乎。君人者誠能見可欲、則思知足以自戒。將有作、

則思知止以安人。念高危、則思謙冲而自牧。懼滿溢、則思江海下百川。樂盤遊、則思三驅以爲度。憂懈怠、則思愼始而敬終。慮壅蔽、則思虛心以納下。想讒邪、則思正身以黜惡。恩所加、則思無因喜以謬賞。罰所及、則思無因怒而濫刑。總此十思、弘茲九德、簡能而任之、擇善而從之、則智者盡其謀、勇者竭其力、仁者播其惠、信者効其忠。文武爭馳、君臣無事、可以盡豫遊之樂、可以養松喬之壽。鳴琴垂拱、不言而化。何必勞神苦思、代下司職、役聰明之耳目、虧無爲之大道哉。

大寶箴　　張　蘊　古

今來古往、俯察仰觀、惟辟作福、爲君實難。主普天之下、處王公之上、任土貢其所求、具寮陳其所倡。是故恐懼之心日弛、邪僻之情轉放。豈知事起乎所忽、禍生乎無妄。固以聖人受命、拯溺亨屯、歸罪於己、因心於民。大明無私照。至公無私親。故以一人治天下、不以天下奉一人。禮以禁其奢、樂以防其佚。左言而右事、出警而入蹕。四時調其慘舒、三光同其得失。故身爲之度、而聲爲之律。勿謂無知。居高聽卑。勿謂何害。積小就大。樂不可極。樂極生衰。欲不可縱、縱欲成災。壯九重於內、所居不過容膝。彼昏不知、瑤其臺而瓊其室。羅八珍於前、所食不過適口。惟狂罔念、丘其糟、而池其酒。勿內荒於色。勿外荒於禽。勿貴難得貨。勿聽亡國音。內荒伐人性、外荒蕩人心。難得之貨侈。亡國之音淫。

勿謂我尊而傲賢慢士。勿謂我智而拒諫矜己。闢之夏后、據饋頻起。亦有魏帝牽裾不止。安彼反側、如春陽秋露、巍巍蕩々、恢漢高大度、撫茲庶事。如履薄臨深、戰々慄々。用周文小心、詩之不識不知、書之無偏無黨、一彼此於胸臆、損好惡於心想。衆棄而後加刑、衆悅而後行賞。弱其強、而治其亂。伸其屈、而直其枉。故曰、如衡如石、不定物以限。物之懸者、輕重自見。如水如鏡、不示物以情。物之鑒者、妍蚩自生。勿渾々而濁。勿皎々而清。勿汶々而闇。勿察々而明。雖冕旒蔽目、而視於未形。雖黈纊塞耳、而聽於無聲。縱心乎湛然之域、遊神於至道之精。扣之者應洪纖而效響、酌之者隨淺深而皆盈。故曰天之經。地之寧。主之貞。四時不言、而代序、萬物無言而化成。豈知帝力、而天下和平。吾王撥亂、戡以智力。民懼其威、未懷其德。我皇撫運、扇以淳風、民懷其始、未保其終。爰述金鏡、窮神盡聖、使人以心、應言以行。包括治體、抑揚詞令、天下爲公。一人有慶、開羅起祝、援琴命詩、一日二日、念茲在茲、惟人所召、自天祐之、諍臣司直、敢告前疑。

象祠記　王守仁

靈博之山、有象祠焉。其下諸苗夷之居者、咸神而祠之。宣慰安君、因諸苗夷之請、新其祠屋、而請記於予。予曰、毀之乎、其新之也。曰新之。新之也何居乎、曰斯祠之肇也。蓋莫知其原。然吾諸蠻夷之居是者、自吾父吾祖。遡曾高而上、

皆尊奉而禋祀焉。舉之而不敢廢也。予曰胡然乎。有鼻之祀、唐之人蓋嘗毀之。象之道、以爲子則不孝。以爲弟則傲。斥於唐、而猶存於今。毀於有鼻、而猶盛於茲土也。胡然乎、我知之矣。君子之愛若人也、推及於其屋之烏。而況於聖人之弟乎哉。然則祠者、爲舜非爲象也。意象之死、其在干羽既格之後乎。不然、古之驁桀者、豈少哉。而象之祠、獨延於世。吾於是、益有以見舜德之至。入人之深、而流澤之遠且久也。象之不仁、蓋其始焉爾。又烏知其終之不見化於舜也。書不云乎。克諧以孝、烝々乂不格姦。瞽瞍亦允若。瞍已化而爲慈父、象猶不弟、不可以爲諧。進治於善、則不至於惡。不抵於姦、則必入於善。信乎。象蓋已化於舜矣。孟子曰、天子使吏治其國、象不得以有爲也。斯蓋舜愛象之深、而慮之詳、所以扶持輔導之者之周也。不然周公之聖、而管蔡不免焉。斯可以見象之既化於舜。故能任賢使能、而安於其位。澤加於其民。既死而人懷之也。諸侯之卿、命於天子。蓋周官之制。其殆倣於舜之封象歟。吾於是益有以信人性之善、天下無不可化之人也。然則唐人之毀之也、據象之始也。今之諸苗之奉之也、承象之終也。斯義也、吾將以表於世。使知人之不善雖若象焉、猶可以改、而君子之脩德、及其至也、雖若象之不仁、而猶可以化之也。

貞節堂記　宋濂

天地之間有大經、決不可廢者、猶如閭廬以爲居、稻粱以

為食、繪布以為服。一日無之、則人事盡失。難以為治。此其故何哉。苟無闔廬、則風雨震凌矣。苟無稻粱、則道殣相望矣。苟無繪布、則手足皸瘃矣。三者猶難闕一。而況於大經乎。大經者何、三綱之謂也。是故臣有貳心者、為不忠。子悖其父者、為不孝。婦事二夫者、為失節。彝倫攸斁、職此之由。其所係於人道之重者何如哉。泉南莊氏婦、其夫為海塩陳思恭。思恭海賈也。育子寶生、四月去入海。五年而不返。或以為死、誘莊改適。莊心如鐵、不為動。已而思恭歸、相見之頃、悲喜交集。居久之、思恭復去。航海卒溺焉。向日誘者、諱曰、今眞死矣。奈何。莊指寶生曰、夫雖死而子存、猶不死也。吾敢死其夫而去之乎。誘者又曰、子賢也。猶云可也。脫

有不肖、餘生將托之東流乎。莊曰此天也。吾無所逃也。順受之而不失也。此其一念之正、可以貫金石、可以通神明、可以耀古今。嗚呼孰謂天道無知。天道儻無知、而寶生何其能賢邪。此人定勝天之義著矣。嗚呼使以莊此心推之。子必善事其親而稱孝矣。臣必能報其上而稱忠矣。四海其有不治乎。奈何世降俗漓。號為士大夫、鬚髯如戟、議論凌雲霄。一則曰我丈夫也。二則曰我男子也。或遇君父有難、作狐鼠竄去、往往而是。似婦人女子之不若。抑又何說哉。嗚呼柏舟之詩、不作久矣。余於婦莊、寧不啻聞空谷跫音乎。然而君子之立志、寧暴露而無庇也。寧凍餓而殞其生也。天地之大經、不可失也。予故於莊之事、亟稱道而弗

置者、為其有合於此也。寶生以吾友黄彝先生、請記所謂貞節堂者、寶生其誠賢矣哉。因書此授之。思恭死時、莊年三十七。今踰五十矣。初思恭娶妻生一子。貧寓外家。莊遺錢、使營生産、且償思恭之宿逋。此固人之所難、以非大節所繫、不詳書之。

嚴先生祠堂記　范仲淹

先生光武之故人也。相尚以道。及帝握赤符、乘六龍、得聖人之時、臣妾億兆。天下孰加焉。惟先生以節高之。既而動星象。歸江湖。得聖人之清。泥塗軒冕。天下孰加焉。惟光武以禮下之。在蠱之上九、衆方有為。而獨不事王侯、高尚其事。先生以之。在屯之初九、陽德方亨。而能以貴下賤、大得

民也。光武以之。蓋先生之心、出乎日月之上、光武之量、包乎天地之外。微先生、不能成光武之大。微光武、豈能遂先生之高哉。而使貪夫廉、懦夫立。是大有功於名教也。仲淹來守是邦、始構堂而奠焉。乃復為其後者四家、以奉祠事。又從而歌曰、雲山蒼蒼、江水泱泱、先生之風、山高水長。

跋外交餘勢斷腸記　黎庶昌

勝君海舟、以所著書二卷示余。其渉國事者、曰外交餘勢。追溯嘉永癸丑以來、與歐美各國、訂約互市之顚末。渉己事者、曰斷腸記。備擧生平更歷世患、觸目危難之險。皆足裨史家掌故。方王室未維新也、大將軍德川氏柄政。懲前毖、後知鎖港孤立之為害。於是創議通商。而當是時、衆説

紛呶、爭訟幕政失計。以攘夷爲宗主。論非不正。而不知其無濟世變也。及長藩構難、啓釁蕭牆、兵連不克、有河決魚爛之勢、大将軍深察時變、奉歸大權、贊成帝業。今二十餘年矣。準前後事勢觀之、然後知德川氏所處、爲極巨艱之會。其臣節、愈久而愈明耳。語曰不習吏、視已成事。前事之不忘、後事之師也。君之述此、豈止爲幕府闡微也哉。外交餘勢、已有活字印本。余謂、斷腸記、亦宜排印並行。庶幾君與德川氏心蹟、不泯沒於後。亦使論世者、有所資以爲鑒也。

卜來敦記

黎庶昌

卜來敦者、英國之海濱、歐洲勝境也。距倫敦南一百六十餘里、輪車可兩點鐘而至。爲國人游息之所。後帶岡嶺、前則石岸嶄然。好事者、鑿岸爲巨廈、養魚其間。注以源泉、涵以玻璃。四洲之物、奇々怪々、無不畢致。又架木爲長橋、斗入海中數百丈。使游者得以攀援、憑眺橋盡處。有作樂亭。餘則淺草平沙、綠窓華屋、與水光掩映、迤邐一碧。而已人民十万、櫛比而居。衢市縱橫、日闢益廣。其地固無波濤洶湧之觀、估客帆檣之集。無機匠廠師之興、作雜然而塵鄙也。蓋獨以靜潔勝。每歲會堂散後、游人率休憩於此。方其風日晴和、天水相際。邦人士女、聯袂嬉游。衣裙雜襲、都麗如雲。時或一二小艇、棹漾於空碧之中、而豪華巨家、則又鮮車怒馬、並轡爭馳、以相遨放。迨夫暮色蒼然、燈火燦列。

音樂作於水上、與風潮相吞吐、夷猶要眇飄飄乎、有遺世之意矣。予至倫敦之次月、富紳阿叶伯里、導往游焉。即歎爲絕特殊勝。自是屢游不厭。再踰年而之他邦、多涉名跡。而卜來敦、未嘗一日去諸懷。其移人若此。英之爲國、號爲盛強傑大。議者徒知其舩堅礮巨、逐利若馳。故嘗得志海內、而不知其國中之優游暇豫、乃有如是之一境也。昔荀卿氏、論立國惟堅凝之難。而晉欒鍼之對楚子重則曰、好以衆整。又曰、好以暇。夫維堅凝、斯能整暇。若卜來敦者、可以覘人國已。大清前駐英參贊、黎庶昌記。光緒六年七月。

游歷

鄭觀應

今之談富強者、動曰、軍火宜備也、鐵路宜開也。製造與工藝、宜興。礦産與商務、宜振也。庸詎知居今之時、處今之勢、所以爲致富之本。自強之基者、莫如上下一心。方今朝廷刱辦一事、聚訟盈庭。非無深達時務之臣。而每建一言、輒多格於群議。誠如總署所謂同心少、異議多者。洋務之興、垂六十載矣。求其知彼知己、不隨不激、能爲國家立一可大可久之策者、有幾人哉。夫民心不一則國勢日衰。而交涉之難調、由於意嚮之不定。意嚮之不定、由於主議之無人。欲求主議得人、非王公大臣、游歷外洋不可。夫游歷之法、昉於中國。古時輶軒使者、徧歷四方、問俗採風、詳察民間疾苦。此實游歷之權輿也。孔子一車兩馬、歷聘諸侯、遂成素王之業。戰國時、秦儀之輩、朝秦暮楚、掉三寸不爛之

舌、聲動侯王。當其周游各國、而山川之險易、政事之純疵、
兵力之孰弱孰強、人情之何愛何忌、無不揣摩簡練熟爛。
胸中因得以審其機、而投其間、雖縱横排闔、聖哲羞稱、而
其顛倒是非、運天下於掌上者、非假游歷、亦何由自成其
才也。降至今日、泰西各國、尤重游歷。尊如世子王孫、貴如
世爵將相、莫不以游歷各國爲要圖。雖道路崎嶇、風波險
惡、經年累歲、皆所不辭。經過之處、觀其朝章得失、詢其俗
尚美惡、察其物産多寡、究其貿易盛衰、訪其製作精粗、探
其武備強弱。而於地利一事、尤所究心。山川之險夷、出入
之難易、路徑之遠近、江河海口之淺深、無不繪成地圖。載
入日記、刊諸日報紙、貴一時。無事則彼此傳聞、以資談助。

一旦有事、則擧國之人、胸有成竹、不難駕輕就熟、乘勝長
驅。道里關山、畫沙聚米。人第見其今日奪若干城、明日闢
若干地、以爲用兵之神速。而不知兵皆素習、謀皆豫定。無
一不從游歷得來。非一朝一夕之故也。攷二百年前、俄亦
積弱之國、自其先君、見歐洲各國、互長爭雄、恐内治不修、
外患將日亟、乃效趙武靈、微服過秦之術、徧游諸國、訪問
利弊、延攬人才歸國。後變通法治。振作工商。不二十年、虎
視一方、呑併弱小諸國、土地日大、兵備日強、卓然爲歐西
首國。游歷之效如此。比年我中國、亦知其益。故有派員游
歷之擧。但聞每員薪水、月僅二百餘。以外洋用度之繁、應
酬之鉅、安得敷用。亦祇深居簡出、繙譯幾種書籍、以期盡

職而已。未能日向各處探訪、時與土人諮詢也。且承命而
往者、皆微員末秩、回國以後、即使確有所見、亦安能大展
其才。中國體制、所關經費有限、縱不能如西例、盡人皆可
出游。莫如選擇王公大臣子弟、通古今識、大體年少、而未
當國者、派往各國、考求利弊、探訪情形、豐其資裝、寬其歲
月、與我國使臣、相助爲理。夫今日之少年、皆他年老成、謀
國之良佐也。一旦躬膺重任、建議興事、皆有真知灼見自
決、從違不致畏葸、無能亦不致拘牽僨事矣。抑更有説者、
自設海軍以來、所備大小兵輪、不下數十餘艘。平日除會
操載送官員外一無事。事何如派往各國、游歷藉以保國
民張國勢、周知外洋海港之曲折、島嶼之縈迴、沙線之淺

深、潮汛之長落、地勢之要害、咽喉防務之佈置、疏密、並定
以游歷限期、或半年而瓜代、或一年而瓜代。既回國後、由
當道面詢外洋情形、並觀其日記、實有心得。即照軍營、立
功例奏奬。果如此講求研練、十年以後、中國内外、文武人
才、皆當輩出。決不致有乏才之患。亦何庸楚材晉用、雇募
洋師、歳擲百萬金錢、且爲遠人所竊笑也哉。

議院　　鄭觀應

議院者、公議政事之院也。集衆思廣衆益。用人行政、一秉
至公。法誠良意誠美矣。無議院則君民之間、勢多隔閡、志
必乖違。力以權分權、分而力弱。雖立乎萬國公法之中、必
至有公不公、法不法、環起交攻之勢。故欲藉公法以維大

局、必先設議院、以固民心。泰西各國、咸設議院、每有舉錯、詢謀僉同、民以爲不便者不必行。民以爲不可者、不得強。朝野上下、同德同心。此所以交際鄰封、有我薄人、無人薄我。人第見其士馬之強壯、舩砲之堅利、器用之新奇、用以雄視宇內、不知其折衝禦侮、合衆志以成城、制治固有本也。考議政院、各國微有不同。大約不離乎。分上下院者近是。上院、以國之宗室勳戚、及各部大臣任之。取其近於君也。下院、以紳者士商、才優望重者充之、取其近於民也。選舉之法、惟從公衆。遇有國事、先令下院議定、達之上院。上院議定、奏聞國君、以決從違。如意見參差、則兩院重議、務臻妥協而後從之。凡軍國大政、君秉其權。轉餉度支、民肩

其任。無論籌費若干、議院定之、庶民從之。縱徵賦過重、民無怨咨、以爲當。共仔肩襄辦軍務。設無議院、民志能如是乎。然博采旁參、美國議院、則民權過重、因其本民主也。法國議院、不免叫囂之風、其人習氣使然。斟酌損益、適中經久者、則莫如英德兩國、議院之制。英之上議院、無定額。多寡之數、因時損益。蓋官不必備、惟其賢也。其員皆以王公侯伯子男、及大教師、與蘇格蘭世爵、爲之。每七年、逐漸更易、世爵則任之終身。下議院議員、則皆由民間公舉。舉員之數、視地之大小、民之多寡。舉而不公、亦可廢。其例停其舉、以示薄罰。下議院爲政令之所出。其事最繁、員亦較多。大約以四五百人爲率。惟禮拜日、得告休沐。餘日悉開院

議事。大暑前後、則散院避暑於鄉間。立冬或立春、則再開院、議員無論早暮、皆得見君主。上議院人員、獨視下議院人員。旅見議院、坐次宰相大臣等。同心者、居院長之右、不同心者居左、中立者則居前。橫坐各國公使、入聽者皆坐樓上。德之規則大概亦同。蓋有議院攬庶政之綱領、而後君相臣民之氣通、上下堂廉之隔去、舉國之心志如一、百端皆有條不紊。爲其君者恭己、南面而已。故自有議院、而昏暴之君、無所施其虐。跋扈之臣、無所擅其權。大小官司、無所卸其責。草野小民、無所積其怨。故斷不至數代而亡、一朝而滅也。中國、歷代帝王繼統、分有常尊。然而明良喜起、吁咈賡歌、往往略分言情、各抒所見。所以洪範稽疑、謀

及庶人。盤庚遷都、咨于有衆。蓋上下交則爲泰、不交則爲否。天生民而立之君。君猶舟也、民猶水也、水能載舟、亦能覆舟。伊古以來、盛衰治亂之機、總此矣。況今日中原大局、列國通商勢、難拒絕、則不得不律之以公法。欲公法之足恃、必先立議院、達民情、而後能張國威、禦外侮。孫子曰、道者使民與上同欲。可與之死、可與之生、而不畏危也。即英國而論、蕞爾三島、不足當中國數省之大。民不足當中國數省之繁、而土宇日闢、威行四海、卓然爲歐西首國者、豈有他哉。議院興而民志合、民氣強耳。中國戶口不下四万万。果能設立議院、聯絡衆情、如身使臂、如臂使指、合四万万之衆、如一人、雖以并吞四海、無難也。何至坐視彼族越

九萬里、而群逞披猖、肆其非分之請要、以無禮之求。事無大小、一有齟齬、動輒稱戈顯違公法哉。故議院者、大用之則大效。小用之則小效者也。夫國之盛衰、係乎人才。人才之賢否、視乎選擧。議院爲國人所設。議員即爲國人所擧。擧自一人、賢否或有阿私。擧自衆人、賢否難逃。公論且選擧、雖曰從衆、而擧主非入本籍至十年以後、及年居三十、並有財産身家、善讀書、負名望者、亦不得出名保擧議員。其杜弊之嚴、又如此。考泰西定例、議員之論、刊布無隱。朝議一事、夕登日報。俾衆咸知。論是則交譽之、論非則群毀之。本斯民直道之公、爲一國取賢之準。人才輩出、國之興也勃焉。誠能本中國鄉擧里選之制、參泰西投匭公擧之法、以遴議員之才望、復於各省多設報館、以昭議院之是非、則天下英奇之士、才智之民、皆得竭其忠誠、伸其抱負。君不至獨任其勞、民不至偏居於逸、君民相洽、情誼交孚。天下有公是非、亦即有公賞罰。而四海之大、萬民之衆、同甘共苦、先憂後樂、若理一人。上下一心、君民一體、尚何敵國外患之敢相陵侮哉。或曰、漢之議郎、唐宋以來之台諫御史、非即今西國之議員乎、不知爵祿錫諸君上、則不能不領私恩。品第出於高門、則不能悉通民隱、而籍貫不可分。素行不可考、智愚賢否、不能一律。則營私植黨、沽名罔利之弊生焉。何若議院官紳均匀。普徧擧自民間、則草茅之疾苦周知、彼此之偏私悉泯。其情通而不鬱、其意公而

無私、諸利皆興、而諸弊皆去乎。故欲行公法、莫要於張國勢。欲張國勢、莫要於得民心。欲得民心、莫要於通下情。欲通下情、莫要於設議院。中國而終自安。卑弱不欲。富國強兵、爲天下之望國也、則亦已耳。苟欲安内攘外、君國子民、持公法以永保太平之局、其必自設立議院始矣。

動靜論

合信

凡世物之用、不外動靜兩端。動之則行、靜之則止。既行而不能驟止。當止而不能驟行、亦物之原性也。夫馳車騁馬。之時、車驟停則輪敗、馬驟止則蹄蹶。人物皆然。試將大炮向空彈擊。其丸初起甚捷、漸上漸慢、慢極而落、漸落漸快、快極至地、猶有餘力。故能旋滾撞觸、良久方休。是爲動之本性。職其事者、度其性、量其力、自能百發百中。中無不彀。西國有某甲、巧識物性動靜之奥。精擊刺、善射法。某乙、置平果于甲子頭上。戲之曰、聞君善射、敢于百步外、射平果、不傷乃子頭乎。某甲應弦射之矢發貫果。其子猶嘻然勿覺。又有富人、常乘駿馬、遨遊街市。好于人隊中、馳馬驚衆。會有諳馬性者。作牧語以喝之。馬聞驟止。富人覆跌馬前、市人皆粲然。又有貴公子、常駕小車出遊、策馬馳驅、自矜車疾。適與大輿撞觸。小車覆轍、公子翻踣車前。乃倚父勢、控于官。官廉得其情。謂之曰、小車撞大車、公子仆于前。大車撞小車、公子仆于後。罰使償値以偹大車。公子甚慚而歸。又有船主、自誇其快。嘗謂有水手、上桅失足。適風利帆

急、傾跌船尾水中。聞者、莫不竊笑。又有初識地球旋運之理。以爲、乘輕氣球停空、可以環觀万國。不知、地面有生氣、籠絡衆類。地運而人物亦運如車行而人亦行、船駛而人亦駛。蓋世物動性、其勢本直。附物而行者、其勢亦隨之而直。故坐舟車者、當止而行、人必跌後。驟行而止、人必仆前。因受附之物行、其所附之物、不得不行也。

物質物性論　合信

世人以可見者爲物。以不能見者爲氣。孰知氣即爲物、物即爲氣。其理却有可憑信者。夫宇宙之内、由氣而化成爲物。由物而復化爲氣。凡物成物敗、曾不能滅其質。但目力不及見、人自以爲完盡耳。比如拾一山石、磨之使小。雖極小而微、亦不能盡其質。又如貯水一甑、滾之以火。雖極滾而乾、亦不能滅其質。推而類之、則人畜金木菓穀、亦莫不然。此固造化之道也。若考夫物之本性、不外二理。一爲牽合之性、一爲推拒之性。牽合者、如金質牽合金質、漸成而爲金。水質牽合水質、聚成而爲水。牽引之力大、則其物力堅、牽引之力小、則其物力柔。計其極小之物、堅而韌者、莫如金箔。若以一金箔、鍍一銀綫、浸以硝酸、則銀質鎔化。窺以顯微鏡、便見一絕小金筒。柔而韌者、莫如蛛絲。二錢之重、可引長八十里。他如有生命之虫、其絕小者、合數千之多、不如一沙之大。然以顯微鏡窺驗、見每虫皆有身首頭足臟腑、飲食行動一如牛象。是爲極微之物。其至大者、無

如日月地球衆星、亦莫不具有牽引之性。月輪旋地、地力牽引月輪、則月輪循行不亂。月力牽引地球、則潮水隨月而長。地球旋日、日力牽引地球、則地球圜運不息。凡地上山水人物、皆互牽引其力。若在空中、以墜石吊綫而下、近山之處、見墜石必偏近于山。近屋之處、見綫石必偏近于屋。又凡洋船遭難、其船板桅纜、初則逐浪漂流、漸則聚浮一處。雖茫無涯岸、亦必同聚海心。此乃牽引之據也。

甲越論　古賀精里

信玄謙信、虎爭甲越、而不相下。後之談兵者、分左右袒。各詑其長、護其短、區區較尺寸、於翕張前卻倨遜之間、以定其優劣。故一戰勝負、而彼之論、有纍世未判者焉。夫戰何爲者耶。湯武有仁義之師。桓文有節制之兵。衰世諸侯、有爭奪之戰。順逆強弱、雖相懸絕、其用皆在克敵。未聞以頰舌爲勝負之數者。項羽欲與漢祖挑戰、以決雌雄。漢祖答以吾唯鬪智、不能鬪力。漢祖鬪智、故百敗而終有天下。項羽鬪力、故百勝而終滅其身。若以楚之常勝、漢之常敗、定其優劣、則兒童之見。若二家、不足與論仁義節制之兵矣。其在爭奪之兵、爲知剛而不知柔。知勇而不知謀。亦何所取。是以積年纍月、兵連禍結、而不能決。相持相斃、竟爲寇敵之資矣。夫兵凶戰危。二家豈以此爲戲乎。但其知剛而不知柔、知勇而不知謀。適然遇地醜德齊之敵、無可奈何以至此耳。後之論者、隨而左右之、不悟其小黠而大癡、不

亦惑乎。蓋越尚銳果、甲務持重。越近義俠、甲專貪詐。是以世多軒越、而輕甲。是猶五十步笑百步。雖有彼善於此、君子不貴也。至沾沾自喜、而無深遠之圖、爲織田氏所豢。而不自省覺。死肉未寒、國隨而削滅、如一邱貉。不亦哀哉。然則二家兵法、無復可取者耶。曰足利氏之失柄也、天下糜爛、殆將百年。其蜂屯蟻結、日尋干戈者、槪乎無練制之可言。二家崛起於其間、將士厲而紀律嚴。各以威力吞數州。可不謂一時之俊哉。世之言兵者多矣。其論形勢器械之利便、進退攻守之機、宜無出二家之右。二家之言兵、其所嘗試。有宜於今者。非刻舟索劍者比。然假託之談、亦從不少。運用之妙、存於心。兵法之本也。形勢器械、進退攻守、兵法之末也。學者立其本。而不妨兼講其末。則二家之言、亦何可廢也。要察其所蔽、而辨其假託之虛談耳。

論東漢教化之效　資治通鑑

臣光曰、教化國家之急務也。而俗吏慢之。風俗天下之大事也。而庸君忽之。夫惟明智君子、深識長慮、然後知其爲益之大、而收功之遠也。光武遭漢中衰、群雄糜沸。奮起布衣、紹恢前緒、征伐四方。日不暇給。乃能敦尚經術、賓延儒雅、開廣學校、修明禮樂、武功既成。文德亦洽。繼以孝明孝章、遹追先志、臨雍拜老、橫經問道。自公卿大夫、至於郡縣之吏、咸選用經明行修之人。虎賁衛士、皆習孝經。匈奴子弟、亦遊大學。是以教立於上、俗成於下。其忠厚清修之士、

豈惟取重於搢紳、亦見慕於衆庶。愚鄙汚穢之人、豈惟不容於朝廷、亦見棄於鄕里。自三代既亡、風化之美、未有若東漢之盛者也。及孝和以降、貴戚擅權、嬖倖用事、賞罰無章、賄賂公行、賢愚渾殽、是非顚倒、可謂亂矣。然猶緜々、不至於亡者、上則有公卿大夫、袁安、楊震、李固、杜喬、陳蕃、李膺之徒、面引廷爭、用公義以扶其危。下則有布衣之士、符融、郭泰、范滂、許邵之流、立私論以救其敗。是以政治雖濁、而風俗不衰。至有觸冒斧鉞、僵仆於前、而忠義奮發、繼起於後、隨踵就戮、視死如歸。夫豈特數子之賢哉。亦光武明章之遺化也。當是之時、苟有明君作而振之、則漢氏之祚、猶未可量也。不幸承陵夷頹敝之餘、重以桓靈之昏虐、保養姦回、過於骨肉。殄滅忠良、甚於寇讎。積多士之憤、蓄四海之怒。於是何進召戎、董卓乘釁、袁紹之徒、從而構難、遂使乘輿播越、宗廟丘墟、王室蕩覆、烝民塗炭、大命隕絕、不可復救。然州郡擁兵專地者、雖互相吞噬、猶未嘗不以尊漢爲辭。以魏武之暴戾彊伉、加有大功於天下、其蓄無君之心久矣。乃至沒身、不敢廢漢而自立。豈其志之不欲哉。猶畏名義而自抑也。由是觀之、教化安可慢。風俗安可忽哉。

春山樓文牘序　黎庶昌

小山朝宏君、將刻其春山樓文牘、以書抵余、乞爲之敘。君之言曰、僕齡踰六十、平生苦辛經歷之跡、僅有是耳。則不

得不益。自蘄頤陽一言以慰蹉跎之身世。余謂、君言亦何悲也。大抵人生涉世、方其少壯時、年富力盛、志意偉然。視天下事、宜若無不可爲。及夫日月浸馳、更歷憂患、或仕官、連蹇不得伸、向之意氣、積然就衰。俛仰身世之間、無足控摶。則思託文辭、以自見。此自古賢人君子、往々而有是矣。君少以疏狂得罪、久乃獲釋。大將軍柄政之際、群藩分土、而治士大夫、過從或不如今世之密。明治維新、始一聚之東京。君位雖不達、而文酒游燕、皆盡六十州之選、遭時之隆、似有過。曩昔者、斯足以後幕府之蹟也。爲文紆餘雅潔、與余所見重野成齋、川田甕江、中村敬宇諸子相伯仲。君前有春山樓文選二卷之刻。故此編名曰文賸。實則是編多聞歷之言、今不論。論君身世之大者以爲序。光緒十六年閏二月、遵義黎庶昌。

送田晝秀才寧親萬州序　歐陽修

五代之初、天下分爲十三四。及建隆之際、或滅或微。其在者猶七國、而蜀與江南地最大。以周世宗之雄、三至淮上、不能擧李氏、而蜀亦恃險爲阻。秦隴山南皆被侵奪。而荊人縮手歸峽、不敢西窺以爭故地。及太祖受天命、用兵不過萬人。擧兩國如一郡縣吏。何其偉歟。當此時、文初之祖、從諸將西平成都。及南攻金陵、功最多。於時語名將者、稱田氏。田氏功書史官。祿世於家。至今而不絕。及天下已定、將率無所用其武。士君子爭以文儒進。故初將家子、反衣白衣、從鄉進士、擧於有司。彼此一時、亦各遭其勢而然也。文初辭業通敏、爲人敦潔可喜。歲之仲春、自荊南西拜其親於萬州。維舟夷陵、予與之登高以遠望。遂游東山、窺綠蘿溪、坐磐石。文初愛之、留數日乃去。夷陵者、其地志云、北有夷山以爲名。或曰、巴峽之險、至此地始平夷。蓋今文初所見、尚未爲山川之勝者、由此而上、泝江湍、入三峽。險怪奇絕、乃可愛也。當王師伐蜀時、兵出兩道、一自鳳州以入。一自歸州以取忠萬以西。今之所經、皆王師嚮所用武處。覽其山川、可以慨然而賦矣。

梅聖俞詩集序　歐陽修

予聞、世謂詩人少達而多窮。夫豈然哉。蓋世所傳詩者、多出於古窮人之辭也。凡士之蘊其所有、而不得施於世者、多喜自放於山巓水涯之外。見蟲魚草木風雲鳥獸之狀類、往往探其奇怪、內有憂思感憤之鬱積、其興於怨刺、以道羈臣寡婦之所歎、而寫人情之難言。蓋愈窮則愈工。然則非詩之能窮人、殆窮者而後工也。予友梅聖俞、少以蔭補爲吏、累擧進士、輒抑於有司、困於州縣、凡十餘年。年今五十、猶從辟書、爲人之佐。鬱其所蓄、不得奮見於事業。其家宛陵、幼習於詩、自爲童子、出語已驚其長老。既長學乎六經仁義之說。其爲文章簡古純粹、不求苟悅於世。世之人徒知其詩而已。然時無賢愚、語詩者必求之聖俞。聖俞亦自以其不得志者、樂於詩而發之。故其平生所作、於詩

尤多。世既知之矣。而未有薦於上者。昔王文康公嘗見而歎曰、二百年無此作矣。雖知之深、亦不果薦也。若使其幸得用於朝廷、作爲雅頌、以歌詠大宋之功德、薦之清廟、而追商周魯頌之作者、豈不偉歟。奈何使其老不得志、而爲窮者之詩、乃徒發於蟲魚物類、羈愁感歎之言。世徒喜其工、不知其窮之久、而將老也。可不惜哉。聖俞詩既多、不自收拾。其妻之兄子謝景初、懼其多而易失也、取其自洛陽至於吳興已來、所作、次爲十卷。予嘗嗜聖俞詩、而患不能盡得之、遽喜謝氏之能類次也。輒序而藏之。其後十五年、聖俞以疾卒於京師。余既哭而銘之。因索於其家、得其遺稿千餘篇、幷舊所藏、掇其尤者、六百七十七篇、爲一十五

卷。嗚呼、吾於聖俞詩、論之詳矣。故不復云。

與小松生論出處書　　林鶴梁

七月十日、麻溪隱士長孺啓。小松君足下、昨來過見諭以僕當爲道出仕。而伯夷之窮餓、淵明之歸田、當不必倣。二日一夜、反復示諭。誠感足下情義摯篤。非復尋常世人之交。而僕頑然不敬服者、蓋有說焉。但私心不欲與人顯言、故然耳。然足下之歸、曰將復來言。果然僕不得不吐露心腹腎腸也。僕家世仕德川氏。祖宗以來、祿雖微、食之七世。況以僕頑鈍、一朝擢卒伍、累進列布衣班、賜千石祿。而尸位素餐、可恥之甚、所以致仕也。及王室維新之時、又憫其饑寒、欲請朝廷使爲祿仕。衰老雖不從之、其德厚矣。感泣銘骨。不啻七世沾祿之恩也。然僕退休以來、老羸日甚。非當復出之人矣。且出處進退、士之大節也。前以德川氏、則退、後以王朝則進。是去卑而就尊也。不啻失節於德川氏、又恐獲罪於朝廷。朝廷幸宥之。豈可不亦恥于心哉。且廟堂諸公、不乏其人。何必起一山澤之癯爲哉。夫伯夷淵明之事、僕固感其出處之節義。然彼二子者、特異域革命之臣也。如我赫赫日出之邦、則皇統一定、萬古自若。雖有二子、豈可復若其節義哉。僕之所以不敬服於足下者、固非倣二子也。抑國變之際、臣子之分、益有難言者。僕竊不自量、欲養一片廉恥之心耳。所以不欲與人顯言之也。然足下反復諭告、懇懇不已。故僕心腹腎腸徹底罄竭、不遺分

寸、以是也。足下第憐僕頑鈍老羸、使自今至死之年、堅臥不起、以期於一瞑蓋棺。顧不可乎。僕死又不欲爲異域之鬼。他日國家、有纘大日本史之撰也、幸得列名于其將軍家臣傳之末、則足矣。幸足下亮之。

上樞密韓太尉書　　蘇轍

太尉執事、轍生好爲文。思之至深。以爲文者氣之所形。然文不可以學而能。氣可以養而致。孟子曰、我善養吾浩然之氣。今觀其文章、寬厚宏博、充乎天地之間。稱其氣之小大。太史公行天下、周覽四海名山大川、與燕趙間豪俊交游。故其文疎蕩、頗有奇氣。此二子者、豈嘗執筆學爲如此之文哉。其氣充乎其中、而溢乎其貌。動乎其言、而見乎其

文、而不自知也。轍生十有九年矣。其居家所與游者、不過其鄰里鄉黨之人。所見不過數百里之間。無高山大野可登覽以自廣。百氏之書、雖無所不讀、然皆古人之陳迹、不足以激發其志氣。恐遂汨沒。故決然捨去、求天下奇聞壯觀、以知天地之廣大。過秦漢之故都、恣觀終南嵩華之高、北顧黃河之奔流、慨然想見古之豪傑。至京師、仰觀天子宮闕之壯、與倉廩府庫、城池苑囿之富且大也、而後知天下之巨麗。見翰林歐陽公、聽其議論之宏辯、觀其容貌之秀偉。與其門人賢士大夫游、而後知天下之文章聚乎此也。太尉以才略冠天下。天下之所恃以無憂、四夷之所憚以不敢發。入則周公召公、出則方叔召虎。而轍也未之見

焉。且夫人之學也、不志其大、雖多而何爲。轍之來也、於山見終南嵩華之高、於水見黃河之大且深、於人見歐陽公。而猶以爲未見太尉也。故願得觀賢人之光耀、聞一言以自壯、然後可以盡天下之大觀、而無憾矣。轍年少、未能通習吏事。嚮之來非有取於斗升之祿。偶然得之非其所樂。然幸得賜歸待選、使得優游數年之間、將歸益治其文、且學爲政。太尉苟以爲可教、而辱教之、又幸矣。

論周命三晉爲諸侯　　資治通鑑

二十三年、初命晉大夫魏斯、趙籍、韓虔、爲諸侯。

臣光曰、臣聞、天子之職、莫大於禮。禮莫大於分。分莫大於名。何謂禮、紀綱是也。何謂分、君臣是也。何謂名、公侯卿大夫是也。夫以四海之廣、兆民之衆、受制於一人、雖有絕倫之力、高世之智、莫不奔走而服役者、豈非以禮爲之紀綱哉。是故天子統三公、三公率諸侯、諸侯制卿大夫、卿大夫治士庶人。貴以臨賤、賤以承貴。上之使下、猶心腹之運手足、根本之制支葉。下之事上、猶手足之衛心腹、支葉之庇本根。然後能上下相保、而國家治安。故曰、天子之職、莫大於禮也。文王序易、以乾坤爲首。孔子繫之曰、天尊地卑、乾坤定矣。卑高以陳、貴賤位矣。言君臣之位、猶天地之不可易也。春秋抑諸侯、尊王室。王人雖微、序於諸侯之上。以是見聖人於君臣之際、未嘗不惓々也。非有桀紂之暴、湯武之仁、人歸之天命之、君臣之分、當守節伏死而已矣。是故

以微子而代紂、則成湯配天矣。以季札而君吳、則太伯血食矣。然二子寧亡國而不爲者、誠以禮之大節不可亂也。故曰、禮莫大於分也。夫禮、辯貴賤、序親疏、裁群物、制庶事、非名不著、非器不形。名以命之、器以別之。然後上下粲然有倫。此禮之大經也。名器既亡、則禮安得獨在哉。昔仲叔于奚、有功於衛、辭邑而請繁纓。孔子以爲不如多與之邑。惟名與器、不可以假人。君之所司也。政亡、則國家從之。衛君待孔子而爲政。孔子欲先正名。以爲名不正、則民無所措手足。夫繁纓小物也、而孔子惜之。正名細務也、而孔子先之。誠以名器既亂、則上下無以相保故也。夫事未有不生於微而成於著。聖人之慮遠、故能謹其微而治之。衆人

之識近、故必待其著、而後救之。治其微、則用力寡而功多。救其著、則竭力而不能及也。易曰、履霜堅冰至。書曰一日二日萬幾。謂此類也。故曰、分莫大於名也。嗚呼、幽厲失德、周道日衰、綱紀散壞、下陵上替、諸侯專征、大夫擅政、禮之大體、什喪七八矣。然文武之祀、猶緜々相屬者、蓋以周之子孫、尚能守其名分、故也。何以言之、昔晉文公、有大功於王室、請隧於襄王。襄王不許曰、王章也。未有代德、而有二王、亦叔父之所惡也。不然、叔父有地而隧。又何請焉。文公於是懼、而不敢違。是故以周之地、則不大於曹滕。以周之民、則不衆於邾莒。然歷數百年、宗主天下。雖以晉楚齊秦之彊、不敢加者何哉。徒以名分尚存故也。至於季氏之於魯、田常之於齊、白公之於楚、智伯之於晉、其勢皆足以逐君而自為。然而卒不敢者、豈其力不足、而心不忍哉。乃畏奸名犯分、而天下共誅之也。今晉大夫、暴蔑其君、剖分晉國。天子既不能討、又寵秩之、使列於諸侯。是區々之名分、復不能守、而幷棄之也。先王之禮、於斯盡矣。或者以為當是之時、周室微弱、三晉彊盛、雖欲勿許、其可得乎。是大不然。夫三晉雖彊、苟不顧天下之誅、而犯義侵禮、則不請於天子、而自立矣。不請於天子、而自立、則為悖逆之臣。天下苟有桓文之君、必奉禮義而征之。今請於天子、而天子許之。是受天子之命、而為諸侯也。誰得而討之。故三晉之列於諸侯、非三晉之壞禮、乃天子自壞之也。烏呼君臣之禮

既壞矣。則天下以智力相雄長、遂使聖賢之後為諸侯者、社稷無不泯絕、生民之類、糜滅幾盡。豈不哀哉。

三晉滅智氏　資治通鑑

初智宣子、將以瑤為後。智果曰、不如宵也。瑤之賢於人者五、其不逮者一也。美鬢長大則賢。射御足力則賢。伎藝畢給則賢。巧文辯慧則賢。彊毅果敢則賢。如是而甚不仁。夫以其五賢陵人、而以不仁行之、其誰能待之。若果立瑤也、智宗必滅。弗聽。智果別族於大史、為輔氏。趙簡子之子、長曰伯魯、幼曰無恤。將置後、不知所立。乃書訓戒之辭於二簡、以授二子曰、謹識之。三年而問之、伯魯不能舉其辭。求其簡、已失之矣。問無恤、誦其辭甚習。求其簡、出諸袖中、而奏之。於是簡子以無恤為賢、立以為後。簡子使尹鐸為晉陽。請曰、以為繭絲乎。抑為保障乎。簡子曰、保障哉。尹鐸損其戶數。簡子謂無恤曰、晉國有難、而無以尹鐸為少。無以晉陽為遠。必以為歸。及智宣子卒、智襄子為政、與韓康子魏桓子、宴於藍臺。智伯戲康子而侮段規。智國聞之、諫曰、主不備難、難必至矣。智伯曰、難將由我。我不為難、誰敢興之。對曰、不然。夏書有之。一人三失、怨豈在明、不見是圖。夫君子能勤小物、故無大患。今主一宴、而恥人之君相、又弗備。曰不敢興難、無乃不可乎。蚋蟻蜂蠆、皆能害人。況君相乎。弗聽。智伯請地於韓康子。康子欲弗與。段規曰、智伯好利而愎。不與、將伐我。不如與之。彼狃於得地、必請於他人。

他人不與、必嚮之以兵、然後我得免於患、而待事之變矣。
康子曰、善、使使者致萬家之邑於智伯、智伯悅。又求地於
魏桓子、桓子欲弗與。任章曰、何故弗與。桓子曰、無故索地、
故弗與。任章曰、無故索地、諸大夫必懼。吾與之地、智伯必
驕。彼驕而輕敵、此懼而相親、以相親之兵、待輕敵之人、智
氏之命、必不長矣。周書曰、將欲敗之、必姑輔之、將欲取之
必姑與之。主不如與之以驕智伯、然後可以擇交、而圖智
氏矣。奈何獨以吾、爲智氏質乎。桓子曰、善、復與之萬家之
邑一、智伯又求蔡皐狼之地於趙襄子。襄子弗與。智伯怒
帥韓魏之甲、以攻趙氏。襄子將出曰、吾何走乎。從者曰、長
子近、且城厚完。襄子曰、民罷力以完之、又斃死以守之、其

誰與我。從者曰、邯鄲之倉庫實。襄子曰、浚民之膏澤、以實
之、又因而殺之、其誰與我、其晉陽乎。先主之所屬也、尹鐸
之所寬也、民必和矣。乃走晉陽。三家以國人圍而灌之、城
不浸者三版、沈竈產鼃、民無叛意。智伯行水。魏桓子御、韓康
子驂乘。智伯曰、吾乃今知水可以亡人國也。桓子肘康子、
康子履桓子之跗、以汾水可以灌安邑、絳水可以灌平陽
也。絺疵謂智伯曰、韓魏必反矣。智伯曰、子何以知之。絺疵
曰、以人事知之。夫從韓魏之兵以攻趙、趙亡、難必及韓魏
矣。今約勝趙、而三分其地、城不沒者三版、人馬相食、城降
有日、而二子無喜志、有憂色、是非反而何。明日、智伯以絺
疵之言、告二子。二子曰、此夫讒人、欲爲趙氏游說、使主疑

於二家、而懈於攻趙氏也。不然夫二家、豈不利朝夕分趙
氏之田、而欲爲危難不可成之事乎。二子出。絺疵入曰、主
何以臣之言、告二子也。智伯曰、子何以知之。對曰、臣見其
視臣端而趨疾、知臣得其情故也。智伯不悛。絺疵請使於
齊。趙襄子、使張孟談潛出見二子曰、臣聞脣亡則齒寒。今
智伯帥韓魏、以攻趙。趙亡則韓魏爲之次矣。二子曰、我心
知其然也。恐事未遂、而謀泄、則禍立至矣。張孟談曰、謀出
二主之口、入臣之耳、何傷也。二子乃潛與張孟談約、爲之
期日而遣之。襄子夜使人殺守隄之吏。而決水、灌智伯軍。
智伯軍救水而亂、韓魏翼而擊之。襄子將卒犯其前、大敗
智伯之衆、遂殺智伯、盡滅智氏之族。唯輔果在。

五　代　史

周德威傳第一

周德威、字鎭遠、朔州馬邑人也。爲人勇而多智能。望塵以
知敵數。其狀貌雄偉。笑不改容。人見之凜如也。事晉王爲
騎將、稍遷鐵林軍使、從破王行瑜、以功遷內衙指揮使。其
小字陽五、當梁晉之際、周陽五之勇、聞天下。梁軍圍晉太
原、下令軍中曰、能生得周陽五者爲刺史。有驍將陳章者、
號陳野叉、常乘白馬、被朱甲、以自異、出入陣中、求周陽五、
欲必生致之。晉王戒德威曰、陳野叉欲得汝以求刺史。見
白馬朱甲者、宜善備之。德威笑曰、陳章、好大言耳。安知刺
史非臣作邪。因戒其部兵曰、見白馬朱甲者、當佯走以避。
之。兩軍皆陳。德威微服雜卒伍中。陳章出挑戰。兵始交。德

威部下、見白馬朱甲者、因退走。章果奮檛急追之。德威伺章已過、揮鐵鎚擊之。中章墮馬。遂生擒之。梁攻燕。晉遣德威將五萬人、爲燕攻梁、取潞州。遷代州刺史、內外蕃漢馬步軍都指揮使。梁軍捨燕攻潞、圍以夾城。潞州守將李嗣昭、閉城距守、而德威與梁軍相持於外踰年。嗣昭與德威素有隙。晉王病且革。語莊宗曰、梁軍圍潞、而德威與嗣昭有隙。吾甚憂之。王喪在殯、莊宗新立。殺其叔父克寧。國中未定、而晉之重兵、悉屬德威于外。晉人皆恐。莊宗使人以喪及克寧之難、告德威、且召其軍。德威聞命、即日還軍太原。留其兵城外、徒步而入。伏梓宮前慟哭幾絕。晉人乃安。遂從莊宗復擊梁軍、破夾城。與李嗣昭歡如初。以破夾城

功、拜振武節度使、同中書門下平章事。天祐七年秋、梁遣王景仁、將魏滑汴宋等兵七萬人、擊趙。趙王王鎔乞師于晉。晉遣德威先屯趙州。冬梁軍至于柏鄉。趙人告急。莊宗自將出贊皇。會德威于石橋。進距柏鄉五里、營于野河北。晉兵少、而景仁所將、神威龍驤拱宸等軍、皆梁精兵。人馬鎧甲、飾以組繡金銀、其光燿日。晉軍望之色動。德威勉其衆曰、此汴宋傭販兒、徒飾其外耳。其中不足懼也。其一甲之值數十千、得之適足爲吾資、無徒望而愛之。當勉以往取也。退而告于莊宗曰、梁兵甚銳、未可與爭、宜少退以待之。莊宗曰、吾提孤軍出千里、其利速戰、今不乘勢急擊之、使敵知吾之衆寡、則吾無所施矣。德威曰、不然。趙人能城

守、而不能野戰。吾之取勝在騎兵。平川廣野、騎兵之所長也。今吾軍於河上、迫賊營門、非吾用長之地也。莊宗不悅退、臥帳中。諸將無敢入見。德威謂監軍張承業曰、王怒老兵、不速戰者非怯也。且吾兵少、而臨賊營門、所恃者、一水隔耳。使梁得舟栰渡河、吾無類矣。不如退軍鄗邑、誘敵出營、擾而勞之、可以策勝也。

周德威傳　第二　　五代史

承業入言曰、德威老將知兵。願無忽其言。莊宗遽起曰、吾方思之耳。已而德威獲梁遊兵問、景仁何爲。曰、治舟數百、將以爲浮梁。德威引與俱見。莊宗笑曰、果如公所料。乃退軍鄗邑。德威晨遣三百騎、叩梁營挑戰。自以勁兵三千繼

之。景仁怒、悉其軍以出、與德威轉鬭數十里、至于鄗南。兩軍皆陣。梁軍橫亘六七里。汴宋之軍居西、魏滑之軍居東。莊宗策馬登高、望而喜曰、平原淺草、可前可却、眞吾之勝地也。乃使人告德威曰、吾當爲公先、公可繼進。德威持馬諫曰、梁軍輕出而遠來、與我轉戰、其來必不暇齎糧糗。縱其能齎、亦不暇食、不及日午、人馬俱饑。因其將退、而擊之勝。諸將亦皆以爲然。至未申時、梁軍東偏塵起。德威鼓譟而進、麾其西偏曰、魏滑軍走矣。麾其東偏曰、梁軍走矣。梁陣動、不可復整。乃皆走、遂大敗。自鄗追至于柏鄉。橫尸數十里。景仁以十餘騎僅而免。自梁與晉爭、凡數十戰、其大敗未嘗如此。劉守光僭號於燕。晉遣德威、將兵三萬、出飛狐

以擊之。德威入祁溝關、取涿州、遂圍守光於幽州、破其外城。守光閉門距守。而晉軍盡下燕諸州縣。獨幽州不下。圍之踰年、乃破之。以功拜盧龍軍節度使。德威雖為大將、而常身與士卒、馳騁於矢石之間。守光驍將單廷珪、望見德威於陣曰、此周陽五也。乃挺槍馳騎追之。德威佯走、度廷珪垂及、側身少卻。廷珪馬方馳不可止。縱其少過、奮撾擊之。廷珪墜馬。遂見擒。莊宗與劉鄩相持于魏。鄩夜潛軍、出黃澤關、以襲太原。德威自幽州以千騎入土門、以躡之。鄩至樂平遇雨。不得進而還。德威與鄩俱東、爭趨臨清。臨清有積粟。且晉軍餉道也。德威先馳據之。以故、莊宗卒能困鄩軍而敗之。莊宗勇而好戰、尤銳於見敵。德威老將、常務持重、以挫人之鋒。故其用兵常伺敵之隙、以取勝。十五年德威將燕兵三萬人、與鎮定軍從莊宗于河上。自麻家渡進軍臨濮、以趨汴州。軍宿胡柳陂。黎明、候騎報曰、梁軍至矣。莊宗問戰於德威。德威對曰、此去汴州信宿而近。梁軍父母妻子、皆在其中、而梁人家國、繫此一舉。吾以深入之兵、當其必死之戰。可以計勝、而難與力爭也。且吾軍先至此、糧糗具、而營柵完。是謂以逸待勞之師也。王宜按軍無動、而臣請以騎軍擾之、使其營柵不得成、樵爨不暇給、因其勞乏而乘之、可以勝也。莊宗曰、吾軍河上、終日俟敵。今見敵不擊、復何為乎。顧李存審曰、公以輜重先、吾為殿。遂督軍而出。德威謂其子曰、吾不知死所矣。前遇梁軍而陣、

王軍居中、鎮定之軍居左、德威之軍居右、而輜重次右之西。兵已接。莊宗率銀槍軍、馳入梁陣。梁軍小敗、犯晉輜重。輜重見梁朱旗、皆驚走入德威軍。德威軍亂。梁軍乘之。德威父子皆戰死。莊宗與諸將相持、而哭曰、吾不聽老將之言、而使其父子至此。莊宗即位。贈德威太師。明宗時加贈太尉、配享莊宗廟。晉高祖追封德威燕王。子光輔、官至刺史。

宦者傳第一　　五代史

嗚呼、自古宦女之禍深矣。明者未形而知懼、暗者患及而猶安焉。至於亂亡而不可悔也。雖然、不可以不戒。作宦者傳。

張承業字繼元、唐僖宗時宦者也。本姓康、幼閹為內常侍張泰養子。晉王兵擊王行瑜、承業數往來兵間。晉王喜其為人。及昭宗為李茂貞所迫、將出奔太原。乃先遣承業。使晉以道意。因以為河東監軍。其後崔胤誅宦官。宦官在外者、悉詔所在殺之。晉王憐承業不忍殺、匿之斛律寺。昭宗崩、乃出承業復為監軍。晉王病且革、以莊宗屬承業曰、以亞子累公等。莊宗常兄事承業、歲時昇堂拜母、甚親重之。莊宗在魏。與梁戰河上十餘年。軍國之事、皆委承業。承業亦盡心不懈。凡所以畜積金粟、收市兵馬、勸課農桑、而成莊宗之業者、承業之功為多。自貞簡太后、韓德妃、伊淑妃、及諸公子在晉陽者、承業一切以法繩之。權貴皆斂手畏承業。莊宗歲時自魏歸省親、須錢蒱博、賞賜伶人、而承業

主藏錢、不可得。莊宗乃置酒庫中。酒酣、使子繼岌爲承業起舞、舞罷。承業出寶帶幣馬爲贈。莊宗指錢積、呼繼岌小字、以語承業曰、和哥乏錢、可與錢一積。何用帶馬爲也。承業謝曰、國家錢非臣所得私也。莊宗以語侵之。承業怒曰、臣老敕使、非爲子孫計、惜此庫錢、佐王成霸業爾。若欲用之何必問臣。財盡兵散、豈獨臣受禍也。莊宗顧元行欽曰、取劍來。承業起持莊宗衣而泣曰、臣受先王顧託之命、誓雪家國之讎。今日爲王惜庫物而死、死不愧於先王矣。閻寶從旁解承業手令去。承業奮拳毆寶踣。罵曰、閻寶朱溫之賊。蒙晉厚恩、不能有一言之忠。而反諂諛自容邪。太后聞之。使召莊宗。莊宗性至孝。聞太后召甚懼。乃酌兩卮、謝承業曰、吾栝酒之失、且得罪太后。願公飲此、爲吾分過。承業不肯飲。莊宗入內。太后使人謝承業曰、小兒忤公、已笞之矣。明日太后與莊宗、俱過承業第慰勞之。盧質嗜酒傲忽。自莊宗及諸公子、多見侮慢。莊宗深嫉之。承業乘間請曰、盧質嗜酒無禮。臣請爲王殺之。莊宗曰、吾方招納賢才、以就功業、公何言之過也。承業起賀曰、王能如此、天下不足平也。質因此獲免。天祐十八年、莊宗已諾諸將、即皇帝位。承業方臥病、聞之、自太原肩輿至魏。諫曰大王父子、與梁血戰三十年。本欲雪家國之讎、而復唐之社稷。今元兇未滅、而遽以尊名自居。非王父子之初心。且失天下望。不可。莊宗謝曰。此諸將之所欲也。承業曰、不然。梁、唐晉之仇賊、而

天下所共惡也。今王誠能爲天下去大惡、復列聖之深讎、然後求唐後而立之。使唐之子孫在、孰敢當之。使唐無子孫、天下之士誰可與王爭者。臣唐家一老奴耳。誠願見大王之成功、然後退身田里。使百官送出洛東門、而令路人指而歎曰、此本朝敕使、先王時監軍也。豈不臣主俱榮哉。莊宗不聽。承業知不可諫、乃仰天大哭曰、吾王自取之、悞老奴矣。肩輿歸太原。不食而卒。年七十七。同光元年、贈左武衛上將軍、諡曰正憲。

張居翰字德卿、故唐掖廷令張從玫之養子。昭宗時、爲范陽軍監軍。與節度使劉仁恭相善。天復中、大誅宦者。仁恭匿居翰大安山之北谿以免。其後梁兵攻仁恭。仁恭遣居翰、從晉王攻梁潞州、以牽其兵。晉遂取潞州。以居翰爲昭義監軍。莊宗即位。與郭崇韜並爲樞密使。莊宗滅梁而驕。宦官因以用事。郭崇韜又專任政。居翰默々苟免而已。魏王破蜀。王衍朝京師、行至秦川。而明宗軍變于魏。莊宗東征、慮衍有變。遣人馳詔魏王殺之。詔書已印畫、而居翰發視之。詔書言、誅衍一行。居翰以謂、殺降不祥。乃以詔傅柱、揩去行字、改爲一家。時蜀降人、與衍俱東者千餘人。皆獲免。莊宗遇弑。居翰見明宗于至德宮、求歸田里。天成三年、卒于長安。年七十一。

宦者傳第二　　五代史

五代文章陋矣。而史官之職廢於喪亂、傳奇小說、多失其

傳。故其事迹終始不完。而雜以訛謬。至于英豪奮起、戰爭勝敗、國家興廢之際。豈無謀臣之略、辯士之談。而文字不足以發之。遂使泯然無傳於後世。然獨張承業事、卓々在人耳目。至今故老猶能道之。其論議可謂傑然歟。殆非宦者之言也。自古宦者亂人之國。其源深於女禍。女色而已。宦者之害非一端也。蓋其用事也近而習。其爲心也專而忍。能以小善中人之意。小信固人之心。使人主必信而親之。待其已信、然後懼以禍福而把持之。雖有忠臣碩士列於朝廷、而人主以爲去己疎遠。不若起居飲食前後左右之親爲可恃也。故前後左右者日益親。則忠臣碩士日益疎。而人主之勢日益孤。勢孤則懼禍之心日益切。而把持者日益牢。安危出其喜怒、禍患伏於帷闥、則嚮之所謂可恃者、乃所以爲患也。患已深而覺之、欲與疎遠之臣、圖左右之親近。緩之則養禍而益深。急之則挾人主以爲質。雖有聖智、不能與謀。謀之而不可爲。爲之而不可成。至其甚、則俱傷而兩敗。故其大者亡國、其次亡身。而使姦豪得借以爲資而起。至抉其種類、盡殺以快天下之心而後已。此前史所載宦者之禍常如此者、非一世也。夫爲人主者、非欲養禍於內、而疎忠臣碩士於外。蓋其漸積而勢使之然也。夫女色之惑、不幸而不悟、則禍斯及矣。使其一悟、捽而去之可也。宦者之爲禍、雖欲悔悟、而勢有不得而去也。唐昭宗之事是已。故曰深於女禍者、謂此也。可不戒哉。昭宗

信狎宦者。由是有東宮之幽。既出而與崔胤圖之。胤爲宰相、顧力不足爲。乃召兵於梁。梁兵且至、而宦者挾天子走之岐。梁兵圍之三年。昭宗既出而唐亡矣。初昭宗之出也。梁王悉誅唐宦者。第五可範等七百餘人。其在外者、悉詔天下捕殺之。而宦者多爲諸鎭所藏匿而不殺。是時方鎭僭擬、悉以宦官給事、而吳越最多。及莊宗立、詔天下訪求故唐時宦者、悉送京師。得數百人。宦者遂復用事、以至於亡。此何異求已覆之車、躬駕而履其轍也。可爲悲夫。莊宗未滅梁時、承業已死。其後居翰雖爲樞密使、而不用事。有宣徽使馬紹宏者、嘗賜姓李。頗見信用。然誣殺大臣、黷貨賂、專威福、以取怨於天下者、左右狎暱黃門內養之徒也。是時明宗自鎭州入覲。奉朝請於京師。莊宗頗疑其有異志。陰遣紹宏伺其動靜。紹宏反以情告明宗。自魏而反。天下皆知禍起於魏。孰知其啓明宗之異心者、自紹宏始也。郭崇韜已破蜀、莊宗信宦者言而疑之。然崇韜之死、莊宗不知、皆宦者爲之也。當此之時、擧唐之精兵皆在蜀。使崇韜不死、明宗入洛、豈無西顧之患。其能晏然取唐而代之邪。及明宗入立、又詔天下、悉捕宦者而殺之。宦者亡竄山谷、多削髮爲浮圖。其亡至太原者七十餘人、悉捕而殺之都亭驛。流血盈庭。明宗晩而多病、王淑妃專內以干政。宦者孟漢瓊因以用事。秦王入視。明宗疾已革。既出而聞哭聲、以謂帝崩矣。乃謀以兵入宮者、懼不得立也。大臣朱弘

昭等方圖其事。議未決。漢瓊遽入見明宗、言秦王反。即以兵誅之。陷秦王大惡、而明宗以此飲恨而終。後愍帝奔于衛州。漢瓊西迎廢帝于潞。廢帝惡而殺之。嗚呼人情處安樂、自非聖哲不能久而無驕怠。宦女之禍非一日。必伺人之驕怠而浸入之。明宗非佚君。而猶若此者、蓋其在位差久也。其餘多武人崛起、及其嗣續世數短、而年不永。故宦者莫暇施爲。然其爲大害者、略可見矣。獨承業之論、偉然可愛。而居翰更一字以活千人。君子之於人也、苟有善焉、無所不取。吾於斯二人者有所取焉。取其善而戒其惡、所謂愛而知其惡、憎而知其善也。故并述其禍敗之所以然者、著于篇。

中等漢文讀本 卷之七 集英堂藏版

五代史

死節傳第一

語曰、世亂識忠臣。誠哉。五代之際、不可以爲無人。吾得全節之士三人焉。作死節傳。

王彥章字子明、鄆州壽昌人也。少爲軍卒、事梁太祖、爲開封府押衙左親從指揮使、行營先鋒馬軍使。末帝即位、遷濮州刺史。又徙澶州刺史。彥章爲人驍勇有力、能跣足履棘、行百步。持一鐵鎗、騎而馳突、奮疾如飛。而他人莫能舉也。軍中號王鐵鎗。梁晉爭天下、爲勁敵。獨彥章心常輕晉王。謂人曰、亞次鬪鷄小兒耳。何足懼哉。梁分魏相六州爲兩鎮。懼魏軍不從。遣彥章將五百騎入魏、屯金波亭以虞變。魏軍果亂、夜攻彥章。彥章南走。魏人降晉。晉軍攻破澶州。虜彥章妻子、歸之太原。賜以第宅、供給甚備。間遣使者、招彥章。彥章斬其使者、以自絕。然晉人畏彥章之在梁也、必欲招致之、待其妻子愈厚。自梁失魏博、與晉夾河而軍。彥章常爲先鋒。遷汝鄭二州防禦使、匡國軍節度使、北面行營副招討使、又徙宣義軍節度使。是時晉已盡有河北。以鐵鎖斷德勝口、築河南北爲兩城、號夾寨。而梁末帝昏亂。小人趙巖張漢傑等用事。大臣宿將多被讒間。彥章雖爲招討副使、而謀不見用。龍德三年夏、晉取鄆州。梁人大恐。宰相敬翔顧事急、以繩內靴中、入見末帝泣曰、先帝取天下、不以臣爲不肖、所謀無不用。今彊敵未滅、陛下棄忽臣言。臣身不用、不如死。乃引繩將自經。末帝使人止之、問

中等漢文讀本 卷之七 四十 集英堂藏版

所欲言。翔曰、事急矣。非彥章不可。末帝乃召彥章、爲招討使。以段凝爲副。末帝問破敵之期。彥章對曰、三日。左右皆失笑。彥章受命而出、馳兩日至滑州。置酒大會。陰遣人具舟於楊村、命甲士六百、皆持巨斧、載冶者、具鞴炭、乘流而下。彥章會飲、酒半佯起更衣、引精兵數千、沿河以趨德勝。舟兵舉鎖燒斷之。因以巨斧斬浮橋。而彥章引兵急擊南城。浮橋斷、南城遂破。蓋三日矣。是時莊宗在魏。以朱守殷守夾寨。聞彥章爲招討使、驚曰、彥章驍勇、吾嘗避其鋒。非守殷敵也。然彥章兵少、利於速戰、必急攻我南城。即馳騎救之。行二十里而得夾寨。報者曰、彥章兵已至。比至而南城破矣。莊宗徹北城、爲栰下楊劉、與彥章俱浮于河、各行

一岸。每舟柎相及輙戰、一日數十接。彥章至楊劉、攻之幾下。晉人築壘博州東岸、彥章引兵攻之、不克還。擊楊劉、戰敗。是時段凝已有異志、與趙巖張漢傑交通。彥章素剛、憤梁日削、而嫉巖等所為。嘗謂人曰、俟我破賊還、誅姦臣以謝天下。巖等聞之懼、與凝叶力傾之。其破南城也、彥章與凝、各為捷書以聞。凝遣人告巖等、匿彥章書而上己書。末帝初疑其事、已而使者至軍、獨賜勞凝、而不及彥章。軍士皆失色。及楊劉之敗也、凝乃上書言、彥章使酒輕敵、而至於敗。趙巖等從中日夜毀之。乃罷彥章、以凝為招討使。彥章馳至京師、入見。以笏畫地、自陳勝敗之迹。巖等諷有司、劾彥章不恭、勒還第。唐兵攻兗州。末帝召彥章、使守捉東

路。是時梁之勝兵、皆屬段凝。京師祇有保鑾五百騎。皆新募之兵、不可用。乃以屬彥章、而以張漢傑監之。彥章至遞坊。以兵少戰敗。退保中都。又敗。與其牙兵百餘騎死戰。唐將夏魯奇、素與彥章善。識其語音曰、王鐵鎗也。舉矟刺之。彥章傷重、馬踣被擒。莊宗見之曰、爾常以孺子待我、今日服乎。又曰、爾善戰者、何不守兗州、而守中都、中都無壁壘。何以自固。彥章對曰、大事已去、非人力可為。莊宗惻然、賜藥以封其創。彥章武人、不知書。常為俚語、謂人曰、豹死留皮、人死留名。其於忠義、蓋天性也。莊宗愛其驍勇、欲全活之。使人慰諭彥章。彥章謝曰、臣與陛下血戰十餘年、今兵敗力窮。不死何待。且臣受梁恩。非死不能報。豈有朝事梁、而暮事晉、生何面目見天下之人乎。莊宗又遣明宗往諭之。彥章病創臥、不能起。仰顧明宗、呼其小字曰、汝非邈佶烈乎。我豈苟活者。遂見殺。年六十一。晉高祖時、追贈彥章太師。

死節傳第二　　五代史

與彥章同時、有裴約者。潞州之牙將也。莊宗以李嗣昭、為昭義軍節度使。約以裨將、守澤州。嗣昭卒。其子繼韜、以澤潞叛降于梁。約召其州人、泣而諭曰、吾事故使二十餘年、見其分財饗士、欲報梁仇。不幸早世、今郎君父喪未葬、違背君親。吾能死于此、不能從以歸梁也。衆皆感泣。梁遣董璋、率兵圍之。約與州人拒守。求救於莊宗。是時莊宗方與

梁人戰河上、而已建大號。聞繼韜叛降梁、頗有憂色。及聞約獨不判、喜曰、吾於繼韜何薄、於約何厚。而約能分逆順邪。顧符存審曰、吾不惜澤州與梁。一州易得。約難得也。爾識機便、為我取約來。存審以五千騎馳至遼州、而梁兵已破澤州。約見殺。至周世宗時、又有劉仁贍者焉。仁贍字守惠、彭城人也。父金事楊行密、為濠滁二州刺史。以驍勇知名。仁贍為將、輕財重士、法令嚴肅。少略通兵書、事南唐、為左監門衛將軍、黃袁二州刺史。所至稱治。李景使掌親軍、以為武昌軍節度使。周師征淮、先遣李穀、攻壽春。景遣將劉彥貞、拒周兵。以仁贍為清淮軍節度使、鎮壽州。李穀退守正陽浮橋。奇貞見周兵之却、意其怯、急追之。仁贍以

為不可。彥貞不聽。仁贍獨按兵城守。彥貞果敗於正陽。世宗攻壽州、圍之數重。以方舟載礮、自淝河中流擊其城。又東巨竹數十万竿、上施版屋、號為竹龍、載甲士以攻之。又決其水砦、入于淝河。攻之百端。自正月至於四月、不能下。而歲大暑、霖雨彌旬。周兵營寨水深數尺、淮淝暴漲、礮舟竹龍、皆飄南岸。為景兵所焚。周兵多死。世宗東趨濠梁、以李重進為廬壽都招討使。景亦遣其元帥齊王景達等、列砦紫金山下。為夾道以屬城中。而重進與張永德、兩軍相疑不協。仁贍屢請出戰。景達不許。由是憤惋成疾。明年正月、世宗復至淮上。盡破紫金山砦、壞其夾道。景兵大敗、諸將往々見擒。而景之守將廣陵馮延魯、光州張紹、舒州周祚、泰州方訥、泗州范再遇等、或走或降。皆不能守。雖景君臣、亦皆震懾。奉表稱臣。願割土地輸貢賦、以效誠款。而仁贍獨堅守不可下。世宗使景所遣使者孫晟等、至城下示之。仁贍子崇諫幸其父病、謀與諸將出降。仁贍立命斬之。監軍使周延構哭于中門、救之不得。於是士卒皆感泣、願以死守。三月仁贍病甚。已不知人。其副使孫羽、詐為仁贍書、以城降。世宗命舁仁贍、至帳前、嘆嗟久之。賜以玉帶御馬。復使入城養疾。是日卒。制曰、劉仁贍盡忠所事。抗節無虧。前代名臣、幾人可比。予之南伐、得爾為多。乃拜仁贍檢校太尉兼中書令、天平軍節度使。仁贍不能受命而卒。年五十八、世宗遣使吊祭、喪事官給。追封彭城郡王。以其子崇讚、為懷州刺史、賜莊宅各一區。李景聞仁贍卒、亦贈太師。壽州故治壽春。世宗以其難剋、遂徙城下蔡。而復其軍、曰忠正軍。曰吾以旌仁贍之節也。

周臣列傳贊　五代史

嗚呼作器者、無良材而有良匠。治國者、無能臣而有能君。蓋材待匠而成、臣待君而用。故曰、治國譬之於奕。知其用而置得其處者勝。不知其用而置非其處者敗。敗者臨棋、終日注目而勞心。使善奕者視焉、為之易置其處、則勝矣。勝者所用、敗者之棋也。興國所用、亡國之臣也。王朴之材、誠可謂能矣。不遇世宗、何所施哉。世宗之時、外事征伐、攻取戰勝。內修制度、議刑法、定律歷、講求禮樂之遺文。所用者、五代之士也。豈皆愚怯於晉漢、而材智於周哉。惟知所用爾。夫亂國之君、常置愚不肖於上、而彊其不能、以暴其短惡。置賢智於下、而泯沒其材能。使君子小人、皆失其所、而身陷危亡。治國之君、能置賢知於近、而置愚不肖於遠。使君子小人、各適其分、而身享安榮。治亂相去、雖遠甚、而其所以致之者、不多也。反其所置而已。嗚呼自古、治君少而亂君多。況於五代。士之遇不遇者、可勝歎哉。

伶官傳敘論　五代史

嗚呼盛衰之理、雖曰天命、豈非人事哉。原莊宗之所以得天下、與其所以失之者、可以知之矣。世言、晉王之將終也、以三矢賜莊宗、而告之曰、梁吾仇也。燕王吾所立。契丹與

吾約爲兄弟。而皆背晉、以歸梁。此三者、吾遺恨也。與爾三矢、爾其無忘乃父之志。莊宗受而藏之於廟。其後用兵、則遣從事、以一小牢告廟、請其矢、盛以錦囊、負而前驅。及凱旋而納之。方其繫燕父子以組、函梁君臣之首、入於太廟、還矢先王、而告以成功。其意氣之盛、可謂壯哉。及仇讎已滅、天下已定、一夫夜呼、亂者四應。倉皇東出、未及見賊、而士卒離散、君臣相顧不知所歸。至於誓天斷髮、泣下沾襟。何其衰也。豈得之難、而失之易歟。抑本其成敗之迹、而皆自於人歟。書曰、滿招損、謙受益。憂勞可以興國、逸豫可以亡身。自然之理也。故方其盛也、擧天下之豪傑、莫能與之爭。及其衰也、數十伶人困之。而身死國滅、爲天下笑。夫禍

患積於忽微、而智勇多困於所溺。豈獨伶人也哉。作伶官傳。

宦官傳論　　五代史

自古宦者亂人之國、其源流深於女禍。女色而已。宦者之害、非一端也。蓋其用事也近而習、其爲心也專而忍。能以小善中人之意。小信固人之心、使人主必信而親之。待其已信、然後懼以禍福而把持之。雖有忠臣碩士列於朝廷、而人主以爲去已踈遠、不若起居飲食、前後左右之親、爲可恃也。故前後左右者、日益親、則忠臣碩士、日益踈、而人主之勢、日益孤。勢孤則懼禍之心日益切、而把持者日益牢。安危出其喜怒、禍患伏於帷闥、則嚮之所謂可恃者、乃所以爲患也。患已深而覺之、欲與踈遠之臣、圖左右之親近。緩之則養禍而益深、急之則挾人主以爲質。雖有聖智、不能與謀。謀之而不可爲、爲之而不可成。至其甚、則俱傷而兩敗。故其大者亡國、其次亡身、而使姦豪得借以爲資而起。至抉其種類、盡殺以快天下之心、而後已。此前史所載、宦者之禍、常如此者、非一世也。夫爲人主者、非欲養禍於內、而踈忠臣碩士於外。蓋其漸積、而勢使之然也。夫女色之惑、不幸而不悟、則禍斯及矣。使其一悟、捽而去之可也。宦者之爲禍、雖欲悔悟、而勢有不得而去也。唐昭宗之事是已。故曰、深於女禍者、謂此也。可不戒哉。

一行傳敘論　　五代史

嗚呼五代之亂極矣。傳所謂天地閉、賢人隱之時歟。當此之時、臣弑其君、子弑其父。而搢紳之士、安其祿、而立其朝、充然無復廉恥之色者、皆是也。吾以謂、自古忠臣義士、多出於亂世。而恠當時可道者、何少也。豈果無其人哉。雖曰干戈興、學校廢、而禮義衰、風俗隳壞、至於如此、然自古天下未嘗無人也。吾意、必有潔身自負之士、嫉世遠去、而不可見者。自古材賢有韞於中、而不見於外。或窮居陋巷、委身草莽。雖顏子之行、不遇仲尼、而名不彰。況世變多故、而君子道消之時乎。吾又以謂、必有負材能、修節義、而沈淪於下、泯沒而無聞者。求之傳記、而亂世崩離、文字殘缺、不可復得。然僅得者四五人而已。處乎山林、而羣麋鹿。雖不

足以爲中道、然與其食人之祿、俛首而包羞、孰若無愧於心、放身而自得。吾得二人焉、曰鄭遨張薦明。勢利不屈其心、去就不違其義、吾得一人焉、曰石昂。苟利於君、以忠獲罪、何必自明。有至死而不言者。此古之義士也。吾得一人焉、曰程福贇。五代之亂、君不君臣不臣、父不父子不子、至於兄弟夫婦、人倫之際、無不大壞。而天理幾乎其滅矣。於此之時、能以孝悌自修於一鄕、而風行於天下者、猶或有之。然其事迹不著、而無可紀次。獨其名氏、或因見於書者、吾亦不敢沒。而其略可錄者、吾得一人焉。曰李自倫、作一行傳。

唐六臣傳後論　五代史

嗚呼始爲朋黨之論者、誰歟。甚乎作俑者也。眞可謂不仁之人哉。予嘗至繁城、讀魏受禪碑、見漢之羣臣、稱魏功德、而大書深刻、自列其姓名、以夸耀於世。又讀梁實錄、見文蔚等所爲如此、未嘗不爲之流涕也。夫以國予人、而自夸耀、乃遂相之。此非小人孰能爲也。漢唐之末、擧其朝皆小人也。而其君子者、何在哉。當漢之亡也、先以朋黨、禁錮天下賢人君子。而立其朝者、皆小人也。然後漢從而亡。及唐之亡也、又先以朋黨盡殺朝廷之士。而其餘存者、皆庸懦不肖、傾險之人也。然後唐從而亡。夫欲空人之國、而去其君子者、必進朋黨之說。欲孤人主之勢而蔽其耳目者、必進朋黨之說。欲奪國而與人者、必進朋黨之說。夫爲君子者、固常寡過。小人欲加之罪、則有可誣者。有不可誣者。不能遍及也。至欲擧天下之善、求其類而盡去之、惟指以爲朋黨耳。故其親戚故舊、謂之朋黨可也。交游執友、謂之朋黨可也。宦學相同、謂之朋黨可也。門生故吏、謂之朋黨可也。是數者、皆其類也。皆善人也。故曰、欲空人之國而去其君子者、惟以朋黨罪之、則無免者矣。夫善善之相樂、以其類同。此自然之理也。故聞善者、必相稱譽。稱譽則謂之朋黨。得善者必相薦引。薦引則謂之朋黨。使人聞善不敢稱、則人主之耳、不聞有善於下矣。見善不敢薦、則人主之目、不得見善人矣。善人日遠、而小人日進、則爲人主者、倀倀然誰與之圖治安之計哉。故曰、欲孤人主之勢、而蔽其耳

目者、必用朋黨之說也。一君子存、羣小人雖衆、必有所忌而有所不敢爲。惟空國而無君子。然後小人得肆志於無所不爲。則漢魏唐梁之際是也。故曰、可奪國而予人者、由其國無君子。空國而無君子、由以朋黨而去之也。嗚呼朋黨之說、人主可不察哉。傳曰、一言可以喪邦者、其是之謂與。可不鑒哉。可不戒哉。

中等漢文讀本卷之七　終

(自一巻至五巻) 明治三十一年三月十一日印刷
明治三十一年三月十四日發行
(自六巻至十巻) 明治三十一年七月四日印刷
明治三十一年七月八日發行

版權所有

中等漢文讀本

定價	
一巻金貳拾錢	二巻金貳拾錢
三巻金貳拾三錢	四巻金貳拾三錢
五巻金貳拾三錢	六巻金貳拾三錢
七巻金貳拾五錢	八巻金貳拾五錢
九巻金貳拾五錢	十巻金貳拾五錢

編者　東京市本郷區元町二丁目六十六番地　遊佐誠甫
編者　東京市本郷區菊坂町七十五番地　冨永岩太郎
發行兼印刷者　東京市日本橋區通旅籠町十一番地　小林八郎
印刷所　東京市麹町區内幸町一丁目五番地　集英堂活版所

發兌書肆　東京市日本橋區通旅籠町十一番地　集英堂
大賣捌所　各府縣下書肆

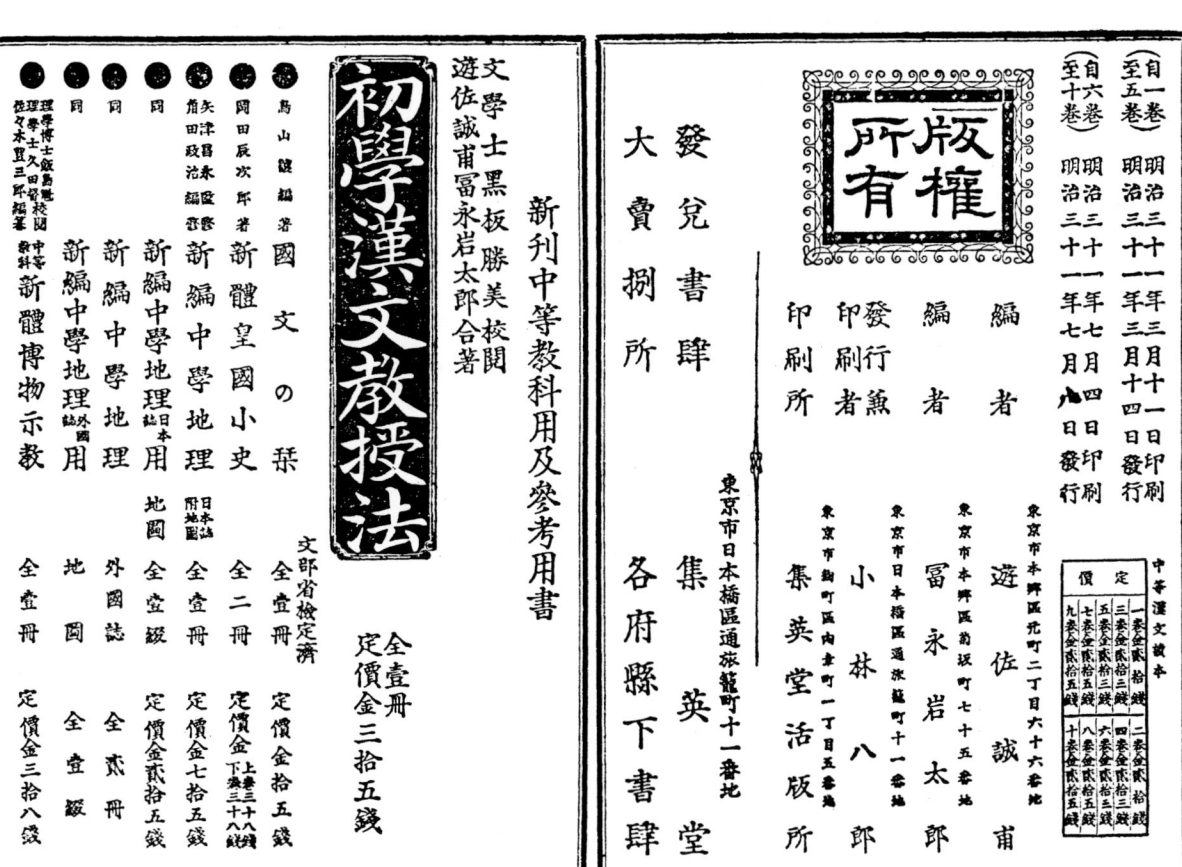

文學士黒板勝美　校閲
遊佐誠甫
冨永岩太郎　合編

中等漢文讀本

巻之八

東京　集英堂

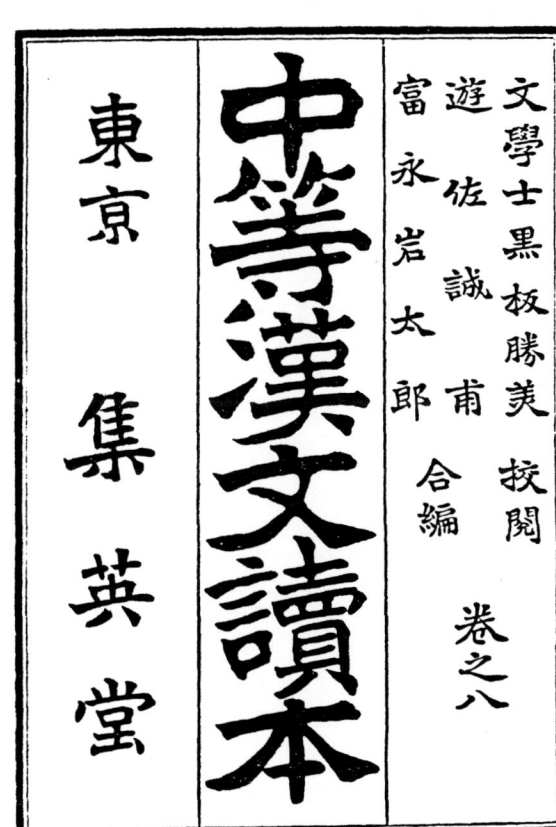

中等漢文讀本卷之八目次

集英堂藏版

中等漢文讀本卷之八

文學士　黒板勝美校閲
遊佐誠甫
冨永岩太郎　合編

鈷鉧潭記　柳宗元

鈷鉧潭在西山西。其始蓋冉水自南奔注、抵山石、屈折東流。其顚委勢峻、盪擊益暴、齧其涯。故旁廣而中深、畢至石乃止。流沫成輪、然後徐行。其清而平者、且十畝。有樹環焉。有泉懸焉。其上有居者。以予之亟游也、一旦款門來告曰、不勝官租私券之委積、既芟山而更居。願以潭上田貿財以緩禍。予樂而如其言。則崇其臺、延其檻、行其泉於高者墜之潭。有聲潨然。尤與中秋觀月爲宜。於以見天之高、氣之迥。孰使予樂居夷而忘故土者、非茲潭也歟。

黄州快哉亭記　蘇轍

江出西陵、始得平地。其流奔放肆大。南合湘沅、北合漢沔。其勢益張。至於赤壁之下、波流浸灌、與海相若。清河張君夢得、謫居齊安、卽其廬之西南爲亭、以覽觀江流之勝。而余兄子瞻、名之曰快哉。蓋亭之所見、南北百里、東西一舍。濤瀾洶湧、風雲開闔。晝則舟楫出沒於其前、夜則魚龍悲嘯於其下。變化倏忽、動心駭目、不可久視。今乃得玩之几席之上。擧目而足。西望武昌諸山、岡陵起伏、草木行列、煙消日出、漁夫樵父之舍、皆可指數。此其所以爲快哉也。至

集英堂藏版

於長洲之濱、故城之墟、曹孟德孫仲謀之所睥睨、周瑜陸遜之所騁騖、其流風遺跡、亦足以稱快世俗。昔楚襄王從宋玉景差於蘭臺之宮、有風颯然至者。王披襟當之曰、快哉此風、寡人所與庶人共者耶。宋玉曰、此獨大王之雄風耳。庶人安得共之。玉之言、蓋有諷焉。夫風無雄雌之異、而人有遇不遇之變。楚王之所以為樂、與庶人之所以為憂、此則人之變也。而風何與焉。士生於世、使其中不自得、將何往而非病。使其中坦然不以物傷性、將何適而非快。今張君不以謫為患、收會計之餘功、而自放山水之間。此其中宜有以過人者。將蓬戶甕牖、無所不快。而況乎濯長江之清流、挹西山之白雲、窮耳目之勝、以自適也哉。不然連

山絕壑、長林古木、振之以清風、照之以明月。此皆騷人思士之所以悲傷憔悴、而不能勝者。烏覩其為快哉也哉。

道山亭記　　曾　鞏

閩故隸周者七。至秦開其地、列於中國。始并為閩中郡。自粵之太末、與吳之豫章、為其通路。其路在閩者、陸出則阸於兩山之間、山相屬無間斷、累數驛乃一得平地。小為縣、大為州。然其四顧亦山也。其塗或逆坂如緣絚、或垂崖如一髮、或側徑鉤出於不測之谿。上皆石芒峭發、擇然後可投步。負戴者雖其土人、猶側足然後能進。非其土人、罕不躓也。其谿行則水皆自高瀉下、石錯出其間。如林立、如士騎。滿野千里、下上不見首尾。水行其隙間、或衡縮蟉糅、或逆走旁射。其狀若蚓結、若蟲鏤。其旋若輪、其激若矢。舟泝沿者、投便利。失毫分、輒破溺。雖其土長川居之人、非生而習水事者、不敢以舟楫自任也。其水陸之險如此。漢嘗處其衆江淮之間、而虛其地。蓋以其陿多阻、豈虛也哉。福州治侯官、於閩為土中。所謂閩中也。其地於閩為最平以廣。四出之山皆遠。而長江在其南、大海在其東。其城之內外皆涂。旁有溝、溝通潮汐。舟載者晝夜屬於門庭。麓多桀木、而匠多良能。人以屋室鉅麗相矜。雖下貧必豐其居。而佛老子之徒、其宮又特盛。城之中三山。西曰閩山、東曰九僊山、北曰粵王山。三山者鼎趾立、其附山蓋佛老子之宮。以數十百。其瓌詭殊絕之狀、蓋已盡人力。光祿卿直昭文

館和公為是州、得閩山嶔崟之際、為亭於其處。其山川之勝、城邑之大、宮室之榮、不下簟席、而盡於四矚。程公以謂、在江海之上、為登覽之觀、可比於道家所謂蓬萊方丈瀛洲之山。故名之曰道山之亭。閩以險且遠、故仕者常憚往。程公能因其地之善、以寓其耳目之樂。非獨忘其險且遠。又將抗其思於埃壒之外。其志壯哉。程公於是州、以治行聞。既新其城、又新其學。而其餘功又及於此。蓋其歲滿、就更廣州、拜諫議大夫。又拜給事中、集賢殿修撰。今為越州。字公闢名師孟云。

諫院題名記　　司　馬　光

古者諫無官。自公卿大夫、至於工商、無不得諫者。漢興以

來始置官。夫以天下之政、四海之衆、得失利病、萃於一官、使言之。其爲任亦重矣。居是官者、當志其大、捨其細。先其急、後其緩。專利國家、而不爲身謀。彼汲汲於名者、猶汲汲於利也。其間相去何遠哉。天禧初、眞宗詔置諫官六員、責其職事。慶曆中、錢君始書其名於版。光恐久而漫滅。嘉祐八年、刻著於石。後之人將歷指其名而議之曰、某也忠、某也詐、某也直、某也曲。嗚呼可不懼哉。

愛蓮説

周惇頤

水陸草木之花、可愛者甚蕃。晉陶淵明獨愛菊。自李唐來、世人甚愛牡丹。予獨愛蓮之出淤泥而不染。濯清漣而不妖、中通外直、不蔓不枝、香遠益清。亭亭淨植、可遠觀而不可褻玩焉。予謂、菊、花之隱逸者也。牡丹、花之富貴者也。蓮、花之君子者也。噫菊之愛、陶後鮮有聞。蓮之愛、同予者何人。牡丹之愛、宜乎衆矣。

雜説四

韓愈

世有伯樂、然後有千里馬。千里馬常有。而伯樂不常有。故雖有名馬、祇辱於奴隸人之手、駢死於槽櫪之間。不以千里稱也。馬之千里者、一食或盡粟一石。食馬者、不知其能千里而食也。是馬也、雖有千里之能、食不飽、力不足、才美不外見、且欲與常馬等不可得、安求其能千里也。策之不以其道、食之不能盡其材。鳴之而不能通其意。執策而臨之曰、天下無馬。嗚呼其眞無馬邪。其眞不知馬也。

捕蛇者説

柳宗元

永州之野産異蛇。黑質而白章。觸草木盡死。以齧人無禦之者。然得而腊之以爲餌、可以已大風攣踠瘻癘、去死肌、殺三蟲。其始太醫以王命聚之。歳賦其二。募有能捕之者、當其租入。永之人爭奔走焉。有蔣氏者、專其利三世矣。問之則曰、吾祖死於是。吾父死於是。今吾嗣爲之十二年。幾死者數矣。言之貌若甚慼者。余悲之。且曰、若毒之乎。余將告於莅事者、更若役、復若賦、則何如。蔣氏大戚、汪然出涕曰、君將哀而生之乎。則吾斯役之不幸、未若復吾賦不幸之甚也。嚮吾不爲斯役、則久已病矣。自吾氏三世居是鄕、積於今六十歳矣。而鄕鄰之生日蹙。殫其地之出、竭其廬之入。號呼而轉徙。餓渇而頓踣。觸風雨、犯寒暑、呼噓毒癘、往往而死者、相藉也。曩與吾祖居者、今其室十無一焉。與吾父居者、今其室十無二三焉。與吾居十二年者、今其室十無四五焉。非死則徙爾。而吾以捕蛇獨存。悍吏之來吾鄕、叫囂乎東西、隳突乎南北、譁然而駭者、雖雞狗不得寧焉。吾恂恂而起、視其缶。而吾蛇尚存、則弛然而臥。謹食之、時而獻焉。退而甘食其土之有、以盡吾齒。蓋一歳之犯死者二焉。其餘則熙熙而樂。豈若吾鄕鄰之旦旦有是哉。今雖死乎此、比吾鄕鄰之死、則已後矣。又安敢毒耶。余聞而愈悲。孔子曰、苛政猛於虎也。吾嘗疑乎是。今以蔣氏觀之、猶信。嗚呼、孰知賦斂之毒、有甚是蛇者乎。故爲之説、以俟

夫觀人風者得焉。

范文正公文集序

蘇軾

慶曆三年、軾始總角入鄉校。士有自京師來者。以魯人石守道所作慶曆聖德詩、示鄉先生。軾從旁竊觀、則能誦習其詞。問先生以所頌十一人者、何人也。先生曰、童子何用知之。軾曰、此天人也耶、則不敢知。若亦人耳、何爲其不可。先生奇軾言、盡以告之。且曰韓范富歐陽此四人者、人傑也。時雖未盡了、則已私識之矣。嘉祐二年始擧進士、至京師。則范公歿、既葬而墓碑出。讀之至流涕。曰吾得其爲人、蓋十有五年。而不一見其面、豈非命也歟。是歲登第、始見知於歐陽公。因公以識韓富。皆以國士待軾。曰、恨子不識

范文正公。其後三年過許、始識公之仲子今丞相堯夫。又六年、始見其叔彝叟京師。又十一年、遂與其季德孺同僚於徐。皆一見如舊。且以公遺藁見屬爲序。又十三年、乃克爲之。嗚呼公之功德、蓋不待文而顯。其文亦不待序而傳。然不敢辭者、自以八歲知敬愛公。今四十七年矣。彼三傑者皆得從之遊。而公獨不識。以爲平生之恨。若獲挂名其文字中、以自託於門下士之末、豈非疇昔之願也哉。古之君子、如伊尹太公管仲樂毅之流、其王伯之略、皆定於畎畝中。非仕而後學者也。淮陰侯見高帝於漢中、論劉項短長、畫取三秦、如指諸掌。及佐帝定天下、漢中之言、無一不酬者。諸葛孔明臥草廬中、與先主論曹操孫權、規取劉璋、因蜀之資以爭天下。終身不易其言。此豈口傳耳受、嘗試爲之、而僥倖其或成者哉。公在天聖中、居太夫人憂、則已有憂天下致太平之意。故爲萬言書、以遺宰相。天下傳誦、至用爲將、擢爲執政。考其平生所爲、無出此書者。今其集二十卷。爲詩賦二百六十八、爲文一百六十五。其於仁義禮樂、忠信孝弟、蓋如饑渴之於飮食。欲須臾忘、而不可得。如火之熱、如水之濕。蓋其天性有不得不然者。雖弄翰戲語率然而作、必歸於此。故天下信其誠、爭師尊之。孔子曰、有德者必有言。非有言也、德之發於口者也。又曰、我戰則克、祭則受福。非能戰也、德之見於怒者也。

蘇氏文集序

歐陽修

予友蘇子美之亡後四年、始得其平生文章遺稿於太子太傅杜公之家。而集錄之以爲十卷。子美杜氏壻也。遂以其集歸之。而告於公曰、斯文金玉也。棄擲埋沒糞土、不能銷蝕。其見遺於一時、必有收而寶之於後世者。雖其埋沒而未出、其精氣光怪、已能常自發見。而物亦不能掩也。故方其擯斥摧挫、流離窮厄之時、文章已自行於天下。雖其怨家仇人、及嘗能出力而擠之死者、至其文章、則不能少毀而掩蔽之也。凡人之情、忽近而貴遠。子美屈於今世、猶若此。其伸於後世、宜如何也。公其可無恨。予嘗考前世文章政理之盛衰。而怪唐太宗致治幾乎三王之盛、而文章不能革五代之餘習。後百有餘年、韓李之徒出。然後元和之文、

始復於古。唐衰兵亂。又百餘年而聖宋興。天下一定、晏然
無事。又幾百年、而古文始盛於今。自古治時少、而亂時多。
幸時治矣、文章或不能純粹。或遲久而不相及。何其難之若
是歟。豈非難得其人歟。苟一有其人、又幸而及出於治世、
世其可不爲之貴重、而愛惜之歟。嗟吾子美以一酒食之
過、至廢爲民而流落以死。此其可以歎息流涕、而爲當世
仁人君子之職位、宜與國家樂育賢材者惜也。子美之齒、
少於予。學古文、反在其後。天聖之間、予擧進士於有司、見
時學者、務以言語聲偶擿裂、號爲時文、以相誇尚。而子美
獨與其兄才翁、及穆參軍伯長、作爲古調詩雜文、時人頗
共非笑之。而子美不顧也。其後天子患時文之弊、下詔書、

中等漢文讀本　卷之八　集英堂藏版

諷勉學者、以近古。由是其風漸息。而學者稍趨於古焉。獨
子美爲於擧世不爲之時。其始終自守、不牽世俗趨舍、可
謂特立之士也。子美官至大理評事、集賢校理而廢。後爲
湖州長史以卒。享年四十有一。其狀貌奇偉、望之昂然。而
即之温温。久而愈可愛慕。其材雖高、而人亦不甚嫉忌。其
擊而去之者、意不在子美也。賴天子聰明仁聖、凡當時所
指名而排斥、二三大臣而下、欲以子美爲根而累之者、皆
蒙保全、今並列於榮寵。雖與子美同時飲酒得罪之人、多
一時之豪俊、亦被收采。進顯於朝廷。而子美獨不幸死矣。
豈非其命也。悲夫。

釋祕演詩集序　　歐陽修

予少以進士遊京師。因得盡交當世之賢豪。然猶以謂國
家臣一四海、休兵革、養息天下、以無事者四十年。而智謀
雄偉非常之士、無所用其能者、往往伏而不出。山林屠販、
必有老死而世莫見者。欲從而求之、不可得。其後得吾亡
友石曼卿。曼卿爲人、廓然有大志。時人不能用其材。曼卿
亦不屈以求合。無所放其意、則往往從布衣野老、酣嬉
淋漓顚倒而不厭。予疑所謂伏而不見者、庶幾狎而得之。
故嘗喜從曼卿遊。欲因以陰求天下奇士。浮屠祕演者、與
曼卿交最久。亦能遺外世俗、以氣節相高。二人懽然無所
間。曼卿隱於酒、祕演隱於浮屠。皆奇男子也。然喜爲歌詩
以自娯。當其極飲大醉、歌吟笑呼、以適天下之樂。何其壯

中等漢文讀本　卷之八　集英堂藏版

也。一時賢士皆願從其遊。予亦時至其室、十年之間。祕演
北渡河東之濟鄆、無所合困而歸。曼卿已死。祕演亦老病。
嗟夫二人者、予乃見其盛衰、則余亦將老矣夫曼卿詩辭
清絶、尤稱祕演之作、以爲雅健有詩人之意。祕演狀貌雄
絶、其胸中浩然、既習於佛、無所用。獨其詩可行於世、而懶
不自惜。已老胠其槖、尚得三四百篇。皆可喜者。曼卿死、祕
演漠然無所向。聞東南多山水、其巓崖崛峍江濤洶涌、甚
可壯也。遂欲往遊焉。足以知其老而志在也。於其將行、爲
敘其詩、因道其盛時、以悲其衰。

書高松保郎斷腕事　　黎庶昌

高松保郎者、本名義智、江戸人也。江戸初爲大將軍治所。

明治維新、改號東京。故今爲東京人。保郎喜任俠、能傾血性敎人。嘗慕魯朱家軹郭解一流之爲人也。少時與某藩士人某某氏善。士人者豪傑士也。識保郎於疇衆中、遇待殊厚。以族人女山内千代妻保郎。二人者之與游相得甚親。又要約爲父子也。士人者、一旦觸某藩侯怒、事莫解。無人敢居間。當是時藩法嚴、而獄甚急、非自殺不得明。於是保郎慷慨、矢誓曰、此吾報知己之日也。吾聞古有藉軀報仇者。今將斷吾腕以白某某氏之寃。不猶愈乎。乃往見醫士岡君明卿說狀。岡君曰、異哉子之爲也、吾閲世久矣。見有刎頸而死者矣。有剖腹而死者矣。然未聞自殘其支體、以解他人之厄者。且以子之所爲、斷腕而求余治、是猶子

放火而使余滅之也。雖謂之愚可也。保郎曰、不然。吾之所爲、非以爲名高、而立然諾也。亦非有所利於其間也。然而且爲之何也。夫人有不白之罪、而坐視其死不仁。與人共肺腑臨難、胡越棄之非義。知有可救之道、而怯懦不爲無勇。是三者、皆豪俠之所恥也。吾之爲此、欲以愧天下之儒言而不行者。岡君曰、善。既如是、任自爲之。保郎於是拔刀、斷其左腕。血淋漓、盛以錦函。使人馳報之某藩侯曰、保郎再拜、獻腕藩侯閣下。謹以贖某某氏之罪。閣下幸加憐、而垂察焉。保郎死骨不腐矣。某藩侯大驚、亦心義保郎所爲也、乃謝其使者、卒赦士人、得不死。而保郎亦以治痊。列藩士聞之皆曰、保郎奇男子也。行雖不軌於正、然絕一腕以

存骨肉之交。使其處君臣父子間、脫遇不幸、殺身以成仁、固優爲之矣。保郎既已斷腕、益思以身濟人、創立宏通社、闡西敎、游說至尾張、又爲忌者所陷。其妻千代病、以書抵尾張、慰保郎。詞多哀婉、竟死。列藩士僉聞而悲之。保郎今爲愛生舘主、專以良藥救世。予見之東京。蓋逌然儒人也。終身不言某藩侯。故人不能擧其名氏。余奇其事、書告世之傳游俠者。

王彥章畫像記　歐陽修

太師王公諱彥章、字子明、鄆州壽張人也。事梁爲宣義軍節度使、以身死國。葬於鄭州之管城。晉天福二年、始贈太師。公在梁、以智勇聞。梁晉之爭數百戰、其爲勇將多矣。而

晉人獨畏彥章。自乾化後、常與晉戰、屢困莊宗於河上。及梁末年、小人趙巖等用事。梁之大臣老將、多以讒不見信、皆怒而有怠心。而梁亦盡失河北。事勢已去。諸將多懷顧望。獨公奮然自必、不少屈懈。志雖不就、卒死以忠。公既死、而梁亦亡矣。悲夫。五代終始纔五十年。而更十有三君。五易國而八姓。士之不幸而出乎其時、能不汙其身、得全其節者鮮矣。公本武人、不知書。其語質。平生嘗謂人曰、豹死留皮、人死留名。蓋其義勇忠信、出於天性。而然予於五代書、竊有善善惡惡之志。至於公傳、未嘗不感憤歎息。惜乎舊史殘略、不能備公之事。康定元年、予以節度判官來此、求於滑人、得公之孫睿所錄家傳。頗多於舊史。其記德勝之

戰尤詳。又言敬翔怒末帝不肯用公、欲自經於帝前。公因用芻畫山川、爲御史彈而見廢。又言公五子、其二同公死節。此皆舊史無之。又云、公在滑、以讒自歸於京師。而史云召之。是時梁兵盡屬段凝。京師羸兵不滿數千。公得保鑾五百人、之鄆州。以力寡敗於中都。而史云將五千以往者、亦皆非也。公之攻德勝也、初受命於帝前。期以三日破敵。梁之將相聞者皆竊笑。及破南城、果三日。是時莊宗在魏、聞公復用、料公必速攻、自魏馳馬來救。已不及矣。莊宗之善料、公之善出奇、何其神哉。今國家罷兵四十年、一旦元昊反、敗軍殺將、連四五年、而攻守之計、至今未決。予嘗獨持用奇取勝之議。而歎邊將屢失其機。時人聞予說者、或

笑以爲狂、或忽若不聞。雖予亦惑不能自信。及讀公家傳、至於德勝之捷、乃知古之名將必出於奇、然後能勝。然非審於爲計者、不能出奇。奇在速。速在果。此天下偉男子之所爲、非拘牽常算之士可到也。每讀其傳、未嘗不想見其人。後二年、予復來通判州事。歲之正月、過俗所謂鐵槍寺者。又得公畫像而拜焉。歲久磨滅、隱隱可見。亟命工完理之、而不敢有加焉。懼失其眞也。公尤善用槍。當時號王鐵槍。公死已百年。至今俗猶以名其寺。童兒牧豎、皆知王鐵槍之爲良將也。一槍之勇、同時豈無。而公獨不朽者、豈其忠義之節使然歟。畫已百餘年矣。完之復可百年。然公之不泯者、不繫乎畫之存不存也。而予尤區區如此者、蓋其希慕之至焉耳。讀其書、尚想乎其人。況得拜其像識其面目。不忍見其壞也。畫既完。因書予所得者于後、而歸其人使藏之。

學校

鄭觀應

學校者造就人才之地、治天下之大本也。古者家有塾、黨有庠、州有序、國有學。比年入學、中年考校。一年視離經辯志。三年視敬業樂群。五年視博習親師、七年視論學取友。謂之小成。九年知類通達強立而不反、謂之大成。而又教以弦誦、舒其性情。故其特博學者、多成者衆也。比及後世、學校之制廢、人各延師、以課其子弟。窮民之無力者、荒嬉頽廢、目不識丁、竟罔知天地古今爲何物。而蔑倫悖理之

事、因之層出不窮。此皆學校不講之故也。今泰西各國、猶有古風。其學校規則、大略相同。而德國尤爲明備。學之大小、各有次第。鄉塾散置民間。由貧家子弟而設。由地方官集貲經理、無論貴賤男女、自五歲後、皆須入學。不入學者、罪其父母。即下至聾瞽瘖啞殘疾之人、亦莫不有學。使習一藝以自養其天刑之軀。立學之法、可謂無微不至矣。初訓以幼學、間附數學入門、本國地理等書。生徒百數以内者、一師訓之。百數以外至千數、則分數班。每班必有一師。此班學滿、乃遷彼班。依次遞外、不容躐等。察其貧者免出脩脯。稍贍者半之。郡院學者之脩脯、亦不過一錢。至半元而止。院中生徒亦分數班、班有專師、有專教。算學之師、有

專教。格物之師、有專教。重學、理學、史鑑、輿地、繪畫、各國語言、文字之師。期滿考列上等、則各就其藝能。或入實學院、或入技藝院。其實學分上下兩院。皆以實學爲主。約分十三班。初入院在末班。每班留學一年。閱十三年、徧歷諸班。方能出院、上院考出入太學院、免三年軍籍。下院雖列首班、仍充軍籍三年可。入技藝等院太學之掌教、必名望出衆、才識兼優者、方膺此任。院中書籍圖畫儀器、無一不備。一經學、二法學、三智學、四醫學。經學者、教中之學、即耶穌天主之類。法學者、考古今政事利弊異同、及奉使外國、修辭通商、有關國例之事。智學者、格物性理、文字語言之類。醫學者、統覈全身、內外諸部位、經絡、表裏、功用、病源、製配、

藥品、胎產、接生、諸法。技藝院者、汽機、電報、採礦、陶冶、製煉、織造等事。格物院與技藝院略同。大抵多原於數學。數學則以幾何原本爲宗。其次力學。力學者、考究各物之力量。化學者、覈金石植物、胎卵濕化、各物化生之理。其次爲天學、測步五星七政之交會伏留。其次爲航海之學。必嫻於地理測量、駕駛者、方能知舩行何度、水性何宜、颱颶沙礁若何趨避。武學院課、與實學院同。但多武藝、兵法、御馬諸務。通商院、則以數學、銀學、文字三者爲宗。其於各國方言、土產、水路、陸程、稅則、和約、以及錢幣、銀單、條規、則例、公司、保險各事、無不傳習。農政院、丹青院、律樂院、師道院、宣道院、女學院、訓瞽院、訓聾瘖院、訓孤子院、訓罪童院、養廢疾

院。更有文會、夜學、印書會、新聞館。別有大書院九處。書籍甚富、聽人觀覽借鈔。但不能攜之出院。每歲發國帑以贍生徒。其教法之詳、教思之廣如此。大抵泰西各國、教育人才之道、計有三事。曰學校、曰新聞報館、曰書籍館。而學校又有三等。一初學、以七歲至十五歲爲度。求粗通文算地理史志爲準。聰穎者可兼學他國語言文字。中學、以十五歲至二十一歲爲度。窮究各學分門別類、無一不賅。上學、以二十一歲二十六歲上下爲度。至此則精益求精每有由故得新自創一事、爲絕無僅有者。夫欲制勝於人、必盡知其成法、而後能變通、而後能克敵。彼萃數十國人材、窮數百年智力、擲億萬兆貲財、而後得之。勒爲成書、公

諸人而不私諸己。廣其學而不祕其傳者何也。彼實竊我中國古聖之緒餘、精益求精、以還之中國。雖欲自私自祕、焉、而天有所不許也。後之視今、亦猶今之視昔。彼泥古不化、誣爲異學、甘守固陋、以受制於人者、皆未之思耳。今中國既設同文方言各館、水師武備各堂、歷有年所。而諸學尚未深通、製造率仗西匠。未聞有別出心裁、創一奇器者。技藝未專、而授受之道未得也。誠能將西國有用之書、條分縷晰、譯出華文、頒行天下各書院、俾人人得而學之、以中國幅員之廣、人材之衆、竭其聰明才力、何難駕西人而上之哉。

勸學　　荀況

君子曰、學不可以已。青出之於藍、而青於藍。氷、水爲之而寒於水。木直中繩、輮以爲輪、其曲中規、雖有槁暴不復挺者、輮使之然也。故木受繩則直。金就礪則利。君子博學、而日參省乎己、則知明而行無過矣。故不登高山、不知天之高也。不臨深谷、不知地之厚也。不聞先王之遺言、不知學問之大也。干越夷貉之子、生而同聲、長而異俗、敎使之然也。詩曰、嗟爾君子、無恒安息、靖共爾位、好是正直、神之聽之、介爾景福。神莫大於化道、福莫長於無禍。吾嘗終日而思矣。不如須臾之所學也。吾嘗跂而望矣。不如登高之博見也。登高而招、臂非加長也。而見者遠。順風而呼、聲非加疾也。而聞者彰。假輿馬者、非利足也。而致千里。假舟楫者、非能水也。而絶江河。君子生非異也。善假於物也。南方有鳥焉、名曰蒙鳩。以羽爲巢、而編之以髮、繫之葦苕。風至苕折、卵破子死。巢非不完也。所繫者然也。西方有木焉、名曰射干。莖長四寸、生於高山之上、而臨百仞之淵。木莖非能長也。所立者然也。蓬生麻中、不扶而直。蘭槐之根、是爲芷。其漸之滫。君子不近、庶人不服、其質非不美也。所漸者然也。故君子居必擇鄕、遊必就士。所以防邪僻、而近中正也。物類之起、必有所始。榮辱之來、必象其德。肉腐出蟲。魚枯生蠹。怠慢忘身、禍災乃作。彊自取柱、柔自取束。邪穢在身、怨之所構。施薪若一、火就燥也。平地若一、水就濕也。草木疇生、禽獸群焉。物各從其類也。是故質的張、而弓矢至焉。

林木茂、而斧斤至焉。樹成蔭、而衆鳥息焉。醯酸而蜹聚焉。故言有召禍也。行有招辱也。君子愼其所立乎。積土成山、風雨興焉。積水成淵、蛟龍生焉。積善成德、而神明自得、聖心循焉。故不積蹞步、無以至千里。不積小流、無以成江河。騏驥一躍、不能十步。駑馬十駕、功在不舍。鍥而舍之、朽木不折。鍥而不舍、金石可鏤。螾無爪牙之利、筋骨之彊、上食埃土、下飮黃泉、用心一也。蟹六跪而二螯、非虵蟺之穴、無所寄託者、用心躁也。是故無冥冥之志者、無昭昭之明。無惛惛之事者、無赫赫之功。行衢道者不至。事兩君者不容。目不兩視而明。耳不兩聽而聰。螣蛇無足而飛。梧鼠五技而窮。詩曰、鳲鳩在桑、其子七兮。淑人君子、其儀一兮。其儀一兮、如結兮。故君子結於一也。

別三子序

王守仁

自程朱諸大儒沒、而師友之道遂亡。六經分裂於訓詁、支離蕪蔓於辭章擧業之習。聖學幾於息矣。有志之士、思起而興之。然卒徘徊嗟咨、逡巡而不振。因弛然自廢者、亦志之弗立、弗講於師友之道也。夫一人爲之、二人從而翼之、已而翼之者益衆焉。雖有難爲之事、其弗成者鮮矣。一人爲之、二人從而危之。已而危之者益衆焉。雖有易成之功、其克濟者亦鮮矣。故凡有志之士、必求助於師友。無師友之助者、志之弗立弗求者也。自予始知學、即求師於天下、而莫予誨也。求友於天下、而與予者寡矣。又求同志之士、

二三子之外、邈乎其寥寥也。殆予之志有未立邪。蓋自近年、而又得蔡希顏・朱守中於山陰之白洋、得徐曰仁於餘姚之馬堰。曰仁、予妹婿也。希顏之深潛、守中之明敏、曰仁之溫恭、皆予所不逮。三子者、徒以一日之長、視予以先輩。予亦居之、而弗辭。非能有加也。姑欲假三子者而爲之證。遂忘其非有也。而三子者、亦姑欲假予而存師友之餼羊。不謂其不可也。當是之時、其與也、亦渺乎難哉。予有歸隱之圖、方將與三子就雲霞、依泉石、追濂洛之遺風、求孔顏之眞趣、灑然而樂、超然而遊、忽焉而忘吾之老也。今年三子者、爲有司所選、一擧而盡之。何予得之之難、而有司者襲取之之易也。予未暇以得擧爲三子喜、而先以失助爲予憾。三子亦無喜於其得擧、而方且感於其去予也。漆雕開有言、吾斯之未能信。斯三子之心歟。曾點志於詠歌浴沂、而夫子喟然與之。斯予與三子之冥然而契、不言而得之者歟。三子行矣。遂使擧進士任職就列、吾知其能也。然而非所欲也。使遂不進而歸詠歌優游有日、吾知其樂也。然而未可必也。天將降大任於是人、必先違其所樂、而投之於其所不欲。所以衡心拂慮、而增其所不能。是玉成之也。其在茲行歟。三子則焉往而非學矣。而予終寡於同志之助也。三子行矣。沈潛剛克。高明柔克。非箕子之言乎。溫恭亦沈潛也。三子識之。焉往而非學矣。苟三子之學成、雖不吾邇、其爲同志之助也不多乎哉。增城湛原明、官於京師、吾之同道友也。三子往見焉、猶吾見也已。

祭十二郎文　　韓　愈

年月日、季父愈聞汝喪之七日、乃能銜哀致誠、使建中遠具時羞之奠、告汝十二郎之靈。嗚呼吾少孤。及長不省所怙。惟兄嫂是依。中年兄歿南方。吾與汝俱幼。從嫂歸葬河陽。旣又與汝就食江南。零丁孤苦、未嘗一日相離也。吾上有三兄、皆不幸早世。承先人後者、在孫惟汝。在子惟吾。兩世一身。形單影隻。嫂常撫汝、指吾而言曰、韓氏兩世、惟此而已。汝時尤小、當不復記憶。吾時雖能記憶、亦未知其言之悲也。吾年十九、始來京城。其後四年、而歸視汝。又四年、吾往河陽省墳墓。遇汝從嫂喪來葬。又二年、吾佐董丞相於汴州。汝來省吾止一歲。請歸取其孥。明年丞相薨。吾去汴州、汝不果來。是年吾佐戎徐州。使取汝者始行。吾又罷去。汝又不果來。吾念汝從於東。東亦客也。不可以久。圖久遠者、莫如西歸。將成家而致汝。嗚呼孰謂汝遽去吾而歿乎。吾與汝俱少年。以爲雖暫相別、終當久與相處。故捨汝而旅食京師、以求斗斛之祿。誠知其如此、雖萬乘之公相、吾不以一日輟汝而就也。去年孟東野往。吾書與汝曰、吾年未四十、而視茫茫。而髮蒼蒼。而齒牙動搖。念諸父與諸兄、皆康彊而早世。如吾之衰者、其能久存乎。吾不可去。汝不肯來。恐旦暮死、而汝抱無涯之戚也。孰謂少者歿、而長者存。彊者夭、而病者全乎。嗚呼其信然邪。其夢邪。其傳之

非其眞邪。信也、吾兄之盛德、而夭其嗣乎。汝之純明、而不克蒙其澤乎。少者強者、而夭殁。長者衰者、而存全乎。未可以爲信也。夢也、傳之、非其眞也。東野之書、耿蘭之報、何爲而在吾側也。嗚呼其信然矣。吾兄之盛德、而夭其嗣矣。汝之純明、宜業其家者、不克蒙其澤矣。所謂天者誠難測、而神者誠難明矣。所謂理者不可推。而壽者不可知矣。雖然、吾自今年來、蒼蒼者或化而爲白矣。動搖者或脫而落矣。毛血日益衰、志氣日益微。幾何不從汝而死也。死而有知、其幾何離。其無知悲不幾時。而不悲者無窮期矣。汝之子始十歲。吾之子始五歲。少而強者、不可保如此。孩提者又可冀其成立邪。嗚呼哀哉、嗚呼哀哉。汝去年書云、比得軟

脚病、往往而劇。吾曰、是疾也、江南之人、常常有之。未始以爲憂也。嗚呼其竟以此而殞其生乎。抑別有疾而至斯乎。汝之書、六月十七日也。東野曰、汝殁以六月二日。耿蘭之報無月日。蓋東野之使者、不知問家人以月日。如耿蘭之報、不知當言月日。東野與吾書、乃問使者。使者妄稱以應之耳。其然乎。其不然乎。今吾使建中祭汝、弔汝之孤、與汝之乳母。彼有食、可守以待終喪、則待終喪、而取以來。如不能守以終喪、則遂取以來。其餘奴婢、並令守汝喪。吾力能改葬。終葬汝於先人之兆、然後惟其所願。嗚呼汝病吾不知時。汝殁吾不知日。生不能相養以共居。殁不能撫汝以盡哀。斂不憑其棺。窆不臨其穴。吾行負神明、而使汝夭。不

孝不慈、而不得與汝相養以生、相守以死。一在天之涯。一在地之角。生而影不與吾形相依。死而魂不與吾夢相接。吾實爲之、其又何尤。彼蒼者天、曷其有極。自今以往、吾其無意於人世矣。當求數頃之田於伊潁之上、以待餘年、教吾子與汝子、幸其成長、吾女與汝女、待其嫁。如此而已。嗚呼言有窮、而情不可終。汝其知也邪、其不知也邪。嗚呼哀哉。尚饗。

周公論　王安石

甚哉荀卿之好妄也。載周公之言曰、吾所執贄而見者十人。還贄而相見者三十人。貌執者百有餘人。欲言而請畢事千有餘人、是誠周公之所爲。則何周公之小也。夫聖人

爲政於天下也、初若無爲於天下。而天下卒以無所不治者、其法誠修也。故三代之制、立庠於黨、立序於遂、立學於國、而盡其道、以爲養賢教士之法。是士之賢、雖未及用、而固無不見尊養者矣。此則周公待士之道也。誠若荀卿之言、則春申孟嘗之行、亂世之事也。豈足爲周公乎。且聖世之士、各有其業。講道習藝、患日之不足。豈暇遊公卿之門哉。彼遊公卿之門、求公卿之禮者、皆戰國之奸民。而毛遂侯嬴之徒也。荀卿生於亂世、不能考論先王之法、著之天下。而惑於亂世之俗、遂以爲聖世之事、亦若是而已。亦已過也。且周公之所禮者大賢與。則周公豈惟執贄見之而已。固當薦之天子而共天位也。如其不賢。不足與共天位、

則周公如何其與之為禮也。子産聽鄭國之政、以其乘輿濟人於溱洧。孟子曰、惠而不知為政。蓋君子之為政、立善法於天下、則天下治。立善法於一國、則一國治。如其不能立法、而欲人人悅之、則日亦不足矣。使周公知為政、則宜立學校之法於天下矣。不知立學校、而徒能勞身、以待天下之士、則不唯力有所不足、而勢亦有所不得也。或曰、仰祿之士猶可驕、正身之士不可驕也。夫君子之不驕、雖闇室不敢自慢。豈為其人之仰祿、而可以驕乎。嗚呼、所為君子者、貴其能不易乎世也。荀卿生於亂世、而遂以亂世之事量聖人。後世之士、尊荀卿以為大儒而繼孟子者。吾不信矣。

荀卿論

蘇軾

嘗讀孔子世家、觀其言語文章。循循莫不有規矩。不敢放言高論。言必稱先王。然後知聖人憂天下之深也。茫乎不知其畔岸。而非遠也。浩乎不知其津涯。而非深也。其所言者、匹夫匹婦之所共知。而所行者、聖人有所不能盡也。嗚呼是又足矣。使後世有能盡吾說者、雖為聖人無難。而不能者、不失為寡過而已矣。子路之勇、子貢之辯、冉有之智、此三者、皆天下之所謂難能而可貴者也。然三子者、每不為夫子之所悅。顏淵默然不見其所能。若無以異於衆人者。而夫子亟稱之。且夫學聖人者、豈必其言之云爾哉。亦觀其意之所嚮而已。夫子以為、後世必有不足行其說者矣。必有竊其說而為不義者矣。是故其言平易正直、而不敢為非常可喜之論。要在於不可易也。昔者常怪、李斯事荀卿。既而焚滅其書、大變古先聖王之法。於其師之道、不啻若寇讎。及今觀荀卿之書、然後知李斯之所以事秦者、皆出於荀卿、而不足怪也。荀卿者、喜為異說而不讓。敢為高論而不顧者也。其言愚人之所驚、小人之所喜也。子思孟軻、世之所謂賢人君子也。荀卿獨曰、亂天下者、子思孟軻也。天下之人、如此其衆也。仁人義士、如此其多也。荀卿獨曰、人性惡。桀紂性也。堯舜僞也。由是觀之、意其為人必剛愎不遜。而自許大過。彼李斯者又特甚者耳。今夫小人之為不善、猶必有所顧忌。是以夏商之亡、桀紂之殘暴。而先

王之法度禮樂刑政、猶未至於絕滅而不可考者、是桀紂猶有所存、而不敢盡廢也。彼李斯者、獨能奮而不顧、焚燒夫子之六經、烹滅三代之諸侯、破壞周公之井田。此亦必有所恃者矣。彼見其師歷詆天下之賢人、自是其愚。以為古先聖王、皆無足法者。不知荀卿特以快一時之論、而不知其禍之至於此也。其父殺人報仇、其子必且行劫。荀卿明王道、述禮樂、而李斯以其學亂天下。其高談異論、有以激之也。孔孟之論未嘗異也。而天下卒無有及者。苟天下果無有及者、則尚安以求異為哉。

韓非論

蘇軾

聖人之所為惡夫異端、盡力而排之者、非異端之能亂天

下、而天下之亂所由出也。昔周之衰、有老聃、莊周、列禦寇之徒。更爲虛無淡泊之言、而治其猖狂浮游之說。紛紜顚倒、而卒歸於無有。由其道者、蕩然莫得其當。是以忘乎富貴之樂、而齊乎死生之分。此不得志於天下、高世遠擧之人、所以放心而無憂。雖非聖人之道、而其用意固亦無惡於天下。自老聃之死百餘年、有商鞅、韓非。著書言治天下、無若刑名之賢。及秦用之、終於勝廣之亂。教化不足、而法有餘。秦以不祀。而天下被其毒。後世之學者、知申韓之罪。而不知老聃、莊周之使然。何者仁義之道、起於夫婦父子兄弟相愛之間、而禮法刑政之原、出於君臣上下相忌之際。相愛則有所不忍。相忌則有所不敢。不敢、與不忍之心

合、而後聖人之道、得存乎其中。今老聃、莊周、論君臣父子之間、汎々乎若萍游於江湖、而適相値也。夫是以父不足愛、而君不足忌。不忌其君、不愛其父、則仁不足以懷。義不足以勸。禮樂不足以化。此四者皆不足用、而欲置天下於無有。夫無有、豈誠足以治天下哉。商鞅、韓非求爲其說、而不得。得其所以輕天下、而齊萬物之術。是以敢爲殘忍、而無疑。今夫不忍殺人、而不足以爲仁。而仁亦不足以治民。則是殺人不足以爲不仁、而不仁亦不足以亂天下。如此則擧天下唯吾之所爲。刀鋸斧鉞何施而不可。昔者夫子未嘗一日易其言、雖天下之小物、亦莫不有所畏。今其視天下、眇然若不足爲者。此其所以輕殺人歟。太史遷曰、申

子卑卑、施於名實。韓子引繩墨、切事情、明是非、其極慘礉少恩。皆原於道德之意。嘗讀而思之。事固有不相謀而相感者。莊老之後、其禍爲申韓。由三代之衰、至於今、凡所以亂聖人之道者、其弊固已多矣。而未知其所終。奈何其不爲之所也。

伯夷列傳　史記

夫學者載籍極博、猶考信於六藝。詩書雖缺、然虞夏之文可知也。堯將遜位、讓於虞舜。舜禹之間、岳牧咸薦。乃試之於位、典職數十年。功用既興。然後授政。示天下重器、王者大統、傳天下若斯之難也。而說者曰、堯讓天下於許由、許由不受、恥之逃隱。及夏之時、有卞隨、務光者。此何以稱焉。

太史公曰、余登箕山、其上蓋有許由冢云。孔子序列古之仁聖賢人、如吳太伯、伯夷之倫詳矣。余以所聞、由光義至高。其文辭不少概見何哉。孔子曰、伯夷叔齊、不念舊惡、怨是用希。求仁得仁、又何怨乎。余悲伯夷之意、睹軼詩可異焉。其傳曰、伯夷叔齊、孤竹君之二子也。父欲立叔齊。及父卒、叔齊讓伯夷。伯夷曰、父命也。遂逃去。叔齊亦不肯立而逃之。國人立其中子。於是伯夷叔齊、聞西伯昌善養老、盍往歸焉。及至、西伯卒。武王載木主、號爲文王、東伐紂。伯夷叔齊叩馬而諫曰、父死不葬、爰及干戈、可謂孝乎。以臣弑君、可謂仁乎。左右欲兵之。太公曰、此義人也。扶而去之。武王已平殷亂、天下宗周。而伯夷叔齊恥之。義不食周粟。隱

於首陽山、采薇而食之。及餓且死、作歌。其辭曰、登彼西山兮、采其薇矣。以暴易暴兮、不知其非矣。神農虞夏、忽焉沒兮、我安適歸矣。于嗟徂兮、命之衰矣。遂餓死於首陽山。由此觀之、怨耶非耶。或曰、天道無親、常與善人。若伯夷叔齊可謂善人者非耶。積仁潔行如此、而餓死。且七十子之徒、仲尼獨薦顏淵、爲好學。然回也屢空。糟糠不厭、而卒蚤夭。天之報施善人、其何如哉。盜蹠日殺不辜、肝人之肉、暴戾恣睢、聚黨數千人、橫行天下。竟以壽終。是遵何德哉。此其尤大彰明較著者也。若至近世、操行不軌、專犯忌諱、而終身逸樂富厚、累世不絕。或擇地而蹈之、時然後出言、行不由徑、非公正不發憤、而遇禍災者、不可勝數也。余甚惑焉。

儻所謂天道是耶非耶。子曰、道不同、不相爲謀。亦各從其志也。故曰、富貴如可求、雖執鞭之士、吾亦爲之。如不可求、從吾所好。歲寒然後知松柏之後凋。舉世混濁、清士乃見。豈以其重若彼、其輕若此哉。君子疾沒世而名不稱焉。賈子曰、貪夫徇財、烈士徇名、夸者死權、衆庶馮生。同明相照、同類相求。雲從龍、風從虎。聖人作而万物覩。伯夷叔齊雖賢、得夫子而名益彰。顏淵雖篤學、附驥尾而行益顯。巖穴之士、趨舍有時。若此類、名堙滅而不稱。悲夫。閭巷之人、欲砥行立名者、非附青雲之士、惡能施于後世哉。

商君列傳　史記

商君者衛之諸庶孽公子也。名鞅、姓公孫氏。其祖本姬姓也。鞅少好刑名之學、事魏相公叔座、爲中庶子。公叔座知其賢、未及進。會座病。魏惠王親往問病曰、公叔病有如不可諱、將奈社稷何。公叔曰、座之中庶子公孫鞅、年雖少、有奇才。願王舉國而聽之。王嘿然。王且去。座屏人言曰、王即不聽用鞅、必殺之。無令出境。王許諾而去。公叔座召鞅謝曰、今者王問可以爲相者、我言若。王色不許我。我方先君後臣。因謂王、即弗用鞅、當殺之。王許我。汝可疾去矣。且見禽。鞅曰、彼王不能用君之言任臣、又安能用君之言殺臣乎。卒不去。惠王既去、而謂左右曰、公叔病甚。悲乎。欲令寡人以國聽公孫鞅也。豈不悖哉。公叔既死。公孫鞅聞秦孝公下令國中求賢者、將修繆公之業、東復侵地、迺遂西入

秦。因孝公寵臣景監、以求見孝公。孝公既見衛鞅、語事良久。孝公時々睡、弗聽。罷。而孝公怒景監曰、子之客妄人耳。安足用邪。景監以讓衛鞅。衛鞅曰、吾說公以帝道。其志不開悟矣。後五日、復求見鞅。鞅復見孝公、益愈。然而未中旨。罷。而孝公復讓景監。景監亦讓鞅。鞅曰、吾說公以王道。而未入也。請復見鞅。鞅復見孝公。孝公善之而未用也。罷而去。孝公謂景監曰、汝客善。可與語矣。鞅曰、吾說公以霸道。其意欲用之矣。誠復見我、我知之矣。衛鞅復見孝公。公與語、不自知膝之前於席也。語數日不厭。景監曰、子何以中吾君。吾君之驩甚也。鞅曰、吾說君以帝王之道、比三代。而君曰、久遠、吾不能待。且賢君者、各及其身、顯名天下。安能

邑邑待數十百年、以成帝王乎。故吾以彊國之術說君。君大說之耳。然亦難以比德於殷周矣。孝公既用衛鞅。鞅欲變法、恐天下議己。衛鞅曰、疑行無名、疑事無功。且夫有高人之行者、固見非於世。有獨知之慮者、必見敖於民。愚者闇於成事。知者見於未萌。民不可與慮始、而可與樂成。論至德者、不和於俗。成大功者、不謀於衆。是以聖人、苟可以彊國、不法其故。苟可以利民、不循其禮。孝公曰、善。甘龍曰、不然。聖人不易民而教、知者不變法而治。因民而教、不勞而成功。緣法而治者、吏習而民安之。衛鞅曰、龍之所言、世俗之言也。常人安於故俗、學者溺於所聞。以此兩者居官守法可也。非所與論於法之外也。三代不同禮而王、五伯

不同法而霸。智者作法、愚者制焉。賢者更禮、不肖者拘焉。杜摯曰、利不百不變法、功不十不易器。法古無過。循禮無邪。衛鞅曰、治世不一道。便國不法古。故湯武不循古而王、夏殷不易禮而亡。反古者不可非、而循禮者不足多。孝公曰善、以衛鞅爲左庶長。卒定變法之令、令民爲什伍而相收司連坐。不告姦者腰斬。告姦者與斬敵首同賞。匿姦者與降敵同罰。民有二男以上不分異者、倍其賦。有軍功者、各以率受上爵。爲私鬪者、各以輕重被刑。大小僇力、本業耕織。致粟帛多者、復其身。事末利、及怠而貧者、擧以爲收孥。宗室非有軍功、論不得爲屬籍。明尊卑爵秩等級、各以差次。名田宅臣妾衣服以家次。有功者顯榮、無功者雖富

無所芬華。令既具未布。恐民之不信己。乃立三丈之木於國都市南門、募民有能徙置北門者、予十金。民怪之、莫敢徙。復曰、能徙者予五十金。有一人徙之。輒予五十金、以明不欺。卒下令。令行於民朞年、秦民之國都、言初令之不便者、以千數。於是太子犯法。衛鞅曰、法之不行、自上犯之。將法太子。太子君嗣也。不可施刑。刑其傅公子虔、黥其師公孫賈。明日秦人皆趨令。行之十年、秦民大說、道不拾遺。山無盜賊、家給人足、民勇於公戰、怯於私鬪、鄕邑大治。秦民初言令不便者、有來言令便者。衛鞅曰、此皆亂化之民也。盡遷之於邊城。其後民莫敢議令。於是以鞅爲大良造、將兵圍魏安邑降之。居三年、作爲築冀闕宮庭於咸陽。秦自

雍徙都之。而令民父子兄弟同室內息者爲禁。而集小都鄕邑聚爲縣、置令丞。凡三十一縣、爲田開阡陌封疆、而賦稅平。平斗桶權衡丈尺、行之四年。公子虔復犯約。劓之。居五年、秦人富彊。天子致胙於孝公、諸侯畢賀。其明年齊敗魏兵於馬陵、虜其太子申、殺將軍龐涓。其明年、衛鞅說孝公曰、秦之與魏、譬若人之有腹心疾。非魏幷秦、秦即幷魏。何者魏居嶺阨之西、都安邑、與秦界河。而獨擅山東之利。利則西侵秦、病則東收地。今以君之賢聖、國賴以盛。而魏往年大破於齊、諸侯畔之。可因此時伐魏。魏不支秦、必東徙。東徙秦據河山之固、東鄕以制諸侯。此帝王之業也。孝公以爲然。使衛鞅將而伐魏。魏使公子卬將而擊之。軍既

相距。衛鞅遺魏將公子卬書曰、吾始與公子驩、今俱爲兩國將。不忍相攻。可與公子面相見盟、樂飲而罷兵、以安秦魏。魏公子卬以爲然。會盟已飲。而衛鞅伏甲士、而襲虜魏公子卬。因攻其軍、盡破之。以歸秦。魏惠王兵、數破於齊秦、國內空、日以削。恐乃使使割河西之地獻於秦以和。而魏遂去安邑、徙都大梁。梁惠王曰、寡人恨不用公叔座之言也。衛鞅既破魏還。秦封之於商十五邑、號爲商君。商君相秦十年、宗室貴戚、多怨望者。趙良見商君。商君曰、鞅之得見也、從孟蘭皐。今鞅請得交可乎。趙良曰、僕弗敢願也。孔丘有言曰、推賢而戴者進、聚不肖而王者退。僕不肖、故不敢受命。僕聞之曰、非其位而居之、曰貪位。非其名而有之、

曰貪名。僕聽君之義、則恐僕貪位貪名也。故不敢聞命。商君曰、子不說吾治秦與。趙良曰、反聽之謂聰、內視之謂明、自勝之謂彊。虞舜有言曰、自卑也尚矣。君不若道虞舜之道、無爲問僕矣。商君曰、始秦戎翟之教、父子無別、同室而居。今我更制其教、而爲其男女之別、大築冀闕、營如魯衛矣。子觀我治秦也、孰與五羖大夫賢。趙良曰、千羊之皮、不如一狐之腋。千人之諾々、不如一士之諤々。武王諤々以昌、殷紂墨々以亡。君若不非武王乎。則僕請終日正言而無誅可乎。商君曰、語有之矣。貌言華也。至言實也。苦言藥也。甘言疾也。夫子果肯終日正言、鞅之藥也。鞅將事子。子又何辭焉。趙良曰、夫五羖大夫、荊之鄙人也。聞秦繆公之

賢、而願望見。行而無資、自粥於秦客、被褐食牛期年。繆公知之、擧之牛口之下、而加之百姓之上。秦國莫敢望焉。相秦六七年、而東伐鄭、三置晉國之君、一救荊國之禍。發教封內、而巴人致貢。施德諸侯、而八戎來服。由余聞之、款關請見。五羖大夫之相秦也、勞不坐乘、暑不張蓋、行於國中不從車乘。不操干戈。功名藏於府庫。德行施於後世。五羖大夫死、秦國男女流涕、童子不歌謠。舂者不相杵。此五羖大夫之德也。今君之見秦王也、因嬖人景監以爲主。非所以爲名也。相秦不以百姓爲事、而大築冀闕。非所以爲功也。刑黥太子之師傅、殘傷民以駿刑。是積怨畜禍也。教之化民也、深於命。民之効上也、捷於令。今君又左建外易、非

所以爲教也。君又南面而稱寡人、日繩秦之貴公子。詩曰、相鼠有體、人而無禮。人而無禮、何不遄死。以詩觀之、非所以爲壽也。公子虔杜門不出、已八年矣。君又殺祝懽。而黥公孫賈。詩曰、得人者興、失人者崩。此數事者、非所以得人也。君之出也、後車十數、從車載甲、多力而駢脅者、爲驂乘。持矛而操闟戟者、旁車而趨。此一物不具、君固不出。書曰、恃德者昌、恃力者亡。君之危若朝露、尚將欲延年益壽乎。則何不歸十五都、灌園於鄙。勸秦王、顯巖穴之士、養老存孤、敬父兄、序有功、尊有德、可以少安。君尚將貪商於之富、寵秦國之教、畜百姓之怨。秦王一旦捐賓客、而不立朝、秦國之所以收君者、豈其微哉。亡可翹足而待。商君不從。後

五月、而秦孝公卒。太子立、公子虔之徒、告商君欲反。發吏捕商君。商君亡至關下、欲舍客舍。客人不知其是商君也。曰、商君之法、舍人無驗者坐之。商君喟然歎曰、嗟乎為法之敝、一至此哉。去之魏。魏人怨其欺公子卬而破魏師弗受。商君欲之他國。魏人曰、商君秦之賊。秦彊而賊入魏、弗歸不可。遂内秦。商君既復入秦、走商邑、與其徒屬發邑兵、北出擊鄭。秦發兵攻商君。殺之於鄭黽池。秦惠王車裂商君以徇曰、莫如商鞅反者。遂滅商君之家。

太史公曰、商君其天資刻薄人也。跡其欲干孝公以帝王術。挾持浮說、非其質矣。且所因由嬖臣。及得用、刑公子虔、欺魏將卬。不師趙良之言。亦足發明商君之少恩矣。余嘗

讀商君開塞耕戰書、與其人行事相類。卒受惡名於秦、有以也夫。

范雎蔡澤列傳　　史記

范雎者、魏人也。字叔、游說諸侯、欲事魏王。家貧、無以自資。乃先事魏中大夫須賈。須賈為魏昭王、使於齊。范雎從。留數月。未得報。齊襄王聞雎辯口、乃使人賜雎金十斤、及牛酒。雎辭謝、不敢受。須賈知之、大怒。以為雎持魏國陰事告齊、故得此饋。令雎受其牛酒、還其金。既歸。心怒雎、以告魏相。魏相魏之諸公子。曰魏齊。魏齊大怒、使舍人笞擊雎。折脅摺齒。雎佯死。即卷以簀、置廁中。賓客飲者、醉更溺雎。故僇辱以懲後、令無妄言者。雎從簀中謂守者曰、公能出我。

我必厚謝公。守者乃請出弃簀中死人。魏齊醉曰、可矣。范雎得出。後魏齊悔、復召求之。魏人鄭安平聞之、乃遂操范雎亡、伏匿。更名姓曰張祿。當此時、秦昭王使謁者王稽於魏。鄭安平詐為卒、侍王稽。王稽問、魏有賢人可與俱西游者乎。鄭安平曰、臣里中有張祿先生、欲見君言天下事。其人有仇、不敢晝見。王稽曰、夜與俱來。鄭安平夜與張祿見王稽。語未究、王稽知范雎賢。謂曰、先生待我於三亭之南、與私約而去。王稽辭魏去。過載范雎入秦。至湖關、望見車騎從西來。范雎曰、彼來者為誰。王稽曰、秦相穰侯東行縣邑。范雎曰、吾聞穰侯專秦權、惡内諸侯客。此恐辱我、我寧且匿車中。有頃、穰侯果至。勞王稽。因立車而語曰、關東有

何變。曰、無有。又謂王稽曰、謁君得無與諸侯客子俱來乎、無益。徒亂人國耳。王稽曰、不敢。即別去。范雎曰、吾聞穰侯智士也。其見事遲。鄉者疑車中有人、忘索之。於是、范雎下車走。曰此必悔之。行十餘里。果使騎還索車中。無客。乃已。王稽遂與范雎入咸陽。已報使。因言曰、魏有張祿先生、天下辯士也。曰、秦王之國、危於累卵。得臣則安。然不可以書傳也。臣故載來。秦王弗信。使舍食草具。待命歲餘。當是時、昭王已立三十六年。南拔楚之鄢郢、楚懷王幽死於秦。秦東破齊湣王、嘗稱帝、後去之。數困三晉、厭天下辯士。無所信。穰侯、華陽君、昭王母宣太后之弟也。而涇陽君、高陵君、皆昭王同母弟也。穰侯相、三人者更將、有封邑。以太后故。

私家富重於王室。及穰侯為秦將、且欲越韓魏而伐齊綱
壽。欲以廣其陶封。范雎乃上書曰、臣聞明主立政、有功者
不得不賞、有能者不得不官、勞大者其祿厚、功多者其爵
尊、能治衆者其官大。故無能者不敢當職焉。有能者亦不
得蔽隱。使以臣之言為可、願行而益利其道。以臣之言為
不可、久留臣無為也。語曰、庸主賞所愛、而罰所惡。明主則
不然。賞必加於有功、而刑必斷於有罪。今臣之胸不足以
當椹質。而要不足以待斧鉞。豈敢以疑事嘗試於王哉。雖
以臣為賤人而輕辱、獨不重任臣者之無反復於王邪。且
臣聞周有砥砨、宋有結緑、梁有縣藜、楚有和朴。此四寶者、
土之所生、良工之所失也。而為天下名器。然則聖王之所

弃者、獨不足以厚國家乎。臣聞善厚家者、取之於國。善厚
國者、取之於諸侯。天下有明主、則諸侯不得擅厚者何也。
為其割榮也。良醫知病人之死生。而聖主明於成敗之事。
利則行之、害則舍之、疑則少嘗之。雖舜禹復生、弗能改已。
語之至者、臣不敢載之於書。其淺者又不足聽也。意者臣
愚而不概於王心耶。亡其言臣者賤而不可用乎。自非然
者、臣願得少賜游觀之間、望見顏色。一語無效請伏斧質。
於是秦昭王大說、乃謝王稽、使以傳車召范雎。於是范雎
乃得見於離宮。詳為不知永巷、而入其中。王來、而宦者怒
逐之。曰王至、范雎繆為曰、秦安得王、秦獨有太后穰侯耳。
欲以感怒昭王。昭王至、聞與其宦者爭言、遂延迎謝曰、寡

人宜以身受命久矣。會義渠之事急、寡人旦暮自請太后。
今義渠之事已。寡人乃得受命。竊閔然、不敏敬執賓主之
禮。范雎辭讓。是日觀范雎之見者、羣臣莫不洒然變色易
容者。秦王屏左右、宮中虛無人、秦王跽而請曰、先生何以
幸教寡人。范雎曰唯唯。有閒。秦王復跽而請曰、先生何以
幸教寡人。范雎曰唯唯。若是者三、秦王跽曰、先生卒不幸
教寡人邪。范雎曰、非敢然也。臣聞昔者呂尚之遇文王也、
身為漁父而釣於渭濱耳。若是者交踈也。已說而立為太
師、載與俱歸者其言深也。故文王遂收功於呂尚、而卒王
天下。鄉使文王踈呂尚而不與深言、是周無天子之德、而
文武無與成其王業也。今臣羇旅之臣也。交踈於王、而所

願陳者、皆匡君之事、處人骨肉之間、願效愚忠而未知王
之心也。此所以王三問而不敢對者也。臣非有畏而不敢
言也。臣知今日言之於前、而明日伏誅於後。然臣不敢避
也。大王信行臣之言、死不足以為臣患。亡不足以為臣憂。
漆身為厲、被髮為狂、不足以為臣恥。且以五帝之聖焉而
死。三王之仁焉而死。五伯之賢焉而死。烏獲任鄙之力焉
而死。成荊孟賁王慶忌夏育之勇焉而死。死者人之所必
不免也。處必然之勢、可以少有補於秦、此臣之所大願也。
臣又何患哉。伍子胥橐載而出昭關、夜行晝伏、至於陵水、
無以餬其口。膝行蒲伏、稽首肉袒、鼓腹吹篪、乞食於呉市、
卒興呉國。闔閭為伯。使臣得盡謀、如伍子胥、加之以幽囚、

終身不復見、是臣之說行也。臣又何憂。箕子接輿、漆身爲厲、被髮爲狂、無益於主。假使臣得同行於箕子、可以有補所賢之主、是臣之大榮也。臣有何恥。臣之所恐者、獨恐臣死之後、天下見臣之盡忠而身死、因以是杜口裹足、莫肯鄉秦耳。足下上畏太后之嚴、下惑於姦臣之態。居深宮之中、不離阿保之手。終身迷惑、無與昭姦。大者宗廟滅覆、小者身以孤危。此臣之所恐耳。若夫窮辱之事、死亡之患、臣不敢畏也。臣死而秦治、是臣死賢於生。秦王跽曰、先生是何言也。夫秦國辟遠、寡人愚不肖、先生乃幸辱至於此。是天以寡人慁先生、而存先王之宗廟也。寡人得受命於先生、是所以幸先王而不弃其孤也。先生奈何而言若是。事無小大、上及太后、下至大臣、願先生悉以教寡人。無疑寡人也。范雎拜。秦王亦拜。范雎曰、大王之國、四塞以爲固。北有甘泉谷口、南帶涇渭、右隴蜀、左關阪。奮擊百萬、戰車千乘。利則出攻、不利則入守。此王者之地也。民怯於私鬪、而勇於公戰。此王者之民也。王幷此二者而有之。夫以秦卒之勇、車騎之衆、以治諸侯、譬若馳韓盧而搏蹇兎也。霸王之業可致也。而羣臣莫當其位、至今閉關十五年、不敢窺兵於山東者、是穰侯爲秦謀不忠、而大王之計有所失也。秦王跽曰、寡人願聞失計。然左右多竊聽者、范雎恐未敢言內。先言外事、以觀秦王之俯仰。因進曰、夫穰侯越韓魏而攻齊綱壽、非計也。少出師則不足以傷齊、多出師則害

於秦。臣意王之計、欲少出師而悉韓魏之兵也。則不義矣。今見與國之不親也。越人之國而攻可乎。其於計疎矣。且昔齊湣王、南攻楚、破軍殺將、再辟地千里。而齊尺寸之地無得焉者。豈不欲得地哉。形勢不能有也。諸侯見齊之罷弊、君臣之不和也、興兵而伐齊、大破之。士辱兵頓、皆咎其王曰、誰爲此計者乎。王曰文子爲之、大臣作亂。文子出走。故齊所以大破者、以其伐楚而肥韓魏也。此所謂借賊兵、齎盜糧者也。王不如遠交而近攻、得寸則王之寸也。得尺亦王之尺也。今釋此而遠攻、不亦繆乎。且昔者中山之國、地方五百里、趙獨吞之。功成名立、而利附焉。天下莫之能害也。今夫韓魏中國之處、而天下之樞也。王其欲霸必親中國、以爲天下樞、以威楚趙。楚彊則附趙、趙彊則附楚。楚趙皆附、齊必懼矣。齊懼必卑辭重幣以事秦。齊附而韓魏因可虜也。昭王曰、吾欲親魏久矣。而魏多變之國也。寡人不能親、請問親魏奈何。對曰、王卑詞重幣以事之、不可則割地而賂之、不可因擧兵而伐之。王曰、寡人敬聞命矣。乃拜范雎爲客卿、謀兵事。卒聽范雎謀、使五大夫綰伐魏拔懷。後二歲、拔邢丘。客卿范雎、復說昭王曰、秦韓之地形、相錯如繡。秦之有韓也、譬如木之有蠹也、人之有心腹之病也。天下無變則已、天下有變、其爲秦患者、孰大於韓乎。王不如收韓。昭王曰、吾固欲收韓。韓不聽。爲之奈何。對曰、韓安得無聽乎。王下兵而攻滎陽、則鞏成皐之道不通。北斷太行之

道、則上黨之師不下。王一興兵而攻滎陽、則其國斷而爲三。夫韓見必亡、安得不聽乎。若韓聽而霸事因可慮矣。王曰善。且欲發使於韓。范雎日益親、復說用數年矣。因請間說曰、臣居山東時、聞齊之有田文、不聞其有王也。聞秦之有太后穰侯華陽高陵涇陽、不聞其有王也。夫擅國之謂王、能利害之謂王、制殺生之威之謂王。今太后擅行不顧。穰侯出使不報。華陽涇陽等擊斷無諱。高陵進退不請。四貴備而國不危者、未之有也。爲此四貴者下、乃所謂無王也。然則權安得不傾。令安得從王出乎。臣聞善治國者、乃內固其威、而外重其權。穰侯使者操王之重、決制於諸侯、剖符於天下、征適伐國、莫敢不聽。戰勝攻取、則利歸於陶

國、弊御於諸侯。戰敗則結怨於百姓、而禍歸於社稷。詩曰、木實繁者、披其枝。披其枝者、傷其心。大其都者、危其國。尊其臣者、卑其主。崔杼淖齒管齊、射王股、擢王筋、縣之於廟梁、宿昔而死。李兌管趙、囚主父於沙丘、百日而餓死。今臣聞、秦太后穰侯用事、高陵華陽涇陽佐之。卒無秦王。此亦淖齒李兌之類也。且夫三代所以亡國者、君專授政、縱酒馳騁弋獵、不聽政事。其所授者、妒賢嫉能、御下蔽上、以成其私。不爲主計、而主不覺悟。故失其國。今自有秩以上、至諸大吏、下及王左右、無非相國之人者。見王獨立於朝、臣竊爲王恐萬世之後有秦國者、非王子孫也。昭王聞之大懼曰、善。於是廢太后、逐穰侯高陵華陽涇陽君於關外。秦

王乃拜范雎爲相。收穰侯之印、使歸陶。因使縣官給車牛以徙。千乘有餘、到關。關閱其寶器。寶器珍怪、多於王室。秦封范雎以應。號爲應侯。當是時、秦昭王四十一年也。范雎既相秦。秦號曰張祿。而魏不知、以爲范雎已死久矣。魏聞秦且東伐韓魏、魏使須賈於秦。范雎聞之、爲微行。敝衣間步、之邸見須賈。須賈見之而驚曰、范叔固無恙乎。范雎曰然。須賈笑曰、范叔有說於秦耶。曰不也。雎前日得過於魏相、故亡逃至此。安敢說乎。須賈曰、今叔何事。范雎曰、臣爲人庸賃。須賈意哀之、留與坐飲食曰、范叔一寒如此哉。乃取其一綈袍以賜之。須賈因問曰、秦相張君、公知之乎。吾聞幸於王、天下之事、皆決於相君。今吾事之去留、在張君。

孺子豈有客習於相君者哉。范雎曰、主人翁習知之。唯雎亦得謁。雎請爲君見於張君。須賈曰、吾馬病、車軸折、非大車駟馬吾不出。范雎曰、願爲君借大車駟馬於主人翁。范雎歸取大車駟馬、爲須賈御之、入秦相府。府中望見、有識者皆避匿。須賈怪之。至相舍門、謂須賈曰、待我。我爲君先入通於相君。須賈待門下、持車良久。問門下曰、范叔不出何也。門下曰、無范叔。須賈曰、鄉者與我載而入者。門下曰、乃吾相張君也。須賈大驚、自知見賣。乃肉袒膝行、因門下人謝罪。於是范雎盛帷帳、侍者甚衆。見之。須賈頓首言死罪、曰賈不意君能自致於青雲之上。賈不敢復讀天下之書、不敢復與天下之事。賈有湯鑊之罪。請自屏於胡貉之

地。唯君死生之。范睢曰、汝罪有幾、曰擢賈之髮以續賈之
罪、尚未足。范睢曰、汝罪有三耳。昔者楚昭王時、而申包胥
爲楚卻呉軍。楚王封之以荊五千戶。包胥辭不受、爲丘墓
之寄於荊也。今睢之先人丘墓亦在魏。公前以睢爲有外
心於齊、而惡睢於魏齊。公之罪一也。當魏齊辱我於廁中、
公不止。罪二也。更醉而溺我、公其何忍乎。罪三矣。然公之
所以得無死者、以綈袍戀戀、有故人之意、故釋公。乃謝罷、
入言之昭王、罷歸須賈。須賈辭於范睢、范睢大供具、盡請
諸侯使、與坐堂上。食飲甚設。而坐須賈於堂下、置莝豆其
前、令兩黥徒夾而馬食之。數曰、爲我告魏王。急持魏齊頭
來。不然者、我且屠大梁。須賈歸以告魏齊。魏齊恐亡走趙、
匿平原君所。范睢既相、王稽謂范睢曰、事有不可知者三。
有不可奈何者亦三。宮車一日晏駕、是事之不可知者一
也。君卒然捐館舍、是事之不可知者二也。使臣卒然塡溝
壑、是事之不可知者三也。宮車一日晏駕、君雖恨於臣、無
可奈何。君卒然捐館舍、君雖恨於臣、亦無可奈何。使臣卒
然塡溝壑、君雖恨於臣亦無可奈何。范睢不懌、乃入言於
王曰、非王稽之忠、莫能內臣於函谷關。非大王之賢聖、莫
能貴臣。今臣、官至於相、爵在列侯。王稽之官尚止於謁者、
非其內臣之意也。昭王召王稽、拜爲河東守。三歲不上計。
又任鄭安平。昭王以爲將軍。范睢於是散家財物、盡以報
所嘗困戹者。一飯之德必償、睚眦之怨必報。范睢相秦二

年、秦昭王之四十二年、東伐韓少曲高平、拔之。秦昭王聞
魏齊在平原君所、欲爲范睢必報其仇。乃詳爲好書、遺平
原君曰、寡人聞君之高義、願與君爲布衣之友。君幸過寡
人。寡人願與君爲十日之飲。平原君畏秦、且以爲然。而入
秦、見昭王。昭王與平原君飲數日。昭王謂平原君曰、昔周
文王得呂尚以爲太公、齊桓公得管夷吾以爲仲父、今范
君亦寡人之叔父也。范君之仇在君之家。願使人歸取其
頭來。不然吾不出君於關。平原君曰、貴而爲友者爲賤也。
富而爲交者爲貧也。夫魏齊者勝之友也。在固不出也。今
又不在臣所。昭王乃遺趙王書曰、王之弟在秦、范君之仇魏
齊、在平原君之家。王使人疾持其頭來。不然吾擧兵而伐
趙。又不出王之弟於關。趙孝成王乃發卒、圍平原君家。急。
魏齊夜亡出、見趙相虞卿。虞卿度趙王終不可說。乃解其
相印、與魏齊亡、間行。念諸侯莫可以急抵者。乃復走大梁、
欲因信陵君以走楚。信陵君聞之、畏秦猶豫未肯見。曰、虞
卿何如人也。時侯嬴在旁曰、人固未易知。知人亦未易也。
夫虞卿躡屩擔簦、一見趙王、賜白璧一雙黃金百鎰。再見
拜爲上卿。三見卒受相印。封萬戶侯。當此之時、天下爭知
之。夫魏齊窮困、過虞卿、虞卿不敢重爵祿之尊。解相印捐
萬戶侯、而間行。急士之窮、而歸公子。公子曰、何如人。人固
不易知。知人亦未易也。信陵君大慙、駕如野迎之。魏齊聞
信陵君之初難見之、怒而自剄。趙王聞之、卒取其頭予秦

秦昭王乃出平原君歸趙。昭王四十三年、秦攻韓汾陘拔之。因城河上廣武。後五年、昭王用應侯謀、縱反間賣趙。趙以其故、令馬服子代廉頗將。秦大破趙於長平、遂圍邯鄲。已而與武安君白起有隙、言而殺之。任鄭安平使將擊趙。鄭安平爲趙所困急、以兵二萬人降趙。應侯席藁請罪。秦之法、任人而所任不善者、各以其罪罪之。於是應侯罪當收三族。秦昭王恐傷應侯之意。乃下令國中、有敢言鄭安平事者、以其罪罪之。而加賜相國應侯食物、日益厚以順適其意。後二歲、王稽爲河東守、與諸侯通、坐法誅。而應侯日益以不懌。昭王臨朝歎息。應侯進曰、臣聞主憂臣辱、主辱臣死。今大王中朝而憂。臣敢請其罪。昭王曰、吾聞楚之鐵劒利、而倡優拙。夫鐵劒利、則士勇。倡優拙、則思慮遠。夫以遠思慮、而御勇士。吾恐楚之圖秦也。夫物不素具、不可以應卒。今武安君既死、而鄭安平等畔。內無良將、而外多敵國。吾是以憂。欲以激勵應侯。應侯懼不知所出。蔡澤聞之往入秦也。

蔡澤者燕人也。游學干諸侯。小大甚衆。不遇而從唐擧相。曰、吾聞先生相李兌曰、百日之內持國秉政。有之乎。曰有之。曰若臣者何如。唐擧孰視而笑曰、先生曷鼻、巨肩、魋顏、蹙齃、膝攣。吾聞聖人不相。殆先生乎。蔡澤知唐擧戲之。乃曰、富貴吾所自有、吾所不知者壽也。願聞之。唐擧曰、先生之壽、從今以往者四十三歲。蔡澤笑謝而去。謂其御者曰、

吾持梁刺齒肥、躍馬疾驅、懷黃金之印、結紫綬於要。揖讓人主之前、食肉富貴四十三年、足矣。去之趙、見逐。入韓魏。遇奪釜鬲於塗。聞應侯任鄭安平王稽、皆負重罪於秦、應侯內慙。蔡澤乃西入秦。將見昭王、使人宣言以感怒應侯曰、燕客蔡澤、天下雄俊、弘辯智士也。彼一見秦王、秦王必困君而奪君之位。應侯聞曰、五帝三代之事、百家之說、吾既知之。衆口之辯、吾皆摧之。是惡能困我、而奪我位乎。使人召蔡澤。蔡澤入則揖應侯。應侯固不快。及見之、又倨。應侯因讓之曰、子常宣言、欲代我相秦、寧有之乎。對曰然。應侯曰、請聞其說。蔡澤曰、吁君何見之晩也。夫四時之序、成功者去。夫人生百體堅彊、手足便利、耳目聰明、而心聖智、豈非士之願與。應侯曰然。蔡澤曰、質仁秉義、行道施德、得志於天下。天下懷樂敬愛、而尊慕之。皆願以爲君主。豈不辯智之期與。應侯曰然。蔡澤復曰、富貴顯榮、成理萬物、使各得其所。性命壽長、終其天年、而不夭傷。天下繼其統、守其業、傳之無窮、名實純粹、澤流千里、世世稱之、而無絶、與天地終始、豈道德之符、而聖人所謂吉祥善事者與。應侯曰然。蔡澤曰、若夫秦之商君、楚之吳起、越之大夫種、其卒然亦可願與。應侯知蔡澤之欲困已以說、復謬曰、何爲不可。夫公孫鞅之事孝公也、極身無貳慮。盡公而不顧私、設刀鋸以禁奸邪、信賞罰以致治。披腹心示情素、蒙怨咎欺舊友、奪魏公子卬、安秦社稷、利百姓、卒爲秦禽將、破敵攘地

千里。吳起之事悼王也、使私不得害公、讒不得蔽忠。言不取苟合。行不取苟容。不爲危易行。行義不辟難。然爲霸主彊國、不辭禍凶。大夫種之事越王也、主雖困辱、悉忠而不解。主雖絕亡、盡能而弗離。成功而弗矜。貴富而不驕怠。若此三子者、固義之至也。忠之節也。是故君子以義死難、視死如歸。生而辱不如死而榮。士固有殺身以成名。唯義之所在、雖死無所恨。何爲不可哉。蔡澤曰、主聖臣賢、天下之盛福也。君明臣直、國之福也。父慈子孝、夫信妻貞、家之福也。故比干忠而不能存殷、子胥智而不能完吳。申生孝而晉國亂。是皆有忠臣孝子、而國家滅亂者何也。無明君賢父、以聽之。故天下以其君父爲僇辱、而憐其臣子。今商君

吳起大夫種之爲人臣是也。其君非也。故世稱、三子致功而不見德。豈慕不遇世死乎。夫待死、而後可以立忠成名。是微子不足仁、孔子不足聖、管仲不足大也。夫人之立功、豈不期於成全邪。身與名俱全者上也。名可法而身死者其次也。名在僇辱而身全者下也。於是應侯稱善。蔡澤少得閒、因曰、夫商君吳起大夫種、其爲人臣盡忠致功、則可願矣。閎夭事文王、周公輔成王也、豈不亦聖乎。以君臣論之、商君、吳起、大夫種、其可願、孰與閎夭周公哉。應侯曰、商君、吳起、大夫種弗若也。蔡澤曰、然則君之主、慈仁任忠、惇厚舊故。其賢智與有道之士爲膠漆、義不倍功臣、孰與秦孝公楚悼王越王乎。應侯曰、未知何如也。蔡澤曰、今主親

忠臣、不過秦孝公、楚悼王、越王、君之設智能、爲主安危修政、治亂彊兵、批患折難、廣地殖穀、富國足家、彊主、尊社稷、顯宗廟、天下莫敢欺犯其主。主之威、蓋震海內、功彰萬里之外、聲名光輝、傳於千世。君孰與商君、吳起、大夫種。應侯曰不若。蔡澤曰、今主之親忠臣、不忘舊故、不若孝公悼王句踐。而君之功績愛信親幸、又不若商君、吳起、大夫種。然而君之祿位貴盛、私家之富、過於三子。而身不退者、恐患之甚於三子。竊爲君危之。語曰、日中則移、月滿則虧。物盛則衰。天地之常數也。進退盈縮與時變化、聖人之常道也。故國有道則仕、國無道則隱。聖人曰、飛龍在天、利見大人。不義而富且貴、於我如浮雲。今君之怨已讎、而德已報。意

欲至矣。而無變計、竊爲君不取也。且夫翠鵠犀象、其處勢非不遠死也。而所以死者、惑於餌也。蘇秦智伯之智、非不足以辟辱遠死也。而所以死者、惑於貪利不止也。是以聖人制禮節欲、取於民有度、使之以時、用之有止。故志不溢。行不驕。常與道俱而不失。故天下承而不絕。昔者齊桓公九合諸侯、一匡天下。至於葵丘之會、有驕矜之志。畔者九國。吳王夫差、兵無敵於天下、勇彊以輕諸侯、陵齊晉。故遂以殺身亡國。夏育太史噭、叱呼駭三軍。然而身死於庸夫。此皆乘至盛、而不返道理、不居卑退處儉約之患也。夫商君、爲秦孝公明法令、禁姦本、尊爵必賞、有罪必罰。平權衡、正度量、調經重、決裂阡陌、以靜生民之業、而一其俗、勸民

耕農利土、一室無二事、力田稸積、習戰陳之事。是以兵動
而地廣、兵休而國富。故秦無敵於天下、立威諸侯、成秦國
之業。功已成矣。而遂以車裂。楚地方數千里、持戟百萬、白
起率數萬之師、以與楚戰、一戰擧鄢郢、以燒夷陵、再戰南
幷蜀漢、又越韓魏而攻彊趙、北坑馬服、誅屠四十餘萬之
衆、盡之於長平之下。流血成川、沸聲若雷。遂入圍邯鄲、使
秦有帝業。楚趙天下之彊國、而秦之仇敵也。自是之後、楚
趙皆懾伏、不敢攻秦者、白起之勢也。身所服者七十餘城、
功已成矣。而遂賜劍、死於杜郵。呉起爲楚悼王立法、卑減
大臣之威重、罷無能、廢無用、損不急之官、塞私門之請、一
楚國之俗、禁游客之民、精耕戰之士、南收楊越、北幷陳蔡、
破橫散從、使馳說之士無所開其口。禁朋黨以勵百姓、定
楚國之政。兵震天下、威服諸侯、功已成矣、而卒枝解。大夫
種爲越王、深謀遠計、免會稽之危、以亡爲存、因辱爲榮、墾
草入邑、辟地殖穀、率四方之士、專上下之力、輔句踐之賢、
報夫差之讎、卒擒勁呉、令越成霸、功已彰而信矣。句踐終
負而殺之。此四子者、功成不去、禍至於此。此所謂信而不
能詘、往而不能返者也。范蠡知之、超然辟世、長爲陶朱公。
君獨不觀夫博者乎。或欲大投、或欲分功。此皆君之所明
知也。今君相秦、計不下席。謀不出廊廟。坐制諸侯、利施三
川、以實宜陽。決羊腸之險、塞太行之道、又斬范中行之塗、
六國不得合從、棧道千里、通於蜀漢、使天下皆畏秦。秦之

欲得矣。君之功極矣。此又秦之分功之時也。如是而不退、
則商君、白公、呉起、大夫種是也。吾聞之、鑒於水者見面之
容、鑒於人者、知吉與凶。書曰、成功之下不可久處。四子之
禍、君何居焉。君何不以此時歸相印、讓賢者而授之、退而
巖居川觀。必有伯夷之廉、長爲應侯、世世稱孤、而有許由、
延陵季子之讓、喬松之壽。孰與以禍終哉。卽君何居焉。忍
不能自離、疑不能自決、必有四子之禍矣。易曰、亢龍有悔。
此言上而不能下、信而不能詘、往而不能自返者也。願君
孰計之。應侯曰善。吾聞欲而不知止、失其所以欲。有而不
知足、失其所以有。先生幸教。睢敬受命。於是乃延入坐爲
上客。後數日、入朝、言於秦昭王曰、客新有從山東來者。曰
蔡澤、其人辯士、明於三王之事、五伯之業、世俗之變、足以
寄秦國之政。臣之見人甚衆。莫及。臣不如也。臣敢以聞秦
昭王召見與語。大說之、拜爲客卿。應侯因謝病、請歸相印。
昭王彊起應侯。應侯遂稱病篤。范睢免相。昭王新說蔡澤
計畫、遂拜爲秦相、東收周室。蔡澤相秦數月、人或惡之。懼
誅、乃謝病、歸相印、號爲綱成君。居秦十餘年、事昭王、孝文
王、莊襄王、卒事始皇帝。爲秦使於燕。三年而燕使太子丹
入質於秦。

太史公曰、韓子稱、長袖善舞、多錢善賈。信哉是言也。范睢
蔡澤、世所謂一切辯士。然遊說諸侯、至白首無所遇者、非
計策之拙、所爲說力少也。及二人羇旅入秦、繼踵取卿相、

垂功於天下者、固彊弱之勢異也。然士亦有偶合、賢者多如此二子、不得盡意。豈可勝道哉。然二子不困厄、惡能激乎。

中等漢文讀本巻之八 終

（自一巻至五巻）明治三十一年三月十一日印刷
明治三十一年三月十四日發行
（自六巻至十巻）明治三十一年七月四日印刷
明治三十一年七月八日發行

編者 東京市本郷區元町二丁目六十六番地 遊佐誠甫
編者 東京市本郷區駒坂町七十五番地 冨永岩太郎
發行者兼印刷者 東京市日本橋區通旅籠町十一番地 小林八郎
印刷所 東京市麹町區内幸町一丁目五番地 集英堂活版所

發兌書肆 東京市日本橋區通旅籠町十一番地 集英堂
大賣捌所 各府縣下書肆

中等漢文讀本 定價

一巻金貳拾錢	二巻金貳拾錢
三巻金貳拾三錢	四巻金貳拾三錢
五巻金貳拾三錢	六巻金貳拾三錢
七巻金貳拾五錢	八巻金貳拾五錢
九巻金貳拾五錢	十巻金貳拾五錢

明治三十二年一月二十五日
文部省檢定濟

文學士黒板勝美校閲
遊佐誠甫
富永岩太郎 合編

卷之九

中等漢文讀本

東京 集英堂

中等漢文讀本卷之九目次

中等漢文讀本卷之九

文學士　黑板勝美校閲
遊佐誠甫
冨永岩太郎　合編

樂毅列傳　史記

樂毅者、其先祖曰樂羊、樂羊爲魏文侯將、伐取中山。魏文侯、封樂羊以靈壽、樂羊死、葬於靈壽。其後子孫因家焉。中山復國。至趙武靈王時、復滅中山。而樂氏後有樂毅。樂毅賢、好兵。趙人擧之。及武靈王有沙丘之亂、乃去趙適魏。聞燕昭王、以子之之亂、而齊大敗燕。燕昭王怨齊、未嘗一日而忘報齊也。燕國小避遠。力不能制。於是屈身下士。先禮

郭隗、以招賢者。樂毅於是爲魏昭王使於燕。燕王以客禮待之。樂毅辭讓。遂委質爲臣。燕昭王以爲亞卿。久之。當是時、齊湣王彊。南敗楚相唐眛於重丘、西摧三晉於觀津、遂與三晉擊秦。助趙滅中山、破宋、廣地千餘里。與秦昭王爭重爲帝。已而復歸之。諸侯皆欲背秦而服於齊。湣王自矜。百姓不堪。於是、燕昭王問伐齊之事。樂毅對曰、齊霸國之餘業也。地大人衆。未易獨攻也。王必欲伐之、莫如與趙及楚魏。於是、使樂毅約趙惠文王、別使連楚魏、令趙嚪秦以伐齊之利。諸侯害齊湣王之驕暴、皆爭合從與燕伐齊。樂毅還報。燕昭王悉起兵、使樂毅爲上將軍。趙惠文王以相國印授樂毅。樂毅於是幷護趙楚韓魏燕之兵、以伐齊破

之濟西。諸侯兵罷歸。而燕軍樂毅、獨追至于臨菑。齊湣王
之敗濟西、亡走保於莒。樂毅獨留徇齊。齊皆城守。樂毅攻
入臨菑、盡取齊寶財物祭器、輸之燕。燕昭王大說、親至濟
上勞軍。行賞饗士、封樂毅於昌國、號爲昌國君。於是、燕昭
王收齊鹵獲以歸。而使樂毅復以兵平齊城之不下者。樂
毅留徇齊五歲、下齊七十餘城、皆爲郡縣以屬燕。唯獨莒、
即墨未服。會燕昭王死。子立爲燕惠王。惠王自爲太子時、
嘗不快於樂毅。及即位、齊之田單聞之、乃縱反間於燕曰、
齊城不下者兩城耳。然所以不早拔者、聞樂毅與燕新王
有隙、欲連兵、且留齊、南面而王齊。齊之所患、唯恐他將之
來。於是、燕惠王固已疑樂毅、得齊反間、乃使騎劫代將、而

召樂毅。樂毅知燕惠王之不善代之、畏誅、遂西降趙。趙封
樂毅於觀津、號曰望諸君。尊寵樂毅以警動於燕齊。齊田
單後與騎劫戰、果設詐誑燕軍、遂破騎劫於即墨下。而轉
戰逐燕、北至河上、盡復得齊城。而迎襄王於莒、入于臨菑。
燕惠王、後悔使騎劫代樂毅、以故破軍亡將失齊、又恐樂
毅之降趙、恐趙用樂毅、而乘燕之弊以伐燕。燕惠王乃使
人讓樂毅、且謝之曰、先王舉國而委將軍。將軍爲燕破齊、
報先王之讎。天下莫不震動。寡人豈敢一日而忘將軍之
功哉。會先王弃羣臣、寡人新即位、左右誤寡人。寡人之使
騎劫代將軍、爲將軍久暴露於外、故召將軍且休計事。將
軍過聽以與寡人有隙、遂捐燕歸趙。將軍自爲計則可矣。

而亦何以報先王之所以遇將軍之意乎。樂毅報遺燕惠
王書曰、臣不佞、不能奉承王命、以順左右之心。恐傷先王
之明、有害足下之義。故遁逃走趙。今足下使人數之以罪。
臣恐待御者不察先王之所以畜幸臣之理、又不白臣之
所以事先王之心。故敢以書對。臣聞賢聖之君、不以祿私
親。其功多者賞之。其能當者處之。故察能而授官者、成功
之君也。論行而結交者、立名之士也。臣竊觀先王之舉也、
見有高世主之心。故假節於魏、以身得察於燕。先王過舉
厠之賓客之中、立之羣臣之上、不謀父兄、以爲亞卿。臣竊
不自知。自以爲奉令承教、可幸無罪。故受令而不辭。先王
命之曰、我有積怨深怒於齊、不量輕弱。而欲以齊爲事。臣

曰、夫齊、霸國之餘業、而最勝之遺事也。練於兵甲、習於戰
攻。王若欲伐之、必與天下圖之。與天下圖之、莫若結於趙。
且又淮北宋地、楚魏之所欲也。趙若許而約四國攻之、齊
可大破也。先王以爲然。具符節南使臣於趙。顧反命起兵
擊齊、以天之道、先王之靈、河北之地、隨先王而舉之濟上。
濟上之軍、受命擊齊、大敗齊人。輕卒銳兵、長驅至國。齊王
遁而走莒、僅以身免。珠玉財寶、車甲珍器、盡收入於燕。齊
器設於寧臺、大呂陳於元英。故鼎反乎磨室、薊丘之植、植
於汶篁。自五伯已來、功未有及先王者也。先王以爲慊於
志。故裂地而封之、使得比小國諸侯。臣竊不自知。自以爲
奉命承教、可幸無罪。是以受命不辭。臣聞賢聖之君、功立

而不廢。故著於春秋。蚤知之士、名成而不毀。故稱於後世。若先王之報怨雪恥、夷萬乘之彊國、收八百歲之蓄積、及至弃群臣之日、餘教未衰、執政任事之臣、修法令、愼庶孽、施及乎萌隸、皆可以教後世。臣聞之、善作者不必善成。善始者、不必善終。昔伍子胥、說聽於闔閭。而吳王遠迹至郢。夫差弗是也。賜之鴟夷而浮之江。吳王不寤先論之可以立功。故沈子胥而不悔。子胥不蚤見主之不同量。是以至於入江而不化。夫免身立功、以明先王之迹、臣之上計也。離毀辱之誹謗、墮先王之名、臣之所大恐也。臨不測之罪、以幸爲利、義之所不敢出也。臣聞古之君子、交絕不出惡聲。忠臣去國不潔其名。臣雖不佞、數奉教於君子矣。恐侍

御者之親、左右之說、不察疏遠之行。故敢獻書以聞。唯君王之留意焉。於是、燕王復以樂毅子樂間爲昌國君。而樂毅往來復通燕。燕趙以爲客卿。樂毅卒於趙。樂間居燕三十餘年。燕王喜用其相栗腹之計、欲攻趙。而問昌國君樂間。樂間曰、趙四戰之國也。其民習兵、伐之不可。燕王不聽、遂伐趙。趙使廉頗擊之、大破栗腹之軍於鄗、禽栗腹樂乘。樂乘者、樂間之宗也。於是、樂間走趙。趙遂圍燕。燕重割地以與趙和。趙乃解而去。燕王恨不用樂間。樂間既在趙。乃遺樂間書曰、紂之時、箕子不用。犯諫不怠、以冀其聽。商容不達、身祇辱焉、以冀其變。及民志不入、獄囚自出、然後二子退隱。故紂負桀暴之累、二子不失忠聖之名。何者、其憂患之盡矣。今寡人雖愚、不若紂之暴也。燕民雖亂、不若殷民之甚也。室有語、不相盡以告鄰里。二者寡人不爲君取也。樂間樂乘、怨燕不聽其計、二人卒留趙。趙封樂乘爲武襄君。其明年、樂乘廉頗爲趙圍燕。燕重禮以和。乃解。後五歲、趙孝成王卒。襄王使樂乘代廉頗。廉頗攻樂乘。樂乘走。廉頗亡入魏。其後十六年、而秦滅趙。其後二十餘年、高帝過趙、問樂毅有後世乎。對曰、有樂叔。高帝封之樂卿、號曰華成君。華成君、樂毅之孫也。而樂氏之族、有樂瑕公樂臣公。趙且爲秦所滅、亡之齊高密。樂臣公善修黃帝老子之言。顯聞於齊。稱賢師。

太史公曰、始齊之蒯通、及主父偃、讀樂毅之報燕王書、未

嘗不廢書而泣也。樂臣公學黃帝老子、其本師號曰河上丈人。不知其所出。河上丈人教安期生。安期生教毛翕公。毛翕公教樂瑕公。樂瑕公教樂臣公。樂臣公教蓋公。蓋公教於齊高密膠西。爲曹相國師。

廉頗藺相如列傳　史記

廉頗者、趙之良將也。趙惠文王十六年、廉頗爲趙將、伐齊大破之、取晉陽。拜爲上卿。以勇氣聞於諸侯。藺相如者、趙人也。爲趙宦者令繆賢舍人。趙惠文王時、得楚和氏璧。秦昭王聞之、使人遺趙王書、願以十五城請易璧。趙王與大將軍廉頗諸大臣謀、欲予秦、秦城恐不可得、徒見欺。欲勿予、即患秦兵之來。計未定。求人可使報秦者、未得。宦者令

繆賢曰、臣舍人藺相如可使。王問何以知之。對曰、臣嘗有
罪、竊計欲亡走燕。臣舍人相如止臣曰、君何以知燕王。臣
語曰、臣嘗從大王與燕王會境上。燕王私握臣手曰、願結
友。以此知之。故欲往。相如謂臣曰、夫趙彊而燕弱。而君幸
於趙王。故燕王欲結於君。今君乃亡趙走燕、燕畏趙。其勢
必不敢留君、而束君歸趙矣。君不如肉袒伏斧質請罪。則
幸得脫矣。臣從其計。大王亦幸赦臣。臣竊以爲其人勇士、
有智謀、宜可使。於是、王召見、問藺相如曰、秦王以十五城、
請易寡人之璧。可予不。相如曰、秦彊而燕弱。不可不許。王
曰、取吾璧、不予我城、奈何。相如曰、秦以城求璧、而趙不許。
曲在趙。趙予璧、而秦不予趙城、曲在秦。均之二策、寧許以

負秦曲。王曰誰可使者。相如曰、王必無人、臣願奉璧往使、
城入趙而璧留秦。城不入、臣請完璧歸趙。趙王於是、遂遣相
如。奉璧西入秦。秦王坐章臺見相如、相如奉璧奏秦王。秦
王大喜、傳以示美人及左右。左右皆呼萬歲。相如視秦王
無意償趙城、乃前曰、璧有瑕、請指示王。王授璧相如。因持
璧卻立、倚柱。怒髮上衝冠。謂秦王曰、大王欲得璧、使人發
書至趙王。趙王悉召羣臣議。皆曰、秦貪、負其彊、以空言求
璧。償城恐不可得。議不欲予秦璧。臣以爲布衣之交、尚不
相欺、況大國乎。且以一璧之故、逆彊秦之驩不可。於是、趙
王乃齋戒五日、使臣奉璧、拜送書於庭。何者、嚴大國之威、
以修敬也。今臣至。大王見臣列觀、禮節甚倨。得璧傳之美

人、以戲弄臣。臣觀大王無意償趙王城邑。故臣復取璧。大
王必欲急臣、臣頭今與璧俱碎於柱矣。相如持其璧、睨柱。
欲以擊柱。秦王恐其破璧、乃辭謝、固請。召有司案圖、指從
此以往十五都予趙。相如度秦王特以詐佯爲予趙城。實
不可得。乃謂秦王曰、和氏璧、天下所共傳寶也。趙王恐、不
敢不獻。趙王送璧時、齋戒五日。今大王亦宜齋戒五日、設
九賓於廷。臣乃敢上璧。秦王度之、終不可彊奪。遂許齋五
日、舍相如廣成傳舍。相如度秦王雖齋、決負約不償城。乃
使其從者衣褐、懷其璧、從徑道亡、歸璧于趙。秦王齋五日
後、乃設九賓禮於廷、引趙使者藺相如。相如至。謂秦王曰、
秦自繆公以來、二十餘君、未嘗有堅明約束者也。臣誠恐

見欺於王而負趙。故令人持璧歸、間至趙矣。且秦彊而趙
弱。大王遣一介之使至趙、趙立奉璧來。今以秦之彊、而先
割十五都予趙、趙豈敢留璧、而得罪於大王乎。臣知欺大
王之罪當誅。臣請就湯鑊。唯大王與羣臣熟計議之。秦王
與羣臣相視而嘻。左右或欲引相如去。秦王因曰、今殺相
如、終不能得璧也。而絕秦趙之驩。不如因而厚遇之、使歸
趙。趙王豈以一璧之故欺秦邪。卒廷見相如、畢禮而歸之。
相如既歸趙。趙王以爲賢大夫、使不辱於諸侯、拜相如爲
上大夫。秦亦不以城予趙。趙亦終不予秦璧。其後秦伐趙、
拔石城。明年、復攻趙殺二萬人。秦王使使者告趙王、欲與
王爲好會於西河外澠池。趙王畏秦、欲毋行。廉頗、藺相如、

計曰、王不行、示趙弱且怯也。趙王遂行。相如從。廉頗送至境。與王訣曰、王行。度道里、會遇之禮畢還、不過三十日。三十日不還、則請立太子爲王、以絕秦望。王許之。遂與秦王會澠池。秦王飲酒酣曰、寡人竊聞趙王好音。請奏瑟。趙王鼓瑟。秦御史前書曰、某年月日、秦王與趙王會飲。令趙王鼓瑟。藺相如前曰、趙王竊聞、秦王善爲秦聲。請奉盆缻秦王、以相娛樂。秦王怒不許。於是、相如前進缻。因跪請秦王。秦王不肯擊缻。相如曰、五步之內、相如請得以頸血濺大王矣。左右欲刃相如。相如張目叱之。左右皆靡。於是秦王不懌。爲一擊缻。相如顧召趙御史書曰、某年月日、秦王爲趙王擊缻。秦之群臣曰、請以趙十五城爲秦王壽。藺相如

亦曰、請以秦之咸陽爲趙王壽。秦王竟酒、終不能加勝於趙。趙亦盛設兵以待秦。秦不敢動。既罷歸國。以相如功大、拜爲上卿。位在廉頗之右。廉頗曰、我爲趙將、有攻城野戰之大功。而藺相如徒以口舌爲勞。而位居我上。且相如素賤人。吾羞不忍爲之下。宣言曰、我見相如、必辱之。相如聞、不肯與會。相如每朝時、常稱病、不欲與廉頗爭列。已而相如出。望見廉頗。相如引車避匿。於是、舍人相與諫曰、臣所以去親戚而事君者、徒慕君之高義也。今君與廉頗同列。廉君宣惡言、而君畏匿之。恐懼殊甚。且庸人尚羞之。況於將相乎。臣等不肖、請辭去。藺相如固止之曰、公之視廉將軍孰與秦王。曰、不若也。相如曰、夫以秦王之威、而相如廷叱之、辱其群臣。相如雖駑、獨畏廉將軍哉。顧吾念之、彊秦之所以不敢加兵於趙者、徒以吾兩人在也。今兩虎共鬪、其勢不俱生。吾所以爲此者、以先國家之急、而後私讎也。廉頗聞之、肉袒負荊、因賓客至藺相如門、謝罪曰、鄙賤之人、不知將軍寬之至此也。卒相與驩、爲刎頸之交。是歲廉頗東攻齊、破其一軍。居二年、廉頗復伐齊幾、拔之。後三年、廉頗攻魏之防陵、安陽、拔之。後四年、藺相如將而攻齊、至平邑而罷。其明年、趙奢破秦軍閼與下。

趙奢者、趙之田部吏也。收租稅。而平原君家不肯出。趙奢以法治之。殺平原君用事者九人。平原君怒。將殺奢。奢因說曰、君於趙爲貴公子。今縱君家而不奉公則法削。法削則國弱。

國弱則諸侯加兵。諸侯加兵、是無趙也。君安得有此富乎。以君之貴、奉公如法、則上下平。上下平則國彊。國彊則趙固。而君爲貴戚、豈輕於天下邪。平原君以爲賢、言之於王。王用之治國賦。國賦太平。民富而府庫實。秦伐韓、軍於閼與。王召廉頗而問曰、可救不。對曰、道遠險狹、難救。又召樂乘而問焉。樂乘對如廉頗言。又召問趙奢。奢對曰、其道遠險狹、譬之猶兩鼠鬪於穴中。將勇者勝。王乃令趙奢將救之。兵去邯鄲三十里。而令軍中曰、有以軍事諫者死。秦軍軍武安西。秦軍鼓譟勒兵。武安屋瓦盡振。軍中候有一人言、急救武安。趙奢立斬之。堅壁留二十八日、不行。復益增壘。秦間來入。趙奢善食而遣之。間以報秦將。秦將大喜曰、夫去國三

十里而軍不行。乃增壘。閼與非趙地也。趙奢既遣秦間、乃卷甲而趨之。二日一夜至。令善射者去閼與五十里而軍。軍壘成。秦人聞之、悉甲而至。軍士許歷請以軍事諫。趙奢曰、內之。許歷曰、秦人不意趙師至、此其來氣盛。將軍必厚集其陣以待之。不然必敗。趙奢曰、請受令。許歷曰、請就鈇質之誅。趙奢曰、胥後令邯鄲。許歷復請諫。曰、先據北山上者勝、後至者敗。趙奢許諾。即發萬人趨之。秦兵後至。爭山不得上。趙奢縱兵擊之、大破秦軍。秦軍解而走。遂解閼與之圍而歸。趙惠文王賜奢號為馬服君。以許歷為國尉。趙奢於是與廉頗藺相如同位。後四年、趙惠文王卒。子孝成王立。七年、秦與趙兵相距長平。時趙奢已死、而藺相如病

篤。趙使廉頗將攻秦。秦數敗趙軍。趙軍固壁不戰。秦數挑戰。廉頗不肯。趙王信秦之間。秦之間言曰、秦之所惡、獨畏馬服君趙奢之子趙括為將耳。趙王因以括為將、代廉頗。藺相如曰、王以名使括、若膠柱而鼓瑟耳。括徒能讀其父書傳、不知合變也。趙王不聽。遂將之。趙括自少時學兵法、言兵事。以天下莫能當。嘗與其父奢言兵事。奢不能難。然不謂善。括母問奢其故。奢曰、兵死地也。而括易言之。使趙不將括即已。若必將之、破趙軍者必括也。及括將行、其母上書言於王曰、括不可使將。王曰、何以。對曰、始妾事其父。時為將。身所奉飯飲而進食者、以十數、所友者以百數。大王及宗室、所賞賜者、盡以予軍吏、士大夫。受命之日、不問

家事。今括一旦為將、東向而朝。軍吏無敢仰視之者。王所賜金帛、歸藏於家、而日視便利田宅、可買者買之。王以為何如其父。父子異心、願王勿遣。王曰、母置之、吾已決矣。括母因曰、王終遣之、即有如不稱、妾得無隨坐乎。王許諾。趙括既代廉頗、悉更約束、易置軍吏。秦將白起聞之、縱奇兵佯敗走、而絕其糧道、分斷其軍為二、士卒離心。四十餘日、軍餓。趙括出銳卒、自搏戰。秦軍射殺趙括。括軍敗。數十萬之衆遂降秦。秦悉阬之。趙前後所亡、凡四十五萬。明年、秦兵遂圍邯鄲。歲餘、幾不得脫。賴楚魏諸侯來救、乃得解邯鄲之圍。趙王亦以括母先言、竟不誅也。自邯鄲圍解五年、而燕用栗腹之謀。曰、趙壯者盡於長平、其孤未壯、舉兵擊趙。

趙使廉頗將、擊大破燕軍於鄗、殺栗腹、遂圍燕。燕割五城請和。乃聽之。趙以尉文封廉頗、為信平君、為假相國。廉頗之免長平歸也、失勢之時。故客盡去。及復用為將、客又復至。廉頗曰、客退矣。客曰、吁君何見之晚也。夫天下以市道交。君有勢、我則從君。君無勢則去。此固其理也。有何怨乎。居六年、趙使廉頗伐魏之繁陽、拔之。趙孝成王卒。子悼襄王立。使樂乘代廉頗。廉頗怒攻樂乘。樂乘走。廉頗遂奔魏、之大梁。其明年、趙乃以李牧為將、而攻燕拔武遂方城。廉頗居梁、久之。魏不能信用。趙以數困於秦兵、趙王思復得廉頗。廉頗亦思復用於趙。趙王使使者、視廉頗尚可用否。廉頗之仇郭開、多與使者金、令毀之。趙使者既見廉頗。廉

頗爲之一飯斗米、肉十斤、被甲上馬、以示尚可用。趙使還報王曰、廉將軍雖老尚善飯。然與臣坐頃之、三遺矢矣。趙王以爲老、遂不召。楚聞廉頗在魏、陰使人迎之。廉頗一爲楚將無功。曰、我思用趙人。廉頗卒死于壽春。

李牧者、趙之北邊良將也。常居代鴈門、備匈奴。以便宜置吏。市租皆輸入莫府、爲士卒費。日擊數牛饗士。習射騎、謹烽火、多間諜。厚遇戰士。爲約曰、匈奴即入盜、急入收保。有敢捕虜者斬。匈奴每入、烽火謹、輒入收保、不敢戰。如是數歲。亦不亡失。然匈奴以李牧爲怯、雖趙邊兵亦以爲吾將怯。趙王讓李牧。李牧如故。趙王怒、召之。使他人代將。歲餘。匈奴每來出戰。出戰數不利。失亡多。邊不得田畜。復請李

牧。牧杜門不出、固稱疾。趙王乃復彊起使將兵。牧曰、王必用臣、臣如前、乃敢奉令。王許之。李牧至。如故約。匈奴數歲無所得。終以爲怯。邊士日得賞賜而不用。皆願一戰。於是、乃具選車、得千三百乘。選騎得萬三千匹。百金之士五萬人。彀者十萬人。悉勒習戰。大縱畜牧。人民滿野。匈奴小入佯北不勝。以數千人委之。單于聞之、大率衆來入。李牧多爲奇陳、張左右翼擊之。大破殺匈奴十餘萬騎。滅襜襤、破東胡、降林胡。單于奔走。其後十餘歲、匈奴不敢近趙邊城。趙悼襄王元年、廉頗既亡入魏。趙使李牧攻燕。拔武遂方城。居二年、龐煖破燕軍、殺劇辛。後七年、秦破趙、殺將扈輒於武遂、斬首十萬。趙乃以李牧爲大將軍、擊秦軍於宜安。大破秦軍、走秦將桓齮。封李牧爲武安君。居三年、秦攻番吾。李牧擊破秦軍、南距韓魏。趙王遷七年、秦使王翦攻趙。趙使李牧司馬尚禦之。秦多與趙王寵臣郭開金、爲反間、言李牧司馬尚欲反。趙王乃使趙葱及齊將顏聚代李牧。李牧不受命。趙使人微捕得李牧、斬之。廢司馬尚。後三月、王翦因急擊趙、大破。殺趙葱、虜趙王遷及其將顏聚。遂滅趙。

太史公曰、知死必勇。非死者難也。處死者難。方藺相如引璧睨柱、及叱秦王左右、勢不過誅。然士或怯懦而不敢發。相如一奮其氣、威信敵國。退而讓頗、名重太山。其處智勇、可謂兼之矣。

屈原賈生列傳　　史記

屈原者、名平、楚之同姓也。爲楚懷王左徒。博聞彊志、明於治亂、嫺於辭令。入則與王圖議國事、以出號令。出則接遇賓客、應對諸侯。王甚任之。上官大夫與之同列、爭寵而心害其能。懷王使屈原造爲憲令。屈平屬草稾未定。上官大夫見而欲奪之。屈平不與。因讒之曰、王使屈平爲令。衆莫不知。每一令出、平伐其功。曰、以爲非我莫能爲也。王怒而疏屈平。屈平疾王聽之不聰也、讒諂之蔽明也、邪曲之害公也、方正之不容也。故憂愁幽思、而作離騷。離騷者、猶離憂也。夫天者、人之始也。父母者、人之本也。人窮則反本。故勞苦倦極、未嘗不呼天也。疾痛慘怛、未嘗不呼父母也。屈

平正道直行、竭忠盡智、以事其君。讒人間之。可謂窮矣。信而見疑、忠而被謗、能無怨乎。屈平之作離騷、蓋自怨生也。國風好色而不淫。小雅怨誹而不亂。若離騷者、可謂兼之矣。上稱帝嚳、下道齊桓、中述湯武、以刺世事。明道德之廣崇、治亂之條貫、靡不畢見。其文約、其辭微、其志潔、其行廉、其稱文小、而其指極大。擧類邇、而見義遠。其志潔、故其稱物芳。其行廉、故死而不容自疏。濯淖汙泥之中、蟬蛻於濁穢、以浮游塵埃之外、不獲世之滋垢、皭然泥而不滓者也。推此志也、雖與日月爭光可也。屈平既絀。其後秦欲伐齊、齊與楚從親。惠王患之。乃令張儀詳去秦、厚幣委質事楚。曰、秦甚憎齊。齊與楚從親。楚誠能絕齊、秦願獻商於之地

六百里。楚懷王貪而信張儀、遂絕齊。使使如秦受地。張儀詐之曰、儀與王約六里。不聞六百里。楚使怒去、歸告懷王。懷王怒。大興師伐秦。秦發兵擊之。大破楚師於丹淅。斬首八萬、虜楚將屈匄。遂取楚之漢中地。懷王乃悉發國中兵、以深入擊秦。戰於藍田。魏聞之、襲楚至鄧。楚兵懼、自秦歸。而齊竟怒、不救楚。楚大困。明年、秦割漢中地與楚以和。楚王曰、不願得地、願得張儀而甘心焉。張儀聞、乃曰、以一儀而當漢中地、臣請往如楚。如楚、又因厚幣用事者臣靳尚、而設詭辯於懷王之寵姬鄭袖。懷王竟聽鄭袖、復釋去張儀。是時屈平既疏、不復在位。使於齊、顧反諫懷王曰、何不殺張儀。懷王悔、追張儀。不及。其後諸侯共擊楚大破之。殺

其將唐眛。時秦昭王與楚婚、欲與懷王會。懷王欲行。屈平曰、秦虎狼之國、不可信、不如無行。懷王稚子子蘭勸王行。奈何絕秦歡。懷王卒行。入武關。秦伏兵絕其後、因留懷王、以求割地。懷王怒不聽。亡走趙。趙不內。復之秦、竟死於秦而歸葬。長子頃襄王立、以其弟子蘭爲令尹。楚人既咎子蘭以勸懷王入秦而不反也。屈平既嫉之。雖放流、睠顧楚國、繫心懷王、不忘欲反。冀幸君之一悟、俗之一改也。其存君興國、而欲反覆之。一篇之中、三致志焉。然終無可奈何。故不可以反。卒以此見懷王之終不悟也。人君無愚智賢不肖、莫不欲求忠以自爲、擧賢以自佐。然亡國破家相隨屬、而聖君治國累世而不見者、其所謂忠者不忠、而所謂

賢者不賢也。懷王以不知忠臣之分、故內惑於鄭袖、外欺於張儀、疏屈平而信上官大夫・令尹子蘭。兵挫地削、亡其六郡、身客死於秦、爲天下笑。此不知人之禍也。易曰、井泄不食、爲我心惻、可以汲。王明竝受其福。王之不明、豈足福哉。令尹子蘭聞之、大怒。卒使上官大夫短屈原於頃襄王。頃襄王怒而遷之。屈原至於江濱、被髮行吟澤畔。顏色憔悴、形容枯槁。漁父見而問之曰、子非三閭大夫歟。何故而至此。屈原曰、擧世混濁、而我獨淸。衆人皆醉、而我獨醒。是以見放。漁父曰、夫聖人者、不凝滯於物、而能與世推移。擧世混濁、何不隨其流而揚其波。衆人皆醉、何不餔其糟而歠其釃。何故懷瑾握瑜、而自令見放爲。屈原曰、吾聞之、新

沐者必彈冠、新浴者必振衣。人又誰能以身之察察、受物之汶汶者乎。寧赴常流而葬乎江魚腹中耳。又安能以晧晧之白、而蒙世之温蠖乎。乃作懷沙之賦。其辭曰、陶陶孟夏兮、草木莽莽。傷懷永哀兮、汩徂南土。眴兮窈窕。孔靜幽墨、寃結紆軫兮、離愍之長鞠。撫情效志兮、俛詘以自抑。刓方以爲圜兮、常度未替。易初本由兮、君子所鄙。章畫職墨兮、前度未改。内直質重兮、大人所盛。巧匠不斲兮、孰察其揆正。玄文幽處兮、矇謂之不章。離婁微睇兮、瞽以爲無明。變白而爲黑兮、倒上以爲下。鳳皇在笯兮、雞雉翔舞。同糅玉石兮、一概而相量。夫黨人之鄙妬兮、羌不知吾所臧。任重載盛兮、陷滯而不濟。懷瑾握瑜兮、窮不得余所示。邑犬群吠兮、吠所怪也。誹駿疑桀兮、固庸態也。文質疎内兮、衆不知吾之異采。材樸委積兮、莫知余之所有。重仁襲義兮、謹厚以爲豐。重華不可牾兮、孰知余之從容。古固有不竝兮、豈知其故也。湯禹久遠兮、邈不可慕也。懲違改忿兮、抑心而自彊。離湣而不遷兮、願志之有象。進路北次兮、日昧昧其將暮。含憂虞哀兮、限之以大故。亂曰、浩浩沅湘兮、分流汩兮。脩路幽拂兮、道遠忽兮。曾唫恒悲兮、永歎慨兮。世既莫吾知兮。人心不可謂兮。懷情抱質兮、獨無匹兮。伯樂既歿兮、驥將焉程兮。人生有命兮、各有所錯兮。定心廣志余何畏懼兮。曾傷爰哀、永歎喟兮。世溷不吾知。心不可謂、兮知死不可讓兮。願勿愛兮、明以告君子兮。吾將以爲類

兮。於是、懷石、遂自投汨羅以死。屈原既死之後、楚有宋玉、唐勒、景差之徒者。皆好辭、而以賦見稱。然皆祖屈原之從容辭令。終莫敢直諫。其後、楚日以削。數十年、竟爲秦所滅。自屈原沈汨羅後、百有餘年。漢有賈生、爲長沙王太傅。過湘水、投書以弔屈原。

賈生、名誼、雒陽人也。年十八、以能誦詩屬書、聞於郡中。呉廷尉爲河南守、聞其秀才、召置門下、甚幸愛。孝文皇帝初立、聞河南守呉公、治平爲天下第一。故與李斯同邑、而常學事焉、乃徵爲廷尉。廷尉乃言、賈生年少、頗通諸子百家之書。文帝召以爲博士。是時賈生年二十餘、最爲少。每詔令議下、諸老先生不能言。賈生盡爲之對。人人各如其意所欲出。諸生於是乃以爲能不及也。孝文帝說之、超遷、一歳中至太中大夫。賈生以爲漢興、至孝文、二十餘年。天下和洽、而固當改正朔、易服色、法制度、定官名、興禮樂。乃悉草具其事儀法。色尚黄、數用五、爲官名。悉更秦之法。孝文帝初即位、謙讓未遑也。諸律令所更定、及列侯悉就國。其說皆自賈生發之。於是、天子議以爲賈生任公卿之位。絳灌東陽侯、馮敬之屬、盡害之。乃短賈生曰、雒陽之人、年少初學、專欲擅權紛亂諸事。於是、天子後亦疏之、不用其議。乃以賈生爲長沙王太傅。賈生既辭、往行。聞長沙卑濕、自以壽不得長。又以適去。意不自得。及渡湘水、爲賦以弔屈原。其辭曰、共承嘉惠兮、俟罪長沙。側聞屈原兮、自沈汨羅。

造託湘流兮、敬弔先生。遭世罔極兮、乃隕厥身。嗚呼哀哉、逢時不祥。鸞鳳伏竄兮、鴟梟翺翔。闒茸尊顯兮、讒諛得志。賢聖逆曳兮、方正倒植。世謂伯夷貪兮、謂盜跖廉。莫邪爲頓兮、鉛刀爲銛。于嗟嚜嚜兮、生之無故。斡棄周鼎兮、而寶康瓠。騰駕罷牛兮、驂蹇驢。驥垂兩耳兮、服鹽車。章甫薦屨兮、漸不可久。嗟苦先生兮、獨離此咎。誶曰已矣。國其莫我知。獨堙鬱兮、其誰語。鳳漂漂其高遰兮、夫固自縮而遠去。襲九淵之神龍兮、沕深潛以自珍。彌融爚以隱處兮、夫豈從螘與蛭螾。所貴聖人之神德兮、遠濁世而自藏。使騏驥可得係羈兮、豈云異夫犬羊。般紛紛其離此尤兮、亦夫子之辜也。瞝九州而相君兮、何必懷此都也。鳳皇翔于千仞之上兮、覽德煇焉下之。見細德之險微兮、搖增翮逝而去之。彼尋常之汙瀆兮、豈能容吞舟之魚。橫江湖之鱣鱏兮、固將制於螻蟻。賈生爲長沙王太傅。三年、有鵩飛入賈生舍、止於坐隅。楚人命鵩曰服。賈生既以適居長沙。長沙卑濕、自以爲壽不得長。傷悼之、乃爲賦以自廣。其辭曰、單閼之歲兮、四月孟夏、庚子日施兮、服集予舍、止于坐隅、貌甚閒暇。異物來集兮、私怪其故。發書占之兮、策言其度曰、野鳥入處兮、主人將去。請問于服兮、予去何之。吉乎告我、凶言其菑。淹數之度兮、語予其期。服乃歎息、擧首奮翼。口不能言、請對以臆。萬物變化兮、固無休息。斡流而遷兮、或推而還。形氣轉續兮、化變而嬗。沕穆無窮兮、胡可勝言。禍兮

福所倚、福兮禍所伏。憂喜聚門兮、吉凶同域。彼吳彊大兮、夫差以敗。越棲會稽兮、句踐霸世。斯游遂成兮、卒被五刑。傅說胥靡兮、乃相武丁。夫禍之與福兮、何異糾纆。命不可說兮、孰知其極。水激則旱兮、矢激則遠。萬物回薄兮、振蕩相轉。雲蒸雨降兮、錯繆相紛。大專槃物兮、坱軋無垠。天不可與慮兮、道不可與謀。遲數有命兮、惡識其時。且夫天地爲鑪兮、造化爲工。陰陽爲炭兮、萬物爲銅。合散消息兮、安有常則。千變萬化兮、未始有極。忽然爲人兮、何足控摶。化爲異物兮、又何足患。小知自私兮、賤彼貴我。通人大觀兮、物無不可。貪夫徇財兮、列士殉名。夸者死權兮、品庶馮生。怵迫之徒兮、或趨西東。大人不曲兮、億變齊同。拘士繫俗兮、攌如囚拘。至人遺物兮、獨與道俱。衆人或或兮、好惡積意。眞人淡漠兮、獨與道息。釋知遺形兮、超然自喪。寥廓忽荒兮、與道翺翔。乘流則逝兮、得坻則止。縱軀委命兮、不私與己。其生若浮兮、其死若休。澹乎若深淵之靜、氾乎若不繫之舟。不以生故自寶兮、養空而游。德人無累兮、知命不憂。細故慸薊兮、何足以疑。後歲餘、賈生徵見。孝文帝方受釐、坐宣室。上因感鬼神事、而問鬼神之本。賈生因具道所以然之狀。至夜半、文帝前席。既罷、曰、吾久不見賈生、自以爲過之。今不及也。居頃之、拜賈生爲梁懷王太傅。梁懷王、文帝之少子、愛而好書。故令賈生傅之。文帝復封淮南厲王子四人、皆爲列侯。賈生諫。以爲患之興、自此起矣。賈生

數上疏、言諸侯或連數郡、非古之制、可稍削之。文帝不聽。居數年、懷王騎墮馬而死。無後。賈生自傷爲傅無狀。哭泣歲餘、亦死。賈生之死時、年三十三矣。及孝文崩、孝武皇帝立、舉賈生之孫二人、至郡守。而賈嘉最好學。世世其家。與余通書。至孝昭時、列爲九卿。

太史公曰、余讀離騷天問招魂哀郢、悲其志。適長沙、觀屈原所自沈淵、未嘗不垂涕、想見其爲人。及見賈生弔之、又怪屈原以彼其材、游諸侯、何國不容、而自令若是。讀服鳥賦、同死生、輕去就、又爽然自失矣。

王好戰　孟子

梁惠王曰、寡人之於國也、盡心焉耳矣。河內凶、則移其民於河東、移其粟於河內。河東凶亦然。察鄰國之政、無如寡人之用心者。鄰國之民不加少、寡人之民不加多、何也。孟子對曰、王好戰。請以戰喩。塡然鼓之、兵刃既接、棄甲曳兵而走。或百步而後止、或五十步而後止。以五十步笑百步、則何如。曰不可。直不百步耳、是亦走也。曰王如知此、則無望民之多於鄰國也。不違農時、穀不可勝食也。數罟不入洿池、魚鼈不可勝食也。斧斤以時入山林、材木不可勝用也。穀與魚鼈不可勝食、材木不可勝用、是使民養生喪死、無憾也。養生喪死無憾、王道之始也。五畝之宅、樹之以桑、五十者可以衣帛矣。雞豚狗彘之畜、無失其時、七十者可以食肉矣。百畝之田、勿奪其時、數口之家、可以無飢矣。謹庠序之教、申之以孝悌之義、頒白者不負戴於道路矣。七十者衣帛食肉、黎民不飢不寒、然而不王者、未之有也。狗彘食人食、而不知檢。塗有餓莩、而不知發。人死則曰、非我也歲也。是何異於刺人而殺之曰、非我也兵也。王無罪歲、斯天下之民至焉。

牽牛而過堂下　孟子

齊宣王問曰、齊桓晉文之事、可得聞乎。孟子對曰、仲尼之徒、無道桓文之事者。是以後世無傳焉。臣未之聞也。無以則王乎。曰德何如、則可以王矣。曰保民而王、莫之能禦也。曰若寡人者、可以保民乎哉。曰可。曰何由知吾可也。曰臣聞之胡齕、曰王坐於堂上。有牽牛而過堂下者。王見之曰、

牛何之。對曰、將以釁鐘。王曰舍之。吾不忍其觳觫、若無罪而就死地。對曰、然則廢釁鐘與。曰何可廢也。以羊易之。不識有諸。曰有之。曰是心足以王矣。百姓皆以王爲愛也。臣固知王之不忍也。王曰然。誠有百姓者。齊國雖褊小、吾何愛一牛。即不忍其觳觫、若無罪而就死地、故以羊易之也。曰王無異於百姓之以王爲愛也。以小易大、彼惡知之。王若隱其無罪而就死地、則牛羊何擇焉。王笑曰、是誠何心哉。我非愛其財、而易之以羊也。宜乎百姓之謂我愛也。曰無傷也。是乃仁術也。見牛未見羊也。君子之於禽獸也、見其生、不忍見其死。聞其聲、不忍食其肉。是以君子遠庖廚也。王說曰、詩云、他人有心、予忖度之。夫子之謂也。夫我乃

行之、反而求之、不得吾心。夫子言之、於我心有戚戚焉。此心之所以合於王者何也。曰、有復於王者曰、吾力足以擧百鈞、而不足擧一羽。明足以察秋毫之末、而不見輿薪。則王許之乎。曰、否。今恩足以及禽獸、而功不至於百姓者、獨何與。然則一羽之不擧、爲不用力焉。輿薪之不見、爲不用明焉。百姓之不見保、爲不用恩焉。故王之不王、不爲也。非不能也。曰、不爲者與不能者之形、何以異。曰、挾泰山以超北海、語人曰、我不能。是誠不能也。爲長者折枝、語人曰、我不能。是不爲也。非不能也。故王之不王、非挾泰山以超北海之類也。王之不王、是折枝之類也。老吾老以及人之老、幼吾幼以及人之幼、天下可運於掌。詩云、刑于寡妻、至于兄弟、以御于家邦。言擧斯心、加諸彼而已。故推恩足以保四海、不推恩無以保妻子。古之人、所以大過人者無他焉、善推其所爲而已矣。今恩足以及禽獸、而功不至於百姓者、獨何與。權然後知輕重、度然後知長短。物皆然、心爲甚。王請度之。抑王興甲兵、危士臣、構怨於諸侯、然後快於心與。王曰、否、吾何快於是。將以求吾所大欲也。曰、王之所大欲、可得聞與。王笑而不言。曰、爲肥甘不足於口與、輕煖不足於體與、抑爲采色不足視於目與、聲音不足聽於耳與、便嬖不足使令於前與。王之諸臣、皆足以供之。而王豈爲是哉。曰、否、吾不爲是也。曰、然則王之所大欲可知已。欲辟土地、朝秦楚、莅中國、而撫四夷也。以若所爲、求若所欲、猶

緣木而求魚也。王曰、若是其甚與。曰、殆有甚焉。緣木求魚、雖不得魚、無後災。以若所爲、求若所欲、盡心力而爲之、後必有災。曰、可得聞與。曰、鄒人與楚人戰、則王以爲孰勝。曰、楚人勝。曰、然則小固不可以敵大、寡固不可以敵衆、弱固不可以敵彊。海內之地方千里者九、齊集有其一。以一服八、何以異於鄒敵楚哉。蓋亦反其本矣。今王發政施仁、使天下仕者、皆欲立於王之朝、耕者皆欲耕於王之野、商賈皆欲藏於王之市、行旅皆欲出於王之塗、天下之欲疾其君者、皆欲赴愬於王。其若是、孰能禦之。王曰、吾惛不能進於是矣。願夫子輔吾志、明以敎我。我雖不敏、請嘗試之。曰、無恒產而有恒心者、惟士爲能。若民則無恒產、因無恒心。苟無恒心、放辟邪侈、無不爲已。及陷於罪、然後從而刑之、是罔民也。焉有仁人在位、罔民而可爲也。是故明君制民之產、必使仰足以事父母、俯足以畜妻子、樂歲終身飽、凶年免於死亡。然後驅而之善。故民之從之也輕。今也制民之產、仰不足以事父母、俯不足以畜妻子、樂歲終身苦、凶年不免於死亡。此惟救死而恐不贍。奚暇治禮義哉。王欲行之、則盍反其本矣。五畝之宅、樹之以桑、五十者可以衣帛矣。雞豚狗彘之畜、無失其時、七十者可以食肉矣。百畝之田、勿奪其時、八口之家、可以無飢矣。謹庠序之敎、申之以孝悌之義、頒白者不負戴於道路矣。老者衣帛食肉、黎民不飢不寒。然而不王者、未之有也。

不召之臣　孟子

孟子將朝王、王使人來曰、寡人如就見者也。有寒疾、不可以風。朝將視朝、不識可使寡人得見乎。對曰、不幸而有疾、不能造朝。明日出弔於東郭氏。公孫丑曰、昔者辭以病、今日弔、或者不可乎。曰、昔日病、今日愈、如之何不弔。王使人問疾、醫來。孟仲子對曰、昔者有王命、有采薪之憂、不能造朝。今病小愈、趨造於朝。我不識能至否乎。使數人要於路曰、請必無歸、而造於朝。不得已而之景丑氏宿焉。景子曰、內則父子、外則君臣、人之大倫也。父子主恩、君臣主敬。丑見王之敬子也、未見所以敬王也。曰、惡是何言也。齊人無以仁義與王言者、豈以仁義爲不美也。其心曰、是何足與

言仁義也云爾。則不敬莫大乎是。我非堯舜之道、不敢以陳於王前。故齊人莫如我敬王也。景子曰、否、非此之謂也。禮曰、父召無諾、君命召不俟駕。固將朝也、聞王命而遂不果、宜與夫禮若不相似然。曰、豈謂是與。曾子曰、晉楚之富、不可及也。彼以其富、我以吾仁。彼以其爵、我以吾義。吾何慊乎哉。夫豈不義而曾子言之。是或一道也。天下有達尊三、爵一、齒一、德一。朝廷莫如爵、鄕黨莫如齒、輔世長民莫如德。惡得有其一、以慢其二哉。故將大有爲之君、有所不召之臣。欲有謀焉則就之。其尊德樂道、不如是不足與有爲也。故湯之於伊尹、學焉而後臣之。故不勞而王。桓公之於管仲、學焉而後臣之。故不勞而覇。今天下地醜德齊、莫能相尚。無他、好臣其所教、而不好臣其所受教。湯之於伊尹、桓公之於管仲、則不敢召。管仲猶不可召、而況不爲管仲者乎。

爲高必因丘陵　孟子

孟子曰、離婁之明、公輸子之巧、不以規矩、不能成方員。師曠之聰、不以六律、不能正五音。堯舜之道、不以仁政、不能平治天下。今有仁心仁聞、而民不被其澤、不可法於後世者、不行先王之道也。故曰、徒善不足以爲政、徒法不能以自行。詩云、不愆不忘、率由舊章。遵先王之法而過者、未之有也。聖人既竭目力焉、繼之以規矩準繩、以爲方員平直、不可勝用也。既竭耳力焉、繼之以六律、正五音、不可勝用

也。既竭心思焉、繼之以不忍人之政、而仁覆天下矣。故曰、爲高必因丘陵、爲下必因川澤。爲政不因先王之道、可謂智乎。是以惟仁者宜在高位。不仁而在高位、是播其惡於衆也。上無道揆也、下無法守也、朝不信道、工不信度、君子犯義、小人犯刑、國之所存者幸也。故曰、城郭不完、兵甲不多、非國之災也。田野不辟、貨財不聚、非國之害也。上無禮、下無學、賊民興、喪無日矣。詩曰、天之方蹶、無然泄泄。泄泄猶沓沓也。事君無義、進退無禮、言則非先王之道者、猶沓沓也。故曰、責難於君、謂之恭。陳善閉邪、謂之敬。吾君不能、謂之賊。

古聖之評　孟子

孟子曰、伯夷目不視惡色。耳不聽惡聲。非其君不事。非其民不使。治則進、亂則退。橫政之所出、橫民之所止、不忍居也。思與鄉人處、如以朝衣朝冠、坐於塗炭也。當紂之時、居北海之濱、以待天下之清也。故聞伯夷之風者、頑夫廉、懦夫有立志。伊尹曰、何事非君。何使非民。治亦進、亂亦進。曰天之生斯民也、使先知覺後知、使先覺覺後覺。予天民之先覺者也。予將以此道覺此民也。思天下之民、匹夫匹婦、有不與被堯舜之澤者、若己推而內之溝中。其自任、以天下之重也。柳下惠不羞汙君、不辭小官、進不隱賢、必以其道。遺佚而不怨、阨窮而不憫、與鄉人處、由由然不忍去也。爾爲爾、我爲我、雖袒裼裸裎於我側、爾焉能浼我哉。故聞

柳下惠之風者、鄙夫寬、薄夫敦。孔子之去齊、接淅而行。去魯曰、遲遲吾行也、去父母國之道也。可以速而速、可以久而久、可以處而處、可以仕而仕、孔子也。孟子曰、伯夷、聖之清者也。伊尹聖之任者也。柳下惠聖之和者也。孔子聖之時者也。孔子之謂集大成。集大成也者、金聲而玉振之也。金聲也者始條理也。玉振之也者、終條理也。始條理者、智之事也。終條理者、聖之事也。智譬則巧也。聖譬則力也。由射於百步之外也。其至爾力也。其中非爾力也。

不託諸侯　孟子

萬章曰、士之不託諸侯何也。孟子曰、不敢也。諸侯失國、而後託於諸侯、禮也。士之託於諸侯、非禮也。萬章曰、君餽之粟則受之乎。曰受之。受之何義也。曰君之於氓也、固周之。曰周之則受、賜之則不受何也。曰不敢也。曰敢問、其不敢何也。曰抱關擊柝者、皆有常職、以食於上。無常職而賜於上者、以爲不恭也。曰君餽之則受之、不識可常繼乎。曰繆公之於子思也、亟問亟餽鼎肉、子思不悅。於卒也、摽使者出諸大門之外、北面稽首再拜、而不受。曰今而後、知君之犬馬畜伋。蓋自是臺無餽也。悅賢不能舉、又不能養也、可謂悅賢乎。曰敢問、國君欲養君子、如何斯可謂養矣。曰以君命將之、再拜稽首而受。其後廩人繼粟、庖人繼肉、不以君命將之。子思以爲、鼎肉使己僕僕爾亟拜也。非養君子之道也。堯之於舜也、使其子九男事之、二女女焉。百官牛

羊倉廩備、以養舜於畎畝之中。後舉而加諸上位。故曰王公之尊賢者也。

鄉原德之賊　孟子

萬章問曰、孔子在陳曰、盍歸乎來。吾黨之士、狂簡進取、不忘其初。孔子在陳、何思魯之狂士。孟子曰、孔子不得中道而與之、必也狂獧乎。狂者進取、獧者有所不爲也。孔子豈不欲中道哉。不可必得。故思其次也。敢問、何如斯可謂狂矣。曰、如琴張曾晳牧皮者、孔子之所謂狂矣。何以謂之狂也。曰、其志嘐嘐然。曰古之人古之人、夷考其行、而不掩焉者也。狂者又不可得。欲得不屑不潔之士、而與之、是獧也。是又其次也。孔子曰、過我門而不入我室、我不憾焉者、其

惟鄉原乎。鄉原德之賊也。曰何如斯可謂之鄉原矣。曰何以是嘐嘐也。言不顧行、行不顧言、則曰古之人古之人。行何爲踽踽涼涼。生斯世也、爲斯世也、善斯可矣。閹然媚於世也者、是鄉原也。萬章曰、一鄉皆稱原人焉。無所往而不爲原人。孔子以爲德之賊何哉。曰非之無舉也。刺之無刺也。同乎流俗、合乎汙世。居之似忠信、行之似廉潔。衆皆悅之、自以爲是、而不可與入堯舜之道。故曰、德之賊也。孔子曰、惡似而非者。惡莠恐其亂苗也。惡佞恐其亂義也。惡利口恐其亂信也。惡鄭聲恐其亂樂也。惡紫恐其亂朱也。惡鄉原恐其亂德也。君子反經而已矣。經正則庶民興。庶民興、斯無邪慝矣。

岳陽樓記

范仲淹

慶曆四年春、滕子京謫守巴陵郡。越明年、政通人和、百廢具興。乃重修岳陽樓、增其舊制、刻唐賢今人詩賦于其上。屬予作文以記之。予觀夫巴陵勝狀、在洞庭一湖。銜遠山、吞長江、浩浩湯湯、橫無際涯、朝暉夕陰、氣象萬千。此則岳陽樓之大觀也。前人之述備矣。然則北通巫峽、南極瀟湘、遷客騷人、多會于此。覽物之情、得無異乎。若夫霪雨霏霏、連月不開。陰風怒號、濁浪排空。日星隱曜、山岳潛形。商旅不行、檣傾楫摧。薄暮冥冥、虎嘯猿啼。登斯樓也、則有去國懷鄉、憂讒畏譏。滿目蕭然、感極而悲者矣。至若春和景明、波瀾不驚。上下天光、一碧萬頃。沙鷗翔集、錦鱗游泳。岸芷汀蘭、郁郁青青。而或長煙一空、皓月千里。浮光躍金、靜影沈璧。漁歌互答、此樂何極。登斯樓也、則有心曠神怡、寵辱皆忘。把酒臨風、其喜洋洋者矣。嗟夫予嘗求古仁人之心、或異二者之爲何哉。不以物喜、不以己悲。居廟堂之高、則憂其民。處江湖之遠、則憂其君。是進亦憂、退亦憂。然則何時而樂耶。其必曰先天下之憂而憂、後天下之樂而樂歟。噫微斯人吾誰與歸。

袁州學記

李覯

皇帝二十有三年、制詔州縣立學。惟時守令、有哲有愚。有屈力殫慮祇順德意。有假官借師苟具文書。或連數城、亡誦絃聲。倡而不和。教尼不行。三十有二年、范陽祖君無擇、知袁州。始至進諸生、知學官闕狀。大懼人才放失、儒效闊疎、亡以稱上意旨。通判潁川陳君侁、聞而是之、議以克合。相舊夫子廟、狹隘不足改爲。乃營治之東。厥土燥剛、厥位面陽、厥材孔良。殿堂門廡、黝堊丹漆、舉以法故。生師有舍、庖廩有次。百爾器備、並手偕作。工善吏勤、晨夜展力。越明年成。舍菜且有日。盱江李覯諗于衆曰、惟四代之學、考諸經可見已。秦以山西鏖六國、欲帝萬世。劉氏一呼、而關門不守。武夫健將、賣降恐後、何耶。詩書之道廢、人惟見利、而不聞義焉耳。孝武乘豐富、世祖出戎行、皆孳孳學術。俗化之厚、延于靈獻。草茅危言者、折首而不悔。功烈震主者、聞令而釋兵。群雄相視、不敢去臣位、尚數十年。教道之結人

心如此。今代遭聖神、爾袁得賢君、俾爾由庠序踐古人之迹。天下治則譚禮樂、以陶吾民。一有不幸、猶當仗大節為臣死忠、為子死孝、使人有所賴、且有所法。是惟朝家教學之意。若夫弄筆墨以徼利達而已、豈徒二三子之羞。抑亦為國者之憂。

豐樂亭記

歐陽修

修既治滁之明年夏、始飲滁水而甘。問諸滁人、得於州南百步之近。其上豐山、聳然而特立。下則幽谷、窈然而深藏。中有清泉、滃然而仰出。俯仰左右、顧而樂之。於是疏泉鑿石、闢地以為亭。而與滁人往遊其間。滁於五代干戈之際、用武之地也。昔太祖皇帝、嘗以周師破李景兵十五萬於

清流山下。生擒其將皇甫暉、姚鳳於滁東門之外、遂以平滁。修嘗考其山川、按其圖記、升高以望清流之關、欲求暉鳳就擒之所。而故老皆無在者。蓋天下之平久矣。自唐失其政、海內分裂、豪傑並出而爭、所在為敵國者、何可勝數。及宋受天命、聖人出而四海一。嚮之憑恃險阻、剗削消磨百年之間、漠然徒見山高而水清、欲問其事、而遺老盡矣。今滁介於江淮之間、舟車商賈、四方賓客之所不至。民生不見外事、而安於畎畝衣食、以樂生送死。而孰知上之功德、休養生息、涵煦百年之深也。修之來此、樂其地僻而事簡。又愛其俗之安閒。既得斯泉於山谷之間。乃日與滁人仰而望山、俯而聽泉。掇幽芳而蔭喬木、風霜冰雪、刻露清

秀、四時之景、無不可愛。又幸其民樂其歲物之豐成、而喜與予遊也。因為本其山川、道其風俗之美、使民知所以安此豐年之樂者、幸生無事之時也。夫宣上恩德、以與民共樂、刺史之事也。遂書以名其亭焉。

種樹郭橐駝傳

柳宗元

郭橐駝、不知始何名。病僂、隆然伏行、有類橐駝者。故鄉人號之駝。駝聞之曰、甚善。名我固當。因捨其名、亦自謂橐駝云。其鄉曰豐樂鄉。在長安西。駝業種樹。凡長安豪富人、為觀遊、及賣果者、皆爭迎取養視。駝所種樹、或移徙無不活且碩茂、蚤實以蕃。他植者、雖窺伺傚慕、莫能如也。有問之對曰、橐駝非能使木壽且孳也。能順木之天、以致其性焉

爾。凡植木之性、其本欲舒、其培欲平、其土欲故、其築欲密。既然已、勿動勿慮。去不復顧。其蒔也若子、其置也若棄、則其天者全、而其性得矣。故吾不害其長而已。非有能碩茂之也。不抑耗其實而已。非有能蚤而蕃之也。他植者則不然。根拳而土易、其培之也、若不過焉則不及。苟能有反是者、則又愛之太恩、憂之太勤、旦視而暮撫、已去而復顧、甚者爪其膚、以驗其生枯、搖其本以觀其疎密。而木之性日以離矣。雖曰愛之、其實害之、雖曰憂之、其實讎之。故不我若也。吾又何能為哉。問者曰、以子之道、移之官理可乎。駝曰、我知種樹而已。理非吾業也。然吾居鄉見長人者、好煩其令。若甚憐焉而卒以禍。旦暮吏來而呼曰、官命促爾耕、

勗爾植、督爾穫。蚤繅而緖。蚤織而縷。字而幼孩、遂而雞豚。鳴鼓而聚之、擊木而召之。吾小人、輟飧饔以勞吏者。且不得暇。又何以蕃吾生、而安吾性耶。故病且怠若是。則與吾業者其亦有類乎。問者嘻曰、不亦善夫。吾問養樹、得養人術。傳其事以爲官戒也。

毛穎傳　韓愈

毛穎者中山人也。其先明眎、佐禹治東方土。養萬物有功、因封於卯地。死爲十二神。嘗曰、吾子孫神明之後、不可與物同。當吐而生。已而果然。明眎八世孫䨲。世傳當殷時、居中山得神仙之術、能匿光使物、竊姮娥騎蟾蜍入月。其後代遂隱不仕云。居東郭者曰㕙。狡而善走。與韓盧爭能、盧不

及。盧怒。與宋鵲謀而殺之、醢其家。秦始皇時、蒙將軍恬伐楚次中山。將大獵以懼楚。召左右庶長與軍尉、以連山筮之。得天與人文之兆。筮者賀曰、今日之獲、不角不牙、衣褐之徒、缺口而長鬚、八竅而趺居。獨取其髦、簡牘是資、天下其同書。秦其遂兼諸侯乎。遂獵圍毛氏之族、拔其豪載穎而歸、獻俘於章臺宮。聚其族而加束縛焉。秦皇帝使恬賜之湯沐、而封之管城、號曰管城子。日見親寵、任事。穎爲人強記而便敏、自結繩之代、以及秦事、無不纂錄。陰陽卜筮、占相醫方、族氏山經、地志字書、圖畫九流、百家天人之書、及至浮圖老子、外國之說、皆所詳悉。又通於當代之務、官府簿書、市井貨錢注記、惟上所使。自秦皇帝及太子扶蘇、胡亥、丞相斯、中車府令高、下及國人、無不愛重。又善隨人意、正直邪曲巧拙、一隨其人。雖見廢棄、終默不洩。惟不喜武士。然見請亦時往。累拜中書令、與上益狎。上嘗呼爲中書君、上親決事、以衡石自程。雖宮人不得立左右。獨穎與執燭者、常侍。上休方罷。穎與絳人陳玄、弘農陶泓、及會稽褚先生友善。相推致、其出處必偕。上召穎、三人者不待詔、輒俱往。上未嘗怪焉。後因進見、上將有任使、拂拭之。因免冠謝。上見其髮禿、又所摹畫不能稱上意。上嘻笑曰、中書君老而禿、不任吾用。吾嘗謂君中書。君今不中書耶。對曰、臣所謂盡心者、因不復召。歸封邑、終于管城。其子孫甚多、散處中國夷狄、皆冒管城。惟居中山者、能繼父祖業。

太史公曰、毛氏有兩族。其一姬姓、文王之子、封於毛。所謂魯衞毛聃者也。戰國時、有毛公毛遂。獨中山之族、不知其本所出。子孫最爲蕃昌。春秋之成、見絕於孔子。而非其罪、及蒙將軍拔中山之豪、始皇封之管城、世遂有名。而姬姓之毛無聞。穎始以俘見、卒見任使。秦之滅諸侯、穎與有功。賞不酬勞、以老見疏。秦眞少恩哉。

論養士　蘇軾

春秋之末、至於戰國、諸侯卿相、皆爭養士。自謀夫說客、談天雕龍、堅白同異之流、下至擊劍扛鼎、雞鳴狗盜之徒、莫不賓禮。靡衣玉食、以館於上者、何可勝數。越王句踐、有君子六千人、魏無忌、齊田文、趙勝黃歇、呂不韋、皆有客三千

人。而田文、招致任俠姦人六萬家於薛。齊稷下談者亦千人。魏文侯、燕昭王、太子丹、皆致客無數。下至秦漢之間、張耳陳餘號多士。賓客厮養、皆天下豪傑、而田横亦有士五百人。其略見於傳記者如此。度其餘、當倍官吏而半農夫也。此皆姦民蠹國者、民何以支、而國何以堪乎。蘇子曰、此先王之所不能免也。國之有姦也、猶鳥獸之有猛鷙、昆蟲之有毒螫也。區處條理、使各安其處、則有之矣。鋤而盡去之、則無是道也。吾考之世變、知六國之所以久存、而秦之所以速亡者、蓋出於此。不可以不察也。夫智勇辯力、此四者皆天民之秀傑者也。類不能惡衣食以養人。皆役人以自養者也。故先王分天下之富貴、與此四者共之。此四者

不失職、則民靖矣。四者雖異、先王因俗設法、使出於一。三代以上出於學、戰國至秦出於客、漢以後出於郡縣吏、魏晉以來出於九品中正、隋唐至今出於科擧。雖不盡然、取其多者論之。六國之君、虐用其民、不減始皇二世。然當此時、百姓無一人叛者。以凡民之秀傑者、多以客養之、不失職也。其力耕以奉上、皆椎魯無能爲者、雖欲怨叛而莫爲之先。此其所以少安而不即亡也。始皇始欲逐客、用李斯之言而止。既幷天下則以客爲無用。於是任法而不任人。謂民可以恃法而治。謂吏不必才取能守吾法而已。故隳名城殺豪傑、民之秀異者、散而歸田畝。向之食於四公子呂不韋之徒者、皆安歸哉。不知其能槁項黃馘、以老死於布褐乎。抑將輟耕太息以俟時也。秦之亂雖成於二世、然使始皇知畏此四人者、有以處之、使不失職、秦之亡、不至若是速也。縱百萬虎狼於山林、而饑渇之、不知其將噬人。世以始皇爲智、吾不信也。楚漢之禍、生民盡矣。豪傑宜無幾。而代相陳豨、從車千乘、蕭曹爲政、莫之禁也。至文景武之世、法令至密、然吳濞淮南梁王魏其武安之流、皆爭致賓客。世主不問也。豈懲秦之禍、以爲爵祿不能盡縻天下之士。故少寛之、使得或出於此也邪。若夫先王之政則不然。曰君子學道則愛人、小人學道則易使也。嗚呼此豈秦漢之所及也哉。

始皇論

蘇軾

秦始皇帝時、趙高有罪、蒙毅按之當死、始皇赦而用之。長子扶蘇好直諫、上怒使北監蒙恬兵於上郡。始皇東遊會稽、並海走琅邪。少子胡亥、李斯、蒙毅、趙高從。道病、使蒙毅還禱山川、未及還、上崩。李斯趙高矯詔、立胡亥、殺扶蘇蒙恬蒙毅、卒以亡秦。蘇子曰、始皇制天下輕重之勢、使内外相形、以禁奸備亂者、可謂密矣。蒙恬將三十萬人、威振北方、扶蘇監其軍、而蒙毅侍帷幄、爲謀臣。雖有大奸賊、敢睥睨其間哉。不幸道病、禱祠山川、尚有人也。而遣蒙毅、故高斯得成其謀。始皇之遣毅、毅見始皇病太子未立、而去左右、皆不可以言智。雖然、天之亡人國、其禍敗必出於智之所不及。聖人爲天下、不恃智以防亂、恃其無致亂之道耳。

始皇致亂之道、在用趙高。夫閹尹之禍、如毒藥猛獸、未有不裂肝碎首者也。自有書契以來、惟東漢呂彊、後唐張承業二人、號稱善良。豈可望一二於千萬、以徼必亡之禍哉。然世主皆甘心而不悔。如漢桓靈唐肅代、猶不足深怪。始皇漢宣皆英主。亦湛於趙高恭顯之禍。彼自以爲聰明人傑也。奴僕薰腐之餘、何能爲。及其亡國亂朝、乃與庸主不異。吾故表而出之、以戒後世人主如始皇漢宣者。或曰、李斯佐始皇定天下。不可謂不智。扶蘇親始皇子、秦人戴之久矣。陳勝假其名。猶足以亂天下。而蒙恬持重兵在外。使二人不即受誅而復請之。則斯高無遺類矣。以斯之智、而不慮此、何哉。蘇子曰、嗚呼秦之失道、有自來矣、豈獨始皇

之罪。自商鞅變法、以殊死爲輕典、以參夷爲常法、人臣狼顧脅息、以得死爲幸、何暇復請。方其法之行也、求無不獲、禁無不止、鞅自以爲軼堯舜而駕湯武矣。及其出亡而無所舍、然後知爲法之弊、夫豈獨鞅悔之、秦亦悔之矣。荊軻之變、持兵者、熟視始皇環柱而走、莫之救者奈、以法重故也。李斯之立胡亥、不復忌二人者、知威令之素行、而臣子不敢復請也。二人之不敢復請、亦知始皇之鷙悍、而不可回也。豈料其僞也哉。周公曰、平易近民、民必歸之。孔子曰、有一言而可以終身行之、其恕矣乎。夫以忠恕爲心、而以平易爲政、則上易知而下易達、雖有賣國之姦、無所投其隙、倉卒之變、無自發焉。然其令行禁止、蓋有不及商鞅者矣。而

聖人終不以彼易此。商鞅立信於徙木、立威於棄灰、刑其親戚師傅、無惻容。積威信之極、以及始皇、秦人視其君、如雷電鬼神不可測識也。古者公族有罪、三宥然後致刑。今至使人矯殺其太子而不忌、太子亦不敢請、則威信之過也。故夫以法毒天下者、未有不反中其身及其子孫者也。漢武與始皇皆果於殺者也、故其子如扶蘇之仁、則寧死而不請、如戾太子之悍、則寧反而不訴、知訴之必不察也。戾太子豈欲反者哉。計出於無聊也。故爲二君之子者、有死與反而已、李斯之智、蓋足以知扶蘇之必不反也。吾又表而出之、以戒後世人主之果於殺者。

管仲論　　蘇洵

管仲相威公、霸諸侯、攘戎狄。終其身齊國富強、諸侯不叛。管仲死。豎刁易牙開方用。桓公薨於亂、五公子爭立。其禍蔓延訖簡公、齊無寧歲。夫功之成、非成於成之日、蓋必有所由起。禍之作、不作於作之日、亦必有所由兆。則齊之治也、吾不曰管仲、而曰鮑叔。及其亂也、吾不曰豎刁易牙開方、而曰管仲。何則豎刁易牙開方三子、彼固亂人國者、顧其用之者、威公也。夫有舜而後知放四凶。有仲尼、而後知去少正卯。彼威公何人也。顧其使威公得用三子者管仲也。仲之疾也、公問之相。當是時也、吾以仲且舉天下之賢者以對。而其言乃不過曰豎刁易牙開方三子、非人情、不可近而已。嗚呼仲以爲威公果能不用三子矣乎。仲與威

公處幾年矣。亦知威公之爲人矣乎。威公聲不絕乎耳、色不絕乎目、而非三子之者、則無以遂其欲。彼其初之所以不用者、徒以有仲焉耳。一日無仲、則三子者、可以彈冠相慶矣。仲以爲將死之言、可以縶威公之手足耶。夫齊國不患有三子、而患無仲。有仲則三子者、三匹夫耳。不然天下豈少三子之徒哉。雖威公幸而聽仲、誅此三人、而其餘者仲能悉數而去之耶。嗚呼仲可謂不知本者矣。因威公之問、舉天下之賢者以自代、則仲雖死、而齊國未爲無仲也。夫何患三子者。不言可也。五霸莫盛於威文。文公之才、不過威公。其臣又皆不及仲。靈公之虐、不如孝公之寬厚。文公死、諸侯不敢叛晉。晉襲文公之餘、威得爲諸侯之盟主

者、百有餘年。何者其君雖不肖、而尚有老成人焉。威公之薨也。一敗塗地無惑也。彼獨恃一管仲、而仲則死矣。夫天下未嘗無賢者。蓋有有臣而無君者矣。威公在焉。而曰天下不復有管仲者、吾不信也。仲之書、有記其將死論鮑叔賓胥無之爲人、且各疏其短。是其心以爲、是數子者、皆不足以託國。而又逆知其將死、則其書誕謾不足信也。吾觀史鰌以不能進蘧伯玉、而退彌子瑕、故有身後之諫、蕭何且死舉曹參以自代。大臣之用心、固宜如此也。夫國以一人興、以一人亡。賢者不悲其身之死、而憂其國之衰。故必復有賢者而後可以死。彼管仲者何以死哉。

縱囚論　歐陽脩

信義行於君子、而刑戮施於小人。刑入於死者、乃罪大惡極。此又小人之尤甚者也。寧以義死、不苟幸生。而視死如歸、此又君子之尤難者也。方唐太宗之六年、錄大辟囚三百餘人、縱使還家。約其自歸以就死。是以君子之難能、期小人尤者、以必能也。其囚及期而卒自歸、無後者。是君子之所難、而小人所易也。此豈近於人情。或曰、罪大惡極、誠小人矣。及施恩德以臨之、可使變而爲君子。蓋恩德入人之深、而移人之速、有如是者矣。曰太宗之爲此、所以求此名也。然安知夫縱之去也、不意其必來以冀免、所以縱之乎。又安知夫被縱而去也、不意其自歸、而必獲免、所以復來乎。夫意其必來而縱之、是上賊下之情也。意其必免而

復來、是下賊上之心也。吾見上下交相賊、以成此名也。烏有所謂施恩德、與夫知信義者哉。不然太宗施德於天下、於茲六年矣。不能使小人不爲極惡大罪。而一日之恩、能使視死如歸、而存信義、此又不通之論也。然則何爲而可、日縱而來歸殺之無赦。而又縱之而又來、則可知爲恩德之致爾。然此必無之事也。若夫縱而來歸而赦之、可偶一爲之爾。若屢爲之、則殺人者皆不死。是可爲天下之常法乎。不可爲常者、其聖人之法乎。是以堯舜三王之治、必本於人情、不立異以爲高。不逆情以干譽。

朋黨論　歐陽脩

臣聞朋黨之說、自古有之、惟幸人君辨其君子小人而已。

大凡君子與君子以同道為朋、小人與小人以同利為朋。此自然之理也。然臣謂、小人無朋。惟君子則有之。其故何哉。小人所好者祿利也。所貪者財貨也。當其同利之時、暫相黨引、以為朋者僞也。及其見利而爭先、或利盡而交疏、則反相賊害、雖其兄弟親戚、不能相保。故臣謂小人無朋。其暫為朋者僞也。君子則不然。所守者道義。所行者忠信。所惜者名節。以之脩身、則同道而相益、以之事國、則同心而共濟。終始如一。此君子之朋也。故為人君者、但當退小人之僞朋、用君子之眞朋、則天下治矣。堯之時、小人共工驩兜等四人、為一朋。君子八元八凱十六人、為一朋。舜佐堯退四凶小人之朋、而進元凱君子之朋。堯之天下大治。

及舜自為天子、而皐夔稷契等二十二人、並列於朝更相稱美、更相推讓。凡二十二人為一朋、而舜皆用之。天下亦大治。書曰、紂有臣億萬、惟億萬心。周有臣三千、惟一心。紂之時億萬人、各異心。可謂不為朋矣。然紂以亡國。周武王之臣三千人、為一大朋。而周用以興。後漢獻帝時、盡取天下名士、囚禁之、目為黨人。及黃巾賊起、漢室大亂、後方悔悟、盡解黨人而釋之。然已無救矣。唐之晚年、漸起朋黨之論。及昭宗時、盡殺朝之名士、咸投之黃河、曰此輩清流、可投濁流。而唐遂亡矣。夫前世之主、能使人人異心不為朋、莫如紂。能禁絕善人為朋、莫如漢獻帝。能誅戮清流之朋、莫如唐昭宗之世。然皆亂亡其國。更相稱美推讓、而不自疑、莫如舜之二十二臣。舜亦不疑而皆用之。然而後世、不誚舜為二十二人朋黨所欺。而稱舜為聰明之聖者、以能辨君子與小人也。周武之世、舉其國之臣三千人共為一朋。自古為朋之多且大、莫如周。然周用此以興者、善人雖多而不厭也。夫興亡治亂之迹、為人君者可以鑒矣。

晉文公問守原議　　柳宗元

晉文公既受原於王、難其守。問寺人勃鞮、以畀趙衰。余謂、守原政之大者也。所以承天子、樹霸功、致命諸侯。不宜謀及媟近、以忝王命。而晉君擇大任、不公議於朝、而私議於宮。不博謀於卿相、而獨謀於寺人。雖或衰之賢足以守、國之政不為敗、而賊賢失政之端、由是滋矣。況當其時、不乏

言議之臣乎。狐偃為謀臣、先軫將中軍。晉君疏而不咨、外而不求。乃卒定於內豎。其可以為法乎。且晉君將襲齊桓之業、以翼天子乃大志也。然而齊桓任管仲以興、進豎刁以敗。則獲原啓疆、適其始政、所以觀視諸侯也。而乃背其所以興、跡其所以敗。然而能霸諸侯者、以土則大、以力則彊、以義則天子之冊也。誠畏之矣。烏能得其心服哉。其後景監得以相衞鞅、弘石得以殺望之、誤之者晉文公也。嗚呼得賢臣以守大邑、則非失舉也。蓋失問也。然猶羞當時陷後代若此。況於問與舉又兩失者、其何以救之哉。余故著晉君之罪、以附春秋許世子止趙盾之義。

論佛骨表　　韓愈

臣某言、伏以佛者夷狄之一法耳。自後漢時流入中國。上古未嘗有也。昔者黄帝在位百年、年百一十歲、少昊在位八十年、年百歲。顓頊在位七十九年、年九十八歲。帝嚳在位七十年、年百五歲。帝堯在位九十八年、年百一十八歲。帝舜及禹年皆百歲。此時天下太平、百姓安樂壽考。然而中國未有佛也。其後殷湯亦年百歲。湯孫太戊在位七十五年、武丁在位五十九年、書史不言其年壽所極。推其年數、蓋亦俱不減百歲。周文王年九十七歲、武王年九十三歲、穆王在位百年。此時佛法亦未入中國。非因事佛而致然也。漢明帝時始有佛法。明帝在位纔十八年耳。其後亂亡相繼、運祚不長。宋齊梁陳元魏以下、事佛漸謹、年代尤促。惟梁武帝、

在位四十八年、前後三度捨身施佛。宗廟之祭不用牲牢、晝日一食、止於菜果。其後竟爲侯景所逼、餓死台城、國亦尋滅。事佛求福、乃更得禍。由此觀之、佛不足事亦可知矣。高祖始受隋禪、則議除之。當時羣臣材識不遠、不能深知先王之道、古今之宜、推闡聖明、以救斯弊。其事遂止。臣常恨焉。伏惟睿聖文武皇帝陛下、神聖英武、數千百年已來、未有倫比。即位之初、即不許度人爲僧尼道士。又不許創立寺觀。臣常以爲高祖之志、必行於陛下之手。今縱未能即行、豈可恣之轉令盛也。今聞陛下令羣僧迎佛骨於鳳翔、御樓以觀、舁入大内。又令諸寺遞迎供養。臣雖至愚、必知陛下不惑於佛作此崇奉、以祈福祥也。直以年豐人樂、

徇人之心、爲京都士庶、設詭異之觀、戯玩之具耳。安有聖明若此、而肯信此等事哉。然百姓愚冥、易惑難曉。苟見陛下如此、將謂眞心事佛。皆云、天子大聖、猶一心敬信。百姓何人。豈合更惜身命。焚頂燒指、百十爲群、解衣散錢、自朝至暮、轉相倣效。惟恐後時。老少奔波、棄其業次。若不即加禁遏、更歷諸寺、必有斷臂臠身、以爲供養者。傷風敗俗、傳笑四方、非細事也。夫佛本夷狄之人、與中國言語不通、衣服殊製、口不言先王之法言、身不服先王之法服。不知君臣之義、父子之情。假如其身、至今尚在、奉其國命、來朝京師、陛下容而接之、不過宣政一見、禮賓一設、賜衣一襲、衞而出之於境、不令惑衆也。況其身死已久、枯朽之骨、凶穢

之餘、豈宜令入宮禁。孔子曰、敬鬼神而遠之。古之諸侯、行弔於其國、尚令巫祝先以桃茢祓除不祥、然後進弔。今無故取朽穢之物、親臨觀之。巫祝不先、桃茢不用。羣臣不言其非、御史不擧其失。臣實恥之。乞以此骨、付之有司、投諸水火、永絶根本、斷天下之疑、絶後代之惑、使天下之人、知大聖人之所作爲、出於尋常萬萬也。豈不盛哉。豈不快哉。佛如有靈、能作禍祟、凡有殃咎、宜加臣身。上天鑒臨。臣不怨悔。無任感激懇悃之至。謹奉表以聞。臣某誠惶誠恐。

上張僕射書　　韓　愈

九月一日、愈再拜。受牒之明日、在使院中。有小吏、持院中故事節目十餘事來、示愈。其中不可者、有自九月至明年

二月之終、皆晨入夜歸、非有疾病事故、輒不許出。當時以初受命、不敢言。古人有言曰、人各有能有不能。若此者、非愈之所能也。抑而行之、必發狂疾。上無以承事於公、忘其將所以報德者。下無以自立、喪失其所以爲心。夫如是則安得而不言。凡執事之擇於愈者、非謂其能晨入夜歸也。必將有以取之。苟有以取之、雖不晨入夜歸、其所取者、猶在也。下之事上、不一其事。上之使下、不一其事。量力而任之、度才而處之。其所不能、不強使爲。是故爲下者、不獲罪於上、爲上者不得怨於下矣。孟子有云、今之諸侯無大相過者、以其好臣其所敎、而不好臣其所受敎。今之時、與孟子之時、又加遠矣。皆好其聞命而奔走者、不好其直己而

行道者。聞命而奔走者、好利者也。直己而行道者、好義者也。未有好利而愛其君者。未有好義而忘其君者。今之王公大人、惟執事可以聞此言。惟愈於執事也、可以此言進。愈蒙幸於執事、其所從舊矣。若寬假之、使不失其性、加待之、使足以爲名。寅而入、盡辰而退、申而入、終酉而退、率以爲常、亦不廢事。天下之人、聞執事之於愈如是也、必皆曰、執事之好士也如此、執事之待士以禮如此、執事之使人不枉其性、而能有容如此。執事之欲成人之名如此、執事之厚於故舊如此。又將曰、韓愈之識其所依歸也如此、韓愈之不諂屈於富貴之人如此、韓愈之賢能使其主待之以禮如此。則死於執事之門無悔也。若使隨行而入、逐隊而趨、言不敢盡其誠、道有所屈於己。天下之人聞執事之於愈如此、皆曰、執事之用韓愈、哀其窮收之而已耳。韓愈之事執事、不以道利之而已耳。苟如是、雖日受千金之賜、一歲九遷其官、感恩則有之矣。將以稱於天下、曰知己、則未也。伏惟哀其所不足、矜其愚、不錄其罪、察其詞、而垂仁採納焉。愈恐懼再拜。

上田樞密書　　蘇洵

天之所以與我者、豈偶然哉。堯不得以與丹朱、舜不得以與商均。而瞽瞍不得奪諸舜。發於其心、出於其言、見於其事、確乎其不可易也。聖人不得以與人、父不得奪諸其子。於此見天之所以與我者、不偶然也。夫其所以與我者、必

有以用我也。我知之不得行之、不以告人、天固用之。我實置之。其名曰棄天。自卑以求幸其言、自小以求用其道。天之所以與我者何如。而我如此也。其名曰褻天。棄天我之罪也。褻天亦我之罪也。不棄不褻而不我用、不我用之罪也。其名曰逆天。然則棄天褻天者、其責在我。逆天者、其責在人。在我者吾將盡吾力之所能爲者、以塞夫天之所以與我之意、而求免夫天下後世之譏。在人者吾何知焉。吾求免夫一身之責之不暇、而暇爲人憂乎哉。孔子孟軻之不遇、老於道途而不倦不慍、不怍不沮者、夫固知夫責之所在也。衞靈魯哀齊宣梁惠之徒、不足相與以有爲也。我亦知之矣。抑將盡吾心焉耳。吾心之不盡、吾恐天下後世無

以責夫衛靈魯哀齊宣梁惠之徒、而彼亦將有以辭其責也。
然則孔子孟軻之目、將不瞑於地下矣。夫聖人賢人之用
心也、固如此。如此而生、如此而死、如此而貧賤、如此而富
貴、外而爲天、沈而爲淵、流而爲川、止而爲山。彼不預吾事。
吾事畢矣。切怪、夫後之賢者、不能自處其身也。饑寒困窮
之不勝、而號於人。嗚呼使吾誠死於饑寒困窮耶。則天下
後世之責、將必有在。彼其身之責、不自任以爲憂、而吾取
而加之吾身、不亦過乎。今洵之不肖、何敢自列於聖賢。然
其心亦有所甚不自輕者。何則天下之學者、孰不欲一蹴
而造聖人之域。然及其不成也、求一言之幾乎道、而不可
得也。千金之子、可以貧人、可以冨人。非天之所與、雖以貧

人冨人之權、求一言之幾乎道、不可得也。天子之宰相、可
以生人、可以殺人。非天之所與、雖以生人殺人之權、求一
言之幾乎道、不可得也。今洵用力於聖人賢人之術亦已
久矣。其言語其文章、雖不識其果可以有用於今、而傳於
後與否、獨怪、夫得之之不勞、方其致思於心也、若或啓之、
得之心而書之紙也。若或相之、夫豈無一言之幾於道者
乎。千金之子、天子之宰相、求而不得者、一旦在己。故其心
得以自負、或者天其亦有以與我也。曩者見執事於益州、
當時之文淺狹可笑。饑寒困窮亂其心、而聲律記問、又從
而破壞其體、不足觀也。已數年來、退居山野、自分永棄、與
世俗日疎闊。得以大肆其力於文章。詩人之優柔、騷人之

清深、孟韓之温醇、遷固之雄剛、孫呉之簡切、投之所向、無
不如意。嘗試以爲、董生得聖人之經、其失也流而爲迂。鼂
錯得聖人之權、其失也流而爲詐。有二子之才而不流者、
其惟賈生乎。惜乎今之世、愚未見其人也。作策二道。曰審
勢審敵。作書十篇、曰權書。洵有山田一頃。非凶歲可以無
饑。力畊而節用、亦足以自老。不肖之身、不足惜、而天之所
與者、不忍棄。且不敢褻也。執事之名滿天下。天下之士、用
與不用在執事。故敢以所謂策二道、權書十篇、爲獻。平生
之文遠不可多致。有洪範論、史論十篇。近以獻內翰歐陽
公。度執事與之朝夕相從議天下之事、則斯文也其亦庶
乎得陳於前矣。若夫言之可用、與其身之可貴與否者、執

事事也。執事責也。於洵何有哉。

上梅直講書　蘇軾

某官執事、某每讀詩至鴟鴞、讀書至君奭、常竊悲周公之
不遇。及觀史、見孔子厄於陳蔡之間、而絃歌之聲不絶、顏
淵仲由之徒、相與問答。夫子曰、匪兕匪虎、率彼曠野、吾道
非耶、吾何爲於此。顏淵曰、夫子之道至大、故天下莫能容。
雖然不容何病、不容然後見君子。夫子油然而笑曰、回使
爾多財、吾爲爾宰。夫天下雖不能容、而其徒自足以相樂
如此。乃今知周公之冨貴、有不如夫子之貧賤。夫以周公
之賢、以管蔡之親、而不知其心、則周公誰與樂其富貴、而
夫子之所與共貧賤者、皆天下之賢才、則亦足與樂乎此

矣。軾七八歲時、始知讀書。聞今天下有歐陽公者、其爲人如古孟軻韓愈之徒、而又有梅公者、從之遊、而與之上下其議論。其後益壯。始能讀其文詞、想見其爲人。意其飄然脫去世俗之樂、而自樂其樂也。方學爲對偶聲律之文、求斗升之祿、自度無以進見於諸公之間。來京師逾年、未嘗窺其門。今年春、天下之士、羣至於禮部。執事與歐陽公實親試之。軾不自意、獲在第二。既而聞之人、執事愛其文、以爲有孟軻之風、而歐陽公亦以其能不爲世俗之文也而取焉。是以在此。非左右爲之先容、非親舊爲之請屬、而嚮之十餘年間、聞其名而不得見者、一朝爲知己。退而思之、人不可以苟富貴、亦不可以徒貧賤、有大賢焉、而爲其徒、

則亦足恃矣。苟其僥一時之幸、從車騎數十人、使閭巷小民、聚觀而贊歎之、亦何以易此樂也。傳曰、不怨天、不尤人、蓋優哉游哉、可以卒歲。執事名滿天下、而位不過五品。其容色温然而不怒、其文章寬厚敦朴而無怨言。此必有所樂乎斯道也。軾願與聞焉。

送石處士序　　韓愈

河陽軍節度、御史大夫烏公。爲節度之三月、求士於從事之賢者。有薦石先生者。公曰、先生何如。曰、先生居嵩邙瀍穀之間、冬一裘、夏一葛、食朝夕飯一盂、蔬一盤、人與之錢則辭。請與出遊、未嘗以事免。勸之仕、則不應。坐一室、左右圖書、與之語道理、辯古今事當否、論人高下事後當成敗。

若河決下流而東注、若駟馬駕輕車、就熟路而王良造父、爲之先後也。若燭照數計而龜卜也。大夫曰、先生有以自老、無求於人、其肯爲某來耶。從事曰、大夫文武忠孝、求士爲國、不私於家。方今寇聚於恒、師環其疆、農不耕收、財粟殫亡。吾所處地、歸輸之塗。治法征謀、宜有所出。先生仁且勇。若以義請、而強委重焉、其何說之辭。於是撰書詞、具馬幣、卜日以授使者、求先生之廬而請焉。先生不告於妻子、不謀於朋友、冠帶出見客、拜受書禮於門內。宵則沐浴、戒行李、載書冊、問道所由、告行於常所來往。晨則畢至。張上東門外、酒三行。且起、有執爵而言者。曰大夫眞能以義取人。先生眞能以道自任。決去就爲先生別。又酌而祝曰、凡

去就出處何常。惟義之歸。遂以爲先生壽。又酌而祝曰、使大夫恒無變其初、無務富其家而飢其師。無甘受佞人、而外敬正士。無昧於諂言。惟先生是聽、以能有成功、保天子之寵命。又祝曰、使先生無圖利於大夫、而私便其身。先生起拜祝辭曰、敢不敬蚤夜以求從祝規。於是東都之人士、咸知大夫與先生、果能相與以有成也。遂各爲歌詩六韻、退。愈爲之序云。

送温處士赴河陽軍序　　韓愈

伯樂一過冀北之野、而馬羣遂空。夫冀北馬多於天下、伯樂雖善知馬、安能空其羣耶。解之者曰、吾所謂空、非無馬也。無良馬也。伯樂知馬。遇其良輒取之、羣無留良焉。苟

無良、雖謂無馬、不爲虛語矣。東都固士大夫之冀北也。恃才能深藏而不市者、洛之北涯曰石生、其南涯曰温生。大夫烏公、以鈇鉞鎮河陽之三月、以石生爲才、以禮爲羅、羅而致之幕下。未數月也、以温生爲才。於是以石生爲媒、以禮爲羅、又羅而致之幕下。東都雖信多才士、朝取一人焉、拔其尤、暮取一人焉、拔其尤。自居守河南尹、以及百司之執事、與吾輩二縣之大夫、政有所不通、事有所可疑、奚所諮而處焉。士大夫之去位而巷處者、誰與嬉遊。小子後生、於何考德而問業焉。搢紳之東西行過是都者、無所禮於其廬。若此而稱曰、大夫烏公、一鎮河陽、而東都處士之廬無人焉、豈不可也。夫南面而聽天下、其所託重而恃力者、惟相與將耳。相爲天子得人於朝廷、將爲天子得文武士於幕下。求內外無治、不可得也。愈縻於茲、不能自引去、資二生以待老。今皆爲有力者奪之、其何能無介然於懷耶。生既至、拜公於軍門、其爲吾以前所稱爲天下賀、以後所稱爲吾致私怨於盡取也。留守相公、首爲四韻詩、歌其事。愈因推其意而序之。

中等漢文讀本卷之九　終

中等漢文讀本

定價	
一巻金貳拾錢	二巻金貳拾錢
三巻金貳拾三錢	四巻金貳拾三錢
五巻金貳拾三錢	六巻金貳拾三錢
七巻金貳拾五錢	八巻金貳拾五錢
九巻金貳拾五錢	十巻金貳拾五錢

（自一巻至五巻）明治三十一年三月十一日印刷　明治三十一年三月十四日發行

（自六巻至十巻）明治三十一年七月四日印刷　明治三十一年七月七日發行

版權所有

編者　東京市本郷區元町二丁目六十六番地　遊佐誠甫

編者　東京市本郷區菊坂町七十五番地　冨永岩太郎

發行兼印刷者　東京市日本橋區通旅籠町十一番地　小林八郎

印刷所　東京市麹町區内幸町一丁目五番地　集英堂活版所

發兌書肆　東京市日本橋區通旅籠町十一番地　集英堂

大賣捌所　各府縣下書肆

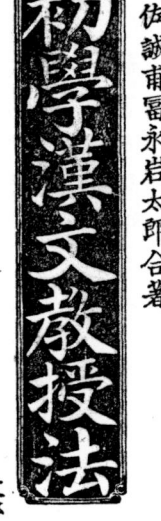

明治三十二年一月二十五日
文部省檢定濟

文學士黒板勝美校閲
遊佐誠甫
富永岩太郎　合編

中等漢文讀本

卷之十

東京　集英堂

中等漢文讀本卷之十目次

中等漢文讀本卷之十

文學士 黑板勝美校閱
遊佐誠甫
冨永岩太郎 合編

原道

韓愈

博愛之謂仁。行而宜之之謂義。由是而之焉、之謂道。足乎己無待於外、之謂德。仁與義爲定名。道與德爲虛位。故道有君子小人。而德有凶有吉。老子之小仁義非毀之也、其見者小也。坐井而觀天、曰天小者、非天小也。彼以煦煦爲仁、孑孑爲義。其小之也亦宜。其所謂道、道其所道、非吾所謂道也。其所謂德、德其所德、非吾所謂德也。凡吾所謂道

德云者、合仁與義言之也。天下之公言也。老子之所謂道德云者、去仁與義言之也。一人之私言也。周道衰孔子歿、火于秦、黃老于漢、佛于晉宋齊梁魏隋之間。其言道德仁義者、不入于楊則入于墨。不入于老則入于佛。入于彼必出于此。入者主之、出者奴之。入者附之、出者汙之。噫後之人、其欲聞仁義道德之說、孰從而聽之。老者曰、孔子吾師之弟子也。佛者曰、孔子吾師之弟子也。爲孔子者、習聞其說、樂其誕而自小也。亦曰、吾師亦嘗師之云爾。不惟舉之於其口、而又筆之於其書。噫後之人、雖欲聞仁義道德之說、其孰從而求之。甚矣人之好怪也、不求其端、不訊其末、惟怪之欲聞。古之爲民者四、今之爲民者六。古之教者處

其一、今之教者處其三。農之家一、而食粟之家六。工之家一、而用器之家六。賈之家一、而資焉之家六。奈之何、民不窮且盜也。古之時、人之害多矣。有聖人者立、然後教之以相生養之道。爲之君、爲之師、驅其蟲蛇禽獸、而處之中土。寒然後爲之衣、饑然後爲之食。木處而顚、土處而病也、然後爲之宮室。爲之工以贍其器用。爲之賈以通其有無。爲之醫藥以濟其夭死。爲之葬埋祭祀、以長其恩愛。爲之禮以次其先後。爲之樂以宣其湮鬱。爲之政以率其怠倦。爲之刑以鋤其強梗。相欺也、爲之符璽斗斛權衡、以信之。相奪也、爲之城郭甲兵、以守之。害至而爲之備、患生爲之防。今其言曰、聖人不死大盜不止。剖斗折衡、而民不爭。嗚呼

其亦不思而已矣。如古之無聖人、人之類滅久矣。何也無羽毛鱗甲、以居寒熱也。無爪牙以爭食也。是故君者出令者也。臣者行君之令、而致之民者也。民者出粟米麻絲、作器皿通貨財、以事其上者也。君不出令、則失其所以爲君。臣不行君之令、而致之民、則失其所以爲臣。民不出粟米麻絲、作器皿通貨財、以事其上則誅。今其法曰、必棄而君臣、去而父子、禁而相生養之道、以求其所謂清淨寂滅者。嗚呼其亦幸而出於三代之後、不見黜於禹湯文武周公孔子也。其亦不幸而不出於三代之前、不見正於禹湯文武周公孔子也。帝之與王其號各殊。其所以爲聖一也。夏葛而冬裘、渴飮而饑食。其事殊、其所以爲智一也。今其言

曰、曷不爲太古之無事。是亦責冬之裘者曰、曷不爲葛之之易也。責饑之食者曰、曷不爲飲之之易也。傳曰、古之欲明明德於天下者、先治其國。欲治其國者、先齊其家。欲齊其家者、先脩其身。欲脩其身者、先正其心。欲正其心者、先誠其意。然則古之所謂正心而誠意者、將以有爲也。今也欲治其心、而外天下國家、滅其天常。子焉而不父其父、臣焉而不君其君、民焉而不事其事。孔子之作春秋也、諸侯用夷禮則夷之、進於中國則中國之。經曰、夷狄之有君、不如諸夏之亡。詩曰、戎狄是膺、荊舒是懲。今也擧夷狄之法、而加之先王之教之上。幾何其不胥而爲夷也。夫所謂先王之教者何也。博愛之謂仁、行而宜之之謂義。由是而之

焉、之謂道。足乎己無待於外、之謂德。其文詩書易春秋。其法禮樂刑政。其民士農工賈。其位君臣父子、師友賓主昆弟夫婦。其服麻絲。其居宮室。其食粟米果蔬魚肉。其爲道易明、而其爲教易行也。是故以之爲己、則順而祥。以之爲人、則愛而公。以之爲心、則和而平。以之爲天下國家、無所處而不當。是故生則得其情、死則盡其常。郊焉而天神假、廟焉而人鬼饗。曰、斯道也何道也。曰、斯吾所謂道也。非向所謂老與佛之道也。堯以是傳之舜、舜以是傳之禹、禹以是傳之湯、湯以是傳之文武周公、文武周公傳之孔子、孔子傳之孟軻、軻之死不得其傳焉。荀與揚也、擇焉而不精。語焉而不詳。由周公而上、上而爲君。故其事行。由周公而下、下而爲臣。故其說長。然則如之何而可也。曰不塞不流、不止不行。人其人、火其書、廬其居、明先王之道、以道之。鰥寡孤獨廢疾者、有養也。其亦庶乎其可也。

進學解　　韓　愈

國子先生晨入太學、招諸生立館下、誨之曰、業精于勤、荒于嬉。行成于思、毀于隨。方今聖賢相逢、治具畢張。拔去兇邪、登崇畯良、占小善者率以錄、名一藝者無不庸。爬羅剔抉、刮垢磨光。蓋有幸而獲選、孰云多而不揚。諸生業患不能精、無患有司之不明。行患不能成、無患有司之不公。言未既、有笑於列者。曰先生欺予哉。弟子事先生於茲有年矣。先生口不絕吟於六藝之文、手不停披於百家之編。記

事者必提其要、纂言者必鉤其玄。貪多務得、細大不捐。焚膏油以繼晷、恒兀兀以窮年。先生之業可謂勤矣。觝排異端、攘斥佛老、補苴罅漏、張皇幽眇、尋墜緒之茫茫、獨旁搜而遠紹、障百川而東之、迴狂瀾於既倒。先生之於儒、可謂勞矣。沈浸醲郁、含英咀華、作爲文章。其書滿家。上規姚姒、渾渾無涯。周誥殷盤佶屈聱牙、春秋謹嚴、左氏浮誇、易奇而法、詩正而葩、下逮莊騷太史所錄、子雲相如同工異曲。先生之於文、可謂閎其中、而肆其外矣。少始知學、勇於敢爲、長通於方、左右具宜。先生之於爲人、可謂成矣。然而公不見信於人、私不見助於友。跋前躓後、動輒得咎。暫爲御史、遂竄南夷。三爲博士、冗不見治。命與仇謀、取敗幾時。冬

餕而兒號寒、年豐而妻啼饑。頭童齒豁、竟死何裨。不知慮此而反教人爲」。先生曰、吁子來前。夫大木爲宲。細木爲桷。欂櫨侏儒、椳闑扂楔、各得其宜、施以成室者、匠氏之工也。玉札丹砂、赤箭青芝、牛溲馬勃、敗鼓之皮、倶收並蓄、待用無遺者、醫師之良也。登明選公、雜進巧拙、紆餘爲姸、卓犖爲傑、較短量長、惟器是適者、宰相之方也。昔者孟軻好辯、孔道以明。轍環天下、卒老于行。荀卿守正、大論是弘。逃讒于楚、廢死蘭陵。是二儒者、吐辭爲經、擧足爲法。絶類離倫、優入聖域、其遇於世何如也。今先生學雖勤、而不繇其統。言雖多、而不要其中。文雖奇、而不濟於用。行雖修、而不顯於衆。猶且月費俸錢、歲靡廩粟。子不知耕、婦不知織。乘馬從徒、安坐而食。踵常途之促促、窺陳編以盜竊。然而聖主不加誅、宰臣不見斥、茲非其幸歟。動而得謗、名亦隨之。投閒置散、乃分之宜。若夫商財賄之有亡、計班資之崇庳、忘己量之所稱、指前人之瑕疵。是所謂詰匠氏之不以杙爲楹、而訾醫師以昌陽引年、欲進其豨苓也。

上范司諫書　　歐陽脩

月日具官、謹齋沐拜書。司諫學士執事。前月中、得進奏吏報云、自陳州召至闕、拜司諫。即欲爲一書以賀、多事倉卒未能也。司諫七品官爾。於執事、得之不爲喜。而獨區區、欲一賀者、誠以諫官者、天下之得失、一時之公議繫焉」。今世之官、自九卿百執事、外至一郡縣吏、非無貴官大職、可以行其道也。然縣越其封、郡逾其境、雖賢守長不得行。以其有守也。吏部之官、不得理兵部。鴻臚之卿、不得理光祿。以其有司也。若天下之失得、生民之利害、社稷之大計。惟所見聞、而不繫職司者、獨宰相可行之。諫官可言之爾。故士學古懷道者、仕於時、不得爲宰相、必爲諫官。諫官雖卑、與宰相等。天子曰不可、宰相曰可。天子曰然、宰相曰不然。坐乎廟堂之上、與天子辯可否者宰相也。天子曰是、諫官曰非。天子曰必行、諫官曰必不可行。立殿階之前、與天子爭是非者、諫官也。宰相尊行其道、諫官卑行其言。言行道亦行也。九卿百司、郡縣之吏、守一職者、任一職之責。宰相諫官、繫天下之事、亦任天下之責。然宰相九卿而下失職者、

受責於有司。諫官之失職也、取譏於君子。有司之法、行乎一時。君子之譏、著之簡冊、而昭明。垂之百世而不泯。甚可懼也。夫七品之官、任天下之責、懼百世之譏。豈不重邪。非材且賢者、不能爲也」。近執事、始被召於陳州。洛之士大夫相與語曰、我識范君、知其材也。其來不爲御史、必爲諫官。及命下果然、則又與語曰、我識范君、知其賢也。他日聞有立天子陛下、直辭正色、面爭廷論者、非他人、必范君也。拜命以來、翹首企足、竚乎有聞。而卒未也、竊惑之。豈洛之士大夫、能料於前、而不能料於後也。將執事有待而爲也」。昔韓退之作爭臣論、以譏陽城不能極諫、卒以諫顯。人皆謂城之不諫、蓋有待而然。退之不識其意、而妄譏。脩獨以謂、不

然。當退之作論時、城爲諫議大夫已五年。後又二年、始廷論陸贄、及沮裴延齡作相、欲裂其麻。纔兩事耳。當德宗時、可謂多事矣。授受失宜、叛將強臣、羅列天下。又多猜忌。進任小人。於此之時、豈無一事可言、而須七年耶。當時之事、豈無急於沮延齡、論陸贄兩事耶。謂宜朝拜官、而夕奏疏也。幸而城爲諫官七年。適遇延齡陸贄事、一諫而罷、以塞其責。向使止五年六年、而遂遷司業、是終無一言而去也。何所取哉。今之居官者、率三歲而一遷、或一二歲、甚者半歲而一遷。此又非可以待乎七年也。今天子躬親庶政、化理清明、雖爲無事、然自千里、詔執事而拜是官者、豈不欲聞正議、而樂讜言乎。今未聞有所言說、使天下知朝廷有

正士、而彰吾君有納諫之明也。夫布衣韋帶之士、窮居草茅。坐誦書史、常恨不見用。及用也、又曰、彼非我職、不敢言。或曰、我位猶卑、不得言。得言矣。又曰、我有待。是終無一人言也。可不惜哉」。伏惟執事、思天子所以見用之意、懼君子百世之譏。一陳昌言、以塞重望、且解洛士大夫之惑、則幸甚幸甚。

上韓樞密書　　　　蘇　洵

太尉執事、洵著書、無他長。及言兵事論古今形勢、至自比賈誼。所獻權書、雖古人已往成敗之迹、苟深曉其義、施之於今、無所不可。昨因請見、求進末議。太尉許諾。謹撰其說、言語朴直、非有驚世絕俗之談、甚高難行之論。太尉取其大綱、而無責其纖悉。蓋古者、非用兵決勝之爲難。而養兵不用之可畏。今夫水、激之山、放之海。決之爲溝塍。壅之爲沼沚。是天下之人能之。委江河注淮泗、匯爲洪波、瀦爲大湖、萬世而不溢者、自禹之後未之見也。夫兵者、聚天下不義之徒、授之以不仁之器、而教之以殺人之事。夫惟天下之未安、盜賊之未殄、然後有以施其不義之心、用其不仁之器、而行其殺人之事。當是之時、勇者無餘力、智者無餘謀、巧者無餘技。故其不義之心、變而爲忠。不仁之器、加之於不仁、而殺人之事、施之於當殺。及夫天下既平、盜賊既殄。不義之徒、聚而不散。勇者有餘力、則思以爲亂。智者有餘謀、則思以爲奸。巧者有餘技、則思以爲詐。於是、天下之

患、雜然出矣。蓋虎豹終日而不殺、則跳踉大叫、以發其怒。蝮蝎終日而不螫、則噬齧草木、以致其毒。其理固然、無足怪者」。昔者劉項、奮臂於草莽之間。秦楚無賴子弟、千百爲輩、爭起而應者、不可勝數。轉鬪五六年、天下厭兵。項籍死而高祖亦已老矣。方是時分王諸將、改定律令、與天下休息。而韓信黥布之徒、相繼而起者七國。高祖死於介冑之間、而莫能止也。連延及於呂氏之禍、訖孝文而後定。是何起之易、而收之難也。劉項之勢、初如決河順流而下、誠有可喜。及其崩潰四出、放乎數百里之間、拱手而莫能救也。嗚呼不有聖人、何以善其後。太祖太宗、躬擐甲冑、跋涉險阻、以斬刈四方之蓬蒿。用兵數十年、謀臣猛將、滿天下。一

旦卷甲而休之、傳四世而天下無變。此何術也。荊楚九江之地、不分於諸將、而韓信黥布之徒、無以啓其心也。雖然天下無變、而兵久不用、則其不義之心、蓄而無所發、飽食優游、求逞於良民。觀其平居無事、出怨言以邀其上。一日有急、是非人得千金、不可使也」。往年詔天下、繕完城池。西川之事、洵實親見。凡郡縣之富民、擧而籍其名、得錢數百萬、以爲酒食饋餉之費。杵聲未絶、城輒隨壞。如此者數年、而後定。卒事官吏相賀、卒徒相矜。若戰勝凱旋、而待賞者。比來京師、遊阡陌間、其曹往往偶語、無所諱忌。聞之土人、方春時横不忍聞。蓋時五六月矣。會京師憂大水。鋤耰畚築、列於兩河之壖。縣官日費千萬、傳呼勞問之聲、不絶者

數十里。猶且睊々狼顧、莫肯效用。且夫內之如京師之所聞、外之如西川之所親見。天下之勢、今何如也」。御將者天子之事也。御兵者將之職也。天子者、養尊而處優、樹恩而收名、與天下爲喜樂者也。故其道、不可以御兵。人臣執法、而不求情。盡心而不求名。出死力以捍社稷。使天下之心、繫於一人、而已不與焉。故御兵者、人臣之事、不可以累天子也。今之所患、大臣好名而懼謗。好名則多樹私恩。懼謗則執法不堅。是以天下之兵、豪縱至此而莫之或制也。頃者狄公在樞府、號爲寛厚愛人、狎昵士卒、得其歡心。而太尉適承其後。彼狄公者、知御外之術、而不知治內之道。此邊將材也。古者兵在外、愛將軍而忘天子。在內愛天子、而

忘將軍。愛將軍所以戰。愛天子所以守。狄公以其御外之心、而施諸其內。太尉不反其道、而何以爲治」。或者以爲、兵久驕不治、一旦繩以法。恐因以生亂。昔者郭子儀去河南、李光弼實代之。將至之日、張用濟斬於轅門。三軍股慄。夫以臨淮之悍、而代汾陽之長者。三軍之士、竦然如赤子之脫慈母之懷、而立乎嚴師之側。何亂之敢生。且夫天子者、天下之父母也。將相者天下之師也。師雖嚴、赤子不敢以怨其父母。將相雖厲、天下不敢以咎其君。其勢然也。天子者可以生人、可以殺人。故天下望其生。及其殺之也、天下曰、是天子殺之。故天子不可以多殺。人臣奉天子之法、雖多殺、天下無所歸怨。此先王所以威懷天下之術也」。伏惟、

太尉思天下所以長久之道、而無幸一時之名。盡至公之心、而無卹三軍之多言。夫天子推深仁、以結其心。太尉厲威武、以振其惰。彼其思天子之深仁、則畏而不至於怨。思太尉之威武、則愛而不至於驕。君臣之體順、而畏愛之道立。非太尉吾誰望耶。

與韓愈論史官書　　柳宗元

正月二十一日、某頓首、十八丈退之侍者。前獲書。言史事云、具與劉秀才書。及今乃見書藁、私心甚不喜。與退之往年言史事、甚大謬。若書中言、退之不宜一日在館下。安有探宰相意、以爲苟以史榮一韓退之邪。若果爾、退之豈宜虛受宰相榮己、而冒居館下近密地、食奉養、役使掌故、利

紙筆、爲私書、取以供子弟費。古之志於道者、不宜若是。且退之以爲、紀錄者有刑禍、避不肯就。尤非也。史以名爲褒貶、猶且恐懼不敢爲。設使退之爲御史中丞大夫、其褒貶成敗人、愈益顯。其宜恐懼尤大也。「則又將揚揚入臺府、美食安坐、行呼唱於朝廷而已邪。在御史猶爾。設使退之爲宰相、生殺出入外黜天下士、其敵益衆。則又將揚揚入政事堂、美食安坐、行呼唱於內庭外衢而已邪。何以異不爲史而榮其號、利其祿者也」。又言、不有人禍則有天刑。若以罷夫前古之爲史者。然亦甚惑。凡居其位、思直其道。道苟直、雖死不可回也。如回之莫若亟去其位。孔子之困于魯衛陳蔡宋齊楚者、其時暗、諸侯不能以也。其不遇而死、不

以作春秋故也。當其時、雖不作春秋、孔子猶不遇而死也。若周公史佚、雖紀言書事、猶遇且顯也。又不得以春秋爲孔子累。范曄悖亂、雖不爲史、其族亦赤。司馬遷觸天子喜怒、班固不檢下。崔浩沽其直、以鬬暴虜。皆非中道。左丘明以疾盲。出於不幸。子夏不爲史亦盲。不可以是爲戒。其餘皆不出此。是退之宜守中道、不忘其直。無以他事自恐。退之之恐、唯在不直不得中道、刑禍非所恐也。凡言二百年文武士多、有誠如此者。今退之曰、我一人也、何能明。則同職者、又所云若是。後來繼今者、又所云若是。人人皆曰我一人、則卒誰能紀傳之邪。如退之但以所聞知、孜々不敢怠、同職者後來繼今者、亦各以所聞知、孜々不敢怠。則庶幾不墜使卒有明也。不然徒信人口語、每每異辭、日以滋久。則所云磊磊軒天地者、未必不沈沒。且亂雜無可攷。非有志者所忍恣也。果有志、豈當待人督責迫蹙、然後爲官守邪」。又凡鬼神事、眇茫荒惑、無可準。明者所不道。退之之智、而猶懼於此。今學如退之、辭如退之、好言論如退之、慷慨自爲正直、行行焉如退之、猶所云如是。則唐之史述、其卒無可託乎。「明天子賢宰相、得史才如此、而又不果。甚可痛哉」。退之宜更思。可爲速爲。果卒以爲恐懼不敢、則一日可引去。又何以云行且謀也。今當爲而不爲、又誘館中他人及後生者、此大惑已。不勉己而欲勉人、難矣哉。

爭臣論　韓愈

或問諫議大夫陽城於愈、可以爲有道之士乎哉。學廣而聞多、不求聞於人也。行古人之道、居於晉之鄙。晉之鄙人、薰其德而善良者幾千人。大臣聞而薦之、天子以爲諫議大夫。人皆以爲華。陽子不色喜。居於位五年矣。視其德、如在野。彼豈以富貴移易其心哉。愈應之曰、是易所謂恒其德貞、而夫子凶者也。惡得爲有道之士乎哉。在易蠱之上九云、不事王侯、高尚其事。蹇之六二則曰、王臣蹇々匪躬之故。夫不以所居之時不一、而所蹈之德不同也。若蠱之上九、居無用之地、而致匪躬之節。以蹇之六二、在王臣之位。而高不事之心、則冒進之患生、曠官之刺興。志不可則。而尤不終无也。今陽子在位不爲不久矣。聞天下之得失、

不爲不熟矣。天子待之、不爲不加矣。而未嘗一言及於政。視政之得失、若越人視秦人之肥瘠。忽焉不加喜戚於其心。問其官則曰諫議也。問其祿則曰下大夫之秩也。問其政則曰我不知也。有道之士、固如是乎哉。且吾聞之。有官守者不得其職則去。有言責者不得其言則去。今陽子以爲得其言乎哉。得其言而不言、與不得其言而不去、無一可者也。陽子將爲祿仕乎。古之人有云、仕不爲貧。而有時乎爲貧。謂祿仕者也。宜乎辭尊而居卑、辭富而居貧、若抱關擊柝者可也。蓋孔子嘗爲委吏矣。嘗爲乘田矣。亦不敢曠其職。必曰、會計當而已矣。必曰牛羊遂而已矣。若陽子之秩祿、不爲卑且貧章章明矣。而如此其可乎哉。或曰否

非若此也。夫陽子惡訕上者、惡爲人臣招其君之過、而以爲名者。故雖諫且議、使人不得而知焉。書曰、爾有嘉謀嘉猷、則入告爾后于內、爾乃順之于外。曰斯謀斯猷、惟我后之德。夫陽子之用心、亦若此者。愈應之曰、若陽子之用心如此、滋所謂惑者矣。入則諫其君、出則不使人知者、大臣宰相者之事、非陽子之所宜行也。夫陽子、本以布衣隱於蓬蒿之下。主上嘉其行誼、擢在此位。官以諫爲名。誠宜有以奉其職、使四方後代、知朝廷有直言骨鯁之臣、天子有不僭賞、從諫如流之美。庶巖穴之士、聞而慕之、束帶結髮、願進於闕下而伸其辭說、致吾君於堯舜、熙鴻號於無窮也。若書所謂、則大臣宰相之事、非陽子之所宜行也。且陽子之心、將使君人者、惡聞其過乎。是啓之也。或曰、陽子之不求聞而人聞之。不求用而君用之。不得已而起、守其道而不變、何子過之深也。愈曰、自古聖人賢士、皆非有求於聞用也。閔其時之不平、人之不乂、得其道不敢獨善其身、而必以兼濟天下也。孜々矻々、死而後已。故禹過家門不入、孔席不暇暖、而墨突不得黔。彼二聖一賢者、豈不知自安佚之爲樂哉。誠畏天命而悲人窮也。夫天授人以賢聖才能、豈使自有餘而已。誠欲以補其不足者也。耳目之於身也、耳司聞而目司見。聽其是非、視其險易、然後身得安焉。聖賢者時人之耳目也。時人者聖賢之身也。且陽子之不賢、則將役於賢以奉其上矣。若果賢、則固畏天命、而閔

人窮也。惡得以自暇逸乎哉。或曰、吾聞、君子不欲加諸人、而惡訐以爲直者。若吾子之論、直則直矣。無乃傷於德而費於辭乎。好盡言以招人過、國武子之所以見殺於齊也。吾子其亦聞乎。愈曰、君子居其位則思死其官、未得位則思修其辭、以明其道。我將以明道也。非以爲直而加人也。且國武子、不能得善人、而好盡言於亂國。是以見殺。傳曰、惟善人能受盡言。謂其聞而能改之也。子告我曰、陽子可以爲有道之士也。今雖不能及已、陽子將不得爲善人乎哉。

封建論

柳宗元

天地果無初乎、吾不得而知之也。生人果有初乎、吾不得

而知之也。然則孰爲近、曰有初爲近。孰明之、由封建而明之也。彼封建者、更古聖王、堯舜禹湯文武、而莫能去之。蓋非不欲去之也、勢不可也。勢之來、其生人之初乎。不初無以有封建。封建非聖人意也。彼其初、與萬物皆生。草木榛榛、鹿豕狉狉、人不能搏噬。而且無毛羽、莫克自奉自衛。荀卿有言、必將假物以爲用者也。夫假物者必爭。爭而不已、必就其能斷曲直者、而聽命焉。其智而明者、所伏必衆。告之以直、而不改、必痛之而後畏。由是君長刑政生焉。故近者聚而爲群。群之分、其爭必大。大而後有兵有德。又有大者。衆群之長、又就而聽命焉、以安其屬。於是有諸侯之列。則其爭又有大者焉。德又大者、諸侯之列。又就而聽命焉、

以安其封。於是有方伯連帥之類。則其爭又有大者焉。德又大者、方伯連帥之類、又就而聽命、以安其人。然後天下會於一。是故有里胥而後有縣大夫。而後有諸侯。有諸侯、而後有方伯連帥。有方伯連帥而後有天子。自天子至於里胥、其德在人者死、必求其嗣而奉之。故封建非聖人意也。勢也。」夫堯舜禹湯之事遠矣。及有周而甚詳。周有天下、裂土田而瓜分之。設五等、邦群后。布履星羅、四周於天下。輪運而輻集、合爲朝覲會同。離爲守臣扞城。然而降於夷王、害禮傷尊、下堂而迎覲者。歷於宣王、挾中興復古之德、雄南征北伐之威、卒不能定魯侯之嗣。陵夷迄於幽厲、王室東徙、而自列爲諸侯。厥後問鼎之輕重者有之、射王中

肩者有之、伐凡伯誅萇弘者有之、天下乖盭、無君君之心。余以爲周之喪久矣。徒建空名於公侯之上耳。得非諸侯之盛強、末大不掉之咎歟。遂判爲十二、合爲七國。威分於陪臣之邦、國殄於後封之秦。則周之敗端、其在乎此矣」秦有天下、裂都會而爲之郡邑、廢侯衛而爲之守宰。據天下之雄圖、都六合之上游、攝制四海、運於掌握之內。此其所以爲得也。不數載而天下大壞、其有由矣。亟役萬人、暴其威刑、竭其貨賄、負鋤梃、謫戍之徒、圜視而合從、大呼而成群。時則有叛人、而無叛吏。人怨於下、而吏畏於上。天下相合殺守劫令、而並起。咎在人怨、非郡邑之制失也。」漢有天下、矯秦之枉、徇周之制。剖海內而立宗子、封功臣。數年之

間、奔命扶傷而不暇。困平城、病流矢、陵遲不救者三代。後乃謀臣獻畫、而離削自守矣。然而封建之始、郡國居半。時則有叛國、而無叛郡。秦制之得、亦以明矣。繼漢而帝者、雖百代可知也。」唐興制州邑、立守宰。此其所以爲宜也。然猶桀猾時起、虐害方域者、失不在於州、而在於兵。時則有叛將、而無叛州。州縣之役、固不可革也。」或者曰、封建者、必私其土、子其人、適其俗、修其理、施化易也。守宰者、苟其心思遷其秩而已、何能理乎。余又非之。周之事跡、斷可見矣。列侯驕盈、黷貨事戎。大凡亂國多、理國寡。侯伯不得變其政、天子不得變其君。私土子人者、百不有一。失在於制、不在於政。周事然也。秦之事跡、亦斷可見矣。有理人之制、而不

委郡邑是矣。有理人之臣、而不使守宰是矣。郡邑不得正其制、守宰不得行其理、酷刑苦役、而萬人側目。失在於政、不在於制。秦事然也。漢興、天子之政、行於郡、不行於國。制其守宰、不制其侯王。侯王雖亂、不可變也。國人雖病、不可除也。及夫大逆不道、然後掩捕而遷之、勒兵而夷之耳。大逆未彰、姦利浚財、怙勢作威、大刻於民者、無如之何。及夫郡邑、可謂理且安矣。何以言之。且漢知孟舒於田叔、得魏尚於馮唐、聞黃霸之明審、覩汲黯之簡靖、拜之可也。復其位可也。臥而委之、以輯一方可也。有罪得以黜、有能得以賞。朝拜而不道、夕斥之矣。夕受而不法、朝斥之矣。設使漢室盡城邑、而侯王之。縱令其亂人戚之而已。孟舒魏尚之

術、莫得而施。黃霸汲黯之化、莫得而行。明譴而導之、拜受而退、已違矣。下令而削之、締交合從之謀、周於同列。則相顧裂眦、勃然而起。幸而不起、則削其半。削其半民猶瘁矣。曷若舉而移之以全其人乎。漢事然也。今國家盡制郡邑、連置守宰、其不可變也固矣。善制兵謹擇守、則理平矣。」或者又曰、夏商周漢、封建而延、秦郡邑而促。尤非所謂知理者也。魏之承漢也、封爵猶建。晉之承魏也、因循不革。而二姓陵替、不聞延祚。今矯而變之、垂二百祀。大業彌固、何繫於諸侯哉。或者又以為、殷周聖王也。而不革其制、固不當復議也。是大不然。夫殷周之不革者、是不得已也。蓋以諸侯歸殷者三千焉。資以黜夏。湯不得而廢。歸周者八百焉。資以勝殷。武王不得而易。徇之以為安。仍之以為俗。湯武之所不得已也。夫不得已、非公之大者也。私其力於己也。私其衛於子孫也。秦之所以革之者、其為制公之大者也、其情私也。私其一己之威也。私其盡臣畜於我也。然而公天下之端、自秦始。」夫天下之道、理安斯得人者也。使賢者居上、不肖者居下、而後可以理安。今夫封建者、繼世而理。繼世而理者、上果賢乎。下果不肖乎。則生人之理亂、未可知也。將欲利其社稷、以一其人之視聽、則又有世大夫、世食祿邑、以盡其封略。聖賢生於其時、亦無以立於天下。封建者為之也。豈聖人之制、使至於是乎。吾固曰、非聖人之意也。勢也。

春秋論上　歐陽修

事有不幸出於久遠、而傳乎二說、則奚從。曰從其一之可信者。然則安知可信者而從之。曰從其人而信之可也。衆人之說如彼、君子之說如此、則捨衆人而從君子。君子博學多聞矣。然其傳不能無失也。君子之說如彼、聖人之說如此、則捨君子而從聖人。此舉世之人皆知其然。而學春秋者、獨異乎是。孔子聖人也。萬世取信、一人而已。若公羊高、穀梁赤、左邱明三子者、博學而多聞矣。其傳不能無失者也。孔子之於經、三子之於傳、有所不同。則學者寧捨經而從傳、不信孔子而信三子。甚哉其惑也。經於魯隱公之事書曰、公及邾儀父盟於蔑。其卒也書曰公薨。孔子始終

謂之公。三子者曰、非公也、是攝也。學者不從孔子謂之公、而從三子謂之攝。其於晉靈公之事、孔子書曰、趙盾弒其君夷皐。三子者曰、非趙盾也。是趙穿也。學者不從孔子信爲趙盾、而從三子信爲趙穿。其於許悼公之事、孔子書曰、許世子止弒其君買。三子者曰、非弒之也。買病死、而止不嘗藥耳。學者不從孔子信爲弒君、而從三子信爲不嘗藥。其捨經而從傳者何哉。經簡而直、傳新而奇。簡直無悅耳之言、新奇多可喜之論。是以學者樂聞而易惑也。予非敢曰不惑。然信於孔子而篤者也。經之所書、予所信也。經所不言、予不知也。」難者曰、子之言有激而云爾。夫三子者、皆學乎聖人。而傳所以述經也。經文隱而意深。三子者從而

發之。故經有不言。傳得而詳爾。非爲二說也。予曰、經所不書、三子者何從而知其然也。曰推其前後而知之。且其有所傳而得也。國君必即位、而隱不書即位。此傳得知其攝也。弒君者不復見經、而盾復見經。此傳得知弒君非盾也。君弒賊不討、則不書葬。而許悼公書葬。此傳得知世子止之非實弒也。經文隱矣。傳曲而暢之。學者以謂三子之說、聖人之深意也。是以從之耳。非謂捨孔子、而信三子也。予曰、然則妄意聖人、而惑學者。三子之過而已。使學者必信乎三子、予不能奪。使其惟是之求、則予不得不爲之辯。

春秋論中　　歐陽脩

孔子何爲而脩春秋。正名以定分、求情而責實、別是非明善惡。此春秋之所以作也。」自周衰以來、臣弒君、子殺父。諸侯之國、相屠戮而爭爲君者、天下皆是也。當是之時、有一人焉。能好廉而知讓、立乎爭國之亂世、而懷讓國之高節。孔子得之於經。宜如何而別白之。宜如何而褒顯之。其肯沒其攝位之實、而雷同衆說、誣以爲公乎。」所謂攝者、臣行君事之名也。伊尹周公、共和之臣嘗攝矣。不聞商周之人謂之王也。使息姑實攝、而稱號無異於正君。則名分不正、而是非不別。夫攝者、心不欲爲君、而身假行君事。雖行君事、而其實非君也。今書曰公、則是息姑心不欲之。實不爲之、而孔子加之。失其本心、誣以虛名、而沒其實善。夫不求其情、不責其實。而善惡不明如此。則孔子之意疎、而春秋

繆矣。」春秋辭有同異。尤謹嚴而簡約、所以別嫌明微、慎重而取信。其餘是非善惡、難明之際、聖人所盡心也。息姑之攝也。會盟征伐、賞刑祭祀、皆出於己。舉魯之人、皆聽命於己。其不爲正君者幾何。惟不有其名耳。使其名實皆在己、則何從而知其攝也。故息姑之攝、與不攝、惟在爲公與不爲公。別嫌明微、繫此而已、且其有讓桓之志、未及行而見殺。其生也志不克伸。其死也被虛名、而違本意。則息姑之恨、何申於後世乎。其甚高之節、難明之善、亦何望於春秋乎。今說春秋者、皆以名字氏族予奪、爲輕重。故曰、一字爲褒貶。且公之爲字、豈不重於名字氏族乎。孔子於名字氏族、不妄以加人。其肯以公妄加於人、而沒其實乎。以此而

言、隱實爲攝。則孔子決不書曰公。孔子書爲公、則隱決非攝。」難者曰、然則何爲不書即位。曰惠公之終、不見其事、則隱之始立、亦不可知。孔子從二百年後、得其遺書而修之。闕其所不知、所以傳信也。」難者又曰、謂爲攝者、左氏耳。公羊穀梁、皆以爲假立以待桓也。故得以假稱公。予曰、凡魯之事出於己、舉魯之人聽於己、生稱曰公、死書曰薨。何從而知其假。

春秋論下　歐陽修

弑逆大惡也。其爲罪也莫贖。其爲人也不容。其在法也無赦。法施於人、雖小必愼。況舉大法而加大惡乎。既輒加之、又輒赦之、則自侮其法、而人不畏。春秋用法、不如是之輕

易也。三子說春秋書、趙盾以不討賊、故加之大惡。既而以盾非實弑、則又復見于經、以明盾之無罪。是輒加之、而輒赦之爾。以盾爲無弑心乎。其可輕、以大惡加之。以盾不討賊、情可責而宜加之乎。則其後頑然、未嘗討賊。既不改過以自贖。何爲遽赦、使同無罪之人。其於進退、皆不可。此非春秋意也。趙穿弑君、大惡也。盾不討賊、不能爲君復讐、而失刑於下。二者輕重、不較可知。就使盾爲可責、然穿焉得免也。今免首罪爲善人、使無辜者受大惡。此決知其不然也。」春秋之法、使爲惡者、不得幸免、疑似者、有所辯明。所謂是非之公也。據三子之說、初靈公欲殺盾、盾去而免。穿盾族也。遂弑公。而盾不討。其迹涉於與弑矣。此疑似難明

之事、聖人尤當求情責實、以明白之。使盾果有弑心乎、則自然罪在盾矣。不得曰爲法受惡、而稱其賢也。使果無弑心乎。則當爲之辯明、必先正穿之惡、使罪有所歸、然後責盾縱賊、則穿之大惡、不可幸而免、盾之疑似之迹、獲辯。而不討之責、亦不得辭。如此則是非善惡明矣。今爲惡者獲免、而疑似之人陷于大惡。此決知其不然也。」若曰盾不討賊、有幸弑之心、與自弑同。故寧捨穿而罪盾。此乃逆詐用情之吏、矯激之爲爾。非孔子忠恕、春秋以王道治人之法也。孔子患舊史是非錯亂、而善惡不明、所以修春秋。就令舊史如此、其肯從而不正之乎。其肯從而稱美。又教之以越境逃惡乎。此可知其繆傳也。問者曰、然則夷皐孰弑之。

曰、孔子所書是矣。趙盾弑其君也。」今有一人焉、父病躬進藥而不嘗。又有一人焉、父病而不躬進藥。而二父皆死。又有一人焉、操刃以殺其父。使吏治之、是三人者、其罪同乎。曰、雖庸吏猶知其不可同也。躬藥而不知嘗者、有愛父之孝心。而不習於禮、是可哀也。無罪之人爾。不躬藥者、誠不孝矣。雖無愛親之心、然未有殺父之意。使善治獄者、猶當與操刃殊科。況以躬藥之孝、反與操刃同其罪乎。此庸吏之所不爲也。然則許世子止、實不嘗藥、則孔子決不書曰弑君。孔子書爲弑君、則止決非不嘗藥。」難者曰、聖人偕止以垂教爾。對曰不然。夫所謂偕止以垂教者、不過欲人之知嘗藥耳。聖人一言、明以告人、則萬世法也。何必加孝子、

以大惡之名。而嘗藥之事、卒不見於文。使後世但知止爲弑君、而莫知藥之當嘗也。教未可垂、而已陷人於大惡矣。聖人垂教、不如是之迂也。果曰責止、不如是之刻也。」難者曰、然則盾髙爲復見於經、許悼公爲書葬。曰、弑君之臣不見經、此自三子說爾。果聖人法乎。悼公之葬、且安知其不討賊而書葬也。自止以弑見經、後四年、吳敗許師。又十有八年、當定公之四年、許男始見于經、而不名。許之書于經者略矣。止之事迹、不可得而知也。」難者曰、三子之說、非其臆出也。其得於所傳、如此。然則所傳者、皆不可信乎。曰、傳聞何可盡信。公羊穀梁、以尹氏卒爲正卿。左氏以尹氏卒爲隱母。一以爲男子、一以爲婦人。得於所傳者、蓋如是。

是可盡信乎。

上高宗封事　胡銓

謹按、王倫本一狎邪小人、市井無賴。頃緣宰相無識、遂擧以使虜。惟務詐誕、欺罔天聽、驟得美官。天下之人、切齒唾罵。今者無故誘致虜使、以詔諭江南爲名。是欲臣妾我也。是欲劉豫我也。劉豫臣事醜虜、南面稱王。自以爲子孫帝王、萬世不拔之業。一旦豺狼改慮、捽而縛之、父子爲虜。商鑒不遠。而倫又欲陛下效之。夫天下者、祖宗之天下也。陛下所居之位、祖宗之位也。奈何以祖宗之天下、爲犬戎之天下。以祖宗之位、爲犬戎藩臣之位。陛下一屈膝、則祖宗廟社之靈、盡汙夷狄。祖宗數百年之赤子、盡爲左衽、朝廷宰執盡爲陪臣。天下士大夫、皆當裂冠毀冕、變爲胡服。異時豺狼無厭之求、安知不加我以無禮、如劉豫也哉。夫三尺童子、至無知也。指犬豕而使之拜、則怫然怒。今醜虜則犬豕也。堂堂天朝、相率而拜犬豕。曾童孺之所羞。而陛下忍爲之耶。」倫之議、乃曰、我一屈膝則梓宮可還、太后可復、淵聖可歸、中原可得。嗚呼自變故以來、主和議者、誰不以此啗陛下哉。而卒無一驗、是虜之情僞已可知矣。陛下尚不覺悟、竭民膏血而不恤。忘國大讎而不報。含垢忍恥、擧天下而臣之、甘心焉。就令虜決可和、盡如倫議、天下後世謂陛下何如主。況醜虜變詐百出、而倫又以奸邪濟之。梓宮決不可還。太后決不可復。淵聖決不可歸。中原決不可得。

而此膝一屈、不可復伸。國勢陵夷、不可復振。可爲痛哭流涕、長大息也。」向者陛下、間關海道、危如纍卵。當時尚不肯北面臣虜。況今國勢稍張、諸將盛銳、士卒思奮。只如頃者、醜虜陸梁、僞豫入寇。固嘗敗之于襄陽、敗之于淮上、敗之於渦口、敗之於淮陰。較之前日蹈海之危、已萬萬矣。儻不得已、而遂至於用兵則我豈遽出虜人下哉。今無故而反臣之。欲屈萬乘之尊、下穹廬之拜。三軍之士、不戰而氣亦索。此魯仲連所以義不帝秦。非惜夫帝秦之虛名、惜夫天下大勢有所不可也。今內而百官、外而軍民。萬口一談、皆欲食倫之肉。謗議洶洶、陛下不聞。正恐一旦變作、禍且不測。臣切謂、不斬王倫、國之存亡未可知也。」雖然倫不足道

也。秦檜以腹心大臣而爲之。陛下有堯舜之資、檜不能致
陛下、如唐虞。而欲導陛下、如石晉。近者禮部侍郎曾開等、
引古誼以折之。檜乃厲聲曰、侍郎知故事、我獨不知。則檜
之遂非狠愎、已自可見。而乃建白、令臺諫從臣、僉議可否。
是乃畏天下議己。而令臺諫從臣、共分謗耳。有識之士、皆
以爲朝廷無人。吁可惜哉。孔子曰、微管仲、吾其被髮、左衽
矣。夫管仲霸者之佐耳。尚能變左衽之區、爲衣冠之會。秦
檜大國之相也。反驅衣冠之俗、歸左衽之鄉。則檜也、不唯
陛下之罪人、實管仲之罪人矣」。孫近附會檜議、遂得參知
政事。天下望治有如饑渴。而近伴食中書、漫不可否事。檜
曰、虜可講和。近亦曰、可和。檜曰、天子當拜。近亦曰、當拜。臣

嘗至政事堂、三發問、而近不答。但曰已令臺諫侍從議矣。
嗚呼參贊大政、徒取充位如此。有如虜騎長驅、尚能折衝
禦侮耶。臣竊謂、秦檜孫近、亦可斬也」。臣備員樞屬、義不與
檜等共戴天。區區之心、願斬三人頭、竿之藁街、然後羈留
虜使、責以無禮、徐興問罪之師。則三軍之士、不戰而氣自
倍。不然臣有赴東海而死耳。寧能處小朝廷求活耶。

十漸疏　魏徵

臣觀自古帝王、受圖定鼎、皆欲傳之萬代、貽厥孫謀、故其
垂拱巖廊、布政天下。其語道也、必先淳朴而抑浮華。其論
人也、必貴忠良而鄙邪佞。言制度也、則絕奢靡而崇儉約。
談物産也、則重穀帛而賤珍奇。然受命之初、皆遵之以成
治。稍安之後、多反之而敗俗。其故何哉。豈不以居万乘之
尊、有四海之富、出言而莫己逆、所爲而人必從。公道溺於
私情、禮節虧於嗜欲故也。語曰、非知之難、行之惟難。非行
之難、終之斯難。所言信矣」。伏惟陛下年甫弱冠、大拯横流、
削平區宇、肇開帝業。貞觀之初、時方克壯、抑損嗜欲、躬行
節儉。內外康寧、遂臻至治。論功則湯武不足方。語德則堯
舜未爲遠。臣自擢居左右、十有餘年。每侍帷幄、屢奉明旨。
常許仁義之道、守之而不失。儉約之志、終始而不渝。一言
興邦、斯之謂也。德音在耳、敢忘之乎。而頃年已來、稍乖曩
志。敦朴之理、漸不克終。謹以所聞、列之如左」。陛下貞觀之
初、無爲無欲。清靜之化、遠被遐荒。考之於今、其風漸墜。聽

言則遠超於上聖、論事則未踰於中主。何以言之。漢文晉
武、俱非上哲。漢文辭千里之馬、晉武焚雉頭之裘。今則求
駿馬於万里、市珍奇於域外、取怪於道路。見輕於戎狄。此
其漸不克終一也」。昔子貢問理人於孔子。孔子曰、懍乎若
朽索之馭六馬。子貢曰、何其畏哉。子曰、不以道導之、則吾
讐也。若何其無畏。故書曰、民惟邦本、本固邦寧。爲人上者、
奈何不敬。陛下貞觀之始、視人如傷。恤其勤勞、愛民猶子。
每存簡約、無所營爲。頃年已來、意在奢縱。忽忘卑儉、輕用
人力。乃云、百姓無事則驕逸、勞役則易使。自古以來、未有
由百姓逸樂而致傾敗者也。何有逆畏其驕逸、而故欲勞
役者哉。恐非興邦之至言。豈安人之長算。此其漸不克終

二也」。陛下貞觀之初、損已以利物。至於今日、縱欲以勞人、卑儉之迹歲改、驕侈之情日異。雖憂人之言、不絕於口、而樂身之事、實切於心。或時欲有所營。慮人致諫、乃云、若不為此、不便我身。人臣之情、何可復爭。此直意在杜諫者之口。豈曰擇善而行者乎。此其漸不克終三也」。立身成敗、在於所染。蘭芷鮑魚、與之俱化。愼乎所習、不可不思。陛下貞觀之初、砥礪名節、不私於物、唯善是與。親愛君子、疏斥小人。今則不然。輕褻小人、禮重君子。重君子也、敬而遠之。輕小人也、狎而近之。近之則不見其非。遠之則莫知其是。莫知其是、則不間而自疏。不見其非、則有時而自昵。昵近小人、非致理之道。疏遠君子、豈興邦之義。此其漸不克終四

也」。書曰、不作無益、害有益、功乃成。不貴異物、賤用物、人乃足。犬馬非其土性、不畜。珍禽奇獸、弗育於國。陛下貞觀之初、動遵堯舜。捐金抵璧、反朴還淳。頃年以來、好尚奇異難得之貨、無遠不臻。珍玩之作、無時能止。上好奢靡、而望下敦朴、未之有也。末作滋興、而求豐實、其不可得亦已明矣。此其漸不克終五也」。貞觀之初、求賢如渴、善人所舉、信而任之、取其所長、恒恐不及。近歲已來、由心好惡、或衆善舉而用之、或一人毀而棄之。或積年任而用之、或一朝疑而遠之。夫行有素履。事有成跡。所毀之人、未必可信於所舉。積年之行、不應頓失於一朝。君子之懷、蹈仁義而弘大德。小人之性、好讒佞以為身謀。陛下不審察其根源、而輕為

之臧否。是使守道者日疏、干求者日進。所以人思苟免、莫能盡力。此其漸不克終六也」。陛下初登大位、高居深視、事惟清靜。心無嗜欲、內除畢弋之物、外絕畋獵之源。數載之後、不能固志。雖無十旬之逸、或過三驅之禮、遂使盤遊之娛。見譏於百姓、鷹犬之貢、遠及於四夷。或時教習之處、道路遙遠、侵晨而出、入夜方還、以馳騁為歡。莫慮不虞之變、事之不測。其可救乎。此其漸不克終七也」。孔子曰、君使臣以禮、臣事君以忠。然則君之待臣、義不可薄。陛下初踐大位、敬以接下。君恩下流、臣情上達、咸思竭力、心無所隱。頃年以來、多所忽略。或外官充使、奏事入朝、思覩闕庭、將陳所見。欲言則顏色不接、欲請又恩禮不加。間因所短、詰其

細過。雖有聰辯之略、莫能申其忠款、而望上下同心、君臣交泰。不亦難乎。此其漸不克終八也」。傲不可長。欲不可縱。樂不可極。志不可滿。四者前王所以致福。通賢以為深誡。陛下貞觀之初、孜孜不怠、屈己從人。恒若不足。頃年已來、微有矜放。恃功業之大、意蔑前王、負聖智之明、心輕當代。此傲之長也。欲有所為、皆取遂意。縱或抑情從諫、終是不能忘懷。此欲之縱也。志在嬉遊、情無厭倦。雖未全妨政事、不復專心治道。此樂將極也。率土乂安、四夷款服、仍遠勞士馬、問罪遐裔。此志將滿也。親狎者阿旨、而不肯言。疏遠者畏威、而莫敢諫。積而不已、將虧聖德。此其漸不克終九也」。昔陶唐成湯之時、非無災患、而稱其聖德者、以其有始

有怨、無爲無欲、遇災則極其憂勤、時安則不驕不逸故也。貞觀之初、頻年霜旱、畿内戸口、竝就關外。攜負老幼、來往數千、曾無一戸逃亡。一人怨苦、此誠由識陛下矜育之懷。所以至死無攜貳。頃年已來、疲於徭役、關中之人、勞弊尤甚。雜匠之徒、下日悉留和雇、正兵之輩、上番多別驅使。和市之物、不絶於郷閭。遞送之夫、相繼於道路。既有所弊、易爲驚擾、脱因水旱、穀麥不收、恐百姓之心、不能如前日之寧帖。此其漸不克終十也。」臣聞禍福無門、唯人所召。人無釁焉、妖不妄作。伏惟陛下統天御寓、十有三年。道洽寰中、威加海外。年穀豐稔、禮教聿興、比屋踰於可封、菽粟同於水火。暨乎今歲、天災流行、炎氣致旱、乃遠被於郡國。凶醜作孽、忽近起於轂下。夫天何言哉。垂象示誡、斯誠陛下驚懼之辰、憂勤之日也。若見誡而懼、擇善而從、同周文之小心、追殷湯之罪己、前王所以致理者、勤而行之。今時所以敗徳者、思而改之、與物更新、易人視聽、則寶祚無疆、普天幸甚。何禍敗之有乎。然則社稷安危、國家理亂、在於一人而已。當今太平之基、既崇極天之峻。九仞之積、猶虧一簣之功。千載休期、時難再得。明主可爲而不爲、微臣所以鬱結而長歎者也。臣誠愚鄙、不達事機。略擧所見十條、輒以上聞聖聽。伏願陛下採臣狂瞽之言、參以芻蕘之議。冀千慮一得、衮職有補、則死日生年、甘從斧鉞。

審勢　蘇洵

治天下者、定所尚。所尚一定、至於千萬年而不變。使民之耳目、純於一、而子孫有所守。易以爲治。故三代聖人、其後世遠者至七八百年。夫豈惟其民之不忘其功、以至於是。蓋其子孫得其祖宗之法、而爲依據、可以永久。夏之尚忠、商之尚質、周之尚文。視天下之所宜尚、而固執之。以此而始、以此而終。不朝文而暮質、以自潰亂。故聖人者出、必先定一代之所尚。周之世、蓋有周公、爲之制禮。而天下遂尚文。後世有賈誼者、説漢文帝、亦欲先定制度。而其説不果用。」今者天下幸方治安、子孫萬世帝王之計、不可不預定於此時。然萬世帝王之計、常先定所尚。使其子孫、可以安坐而守其舊。至於政弊、然後變其小節。而其大體、卒不可革易。故享世長遠、而民不苟簡。今也考之於朝野之間、以觀國家之所尚者。而愚猶有惑也。何則天下之勢有強弱。聖人審其勢、而應之以權。勢強矣。強甚而不已則折。勢弱矣。弱甚而不已則屈。聖人權之、而使其甚不至於折與屈者、威與惠也。夫強甚者、威竭而不振。弱甚者、惠褻而下不以爲徳。故處弱者利用威。而處強者利用惠。乘強之威以行惠、則惠尊。乘弱之惠以養威、則威發而天下震慄。故威與惠者、所以裁節天下強弱之勢也。然而不知強弱之勢者、有殺人之威、而下不懼。有生人之惠、而下不喜。何者威竭而惠褻故也。故有天下者、必先審知天下之勢、而後可與言用威惠。不先審知其勢、而徒曰我能用威、我能用惠者、

未也。故有強而益之以威、弱而益之以惠、以至於折與屈者、是可悼也」譬之一人身、將欲飲藥餌石以養其生。必先審觀其性之爲陰、其性之爲陽、而投之以藥石。藥石之陽、而投之以陰。藥石之陰、而投之以陽。故陰不至於涸、而陽不至於亢。苟不能先審觀已之爲陰、與已之爲陽、而以陰攻陰、以陽攻陽。則陰者固死於陰。而陽者固死於陽。不可救也。是以善養身者、先審其陰陽。而善制天下者、先審其強弱、以爲之謀」昔者周有天下、諸侯大盛。當其盛時、大者已有地五百里。而畿内反不過千里。其勢爲弱。秦有天下、散爲郡縣、聚爲京師。守令無大權柄、伸縮進退、無不在我。其勢爲彊。然方其成康在上、諸侯無小大、莫不臣伏。

弱之勢未見於外。及其後世失德、而諸侯禽奔獸遯、各固其國、以相侵伐。而其上之人、卒不悟、區區守姑息之道、而望其能以制服強國。是謂以弱政濟弱勢。故周之天下、卒斃於弱」秦自孝公、其勢固已駸駸焉、日趨於彊大。及其子孫、已幷天下、而亦不悟。專任法制、以斬撻平民。是謂以彊政濟彊勢。故秦之天下、卒斃於強。周拘於惠、而不知權。秦勇於威、而不知本。二者皆不審天下之勢也」吾宋制治、有縣令、有郡守、有轉運使、以大系小、絲牽繩聯、總合於上。雖其地在萬里外、方數千里、擁兵百萬、而天子一呼於殿陛間、三尺豎子、馳傳捧詔、召而歸之京師、則解印趨走、惟恐不及。如此之勢、秦之所恃以強之勢也。勢強矣。然天下之

病常病於弱。噫有可強之勢如秦、而反陷於弱者何也。習於惠而怯於威也。惠太甚而威不勝也。夫所以習於惠、而惠太甚者、賞數而加於無功也。怯於威不勝者、刑弛而兵不振也。由賞與刑與兵之不得其道。是以有弱之實著於外焉。何謂弱之實、曰官吏曠惰、職廢不舉。而敗官之罰、不加嚴也。多贖數赦、不問有罪、而典刑之禁、不能行也。冗兵驕狂、負力幸賞、而維持姑息之恩、不敢節也。將帥覆軍、匹馬不返、而敗軍之責、不加重也。羌胡彊盛、陵壓中國。而邀金繒、增幣帛之耻、不爲怒也。若此類者、太弱之實也。久而不治、則又將有大於此、而遂浸微浸消、釋然而潰、以至於不可救止者乘之矣」然愚以爲、弱在於政不在於勢。是謂

以弱政敗彊勢。今夫一輿薪之火、衆人之所憚而不敢犯者也。擧而投之河、則何熱之能爲。是以負強秦之勢、而溺於弱周之弊。而天下不知其彊焉者、以此也。雖然政之弱、非若勢弱之難治也。借如弱周之勢、必變易其諸侯、而後彊可能也。天下之諸侯、周未易變易。此又非一日之故也。若夫弱政、則用威而已矣。可以朝改而夕定也」夫齊古之彊國也。而威王、又齊之賢王也。當其即位、委政不治。諸侯並侵、而人不知其國之爲彊國也。一旦發怒裂萬家、封即墨大夫、召烹阿大夫、與常譽阿大夫者。而發兵擊趙魏衛。趙魏衛盡走請和。而齊國人人震懼、不敢飾非者、彼誠知其政之弱、而能用其威、以濟其弱也。況今以天子之尊、藉

郡縣之勢、言脫於口、而四方響應。其所以用威之資、固以完具。且有天下者患不爲焉。有爲焉而不可者。今誠能一留意於用威、一賞罰、一號令、一擧動、無不一切出於威。嚴用刑法、而不赦有罪、力行果斷、而不牽衆人之是非、用不測之刑、用不測之賞、而使天下之人、視之如風雨雷電、遽然而至、截然而下、不知其所從發、而不可逃遁。朝廷如此、然後平民益務檢愼、而奸民猾吏、亦常恐恐然、懼刑法之及其身。而斂其手足、不敢輒犯法。此之謂強政。政強矣。爲之數年、而天下之勢、可以復強。愚故曰、乘弱之患以養威、則威發而天下震慄。然則以當今之勢、求所謂萬世爲帝王、而其大體卒不可革易者。其尚威而已矣。或曰、當今之

世、事誠無便於尙威者。然孰知夫萬世之間、其政之不變、而必曰威耶。愚應之曰、威者君之所恃以爲君也。一日而無威、是無君也。久而政弊、變其小節、而參之以惠、使不至若秦之甚可也。擧而棄之過矣。或者又曰、王者任德不任刑、任刑霸者之事、非所宜言。此又非所謂知理者也。夫湯武皆王也。桓文皆霸也。武王乘紂之暴、出民於炮烙斬刖之地。苟又遂多殺人、多刑人以爲治、則民之心去矣。故其治一出於禮義。彼湯則不然。桀之惡固無以異紂。然其刑不若紂暴之甚也。而天下之民、化其風、淫惰不事法度。書曰、有衆率怠弗協。而又諸侯昆吾氏首爲亂。於是誅鋤其強梗怠惰不法之人、以定紛亂。故記曰、商人先罰而後賞。

至於桓文之事、則又非皆任刑也。桓公用管仲。管仲之書、好言刑。故桓公之治常任刑。文公長者、其佐狐趙先魏、皆不說以刑法。其治亦未嘗以刑爲本。而號亦爲霸。而謂湯非王、而文非霸也得乎。故用刑不必霸、而用德不必王。各觀其勢之何所宜用而已。然則今之勢、何爲不可用刑。用刑何爲不曰王道。彼不先審天下之勢、而欲應天下之務難矣。

審敵　　蘇洵

中國內也。四夷外也。憂在內者本也。憂在外者末也。夫天下無內憂、必有外懼。本旣固矣、盍釋其末以息肩乎。曰未也。古者夷狄憂在外、今者夷狄憂在內。釋其末可也。而愚不識方今夷狄之憂爲末也。古者夷狄之勢、大弱則臣、小

弱則遁。大盛則侵、小盛則掠。吾兵良而食足、將賢而士勇、則患不在中原。如是而曰外憂可也。今之蠻夷、姑無望其臣與遁、求其志止於侵掠、而不可得也。北胡驕恣、爲日久矣。歲邀金繒、以數十萬計。昔者幸吾有西羌之變、出不遜語、以撼中國。天子不忍使邊民重困於鋒鏑。是以虜日益驕、而賄日益增。迨今凡數十百萬、而猶慊然未滿其欲、視中國如外府然。則其勢又將不止數十百萬也。夫賄益多、則賦斂不得不重。賦斂重、則民不得不殘。故雖名爲息民、而其實愛其死、而殘其生也。名爲外憂、而其實憂在內也。外憂之不去、聖人猶且耻之。內憂而不爲之計、愚不知天下之所以久安、而無變也。古者匈奴之強、不過冒頓。當暴

秦刻剝、劉項戰奪之後、中國溘然矣。以今度之、彼宜遂入踐中原、如決大河、潰蟻壤。然卒不能越其疆、以有吾尺寸之地。何則中原之疆、固皆百倍於匈奴。雖積衰新造、而猶足以制之也。五代之際、中原無君。晉塘苟一時之利、以子行事匈奴、割幽燕之地、以資其強大。孺子繼立、大臣外叛、匈奴掃境來寇。兵不血刃、而京師不守、天下被其禍。匈奴自是始有輕中原之心。以爲可得而取矣。及吾宋景德中、大舉來寇。章聖皇帝一戰而却之、遂與之盟以和。」夫人之情勝則狃。狃則敗。敗則懲。懲則勝。匈奴狃石晉之勝、而有景德之敗。懲景德之敗、而愚未知其所勝。甚可懼也。雖然數十年之間、能以無大變者何也。匈奴之謀、必曰、我百戰而勝人、人雖屈而我亦勞。馳一介入中國、以形凌之、以勢邀之、歲得金錢數十百萬如此。數十歲我益數百千萬、而中國損數百千萬。吾日以富、中國日以貧。然後足以有爲也。」天生北狄、謂之犬戎。投骨於地、狺然而爭者、犬之常也。今則不然。邊境之上、豈無可乘之釁。使之來寇、大足以奪一郡、小亦足以殺掠數千人。而彼不以動其心者、此其志非小也。將以蓄其銳、而伺吾隙、以伸其所大欲。故不忍以小利、而敗其遠謀。古人有言曰、爲虺弗摧、爲蛇奈何。匈奴之勢、日長炎炎。今也柔而養之、以冀其卒無大變、其亦惑矣。」且今中國之所以竭生民之力、以奉其所欲、而猶恐恐焉、懷一物之不稱其意者、非謂中國之力、不足以支其怒

耶。然以愚度之、當今中國、雖萬無有如石晉可乘之勢者、匈奴之力、雖足以犯邊、然今十數年間、吾可以必無犯邊之憂何也。非畏吾也。其志不止犯邊也。其志不止犯邊。而力又未足以成其所欲爲、則其心惟恐吾之一旦絕其好、以失吾之厚賂也。然而驕傲不肯少屈者何也。其意曰、邀之而後固也。鷙鳥將擊、必匿其形。昔者冒頓欲以攻漢、漢使至、輒匿其壯士健馬。故兵法曰、辭卑者進也。辭強者退也。今匈奴之君臣、莫不張形勢以夸我。此其志不欲戰明矣。闔閭之入楚也、因唐蔡。句踐之入吳也、因齊晉。匈奴誠欲與吾戰耶。曩者陝西有元昊之叛、河朔有王則之變、嶺南有智高之亂。此亦可乘之勢矣。然終以不動、則其志之不欲戰、又明矣。吁彼不欲戰、而我遂不與戰、則彼既得其志矣。兵法曰、用其所欲、行其所能、廢其所不能。於敵反是。今無乃與此異乎。且匈奴之力、既未足以伸其所大欲。而奪一郡、殺掠數千人之利、彼又不以動其心、則我勿賂而已。勿賂而彼以爲辭、則對曰、爾無功於吾、歲欲吾賂、吾有戰而已。賂不可得也。雖然天下之人必曰、此愚人之計也。天下孰不知賂之爲害、而勿賂之爲利。顧勢不可耳。」愚以爲不然。當今夷狄之勢、如漢七國之勢。昔者高祖、急於滅項籍。故舉數千里之地、以王諸將。項籍死。天下定、而諸將之地、因遂不可削。當是時、非劉氏而王者八國。高祖懼其且爲變。故大封吳楚齊趙同姓之國、以制之。既而信越布綰、

皆誅死、而呉楚齊趙之強、反無以制。當是時、諸侯王雖名
爲臣、而其實莫不有帝制之心。膠東膠西濟南、又從而和
之。於是擅爵人、赦死罪戴黄屋。刺客公行、匕首交於京師。
罪至彰也。勢至逼也。然當時之人、猶且徜徉容與、若不足
慮。月不圖歳、朝不計夕、循循而摩之、煦煦而吹之。幸而無
大變、以及於孝景之世。有謀臣、曰鼂錯。始議削諸侯地、以
損其權。天下皆曰、諸侯必且反。錯曰固也。削亦反、不削亦
反。削之則反疾而禍小。不削則反遲而禍大。吾懼其不及
今反也。天下皆曰、鼂錯愚。吁七國之禍、期於不免。與其發
於遠而禍大、不若發於近而禍小。以小禍易大禍、雖三尺
童子、皆知其當然。而其所以不與錯者、彼皆不知其勢將

有遠禍、與知其勢將有遠禍、而度已不及、見謂可以寄之
後人、以苟免吾身者也。然則錯爲一身謀則愚、而爲天下
謀則智。人君又安可捨天下之謀、而用一身之謀哉」。今者
匈奴之強、不減於七國。而天下之人、又用當時之議、因循
維持、以至於今。方且以爲無事。而愚以爲、天下之大計、不
如勿賂。勿賂則變疾、而禍小。賂之則變遲、而禍大。畏其疾
也、不若畏其大。樂其遲也、不若樂其小。天下之勢、如坐弊
船之中、駸駸乎將入於深淵。不及其尚淺也、舍之而求所
以自生之道、而以濡足爲解者、是固夫覆溺之道也」。聖人
除患於未萌、然後能轉禍而爲福。今也不幸養之以至此。
而近憂小患、又憚而不決、則是遠憂大患、終不可去也」。赤

壁之戰、惟周瑜呂蒙知其勝。伐呉之役、惟羊祜張華以爲
是。然則宏遠深切之謀、固不能合庸人之意。此鼂錯所以
爲愚也。雖然錯之謀、猶有遺憾。何者、錯知七國必反、而不
爲備反之計。山東變起、而關内騷動。今者匈奴之禍、又不
若七國之難制。七國反、中原半爲敵國。匈奴叛、中國以全
制其後。此又易爲謀也」。然則謀之奈何、曰匈奴之計不過
三。一曰聲、二曰形、三曰實。匈奴謂中國怯久矣。以吾爲終
不敢與之抗。且其心常欲固前好而得厚賂、以養其力。今
也遽絶之、彼必曰戰而勝、不如坐而得賂之爲利也。華人
怯。吾可以先聲脅之。彼將復賂我。於是宣言於遠近、我將
以某日圍某所、以某日攻某處。如此謂之聲。命邊郡休士

卒、偃旗鼓、寂然若不聞其聲。聲既不能動、則彼之計、將出
於形。除道葺棘、多爲疑兵、以臨吾城。如此謂之形。深溝固
壘、清野以待、寂然若不見其形。形又不能動、則技止此矣。
將遂練兵秣馬、以出於實。實而與之戰。破之易耳。彼之計、
必先出於聲與形、而後出於實者、出、於聲與形。期我懼而
以重賂請和也。出於實不得已而與我戰、以幸一時之勝
也。夫勇者可以施之於、怯不可以施之於智。今夫叫呼跳
踉、以氣先者、世之所謂善鬭者也。雖然蓄全力以待之、則
未始不勝。彼叫呼者聲也。跳踉者形也。無以待之、則聲與
形者、亦足以乘人於卒。不然、徒自弊其力於無用之地、是
以不能勝也」。韓許公節度宣武軍。李師古忌公嚴整、使來

告曰、吾將假道伐滑。公曰、爾能越吾界爲盜耶。有以相待、無爲虛言。滑帥告急。公使謂曰、吾在此、公安無恐。或告除道翦棘、兵且至矣。公曰、兵來不除道也。師古詐窮遷延以適。愚故曰、彼計出於聲與形而不能動、則技止此矣。與之戰破之易耳。方今匈奴之君、有內難、新立。意其心易與。鄰國之難、霸王之資也。且天與不取、將受其弊。賈誼曰、大國之王、幼弱未壯。漢之所置傅相方握其事。數年之後、大抵皆冠、血氣方剛。漢之傅相、以病而賜罷。當是之時、而欲爲安。雖堯舜不能。嗚呼是七國之勢也。

張中丞傳後敍　韓愈

元和二年四月十三日夜、愈與吳郡張籍、閱家中舊書、得

李翰所爲張巡傳。翰以文章自名。爲此傳頗詳密。然尚恨有闕者。不爲許遠立傳。又不載雷萬春事首尾。遠雖材若不及巡者、開門納巡、位本在巡上、授之柄、而處其下、無所疑忌、竟與巡俱守死、成功名。城陷而虜、與巡死先後異耳。兩家子弟材智下、不能通知二父志。以爲巡死而遠就虜、疑畏死、而辭服於賊。遠誠畏死、何苦守尺寸之地、食其所愛之肉、以與賊抗而不降乎。當其圍守時、外無蚍蜉蟻子之援、所欲忠者國與主耳。而賊語以國亡主滅。遠見救援不至而賊來益衆、必以其言爲信。外無待而猶死守、人相食且盡。雖愚人亦能數日而知死處矣。遠之不畏死亦明矣。烏有城壞其徒俱死、獨蒙媿恥求活。雖至愚者不忍爲。

嗚呼而謂遠之賢而爲之邪。說者又謂、遠與巡分城而守。城之陷、自遠所分始。以此詬遠。此又與兒童之見無異。人之將死、其臟腑必有先受其病者。引繩而絕之、其絕必有處。觀者見其然從而尤之。其亦不達於理矣。小人之好議論、不樂成人之美如是哉。如巡遠之所成就、如此卓卓、猶不得免。其他則又何說。當二公之初守也、寧能知人之卒不救、棄城而逆遁。苟此不能守、雖避之他處何益。及其無救而且窮也、將其創殘餓羸之餘、雖欲去、必不達。二公之賢、其講之精矣。守一城捍天下、以千百就盡之卒、戰百萬日滋之師。蔽遮江淮、沮遏其勢。天下之不亡、其誰之功也。當是時、棄城而圖存者、不可一二數。擅強兵、坐而觀者相

環也。不追議此、而責二公以死守。亦見其自比於逆亂、設淫辭、而助之攻也。愈嘗從事於汴徐二府、屢道於兩府間、親祭於其所謂雙廟者。其老人往往說巡遠時事云。南霽雲之乞救於賀蘭也、賀蘭嫉巡遠之聲威功績出己上、不肯出師救。愛霽雲之勇且壯、不聽其語、強留之、具食與樂、延霽雲坐。霽雲慷慨語曰、雲來時、睢陽之人不食月餘日矣。雲雖欲獨食、義不忍。雖食且不下咽。因拔所佩刀、斷一指。血淋漓、以示賀蘭。一座大驚、皆感激爲雲泣下。雲知賀蘭終無爲雲出師意、卽馳去。將出城、抽矢射佛寺浮圖。矢著其上甎半箭、曰、吾歸破賊必滅賀蘭。此矢所以志也。愈貞元中過泗州、船上人猶指以相語。城陷賊以刃脅降巡。

巡不屈。即牽去將斬之。又降霽雲。雲未應。巡呼雲曰、南八、男兒死耳。不可爲不義屈。雲笑曰、欲將以有爲也。公有言、雲敢不死。即不屈。」張籍曰、有于嵩者、少依於巡。及巡起事、嵩常在圍中。籍大曆中、於和州烏江縣見嵩。嵩時年六十餘矣。以巡初嘗得臨渙縣尉。好學無所不讀。籍時尚小、粗問巡遠事、不能細也。云巡長七尺餘、鬚髯若神。嘗見嵩讀漢書。謂嵩曰、何爲久讀此。嵩曰、未熟也。巡曰、吾於書讀不過三遍、終身不忘也。因誦嵩所讀書、盡卷不錯一字。嵩驚以爲巡偶熟此卷。因亂抽他帙以試、無不盡然。嵩又取架上諸書、試以問巡。巡應口誦無疑。嵩從巡久、亦不見巡常讀書也。爲文章、操紙筆立書、未嘗起草。初守睢陽時、士卒僅萬人。城中居人、戶亦且數萬。巡因一見問姓名、其後無不識者。巡怒鬚髯輒張。及城陷、賊縛巡等數十人坐。且將戮。巡起旋。其衆見巡起、或起或泣。巡曰、汝勿怖死命也。衆泣不能仰視。巡就戮時、顏色不亂、陽陽如平常。遠寬厚長者、貌如其心。與巡同年生、月日後於巡。呼巡爲兄。死時年四十九。嵩貞元初、死於亳宋間。或傳嵩有田、在亳宋間、武人奪而有之。嵩將詣州訟理、爲所殺。嵩無子。張籍云。

瀧岡阡表

歐陽修

嗚呼惟我皇考崇公、卜吉於瀧岡之六十年、其子修、始克表於其阡。非敢緩也。蓋有待也。」修不幸生四歲而孤。太夫人守節自誓。居貧自力於衣食、以長以教、俾至於成人。太夫人告之曰、汝父爲吏廉、而好施與、喜賓客。其俸祿雖薄、常不使有餘曰、毋以是爲我累。然其亡也、無一瓦之覆、一壠之植、以庇而爲生。吾何恃而能自守耶。吾於汝父、知其一二。以有待於汝也。自吾爲汝家婦、不及事吾姑。然知汝父之能養也。汝孤而幼、吾不能知汝之必有立。然知汝父之必將有後也。吾之始歸也、汝父免於母喪方逾年。歲時祭祀、則必涕泣曰、祭而豐、不如養之薄也。間御酒食、則又涕泣曰、昔常不足而今有餘、其何及也。吾始一二見之、以爲新免於喪適然耳。既而其後常然。至其終身、未嘗不然。吾雖不及事姑、而以此知汝父之能養也。汝父爲吏、嘗夜燭治官書、屢廢而歎。吾問之則曰、此死獄也。我求其生不

得爾。吾曰生可求乎。曰求其生而不得、則死者與我皆無恨也。矧求而有得耶。以其有得、則知不求而死者有恨也。夫常求其生、猶失之死、而世常求其死也。回顧乳者抱汝而立於旁、因指而歎曰、術者謂、我歲行在戌將死。使其言然、吾不及見兒之立也。後當以我語告之。其平居教他子弟、常用此語。吾耳熟焉。故能詳也。其施於外事、吾不能知。其居於家、無所矜飾。而所爲如此。是眞發於中者耶。嗚呼其心厚於仁者耶。此吾知汝父之必將有後也。汝其勉之。夫養不必豐、要於孝。利雖不得博於物、要其心之厚於仁。吾不能教汝。此汝父之志也。修泣而志之不敢忘。先公少孤力學。咸平三年、進士及第。爲道州判官、泗綿二州推官。

又爲泰州判官。享年五十有九。葬沙溪之瀧岡。太夫人姓鄭氏、考諱德儀、世爲江南名族。太夫人恭儉仁愛、而有禮。初封福昌縣太君、進封樂安安康彭城三郡太君。自其家少微時、治其家以儉約。其後常不使過之曰、吾兒不能苟合於世。儉薄所以居患難也。其後修貶夷陵、太夫人言笑自若曰、汝家故貧賤也。吾處之有素矣。汝能安之。吾亦安矣。自先公之亡二十年。修始得祿而養。又十有二年、列官於朝。始得贈封其親。又十年、修爲龍圖閣直學士、尚書吏部郎中、留守南京。太夫人以疾終於官舍。享年七十有二。又八年、修以非才入副樞密。遂參政事。又七年而罷。自登二府、天子推恩、褒其三世。蓋自嘉祐以來、逢國大慶、必加寵錫。皇曾祖府君、累贈金紫光祿大夫太師中書令。曾祖妣、累封楚國太夫人。皇祖府君、累贈金紫光祿大夫、太師中書令、兼尚書令。祖妣、累封吳國太夫人、皇考崇公累贈金紫光祿大夫、太師中書令、兼尚書令。皇妣累封越國太夫人。今上初郊、皇考賜爵爲崇國公。太夫人進號魏國。於是小子修、泣而言曰、嗚呼爲善無不報、而遲速有時。此理之常也。惟我祖考積善成德。宜享其隆。雖不克有於其躬、而賜爵受封、顯榮褒大、實有三朝之錫命。是足以表見於後世、而庇賴其子孫矣。乃列其世譜、具刻於碑。既又載我皇考崇公之遺訓、太夫人之所以教、而有待於修者、並揭於阡、俾知夫小子修之德薄、能鮮、遭時竊位、而幸全大節、

不辱其先者、其來有自。熙寧三年歲次庚戌、四月辛酉朔十有五日乙亥、男推誠保德崇仁翊戴功臣、觀文殿學士、特進行兵部尚書、知青州軍州事、兼管內勸農使、充京東東路安撫使、上柱國樂安郡開國公、食邑四千三百戶、實封一千二百戶修表。

潮州韓文公廟碑　　蘇軾

匹夫而爲百世師、一言而爲天下法。是皆有以參天地之化、關盛衰之運。其生也有自來。其逝也有所爲。故申呂自嶽降、而傅說爲列星。古今所傳不可誣也。孟子曰、我善養吾浩然之氣。是氣也寓於尋常之中、而塞乎天地之間、卒然遇之、則王公失其貴、晉楚失其富、良平失其智、賁育失其勇、儀秦失其辯。是孰使之然哉。其必有不依形而立、不恃力而行、不恃生而存、不隨死而亡者矣。故在天爲星辰、在地爲河嶽。幽則爲鬼神、而明則復爲人。此理之常、無足怪者。自東漢以來、道喪文弊、異端並起。歷唐貞觀開元之盛、輔以房杜姚宋、而不能救。獨韓文公起布衣、談笑而麾之、天下靡然從公、復歸於正。蓋三百年於此矣。文起八代之衰、道濟天下之溺、忠犯人主之怒、而勇奪三軍之帥。此豈非參天地關盛衰、浩然而獨存者乎。蓋嘗論天人之辯、以謂人無所不至、惟天不容僞。智可以欺王公、不可以欺豚魚。力可以得天下、不可以得匹夫匹婦之心。故公之精誠、能開衡山之雲、而不能回憲宗之惑。能馴鱷魚之暴、而

不能弭皇甫鎛李逢吉之謗、能信乎南海之民、廟食百世而不能使其身一日安於朝廷之上。蓋公之所能者天也。所不能者人也。始潮人未知學、公命進士趙德爲之師。自是潮之士、皆篤於文行。延及齊民、至於今號稱易治。信乎孔子之言、君子學道則愛人、而小人學道則易使也。潮人之事公也、飮食必祭、水旱疾疫凡有求必禱焉。而廟在刺史公堂之後。民以出入爲艱。前太守欲請諸朝作新廟。不果。元祐五年、朝散郎王君滌、來守是邦。凡所以養士治民者、一以公爲師。民旣悅服。則出令曰、願新公廟者聽。民懽趨之。卜地於州城之南七里。期年而廟成。或曰、公去國萬里而謫於潮、不能一歲而歸。沒而有知、其不眷戀於潮也

審矣。軾曰不然。公之神在天下者、如水之在地中。無所往而不在也。而潮人獨信之深、思之至。焄蒿悽愴、若或見之。辟如鑿井得泉、而曰水專在是。豈理也哉。元豐元年、詔封公昌黎伯。故榜曰昌黎伯韓文公之廟。潮人請書其事於石。因作詩以遺之。使歌以祀公。其辭曰、

公昔騎龍白雲鄕。手抉雲漢分天章。天孫爲織雲錦裳。飄然乘風來帝旁。下與濁世掃粃糠。西游咸池略扶桑。草木衣被昭回光。追逐李杜參翺翔。汗流籍湜走且僵。滅沒倒景不得望。作書詆佛譏君王。要觀南海窺衡湘。歷舜九疑弔英皇。祝融先驅海若藏。約束鮫鱷如驅羊。鈞天無人帝悲傷。謳吟下招遣巫陽。犦牲雞卜羞我觴。於粲荔丹與蕉黄。公不少留我涕滂。翩然被髮下大荒。

柳子厚墓誌銘　韓　愈

子厚諱宗元、七世祖慶、爲拓跋魏侍中、封濟陰侯。曾伯祖奭、爲唐宰相、與褚遂良韓瑗、俱得罪武后、死高宗朝。皇考諱鎭、以事母棄太常博士、求爲縣令江南。其後以不能媚權貴、失御史。權貴人死、乃復拜侍御史。號爲剛直。所與游皆當世名人。子厚少精敏、無不通達。逮其父時、雖少年已自成人。能取進士第、嶄然見頭角。衆謂柳氏有子矣。其後以博學宏詞、授集賢殿正字。儁傑廉悍、議論證據今古、出入經史百子、踔厲風發、率常屈其座人。名聲大振。一時皆慕與之交。諸公要人、爭欲令出我門下。交口薦譽之。貞元

十九年、由藍田尉拜監察御史。順宗卽位、拜禮部員外郎。遇用事者得罪、例出爲刺史。未至、又例貶永州司馬。居閒益自刻苦、務記覽爲詞章、汎濫停蓄、爲深博無涯涘。而自肆於山水閒。元和中嘗例召至京師。又偕出爲刺史。而子厚得柳州。旣至歎曰、是豈不足爲政邪。因其土俗、爲設教禁。州人順賴。其俗以男女質錢、約不時贖、子本相侔、則沒爲奴婢。子厚與設方計、悉令贖歸。其尤貧力不能者、令書其傭、足相當、則使歸其質。觀察使下其法於他州。比一歲免而歸者且千人。衡湘以南、爲進士者、皆以子厚爲師。其經承子厚口講指畫、爲文詞者、悉有法度可觀。其召至京師、而復爲刺史也、中山劉夢得禹錫、亦在遣中。當詣播州。

子厚泣曰、播州非人所居。而夢得親在堂、吾不忍夢得之窮、無辭以白其大人。且萬無母子俱往理。請於朝、將拜疏願以柳易播。雖重得罪死不恨。遇有以夢得事白上者。夢得於是改刺連州。嗚呼士窮乃見節義。今夫平居里巷相慕悅、酒食游戯相徵逐、詡々強笑語、以相取下、握手出肺肝相示、指天日涕泣、誓生死不相背負。眞若可信、一旦臨小利害、僅如毛髮比、反眼若不相識、落陷穽不一引手救、反擠之又下石焉者、皆是也。此宜禽獸夷狄所不忍爲。而其人自視以爲得計。聞子厚之風、亦可以少愧矣。子厚前時少年、勇於爲人、不自貴重顧藉、謂功業可立就。故坐廢退。既退又無相知有氣力得位者推挽。故卒死於窮裔、材

不爲世用。道不行於時也。使子厚在臺省時、自持其身、已能如司馬刺史時、亦自不斥。斥時有人力能擧之。且必復用不窮。然子厚斥不久、窮不極、雖有出於人、其文學辭章、必不能自力以致必傳於後、如今無疑也。雖使子厚得所願、爲將相於一時、以彼易此、孰得孰失、必有能辨之者。子厚以元和十四年十一月八日卒。年四十七、以十五年七月十日、歸葬萬年先人墓側。子厚有子男二人。長曰周六始四歲、季曰周七。子厚卒乃生。女子二人、皆幼。其得歸葬也、費皆出觀察使河東裴君行立。行立有節概。重然諾。與子厚結交。子厚亦爲之盡。竟賴其力葬子厚於萬年之墓者、舅弟盧遵。遵涿人、性謹順。學問不厭。自子厚之斥、遵從而家焉。逮其死不去。既往葬子厚、又將經紀其家。庶幾有始終者。銘曰。

是惟子厚之室。既固既安。以利其嗣人。

弔古戰場文　李華

浩浩乎平沙無垠、敻不見人。河水縈帶、群山糾紛、黯兮慘悴、風悲日曛、蓬斷草枯、凜若霜晨。鳥飛不下、獸挺亡群。亭長告余曰、此古戰場也。常覆三軍、往往鬼哭。天陰則聞。傷心哉。秦歟漢歟將近代歟。吾聞夫齊魏徭戍、荊韓召募、萬里奔走、連年暴露。沙草晨牧、河冰夜渡、地濶天長、不知歸路。寄身鋒刃、腷臆誰訴。秦漢而還、多事四夷、中州耗斁、無世無之。古稱戎夏、不抗王師。文教失宜、武臣用奇。奇兵有

異於仁義。王道迂濶而莫爲。嗚呼噫嘻、吾想夫北風振漠、胡兵伺便、主將驕敵、期門受戰。野竪旄旗、川迴組練。法重心駭、威尊命賤。利鏃穿骨、驚沙入面。主客相搏、山川震眩。聲析江河、勢崩雷電。至若窮陰凝閉、凜冽海隅。積雪沒脛、堅冰在鬚、鷙鳥休巢、征馬踟躕。繒纊無温、墮指裂膚。當此苦寒、天假強胡、憑陵殺氣、以相剪屠。徑截輜重、橫攻士卒。都尉新降、將軍復沒。屍填巨港之岸、血滿長城之窟。無貴無賤、同爲枯骨。可勝言哉。鼓衰兮力盡、矢竭兮弦絕、白刃交兮寶刀折、兩軍蹙兮生死決。降矣哉、終身夷狄。戰矣哉、暴骨沙礫。鳥無聲兮山寂寂。夜正長兮風淅淅。魂魄結兮天沈沈。鬼神聚兮雲冪冪。日光寒兮草短、月色苦兮霜白。

傷心慘目、有如是耶」。吾聞之、牧用趙卒、大破林胡、開地千里。遁逃匈奴。漢傾天下、財彈力痡、任人而已。其在多乎。周逐玁狁、北至太原。既城朔方、全師而還、飲至策勳、和樂且閑。穆穆棣棣、君臣之間。秦起長城、竟海爲關、荼毒生靈、萬里朱殷。漢擊匈奴、雖得陰山、枕骸遍野、功不補患。蒼蒼蒸民、誰無父母、提攜捧負、畏其不壽。誰無兄弟、如足如手。誰無夫婦、如賓如友。生也何恩、殺之何咎。其存其沒、家莫聞知、人或有言、將信將疑。悁悁心目、寤寐見之、布奠傾觴、哭望天涯。天地爲愁、草木淒悲。弔祭不至、精魂無依。必有凶年、人其流離。嗚呼噫嘻、時耶命耶、從古如斯、爲之奈何。守在四夷。

鱷魚文　韓愈

維年月日、潮州刺史韓愈、使軍事衙推秦濟、以羊一豬一、投惡谿之潭水、以與鱷魚食。而告之曰、昔先王既有天下、烈山澤、罔繩擉刃、以除蟲蛇惡物、爲民害者、驅而出之四海之外。及後王德薄、不能遠有、則江漢之間、尚皆棄之、以與蠻夷楚越。況潮嶺海之間、去京師萬里哉。鱷魚之涵淹卵育於此、亦固其所。今天子嗣唐位、神聖慈武、四海之外、六合之內、皆撫而有之、況禹跡所揜、揚州之近地、刺史縣令之所治、出貢賦、以供天地宗廟百神之祀之壤者哉。鱷魚其不可與刺史雜處此土也。刺史受天子命、守此土治此民。而鱷魚睅然、不安谿潭。據處食民畜熊豕鹿麞、以肥其身、以種其子孫。與刺史抗拒、爭爲長雄。刺史雖駑弱、亦安肯爲鱷魚低首下心、伈伈睍睍、爲民吏羞、以偷活於此邪」。且承天子命、以來爲吏、固其勢不得不與鱷魚辯。鱷魚有知、其聽刺史言。潮之州大海在其南、鯨鵬之大、蝦蟹之細、無不容歸。以生以食、鱷魚朝發而夕至也。今與鱷魚約。盡三日、其率醜類、南徙於海、以避天子之命吏。三日不能至五日。五日不能、至七日。七日不能、是終不肯徙也。是不有刺史、聽從其言也。不然則是鱷魚冥頑不靈、刺史雖有言、不聞不知也。夫傲天子之命吏、不聽其言、不徙以避之、與冥頑不靈而爲民物害者、皆可殺。刺史則選材技吏民、操強弓毒矢、以與鱷魚從事。必盡殺乃止、其無悔。

幽懷賦　李翺

朋友有相歎者、賦幽懷以答之、其辭曰。衆囂囂而雜處兮、咸嗟老而羞卑。視予心之不然兮、慮行道之猶非。儻中懷之自得兮、終老死其何悲。昔孔門之多賢兮、惟回也爲庶幾。超羣情以獨去兮、指聖域而高追、固簞食與瓢飲兮、寧服輕而駕肥。望若人其何如兮、慙吾德之纖微。躬不田而飽食兮、妻不織而豐衣、援聖賢而比度兮、何僥倖之能希、念所懷之未展兮、非悼己而陳私。自祿山之始兵兮、歲周甲而未夷、何神堯之郡縣兮。乃家傳而自持、稅生人而育卒兮、列高城以相維、何茲世之可久兮、宜永念而遐思。有三苗之逆命兮、舞干羽以來之、惟刑德

之既修兮、無遠邇而咸歸。當高祖之初起矣、提一旅之羸師、能順天而用衆兮、竟掃寇而戡隨。況天子之神明矣、有烈祖之前規、剗弊政而還本兮、如反掌之易爲。皆廟堂之治得兮、何下邑之能違。哀予生之賤遠兮、包深懷而告誰。嗟此誠之不達兮、惜此道而無遺、獨中夜以潸歎兮、匪吾憂之所宜。

阿房宮賦

杜牧之

六王畢、四海一。蜀山兀、阿房出。覆壓三百餘里、隔離天日。驪山北構而西折、直走咸陽。二川溶溶、流入宮牆。五步一樓、十步一閣。廊腰縵廻、簷牙高啄。各抱地勢、鉤心鬪角。盤盤焉、囷囷焉、蜂房水渦、矗不知其幾千萬落。長橋臥波、未

雲何龍。複道行空、不霽何虹。高低冥迷、不知西東。歌臺暖響、春光融融。舞殿冷袖、風雨淒淒。一日之內、一宮之間、而氣候不齊。妃嬪媵嬙、王子皇孫、辭樓下殿、輦來于秦。朝歌夜絃、爲秦宮人。明星熒熒、開粧鏡也。綠雲擾擾、梳曉鬟也。渭流漲膩、棄脂水也。烟斜霧橫、焚椒蘭也。雷霆乍驚、宮車過也。轆轆遠聽、杳不知其所之也。一肌一容、盡態極妍。縵立遠視、而望幸焉。有不得見者三十六年。燕趙之收藏、韓魏之經營、齊楚之精英、幾世幾年、取掠其人、倚疊如山。一旦不能有、輸來其間。鼎鐺玉石、金塊珠礫、棄擲邐迤。秦人視之、亦不甚惜。嗟乎、一人之心、千萬人之心也。秦愛紛奢、人亦念其家。奈何取之盡錙銖、用之如泥沙。使負棟之柱、多於南畝之農夫。架梁之椽、多於機上之工女。釘頭磷磷、多於在庾之粟粒。瓦縫參差、多於周身之帛縷。直欄橫檻、多於九土之城郭。管絃嘔啞、多於市人之言語。使天下之人、不敢言而敢怒。獨夫之心、日益驕固。戍卒叫、函谷擧。楚人一炬、可憐焦土。嗚呼、滅六國者六國也、非秦也。族秦者秦也、非天下也。嗟夫、使六國各愛其人、則足以拒秦。秦復愛六國之人、則遞三世可至萬世而爲君。誰得而族滅也。秦人不暇自哀、而後人哀之。後人哀之而不鑑之、亦使後人而復哀後人也。

中等漢文讀本卷之十 終

(自一巻至五巻)明治三十一年三月十一日印刷
明治三十一年三月十四日發行
(自六巻至十巻)明治三十一年七月四日印刷
明治三十一年七月七日發行

版權所有

編者　東京市本郷區元町二丁目六十六番地　遊佐誠甫
編者　東京市本郷區菊坂町七十五番地　冨永岩太郎
發行兼印刷者　東京市日本橋區通旅籠町十一番地　小林八郎
印刷所　東京市麹町區内幸町一丁目五番地　集英堂活版所

中等漢文讀本

定價	
一巻金貳拾錢	二巻金貳拾錢
三巻金貳拾三錢	四巻金貳拾三錢
五巻金貳拾三錢	六巻金貳拾三錢
七巻金貳拾五錢	八巻金貳拾五錢
九巻金貳拾五錢	十巻金貳拾五錢

發兌書肆　株式會社集英堂　東京市日本橋區通旅籠町十一番地
大賣捌所　各府縣下書肆

編集復刻版 明治漢文教科書集成
補集Ⅱ 模索期の教科書編
（第11巻～第13巻・別冊1）

2018年11月30日 第1刷発行
揃定価（本体84、000円＋税）

編・解説者 木村 淳
発行者 小林淳子
発行所 不二出版株式会社
東京都文京区水道2-10-10
TEL 03（5981）6704
印刷所 富士リプロ
製本所 青木製本

乱丁・落丁はお取り替えいたします。

第11巻 ISBN978-4-8350-8167-0
補集Ⅱ（全4冊 分売不可 セットISBN978-4-8350-8166-3）